Μεθοδίου Γ. Φούγια Μητροπολίτου Πισιδίας
Πρ. ΑΡΧΙΕΠΙΣΚΟΠΟΥ ΘΥΑΤΕΙΡΩΝ
ΚΑΙ ΜΕΓΑΛΗΣ ΒΡΕΤΑΝΝΙΑΣ

ΘΕΟΛΟΓΙΚΑΙ ΚΑΙ ΙΣΤΟΡΙΚΑΙ ΜΕΛΕΤΑΙ

ΕΠΙΛΟΓΗ ΚΡΙΤΙΚΩΝ ΚΑΙ ΑΠΟΨΕΩΝ ΣΤΙΣ ΕΡΓΑΣΙΕΣ ΜΟΥ

ΤΟΜΟΣ ΔΕΚΑΤΟΣ ΕΚΤΟΣ

ΑΘΗΝΑΙ, 2002

THEOLOGICAL AND HISTORICAL STUDIES

By
METHODIOS G. FOUYAS
METROPOLITAN OF PISIDIA
FORMERLY ARCHIBISHOP OF THYATEIRA
AND GREAT BRITAIN

A SELECTION OF REVIEWS AND ASPECTS OF HIS WRITINGS AND EDITIONS

Vol. XVI

ATHENS, 2002

Ἀφιεροῦται

στόν Θεόδωρον Γ. Σπυρόπουλον

Πρόεδρον τοῦ Ἑλληνοαμερικανικοῦ ἐθνικοῦ Συμβουλίου καί

τοῦ Πανελληνιστικοῦ Ὀργανισμοῦ «Παλίντροπος Ἁρμονία»

καί στούς εὐεργέτες

Ἀλέκο καί Ἀντώνη Β. Γεωργιάδη,

Λεωνίδα καί Εἰρήνη Λῶ

εὐγνωμόνως ὁ συγγραφέας.

H ΙΕΡΑ CΥΝΟΔΟC

ΤΗC ΕΚΚΛΗCΙΑC ΤΗC ΕΛΛΑΔΟC

ΙΩΑΝΝΟΥ ΓΕΝΝΑΔΙΟΥ 14 (115 21)

ΑΡΙΘΜ. ΠΡΩΤ. 4307
ΔΙΕΚΠ. 2042

ΑΘΗΝΗΣΙ ΤΗ 12η Δεκεμβρίου 2001

Πρός
Τόν Σεβασμιώτατον Μητροπολίτην
Πισιδίας κ. Μεθόδιον.
(Διά τοῦ Οἰκουμενικοῦ Πατριαρχείου).

Σεβασμιώτατε ἐν Χριστῷ ἀδελφέ,

Ἡ Ἱερά Σύνοδος τῆς Ἐκκλησίας τῆς Ἑλλάδος, πληροφορηθεῖσα πάνυ ἀσμένως τήν ὑμετέραν συμβολήν εἰς τήν ἔκδοσιν τοῦ πολυσυλλεκτικοῦ τόμου *«Παῦλος, ὁ Πρῶτος μετά τόν Ἕνα»*, πρός τιμήν τοῦ Ἱδρυτοῦ τῆς Ἁγιωτάτης Ἀποστολικῆς Ἐκκλησίας τῆς Ἑλλάδος, οὐρανοβάμονος, πανευφήμου καί πρωτοκορυφαίου Ἀποστόλου Παύλου, ἤχθη εἰς τήν ἀπόφασιν, ὅπως ἐκφράση ὑμῖν τάς ὁλοθύμους Αὐτῆς εὐχαριστίας καί συγχαρῆ ὑμῖν διά τό περισπούδαστον τῆς μελέτης ὑμῶν.

Ἡ ὑμετέρα αὕτη μελέτη, ἔχουσα ὡς θέμα : «Ὁ Ἀπόστολος Παῦλος καί τό Ἑλληνικό ἀθλητικό ἰδεῶδες», ἐκέντρισεν τό ἐνδιαφέρον πάντων ἡμῶν, τοῦτο μέν ἕνεκα τοῦ ἀξιολόγου θέματος, ὅ ἐπελέγη πρός ἀνάπτυξιν, τοῦτο δέ ἕνεκα τοῦ ἐμπεριστατωμένου τρόπου καί τοῦ ἐπιστημονικοῦ λόγου, δι' οὗ διεξήλθετε τοῦτο.

ΙΕΡΑ ΣΥΝΟΔΟΣ ΤΗΣ ΕΚΚΛΗΣΙΑΣ ΤΗΣ ΕΛΛΑΔΟΣ

Διά τοῦ ὑμετέρου κειμένου, ὅ ἔσχεν τήν σφραγῖδα τῆς προσωπικῆς πολυμεροῦς καί διεπιστημονικῆς καταρτίσεως, τῆς ἐμβριθοῦς μελέτης, τῆς γνώσεως τῶν συγχρόνων θεμάτων καί θέσεων, πρό παντός δέ τῆς στερρᾶς προσηλώσεως εἰς τήν Θεολογίαν τῆς Ἁγίας ἡμῶν Ὀρθοδόξου Πίστεως, ἐσημάνατε λίαν ἐπιτυχῶς τήν μορφήν τοῦ Ἀποστόλου Παύλου, τοῦ *«τῆς Ἐκκλησίας φυτουργοῦ, τοῦ περιελθόντος γῆν καί θάλασσαν, τοῦ ἀνασπάσαντος τάς ἀκάνθας τῶν ἁμαρτιῶν, τοῦ καταβαλόντος τά σπέρματα τῆς εὐσεβείας, τοῦ δυνατωτέρου τῶν Βασιλέων, τοῦ εὐπορωτέρου τῶν πλουσίων, τοῦ ἰσχυροτέρου τῶν στρατιωτῶν, τοῦ φιλοσοφωτέρου τῶν φιλοσόφων, τοῦ εὐγλωττοτέρου τῶν ῥητόρων»* (Ἰωάννης Χρυσόστομος).

Ὅθεν, χάριν ἔχοντες, συγχαίρομεν ὑμῖν καί κατασπαζόμενοι τήν ὑμετέραν Σεβασμιότητα ἐν Κυρίῳ, διατελοῦμεν μετ' ἀγάπης.

† Ὁ Ἀθηνῶν Χριστόδουλος, πρόεδρος

Ὁ Ἀρχιγραμματεύς.

† Ὁ Σαλώνων Θεολόγος.

2. Ὁ ἀείμνηστος Πάπας καί Πατριάρχης Ἀλεξανδρείας καί Πάσης Ἀφρικῆς Νικόλαος ΣΤ′ εἰς ὅν ὀφείλεται ἡ θεία χάριτι προαγωγή μου εἰς Μητροπολίτην Ἀξώμης.

Πρόλογος

Ἡ μικρή συλλογή τῶν Βιβλιοκρισιῶν καί τῶν Ἐπιστολῶν, οἱ ὁποῖες δημοσιεύονται στόν τόμο τοῦτον, ἀποτελεῖ ἔκφραση εὐχαριστιῶν καί αἰσθημάτων εὐγνωμοσύνης πρός τούς ἀνθρώπους τῆς Ἐκκλησίας, τῆς Πολιτείας, τῆς Ἐπιστήμης, τῆς Δημοσιογραφίας καί γενικά τοῦ Πνεύματος, οἱ ὁποῖοι παρακολούθησαν, ἐξετίμησαν καί ἔγραψαν πολλά κολακευτικά λόγια γιά τό συγγραφικό καί ἐκδοτικό μου ἔργο. Ἐκτός ἀπ' αὐτούς εἶναι καί ἐκεῖνοι οἱ ὁποῖοι στήριξαν οἰκονομικά γιά τήν ἔκδοση τῶν 44 τόμων τῶν Περιοδικῶν ΕΚΚΛΗΣΙΑΣΤΙΚΟΣ ΦΑΡΟΣ, ABBA SALAMA, ΕΚΚΛΗΣΙΑ ΚΑΙ ΘΕΟΛΟΓΙΑ καί TEXTS AND STUDIES, ἀλλά καί γιά τήν ταχυδρομική ἀποστολή τους σέ ἑκατοντάδες, γιά κάθε τόμο, παραλῆπτες ἐπιστήμονες, πνευματικά Ἱδρύματα, Βιβλιοθῆκες, Ἀρχιερεῖς, Καρδιναλίους καί πολλούς ἄλλους πού μέ μεγάλο ἐνδιαφέρον ζητοῦσαν αὐτά.

Ὅλοι αὐτοί ἄς δεχθοῦν τήν ἔκφραση τῆς βαθειᾶς εὐγνωμοσύνης μου, ἀφοῦ στήν δική τους συμπαράσταση ὀφείλεται ἡ ὑλοποίηση τῶν σχεδιασμῶν καί προγραμμάτων μου. Ἄς εἶναι αἰωνία ἡ μνήμη ἐκείνων πού ἤδη ἔφυγαν ἀπό τή ζωή αὐτή. Πάντων δέ, ζώντων καί τεθνεώτων, τά ὀνόματα προβάλλονται σέ κάθε ἔκδοση τῶν ἀνωτέρω ἔργων. Ἡ προσωπική μου θέληση καί ἡ ἀνυστερόβουλη ὑποστήριξη αὐτῶν δέν περιῆλθαν στά δίκτυα τῶν φθονερῶν καί μνησικάκων, εὐτυχῶς ὀλίγων, καιροσκόπων.

Ἀλλ' ὑπάρχει καί μιά ἄλλη ὁμάδα ἐπιφανῶν ἀνδρῶν, στούς ὁποίους ὀφείλω εὐγνωμοσύνη. Εἶναι οἱ συνεργάτες μου, οἱ ὁποῖοι δέν ἀπουσιάζουν σέ κάθε ἔκδοση.

Σκέπτομαι μήπως πρέπει νά συντάξω κι' ἐγώ ἕνα WHO'S WHO περί ὅλων αὐτῶν; Μήπως πρέπει νά συμπεριλάβω σ' αὐτό κι' ἐκείνους οἱ ὁποῖοι κρυφά καί φανερά ἀντιτάχθηκαν στό ἔργο μου, ἀλλά πού ἡ ἀντίδρασή τους αὐτή μέ ἔκανε πιό δυνατό στόν ἀγώνα μου καί μήπως αὐτή μέ κατέστησε πιό αἰσιόδοξο στή ζωή μου; Σίγουρα αὐτό ἦταν τό ξυπνητήρι σέ ὅλη τή ζωή μου, ὅτι κάποιοι ἤθελαν νά μέ βροῦν στόν ὕπνο.

Καί τώρα ἔρχομαι στήν παρουσίαση τοῦ χαρακτήρα τῶν περιεχομένων τοῦ τόμου τούτου. Εἶναι ἕνας τόμος μέ ποικίλη ὕλη. Παρουσιάζει καί προβάλλει, φυσικά, τό συγγραφικό μου ἔργο. Προδίδει τό ἐνδιαφέρον γιά τό πνευματικό μου ἔργο ἀπό τόσους καί ἐπιφανεῖς ἀνθρώπους. Ἀκόμη, ἐκπροσωπεῖ πολλούς ἄλλους, οἱ ὁποῖοι μοῦ ἔγραψαν γιά νά χαρακτηρίσουν αὐτό καί γιά νά τό προμηθευθοῦν γιά τίς βιβλιοθῆκες, τά ἱδρύματα καί τά πνευματικά τους κέντρα. Γι' αὐτό, χωρίς ἰδιαίτερη ἀναφορά σ' αὐτούς καί σ' αὐτά, περιλαμβάνω στήν ἔκδοση αὐτή ἁπλές βεβαιώσεις Καρδιναλίων καί Βιβλιοθηκῶν ὅτι παρέλαβαν ἤ ὅτι ἐνδιαφέρονται νά τούς ἀποσταλοῦν οἱ ἐκδόσεις μου. Ἀπό τό ἄλλο μέρος, χωρίς νά τό ἀποσιωπῶ, φανερώνω τήν ἔκταση τῆς κυκλοφορίας τῶν ἐκδόσεών μου στήν Εὐρώπη, στή Μέση Ἀνατολή καί στήν Ἀμερική. Πάντα αὐτά, φυσικά, ὄχι χωρίς σκοπιμότητα.

Μέ τήν ἔκδοση καί τοῦ τόμου τούτου, καθιστῶ εὐκολώτερη τή σύνταξη καί τήν παρουσίαση τοῦ προσωπικοῦ μου ἱστορήματος: «Στό πέρασμα τοῦ Χρόνου - Δράση καί Ἐμπειρίες».

Ὅσο κι' ἄν φανεῖ περίεργο στόν ἀναγνώστη, τό περιεχόμενο τοῦ τόμου τούτου καμμιά σχέση δέν μπορεῖ νά ἔχει μέ κάποια προσωπική μου φιλοδοξία. Εἶναι μιά ἀποτίμηση ἐκείνων πού εἶδαν μέ προσοχή, ἀλλά καί μέ ἰδιαίτερη ἱκανοποίηση, τά πνευματικά προϊόντα ἑνός ἀνθρώπου, τόν ὁποῖο μνησίκακοι καί φθονεροί συνάνθρωποι, γιά κάμποσο χρόνο συνέκδημοι στήν ἐκκλησιαστική διακονία, πίστεψαν ὅτι οἱ πράξεις τους θά ἔκοβαν τά χέρια ἤ θά ἔσβηναν τήν ὄρεξη καί θά ἔφραζαν τό δρόμο, τόν ὁποῖο ἐπί μία καί πλέον 50ετία τόν βαδίζει, παρά τίς ὅποιες δυσχέρειες, χωρίς στάσεις ἤ πισωγυρίσματα. Ἅπαξ καί ὁ σπόρος ἔπεσε δέν θά ἦταν δυνατό νά χαθεῖ, ἀλλά θά ἔφερνε καρπό πολύ.

Πολλά πού συνέβησαν στή ζωή τοῦ γράφοντος, ἐκτός ἀπό τήν κατεύθυνση πού σέ ὅλους μας δείχνει ἡ Θεία Πρόνοια, ἔχουν τήν προδιαγραφή τους πολύ νωρίς, ἀπό τίς μικρές ἡλικίες τῆς σχολικῆς ζωῆς. Στό Δημοτικό Σχολεῖο ὁ γράφων ἦταν ὁ Σημαιοφόρος του. Στό ἑξατάξιο, τότε, Γυμνάσιο ἦταν μεταξύ ἐκείνων τῶν ἐλαχίστων μαθητῶν πού ἀπαλλάσσονταν ἀπό τήν καταβολή διδάκτρων, λόγω ἀρίστης ἐπιδόσεως στά μαθήματα, ἀλλά καί στή διάκριση στό ἦθος.

Οἱ πανεπιστημιακές σπουδές τοῦ γράφοντος, οἱ ὁποῖες ἄρχισαν ἀμέσως μετά τή λήξη τοῦ Β΄ Παγκοσμίου Πολέμου, πραγματοποιήθηκαν ὑπό τό βάρος πολλῶν οἰκογενειακῶν ὑποχρεώσεων, οἰκονομικῶν ἐλλείψεων ἀλλά καί ὑποχρεώσεων πρός τήν Πατρίδα, τήν ὁποία ὑπηρέτησε ἐπί μία τετραετία, περιλαμβανομένης καί ἐκείνης τῆς Ἐθνικῆς Ἀντίστασης, γιά τήν ὁποία τό κόστος πού πλήρωσε ἦταν βαρύτατο καί κράτησε περισσότερο ἀπό τρεῖς δεκαετίες.

Οἱ ἀείμνηστοι καθηγητές μου, τούς ὁποίους δέν παύω νά μνημονεύω στήν Ἱερά Πρόθεση ὁσάκις ἱερουργῶ, Π. Τρεμπέλας, Ν. Λούβαρης, Ιω. Καρμίρης, Ἀμ. Ἀλιβιζάτος κ.ἄ. μέ περιέβαλαν μέ πατρική στοργή γιατί γνώριζαν ὑπό ποῖες συνθῆκες ἀντιμετώπιζα τίς πρός τή Θεολογική Σχολή ὑποχρεώσεις μου. Δείγματα τῆς ἀγάπης τους καί τῆς προσοχῆς τους πρός τόν νεαρό Διάκονο, τότε, καί Πρεσβύτερο, ἀργότερα, φέρουν οἱ στενές σχέσεις τους καί οἱ χρήσιμες συμβουλές τους πρός τόν γράφοντα ὁπουδήποτε διακονοῦσε τήν Ἐκκλησία, τά Γράμματα καί τό Ἔθνος.

Θά μπορούσαμε νά εἴπωμε, ὅτι ἡ ἰδιαίτερη ἐνασχόλησή μας μέ τά Γράμματα φέρει τά σημάδια τῆς διακονίας μας εἰς τό Μόναχο τῆς Γερμα-

νίας, ὅπου, ὄχι μόνο γιά μένα ἀλλά καί γιά πολλούς νεοέλληνες, ὑπῆρξε χῶρος πολλῶν εὐγενῶν προκλήσεων καί ἐκτάκτων ἐνθουσιασμῶν. Ἐκεῖ δέν περιορισθήκαμε μόνο στά καθήκοντα τοῦ ἐφημερίου, ἀλλ' ἐπιδιώξαμε καί τήν διεύρυνση τῶν ἱστορικῶν καί θεολογικῶν μας γνώσεων. Πρέπει νά ὁμολογήσουμε ὅτι, παρά τά ἐρείπια πού ἄφησε πίσω του ὁ Β' Παγκόσμιος Πόλεμος στή Γερμανία, τό Μόναχο, ἀκόμη σ' αὐτή τήν κατάσταση, δέν ἔπαυε γιά ἕνα Ἕλληνα νά εἶναι ἡ πύλη τῆς Ἑλλάδος πρός ὅλη τήν Εὐρώπη. Καί οἱ ἄλλες πόλεις τῆς Γερμανίας, ὅπου ὑπῆρχαν Ἑλληνικές Κοινότητες, ὅπως τό Βερολίνο, ἡ Στουττγάρδη, τό Ἀννόβερο, τίς ὁποῖες ἐπισκεπτόμουν συχνά, μέ τά πνευματικά τους ἱδρύματα καί τίς πλούσιες βιβλιοθῆκες τους, προκαλοῦσαν θαυμασμό συνάμα καί σεβασμό στόν ἐπισκέπτη, ἰδιαίτερα στόν Ἕλληνα, γιατί δέν εἶχαν ἁπλῶς κάτι, ἀλλά τούς θησαυρούς τῆς ἀρχαίας κλασσικῆς Γραμματείας σέ γερμανόφωνη σύνθεση. Ὅμως τό σύνολο τῆς Βαυαρίας προκαλοῦσε τήν ἐποχή ἐκείνη ἔντονο τό ἐνδιαφέρον γιά βασικές καί μεταπτυχιακές σπουδές πολλῶν Ἑλλήνων φοιτητῶν, οἱ ὁποῖοι ἔχουν διακριθεῖ στίς Ἐπιστῆμες καί στίς Τέχνες τόσο στό ἐσωτερικό τῆς Χώρας μας ὅσο καί στό Ἐξωτερικό.

Μέ ἕδρα τό Μόναχο, εἴχαμε τήν ἐφημεριακή εὐθύνη, ὡς Ἀρχιερατικός Ἐπίτροπος τοῦ Ἀρχιεπισκόπου Θυατείρων, ὅλων τῶν Ἑλληνικῶν Κοινοτήτων τῆς Γερμανίας (Βερολίνου, Νυρεμβέργης, Στουττγάρδης, κ.ἄ.) τίς ὁποῖες ἐπισκεπτόμουν συχνά. Αὐτές οἱ ὑποχρεώσεις μᾶς ἀνάγκασαν νά μή ὁλοκληρώσουμε τήν μετεκπαίδευσή μας στό Πανεπιστήμιο τοῦ Μονάχου, πού ἦταν κι' ἕνας ἀπό τά ἐνδιαφέροντά μας νά ὑπηρετήσουμε σέ Ἑλλ. Κοινότητα τῆς Γερμανίας. Αὐτό τό πετύχαμε ἀργότερα στό Πανεπιστήμιο τοῦ Μάντσεστερ (Μ. Βρεταννίας) μέ περισσότερη ἄνεση χρόνου καί ἐφημεριακῆς ἀπασχόλησης. Κατά καλή συγκυρία, ἐπόπτης καθηγητής στήν ἔρευνα πού ἔκανα γιά τήν ἀπόκτηση τοῦ Διδακτορικοῦ τίτλου (Ph.D.) ὁρίσθηκε ἀπό τήν Θεολογική Σχολή τοῦ ἐκεῖ Πανεπιστημίου ὁ μεγάλης φήμης θεολόγος, ἱστορικός καί νομοδιδάσκαλος Γερμανός A. EHRHARDT, τοῦ ὁποίου ἡ ἔντονη ἑλληνολατρεία καί ὁ σεβασμός του πρός τήν Ὀρθόδοξη Ἀνατολική Ἐκκλησία ἦταν περισσότερο ἀπό εἰλικρινής.

Οἱ εὐρεῖες ἁρμοδιότητες, πού μοῦ εἶχε ἀναθέσει στή Γερμανία ὁ ἀείμνηστος Ἀρχιεπίσκοπος Θυατείρων Ἀθηναγόρας (Καββάδας), μέ διευκόλυναν, ὥστε νά μπορῶ νά ἐπισκέπτωμαι τά πνευματικά ἱδρύματα ὅλων τῶν πόλεων τῆς Χώρας καί νά ἱκανοποιῶ πόθους γνωριμίας μέ τά προϊόντα τῆς γερμανικῆς διανόησης, τά ὁποία ἀπό τά πρῶτα χρόνια τοῦ νεώτερου Ἑλληνικοῦ Κράτους ἄρχισαν νά ἐπιδροῦν ποικιλοτρόπως στή διαμόρφωση τῆς σκέψης καί τῶν συστημάτων τῆς Ἑλληνικῆς Ἐκπαίδευσης.

Στό Μόναχο εἶχα τήν εὐκαιρία νά συναντῶ πολλές ἑλληνικές προσωπικότητες καί ἀνέπτυξα μαζί τους στενούς φιλικούς δεσμούς, οἱ ὁποῖοι συνεχίσθηκαν γιά πολλά χρόνια. Μέ πολλούς ἐπιζῶντες διατηρῶ ὥς σή-

μερα στενούς φιλικούς δεσμούς. Μεταξύ ἐκείνων πού ἀποτέλεσαν τόν στενό κύκλο τῶν φίλων μου ἦσαν οἱ Σπ. Βικάτος, ὁ ὁποῖος μέ τίμησε ἰδιαίτερα κάνοντας τήν προσωπογραφία μου ἡ ὁποία κυριαρχεῖ στό χῶρο τῆς βιβλιοθήκης μου, ἡ ὁποία προορίζεται γιά τόν ἀνεψιό μου Γιάννη (φέρει τό κατά κόσμον ὄνομά μου) καθηγητή Νευροχειροῦργο στή Μεγ. Βρεταννία, ὁ ἀείμνηστος Ν. Λούβαρης, ὁ ὁποῖος ὡς τόν θάνατό του μέ περιέβαλε μέ τήν ἀγάπη του, τά δέ γράμματά του πρός τό γράφοντα ἀποτελοῦν πολύτιμα κειμήλια στό ἀρχεῖο του· ὁ σεβαστός καθηγητής μου ἀείμνηστος Δ. Μπαλάνος, ὁ Χρ. Φραγκίσκας, ὁ Καθηγητής Γ. Ράμμος, ὁ διάσημος γλωσσολόγος Μ. Τριανταφυλλίδης, ὁ ἱστορικός Ἀπ. Βακαλόπουλος, ὁ παιδαγωγός καθηγητής Α. Τσοπανάκης, ὁ ἐπιστήθιος φίλος μου ἀείμνηστος Κων. Μουρατίδης καί πολλοί ἄλλοι.

Τήν ἐποχή τῆς μεταβιβάσεώς μου στό Μόναχο, ἀρχές τῆς δεκαετίας τοῦ 50, ἡ ἔξοδος ἑνός πτυχιούχου ἀπό τήν Ἑλλάδα ἔπρεπε νά ἔχει ὡς στόχο τήν διεύρυνση τῶν σπουδῶν. Γιά τόν λόγο αὐτό καί ἐκάναμε τήν ἐγγραφή μας στό Πανεπιστήμιο τοῦ Μονάχου καί παρακολουθήσαμε τίς παραδόσεις τῶν καθηγητῶν FRANZ DOELGER καί τοῦ PRIVAT-DOCENT ἀειμνήστου Πέτρου Ἰωάννου, μέ τόν ὁποῖο ἀναπτύξαμε φιλικούς δεσμούς, πού κράτησαν ὡς τόν ἀδόκητο θάνατό του συνεπεία αὐτοκινητιστικοῦ δυστυχήματος στή Ρώμη.

Ἐνῶ βρισκόμουν στό Μόναχο μοῦ δημιουργήθηκε ἡ ἐπιθυμία νά ἀσχοληθῶ μέ τήν συγγραφή. Τό πρῶτο θέμα πού ἐπέλεξα γιά ἐπεξεργασία ἦταν ὁ Ἰωάννης Φιλόπονος. Ἔγκαιρα, ὅμως, κατάλαβα ὅτι τό θέμα αὐτό γιά ἕνα πρωτόπειρο σπουδαστή ἦταν πολύ δύσκολο, γι' αὐτό καί τό ἐγκατέλειψα καί διάλεξα νά ἀσχοληθῶ μέ ἕνα ἄλλο Ἰωάννη, τόν Ἰωάννη Μαυρόποδα, Μητροπολίτη Εὐχαΐτων, ὑπό τήν καθοδήγηση τοῦ Ὑφηγητῆ HANS-GEORG BECK μέ τόν τίτλο JOHANNES MAUROPUS METROPOLITAN OF EUCHAITA (11ος αι.), τό ὁποῖο θά συναντήσουμε στό Οἰκεῖο μέρος τοῦ παρόντος. Τό ὄνομα Ἰωάννης, καί τό δικό μου κατά κόσμον ὄνομα, συνέχισε νά βρίσκεται πάντοτε μπροστά μου. Γιατί καί στό Πανεπιστήμιο τοῦ Μάντσεστερ (Μ. Βρεταννία) τό θέμα τῆς Διδακτορικῆς Διατριβῆς μου ἦταν ὁ Ἰωάννης Χρυσόστομος καί τό Κοινωνικό Μήνυμα τῶν Λόγων του, τούς ὁποίους ἐξεφώνησε ὡς Πρεσβύτερος στήν Ἀντιόχεια.

Μετά τήν ὄντως σημαντική ἐμπειρία μου στή Γερμανία ὡς Ἀρχιερατικοῦ Ἐπιτρόπου τοῦ λεβέντη (κατά τόν χαρακτηρισμό τοῦ Γέροντα Ἀρχιεπισκόπου Θυατείρων Ἀθηναγόρα Καββάδα) τό ἔτος 1954 κλήθηκα ἀπό τόν ἀείμνηστο Πατριάρχη Ἀλεξανδρείας Χριστοφόρο στήν Ἀλεξάνδρεια καί τήν ἑπομένη τῆς ἀφίξεώς μου μέ διόρισε Ἀρχιγραμματέα τῶν Πατριαρχείων καί τῆς Ἱερᾶς Συνόδου.

Οἱ δεσμοί μου μέ τόν παλαίφατο Ἀλεξανδρινό Θρόνο ἄρχισαν μέ τήν χειροτονία μου εἰς Διάκονο τό ἔτος 1947. Τότε ἐντάχθηκα στό Θρόνο μετά ἀπό ὑπόδειξη τοῦ Μεγάλου προστάτη μου ἀειμνήστου Ἀρχιεπισκόπου Ἀθηνῶν καί Πάσης Ἑλλάδος Δαμασκηνοῦ. Τόν Θρόνο τῆς Ἀλεξανδρείας τίμησα μέ τό ἔργο μου καί τόν σεβάστηκα πολύ περισσότερο ἀπό ἐκείνους πού περιέβαλαν τόν Π/ρχη Χριστοφόρο ὡς ἄλλα τρωκτικά τοῦ Θρόνου, κάνοντας ἀσφυκτικό κλοιό γύρω ἀπό τόν ὑπέργηρο καί ἀσθενῆ Πατριάρχη, ὥστε τά ἔνδοξα χρόνια τῆς ὑγιεινῆς ἀρχιερατείας του νά ἀμαυρωθοῦν ἀπό τήν ἀνεπάρκειά του στήν ἐκτέλεση τῶν καθηκόντων του, λόγω τῆς βαρειᾶς ἀσθένειάς του κατά τήν τελευταία 12ετία τῆς ζωῆς του.

Ἀπό τίς πρῶτες μέρες τῆς θητείας μου στήν Ἀλεξάνδρεια ἄρχισα νά δημοσιεύω ἐκτενῆ ἄρθρα ἱστορικοκανονικοῦ καί θεολογικοῦ περιεχομένου στό περιοδικό τοῦ Πατριαρχείου **Πάνταινος**, τοῦ ὁποίου Διευθυντής ἦταν ὁ ἐπιστήθιος φίλος μου Ἀρχιμ. Δωρόθεος Γιανναρόπουλος, μετέπειτα Μητροπολίτης Καστορίας καί στή συνέχεια Μητροπολίτης Ἀττικῆς.

Μετά διετῆ θητεία μου στήν Ἀρχιγραμματεία τοῦ Πατριαρχείου οἱ ἄνθρωποι πού ὁδηγοῦσαν τόν Θρόνο ἀπό τό κακό στό χειρότερο καί τόν Πατριάρχη ἄβουλο στίς ἀποφάσεις του, τόσο ἐγώ ὅσο καί ὁ ἀείμνηστος Δωρόθεος ἀναγκασθήκαμε νά ἔρθουμε στήν Ἀθήνα, οἱ δέ λοιποί συνεργάτες μας Ἀρχιμανδρίτες ἀπομακρύνθηκαν ὅλοι ἀπό τήν Αἴγυπτο. Τό ἴδιο καί οἱ Ἀρχιερεῖς. Ἀλλ' ὁ καλός Θεός ἀπέτρεψε τήν ὁλοσχερῆ παρακμή τοῦ Θρόνου μέ τήν ἄνοδο τοῦ ἀειμνήστου Νικολάου στό Θρόνο καί τοῦ σημερινοῦ Πατριάρχη Πέτρου, τοῦ ὁποίου τόσο τό νεαρό τῆς ἡλικίας, ὅσο καί ἡ μεγάλη πείρα του ἀπό τήν διακονία του σέ Κοινότητες καί Μητροπόλεις τοῦ Θρόνου, ἀλλά καί ἡ πανταχόθεν τεκηριούμενη πίστη του στήν ἀποστολή τῆς Ἐκκλησίας προοιωνίζονται καλύτερες ἡμέρες γιά τήν Ἐκκλησία μας στήν Ἀφρική.

Μετά διετῆ ἀπουσία ἀπό τό Θρόνο τῆς Ἐκκλησίας Ἀλεξανδρείας ὁ Πατριάρχης Χριστοφόρος κατάλαβε τίς πλεκτάνες ἐκείνων πού τίς ἐξύφαναν, γιά τά ὑλικά τους συμφέροντα καί τήν ἀνενόχλητη χλυδάτη ζωή τους, τίς σέ βάρος τῶν Ἀρχιμανδριτῶν (6 τόν ἀριθμό) κατηγορίας (ἐνῶ ἐνεργοῦσαν γιά τήν ἔγκαιρη ἐξυγίανση τῆς βεβαρημένης ἀτμόσφαιρας τῶν Πατριαρχείων) καί ἐκάλεσε πίσω τόν γράφοντα καί τόν τοποθέτησε, μέ σύμφωνη γνώμη καί τοῦ Μητροπολίτη Ἀξώμης Νικολάου, στήν Ἑλλ. Κοινότητα Ἀδδίς Ἀμπέμπας (Αἰθιοπία). Ὁ Χριστοφόρος ἐνέργησε μέ σκοπιμότητα στήν ἀπόφασή του αὐτή. Γιατί ὁ Νικόλαος δέν ἦταν ἕνας τυχαῖος Ἱεράρχης γιά ὅλη τήν Ἱεραρχία τῆς Ὀρθοδοξίας. Ἦταν ἕνας πρίγκηπας τῆς Ἐκκλησίας. Τόν διέκρινε ἡ σεμνότητα, ἡ σοβαρότητα, ἡ μεγάλη θεολογική του μόρφωση καί ἡ γνώση 6 γλωσσῶν, τίς ὁποῖες χειριζόταν ἄπταιστα. Τόν διέκρινε μιά εἰλικρίνεια στίς σχέσεις του καί μέ παρρησία διετύπωνε τήν γνώμη του παντοῦ. Ἀκόμη, ἕνα ἀπό τά διακριτικά του γνωρίσματα ἦταν ἡ ἀξιοκρατία του. Αὐτές οἱ ἀρετές του καί οἱ πνευματικές του ἱκανότητες τόν ἔκαναν νά ξεχωρίζει στήν Ἱεραρχία τοῦ Θρόνου, ἀλλά καί αὐτές τόν ἐμπόδισαν νά ἀνεβεῖ στή γέφυρα τοῦ πλοίου καί νά πάρει στά χέρια του τό πηδάλιο τῆς Ἀλεξανδρινῆς Ἐκκλησίας «Φθόνος γάρ οὐκ οἶδε, προτιμᾶν τό συμφέρον». Καί ὁ φθόνος ἦταν ἐκεῖνος πού τόν πλήγωσε θανάσιμα στό Κάϊρο, ὅταν πληροφορήθηκε ὅτι εἶχε χάσει κάθε ἐλπίδα γιά τήν ἄνοδο στό Θρόνο τοῦ Πατριαρχείου σέ διαδοχή τοῦ ἀειμνήστου Χριστοφόρου. Νεκρός μεταφέρθηκε στήν Ἀδδίς Ἀμπέμπα στήν δέ κηδεία του ἡ συρροή τοῦ κόσμου ἦταν πρωτοφανής. Ἀκόμη καί ὁ Αὐτοκράτορας Χαϊλέ Σελάσσιε ἦταν παρών καί συνόδευσε τήν σωρό του πεζῆ ὡς τό Νεκροταφεῖο. Ὁ γράφων ὑπῆρξε διάδοχος τοῦ Νικολάου στήν Μητρόπολη Ἀξώμης καί πρῶτό του μέλημα ἦταν νά ἐνδιαφερθεῖ γιά τήν κατασκευή μαρμάρινου μνημείου του. Ἄν δυνηθῶ θά ἐκδώσω πολλά ἀπό τό ἀρχεῖο του.

Κανείς δέν γνωρίζει ὅτι ὁ ἀείμνηστος Ἀρχιεπίσκοπος Ἀθηνῶν καί Πάσης Ἑλλάδος Ἱερώνυμος μπῆκε στόν ἱ. Κλῆρο μετά ἀπό προτροπή τοῦ Ἀξώμης Νικολάου. Οἱ δύο ἄνδρες, ὁ ἕνας Μητροπολίτης καί ὁ ἄλλος λαϊκός σπουδαστής στήν Ὀξφόρδη, συναντήθηκαν στό Λονδίνο καί τά εἶπαν ὡσάν νά ἦσαν παλαιοί γνώριμοι. Τότε ὁ Νικόλαος εἶπε στόν Ἱερώνυμο: «Θά εἶσαι πολύ χρήσιμος γιά τήν Ἐκκλησία. Πρέπει νά ἱερωθεῖς. Τέτοιους χρειάζεται ἡ Ἐκκλησία». Ἡ φήμη τοῦ Νικολάου ὡς σοβαροῦ καί σεμνοῦ Ἱεράρχη ἐντυπωσίασαν τόν Ἱερώνυμο καί τοῦ ἐνίσχυσαν τόν ζῆλο, τόν ὁποῖο ἤδη εἶχε, γιά νά ἱερωθεῖ.

Ἡ πρόβλεψη τοῦ Νικολάου βγῆκε ἀληθινή. Ὁ Ἱερώνυμος ἀναδείχθηκε καί μεγάλος ἐπιστήμονας ἀλλά καί Πρωθιεράρχης τῆς Ἑλλαδικῆς Ἐκκλησίας στήν ὥρα πού χρειαζόταν γιά νά γίνουν οἱ γνωστές τομές. Καί τά λέγει καί τά γράφει ὁ ὑποφαινόμενος, ὁ ὁποῖος γεύθηκε κάποιες ἀδικίες ἀπό τόν ἴδιο, ὅπως γράφω πιό κάτω, γιατί καί σ' αὐτόν τόν φωτισμένο Πρωθιεράρχη δέν ἀπουσίασαν οἱ κακοί δαίμονες, στῶν ὁποίων τίς κακόβουλες εἰσηγήσεις ὑπέκυψε καί πῆρε ἀποφάσεις πού ἔβλαψαν ὁρισμένους καλούς κληρικούς. Προσωπικά ἡ πικρία μου ἐκείνη δέν στάθηκε ἐμπόδιο νά δῶ τόν Ἀρχιεπίσκοπο Ἱερώνυμο στίς ὄντως μεγάλες διαστάσεις του. Τόν κάλεσα νά ἐπισκεφθεῖ ἐπίσημα τήν Ἀδδίς Ἀμπέμπα. Καί ἦρθε καί τιμήθηκε ἀπό τόν Αὐτοκράτορα Χαϊλέ Σελάσσιε, τήν Αἰθιοπική Ἐκκλησία καί τήν Ἑλληνική Ὁμογένεια. Ἀλλά καί στό Λονδίνο, ὅταν ἦρθε ἀσθενής, τόν περιποιήθηκα πολύ καί ὅταν ἐπέστρεψε στήν Ἀθήνα πάλι ἀσθένισε, ἀλλά δέν ἦρθε πάλι κοντά μου, γιατί, ὅπως εἶπε σέ κοινό μας φίλο, ὁ ὁποῖος τοῦ ὑπέδειξε νά ἔρθει πάλι στό Λονδίνο, «Δέν μπορῶ νά περιγράψω πόση ἀγάπη μοῦ ἔδειξε αὐτός ὁ Ἱεράρχης, τόν ὁποῖο κάποτε ἔβλαψα. Ἐκείνη μου ἡ πράξη βρίσκεται συνεχῶς μπροστά μου μαζί μέ τό μεγαλεῖο τῶν αἰσθημάτων του. Ντρέπομαι νά πάω πάλι ἐκεῖ». Τά λόγια του αὐτά μέ συγκινοῦν καί αὐτή τήν στιγμή, γιατί ὁ Ἱερώνυμος ἦταν μεγάλος ἄνθρωπος καί ἔπρεπε νά εἶχε πάρει τό πηδάλιο τῆς Ἑλληνικῆς

Ἐκκλησίας τουλάχιστον μετά τόν θάνατο τοῦ Ἀρχιεπισκόπου Σπυρίδωνος. Ἴσως ὁρισμένα λάθη του νά μήν ἦσαν ἄσχετα ἀπό τήν παραμονή του ἐπί δεκαετίες στά ἀζήτητα τῆς Ἐκκλησίας.

Τήν συγχώρηση πού ἔχω δείξει σέ ὅσους μέ ἐπίκραναν μοῦ τήν δίδαξαν πολλοί. Ἀλλ' ὁ πρῶτος διδάξας με ἦταν ὁ Μεγάλος προστάτης μου στά πρῶτα χρόνια τῆς ἱερατικῆς σταδιοδρομίας μου καί τῶν φοιτητικῶν μου χρόνων, ὁ ἀείμνηστος Ἀρχιεπίσκοπος Δαμασκηνός, ὁ ὁποῖος δοκίμασε πολλές καί μεγάλες πικρίες. Οἱ μεγάλοι κάνουν καί μεγάλα λάθη, ἀλλ' ἡ ἱστορία τούς κρίνει ἀπό τά μεγάλα κατορθώματά τους πρός τό Ἔθνος καί πρός τήν Ἐκκλησία. Ἀντίθετα τά μεγάλα λάθη τῶν μικρῶν ὅταν βρίσκονται σέ ὑψηλές καί ὑπεύθυνες θέσεις κρίνονται μόνο ἀπό τά λάθη τους.

Ὁ Μέγας Ἀθανάσιος, ὁ ι. Χρυσόστομος, ὁ ι. Φώτιος, ὁ Κύριλλος ὁ Λούκαρης, ὁ Ἰωακείμ ὁ Γ', ὁ Μελέτιος Μεταξάκης, ὁ Δαμασκηνός, ὁ Ἀθηναγόρας, ἀλλά καί ὁ Ἱερώνυμος, δέν ἄφησαν τίς καρδιές τους ἀνοικτές γιά νά περάσουν μέσα φθόνοι καί μίση οὔτε τίς ἔκλεισαν ἑρμητικά γιά νά μή βγαίνει ἔξω ἡ ἀγάπη τους.

Δέν εἶναι μόνο οἱ βίοι καί τά ἔργα αὐτῶν τῶν μεγάλων ἀνδρῶν τῆς Ἐκκλησίας μας πού ἐπέδρασαν στή διαμόρφωση τοῦ χαρακτήρα μου καί τῶν σταθερῶν ἀντιλήψεών μου, ἀλλά καί οἱ βίοι Μεγάλων ἀνδρῶν, ὅπως τῶν ὁπλαρχηγῶν τῆς Ἑλληνικῆς Ἐπαναστάσεως, τοῦ Θ. Κολοκοτρώνη, τοῦ Παπαφλέσσα, τοῦ Ἀνδρούτσου, τοῦ Καραϊσκάκη, τῶν Ὑψηλάντηδων, τοῦ Χαρ. Τρικούπη, τοῦ Ἐλ. Βενιζέλου, τοῦ Ἀλ. Παπαναστασίου, τοῦ Τσώρτσιλ, τοῦ Ντέ Γκώλ, τοῦ Ἀντενάουερ καί τοῦ Π. Νεχροῦ, τῶν ὁποίων τίς βιογραφίες καί τά ἀπομνημονεύματα μελέτησα προσεκτικά κατά τή δίχρονη διακονία μου στήν Ἑλλ. Κοινότητα τῆς Ἀδδίς Ἀμπέμπας καί ὡς Καθηγητής στά Σχολεῖα της.

Ἀπό τήν Ἀδδίς Ἀμπέμπα κλήθηκα τό δεύτερον ἀπό τόν ἀείμνηστο Ἀρχιεπίσκοπο Θυατείρων Ἀθηναγόρα (Καββάδα) νά διακονήσω στήν παλαίφατη Ἑλλ. Κοινότητα τοῦ Μάντσεστερ (Μ. Βρεταννία). Ἡ ἐπιστολή - πρόσκληση τοῦ σεμνοῦ αὐτοῦ Ἱεράρχη δέν μέ ἀφῆκε ἀσυγκίνητο, γιατί, καί κατά τήν πρώτη διακονία μου, ὑπό τήν πεπνυμένη καθοδήγησή του, ἐργάσθηκα πυρετωδῶς στήν ὀργάνωση τῆς Ἐκκλησίας μας στή Γερμανία. Ὅμως στό σχέδιο τοῦ Ἀθηναγόρα δέν ἦταν νά μείνω στό Μάντσεστερ, ἀλλά νά μέ τοποθετήσει στή Γερμανία ὅπου τά προβλήματα ἦσαν πολλά καί κατά τήν γνώμη του ἤμουνα ὁ πιό κατάλληλος νά τά ἐπιλύσω. Στό σχέδιό του, ὅπως μοῦ ἀποκάλυψε μόλις ἔφθασα στό Λονδίνο, ἦταν νά μέ κάνει Βοηθό του Ἐπίσκοπο γιά τήν Γερμανία. Κάτι πού ἀρνήθηκα καί ὡς θέμα συζήτησης. Ὁ σκοπός μου ἦταν νά κάνω ἔρευνα καί νά ἐκπονήσω διδακτορική διατριβή. Τελικά ὁ καλός ἐκεῖνος Ἱεράρχης δέν ἐπέμεινε καί ἔτσι ἔβαλα σέ ἐνέργεια τά σχέδιά μου καί τό ἔτος 1962 μέ τή διατριβή πού ὑπέβαλα στό Πανεπιστήμιο τοῦ Μάντσεστερ ἀξιώθηκα τοῦ τίτλου τοῦ Διδάκτορα τῆς Φιλοσοφίας. Ἀργότερα ὁ τίτλος τοῦ Διδάκτορα γιά τίς ἐπιστημονικές καί συγγραφικές μου ἐπιδόσεις μοῦ ἀπονεμήθηκε ἀπό τό Πανεπιστήμιο τοῦ Ἐδιμβούργου καί τήν Θεολογική Σχολή τῆς Βοστώνης. Ἐπίσης ἔγινα καί μέλος τῆς Διεθνοῦς Ἀκαδημίας τῶν Θρησκ. Ἐπιστημῶν τῶν Βρυξελλῶν.

Ὀφείλω νά δώσω μιά ἐξήγηση, χρήσιμη στούς νέους κληρικούς μας, γιά τήν ἐπιλογή μου νά ἀποκτήσω διδ. τίτλους καί νά καταπονηθῶ στήν ἔρευνα καί τή συγγραφή ἐπιστημονικῶν ἔργων, ἀλλά καί στήν ἵδρυση Ἐπιστημονικῶν Ἐπετηρίδων (ABBA SALAMA - Ἐπετ. Ἑλληνο-αἰθιοπικῶν Σπουδῶν, τόμοι 12. ΕΚΚΛΗΣΙΑ ΚΑΙ ΘΕΟΛΟΓΙΑ, τόμοι 12. TEXTS AND STUDIES, τόμοι 10, ΕΚΚΛΗΣΙΑΣΤΙΚΟΣ ΦΑΡΟΣ, τόμοι 11). Πρόκειται γιά ἕνα πεῖσμα πού μοῦ προξένησε ἡ ἀπόρριψη μιᾶς Διατριβῆς μου, τήν ὁποία ὑπέβαλα στήν Θεολογική Σχολή τοῦ Πανεπιστημίου Θεσσαλονίκης, ἡ ὁποία, ἐνῶ ἔγινε δεκτή ἀπό τόν εἰσηγητή Καθηγητή, τόν ἀείμνηστο Μητροπολίτη Νουβίας Ἄνθιμο, τό Σῶμα τῶν Καθηγητῶν τῆς Σχολῆς, μέ πρόταση τοῦ Καθηγητῆ Σ. Ἀγουρίδη, δέν τήν ἔκανε δεκτή.

Ἀργότερα, πληροφορήθηκα ἀπό τόν κ. Ἀγουρίδη τό λόγο τῆς ἄρνησής του καί ἐνῶ ὁ ἴδιος ἦταν φιλοξενούμενός μου στήν Μητρόπολη Ἀξώμης. Ὅ,τι ὅταν ἕνας ὑποψήφιος διδάκτορας ἔχει ὑψηλότερους στόχους ἀπό τήν ἀπόκτηση αὐτοῦ τοῦ τίτλου, τοῦ κλείναμε τόν δρόμο μέ τήν ἀπόρριψη τῆς Διατριβῆς. Μιά φιλική ἐπιστολή του πού μοῦ ἔστειλε ἀργότερα τήν δημοσίευσα στήν Δεκαετηρίδα.

Μ' αὐτά πού γράφω θέλω νά στείλω ἕνα μήνυμα στούς νέους κληρικούς πού ξεκινοῦν μέ κάποιες θεμιτές φιλοδοξίες. Νά μή ἔχουν ὡς στόχο μόνο τήν ἀνέλιξή τους στίς ὑψηλές βαθμίδες τῆς Ἱεραρχίας, ἀλλ' ἐκεῖνο πού δέν ἐξαρτᾶται ἀπό ἄλλους. Καί αὐτό εἶναι ἡ ἐντρύφησή τους, μέρα καί νύχτα, σέ σοβαρές θεολογικές μελέτες καί στήν ἱστορική ἔρευνα, γιατί ἡ ἱκανοποίηση πού θά δοκιμάσουν δέν πρόκειται κανείς οὔτε νά περιφρονήσει οὔτε νά ὑποβαθμίσει. Ἀλλά καί ὅταν πετύχουν νά ἀνεβοῦν ψηλά ἐκεῖνο πού θά ἀκτινοβολεῖ δέν θά εἶναι μόνο ἡ ἐξωτερική τους διακόσμηση, ἀλλά τό ἦθος καί τό πνευματικό τους κεφάλαιο. Τό μήνυμά μου αὐτό ἄς τό δεχθοῦν καί ὡς μιά εἰλικρινῆ εὐχή, νά ἔχουν τό ἀντίβαρο τοῦ ὑψηλοῦ ἤθους καί τοῦ ἀξιολόγου πνευματικοῦ κεφαλαίου στίς ὅποιες πικρίες θά ἤθελαν νά τούς ποτίσουν πρόσωπα καί θεσμικά ὄργανα εἴτε τῆς Ἐκκλησίας εἴτε τῆς Πολιτείας. Ἐκεῖνα πού ἀντέχουν στή φθορά τοῦ χρόνου καί τοῦ φθόνου εἶναι μόνο τό ἦθος καί ἡ Πνευματική συγκρότηση.

Στή συνέχεια δημοσιεύω τήν ἐπιστολή πρόσκληση τοῦ ἀειμνήστου Ἀρχιεπισκόπου Θυατείρων Ἀθηναγόρα, πού εἶναι ἀποκαλυπτική τοῦ ἔργου μου στή Γερμανία στά ἔτη 1951-1954, καί τῶν προσδοκιῶν του ὡς ἐκ νέου συνεργάτου του στήν Ἀρχιεπισκοπή Θυατείρων.

Ἡ μετάβασή μου στό Μάντσεστερ τό ἔτος 1960 ἱκανοποιοῦσε, ἀκόμη,

(Φωτοτ. ἀριθ. 3)

ΙΕΡΑ ΑΡΧΙΕΠΙΣΚΟΠΗ ΘΥΑΤΕΙΡΩΝ

ARCHBISHOPRIC OF THYATEIRA EXARCHATE OF W. & C. EUROPE

8 DAWSON PLACE, LONDON, W.2.

TEL. BAY. 2947

Ἀρχιεπίσκοπος:
† Ὁ Θυατείρων Ἀθηναγόρας
Πρωτοσύγκελλος:
Ἀρχιμ. Α. Παπακωνσταντίνου
Ἀρχιγραμματεύς:
Ἀρχιμ. Διονύσιος Ψιάχας

Ἐπίσκοποι:
† Ὁ Ρηγίου Μελέτιος, Παρίσιοι
† Ὁ Θερμῶν Χρυσόστομος, Βιέννη
† Ὁ Ἀπαμείας Ἰάκωβος, Λονδῖνον
† Ὁ Ραβέννης Γεώργιος, Στοκχόλμη
† Ὁ Βίλνα Ματθαῖος, Γερμανία

Τῇ 8η Ὀκτωβρίου 1959.

Ἀγαπητέ π. Μεθόδιε,

Ἐπιστρέψας ἐξ Ἀμερικῆς πρό μηνός εἰς τήν Ἑλλάδα διά τό Συνέδριον τῆς Ρόδου, ἐζήτησα νά συναντηθῶμεν. Μετά χαρᾶς δέ ἐπληροφορήθην ὅτι διωρίσθης εἰς Addis Ababa. Λέγω δέ μετά χαρᾶς διότι εἶχα κατανοήσει ἀπό προτέρας συναντήσεις μας ὅτι ἤθελες νά ὑπηρετήσῃς μᾶλλον εἰς τό ἐξωτερικόν παρά εἰς θέσιν ἐν Ἑλλάδι. Ἐάν εἶσαι εὐχαριστημένος ἀπό τήν θέσιν σου αὐτήν, σέ συγχαίρω καί ἐγώ, καί σοῦ εὔχομαι πρόοδον καί ὅ,τι ἄλλο ποθεῖ ἡ ψυχή σου.

Δέν ἀποκρύπτω ὅμως ὅτι ἐχρειαζόμην νά σέ συναντήσω εἰς Ἀθήνας, διότι ἤθελα νά συζητήσωμεν διά τήν εὕρεσιν καταλλήλου λύσεως διά τήν Κοινότητα Μονάχου.

Ἡ ἐκεῖ πολύ ἐπιτυχής ὑπηρεσία σου, σέ ἔκαμε τέλειον γνώστην τῶν ζητημάτων τά ὁποῖα ἀφοροῦν τήν Κοινότητα αὐτήν. Πιστεύω δέ ὅτι ἔχεις πληροφορηθεῖ τάς ἀταξίας τοῦ Διοικητικοῦ Συμβουλίου, τό ὁποῖον ἀπό τριετίας διοικεῖ δικτατορικῶς. Ἴσως θά ἔχῃς πληροφορηθῇ ὅτι ἐπί τῶν ἡμερῶν τοῦ π. Πλατῆ ἔκαμαν οἱ κύριοι ἐκεῖνοι Γενικήν Συνέλευσιν, καί οὐδενός ἀντιλέγοντος, διότι ὁ π. Πλατῆς ἦτο ἀνίσχυρος χαρακτήρ, ἐστρέβλωσαν τό Καταστατικόν. Διά τῆς στρεβλώσεως δέ αὐτῆς ὁ Ἱερεύς παύει νά εἶναι Πρόεδρος τῆς Κοινότητος καί τοῦ Ναοῦ, ὡς ἦτο ἐπί τῶν ἡμερῶν σου. Τοῦ ἔδωκαν δέ εἰρωνικῶς τό ἀξίωμα τοῦ Ἐπιτίμ. Προέδρου, μή ἔχοντος θέσιν ἐνεργόν εἰς τήν διοίκησιν. Ἐγώ δέν ἐνέκρινα τήν ἀλλαγήν αὐτήν καί διεμαρτυρήθην, ἀλλ' ἐκεῖνοι τήν ἐφήρμοσαν καί ἔκαμαν ὅ,τι ἤθελαν.

Ἀποτέλεσμα τῆς τοιαύτης διοικήσεως εἶναι τό ὅτι ὁ κ. Τριανταφυλλίδης, ταμίας ὤν, κατεχράσθη ὁλόκληρον τό ποσόν 8½ χιλιάδων μάρκων, ὁ δέ Κουμπούλης, ὡς πρόεδρος, τόν ὑπερασπίζεται.

Ἐγώ ἐφέτος κατά τόν Μάρτιον, ἐπιστρέψας ἐξ Αὐστραλίας, ἀπέστειλα τόν Θεοφιλ. Ἐπίσκοπον Θερμῶν, ὅπως μεταβάς ἐκεῖ, προλάβῃ τήν ἐνέργειαν νέων ἐκλογῶν, κατά τάς ὁποίας ἀσφαλῶς ὁ Κουμπούλης θά κατώρθωνε νά ἐπιτύχῃ πρόεδρος, παρά τάς διαμαρτυρίας μεγάλης μερίδος. Δυστυχῶς καί ὁ Ἐπίσκοπός μου δέν ἐνήργησε, ὡς εἶχεν ὁδηγίας μου. Ἔμεινε μόνον δύο ἡμέρας, ἔκαμε μικρομπάλωμα διά νά ξαναμπῇ ὁ Ἱερεύς εἰς τό Συμβούλιον, ἀλλ' ὄχι ὡς Πρόεδρος, καί ἔφυγε, ἀφήσας ἐλεύθερον τό πεδίον τῶν ἐκλογῶν, αἵτινες καί μετά μίαν ἑβδομάδα ἔφεραν πάλιν τό Προεδρεῖον τοῦ Κουμπούλη.

Δυστυχῶς καί ὁ τότε εὑρισκόμενος Πρόξενος ἐν Φρανκφούρτ κ. Γιαννακάκης, ἤ δέν ἐνήργησε διόλου, ἤ ἐνήργησε ἀδιαφόρως, ἐνῶ ..../

ἠδύνατο νά προλάβη ὅλα. Τοῦτο δέ διότι ἴσως ἐγνώριζε ὅτι θά μετατεθῆ, ὡς καί μετετέθη μετά ἕνα μῆνα, καί δέ ἤθελε νά ἐνοχληθῆ μέ νέον ζήτημα.

Ἐγώ εὑρίσκω ἀσυνείδητον ἀκόμη καί ἐκ μέρους μου ἐάν ἀφήσω τά πράγματα ὡς ἔχουν, διότι ἡ λεγομένη Κοινότης μέ Πρόεδρον τόν Κουμπούλην, ζῆ καί ἐνεργῆ μέ τό χρῆμα τό ὁποῖον ἡ χρῆσις τοῦ Ναοῦ ἀποφέρει, χωρίς αὐτός καί ἡ Κοινότης νά ἔχουν καμμίαν ὑποχρέωσιν νά ἀντιμετωπίζουν, διότι ὡς γνωστόν ὁ μισθός τοῦ Ἱερέως στέλλεται ἀπό τό Ὑπουργεῖον, καθώς καί τῆς διδασκαλίσσης, καί ἀκόμη καί τά ἔξοδα θερμάνσεως τοῦ Ναοῦ. Ἱερεύς εἶναι ὁ ἄλλοτε ἐν Βιέννη Ἀρχιμ. Νικόδημος Χαρβαλιᾶς, ὁ ὁποῖος μέ πολύ ἐνδιαφέρον ἐνεργεῖ, ἀλλά δέν εἶναι Φούγιας. Περιμένει συνεχῶς εἰς κάθε του βῆμα ὁδηγίας ἐξ ἀποστάσεως.

Τελευταίως ἀπεφασίσαμεν νά χωρίσωμεν τόν Ναόν ἀπό τήν Κοινότητα, νά διορίσωμεν Ἐκκλησιαστικήν Ἐπιτροπήν ἄλλην διά τόν Ναόν, καί νά ἀφήσωμεν τήν Κοινότητα μέ τά μέλη της νά ἀσχολεῖται μέ ὅλας τάς ἄλλας ἐθνικοκοινωνικάς ἐκδηλώσεις. Ἀλλά καί αὐτό ἀπήτει ἤ τήν παρουσίαν τοῦ Ἐπισκόπου, ἤ τήν ὕπαρξιν Ἀρχιμανδρίτου μέ δύναμιν, ὁ ὁποῖος θά ἐκάθητο εἰς τό παγκάρι μίαν Κυριακήν διά νά ἐγκαταστήσ τήν νέαν Ἐκκλησιαστικήν Ἐπιτροπήν, καί νά διώξη τόν Κουμπούλην ἀπό τόν Ναόν, καλῶν ἐν ἀνάγκη καί τήν Ἀστυνομίαν. Ἀλλ᾽ ὁ μέν Ἐπίσκοπος φέρει ἕνα σωρό δικαιολογίας διά τήν μή ἀπομάκρυνσίν του ἀπό τήν Βιέννην, ὁ δέ ἀγαπητός Ἱερεύς δειλιᾶ πρός οἱονδήποτε μέτρον.

Σέ παρακαλῶ λοιπόν, σύ ὁ ὁποῖος γνωρίζεις καλά τά πράγματα, νά μοῦ γράψης σάν τί νομίζεις ὅτι θά ἔπρεπε νά γίνη πρός ἐπιτυχίαν τοῦ χωρισμοῦ. Ἐάν δέ σύ γνωρίζης νά μοῦ ὑποδείξης κανένα Μεθόδιον Φούγιαν, νά τόν διορίσω ἀμέσως, καί νά κάμωμεν τό Μόναχον Κέντρον τῆς ὅλης Γερμανίας, θά ἀνεγνώριζα τήν συναντίληψίν σου ταύτην.

Ἡ Βιέννη δυστυχῶς εἶναι πολύ μακράν, ἐνῶ εἰς τήν Γερμανίαν τώρα ἔχομεν, ἐκτός τήν τοῦ Μονάχου, Κοινότητας μέ Ἱερεῖς, ὡς εἰς τό Φράγκφουρτ, εἰς τό Ἀμβοῦργον, εἰς τό Βερολῖνον, ἑτοιμάσαμεν τήν τῆς Στούτγκαρτ καί θά στείλωμεν Ἱερέα, καί ἀσφαλῶς ἐντός ὀλίγου θά γίνη καί ἡ τῆς Κολωνίας. Θά εἶναι ἀνάγκη νά ὑπάρχη δυνατός Ἀρχιμανδρίτης εἰς Μόναχον, ὁ ὁποῖος νά ὁπλίζεται καί μέ Ἀρχιεπισκοπικά καθήκοντα, διά νά δράση ἡ Ἐκκλησία ἐκεῖ, σύμφωνα πρός τόν προορισμόν της.

Ἀναμένων συντόμως ἀπάντησίν σου

Διάπυρος μετ᾽ εὐχῶν καί ἀγάπης

† Ὁ Θυατείρων Ἀθηναγόρας

μιά ἄλλη ἐπιθυμία μου. Ἤθελα νά ὑπηρετήσω τήν Κοινότητα, στήν ὁποία ἐπί τρεῖς δεκαετίες ἐφημέρευσε ὁ διακεκριμένος Πρωτοπρεσβύτερος Κων/ῖνος Καλλίνικος. Ἐκεῖ συνέγραψε τά πολλά ἐπιστημονικά του ἔργα. Ἐπίσης στήν ἴδια Κοινότητα καί στόν χῶρο τοῦ πρεσβυτερίου του ἱδρύθηκε ὁ περίφημος Σύλλογος **Λόγιος Ἑρμῆς**, τοῦ ὁποίου Μέλη ὑπῆρξαν ὁ Ἀλ. Πάλλης, ὁ Ἀργ. Ἐφταλιώτης κ.ἄ.

Λίγες μέρες μετά τήν ἄφιξή μου στό Μάντσεστερ κάλεσα ἐκεῖ καί τόν ἀδελφό μου Παναγιώτη, ἀριστοῦχο ἀπόφοιτο τῆς Θεολογικῆς Σχολῆς Χάλκης, γιά νά σπουδάσει κι' αὐτός στό ἴδιο Πανεπιστήμιο μέ στόχο τό Διδακτορικό Δίπλωμα. Ὅμως ἀντιμετώπισε τυπικές δυσκολίες ἕως ὅτου νά γίνει δεκτός. Ἡ Θεολογική Σχολή τῆς Χάλκης δέν ἦταν ἀναγνωρισμένη ὡς ἰσότιμη μέ τίς ἄλλες θεολ. Σχολές τῶν Ἀθηνῶν καί τῆς Θεσσαλονίκης. Τόν ὑποχρέωσαν νά δώσει πάλι ἐπί πτυχίω ἐξετάσεις, τίς ὁποῖες πέρασε ἐπιτυχῶς καί ἔτσι ἔγινε ἡ ἀναγνώριση τῆς Θεολογικῆς Σχολῆς τῆς Χάλκης καί ἄνοιξε ὁ δρόμος καί γιά ἄλλους ἀποφοίτους της. Γιά νά μή ὑποστεῖ τήν δοκιμασία αὐτή ὁ ἀδελφός μου τό ἴδιο τό Πανεπιστήμιο ἔγραψε τόσο στό Ὑπουργεῖο Παιδείας τῆς Ἑλλάδος ὅσο καί στό Πανεπιστήμιο Ἀθηνῶν ζητώντας νά τοῦ γνωρίσουν ἄν ἡ Σχολή τῆς Χάλκης ἦταν ἰσότιμη πρός τίς ἐν Ἑλλάδι Θεολογικές Σχολές. Καμμία ἀπάντηση δέν ἔφτασε στό ἐρώτημα πού ὑποβλήθηκε. Καί ἡ μόνη λύση ἦταν οἱ ἐπί πτυχίω ἐξετάσεις.

Ὁ ἀδελφός μου Παναγιώτης, μετά ἀπό πενταετεῖς σπουδές στήν Θρησκειολογία καί τήν Φιλοσοφία, καί ἀφοῦ ἔγινε δεκτή ἡ διδακτορική του Διατριβή, ἀνακηρύχθηκε Διδάκτορας τῆς Φιλοσοφίας τόν Ἰούλιο τοῦ 1965.

Στό Μάντσεστερ συναντήσαμε ὄχι μόνο καλούς ἐπιστήμονες καθηγητές, ἀλλά καί καλούς ἀνθρώπους, οἱ ὁποῖοι ἔγιναν καί καλοί μας φίλοι, ὅπως τούς A. EHRHARD, G. RUPP, F.F. BRUCE, S.G.F. BRANDON, J. ZUNZ κ.ἄ. Μέ τόν RUPP καί τόν BRUCE συνεργάσθηκα ἀργότερα, ὅταν ἔγινα Ἀρχιεπίσκοπος Θυατείρων. Ἐξωτερικοί ἐξεταστές στήν κρίση τῶν Διατριβῶν μας γιά τήν δική μου ἦταν ὁ Καθηγητής Πατρολογίας στό Πανεπιστήμιο τοῦ Ντάραμ H.E.W. TURNER καί γιά τήν διατριβή τοῦ ἀδελφοῦ μου ὁ ἐπίτ. Καθηγητής τῆς Θρησκειολογίας E.O.JAMES.

Ἡ Συγγραφή τῆς Ἱστορίας τῆς Ἐκκλησίας τῆς Κορίνθου.

Καθ' ὅν χρόνον διατελοῦσα στό Μάντσεστερ ἡ Ἀκαδημία Ἀθηνῶν προκήρυξε βραβεῖο γιά τήν συγγραφή τοῦ καλύτερου ἔργου μέ θέμα τήν «Ἱστορία τῆς Ἐκκλησίας τῆς Κορίνθου». Σκέφθηκα ὅτι, ὡς Κορίνθιος, δέν ἔπρεπε νά ἀπουσιάσω ἀπό τούς διεδκικοῦντες τό βραβεῖο αὐτό. Χωρίς διακοπή ἐπιδόθηκα μέ σθένος στήν ἑτοιμασία τοῦ ἔργου αὐτοῦ, μολονότι εἶχα ἀρχίσει νά συλλέγω ὑλικό γιά τό ἄλλο ἔργο μου ORTHODOXY, ROMAN CATHOLICISM AND ANGLICANISM.

Δέν παραλείπω νά σημειώσω ὅτι μέ κόπο κατόρθωσα, πρίν νά ἀναχωρήσω γιά τήν Πατρίδα τόν Αὔγουστο τοῦ 1966, νά περατώσω καί τά δύο ἔργα. Τό ἀγγλικό τό κατέθεσα στόν Ἐκδοτικό Οἶκο τοῦ Πανεπιστημίου τῆς Ὀξφόρδης καί τήν Ἱστορία τῆς Ἐκκλησίας τῆς Κορίνθου ἔφερα στήν Ἀθήνα μέ σκοπό νά τήν ὁλοκληρώσω καί νά τήν ὑποβάλω, ἐντός τῶν χρονικῶν προθεσμιῶν, ὑπό τήν κρίση τῆς Ἀκαδημίας Ἀθηνῶν. Κριτής εἶχε ὁρισθεῖ ὁ Ἀκαδημαϊκός ἀείμνηστος Καθηγητής μου Παναγιώτης Μπρατσιώτης. Ὅταν τόν συνάντησα μοῦ εἶπε τά ἑξῆς ἐπί λέξει: «FIFTY-FIFTY», δηλ. μισό βραβεῖο σέ μένα καί μισό στόν ἄλλο συγγραφέα, ὁ ὁποῖος εἶχε ἤδη ὑποβάλλει μερικές σελίδες ἀπό τό ἔργο πού ἑτοίμαζε. Αὐτό μόνο γνωρίζω.

Μετά ἀπό τήν συνάντηση μέ τόν ἀείμνηστο Π. Μπρατσιώτη ἀποφάσισα νά ἐκδώσω τό ἔργο, ἀφοῦ τό βραβεῖο ἔμπαινε στή διαδικασία τῆς διαπραγμάτευσης. Ἄλλωστε ὁ στόχος μου εἶχε ἐπιτευχθεῖ καί αὐτό φαίνεται ἀπό τίς εὐμενέστατες κριτικές πού γράφτηκαν ἀπό διακεκριμένους ἐπιστήμονες καί συγχαρητήριες ἐπιστολές ἀπό λόγιους Ἱεράρχες. Πολλές φορές ἀνέφερε τό ἔργο μου στούς φοιτητές του ὁ ἀείμνηστος καθηγητής τῆς Ἐκκλησιαστικῆς Ἱστορίας Γερ. Κονιδάρης. Ἡ ἀναγνώριση τῶν κόπων μου γιά τήν συγγραφή αὐτοῦ τοῦ ἔργου δικαίωσε τούς ἀτρύτους κόπους στούς ὁποίους ὑποβλήθηκα γιά νά ὁλοκληρώσω τήν συγγραφή του. Τό θεωρῶ ἀναγκαῖο, στό σημεῖο αὐτό, νά μνημονεύσω κάποια γεγονότα, τά ὁποία συνδέονται μέ τήν συγγραφή τῆς Ἱστορίας τῆς Ἐκκλησίας τῆς Κορίνθου.

Ἀνέφερα πιό πάνω τήν ἀδικία τοῦ Ἀρχιεπισκόπου Ἱερωνύμου πρός τό πρόσωπό μου. Κατά τήν ἐκλογή του ἤμουνα πρῶτος Γραμματέας τῆς Ἱερᾶς Συνόδου τῆς Ἐκκλησίας τῆς Ἑλλάδος καί ἐγώ κράτησα τά πρακτικά τῆς ἐκλογῆς του. Μερικές ἑβδομάδες μετά μέ ἀπέλυσε ἀπό τήν Σύνοδο καί μαζί μέ ἄλλους κληρικούς μέ ἀπέσπασε στή Β. Ἑλλάδα. Κατά καλή μου τύχη ἡ ἀπόσπασή μου ἔγινε στήν Μητρόπολη Καστορίας, τῆς ὁποίας Ποιμενάρχης ἦταν ὁ ἐπιστήθιος φίλος μου Δωρόθεος Γιανναρόπουλος. Ἀπό τήν ἑπομένη τῆς ἐκεῖ ἀφίξεώς μου μοῦ ἔδωσε τήν ἄδεια ὁ Καστορίας Δωρόθεος νά ἐπιστρέψω στήν Ἀθήνα, γιά νά ὁλοκληρώσω τήν συγγραφή τῆς Ἱστορίας τῆς Ἐκκλησίας τῆς Κορίνθου. Μέ συμβούλευσε νά κλεισθῶ στό σπίτι τῶν Γονέων μου καί νά μή ἔχω ἐπαφή μέ τόν ἔξω κόσμο, γιατί ὑπῆρχε πιθανότητα ἄνθρωποι τῆς ΚΥΠ νά βροῦνε τά ἴχνη μου. Αὐτό καί ἔκανα. Ὅμως ἔπρεπε νά ἔχω ἐπαφή μέ τήν Ἐθνική Βιβλιοθήκη καί τήν Βιβλιοθήκη τῆς Βουλῆς, γιά νά συμβουλευθῶ ἔργα τά ὁποία χρειαζόμουνα καί δέν εἶχα στήν προσωπική μου βιβλιοθήκη.

Τό πρόβλημά μου τό ἔλυσε ὁ ἀείμνηστος πατέρας μου, ὁ ὁποῖος, παριστάνοντας τόν διανοούμενο, πήγαινε στίς βιβλιοθῆκες, ἔβαζε τά γυαλιά του, ζητοῦσε τά ἔργα πού τοῦ εἶχα σημειώσει ἀπό τούς ὑπαλλήλους, καί ἀφοῦ τοῦ τά ἔφερναν ἔκανε πώς εἶχε ξεχάσει τά γυαλιά μελέτης στό σπίτι. Μετά ἀπ' αὐτό παρακαλοῦσε τούς ὑπαλλήλους νά τοῦ ἐπιτρέψουν νά *πάρει τά βιβλία ἔξω καί νά τά ἐπιστρέψει τήν ἑπομένη. Ἀφοῦ πράγματι τά ἐπέστρεφε τήν ἑπομένη κέρδισε τήν ἐμπιστοσύνη τους καί ἔτσι μοῦ ἔφερνε στό σπίτι ὅσα βιβλία χρειάσθηκα. Μοῦ ἄρεσε ὁ χαιρετισμός πού μοῦ ἔστειλε μέ τόν πατέρα μου ὁ Δ/ντής τῆς Βιβλιοθήκης τῆς Βουλῆς Π. Ζωγράφος, ὁ ὁποῖος εἶχε καταλάβει τί συνέβαινε: «Θερμούς χαιρετισμούς σ' αὐτόν πού ἔχει τά γυαλιά, τά μάτια καί τόν νοῦ. Καλή του ἐπιτυχία, νά τοῦ εἰπεῖς». Αὐτό συνέβη πολλές φορές ἕως ὅτου τό ἔργο ὁλοκληρώθηκε. Ὅταν τό δημοσίευμα τό ἀφιέρωσα στόν ἀδελφικό μου φίλο Δωρόθεο, τότε Μητροπολίτη Καστορίας καί ἀποθανόντα ὡς Μητροπολίτη Ἀττικῆς.*

Τά ἀνωτέρω ἀποτελοῦν ἕνα μικρό δεῖγμα τῶν δυσκολιῶν πού ἀντιμετώπισα στίς μελέτες μου καί τῶν συνθηκῶν ὑπό τίς ὁποῖες συνέγραψα πολλά ἔργα μου καί τούς 44 τόμους τῶν Ἐπιστημονικῶν Ἐπετηρίδων.

Μεθόδιος Γ. Φούγιας

Ἔγραψα στήν
Πατρική Οἰκία
9 Ρήγα Φεραίου
Χαλάνδρι 152 32
Τηλ. 68 24 793

3. Μέ τόν ἀείμνηστο αὐτοκράτορα τῆς Αἰθιοπίας φιλέλληνα Χαϊλέ Σελασιέ καί τόν ὑπουργό τῆς Πέννας Ράς Τάφαρι Γουόρκ (1971). Στό βάθος διακρίνεται ὁ τότε Ἀρχιεπίσκοπος Ἀθηνῶν Ἱερώνυμος.

From
The Very Rev. Prof. Thomas F. Torrance, FBA, FRSE
Edinburgh

ARCHBISHOP METHODIOS FOUYAS*

I like to think of Archbishop Methodios as "a man of God and a mighty trumpet of truth", words used by Gregory the Theologian to describe Athanasius the Great, for he is a Churchman of remarkable theological and moral force which lifts him on to a different level well above others. It is altogether appropriate that such a man should edit a work commemorating Archbishop Photius, Patriarch of Constantinople, who withstood as no other the unilateral innovation of Rome in its insertion of the *filioque* clause into the universal Creed of Christendom. Like both Athanasius and Photius, Methodios has had a stormy career, and like them he has suffered for his forthright convictions and his courageous endurance in being deposed from his See through the instigation of intrigues. He has paid a cruel penalty for his fidelity and integrity in sacred office and for his unquenchable zeal for the House of God, but it is the penalty exacted by people who were jealous of the unprecedented progress he made during his Presidency of the Orthodox Church in Britain, jealous of the moral and intellectual power he has manifested in his ministry, and jealous of the way in which he has broken fresh ground in the advance of the Church wherever he has been. He has paid the penalty of a greatness which small-minded people resent as well as covet. But the fact that he has unflinchingly acted with such uprightness and faithfulness in upholding the historic Faith of the Church in the face of reprehensible moral and doctrinal compromise enrols him among the heroic champions of the Faith.

Looking at the most recent event in his ministry I cannot but think that it is "of a piece" with what has happened before, for Methodios is a sort of "stormy petrel" in the Orthodox Episcopate, not unlike Thomas Becket, the martyred Archbishop of Canterbury in the twelfth century, whom the authorities wanted to be quit of as "that turbulent priest". I recall the way in which Methodios Fouyas, as Archimandrite and Secretary of the Holy

* *Ecclesia and Theologia,* Vol. 10 (1989)

Ὑπὸ
Αἰδεσιμωτάτου Καθηγητοῦ Thomas F. Torrance, FBA, FRSE
Ἐδιμβοῦργον

Ο ΑΡΧΙΕΠΙΣΚΟΠΟΣ ΜΕΘΟΔΙΟΣ ΦΟΥΓΙΑΣ*

Μὲ εὐχαριστεῖ νὰ σκέπτομαι τὸν Ἀρχιεπίσκοπο Μεθόδιο ὡς "ἄνθρωπο τοῦ Θεοῦ καὶ ἰσχυρὴ σάλπιγγα ἀληθείας", λόγια ποὺ χρησιμοποίησε ὁ Γρηγόριος ὁ Θεολόγος γιὰ νὰ περιγράψει τὸν Μέγα Ἀθανάσιο, διότι πρόκειται γιὰ Κληρικὸ ἐγνωσμένου θεολογικοῦ καὶ ἠθικοῦ κύρους ποὺ τὸν ἀνεβάζει σὲ διαφορετικὸ ἐπίπεδο, κατὰ πολὺ ἀνώτερο τῶν ἄλλων. Ἕνας τέτοιος ἄνθρωπος ἦταν ἀσυζητητὶ ὁ πιὸ κατάλληλος νὰ ἐκδώσει ἐργασία εἰς μνήμην τοῦ Μεγάλου Φωτίου, Πατριάρχου Κωνσταντινουπόλεως, ὁ ὁποῖος ἀντέστη ὑπὲρ πάντα ἄλλον στὸν μονομερῆ νεωτερισμὸ τῆς Ρώμης νὰ παρεμβάλει τὸ *filioque* στὸ οἰκουμενικὸ Σύμβολο τῆς Πίστεως τοῦ Χριστιανισμοῦ. Ὅπως συνέβη στὴν περίπτωση Ἀθανασίου καὶ Φωτίου, ὁ Μεθόδιος ἔχει διαδράμει μιὰ θυελλώδη σταδιοδρομία καί, ὅπως ἐκεῖνοι, ἔχει ὑποστεῖ, λόγω τῶν εἰλικρινῶν πεποιθήσεών του καὶ τῆς σθεναρῆς ἐμμονῆς του σ' αὐτές, τὴν ἀπομάκρυνση ἀπὸ τὴν Ἀρχιεπισκοπική του Ἕδρα μέσω τῆς ὑποθάλψεως δολοπλοκιῶν ἐναντίον του. Ἔχει πληρώσει μὲ σκληρὴ τιμωρία γιὰ τὴν ἀφοσίωση καὶ τὴν ἀκεραιότητά του στὸ ἱερὸ λειτούργημα καὶ γιὰ τὸν ἀκλινῆ ζῆλο του γιὰ τὸν Οἶκο τοῦ Θεοῦ, ἀλλ' αὐτὴ ἡ τιμωρία ἐπεβλήθη ἀπὸ ἀνθρώπους ποὺ φθονοῦσαν γιὰ τὴν ἄνευ προηγουμένου πρόοδο ποὺ ἐπετέλεσε κατὰ τὴ διάρκεια τῆς Προεδρίας του στὴν Ὀρθόδοξο Ἐκκλησία τῆς Βρετανίας, ἀπὸ ἀνθρώπους ποὺ τὸν φθονοῦσαν γιὰ τὴν ἠθικὴ καὶ πνευματικὴ δύναμη ποὺ ἐπέδειξε κατὰ τὴν ἄσκηση τοῦ λειτουργήματός του, ποὺ τὸν φθονοῦσαν ἐπίσης γιὰ τὸν τρόπο μὲ τὸν ὁποῖο ἀνέσκαψε νέο ἔδαφος γιὰ τὴν προαγωγὴ τῶν ὑποθέσεων τῆς Ἐκκλησίας ὁπουδήποτε ὑπηρέτησε. Ἔχει πληρώσει μὲ τὴν τιμωρία ποὺ ἐπιβάλλεται στὴ μεγαλωσύνη, γιὰ τὴν ὁποία οἱ μικρόνοες δυσανασχετοῦν ἐνῶ παράλληλα τὴν ἐποφθαλμιοῦν. Ἀλλὰ τὸ γεγονὸς ὅτι ὁ Μεθόδιος ἔχει ἀπαρεγκλίτως ἐνεργήσει μὲ τέτοια ἀκεραιότητα καὶ ἀφοσίωση πρὸς ὑποστήριξιν τῆς ἱστορικῆς Πίστεως τῆς Ἐκκλησίας ἐν ὄψει ἐπιμέμπτων ἠθικῶν καὶ δογματικῶν συμβιβασμῶν, τὸν κατατάσσει μεταξὺ τῶν ἡρωικῶν προμάχων τῆς Πίστεως.

Ἐξετάζοντας τὸ πιὸ πρόσφατο συμβὰν στὴ θητεία του, δὲν μπορῶ νὰ ἀποφύγω τὴ σκέψη ὅτι εἶναι "τῆς αὐτῆς ὑφῆς" μὲ ὅ,τι ἔχει συμβεῖ προηγουμένως, δεδομένου ὅτι ὁ Μεθόδιος εἶναι ἕνα εἶδος "ἐπαναστάτη" στὸ Ὀρθόδοξο Ἐπισκοπᾶτο, καὶ θὰ μποροῦσε νὰ παρομοιασθεῖ μὲ τὸν Thomas Becket, τὸν μάρτυρα Ἀρχιεπίσκοπο Καντουαρίας τοῦ 12ου αἰώνα, "αὐτὸν τὸν ταραξία παπὰ" τὸν ὁποῖο τὸ κατεστημένο ἤθελε νὰ ξεφορτωθεῖ. Ἀνακαλῶ στὴ μνήμη μου τὸν τρόπο μὲ τὸν ὁποῖο ὁ Μεθόδιος Φούγιας, ὡς Ἀρχιμανδρίτης καὶ Γραμματεὺς τῆς Ἱερᾶς

* Τὴν ἀπόδοση τοῦ κειμένου στὰ Ἑλληνικὰ ἐπιμελήθηκε ὁ φιλόλογος Χρῆστος Γιαννούλας.

Synod in Greece, courageously stood out, more or less alone, against the Junta of fascist Colonels in 1968, and had to escape from Greece in disguise. I think of his fearless activity in Ethiopia in his support of the Ethiopian as well as the Greek Orthodox Church when he proved to be such a rebuke and thorn in the flesh to the communist leaders that they tried twice to get rid of him through what might be called a traffic accident. Something like that resentment and opposition was manifested in his replacement as the Archbishop of Thyateira and Great Britain – but this time it was neither fascist colonels nor communist politicians, but misguided Churchmen who felt themselves rebuked and challenged by his presence. I regard this as indicating that in his own way Methodios is to be bracketed with Athanasius and Photius in his fulfilment of episcopal service in the Church, and his steadfast defense of the Nicene-Constantinopolitan Faith. And as with Athanasius and Photius history will honour and respect him.

In introducing Arhcbishop Methodios as the Editor of this volume, let me say several things about him which I have learned to appreciate from many years of friendship and steady cooperation with him in theological and ecumenical activity in different countries.

First, Methodios is a dynamic and intrepid Churchman with a profound sense of history and of divine predestination. Everything in his personal and public life is made to serve the supreme end for which he has been ordained presbyter and consecrated bishop. He has finally no other ambition but to use the gifts and resources God has given him and the high office that has been thrust upon him for the mission of the Gospel and the growth of Christ' s Church. This is very evident in the way in which he has brought his fertile and creative imagination, and the inner dynamism and force of his mind, to serve the Church in the organisation of diocesan activities, in establishing new churches, in planning communities, and in the ecumenical outreach of the Greek Orthodox Church, not least in his persistent and successful work in helping to reconcile Chalcedonian and non-Chalcedonian traditions in Christology.

No one takes more seriously than Archbishop Methodios his commission as a bishop to be a guardian of the Faith once delivered to the saints, as one can see in his notable book *The Person and Place of Jesus Christ in the Decisions of the Ecumenical Councils,* as well as in the scholarly journals that he continues to publish year after year. In its apostolic foundation the Church has been entrusted by the Lord with a sacred deposit, the datum of divine revelation, which she must treasure above all else, preserving it intact against misunderstanding and serving its faithful transmission to fu-

Συνόδου τῆς Ἐκκλησίας τῆς Ἑλλάδος, μὲ θάρρος ἀντιστάθηκε, λίγο-πολὺ μόνος, στὴ Χούντα τῶν φασιστῶν Συνταγματαρχῶν τὸ 1968, καὶ ἀναγκάστηκε νὰ δραπετεύσει μεταμφιεσμένος ἀπὸ τὴν Ἑλλάδα. Σκέπτομαι τὴν ἀπτόητη δραστηριότητά του στὴν Αἰθιοπία, γιὰ τὴν ὑποστήριξη τόσο τῆς Αἰθιοπικῆς, ὅσο καὶ τῆς Ἑλληνικῆς Ὀρθοδόξου Ἐκκλησίας, ὅταν ἀποδείχθηκε ὅτι συνιστᾶ τέτοια μομφὴ καὶ ἀγκάθι στὴ σάρκα γιὰ τοὺς κομμουνιστὲς ἡγέτες, ὥστε προσπάθησαν δύο φορὲς νὰ ἀπαλλαγοῦν ἀπ' αὐτὸν μὲ ὅ,τι θὰ μποροῦσε νὰ ὀνομασθεῖ αὐτοκινητιστικὸ ἀτύχημα. Παρόμοια μνησικακία καὶ ἀντίδραση ἐκδηλώθηκε κατὰ τὴν ἀπομάκρυνσή του ἀπὸ τὸν θρόνο τῆς Ἀρχιεπισκοπῆς Θυατείρων καὶ Μ. Βρετανίας – αὐτὴ τὴ φορὰ ὅμως ὄχι ἀπὸ φασίστες συνταγματάρχες οὔτε ἀπὸ κομμουνιστὲς πολιτικούς, ἀλλὰ ἀπὸ παραπληροφορημένους Κληρικούς, οἱ ὁποῖοι πίστεψαν ὅτι ἡ παρουσία του ἀποτελεῖ γι' αὐτοὺς μομφὴ καὶ συνιστᾶ πρόκληση. Θεωρῶ τὸ γεγονὸς αὐτὸ ὡς ἔνδειξη τοῦ ὅτι ὁ Μεθόδιος πρέπει νὰ συνδεθεῖ, τηρουμένων τῶν ἀναλογιῶν, μὲ τὸν Ἀθανάσιο καὶ τὸν Φώτιο στὸν τομέα τῆς ἐκπληρώσεως τοῦ ἐπισκοπικοῦ λειτουργήματος μέσα στὴν Ἐκκλησία, καθὼς καὶ τῆς σταθερῆς ὑπερασπίσεως τῆς Νικαιο-Κωνσταντινοπολιτικῆς Πίστεως. Καὶ ὅπως συνέβη στὴν περίπτωση τῶν Ἀθανασίου καὶ Φωτίου, ἡ ἱστορία θὰ τὸν δικαιώσει καὶ θὰ τὸν τιμήσει.

Παρουσιάζοντας τὸν Ἀρχιεπίσκοπο Μεθόδιο ὡς Ἐκδότη τοῦ παρόντος τόμου, δράττομαι τῆς εὐκαιρίας νὰ ἀναφέρω κάποια πράγματα γι' αὐτόν, τὰ ὁποῖα ἔχω μάθει νὰ ἐκτιμῶ κατὰ τὴ διάρκεια πολλῶν χρόνων φιλίας καὶ σταθερῆς συνεργασίας μου μ' αὐτόν, στὸν τομέα τῆς θεολογικῆς καὶ οἰκουμενικῆς δραστηριότητας σὲ διάφορες χῶρες.

Πρῶτον, ὁ Μεθόδιος εἶναι ἕνας δυναμικὸς καὶ εὐθαρσὴς Ἱεράρχης μὲ ἐμβριθῆ συναίσθηση τῆς ἱστορίας καὶ τοῦ θείου προορισμοῦ. Τὰ πάντα στὸν ἰδιωτικὸ καὶ δημόσιο βίο του ἀποβλέπουν στὴν ὑπηρεσία τοῦ ὑψίστου σκοποῦ γιὰ τὸν ὁποῖο ἔχει χειροτονηθεῖ πρεσβύτερος καὶ ἔχει χρισθεῖ ἐπίσκοπος. Δὲν ἔχει, τελικά, καμμία ἄλλη φιλοδοξία ἀπὸ τὸ νὰ χρησιμοποιήσει τὰ δῶρα καὶ τὰ βοηθήματα ποὺ τοῦ ἔχει χαρίσει ὁ Θεός, καθὼς καὶ τὸ ὑψηλὸ λειτούργημα ποὺ τοῦ ἔχει ἐμπιστευθεῖ ἡ Ἐκκλησία, πρὸς χάριν τῆς ἱεραποστολῆς τοῦ Εὐαγγελίου καὶ τῆς ἀνελίξεως τῆς Ἐκκλησίας τοῦ Χριστοῦ. Αὐτὸ καθίσταται λίαν προφανὲς ἀπὸ τὸν τρόπο μὲ τὸν ὁποῖο ἔχει ἀναπτύξει τὴ γόνιμη καὶ δημιουργικὴ φαντασία του καὶ τὸν ἐσωτερικὸ δυναμισμὸ καὶ τὴ δύναμη τοῦ πνεύματός του, γιὰ νὰ ὑπηρετήσει τὴν Ἐκκλησία στὸν τομέα τῆς ὀργανώσεως τῶν ἐπισκοπικῶν δραστηριοτήτων, μὲ τὴν οἰκοδόμηση καὶ ἵδρυση νέων ναῶν, τὸν σχεδιασμὸ κοινοτήτων καὶ μὲ τὶς προκεχωρημένες οἰκουμενικὲς θέσεις τῆς Ἑλληνικῆς Ὀρθοδόξου Ἐκκλησίας, πρωτίστως μὲ τὴν ἐπίμονη καὶ ἐπιτυχῆ ἐργασία του πρὸς τὴν κατεύθυνση τῆς παροχῆς βοηθείας πρὸς συμφιλίωσιν τῶν παραδόσεων Χαλκηδονίων καὶ Μὴ-Χαλκηδονίων στὸν τομέα τῆς Χριστολογίας.

Εἴπερ τις καὶ ἄλλος, ὁ Ἀρχιεπίσκοπος Μεθόδιος ἀντιμετωπίζει σοβαρὰ τὴν ἀποστολὴ τοῦ ἐπισκόπου ὡς θεματοφύλακος τῆς πίστεως ποὺ παραδόθηκε ἅλλοτε στοὺς ἁγίους, ὅπως μπορεῖ νὰ διακρίνει κάποιος στὸ ἀξιόλογο βιβλίο του *Τὸ Πρόσωπον καὶ ἡ Θέσις τοῦ Ἰησοῦ Χριστοῦ εἰς τὰς Ἀποφάσεις τῶν Οἰκουμενικῶν Συνόδων,* καθὼς ἐπίσης καὶ στὰ λόγια περιοδικὰ ποὺ συνεχίζει κατ' ἔτος νὰ ἐκδίδει. Κατὰ τὴν ἀποστολικὴ θεμελίωσή της ἡ Ἐκκλησία παραδόθηκε ἀπὸ τὸν Κύριο μὲ ἱερὴ παρακαταθήκη τὸ δεδομένο τῆς θείας ἀποκαλύψεως, τὴν ὁποία αὐτὴ ὀφείλει νὰ διαφυλάσσει ὡς τὸν πολυτιμότερο θησαυρό, διατηρώντας την ἀνέπαφη ἀπὸ παρερμηνεῖες καὶ ὑπηρετώντας τὴν πιστὴ κληροδότησή της στὶς

ture generations. It is in that light that we must appreciate Methodios' passionate concern for theological publication in books and journals, and his remarkable sense of history, which prompted his researchs, for example, into the origins of his mother church in Corinth, or into the roots of Jewish and Christian presence in Ethiopia and Nubia, and also into the origins of the Orthodox Church in any country where he was entrusted with a special mission to fulfil. This sense of history is to be noted in the devotion he has always lavished upon diocesan archives, not only archives of past events, but archives dealing with the mission and activity of the Church in the present. Moreover, he is acutely conscious of his own participation in history and of his engagement in on-going historical events. And they were indeed historical events of considerable significance, as for the Church in Ethiopia and Egypt and Britain, as well as for the Greek communities in their midst. Yet it is not of himself as making history that Archbishop Methodios has been so conscious but of being caught up through his episcopal office in the living stream of history as it flowed from the past into the future fraught with awesome divine destiny. This cleric is a man of destiny, if ever there was one.

Secondly, Archbishop Methodios has proved himself to be a great Christian statesman. Here we must point to the wisdom and judgment he constantly manifests in the exigencies and complications of human and social existence in the modern world. Were he a politician he would undoubtedly be one of the most influential Statesmen in Europe. However, Methodios' statesmanship functions not at the superficial level of political or ecclesiastical pragmatism or the daily conflict of power-structures beloved by the media. On the other hand, like Photius whom he admires so much he does not evade conflict when Christian witness and the integrity of Orthodox doctrine are at stake, but that takes place at another level where Church and nation and culture are interlocked in the life of God's people. I know of no one who matches the extraordinary freedom and adaptability of Methodios in his ability to operate in different countries and nations and cultures in such a way as to be at home with them, and yet in such a way as to mediate to them the rich contributions of the Hellenic tradition. Therein lies, in part at least, the secret of his leadership among Greek immigrants in different parts of the world, but it is the spiritual and intellectual quality he brings to his leadership, as a man of God and a trumpet of the truth, which transcends national differences, without depreciating distinctive national contributions, that wins for him such high regard and admiration as a Christian Leader.

επόμενες γενεές. Ὑπ' αὐτὴν ἀκριβῶς τὴν ἔννοια πρέπει νὰ ἐκτιμήσουμε τὸ ἔνθερμο ἐνδιαφέρον τοῦ Μεθοδίου γιὰ θεολογικὲς δημοσιεύσεις σὲ βιβλία καὶ περιοδικά, καθὼς καὶ τὴν ἀξιοσημείωτη αἴσθησή του τῆς ἱστορίας, ἡ ὁποία τὸν παρακίνησε στὶς ἔρευνές του, ἐπὶ παραδείγματι, γιὰ τὴν καταγωγὴ τῆς μητρὸς ἐκκλησίας του τῆς Κορίνθου, ἢ γιὰ τὶς ρίζες τῆς 'Ιουδαϊκῆς καὶ Χριστιανικῆς παρουσίας στὴν Αἰθιοπία καὶ Νουβία, καθὼς ἐπίσης καὶ γιὰ τὴν καταγωγὴ τῆς 'Ορθοδόξου 'Εκκλησίας τῶν διαφόρων χωρῶν στὶς ὁποῖες βρέθηκε διαπεπιστευμένος πρὸς ἐκπλήρωσιν εἰδικῶν ἀποστολῶν. Αὐτὴ ἡ αἴσθηση τῆς ἱστορίας ἔρχεται νὰ ἐπαληθευθεῖ μὲ τὴν ἀφοσίωση μὲ τὴν ὁποία ἔχει πάντοτε ἐπιδοθεῖ στὴ μελέτη τῶν ἀρχείων τῶν διαφόρων ἐπισκοπῶν, ἀρχείων ποὺ ἀφοροῦν ὄχι μόνο σὲ γεγονότα τοῦ παρελθόντος, ἀλλὰ καὶ στὴν ἀποστολὴ καὶ τὴ δραστηριότητα τῆς 'Εκκλησίας στὸ παρόν. 'Επιπλέον, ὁ Μεθόδιος ἔχει ἐναργῆ συνείδηση καὶ τῆς προσωπικῆς του συμμετοχῆς στὴν ἱστορία καὶ τῆς ἐμπλοκῆς του σὲ ἐν ἐξελίξει ἱστορικὰ γεγονότα. Καὶ πράγματι ὑπῆρξαν γεγονότα μεγάλης σημασίας, ὅσον ἀφορᾶ στὴν 'Εκκλησία σὲ χῶρες ὅπως ἡ Αἰθιοπία, ἡ Αἴγυπτος καὶ ἡ Βρετανία, καθὼς καὶ στὶς Ἑλληνικὲς κοινότητες ποὺ ὑπάρχουν σ' αὐτές. 'Εν τούτοις, δὲν πρόκειται τόσο γιὰ τὴ συνείδηση τοῦ 'Αρχιεπισκόπου Μεθοδίου ὅτι ἀποτελεῖ μοχλὸ τῆς ἱστορίας, ὅσο γιὰ τὴ συναίσθησή του ὅτι ἦταν ὑποχρεωμένος διὰ τοῦ ἐπισκοπικοῦ του ἀξιώματος νὰ ἐμπλέκεται στὸ ζωντανὸ ρεῦμα τῆς ἱστορίας κατὰ τὴ ροή του ἀπὸ τὸ παρελθὸν πρὸς τὸ μέλλον, καθὼς ἦταν ἐπιφορτισμένος μὲ ἕνα μυστηριῶδες θεϊκὸ πεπρωμένο. Αὐτὸς ὁ κληρικὸς εἶναι ἕνας ἄνθρωπος τοῦ πεπρωμένου, ἂν δεχτοῦμε ὅτι ὑπάρχουν τέτοιοι ἄνθρωποι.

Δεύτερον, ὁ 'Αρχιεπίσκοπος Μεθόδιος ἔχει ἀποδείξει ὅτι εἶναι μιὰ σπουδαία Χριστιανικὴ πολιτικὴ προσωπικότητα. 'Εδῶ πρέπει νὰ τονίσουμε τὴ σοφία καὶ τὴν εὐθυκρισία ποὺ σταθερὰ ἐκδηλώνει κατὰ τὴν ἀντιμετώπιση τῶν ἐπιτακτικῶν ἀναγκῶν καὶ τῶν περίπλοκων ἐκφάνσεων τῆς ἀτομικῆς καὶ κοινωνικῆς πραγματικότητας στὸν σύγχρονο κόσμο. Ἂν ἦταν πολιτικὸς θὰ ἦταν ἀναμφιβόλως μιὰ ἀπὸ τὶς πιὸ σημαντικὲς πολιτικὲς προσωπικότητες τῆς Εὐρώπης. Ὡστόσο, ἡ πολιτικὴ ἱκανότητα τοῦ Μεθοδίου δὲν λειτουργεῖ στὸ ἐπιφανειακὸ ἐπίπεδο τοῦ πολιτικοῦ ἢ ἐκκλησιαστικοῦ πραγματισμοῦ ἢ τῆς προσφιλοῦς στὰ μέσα ἐπικοινωνίας καθημερινῆς συγκρούσεως τῶν δομῶν ἐξουσίας. 'Αφ' ἑτέρου ὅμως, ὅπως ὁ Φώτιος, τὸν ὁποῖο αὐτὸς θαυμάζει τόσο πολύ, δὲν ἀποφεύγει τὴ σύγκρουση ὅταν ἡ Χριστιανικὴ μαρτυρία καὶ ἡ ἀκεραιότητα τοῦ 'Ορθοδόξου δόγματος βρίσκονται ἐν κινδύνῳ, ἀλλὰ αὐτὸ συμβαίνει σ' ἕνα ἄλλο ἐπίπεδο ὅπου 'Εκκλησία καὶ ἔθνος καὶ πνευματικὴ καλλιέργεια διαπλέκονται στὴ ζωὴ τοῦ λαοῦ τοῦ Θεοῦ. Δὲν γνωρίζω κανέναν ἄλλο ποὺ νὰ συνδυάζει τὴν ἀσυνήθιστη ἐλευθερία καὶ τὴν προσαρμοστικότητα τοῦ Μεθοδίου στὴν ἱκανότητά του νὰ λειτουργεῖ σὲ διαφορετικὲς χῶρες καὶ ἔθνη καὶ πολιτισμικὰ περιβάλλοντα μὲ τέτοια ἄνεση, ὥστε νὰ αἰσθάνεται οἰκεῖος μὲ ὅλα αὐτά, κι ακόμη μὲ τέτοιον τρόπο, ὥστε νὰ μεταλαμπαδεύει στὰ νέα περιβάλλοντα τὶς πλούσιες συνεισφορὲς τῆς Ἑλληνικῆς παραδόσεως. Σ' αὐτὸ ἔγκειται, τουλάχιστον ἐν μέρει, τὸ μυστικὸ τῆς ἡγετικῆς του ἱκανότητας μεταξὺ τῶν Ἑλλήνων μεταναστῶν σὲ διάφορα μέρη τοῦ κόσμου, ἀλλὰ πρέπει νὰ συνυπολογιστεῖ καὶ ἡ πνευματικὴ καὶ διανοητικὴ ποιότητα μὲ τὴν ὁποία ἐμπλουτίζει τὴν ἡγετική του ἱκανότητα, ὡς ἄνθρωπος τοῦ Θεοῦ καὶ σάλπιγξ τῆς ἀληθείας, ποὺ ὑπερβαίνει τὶς ἐθνικὲς διαφορές, χωρὶς νὰ ὑποβαθμίζει τὶς διακριτὲς ἐθνικὲς συνεισφορές, πρᾶγμα ποὺ προσθέτει στὸ ἐνεργητικό του τὴν τόσο ὑψηλὴ ἐκτίμηση καὶ τὸν θαυμασμὸ στὸ πρόσωπό του ὡς Χριστιανοῦ Ἡγέτη.

It is the same kind of wise cultured statesmanship that Archbishop Methodios brings to his ecumenical outlook and activity of which he has been so long justly renowned. He was a spiritual sensitivity and a theological insight that enable him to penetrate sympathetically into the real issues at stake, where everything is finally measured and judged by reference to the substance of the Gospel, rather than the formal yardstick taken from canon law. Primacy is always given to *koinonia* in the Church as the Body of Christ rather than to formal juridical argument, and it is from that perspective, he believes, that the difficult inter-church problems over authority are not mean that Archbishop Methodios depreciates the canonical, far less, the conciliar, structure of the ancient Catholic Church and its teaching, but that all church law and dogma must be interpreted and handled within the frame of the *eusebeia* or godliness that informed and shaped the *phronema* of the Apostolic and Nicene Church. That is the Christ-centred and deeply spiritual ecumenism which Archbishop Methodios has brought to his discussions with other Communions, but never with any deviation from the teaching of Nicene-Constantinopolitan Orthodoxy. His primary concern has always been for untarnished fidelity to the evangelical and apostolic verities of the Christian faith interpreted within the historic consensus reached by the Church in the decisions of the Ecumenical Councils in the undivided Church. The position he adopts is very clear in his published correspondence with the two Anglican Archbishops after the notorious rejection by the Bishop of Durham of the virgin birth and the physical resurrection of our Lord. Archbishop Methodios is the Ecumenist who presses the discussion of every issue down to the solid rock of truth as the one foundation for ecumenical reconciliation and cooperation. He is an ecumenist who does not tolerate prevarication, but insists on exposing all convictions to the searching and purifying light of Christ himself, painful as it may be to all concerned.

This brings me to the third thing about Archbishop Methodios to which I would like to refer, his likeness to the Patriarch Photius in respect of the breadth of his scholarship and the wonder of his encyclopaedic mind. But in all the vast historical, bibliographical and theological learning that characterises the works he has written and edited, Methodios also reflects the unique combination of *mathesis* and *mystagogia* which was the characteristic feature in the learning process that underlay the massive scholarship of Photius. It goes back to the teaching of St. Paul that spiritual truth is to be discerned spiritually and not naturally, and to be learned only through the wisdom of God and not the wisdom of men. This is the secret and

Αὐτὸ τὸ εἶδος τῆς σοφῆς καλλιεργημένης πολιτικῆς ἐπιστημοσύνης μεταφέρει ὁ 'Αρχιεπίσκοπος Μεθόδιος στὴν οἰκουμενική του προοπτικὴ καὶ δραστηριότητα γιὰ τὴν ὁποία τυγγάνει ἤδη δικαίας ἀναγνωρίσεως καὶ φήμης. Πνευματικὴ αἰσθαντικότητα καὶ θεολογικὴ διορατικότητα τὸν καθιστοῦν ἱκανὸ νὰ διεισδύει συμπαθητικῶς στὶς πραγματικὲς διαμφισβητούμενες ὑποθέσεις, ὅπου τὸ καθετὶ τελικὰ μετρᾶται καὶ κρίνεται ἐν ἀναφορᾶ πρὸς τὴν οὐσία τοῦ Εὐαγγελίου μᾶλλον, παρὰ μὲ τὸ τυπικὸ μέτρο τοῦ κανονικοῦ δικαίου. Τὰ πρωτεῖα ἔχει πάντοτε ἡ *κοινωνία* ἐντὸς τῆς 'Εκκλησίας ὡς Σώματος Χριστοῦ μᾶλλον, παρὰ τὸ τυπικὸ δικαιικὸ ἐπιχείρημα, καὶ μ' αὐτὴ τὴν προοπτικὴ πιστεύει ὅτι πρέπει νὰ ἀντιμετωπιστοῦν τὰ δύσκολα διεκκλησιαστικὰ ζητήματα ἐπὶ τῆς αὐθεντίας, πρᾶγμα ποὺ δὲν σημαίνει ὅτι ὁ 'Αρχιεπίσκοπος Μεθόδιος ὑποβαθμίζει τὴν κανονικὴ καί, πολὺ περισσότερο, τὴ συνοδικὴ δομὴ τῆς ἀρχαίας Καθολικῆς 'Εκκλησίας καὶ τὴ διδασκαλία της, ἀλλὰ ὅτι τὸ ἐκκλησιαστικὸ δίκαιο ἐν συνόλῳ καὶ τὸ δόγμα πρέπει νὰ ἑρμηνεύονται καὶ νὰ ἀντιμετωπίζονται ἐντὸς τοῦ πλαισίου τῆς *εὐσεβείας* ἢ θρησκευτικότητας ποὺ διαμόρφωσε καὶ διέπλασε τὸ *φρόνημα* τῆς 'Αποστολικῆς καὶ Νικαιανῆς 'Εκκλησίας. Αὐτὸς εἶναι ὁ Χριστοκεντρικὸς καὶ βαθιὰ πνευματικὸς οἰκουμενισμὸς ποὺ ἔχει μεταφέρει ὁ 'Αρχιεπίσκοπος Μεθόδιος στὶς συζητήσεις του μὲ ἄλλες Κοινωνίες, ἀλλὰ πάντοτε χωρὶς καμμία παρέκκλιση ἀπὸ τὴ διδασκαλία τῆς Νικαιο-Κωνσταντινοπολιτικῆς 'Ορθοδοξίας. Ἡ πρωταρχική του μέριμνα ἀπέβλεπε πάντοτε στὴν ἀκηλίδωτη πιστότητα πρὸς τὶς εὐαγγελικὲς καὶ ἀποστολικὲς ἀλήθειες τῆς Χριστιανικῆς πίστεως ἑρμηνευμένες στὸ πλαίσιο τῆς ἱστορικῆς συναινέσεως ποὺ ἐπιτεύχθηκε ἀπὸ τὴν 'Εκκλησία μὲ τὶς ἀποφάσεις τῶν Οἰκουμενικῶν Συνόδων τῆς ἀδιαίρετης 'Εκκλησίας. Ἡ θέση ποὺ υἱοθετεῖ εἶναι πολὺ σαφὴς στὴ δημοσιευμένη ἀλληλογραφία μὲ τοὺς δύο 'Αγγλικανοὺς 'Αρχιεπισκόπους, μετὰ τὴ διαβόητη ἀπόρριψη ἀπὸ τὸν 'Επίσκοπο τοῦ Durham τῆς ἐκ παρθένου γεννήσεως καὶ τῆς φυσικῆς ἀναστάσεως τοῦ Κυρίου ἡμῶν. Ὁ 'Αρχιεπίσκοπος Μεθόδιος εἶναι ὁ Οἰκουμενιστὴς ποὺ πιέζει τὴ συζήτηση ὁποιουδήποτε ζητήματος ἐπὶ τοῦ συμπαγοῦς βράχου τῆς ἀληθείας, ὡς τοῦ μόνου θεμελίου γιὰ οἰκουμενικὴ συμφιλίωση καὶ συνεργασία. Εἶναι ἕνας οἰκουμενιστὴς ποὺ δὲν ἀνέχεται τὴ στρεψοδικία, ἀλλὰ ἐπιμένει νὰ ἐκθέτει ὅλες τὶς παραδοχὲς στὸ ἐρευνητικὸ καὶ ἐξαγνιστικὸ φῶς τοῦ ἴδιου τοῦ Χριστοῦ, ὅσο ἐπίπονο κι ἂν εἶναι αὐτὸ γιὰ ὅλους τοὺς ἐνδιαφερομένους.

Τὰ ἀνωτέρω μὲ ὁδηγοῦν στὸ τρίτο πρᾶγμα ποὺ θὰ ἐπιθυμοῦσα νὰ ἀναφερθῶ σχετικὰ μὲ τὸν 'Αρχιεπίσκοπο Μεθόδιο, τὴν ὁμοιότητά του μὲ τὸν Πατριάρχη Φώτιο ὡς πρὸς τὴν εὐρυμάθειά του καὶ τὸ θαῦμα τοῦ ἐγκυκλοπαιδικοῦ του νοῦ. 'Αλλὰ σ' ὅλη τὴν ἀπέραντη ἱστορική, βιβλιογραφικὴ καὶ θεολογικὴ γνώση ποὺ χαρακτηρίζει τὰ ἔργα ποὺ ἔχει συγγράψει καὶ ἐκδώσει, ὁ Μεθόδιος ἀντανακλᾶ ἐπίσης τὸν μοναδικὸ συνδυασμὸ *μαθήσεως* καὶ *μυσταγωγίας* ποὺ ὑπῆρξε τὸ κύριο χαρακτηριστικὸ τῆς μαθησιακῆς διαδικασίας ποὺ ἀποτέλεσε τὸ ὑπόστρωμα τῆς ὀγκώδους εὐρυμάθειας τοῦ Φωτίου. Αὐτὸ ἀνατρέχει στὴ διδασκαλία τοῦ 'Αποστόλου Παύλου ὅτι ἡ πνευματικὴ ἀλήθεια πρέπει νὰ διακρίνεται πνευματικὰ καὶ ὄχι φυσικά, πρέπει δὲ νὰ προσλαμβάνεται μόνο διὰ τῆς σοφίας τοῦ Θεοῦ καὶ ὄχι διὰ τῆς σοφίας τῶν ἀνθρώπων. Αὐτὴ εἶναι ἡ μυστικὴ καὶ

hidden wisdom that is imparted by the Spirit to those who are initiated into the mystery of divine revelation, not a wisdom that can be achieved merely through human investigation. In the early Church this was held to mean that progress in theological understanding and participation in eucharistic worship went hand in hand, that the dogmatic and the sacramental complemented and nourished each other. It was thus that *mathesis* and *mystagogia* were regarded as mutually related in the development and expression of the Orthodox Faith and Church. Doctrinal learning and divine worship, intellectual activity and mystical insight, fructified each other. Thus while *mystagogia* rested on the basis of *mathesis, mathesis* could not proceed cut off from *mystagogia. Mystagogia* without *mathesis* lacked foundation and degenerated into magical superstition, and *mathesis* without *mystagogia* lacked spiritual discernment and degenerated into wordly wisdom. Rightly interrelated, *mathesis* prevents *mystagogia* from withdrawing into an esoteric mysticism. This helps to explain the resistance of the Greek Church to the irreformable dogmas of the Latin Church, and why properly regarded Orthodox dogmatics is both firmly grounded in the Incarnation and yet openstructured through the constant renewal of the Spirit. This combination is particularly evident in Photius **"Treatise on the Holy Spirit",** but I find it lacking in some of rather sharp analyses and verdicts on others in his **Bibliotheca** or **Myriobiblon!** This is not a combination which I find lacking in the published works of Archbishop Methodios. He fulfils for us today the office of a "Doctor of the Church" in a very acceptable way in line with the classical Greek patristic combination of great learning and godly wisdom.

ἀποκεκρυμμένη σοφία ποὺ παρέχεται ἀπὸ τὸ Ἅγιον Πνεῦμα σ' ἐκείνους ποὺ ἔχουν μυηθεῖ στὸ μυστήριον τῆς θείας ἀποκαλύψεως, ὄχι σοφία ποὺ μπορεῖ νὰ ἀποκτηθεῖ μέσω τῆς ἀνθρωπίνης διερευνήσεως. Στὴν ἀρχέγονο 'Εκκλησία αὐτὸ ἦταν δεδομένο ὅτι σήμαινε ὅτι ἡ πρόοδος στὴ θεολογικὴ κατανόηση καὶ ἡ συμμετοχὴ στὴν εὐχαριστιακὴ λατρεία βάδιζαν χέρι μὲ χέρι, ὅτι τὸ δογματικὸ καὶ τὸ μυστηριακὸ ἀλληλοσυμπληρώνονταν καὶ ἀλληλοτροφοδοτοῦνταν. Κατ' αὐτὸν τὸν τρόπο *μάθησις* καὶ *μυσταγωγία* θεωροῦνταν ἀλληλοσυσχετιζόμενες στὴν ἀνάπτυξη καὶ ἔκφραση τῆς 'Ορθοδόξου Πίστεως καὶ 'Εκκλησίας. Δογματικὴ κατάρτιση καὶ θεία λατρεία, διανοητικὴ δραστηριότητα καὶ μυστικὴ ἐνόραση, ἀλληλοτροφοδοτοῦνταν γονιμοποιώντας ἡ μία τὴν ἄλλη. Ἔτσι ἐνῶ ἡ *μυσταγωγία* ἑδραζόταν στὴ βάση τῆς *μαθήσεως*, ἡ *μάθησις* δὲν μποροῦσε νὰ προχωρήσει ἀποκεκομμένη ἀπὸ τὴ *μυσταγωγία*. *Μυσταγωγία* ἄνευ *μαθήσεως* ἐστερεῖτο θεμελίων καὶ ἐκφυλιζόταν σὲ μαγικὴ δεισιδαιμονία, καὶ *μάθησις* ἄνευ *μυσταγωγίας* ἐστερεῖτο πνευματικῆς εὐκρινείας καὶ ἐκφυλιζόταν σὲ κοσμικὴ σοφία. Ἂν συσχετιστεῖ σωστά, ἡ *μάθησις* ἐμποδίζει τὴ *μυσταγωγία* ἀπὸ τὸ νὰ ἐκπέσει σὲ ἐσωτερικὸ μυστικισμό. Αὐτὴ ἡ διαπίστωση μᾶς παρέχει τὴ βοήθεια γιὰ τὴν ἐξήγηση τῆς ἀντιστάσεως τῆς 'Ελληνικῆς 'Εκκλησίας στὰ ἀμεταρρύθμιστα δόγματα τῆς Λατινικῆς 'Εκκλησίας, καὶ γιὰ τὸν λόγο γιὰ τὸν ὁποῖο ἡ 'Ορθόδοξος δογματική, κατάλληλα θεωρημένη, καὶ ἑδράζεται σταθερὰ στὴν 'Ενσάρκωση, καὶ ἐν τούτοις ἔχει ἀνοικτὴ δομὴ διὰ τῆς σταθερῆς ἀνανεώσεως τοῦ 'Αγίου Πνεύματος. Αὐτὸς ὁ συνδυασμὸς εἶναι ἰδιαιτέρως ἐμφανὴς στὸ ἔργο τοῦ Φωτίου **"Πραγματεία περὶ τοῦ 'Αγίου Πνεύματος"**, ἀλλὰ τὸν βρίσκω ἐλλιπῆ σ' ὁρισμένες ἀπὸ τὶς μᾶλλον ὀξυδερκεῖς ἀναλύσεις καὶ κρίσεις σὲ ἄλλες μελέτες ποὺ περιλαμβάνονται στὴ **Βιβλιοθήκη** του ἢ **Μυριόβιβλο**! Δὲν βρίσκω ἐλλιπῆ τὸν συνδυασμὸ αὐτὸ στὰ δημοσιευμένα ἔργα τοῦ 'Αρχιεπισκόπου Μεθοδίου. 'Επιτελεῖ γιὰ μᾶς σήμερα τὸ καθῆκον τοῦ "Διδάκτορος τῆς 'Εκκλησίας" μὲ ἕναν πολὺ ἀποδεκτὸ τρόπο σὲ εὐθεῖα γραμμὴ μὲ τὸν κλασικὸ 'Ελληνικὸ πατερικὸ συνδυασμὸ τῆς εὐρυμάθειας καὶ τῆς θείας σοφίας.*

---

* Σ.τ.μ.: 'Ο Καθηγητὴς Thomas Torrance, εἶναι μέλος τῆς Βρεταννικῆς 'Ακαδημίας, διετέλεσε Καθηγητὴς τοῦ Πανεπιστημίου τοῦ 'Εδιμβούργου καὶ 'Αρχηγὸς τῆς 'Εκκλησίας τῆς Σκωτίας. 'Εδίδαξε σὲ πολλὰ Πανεπιστήμια τῆς 'Αμερικῆς καὶ τιμήθηκε μὲ τὸ Βραβεῖο Templeton, ἀντίστοιχο τοῦ Nobel.

'Ο Torrance ἐκφράζει κατὰ τὸν πιὸ ἐπίσημο καὶ αὐθεντικὸ τρόπο τὴ γνώμη τῆς Βρεταννικῆς κοινωνίας γιὰ τὸν πρώην 'Αρχιεπίσκοπο Θυατείρων καὶ Μεγάλης Βρεταννίας Μεθόδιο, νῦν Μητροπολίτη Πισιδίας, γι' αὐτὸ καὶ παραθέτουμε ἐδῶ, μὲ τὴν εὐκαιρία τῆς ἐκδόσεως τῶν πνευματικῶν ἐπιδόσεων τοῦ Σεβασμιωτάτου Μεθοδίου, καὶ τὴν ἑλληνικὴ ἀπόδοση τοῦ ἀγγλικοῦ κειμένου τῆς γνώμης τοῦ Torrance γιὰ τὸν κ. Μεθόδιο. Ἂς σημειωθεῖ πρὸς τούτοις ὅτι ὁ γράφων ταῦτα ὑπῆρξε ἐπὶ ἔτη συνεργάτης τοῦ Σεβ. Μεθοδίου καὶ συγγραφέας τῆς 'Ιστορίας τῆς 'Ιερᾶς Μητροπόλεως 'Αξώμης, τῆς ὁποίας ὁ κ. Μεθόδιος ὑπῆρξε ποιμενάρχης, καθὼς καὶ τῆς 'Ιερᾶς 'Αρχιεπισκοπῆς Θυατείρων καὶ Μεγάλης Βρεταννίας, τῆς ὁποίας ὁ ἴδιος Σεβ. Μεθόδιος διετέλεσε ἐκκλησιαστικὸς ἡγέτης.

4. Ὁ Καθηγητής THOMAS TORRANCE

Α΄
Οἱ Ἐκδόσεις μου στὴν Αἰθιοπία

GREEK ORTHODOX ARCHDIOCESE OF NORTH AND SOUTH AMERICA

ΕΛΛΗΝΙΚΗ ΟΡΘΟΔΟΞΟΣ ΑΡΧΙΕΠΙΣΚΟΠΗ ΒΟΡΕΙΟΥ ΚΑΙ ΝΟΤΙΟΥ ΑΜΕΡΙΚΗΣ

10 EAST 79th STREET, NEW YORK, N.Y. 10021 • TEL (212) 570-3500 • CABLE: ARCHGREEK, NEW YORK

Τῇ 23ῃ Νοεμβρίου 1988

Σεβασμιώτατον Ἀρχιεπίσκοπον
πρ. Θυατείρων καί Μ. Βρεταννίας
Κύριον Μεθόδιον
Εἰς Ἀθήνας

Σεβασμιώτατε Ἅγιε Ἀδελφέ,

Μέ συγχωρεῖτε γιά τήν ἀδικαιολόγιτη καθυστέρησί μου νά ἀπαντήσω εἰς τό γράμμα σας τῆς 5ης Σεπτεμβρίου 1988. Στό ἐρώτημά σας γιά τήν ἀποστολή τοῦ ἀναμνηστικοῦ τόμου ἀπαντῶ μέ τήν παράκλησι νά δώσετε εἰς τήν κυρίαν Μόνικα (διευθύνουσαν τό γραφεῖον τοῦ κ. Π. Περδικάρη) καί εἰς τήν διεύθυνσιν Σταδίου 10 πρῶτος ὄροφος ὅσα σώματα θέλετε. Πάντως ὄχι ὀλιγώτερα τῶν 20-30. Ἐκείνη θά φροντίσῃ γιά τήν ἀσφαλῆ ἀποστολή τους.

Αὔριον εἶναι ἡ "Ἡμέρα τῶν Εὐχαριστιῶν" ἐδῶ Thanksgiving Day καί μέ τήν εὐκαιρία αὐτή (πλησιάζει καί ἡ 54η ἐπέτειος ἀπό τῆς χειροτονίας μου εἰς διάκονον) θά εὐχαριστήσω καί πάλιν τόν Θεόν διά τήν συγκατάβασιν καί τό ἄπειρόν Του ἔλεος. Εἶμαι βέβαιος, ὅτι καί σεῖς κάμετε τό ἴδιον κατά τόν Ἰωάννην Χρυσόστομον, ὁ ὁποῖος εἰς τόν τόπον τῆς ἐξορίας Του ἐπαναλάμβανε πρός τούς φίλους, πού τοῦ ἔδειχναν συμπάθειαν, "Δόξα τῷ Θεῷ πάντων ἕνεκεν".

Σᾶς ἀπεστράτευσαν πολύ ἐνωρίς, ἐλπίζω, μέ τόν μισθόν καί τόν βαθμόν τοῦ Ἀρχιεπισκόπου Θυατείρων καί Μεγάλης Βρεταννίας. Ἴσως ἦτο θέλημα Θεοῦ νά ἐπιδοθῆτε εἰς τήν μελέτην καί συγγραφήν, ὅπου εὑρίσκετε πνευματικήν ἱκανοποίησιν καί ψυχικήν ἔξαρσιν. Μή περιμένετε ἀπό ἀνθρώπους (πού τήν ὀφείλουν) καμμίαν δικαίωσιν. Δέν ὑπάρχει τόπος (there is no room) γιά δικαιώσεις ἄλλων. Ὅλες τίς δίδουν εἰς τόν ἑαυτόν των. Ἔχουν ἄλλωστε τόση ἀνάγκην.

Προσωπικῶς σᾶς εὐχαριστῶ δι'ὅσα ὑπέρ τῆς Ἐκκλησίας ἔχετε κάμει. Προσπαθήσατε νά κάμετε τήν Ἐκκλησίαν περισσότερον δρατή καί περισσότερον ἰσχυρά, ἀθρίζοντας γύρω της τόν κόσμον τῶν Ἑλληνίδων μας καί ὑψώνοντας τό ὄνομα Κυρίῳ ἐπί τό αὐτό. Ἀλλ'αὐτό δέν είμποροῦν νά τό ἰδοῦν καί ἄν θέλουν ἀκόμα. Εἶναι τόσον στενός καί κλειστός ὁ ὁρίζοντας. Καί τόσος ὁ φόβος καί ὁ φθόνος, πού ὑψώνουν τείχη ὄχι ἀμύνης, ἀλλά χειρισμοῦ. Ὁ Θεός ἄς μᾶς λυπηθῇ καί ἄς μᾶς ἐλεήσῃ ὅλους. Ἡ Ἐκκλησία μας πρέπει νά ζήσῃ. Καί θά ζήσῃ.

Μέ ἀδελφικάς εὐχάς γιά τίς Ἅγιες Ἡμέρες πού μᾶς ἔρχονται καί γιά ἕνα ὡλοκληρωμένο εὐφρόσυνο βίωμά της, σᾶς ἀσπάζομαι ἐν Χριστῷ Σαρκωθέντι,

Ο ΑΡΧΙΕΠΙΣΚΟΠΟΣ

Ο ΑΜΕΡΙΚΗΣ ΙΑΚΩΒΟΣ

ΑΙ,νκ

Μετά τήν προαγωγή μου ὡς Μητροπολίτη Ἀξώμης ἀπό τήν Ἱερά Σύνοδο τοῦ Πατριαρχείου Ἀλεξανδρείας, ὁ ἀείμνηστος Πατριάρχης Νικόλαος μοῦ ἀνέθεσε τήν ἐπανέκδοση τοῦ ἱστορικοῦ Περιοδικοῦ τοῦ Πατριαρχείου Ἀλεξανδρείας «Ἐκκλησιαστικός Φάρος». Τό ἔργο πού μοῦ ἀνατέθηκε δέν ἦταν ἀπό τά εὔκολα, γιατί ἡ ἐπανέκδοση τοῦ περιοδικοῦ αὐτοῦ ἔπρεπε νά μήν εἶναι κατώτερη τῆς ἱστορίας του. Ἡ ὑλοποίηση μιᾶς τέτοιας ἀπόφασης τοῦ Πατριάρχη ἔπρεπε νά παρακάμψει πολλά ἐμπόδια καί νά ἐξασφαλίσει τούς ἀνάλογους πόρους, τούς κατάλληλους συνεργάτες, ἀλλά καί τήν πόλη ἤ τήν Χώρα πού θά γινόταν ἡ ἐκτύπωση τοῦ περιοδικοῦ.

Ὅταν τό ἔτος 1952 διακόπηκε ἡ ἔκδοση τοῦ περιοδικοῦ αὐτοῦ ἡ παλαιά του αἴγλη εἶχε τελείως ἐκλείψει. Οἱ τελευταῖες ἐκδόσεις του ἀριθμοῦσαν μερικές σελίδες. Ἡ παρακμή του ἦταν πλέον ἐμφανής.

Δέν ἦταν μόνο οἱ οἰκονομικές ἐλλείψεις πού ὁδήγησαν στή διακοπή τῆς ἔκδοσης τοῦ «Ἐκκλησιαστικοῦ Φάρου», ἀλλ' ἡ ἀπουσία πεπαιδευμένων κληρικῶν στό Πατριαρχεῖο μέ ζῆλο ἐρευνητικό καί συγγραφικό.

Τό ἐπίδομα τοῦ Μητροπολίτη δέν ἐπαρκοῦσε οὔτε γιά τή συντήρηση τῆς Μητροπόλεώς μας. Τά δικαιώματα τοῦ Μητροπολίτη ἦσαν πολύ λίγα, καί αὐτά ἦσαν προαιρετικά. Αὐτό μποροῦν νά τό ἐπιβεβαιώσουν ὄχι μόνο οἱ τότε συνεργάτες μου, ἀλλά καί μέλη τοῦ τότε ποιμνίου μου. Οὔτε ζήτησα ἀλλ' οὔτε καί ἔλαβα ποτέ ἐμβατίκια ἀπό τίς Κοινότητες τῆς Μητροπόλεως Ἀξώμης. Δέν ζήτησα καί δέν ἔλαβα ποτέ οἰκονομική ἐνίσχυση ἀπό τό Πατριαρχεῖο γιά ὁποιαδήποτε ἀποστολή μου. Συνεπῶς, ἔπρεπε γιά τήν ἔκδοση τοῦ περιοδικοῦ αὐτοῦ νά ἀναζητήσω ἀλλοῦ τούς πόρους.

Ὡς πρώτη ἐνέργειά μου ἐθεώρησα νά συστήσω Οἰκονομική Ἐπιτροπή τοῦ περιοδικοῦ, τήν ὁποία ἀποτέλεσαν πρόσωπα ἀπό τήν Ἐπαρχία μου.

Μέ προσοχή πολλή ξεκίνησα τό πρῶτο ἔτος, ἐνῶ ἀπό τό δεύτερο ἔτος ἄρχισα νά εἰσπράττω συνδρομές ἀπό ὁρισμένα ἄτομα τῆς Μητροπόλεώς μου. Τίς εἰσπράξεις ἐνεργοῦσε ὁ ἐκπαιδευτικός Δημ. Συκάς, ὁ ὁποῖος, σέ ὅλη τήν περίοδο τῆς διακονίας μου στήν Μητρόπολη Ἀξιώμης, ὑπῆρξε πολυτιμότατος συνεργάτης. Ἀπό τῆς ἐγκαταστάσεώς μου στήν Μητρόπολη Ἀξώμης τόν διόρισα Γραμματέα μου καί πολύ ἐνωρίς τοῦ ἀπένειμα καί τό ὀφφίκιο τοῦ Λογοθέτη τῆς Μητροπόλεως Ἀξώμης.

Οἱ συνδρομές ἐκάλυψαν τήν δαπάνη γιά τήν ἔκδοση τοῦ περιοδικοῦ τό πρῶτο ἔτος. Ὅμως γιά τά ἑπόμενα, γιά νά συνεχίσω τήν ἔκδοση τοῦ περιοδικοῦ ἔπρεπε νά ἀναζητήσω τά ἔξοδά του σέ διαφημίσεις καί σέ πρόσωπα πού ἦταν φιλικά σ' ἐμένα. Τέτοια πρόσωπα ἦσαν ὁ ἀείμνηστος Πρόεδρος γιά πολλά χρόνια τῆς Ἑλλ. Κονότητος Ἀδδίς Ἀμπέμπας Νικ. Γεωργακάς, εὔποροι πάροικοι, ἑλλ. βιομηχανίες τῆς Ἐπαρχίας μου, ὁ ἀείμνηστος Ἰω. Καρίκας, Πρόεδρος τῆς Ἑλλ. Κοινότητος Ντίρε Ντάουας, ὁ Χρῆστος Ἀχλαδιώτης, Πρόεδρος τῆς Ἑλλ. Κοινότητος Τσιμπουτί, ὁ Γεώργιος Καλογεράτος, ὁ ἐπίτ. Πρόεδρος καί εὐεργέτης τῆς Ἑλληνικῆς Κοινό-

ΕΠΙΣΤΗΜΟΝΙΚΟΝ ΘΕΟΛΟΓΙΚΟΝ ΠΕΡΙΟΔΙΚΟΝ
ΣΥΓΓΡΑΜΜΑ ΤΟΥ ΠΑΤΡΙΑΡΧΕΙΟΥ ΑΛΕΞΑΝΔΡΕΙΑΣ

ΤΟΜΟΣ ΝΑ΄ 1952 - 1969

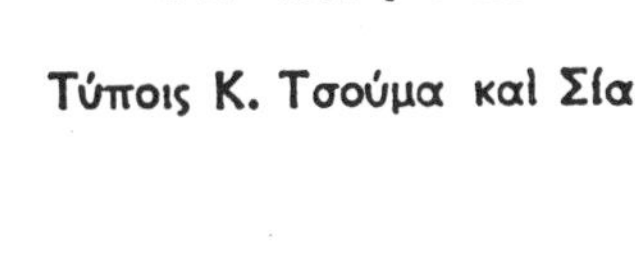

ABBA SALAMA

ΕΚΔΟΣΙΣ ΤΗΣ ΕΤΑΙΡΙΑΣ ΕΛΛΗΝΟ-ΑΙΘΙΟΠΙΚΩΝ ΣΠΟΥΔΩΝ

ΔΙΕΥΘΥΝΤΗΣ

Ὁ Μητροπολίτης Ἀξώμης Μεθόδιος

Ἐκδίδεται δαπάνῃ τῆς Ἐμπορικῆς Τραπέζης τῆς Ἑλλάδος ὑπὸ τὴν Διεύθυνσιν τοῦ Καθηγητοῦ Στρατῆ Γ. Ἀνδρεάδη.

Ἐπιστολαί, χειρόγραφα, βιβλία καὶ ἀνταλλασσόμενα περιοδικὰ δέον ν' ἀπευθύνωνται πρὸς τὸν Διευθυντήν. P.O. Box 571 Addis Ababa, Ethiopia

---

ΤΟΜΟΣ Α. 1970

τητος Ἀδδίς Ἀμπέμπας Ἀθ. Μίχος, ὁ Κ. Ἀλεξανδράκης, ὁ Οἶκος Μυριαλλής - Παπαφιλίππου, ἡ Ἑταιρεία DIABACO, ὁ μετέπειτα Πρόεδρος τῆς Ἑλλ. Κοινότητος Ἀδδίς Ἀμπέμπας Θεόδ. Ἀσημακόπουλος, ἐπιχειρηματίας, καί πολλοί ἄλλοι.

Τά τεχνικά προβλήματα ἦσαν πιό δύσκολα, γιατί τά ἑλληνικά τυπογραφεῖα πού ὑπῆρχαν παλαιότερα στήν Αἴγυπτο δέν ὑπῆρχαν πλέον. Οὔτε καί στήν Ἀδδίς Ἀμπέμπα ὑπῆρχε ἑλληνικό τυπογραφεῖο. Μόνο στήν Ἑλλάδα μποροῦσα νά συνεχίσω τήν ἔκδοση τοῦ περιοδικοῦ. Ὅμως, λόγω τοῦ τότε καθεστῶτος στή Χώρα μας καί στή δυσμένειά του πού βρισκόμουν ἀπό τήν ἔναρξή του, δέν μποροῦσα νά μεταβῶ ἐκεῖ, διότι ὑπῆρχε περίπτωση νά μοῦ ἀφαιρεθεῖ τό διαβατήριο καί νά μή μπορέσω νά ἐπιστρέψω στήν Ἐπαρχία μου. Τέτοιο ἐνδεχόμενο μοῦ ἦταν γνωστό ἀφοῦ μόλις ἔγινε γνωστή ἡ προαγωγή μου ἀπό τήν Ι. Σύνοδο τοῦ Πατριαρχείου Ἀλεξανδρείας σέ Μητροπολίτη Ἀξώμης ἀμέσως ἐκδόθηκε σῆμα ἀπό τίς ἁρμόδιες ὑπηρεσίες τοῦ τότε καθεστῶτος πρός ὅλες τίς ἐξόδους τῆς Χώρας νά μή μοῦ ἐπιτραπεῖ ἡ ἔξοδος. Εὐτυχῶς, ὅμως, γιατί ἀνεχώρησα πρίν νά φθάσει τό σῆμα στό ἀεροδρόμιο τοῦ Ἑλληνικοῦ. Τό θέμα τοῦτο εἶχε καί πολλή συνέχεια. Ἀλλά δέν ἀξίζει νά θυμᾶται κανείς ἐκείνη τήν ἐποχή. Οὔτε οἱ κακοήθειες τῶν ἀνθρώπων πρέπει νά μᾶς ἐμποδίζουν νά βλέπουμε μπροστά. Αὐτό ἔκανα ἐγώ.

Κάποια στιγμή σκέφθηκα καί τήν Κύπρο. Τελικά ἀποφάσισα νά ἐκμεταλλευθῶ τά τυπογραφικά λείψανα τοῦ Καΐρου Κ. Τσούμα καί Δ. Μπαγάνη, στά ὁποία τύπωσα τά πρῶτα τρία τεύχη. Στό μεταξύ, χωρίς νά ἐκλιπαρήσω κανένα, μόνες τους οἱ ἁρμόδιες ὑπηρεσίες τῆς Ἑλλάδος ἐγγυήθηκαν τήν ἀπρόσκοπτη ἐπίσκεψή μου στήν Ἀθήνα καί τήν ἔξοδό μου ἀπό τήν Χώρα καί ἀποφάσισα τήν ἐκτύπωση τοῦ περιοδικοῦ στήν Ἀθήνα μέ κόστος πολύ ὑψηλότερο, τό ὁποῖο μπόρεσα, μέ τόν χρόνο, νά τό ἀντιμετωπίσω ἐπιτυχῶς.

Στήν ἀρχή οἱ συνεργάτες τοῦ περιοδικοῦ δέν ἦσαν πολλοί. Δέν βρῆκα ἀνταπόκριση ἀπό ὅλους ἐκείνους στούς ὁποίους ἀπευθύνθηκα. Ὁρισμένοι ἀπ' αὐτούς ἀρκέσθηκαν στό νά μοῦ δώσουν συμβουλές μόνον. Διατηρῶ στό ἀρχεῖο μου δύο φακέλλους γεμάτους μέ ἐπιστολές ἀπό ὅλο τόν κόσμο. Σέ ὁρισμένες οἱ ἀποστολείς τους διατυπώνουν τίς ἀπόψεις τους καί γιά τά δύο περιοδικά τόν «Ἐκκλησιαστικό Φάρο» καί τό «ABBA SALAMA». Μόνον ὁ ἀείμνηστος Ἰω. Καρμίρης ἄκουσε μέ ἐνθουσιασμό γιά τήν ἐπανέκδοση τοῦ περιοδικοῦ «Ἐκκλησιαστικός Φάρος» καί ἀνταποκρίθηκε ἀμέσως μέ τήν ἀποστολή μελετῶν του γιά δημοσίευση. Συνεργάσθηκε μέ τό περιοδικό ὅλη τήν περιόδο πού εἶχα τήν εὐθύνη τῆς ἔκδοσής του. Συνεργασίες ἔστειλαν καί οἱ καθηγητές μου ἀείμνηστοι Π. Τρεμπέλλας καί Ἀμ. Ἀλιβιζάτος. Ἔστειλε καί ὁ καθηγητής Γ. Κονιδάρης συνεργασίες γιά τά πρῶτα τεύχη του.

ΑΚΑΔΗΜΙΑ ΑΘΗΝΩΝ

ΤΥΧΗι ΑΓΑΘΗι
ΕΔΟΞΕ ΤΗι ΑΚΑΔΗΜΙΑι ΑΘΗΝΩΝ
ΤΟΝ

ΕΚΚΛΗΣΙΑΣΤΙΚΟΝ ΦΑΡΟΝ

ΒΡΑΒΕΥΣΑΙ

ΟΤΙ ΕΠΙ ΜΑΚΡΟΤΑΤΟΝ ΕΚΔΙΔΟΜΕΝΟΣ ΜΕΓΑ ΕΡΓΟΝ ΕΠΙΤΕΛΕΙ ΚΑΙ ΠΟΛΛΑΧΗι ΣΥΜΒΑΛΛΕΤΑΙ ΤΗι ΤΕ ΤΗΣ ΘΕΟΛΟΓΙΑΣ ΚΑΙ ΤΗΣ ΟΡΘΟΔΟΞΟΥ ΑΝΑΤΟΛΗΣ ΜΑΘΗΣΕΙ ΚΑΙ ΤΗι ΚΑΘΟΛΟΥ ΙΣΤΟΡΙΑι ΤΟΥ ΤΗΣ ΑΛΕΞΑΝΔΡΕΙΑΣ ΠΑΤΡΙΑΡΧΕΙΟΥ.

ΑΝΕΙΠΕΙΝ ΔΕ ΤΑΣ ΤΙΜΑΣ ΕΝ ΤΗι ΠΑΝΗΓΥΡΕΙ ΜΗΝΟΣ ΔΕΚΕΜΒΡΙΟΥ ΔΕΚΑΤΗι ΕΠΙ ΕΙΚΑΔΙ ΕΤΟΥΣ ΕΒΔΟΜΗΚΟΣΤΟΥ ΚΑΙ ΕΝΑΚΟΣΙΟΣΤΟΥ ΚΑΙ ΧΙΛΙΟΣΤΟΥ

Ο ΠΡΟΕΔΡΟΣ	Ο ΓΕΝ. ΓΡΑΜΜΑΤΕΥΣ
Λ. Θ. ΖΕΡΒΑΣ	**Ι. ΘΕΟΔΩΡΑΚΟΠΟΥΛΟΣ**

᾿Απόσπασμα

τῆς ἐκθέσεως τῆς συνταχθείσης ὑπὸ τοῦ Γενικοῦ Γραμματέως κ. Ἰωάννου Θεοδωρακοπούλου καὶ ἀναγνωσθείσης ὑπ' αὐτοῦ ἐν τῇ πανηγυρικῇ Συνεδρίᾳ τῆς Ἀκαδημίας τῆς 30ῆς Δεκεμβρίου 1970 περὶ τῶν ἀπονεμομένων βραβείων καὶ ἐπαίνων

....

Μετὰ γνώμην τῆς Τάξεως τῶν Ἠθικῶν καὶ Πολιτικῶν Ἐπιστημῶν καὶ ἀπόφασιν τῆς Ὁλομελείας ἀπονέμεται :

1) Βραβεῖον εἰς τὸ ὑπὸ τοῦ Πατριαρχείου Ἀλεξανδρείας ἐκδιδόμενον ἐπιστημονικὸν θεολογικὸν σύγγραμμα ὑπὸ τὸν τίτλον «Ἐκκλησιαστικὸς Φάρος». Ἡ ἐπανέκδοσις τοῦ περιοδικοῦ τούτου ὑπὸ τὴν διεύθυνσιν τοῦ σεβασμιωτάτου Μητροπολίτου Ἀξώμης Διδάκτορος τῆς Φιλοσοφίας τοῦ Πανεπιστημίου τοῦ Μάντσεστερ καὶ ἐπιτίμου διδάκτορος τῆς Θεολογίας τοῦ Πανεπιστημίου τοῦ Ἐδιμβούργου κ. Μεθοδίου ἀποτελεῖ εὐφρόσυνον γεγονὸς διὰ τὸν ὑπὸ κρισίμους στιγμὰς ζῶντα Αἰγυπτιώτην Ἑλληνισμόν. Ἡ ἵδρυσις τοῦ περιοδικοῦ τούτου ὀφείλεται εἰς τὸν μακαριστὸν Πατριάρχην Ἀλεξανδρείας Φώτιον καὶ τοὺς ἀειμνήστους ἀκαδημαϊκοὺς Ἀρχιεπίσκοπον Ἀθηνῶν καὶ Πάσης Ἑλλάδος Χρυσόστομον καὶ Γρηγόριον Παπαμιχαήλ. Οἱ τόμοι τοῦ περιοδικοῦ τούτου, πλήρεις ἱστορικῶν ἐκκλησιαστικῶν θεολογικῶν καὶ ἀρχαιολογικῶν μελετῶν ἀναφερομένων εἰς τὴν Ὀρθόδοξον Ἀνατολὴν καὶ ἰδίᾳ εἰς τὸ μέγα ἱστορικὸν παρελθὸν τοῦ ἐνδόξου Πατριαρχείου Ἀλεξανδρείας ἀνήρχοντο κατὰ τὸ ἔτος 1950 εἰς 49 εἰς τοὺς ὁποίους τελευταίως προσετέθησαν καὶ ἕτεροι δύο. Τὸ δὲ παράρτημα τοῦ περιοδικοῦ «Ἐκκλησιαστικὸς Φάρος» ὑπὸ τὸν τίτλον «Πάνταινος» ἀριθμεῖ σήμερον 62 τόμους. Ἡ συμβολὴ τῶν περιοδικῶν τούτων συγγραμμάτων εἰς τὰ ἐκκλησιαστικὰ καὶ ἑλληνικὰ γράμματα καθὼς καὶ εἰς τὴν ἱστορίαν τοῦ Ἑλληνισμοῦ τῆς Αἰγύπτου καὶ τῆς ὅλης Ὀρθοδόξου Ἀνατολῆς εἶναι μεγίστη.

....

Ἀκριβὲς ἀπόσπασμα

Ἐν Ἀθήναις τῇ 30ῇ Δεκεμβρίου 1970.

Ὁ Γενικὸς Γραμματεύς

Τ.Σ. Ι. ΘΕΟΔΩΡΑΚΟΠΟΥΛΟΣ

Οἱ δυσκολίες τοῦ πρώτου ἔτους δέν μέ ἀποθάρρυναν. Ἀντίθετα διαπίστωσα ὅτι ὑπῆρχε εὐρύ πεδίο συνεργασίας τόσο στόν ἐκκλησιαστικό τομέα ὅσο καί στίς ἑλληνο-αἰθιοπικές σχέσεις, τίς ὁποῖες ὁ προκάτοχός μου ἀείμνηστος Ἀξώμης Νικόλαος τίς εἶχε προωθήσει σὲ ἱκανοποιητικό βαθμό. Περιορίζονταν, ὅμως, σέ διαπροσωπικό ἐπίπεδο μεταξύ αὐτοῦ καί τοῦ αὐτοκράτορα Χαϊλέ Σελάσσιε καί τοῦ Πατριάρχου Αἰθιοπίας. Δέν εἶχε συνεπικούρους τά ἐξέχοντα μέλη τῆς ἑλληνικῆς Παροικίας καί τό ἑλληνικό Κέντρο δέν τοῦ ἄνοιγε τούς ὁρίζοντες εὐρύτερης δραστηριότητας, γιά νά μή ἐνισχύει τίς μεγάλες του προσδοκίες γιά τήν Ἀλεξάνδρεια, ἐνῶ τοῦ ἀνεγνώριζε τίς μεγάλες καί ἔκτακτες πνευματικές καί ἡγετικές ἱκανότητες.

Ἔχοντας ἐκτιμήσει καλῶς τήν κατάσταση πού βρῆκα στήν Αἰθιοπία συνέλαβα τήν ἰδέα νά ἱδρύσω τήν *Ἑταιρεία Ἑλληνο-Αἰθιοπικῶν Σπουδῶν*. Ἕνα τέτοιο σωματεῖο δέν θά μποροῦσε νά ἐπιζήσει χωρίς τήν παρουσία τοῦ ὀργάνου ἐκείνου, τό ὁποῖο θά ἦταν ἡ φωνή του στήν Αἰθιοπία, τήν Ἑλλάδα καί τόν κόσμο τῶν Γραμμάτων. Ἀλλά τό ὄργανο αὐτό θά ἦταν μιά πλέον οἰκονομική ἐπιβάρυνση γιά τό ποίμνιό μου, κάτι πού ἤθελα νά ἀποφύγω. Ἤδη μεγάλος ἀριθμός μελῶν τῆς Μητροπόλεώς μου αἰσθάνονταν μεγάλη ἱκανοποίηση πού ἔβλεπαν ὅτι ἡ πνευματική καρδιά τοῦ Πατριαρχείου Ἀλεξανδρείας κτυποῦσε στήν Ἀδδίς Ἀμπέμπα καί θά ἦταν πρόθυμοι καί γιά μεγαλύτερες οἰκονομικές θυσίες. Παρά τό εὐνοϊκό αὐτό κλίμα, ἐγώ ἀπέφυγα νά θίξω τέτοιο θέμα στήν Ὁμογένεια. Προτίμησα νά μεταβῶ στήν Ἀθήνα καί ἐκεῖθεν νά ἀναζητήσω τούς οἰκονομικούς πόρους γιά τήν Ἐπετηρίδα τῶν Ἑλληνο-Αἰθιοπικῶν Σπουδῶν. Στήν Ἀθήνα συνάντησα τόν εὐπατρίδη Καθηγητή ἀείμνηστον Στρ. Ἀνδρεάδη. Τήν συνάντηση ἑτοίμασε καταλλήλως ὁ μέχρι τότε ἄγνωστός μου Γ.Χ. Καλογερόπουλος, Δ/ντής Δημοσίων Σχέσεων τοῦ συγκροτήματος τῶν Τραπεζῶν Ἀνδρεάδη. Ὁ ἀείμνηστος καθηγητής, ὁ ὁποῖος ἔκτοτε μέ περιέλαβε στούς στενούς φίλους του, ἀμέσως υἱοθέτησε τήν ἰδέα μου καί ζήτησε ἀπό τή Διοίκηση τῆς Ἐμπορικῆς Τράπεζας νά ἐγκρίνη ὡς ἐτήσια ἐπιχορήγηση τὸ ποσό τῶν 70.000 δρχ. γιά τήν ἔκδοση τῆς Ἐπετηρίδος ABBA SALAMA. Τό ποσό δέν ἦταν ἐπαρκές γιά τήν κάλυψη ὅλης τῆς δαπάνης·τοῦ περιοδικοῦ. Τό ἐπιπλέον κάλυψα μέ ἔσοδα ἀπό διαφημίσεις. Ἀργότερα ἡ Τράπεζα αὔξησε τήν ἐπιχορήγηση κατά 30.000 δρχ. Ἀλλά τό ἔτος 1978 πληροφορήθηκα ὅτι ἡ Ἐμπορική Τράπεζα δέν μποροῦσε νά συνεχίσει τήν ἐπιχορήγηση λόγω διογκώσεως τῶν ἐξόδων της καί λόγω τῆς παρατηρουμένης λιτότητας. Ἔτσι διακόπηκε ἡ βοήθεια αὐτή. Ἀπό τή θέση αὐτή ἐκφράζω τήν εὐγνωμοσύνη μου πρός ὅλους ἐκείνους πού μέ ἐβοήθησαν νά ἐκδώσω χωρίς διακοπή τά δύο περιοδικά καί ἰδιαίτερα τόν ἀείμνηστον Πατριάρχη Ἀλεξανδρείας, Νικόλαο, ὁ ὁποῖος μέ πολλή στοργή καί χαρά παρακολουθοῦσε τό ἔργο μου. Ἡ διακοπή τῆς ἐπιχορηγήσεως τῆς Ἐμπορικῆς Τράπεζας δέν ἐμπόδισε τήν συνέχιση τῆς ἔκδοσης τοῦ περιοδ.

ABBA SALAMA, γιατί πολλοί φίλοι μου βοήθησαν, ὥστε νά μή διακοπεῖ ἡ ἔκδοση τοῦ περιοδικοῦ.

Στό σημεῖο αὐτό θά ἤθελα νά ἀναφέρω μερικά στοιχεῖα πού ἔχουν σχέση μέ τήν ἵδρυση τῆς Ἑταιρείας τῶν Ἑλληνο-Αἰθιοπικῶν Σπουδῶν. Αὐτό κάνω στή συνέχεια.

Εἶχα τή συνήθεια νά προσκαλῶ στό Μητροπολιτικό Μέγαρο διάφορα πρόσωπα ἀπό τόν πνευματικό κόσμο τῆς Ἀδδίς Ἀμπέμπας, οἱ ὁποῖοι ἦσαν Ἕλληνες, Ἄγγλοι, Αἰθίοπες, Ἀμερικαννοί, Γερμανοί, Σουηδοί κ.ἄ. Ἀνάμεσά τους ἦταν καί ὁ διακεκριμένος καθηγητής φιλοσοφίας στό Πανεπιστήμιο Χαϊλέ Σελάσσιε DR CLAUDE SUMNER, Ρωμαιοκαθολικός ἱερέας. Πρόκειται γιά ἕνα διακεκριμένο διανοούμενο ἀλλά καί σπάνιο ἄνθρωπο, μέ τόν ὁποῖο εἶχα ἄριστη συνεργασία σέ ὅλη τήν διακονία μου ὡς Μητροπολίτης Ἀξώμης, ἰδιαίτερα πολύτιμη ἦταν ἡ συμβολή του μέ τίς συνεργασίες του καί στά δύο περιοδικά πού ἐξέδιδα. Ἀπό τόν κύκλο αὐτό πού ἀνταποκρίνονταν στά καλέσματά μου στή Μητρόπολη ἐπέλεξα ἐκείνους οἱ ὁποῖοι κρίνονταν οἱ πιό κατάλληλοι γιά τήν Ἑταιρεία. Σ' αὐτούς πρόσθεσα καί τόν ἐξαίρετο ἐρευνητή ἀείμνηστο Πέτρο Πετρίδη, πού ἦταν Σύμβουλος τῆς Αἰθιοπικῆς Κυβερνήσεως καί ἦταν συγγραφέας πολλῶν ἔργων μέ θέματα τήν Αἰθιοπία καί τίς ἑλληνο-αἰθιοπικές σχέσεις διά μέσου τῆς ἱστορίας. Ὁ ἴδιος γιά πολλά χρόνια καί κατά τρόπο πολύ ἀθόρυβο ἐπιτελοῦσε ἐθνικό ἔργο γιά τήν Πατρίδα μας. Τόν συνέδεε παλαιά καί στενή φιλία μέ τόν διάδοχο τοῦ Αἰθιοπικοῦ Θρόνου καί ὁ ἴδιος ἔρριξε τήν ἰδέα νά ἀνατεθεῖ ἡ προστασία τῆς Ἑταιρείας στόν Διάδοχο, ὡς τό πλέον ἐνδεδειγμένο πρόσωπο ἀπό αἰθιοπικῆς πλευρᾶς. Πράγματι, μέ τήν βοήθεια τοῦ πολυτίμου αὐτοῦ συμπατριώτη μας ἔγινα δεκτός ἀπό τόν Διάδοχο καί ὅλα κανονίσθηκαν μέσα στό Παλάτι τοῦ Διαδόχου, στό ὁποῖο πραγματοποιήθηκε καί ἡ πρώτη ἱδρυτική Συνεδρίαση. Στή συνέχεια μέ τή βοήθεια ὅλων ἐκείνων πού ἀποτέλεσαν τόν πνευματικό κύκλο τῆς Ἑταιρείας καί τῆς Μητροπόλεως καί ἰδιαίτερα μέ τήν συμπαράσταση πάλι τῶν καθηγητῶν Ι. Καρμίρη, T.F. TORANCE, R. PANKHURST καί ἄλλων τό περιοδικό ἔκανε τήν ἐμφάνισή του καί ἡ ἔκδοσή του συνεχίσθηκε συνεχῶς ἐπί μία δεκαετία, καί εἶμαι βέβαιος ὅτι ἐκπλήρωσε τήν ἀποστολή του.

Καί τά δύο περιοδικά, ὁ Ἐκκλησιαστικός Φάρος καί τό ABBA SALAMA[1], ἔχουν καταλάβει σημαίνουσα θέση στόν ἐπιστημονικό κόσμο τῆς Εὐρώπης, τῆς Ἀμερικῆς καί τῆς Ἀφρικῆς. Τοῦτο συνάγεται καί ἀπό τό ἐνδιαφέρον πολλῶν ἱδρυμάτων καί Βιβλιοθηκῶν, οἱ ὁποῖες τά ἔχουν περι-

1. Τό ὄνομα αὐτό σημαίνει πατήρ Εἰρηναῖος. Ἔτσι ὀνομάζουν οἱ Αἰθίοπες τόν Ἅγιο Φρουμέντιο, τόν πρῶτο ἐπίσκοπο Ἀξώμης. Ὁ Φρουμέντιος ἦταν ὁ φωτιστής τῆς Αἰθιοπίας καί ἦταν ἑλληνικῆς καταγωγῆς ἀπό τήν Τύρο. Χειροτονήθηκε ἐπίσκοπος Ἀξώμης στήν Ἀλεξάνδρεια ἀπό τόν Πατριάρχη Ἀλεξανδρείας Μέγα Ἀθανάσιο τό ἔτος 330 μ.Χ.

λάβει στά βιβλία μέ ἐνδιαφέρον, ἀλλά καί πολλές εὔφημες κριτικές ἔχουν γραφεῖ γι' αὐτά[2].

Ἀπό τό ἔτος 1970 ἦρθε κοντά μου ὁ μικρότερος ἀδελφός μου Παναγιώτης, ἀριστοῦχος ἀπόφοιτος τῆς Θεολογικῆς Σχολῆς Χάλκης καί Διδάκτωρ τῆς Φιλοσοφίας τοῦ Πανεπιστημίου τοῦ Μάντσεστερ (Ἀγγλίας). Στήν ἀρχή ἦταν ἀποσπασμένος ἀπό τό Ὑπουργεῖο Παιδείας τῆς Ἑλλάδος στό Λύκειο τῆς Ἑλλ. Κοινότητας Ἀδδίς Ἀμπέμπας καί τόν ἴδιο χρόνο διορίσθηκε Καθηγητής στό Χαϊλέ Σελάσσιε Πανεπιστήμιο τῆς Ἀδδίς Ἀμπέμπας ὡς Καθηγητής τῆς Φιλοσοφίας, τῆς Θρησκειολογίας καί τῆς Φιλοσοφικῆς Ἠθικῆς. Τό ἔτος 1971 τό Ὑπουργεῖο Ἐξωτερικῶν τῆς Ἑλλάδος τόν διόρισε Μορφωτικό Ἀκόλουθο τῆς ἐκεῖ Ἑλλ. Πρεσβείας χωρίς νά ἀφήσει καί τήν ἄλλη θέση του στό Πανεπιστήμιο. Ἔμεινε στήν Ἀδδίς Ἀμπέμπα ἕξι (6) χρόνια καί στό διάστημα αὐτό μέ βοήθησε πολύ, ἀλλά καί τήν Ἑλλ. Παροικία, ἰδιαίτερα στά πρῶτα χρόνια τοῦ στρατιωτικοῦ πραξικοπήματος. Οἱ ἐνέργειές του πρός τίς Αἰθιοπικές Ἀρχές βοήθησαν πάρα πολλά ἄτομα τῆς ὁμογένειας.

Ἐπειδή ἐδῶ κάνω λόγο γιά τίς ἐκδόσεις μου θεωρῶ σκόπιμο νά σημειώσω ὅτι ἀποβλέποντας στήν προβολή τοῦ Ἑλληνικοῦ ὀνόματος καί μεταξύ τῶν αἰθιόπων φοιτητῶν ἀνέλαβα τήν ἔκδοση τῶν ἔργων τοῦ Καθηγητοῦ CL. SUMNER «THE PHILOSOPHY OF MAN» καί τό «ETHIOPIAN PHILOSOPHY». Τά χρήματα γιά τήν ἔκδοσή τους, μέ παράκλησή μου, τά κατέβαλαν οἱ ὁμογενεῖς μας Ἰωάννης Καρίκας, Γεώργιος Καλογεράτος καί Θεόδ. Γ. Ἀσημακόπουλος.[3]

Οἱ ἄλλες δραστηριότητες σέ ἄλλους τόμους τῆς σειρᾶς αὐτῆς.

2. Γιά τά περιοδικά αὐτά κριτικές δημοσιεύθηκαν στήν Ἑλλάδα, τήν Ἑλβετία, τήν Γερμανία, τήν Ἀγγλία καί ἀλλοῦ.

3. Περισσότερα ἀναφέρουμε πιό κάτω στόν κατάλογο τῶν δημοσιευμάτων.

5. Ὁ ἀείμνηστος Πάπας καί Πατριάρχης Ἀλεξανδρείας Νικόλαος μετά τῆς συνοδείας αὐτοῦ στή Ι. Μητρόπολη Ἀξώμης 1970.

«Η ΕΠΑΝΕΚΔΟΣΙΣ ΤΟΥ ΠΕΡΙΟΔΙΚΟΥ «ΕΚΚΛΗΣΙΑΣΤΙΚΟΣ ΦΑΡΟΣ» ΤΟΥ ΠΑΤΡΙΑΡΧΕΙΟΥ ΑΛΕΞΑΝΔΡΕΙΑΣ

Τὸ γνωστὸ Περιοδικὸ «Ἐκκλησιαστικὸς Φάρος» τοῦ Πατριαρχείου Ἀλεξανδρείας ἐπανεκδίδεται. Μὲ αὐτὴ τὴν ἐπανέκδοσι συνεχίζεται μία λαμπρὰ παράδοσις, ἡ ὁποία εἶχε τὴν ἀρχή της στὸ ἔτος 1908. Ὅ,τι δηλαδὴ προσπάθησαν, καὶ ἀναμφιβόλως τὸ ἐπέτυχαν, Ἱεράρχαι ὅπως οἱ Πατριάρχαι Φώτιος καὶ Μελέτιος, ὁ Ἀρχιεπίσκοπος Χρυσόστομος Παπαδόπουλος καὶ Θεολόγοι ὡς ὁ Γρηγόριος Παπαμιχαήλ, ἀναζωογονεῖται στὶς ἡμέρες μας. Ὑλοποιεῖται, καὶ νομίζομε κατὰ τὸν καλύτερο τρόπο, μία πρόσφατη ἀπόφασις τῆς Ἱερᾶς Συνόδου τοῦ Πατριαρχείου καὶ γενικώτερα μία ἐπιθυμία τοῦ ἐπιστημονικοῦ κόσμου[1].

Ὁ «Ἐκκλησιαστικὸς Φάρος» πρωτοεμφανίσθηκε ἐπὶ πατριαρχείας Φωτίου στὴν Ἀλεξάνδρεια. Πρῶτος διευθυντής του ἦταν ὁ ἀείμνηστος ἀκαδημαϊκὸς Γρηγ. Παπα-

1. Βλ. σχετικὰ εἰσαγωγικὰ σημειώματα καὶ ἄρθρα τοῦ Ἀλεξανδρείας Νικολάου στὸ πρόσφατο τόμο ΝΑ΄ (1952 - 1969), σσ. 5 - 6 καὶ τοῦ Ἀξώμης Μεθοδίου, τῆς Διευθύνσεως, στὸν ἴδιο τόμο, σσ. 7 - 8. Γενικὰ ἐπίσης καὶ Α. Ἀλιβιζάτου, Ἡ Πατριαρχικὴ Ἀλεξάνδρεια ἄλλοτε καὶ νῦν, στὶς σσ. 9 - 12 τοῦ ἴδιου τόμου.

μιχαήλ, ὁ ὁποῖος καὶ ἐπεμελήθη τῆς ἐκδόσεως τῶν τόμων Α' - ΙΖ' (1908 - 1918). Τὸν διεδέχθη ὁ Ἰωάννης Φωκυλίδης μὲ τὴν ἐπιμέλεια τοῦ ὁποίου ἐκυκλοφόρησαν οἱ τόμοι ΙΘ' - ΚΕ' (1920 - 1926). Ἂς σημειωθῆ ὅτι ὁ ΙΗ' (1919) τόμος δὲν ἐξεδόθη ποτέ. Τελευταῖος διευθυντὴς ὑπῆρξεν ὁ καθηγητὴς Εὐγ. Μιχαηλίδης, ἔργο τοῦ ὁποίου εἶναι ἡ ἔκδοσις τῶν τόμων ΚΓ' - ΝΑ' (1927 - 1952). Μέχρι τοῦ ΚΕ' τόμου (1926) τὸ περιοδικὸ ἦταν μηνιαῖο, ἐνῷ ἀπὸ τοῦ ΚΓ' (1927) τριμηνιαῖο. Γιὰ τὰ ἔτη 1908 - 1913 ἐκυκλοφόρησαν ἀπὸ δύο τόμοι καὶ γιὰ τὰ ἔτη 1914 - 1952 ἀπὸ ἕνας.

Ἂν ἀνατρέξῃ κανεὶς στοὺς τόμους αὐτοὺς μπορεῖ γενικῶς νὰ παρατηρήσῃ ὅτι φιλοξενήθηκαν στὶς σελίδες των ἀξιόλογες μελέτες. Ἀναφέρομε ἐνδεικτικῶς μερικὲς πρωτότυπες : . . . .

Τὸ σημερινὸν περιοδικὸ ἐκδίδεται «προνοίᾳ τῆς Α.Θ.Μ. τοῦ Πάπα καὶ Πατριάρχου Ἀλεξανδρείας Νικολάου», διευθύνεται ἀπὸ τὸν Μητροπολίτην Ἀξώμης Μεθόδιο καὶ τὸ διαχειρίζεται οἰκονομικὴ ἐπιτροπή.

Ὁπωσδήποτε θὰ γίνουν μνεῖαι ἀπὸ πλέον εἰδικοὺς ὥστε νὰ γίνη τὸ περιοδικὸν εὐρύτερα γνωστό. Περιορίζομαι ἐδῶ νὰ παρουσιάσω τὴν ἔκδοσι καὶ διὰ συναισθηματικοὺς λόγους ἀλλὰ καὶ διότι πιστεύω ὅτι μία προσπάθεια αὐτοῦ τοῦ εἴδους πρέπει νὰ ἐπαινεθῆ. Δεδομένου μάλιστα ὅτι εἶναι γνωστὲς οἱ δυσκολίες μιᾶς ἑλληνικῆς καθαρὰ ἐκδόσεως σὲ ἀφρικανικὸ ἔδαφος, τὸ ἐπίτευγμα ποὺ ἔχομε στὰ χέρια μας, ὡς ἕνα νέο τόμο, ἀποκτᾶ ἀκόμη μεγαλύτερη σημασία.

Ἡ συνέχεια τῆς ἐκδόσεως τοῦ «Ἐκκλησιαστικοῦ Φάρου» ἐπετεύχθη καὶ τυπικῶς. Διαβάζομε ἔτσι στὸν νέο τόμο τὴν ἔνδειξι : τόμος ΝΑ' (1952 - 1969). Τὸ κενὸ λοιπὸν τῶν τελευταίων δέκα ἑπτὰ ἐτῶν καλύπτεται κατὰ κάποιο τρόπο.

Τὰ ἀπαραίτητα εἰσαγωγικά, τὰ ὁποῖα ἤδη ἀναφέραμε, ἀκολουθοῦν ἀρκετὰ ἀξιόλογα μελετήματα Ἑλλήνων καὶ ξένων θεολόγων . . . .

Ὡς εἶναι φανερό, τὸ περιοδικὸ ἅπτεται κυρίως θεμάτων τὰ ὁποῖα ἀναφέρονται στὶς θεολογικῆς φύσεως σχέσεις τοῦ Ἑλληνισμοῦ μὲ Χριστιανοὺς τῆς Ἀνατολῆς καὶ τῆς Ἀφρικῆς ὅπως εἶναι οἱ Κόπται, Αἰθίοπες, Ἀρμένιοι.

Φυσικὸ λοιπὸν εἶναι νὰ χαιρετίζεται ἐγκάρδια ἀπὸ ὅλους ἡ ἐπανέκδοσις αὐτὴ μὲ τὴν εὐχὴ ὅπως καὶ ἡ νέα προσπάθεια ἀποδώση λαμπρὰ ἀποτελέσματα».

Περιοδικὸν «Παρνασσός»
Τόμ. ΙΑ'., Δ', 1969

Ε. Θ. Σουλογιάννης
Καθηγητὴς

«The Theological Review of the Patriarchate of Alexandria, **Ekklesiastikos Pharos** *(The Lighthouse of the Church) which ceased to appear in 1952, has now resumed publication under the Editorship of the energetic metropolitan of Aksum, Dr. Methodios Fouyas, who will be well known to many of our English readers from the days when he was parish Priest at Manchester. Two issues were published in 1969 (making Vol. 51*

in the completed series), with a total of 324 pages. It is hoped that the reviewed Ekklesiastikos Pharos, like its predecessor, will attain a serious academic standard the review is intended, as Patriarch Nicolaos states in the forword to the first number, «in particular for scholarly theologians». The Editor wishes the review to be international as well as Greek in outlook. Whereas the old Ekklesiastikos Pharos contained material only in Greek, the two issues of Vol. 51 include contributions in English by (among others) F.F. Bruce and S.G.F. Brandon, as well as an article (translated into Greek) by Thomas Torrance. There is an interesting contribution (in Greek) by Professor Panayiotis Thembelas, on «The New Eucharistic Prayers of Rome»: his conclusions are in the main favourable. Geographically the Greek Patriarchate of Alexandria is particularly well situated for the «dialogue» with the Oriental (non-Chalcedonian) Churches, and so it is wholly appropriate that the new Ekklesiastikos Pharos should devote especial attention to this theme. The opening issues contain two important articles by Gregorius, Coptic «Bishop for Higher Studies», on «The Christological Teaching of the Non-Chalcedonian Churches», and by Professor V.C. Samuel of the Theological College at the University of Addis Ababa, entitled «A brief History of Efforts to Reunite the Chalcedonian and the Non-Chalcedonian Sides from 451 to 641 A.D.».

The Editors of Eastern Churches Review wish Ekklesiastikos Pharos every success. Its reappearance is a most encouraging example of the general revival which the Greek Patriarchate of Alexandria is experiencing under its new Head».

Eastern Churches Review, Vol. III. Number 1 Spring 1970 p. 77. London

Kallistos T. Ware
University of Oxford

Ἐκτενεῖς καὶ ἐνδιαφέρουσαι περιγραφαὶ περὶ τῆς Ἐπετηρίδος Abba Salama ἐδημοσιεύθησαν καὶ εἰς ἄλλα περιοδικὰ ὡς εἰς τὸ Eastern Churches Review, Vol. III, 3, 1971 ὑπὸ τοῦ George Every, SSM., εἰς τὸ Dialogo Ecumenico τῆς Salamanca, τόμ. VII, 27 κ. ἀλ.

"...Der "Ekklesiastikos Pharos", der sein Erscheinen 1952 eingestellt hatte, wurde in moderner Gestalt wieder herangebracht, was mehr als ein Ereignis für Fachtheologen und Bibliophile geworden ist.

Als einziges offizielles orthodoxes Publikationsorgan stand der vorliegende Band 51(1952-1969) Mitarbeitern aller Konfessionen offen, die ihre Ansichten frei darlegen konnten....Das Hauptverdienst an dieser für den toleranten und offenen Geist der alexandrinischen Orthodoxie bezeichnenden Publikation hat sich neben dem Patriarchen der Metropolit von Aksum in Aethiopien, Methodios Fouyas erworben, dessen Diözese auch die Kosten der Drucklegung trägt.

Im Vergleich mit der schwierigen Lage des Patriarchen Athenagoras in Istanbul, den inneren Erschütterungen in der griechischen Orthodoxie und den Spaltungen im Patriarchat von Antiochia erbringt das Patriarchat Alexandria den Beweis, was guter Geist auch mit geringen Kräften vermag".

National-Zeitung
Nr. 506, Dienstag, den 4. November 1969
Basel

"The Theological Review of the Patriarchate of Alexandria, *Ekklesiastikos Pharos* (The Lighthouse of the Church) which ceased to appear in 1952, has now resumed publication under the Editorship of the energetic metropolitan of Aksum, Dr. Methodios Fouyas, who will be well known to many of our English readers from the days when he was parish Priest at Manchester. Two issues were published in 1969 (making Vol. 51 in the competed series), with a total of 324 pages. It is hoped that the reviewed Ekklesiastikos Pharos, like its predecessor, will attain a serious academic standard the review is intended, as Patriarch Nicolaos states in the forward to the first number, "in particular for scholarly theologians". The Editor wishes the review to be international as well as Greek in outlook. Whereas the old Ekklesiastikos Pharos contained material only in Greek, the two issues of Vol. 51 include contributions in English by (among other) F.F. Bruce and S.G.F. Brandon, as well as an article (translated into Greek) by Thomas Torrance. There is an interesting contribution (in Greek) by Professor Panayiotis Thembelas, on "The New Eucharistic Prayers of Rome": his conclusions are in the main favouragle. Geographically the Greek Patriarchate of Alexandria is particularly well situated for the "dialogue" with the Oriental (non-Chalcedonian) Churches, and so it is wholly appropriate that the new Ekklesiastikos Pharos should devote especial attention to his theme. The opening issues contain two important articles by Gregorius, Coptic "Bishop for Higher Studies", on "The Christological Teaching of the Non-Chalcedonian Churches", and by Professor V.C. Samuel of the Theological College at the University of Addis Ababa, entitled "A brief History of Efforts to Reunite the Chalcedonian and the Non-Chalcedonian Sides from 451 to 641 A.D.".

The Editors of Eastern Churches Review wish Ekklesiastikos Pharos every success. Its reappearance is a most encouraging example of the general revival which the Greek Patriarchate of Alexandria is experiencing under its new Head".

Eastern Churches Review,
Vol. III. Number 1 Spring 1970 p. 77.
London

Kallistos T. Ware
University of Oxford

"EKKLESIASTIKOS PHAROS" AND "ABBA SALAMA"

edited by Archbishop Methodios of Aksum

I should like to put on record the high esteem in which both these learned journals are held in the Academic World of scholarship and in the International Academies of historical and religious science. Together they constitute one of the most significant contributions to research and discussion, linguistic, patristic, historical, and theological emanating from the Middle East area, and in particular from the Orthodox Churches of Alexandria and Greece. In these trublous and difficult times, economic as well as social, to have two such journals published lifts the thought and standard of human thought and study high above the ordinary levels of national and international human life, marking in particular the most distinguished contributions of the ancient Catholic Church in the East to West Christendom. I would urge all those concerned to do what they can to ensure the continuation of these publications, so brilliantly and carefully edited by Archbishop Methodios of Aksum, a scholar of international renown as well as an ecclesiastical Statesman of ecumenical acclaim all over the world; for these are publications of the highest importance not only for international scholarship but for their contribution to the cementing of inter-nation and inter-Church friendship.

Edinburgh, 1976

THOMAS F. TORRANCE,
Professor of Christian Dogmatics
Moderator of the Church of Scotland.

Neue Zürcher Zeitung Samstag, 5. September 1970

Neue Publikationen des Patriarchats von Alexandria

H. G. Die Neubesetzung des durch Jahre verwaisten griechisch-orthodoxen Patriarchenstuhles von Alexandria mit dem vormaligen Missionsbischof von Ostafrika, Nikolaos Varelopoulos, hat seit 1968 schon auf verschiedenen Gebieten zu einer Neublüte dieser über ganz Afrika, doch vor allem in Aegypten, Sudan und Libyen verbreiteten Ostkirche geführt, die jedoch auf publizistischem Gebiet besonders deutlich wird. Das Patriarchat Alexandria hat aus der frühchristlichen, aber auch aus seiner jüngeren Blütezeit zwischen 1880 und dem Zweiten Weltkrieg eine große Tradition des theologischen und kirchlichen Schrifttums, die aber mit der Emigration der meist in Handel und Industrie tätigen orthodoxen Griechen und Syrer infolge der ägyptischen Sozialisierungsmaßnahmen in den letzten beiden Jahrzehnten in galoppierenden Verfall geraten war.

Die zur Jahrhundertwende von den später zu Patriarchen- und erzbischöflichen Würden gelangten Theologen Chrysostomos Papadopoulos, Meletios Metaxakis und Sophronios Evstratiadis gegründete theologische Quartalsschrift «Ekklesiastikos Pharos» mußte als erste schon 1952 unmittelbar nach der ägyptischen Revolution eingestellt werden. Das zweite Patriarchatsorgan, die monatlich erscheinende amtliche Kirchenzeitung «Pantainos», konnte vorerst schlecht und recht weiterbestehen und entwickelte sich seit 1960 unter Leitung des Pressereferenten Theodoros Moscona zur bestredigierten und informativsten kirchlichen Zeitung in griechischer Sprache. Die finanziellen und technischen Schwierigkeiten wurden immer drückender, so daß der «Pantainos» seit Juni 1969 nicht mehr erschienen ist.

Wenn nun das Patriarchat Alexandria nicht nur den «Ekklesiastikos Pharos» neu herausbringen, sondern mit dem wissenschaftlichen Jahrbuch «Abba Salama» für griechisch-äthiopische Studien eine wichtige Lücke im ostkirchlichen Schrifttum schließen konnte, so ist das nur der Verlegung seiner publizistischen Aktivitäten von Alexandria nach Addis Abeba zu verdanken. Dort hat sich nicht allein die finanzkräftige griechische Handelskolonie zur finanziellen Deckung beider Projekte bereit erklärt, sondern die Erneuerung des «Ekklesiastikos Pharos» und die Inangriffnahme der orthothox-äthiopischen Publikationsreihe haben auch in dem Metropoliten von Axum, Methodios Phougias, den berufenen Initiator gefunden.

Von der neuen Serie des «Ekklesiastikos Pharos. Wissenschaftlich-theologisches Organ des Patriarchats Alexandria» sind bereits die Bände I und II erschienen. Das Schwergewicht der griechischen, englischen, französischen und deutschen Beiträge liegt auf ökumenischem Gebiet bei Fragen des Dialogs der Konfessionen und der Weltreligionen. Dabei wird dem Verhältnis der Orthodoxie zu den «vorchalzedonischen» orientalischen Kirchen der Kopten, Aethiopier, Syrer, Armenier, Malabaren und Nestorianer besonders breiter Raum eingeräumt.

Ein besonderes Verdienst des «Ekklesiastikos Pharos» ist es, Theologen dieser Kirchen, deren arabische, syrische, amharische oder armenische Werke nur Orientalisten, und kaum Theologen, zugänglich sind, in einer europäischen Sprache zu Wort kommen zu lassen. So findet sich in Band I auf englisch die christologische Studie des koptischen Bischofs Gregorios, des Rektors des Theologischen Instituts in Kairo, über «Die christologische Lehre der nichtchalzedonischen Kirchen», ein Beitrag, aus dem klar hervorgeht, daß die moderne koptische Theologie weit von jedem Monophysitismus im Sinne des Eutyches entfernt ist. Von ähnlicher Wichtigkeit ist in Band II der ebenfalls englische Aufsatz des Kirchenhistorikers am Theological College der «Haile Selassie I. Universität» in Addis Abeba, V. C. Samuel, über d[ie] Rekonziliationsversuche zwischen Anhängern un[d] Gegnern des Konzils von Chalzedon zwischen

451 und 641. Der äthiopische Theologe bleibt dabei nämlich nicht bei der Aufzählung der ohnedies bekannten Ereignisse um das «Henotikon» und den Monotheletismus stehen, sondern untersucht die Bedeutung des theologischen Gehaltes dieser Konkordanzformeln und -theologien für den Dialog der Gegenwart und kommt zu dem Schluß, daß die gemäßigte severianische Christologie, zu der sich die Aethiopier auch bekennen, nicht grundsätzlich von der chalzedonischen Lehre verschieden ist.

Mehr konfessionskundlichen als theologischen Gehalt haben dann der armenisch-gregorianische Fortsetzungsbeitrag «Die Armenische Kirche» von Erzbischof Sion Manugian (englisch) und die jurisdiktionelle Uebersicht von O. H. E. Burmester: «Die gegenwärtige Diözesanverfassung des Koptisch-Orthodoxen Thrones von Alexandria» (englisch), die auch das Katholikat-Patriarchat von Aethiopien umfaßt und in Anbetracht des Fehlens eines koptischen oder äthiopischen Kirchenschematismus wertvollen Aufschluß über die Diözesangrenzen und die gegenwärtigen Inhaber der 30 koptischen und 26 äthiopischen Bischofssitze gibt. Nicht so sehr theologische wie orientalistische Untersuchungen sind die von Claude Sumner besorgte Edition und Kommentierung des äthiopischen «Buches der weisen Philosophen», eines beliebten Sammelwerkes der Mönchsliteratur des 15./16. Jahrhunderts, und die kurze Untersuchung Burmesters über phonetische und Transkriptionsprobleme der koptischen Sprache.

Auf das ökumenische Gespräch mit den abendländischen Christen nehmen vor allem zwei mit dem Oekumenischen Rat der Kirchen in Genf zusammenhängende Artikel Bezug: zunächst einmal in Band II die sehr kritischen und freimütigen «Bemerkungen zur Struktur des OeRK» (englisch) von Metropolit Parthenios von Karthago, dem in Tripolis (Libyen) residierenden Fachmann des alexandrinischen Patriarchats für ökumenische und reformatorische Fragen. Weniger kirchenpolitisch als fachtheologisch sind hingegen die ersten beiden Fortsetzungen der längeren Studie

«Die Auseinandersetzungen des heiligen Augustinus mit den Schismatikern» (griechisch), deren Verfasser, Metropolit Emilianos Timiadis, der ständige Delegierte des Patriarchen Athenagoras in Genf, für das hohe wissenschaftliche Niveau dieser Untersuchung bürgt, in der er von der Ekklesiologie des Bischofs von Hippo einen orthodoxen Zugang zum Verständnis des römischen wie des reformierten Kirchenbegriffs zu erschließen versucht. Daß die Redaktion des «Ekklesiastikos Pharos» diesem schwierigen Thema einen so breiten Raum gewährt hat, ist ein weiteres Symptom für die Augustinus-Renaissance in der orthodoxen Theologie, deren Athener Vertreter sogar an eine griechische Augustinus-Ausgabe im Rahmen der 1966 begründeten «Bibliothek lateinischer Kirchenväter in griechischer Uebersetzung» gegangen sind.

Während sich der griechische Dogmatiker Panayiotis Trembelas mit den «Neuen Eucharistischen Gebeten der römischen Kirche» (griechisch) beschäftigt, kommen im «Ekklesiastikos Pharos» auch katholische und evangelische Theologen zu Wort, sie wiederum in griechischer Uebersetzung für den orthodoxen Leser. Es sind das der Edinburger Dogmatiker Th. F. Torrans mit der Arbeit «Vorsehungsprobleme bezüglich der Erkenntnis und Offenbarung Gottes in der frühchristlichen Theologie» in zwei Fortsetzungen und der in München dozierende griechisch-katholische Byzantinist Petros Ioannou mit einem Vorabdruck aus dem I. Band seines Werkes «Enchiridion Byzantinum de Romano Pontifice. Die Interventionen des Römischen Bischofs im Orient. Rekurse und Berufungen des Orients nach Rom, seit dem Konstantinischen Frieden bis zu Alexios I. Komnenos». Daß eine orthodoxe Publikation einen «unierten» Theologen überhaupt zu Wort kommen läßt, und noch dazu mit diesem umstrittenen Primatsthema, ist ein Beweis für die ökumenische Weite des neuen «Ekklesiastikos Pharos».

Mit den beiden Aufsätzen seines Herausgebers Methodios Phougias «Die Bestimmung des Menschen nach den religiösen Vorstellungen der alten Aegypter» (griechisch) und «Ein imaginäres Soliloquium auf das Leben von einem alten Mesopotamier» (englisch) und mit den zweiteiligen Aufsatz «Die Qumran-Funde und die Bibel» von dem Bibliker der Universität Manchester, F. F. Bruce, geht der «Ekklesiastikos Pharos» dann als erste orthodoxe Publikation neben den Bukarester «Studii Teologice» auf die Probleme der Vergleichenden Religionswissenschaft und das christliche Verhältnis zu den Weltreligionen ein. Den Abschluß machen die interessanten, aber mehr für den lokalen Bereich des Patriarchats Alexandria bedeutenden Aufsätze «Die alexandrinische Katechetenschule» (griechisch) des schon erwähnten Metropoliten Parthenios und die postume Veröffentlichung des großen griechischen Kirchenrechtlers und Oekumenikers Hamilkas Alivizatos über «Die Patriarchenstadt Alexandria einst und jetzt» (griechisch).

Das Schwergewicht des vorliegenden I. Bandes von «Abba Salama» liegt bei den Editionen, was bei den geringen Veröffentlichungen über die äthiopische Kirche besonders begrüßenswert ist. Bei den Manuskripteditionen macht Metropolit Methodios mit der Faksimilewiedergabe und englischen Uebersetzung einer Kairoer Handschrift des mittleren 19. Jahrhunderts «Abyssiniakon Ekthesis Autoschedios» den Anfang; es folgen von demselben Editor fünf alexandrinische Patriarchenbriefe, die zwischen 1595 und 1886 an äthiopische Kaiser und Minister gerichtet wurden, sodann als wichtigste Textedition zwei unedítierte Wunderberichte in Ge'ez aus dem Codex Vaticanus Aethiopicus 272, von denen die bisher ins Dunkle gehüllte Geschichte der aus Palästina nach Cypern verschlagenen äthiopischen Gemeinden und Klöster erhellt wird und die Enrico Cerulli ganz vorzüglich besorgt hat. Eine ebenso vorzügliche Bildedition von Ikonen des «Instituts für Aethiopische Studien» an der Universität von Addis Abeba, von Miniaturen aus dem «Hayq-Evangeliar» der Aethiopischen Nationalbibliothek sowie von Diptycha und Triptycha des 15. bis

18. Jahrhunderts bietet der Beitrag von Stanislaw Chojnacki «Ein weniger bekannter Marien-Typus in der äthiopischen Malerei» (englisch).

An der Spitze der dogmatischen Beiträge ist der Aufsatz des führenden griechisch-orthodoxen Dogmatikers, des jetzt von der griechischen Militärregierung seines Lehrstuhles enthobenen Athener Professors Johannes Karmiris, zu nennen, der unter dem Titel «Die Beziehungen zwischen den orthodoxen und den nichtchalzedonischen Kirchen zu Beginn ihres vorbereitenden Dialogs» eine gründliche Bilanz aller bisherigen Kontakte zwischen den beiden großen Kirchenfamilien des christlichen Ostens zieht. Der schon aus dem «Ekklesiastikos Pharos» bekannte äthiopische Theologe Samuel beschäftigt sich eingehend aus «monophysitischer» Sicht mit dem Konzil von Chalzedon, während der an und für sich wertvolle Beitrag von A. D. Karpozilos «Die anglikanisch-orthodoxen Beziehungen bis 1930» nicht recht in den Rahmen der anderen Themen passen will.

Der Leser des «Ekklesiastikos Pharos» findet in «Abba Salama» das 2. und 4. Kapitel von Claude Sumners «Buch der weisen Philosophen», während für Kapitel 3 auf die nächste Folge des «Pharos» verwiesen wird. Dieses Durcheinander ist unter den nahöstlich-ostafrikanischen Bedingungen der Herausgabe und Drucklegung beider Publikationen verzeihlich. Den Abschluß machen dann wieder Beiträge zur lokalen Kirchengeschichte, betreut von Metropolit Methodios, und zwar «Die Einführung des Christentums in das Reich von Axum» (englisch) und eine Sammlung der Homilien seines 1967 verstorbenen Amtsvorgängers Metropolit Nikolaos Abdallah von Axum (französisch-englisch).

Während aber in Addis Abeba dieser erfreuliche Neuansatz der theologisch-publizistischen Tätigkeit des alexandrinischen Patriarchats festzustellen ist, sind die Veröffentlichungen in der alten Patriarchenstadt doch nicht ganz zum Stillstand gekommen. Unter immensen Schwierigkeiten konnte der verdiente Leiter des «Instituts für orientalische Studien an der Patriarchatsbibliothek von Alexandria», Theodoros Mosconas, erstmals seit 1967 wieder einen Doppelband (17/18) von dessen 1952 anläßlich des tausendjährigen Bestehens der Bibliothek begründeten Jahrbuch «Analekta» erscheinen lassen. Dieses ist zum Unterschied vom «Ekklesiastikos Pharos» und «Abba Salama» fast nur auf griechisch und nur mit einem französischen Résumé abgefaßt, verdient aber nicht geringere Beachtung.

Zu den fundierten theologischen Beiträgen des Istanbuler Professors für Oekumenische Theologie, Basil Stavridis («Das Konzilsdekret des II. Vatikanums über die katholischen Ostkirchen»), und dem postum veröffentlichten Aufsatz des Metropoliten Sophronios Evstratiadis von Leontopolis («Kirchen von Byzanz und ihre Synaxeis») kommen ein von Theodoros Mosconas besorgtes Supplement zum Handschriftenkatalog der Patriarchatsbibliothek und ein Katalog der Paramente und Ikonen in der Schatzkammer des Dreifaltigkeitsklosters auf der Prinzeninsel Heybeliada bei Istanbul. Sein Verfasser, Diakon Athanasios Papas, doziert wie Stavridis an der in diesem Kloster untergebrachten Theologischen Hochschule des Patriarchats von Konstantinopel. Seit das türkische Kultusministerium aber 1963 das Erscheinen des theologischen Patriarchatsorgans «Orthodoxia» verboten hat, müssen die Istanbuler Theologen als Gastautoren zu den Publikationen der Nachbarkirchen, vor allem nach Athen und Alexandrien gehen. Hellenistisch-byzantinistische Aufsätze in den «Analekta 17/18» stammen dann aus der Feder des Athener Kirchenhistorikers Gerasimos Konidaris — 1969 ebenfalls mit Lehrverbot belegt — («Das Griechentum in Oekumene, Geschichte und Gegenwart»), Dimitrios Mosconas («Der militärische Zusammenbruch des Oströmischen Reichs im 11. Jahrhundert»), Patrice Georgiades («Die Persistenz griechischer Ortsnamen in Unteritalien, Sizilien, der Provence und der Levante») und Th. Christidis («Neue Funde in der Cyrenaika und in Fezzan»). Leider scheint das weitere Erscheinen der «Analekta» sehr in Frage gestellt zu sein.

Ο ΕΥΡΩΠΑΪΚΟΣ ΤΥΠΟΣ

Ἡ ἐφημερὶς τῆς Ἑλβετίας Neue Zürcher Zeitung περὶ τῶν περιοδικῶν Ἐκκλησιαστικοῦ Φάρου καὶ Abba Salama.

Δημοσιεύομεν κατωτέρω τὴν μετάφρασιν τῆς ἐκτενοῦς αὐτῆς κριτικῆς τῆς ἐφημερίδος ΝΕΑ ΕΦΗΜΕΡΙΣ ΤΗΣ ΖΥΡΙΧΗΣ, τῆς 5ης Σεπτ. 1970, ἀρ. 412 ὑπὸ τὸν τίτλον ΝΕΑΙ ΕΚΔΟΣΕΙΣ ΤΟΥ ΠΑΤΡΙΑΡΧΕΙΟΥ ΑΛΕΞΑΝΔΡΕΙΑΣ.

Ἡ πλήρωσις τοῦ ἀπὸ ἐτῶν χηρεύοντος Ἑλληνο - ὀρθοδόξου Πατριαρχικοῦ θρόνου Ἀλεξανδρείας διὰ τοῦ τέως ἱεραποστολικοῦ Ἐπισκόπου τῆς Ἀνατολικῆς Ἀφρικῆς, Νικολάου Βαρελοπούλου, ἐπέφερεν ἀπὸ τοῦ 1968 νέαν ἄνθησιν εἰς τοὺς διαφόρους τομεῖς τῆς Ἀνατολικῆς ταύτης Ἐκκλησίας, ἥτις ἐκτείνεται εἰς ὁλόκληρον τὴν Ἀφρικήν. Ἡ ἄνθησις αὕτη καθίσταται πλέον αἰσθητὴ ἐπὶ τοῦ ἐκδοτικοῦ τομέως. Τὸ Πατριαρχεῖον Ἀλεξανδρείας ἔχει μεγάλην παράδοσιν, ἰδίᾳ μεταξὺ τῶν ἐτῶν 1880 καὶ τοῦ δευτέρου παγκοσμίου πολέμου ἀνέπτυξε μεγάλην θεολογικὴν καὶ ἐκκλησιαστικὴν παράδοσιν ἐκδόσεων, ἥτις ὅμως ραγδαίως περιέπεσεν εἰς μαρασμόν, λόγῳ τῆς μεταναστεύσεως τοῦ μεγαλυτέρου μέρους τῶν ἐμπόρων καὶ βιομηχάνων ὀρθοδόξων Ἑλλήνων καὶ Σύρων, συνεπείᾳ τῶν ἐθνικοποιήσεων ἐν Αἰγύπτῳ κατὰ τὰς τελευταίας δύο δεκαετίας.

Τὸ τριμηνιαῖον θεολογικὸν περιοδικὸν «ΕΚΚΛΗΣΙΑΣΤΙΚΟΣ ΦΑΡΟΣ», τὸ ὁποῖον ἵδρυσαν εἰς τὰς ἀρχὰς τοῦ αἰῶνος θεολόγοι, οἵτινες ἀργότερον ἔγιναν Πατριάρχαι καὶ Ἀρχιεπίσκοποι ὡς οἱ Χρυσόστομος Παπαδόπουλος, Μελέτιος Μεταξάκης καὶ Σωφρόνιος Εὐστρατιάδης, ὑπεχρεώθη νὰ διακόψῃ τὴν ἔκδοσίν του τὸ 1952, ἀμέσως μετὰ τὴν Αἰγυπτιακὴν ἐπανάστασιν. Τὸ δεύτερον Πατριαρχικὸν ὄργανον ΠΑΝΤΑΙΝΟΣ ἐξεδίδετο μετὰ δυσκολιῶν ὑπὸ τὴν Διεύθυνσιν τοῦ Διευθυντοῦ τύπου Θεοδώρου Μοσχονᾶ καὶ ἀπὸ τὸ 1960 ἦτο ἡ πλέον ἐνημερωτικὴ ἐκκλησιαστικὴ ἐφημερὶς εἰς τὴν Ἑλληνικὴν γλῶσσαν. Ἀλλὰ λόγῳ οἰκονομικῶν καὶ ἄλλων τεχνικῶν δυσκολιῶν ὁ Πάνταινος διέκοψεν ἀπὸ τοῦ Ἰουνίου τοῦ 1969 (σημ. ἤδη ὅμως ἐπανήρχισεν ἐκδιδόμενος μὲ τὴν ἐλπίδα ὅτι συντόμως θὰ ἐπανεύρῃ τὴν παλαιὰν αὐτοῦ αἴγλην).

Ἐὰν ὅμως τὸ Πατριαρχεῖον Ἀλεξανδρείας ἠδυνήθη νὰ ἐπανεκδώσῃ τὸν «ΕΚΚΛΗΣΙΑΣΤΙΚΟΝ ΦΑΡΟΝ», ἀλλὰ καὶ νὰ καλύψῃ τὸ σοβαρὸν κενὸν εἰς τὴν φιλολογίαν τῆς Ἀνατολικῆς Ἐκκλησίας διὰ τῆς ἐπιστημονικῆς Ἐπετηρίδος ABBA SALAMA ἐπὶ τῶν Ἑλληνο - Αἰθιοπικῶν Σπουδῶν, τοῦτο ὀφείλεται μόνον εἰς τὸ γεγονὸς ὅτι ἡ ἐκδοτικὴ αὐτὴ δραστηριότης μετετέθη ἐκ τῆς Ἀλεξανδρείας εἰς τὴν Addis Ababa. Ἐκεῖ, λόγῳ τῆς παρουσίας Ἑλλήνων οἰκονομικῶς ἰσχυρῶν, καὶ τοῦ καταλλήλου διὰ τὸ ἔργον τοῦτο σκαπανέως Μητροπολίτου Ἀξώμης Μεθοδίου Φούγια, ὄχι μόνον ὁ «ΕΚΚΛΗΣΙΑΣΤΙΚΟΣ ΦΑΡΟΣ» ἀνεβίωσεν, ἀλλὰ καὶ ἡ πρωτότυπος ἔκδοσις τῶν Ἑλληνο - Αἰθιοπικῶν Σπουδῶν ἐπραγματοποιήθη.

Ἐκ τῆς νέας σειρᾶς τοῦ «ΕΚΚΛΗΣΙΑΣΤΙΚΟΥ ΦΑΡΟΥ», ἐπιστημονικοῦ θεολογικοῦ ὀργάνου τοῦ Πατριαρχείου Ἀλεξανδρείας, ἤδη ἐξεδόθησαν οἱ δύο τόμοι. Τὸ κύριον βάρος τῶν ἑλληνικῶν, ἀγγλικῶν, γαλλικῶν καὶ γερμανικῶν μελετῶν πίπτει ἐπὶ τοῦ Οἰκουμενικοῦ τομέως εἰς θέματα τοῦ Διαλόγου τῶν ὁμολογιῶν καὶ τῶν θρησκειῶν τοῦ κόσμου. Ἐπὶ πλέον διετέθη ἰδιαιτέρως εὐρὺς χῶρος διὰ τὰ θέματα τῶν σχέσεων τῆς Ὀρθοδοξίας μετὰ τῶν «προχαλκηδονείων» Ἀνατολικῶν Ἐκκλησιῶν Κοπτῶν, Αἰθιόπων, Σύρων, Ἀρμενίων, Μαλαμπαρινῶν καὶ Νεστοριανῶν.

Ἰδιαιτέραν ὑπηρεσίαν προσφέρει ὁ «ΕΚΚΛΗΣΙΑΣΤΙΚΟΣ ΦΑΡΟΣ» διότι δίδει τὴν δυνατότητα εἰς τοὺς θεολόγους τῶν ἐκκλησιῶν τούτων, τῶν ὁποίων τὰ ἔργα, γραμμένα εἰς τὴν ἀραβικήν, συριακήν, ἀμαρικὴν καὶ ἀρμενικήν, νὰ ἐκφρασθοῦν εἰς μίαν εὐρωπαϊκὴν γλῶσσαν, ἐνῶ ἦσαν προσιτὰ μόνον εἰς τοὺς Ἀνατολικούς, σπανιώτατα δὲ εἰς τοὺς θεολόγους. Τοιουτοτρόπως εἰς τὸν πρῶτον τόμον εὑρίσκει τις εἰς τὴν ἀγγλικὴν τὴν Χριστολογικὴν μελέτην τοῦ Κόπτου Ἐπισκόπου Γρηγορίου, Διευθυντοῦ τοῦ Θεολογικοῦ Ἰνστιτούτου ἐν Καΐρῳ ὑπὸ τὸν τίτλον «Ἡ χριστολογικὴ διδασκαλία τῶν μεταχαλκηδονείων Ἐκκλησιῶν», μίαν μελέτην, ἐκ τῆς ὁποίας προκύπτει σαφῶς, ὅτι ἡ σύγχρονος κοπτικὴ θεολογία ἀπέχει πολὺ πάσης μονοφυσιτικῆς διδασκαλίας ἐν τῇ ἐννοίᾳ τοῦ Εὐτυχοῦς. Τῆς αὐτῆς σπουδαιότητος εἶναι ἡ τοῦ Β΄ Τόμου ἐπίσης ἀγγλιστὶ γεγραμμένη ἐργασία τοῦ Ἐκκλησιαστικο - ἱστορικοῦ τοῦ Θεολογικοῦ Κολλεγίου τῆς Addis Ababa τοῦ Πανεπιστημίου Haile Selassie I, V. Samuel, περὶ τῶν προσπαθειῶν πρὸς ἐπανένωσιν τῶν Χαλκηδονείων μετὰ τῶν ἀντιχαλκηδονείων μεταξὺ 451 καὶ 641 μ.Χ. Ὁ θεολόγος οὗτος δὲν ἀρκεῖται εἰς τὴν παράθεσιν τῶν γεγονότων ἐν σχέσει πρὸς τὸ «ἑνωτικὸν» καὶ τὸν Μονοθελητισμόν, ἀλλ' ἐξετάζει τὴν σημασίαν τοῦ θεολογικοῦ περιεχομένου τῶν τύπων τῆς συμφωνίας διὰ τὸν Διάλογον τοῦ παρόντος, καταλήγων εἰς τὸ συμπέρασμα, ὅτι ἡ μετριοπαθὴς Σεβηριανὴ Χριστολογία, τὴν ὁποίαν καὶ οἱ Αἰθίοπες ὁμολογοῦν δὲν διΐσταται βασικῶς πρὸς τὴν Χαλκηδόνειον διδασκαλίαν. Περισσότερον συμβολικοῦ (ὁμολογιακοῦ) παρά θεολογικοῦ περιεχομένου εἶναι ἡ μελέτη τοῦ ἀρμενίου - Γρηγοριανοῦ Ἀρχιεπισκόπου Sion Manoogian ὑπὸ τὸν τίτλον «Ἡ Ἀρμενικὴ Ἐκκλησία» (εἰς τὴν ἀγγλικὴν) καὶ ἡ περὶ τῆς διοικητικῆς ὀργανώσεως τῆς Κοπτικῆς Ἐκκλησίας τοῦ O. H. E. Burmester, ὑπὸ τὸν τίτλον «Ἡ παροῦσα κατάστασις τῶν Ἐπισκοπῶν τοῦ Κοπτικοῦ Ὀρθοδόξου Θρόνου Ἀλεξανδρείας» (ἀγγλιστί), ἥτις περιλαμβάνουσα καὶ τὸ Πατριαρχεῖον τῆς Αἰθιοπίας, παρέχει πληροφορίας περὶ τῶν διοικητικῶν ὁρίων τῶν σημερινῶν 30 Κοπτικῶν καὶ 26 Αἰθιοπικῶν ἐπισκοπικῶν ἑδρῶν, αἵτινες πληροφορίαι, ἂν ληφθῇ ὑπ' ὄψιν ἡ ἔλλειψις ἑνὸς Κοπτικοῦ ἢ Αἰθιοπικοῦ ἐκκλησιαστικοῦ συνταγματίου τυγχάνουν πολύτιμοι. Ὄχι τόσον θεολογική, ἀλλὰ ἀνατολικὴ ἔρευνα τυγχάνει ἡ ἐπιμεληθεῖσα ἔκδοσις καὶ ὁ σχολιασμὸς τοῦ ἔργου τῶν σοφῶν φιλοσόφων τοῦ Claude Sumner, ἑνὸς δημοφιλοῦς συλλογικοῦ ἔργου τῆς μοναστικῆς φιλολογίας τοῦ 15ου ἢ 16ου αἰῶνος καὶ ἡ σύντομος ἔρευνα τοῦ Burmester περὶ τῶν φωνητικῶν καὶ γραφικῶν προβλημάτων τῆς Κοπτικῆς γλώσσης.

Ἀναφορικῶς πρὸς τὸ Οἰκουμενικὸν θέμα μετὰ τῶν Χριστιανῶν τῶν Δυτικῶν Χωρῶν ὑπάρχουν κυρίως δύο ἄρθρα ἀναφερόμενα εἰς τὸ ἐν Γενεύῃ Παγκόσμιον Συμβούλιον τῶν Ἐκκλησιῶν. Κατ' ἀρχὴν εἰς τὸν Β΄ τόμον ὑπάρχει μία κριτικὴ καὶ θαρραλέα μελέτη ὑπὸ τὸν τίτλον «Παρατηρήσεις ἐπὶ τῆς δομῆς τοῦ Π.Σ.Ε.» (ἀγγλιστὶ) τοῦ Μητροπολίτου Καρθαγένης Παρθενίου, ἐν Τριπόλει (Λιβύης) ἑδρεύοντος, εἰδικοῦ τοῦ Πατριαρχείου Ἀλεξανδρείας ἐπὶ θεμάτων Οἰκουμενισμοῦ καὶ μεταρρυθμίσεως. Ὀλιγώτερον ἐκκλησιαστικο - πολιτικοῦ καὶ περισσότερον ἐπιστημονικο - θεολογικοῦ ἐνδιαφέροντος τυγχάνουν αἱ δύο κατὰ σειρὰν ἐκτενέστεραι μελέται ὑπὸ τὸν τίτλον «Αἱ θεολογικαὶ συζητήσεις τοῦ ἱεροῦ Αὐγουστίνου ἔναντι τῶν Σχισματικῶν» (ἑλληνιστί), ἐν ταῖς ὁποίαις ὁ συγγραφεύς, Μητροπολίτης Αἰμιλιανὸς Τιμιάδης, μόνιμος ἀντιπρόσωπος τοῦ Πατριάρχου Ἀθηναγόρου ἐν Γενεύῃ, προσπαθεῖ ἐκ τῆς ἐκκλησιολογίας τοῦ Ἐπισκόπου τῆς Ἱππῶνος νὰ ἐπιτύχῃ μίαν ὀρθόδοξον κατανόησιν τόσον τῆς ρωμαϊκῆς ὅσον καὶ τῆς μεταρρυθμιστικῆς ἐννοίας περὶ Ἐκκλησίας. Τὸ γεγονὸς ὅτι ἡ Διεύθυνσις τοῦ «ΕΚΚΛΗΣΙΑΣΤΙΚΟΥ ΦΑΡΟΥ» παρεχώρησε τόσον μεγάλον χῶρον εἰς τὸ δύσκολον τοῦτο θέμα, ἀποτελεῖ ἐπίσης μίαν περαιτέρω ἔνδειξιν (σύμπτωμα) περὶ τῆς Αὐγουστινείου ἀναγεννήσεως ἐν τῇ Ὀρθοδόξῳ Θεολογίᾳ, τῆς ὁποίας οἱ ἐν Ἀθήναις ἀντιπρόσωποι ἐπεχείρησαν ἀκόμη μίαν ἑλληνικὴν ἔκδοσιν τῶν ἔργων τοῦ Αὐγουστίνου ἐν τῷ πλαισίῳ τῆς ἐν ἔτει 1966 ἱδρυθείσης «Βιβλιοθήκης Λατίνων πατέρων ἐν Ἑλληνικῇ μεταφράσει».

Ἐνῷ ὁ Ἕλλην Δογματικὸς Παναγιώτης Τρεμπέλας ἀσχολεῖται περὶ τὰς νέας εὐχαριστιακὰς εὐχὰς τῆς Ρωμαϊκῆς Ἐκκλησίας (ἑλληνιστί), ἐκ παραλλήλου εὑρίσκουν τὸν «ΕΚΚΛΗΣΙΑΣΤΙΚΟΝ ΦΑΡΟΝ», ὄργανον ἐκφράσεως ἐν μεταφράσει Ἑλληνικῇ, διὰ τὸν Ἕλληνα ἀναγνώστην, θεολόγοι Καθολικοὶ καὶ Εὐαγγελικοί. Πρόκειται περὶ τοῦ ἐν Ἐδιμβούργῳ Δογματικοῦ Th. F. Torrance μὲ τὴν εἰς δύο μέρη ἐργασίαν αὐτοῦ ὑπὸ τὸν τίτλον «Αἱ ἀπόρροιαι τῆς "Οἰκονομίας" διὰ τὴν γνῶσιν καὶ γλῶσσαν τοῦ Θεοῦ ἐν τῇ πρώτῃ Χριστιανικῇ Θεολογίᾳ», καὶ τοῦ ἐν Μονάχῳ διδάσκοντος Ἑλληνοκαθολικοῦ Βυζαντινολόγου Πέτρου Ἰωάννου μὲ ἕν ἀπόσπασμα ἐκ τοῦ πρώτου τόμου τοῦ ἔργου τούτου Enchiridion Byzantinum de Romano Pontifice. Die Interventionen des Römischen Bischofs im Orient. Rekurse und Berufungen des Orients nach Rom, seit dem Konstatinischen Frieden bis zu Alexios I. Komnenos.

Τὸ ὅτι μία Ὀρθόδοξος ἔκδοσις ἐπιτρέπει εἰς θεολόγον ἡνωμένον μετὰ τῆς Ρώμης νὰ συμπεριληφθῇ εἰς τοὺς συνεργάτας της καὶ δὴ ἐπὶ τοιούτου ἀντιλεγομένου περὶ πρωτείου θέματος, ἀποτελεῖ ἀπόδειξιν περὶ τῆς οἰκουμενικῆς εὐρύτητος τοῦ νέου ΕΚΚΛΗΣΙΑΣΤΙΚΟΥ ΦΑΡΟΥ.

Διὰ τῶν δύο μελετῶν τοῦ Παναγιώτου Φούγια, ὑπὸ τοὺς τίτλους, «Ὁ προορισμὸς τοῦ ἀνθρώπου κατὰ τὰς θρησκευτικὰς ἀντιλήψεις τῶν ἀρχαίων Αἰγυπτίων» (ἑλληνιστὶ) καὶ An imaginative Soliloquy on life by an ancient Mesopotamian ὡς ἐπίσης καὶ διὰ τῶν δύο δημοσιευθέντων συνεχῶν μερῶν τῆς μελέτης τοῦ ἐν Manchester Βιβλικοῦ Θεολόγου F.F. Bruce ὑπὸ τὸν τίτλον «The Qumran discoveries and the Bible», ὁ ΕΚΚΛΗΣΙΑΣΤΙΚΟΣ ΦΑΡΟΣ ἀναδεικνύεται ἡ πρώτη Ὀρθόδοξος Ἔκδοσις, ἥτις παραλλήλως πρὸς τὰς ἐν Βουκουρεστίῳ Studii Theologice, ἀσχολεῖται περὶ προβλήματα συγκριτικῆς θρησκειολογίας ὡς περὶ τὴν σχέσιν τοῦ Χριστιανοῦ πρὸς τὰς Παγκοσμίους θρησκείας. Τὴν κατακλεῖδα ἀποτελοῦν τὰ ἐνδιαφέροντα, ἀλλὰ περισσότερον διὰ τὸν χῶρον τοῦ Πατριαρχείου Ἀλεξανδρείας σημαντικὰ ἄρθρα, ἀφ' ἑνὸς μὲν τοῦ μνημονευθέντος Μητροπολίτου Παρθενίου, ὑπὸ τὸν τίτλον «Ἡ Ἀλεξανδρινὴ Κατηχητικὴ Σχολὴ» (ἑλληνιστὶ) καὶ ἡ μετὰ τὸν θάνατον αὐτοῦ δημοσιευθεῖσα μελέτη τοῦ μεγάλου Ἕλληνος Κανονολόγου καὶ Οἰκουμενιστοῦ Α. Ἀλιβιζάτου ὑπὸ τὸν τίτλον, «Ἡ Πατριαρχικὴ Ἀλεξάνδρεια ἄλλοτε καὶ νῦν», (ἑλληνιστί).

Die allgemeine Charakteristik des neuen Ekklesiastikos Pharos, dessen weitere Bände III und IV noch 1970 erscheinen sollen, als einer der wissenschaftlich qualifiziertesten und der ökumenisch aufgeschlossenten von allen Ostkirchlichen Puplikationen kann ohne jede Einschränkung auch auf das Jahrbuch ABBA SALAMA, Vol. I. Addis Ababa,

1970, ('Αγγλιστί, ἑλληνιστί, ἀμχαριστί). Ἡ ἔκδοσις αὕτη τῆς Ἑταιρίας Ἑλληνο - Αἰθιοπικῶν Σπουδῶν, ἐντοπίζει τὸ ἐνδιαφέρον αὐτῆς εἰς τὰς Ὀρθοδοξο - Αἰθιοπικὰς σχέσεις. Ἡ ἐπετηρὶς αὕτη ἐκδίδεται ὑπὸ τὴν τιμητικὴν αἰγῖδα τοῦ Διαδόχου τοῦ Αἰθιοπικοῦ θρόνου Merid Armach Asfa Wossen καὶ τὴν προεδρίαν τοῦ ἀναπληρωτοῦ τοῦ Πατριαρχικοῦ θρόνου Αἰθιοπίας, Ἀρχιεπισκόπου τοῦ Χάραρ Θεοφίλου. Ὁ Μητροπολίτης Μεθόδιος Φούγιας εἶναι ὁ μόνιμος Πρόεδρος τῆς Ἐκτελεστικῆς Ἐπιτροπῆς τῆς Ἑταιρίας ταύτης καὶ ὁ ἐκδότης τῆς Ἐπετηρίδος, τῆς ὁποίας τὰ κυριώτερα δημοσιεύματα ἀνήκουν εἰς τὸν ἀδελφόν του Π.Γ. Φούγιαν.

Τὸ σημαντικώτερον μέρος τοῦ προκειμένου Α' τόμου τοῦ Abba Salama εὑρίσκεται εἰς τὰς πρωτοτύπους ἐκδόσεις, αἱ ὁποῖαι σπανίζουν εἰς τὴν Αἰθιοπικὴν Ἐκκλησίαν, διὰ τοῦτο ἡ ἔκδοσις αὕτη χαιρετίζεται ἰδιαιτέρως. Ἄρχεται ὁ Μητροπολίτης Μεθόδιος διὰ τῆς ἐκδόσεως φωτοτυπικῶς καὶ ἐν ἀγγλικῇ μεταφράσει, ἑλληνικοῦ χειρογράφου τῶν μέσων τοῦ 19ου αἰῶνος ὑπὸ τὸν τίτλον «Ἀβυσσινιακῶν Αὐτοσχέδιος ἔκθεσις». Ἀκολουθοῦν ὑπὸ τοῦ αὐτοῦ ἐκδότου πέντε Ἀλεξανδρινὰ Πατριαρχικὰ Γράμματα, ἀπευθυνόμενα μεταξὺ τῶν ἐτῶν 1595 καὶ 1886 πρὸς Αἰθίοπας Αὐτοκράτορας καὶ ὑπουργούς. Ἀκολουθεῖ ἡ πλέον σπουδαία ἔκδοσις κειμένου δύο ἀχρονολογήτων διηγήσεων ἐν Geez ἐκ τοῦ Codex Vaticanus Aethiopicus 272, ἐκ τῶν ὁποίων διαφωτίζεται ἡ ἱστορία τῶν ἐκ Παλαιστίνης εἰς Κύπρον μεταφυτευθεισῶν Αἰθιοπικῶν Κοινοτήτων καὶ μονῶν, καὶ τὰς ὁποίας ἐπεμελήθη ἄριστα ὁ E. Cerulli. Μίαν ἐπίσης θαυμασίαν ἔκδοσιν εἰκόνων τοῦ Ἰνστιτούτου Αἰθιοπικῶν Σπουδῶν, τοῦ Πανεπιστημίου Addis Ababa, κ. ἄλ. δίδει ἡ μελέτη τοῦ Stanislav Chojnacki ὑπὸ τὸν τίτλον «Εἷς ὀλίγον γνωστὸς τύπος τῆς Παρθένου Μαρίας ἐν τῇ Αἰθιοπικῇ ζωγραφικῇ», (ἀγγλιστί).

Πρώτην θέσιν ἀσφαλῶς κατέχει ἡ δογματικὴ μελέτη τοῦ ὁμοτίμου πλέον Καθηγητοῦ τῆς Ὀρθοδόξου Δογματικῆς τοῦ Πανεπιστημίου Ἀθηνῶν Ἰωάννου Καρμίρη, ὅστις εἰς τὸ ὑπὸ τὸν τίτλον, «Αἱ σχέσεις μεταξὺ τῶν Ὀρθοδόξων καὶ τῶν Ἀντιχαλκηδονείων Ἐκκλησιῶν καὶ ὁ προκαταρτικὸς αὐτῶν Διάλογος» ἄρθρον του, ἐπιχειρεῖ βασικὸν ἀπολογισμὸν πασῶν τῶν μέχρι τοῦδε ἐπαφῶν τῶν δύο μεγάλων Ἐκκλησιαστικῶν οἰκογενειῶν τῆς Χριστιανικῆς Ἀνατολῆς. Ὁ ἐκ τοῦ ΕΚΚΛΗΣΙΑΣΤΙΚΟΥ ΦΑΡΟΥ, ἤδη γνωστὸς θεολόγος Samuel πραγματεύεται διεξοδικῶς ἐξ ἐπόψεως «μονοφυσιτικῆς» τὴν ἐν Χαλκηδόνι Σύνοδον. Χρήσιμον ἐπίσης εἶναι τὸ ἄρθρον τοῦ Α. Καρποζήλου ὑπὸ τὸν τίτλον, «Αἱ σχέσεις Ὀρθοδόξων καὶ Ἀγγλικανῶν μέχρι τοῦ 1930» ὅπερ ὅμως δὲν ἀνήκει εἰς τὸ πλαίσιον τῶν ἄλλων θεμάτων.

Ὁ ἀναγνώστης τοῦ ΕΚΚΛΗΣΙΑΣΤΙΚΟΥ ΦΑΡΟΥ εὑρίσκει εἰς Abba Salama τὰ κεφάλαια 2 καὶ 4 τοῦ Claude Sumner ἐκ τοῦ βιβλίου τῶν σοφῶν φιλοσόφων, ἐνῷ διὰ τὸ κεφ. 3 παραπέμπεται εἰς τὰ περιεχόμενα τοῦ ΕΚΚΛΗΣΙΑΣΤΙΚΟΥ ΦΑΡΟΥ. Ἡ τοιαύτη ἀταξία ὀφείλεται εἰς τὰς τυπογραφικὰς δυσκολίας ἐν τῇ ἐγγὺς καὶ Ἀνατολικῇ Ἀφρικῇ. Τὴν κατακλεῖδα ἀποτελοῦν πάλιν ἄρθρα ἐπὶ τῆς τοπικῆς ἐκκλησιαστικῆς ἱστορίας ἐπιμεληθέντα ὑπὸ τοῦ Μητροπολίτου Μεθοδίου, ὡς ἡ «Εἰσαγωγὴ τοῦ Χριστιανισμοῦ ἐν Ἀξώμῃ» (ἀγγλιστὶ) καὶ μία συλλογὴ ἐκ τῶν ὁμιλιῶν τοῦ κατὰ τὸ 1967 ἀποθανόντος προκατόχου του Μητροπολίτου Ἀξώμης Νικολάου Abdallah (γαλλιστὶ καὶ ἀγγλιστί).

«Ἐκκλησιαστικὸς Φάρος». Ἐπιστημονικὸν Θεολογικὸν Σύγγραμμα τοῦ Πατριαρχείου Ἀλεξανδρείας, τόμ. ΝΑ΄, 1952 - 1969, ἐν Καΐρῳ.

Ὀλίγον χρόνον μετὰ τὴν χειροτονίαν του ὁ δραστήριος Μητροπ. Ἀξώμης Μεθόδιος ἐξέδωκεν ὑπὸ τὴν διεύθυνσίν του τὸ ἀνωτέρω περιοδικόν, τὸ ὁποῖον εἶναι γνωστὸν πόσας πολυτίμους ὑπηρεσίας προσέφερεν εἰς τὴν Θεολογίαν καὶ τὴν Ἱστορίαν, ὅταν ἐξεδίδετο παλαιότερον. Δυστυχῶς ἡ ἔκδοσίς του εἶχε διακοπῆ τὸ 1952 καὶ τώρα μὲ πολλὴν χαρὰν τὸ βλέπομεν ἐπανεκδιδόμενον. Εὐχόμεθα εἰς τὸν ἐπανεκδοθέντα Ε.Φ. μακρὰ ἔτη καὶ λάμψιν φωτεινοτέραν τῆς παλαιᾶς. — Εἰς τὸ ἐκδοθὲν τεῦχος συνεργάζονται ἡμέτεροι καὶ ξένοι θεολόγοι. Διὰ τοὺς ἐνδιαφερομένους σημειοῦμεν τὴν διεύθυνσιν τοῦ Περιοδικοῦ· The Most Rev. Dr Methodios Fouyas, Editor «Ekklisiastikos Pharos», P. O. Box 571, Addis Ababa, Ethiopia.

ΠΕΡΙΟΔΙΚΟΝ «Γρηγόριος Παλαμᾶς» ΝΒ΄ 1969, σελ. 494

6. Στή Μητρόπολη Ἀξώμης μέ τόν ἀείμνηστο Ἀρχιεπίσκοπο Κύπρου Μακάριο, τόν μακαριστό Πατριάρχη τῆς Αἰθιοπίας Θεόφιλο καί Ἕλληνες Παροίκους.

«Ἐκκλησιαστικὸς Φάρος». Ἐπιστημονικὸν θεολογικὸν περιοδικὸν σύγγραμμα τοῦ Πατριαρχείου Ἀλεξανδρείας. Τόμος ΝΑ' 1952-1969, τεῦχος Α', σ. 167. (Τύποις Κ. Τσώμα, ἐν Καΐρῳ, διεύθυνσις τοῦ περιοδικοῦ: P.O. Box 571, Addis Ababa, Ethiopia).

Ἡ ἐπανέκδοσις τοῦ γνωστοῦ τούτου ἐπιστημονικοῦ θεολογικοῦ περιοδικοῦ τοῦ Ἑλληνορθοδόξου Πατριαρχείου Ἀλεξανδρείας ἐχαιρετίσθη μετὰ μεγάλης χαρᾶς. Διακόψας τὴν ἔκδοσίν του λόγῳ τοῦ δευτέρου παγκοσμίου πολέμου ὁ «Ἐκκλησιαστικὸς Φάρος» καὶ ἐν συνεχείᾳ λόγῳ τῆς μετ' αὐτὸν κρίσεως καὶ δοκιμασίας τοῦ Πατριαρχείου Ἀλεξανδρείας καὶ τοῦ ποιμνίου αὐτοῦ, συνεχίζει νῦν ὑπὸ τὴν διεύθυνσιν τοῦ μητροπολίτου Ἀξώμης Μεθοδίου τὴν μεγάλην πρὸς τὴν Ἐκκλησίαν καὶ τὴν Θεολογίαν προσφοράν του τῆς πρώτης περιόδου τῆς ἐκδόσεώς του ὑπὸ τὴν λαμπρὰν τότε διεύθυνσιν τοῦ μετέπειτα καθηγητοῦ τοῦ Πανεπιστημίου Ἀθηνῶν ἀειμνήστου Γρηγορίου Παπαμιχαὴλ μετὰ τοῦ στενοῦ συνεργάτου του καὶ μετέπειτα καθηγητοῦ καὶ Ἀρχιεπισκόπου Ἀθηνῶν Χρυσοστόμου Παπαδοπούλου. Μετὰ τὸ πέρας τοῦ πολέμου ὁ τότε Πατριάρχης Ἀλεξανδρείας Χριστοφόρος ἀνέθηκε καὶ πάλιν εἰς τὸν Γρηγόριον Παπαμιχαὴλ τὴν ἐπανέκδοσιν τοῦ «Ἐκκλησιαστικοῦ Φάρου», ἀλλ' αὕτη δὲν ἐπραγματοποιήθη ἕνεκα τῶν ἐπικρατουσῶν τότε δυσμενῶν συνθηκῶν, ἕως ὅτου ὁ νέος Πατριάρχης Ἀλεξανδρείας Νικόλαος ΣΤ' μεταξὺ τῶν πρώτων ἀνορθωτικῶν καὶ Πατριαρχικῶν ἀποφάσεων καὶ ἐνεργειῶν του περιέλαβε καὶ τὴν τῆς συνεχίσεως τῆς ἐκδόσεως τοῦ «Ἐκκλησιαστικοῦ Φάρου», ἀπευθύνας διὰ τοῦ ἀνὰ χεῖρας πρώτου τεύχους τοῦ περιοδικοῦ «θερμὴν παράκλησιν πρὸς πάντας τοὺς θεολόγους τοὺς ἀγαπῶντας τὸ παλαίφατον Πατριαρχεῖον Ἀλεξανδρείας, ὅπως συνεισφέρουν ἐκ τοῦ θησαυροῦ τῶν γνώσεών των, στηρίζοντες οὕτω τὸν ἱστορικὸν τοῦτον Φάρον» «καὶ φωτίζοντες δι' αὐτοῦ τὸν κόσμον» (σ. 5).

Τοῦ περιοδικοῦ τούτου ἐκυκλοφόρησεν ἤδη τὸ πρῶτον τεῦχος τοῦ ἔτους 1969 ἐκ σελίδων 167. Ἐν αὐτῷ, μετὰ τοὺς προλόγους τοῦ Πατριάρχου Ἀλεξανδρείας Νικολάου (σ. 5-6) καὶ τοῦ διευθυντοῦ αὐτοῦ μητροπολίτου Ἀξώμης Μεθοδίου (σ. 7-8), περιλαμβάνονται αἱ ἑπόμεναι μελέται καὶ ἄρθρα: Α.Ἀλιβιζάτου, ἡ Πατριαρχικὴ Ἀλεξάνδρεια ἄλλοτε καὶ νῦν (σ. 9-12). Π. Τρεμπέλα, αἱ νέαι εὐχαριστιακαὶ εὐχαὶ τῆς Ῥώμης (σ. 13-26). Archbishop Sion Manoogian, the Armenian Church (σ. 27-29) O.H.E. KHS -Burmester, the Coptic language (σ. 30-31). Ο. Τ. Τόρρανς, αἱ ἀπόρροιαι τῆς «οἰκονομίας» διὰ τὴν γνῶσιν καὶ γλῶσσαν τοῦ Θεοῦ ἐν τῇ πρώτῃ χριστιανικῇ Θεολογίᾳ (σ. 32-48). F. F. Bruce, the Qumran discoveries and the Bible (σ. 49-59). C. Summer, Ethiopian Philosophy. «The book of the wise philosophers» (σ. 60-73). Anba Gregorius, the Christological teaching of the non-Chalcedonian Churches (σ. 74-81). Καλαβρίας Αἰμιλιανοῦ, οἱ ἀγῶνες τοῦ ἱεροῦ Αὐγουστίνου ἔναντι τῶν σχισματικῶν (σ. 82-94). Καρθαγένης Παρθενίου, ἡ Κατηχητικὴ Σχολὴ τῆς Ἀλεξανδρείας (σ. 95-99). Π. Ἰωάννου, ὁ Ἀλεξανδρείας Ἀθανάσιος σῴζει τὴν Ἀνατολὴν ἀπὸ τὴν Ἀρειανῶν αἵρεσιν (σ. 100-104). Π. Φούγια, ὁ προορισμὸς τοῦ ἀνθρώπου κατὰ τὰς θρησκευτικὰς ἀντιλήψεις τῶν ἀρχαίων Αἰγυπτίων (σ. 105-164). Βιβλιογραφία: Βασιλείου Ἀτέση, μητροπολίτου πρ. Λήμνου, Ἐπίτομος ἐκκλησιαστικὴ Ἱστορία τῆς Ἐκκλησίας τῆς Ἑλλάδος ἀπὸ τοῦ 1883 μέχρι σήμερον, τόμ. Γ', Ἀθῆναι 1969, ὑπὸ τοῦ μητροπολίτου Ἀξώμης Μεθοδίου (σ. 165-167).

Ἰωάννης Καρμίρης.

Περιοδικό **Θεολογία**, τόμ. 40 (1969), σελ. 570-71

Τό ἐπίσημο Δελτίο τῆς Ἐκκλησίας τῆς Ἑλλάδος «ΕΚΚΛΗΣΙΑ», στή στήλη τῶν παρατηρήσεων δημοσίευσε, ἀκόμη, τό ἀκόλουθο σχόλιο μέ τόν τίτλο **«Ἡ ἐπανέκδοσις τοῦ Ἐκκλησιαστικοῦ Φάρου»**.

«Μετὰ μεγίστης χαρᾶς ὁ Ὀρθόδοξος χριστιανικὸς κόσμος εἶδε τὴν ἐπανέκδοσιν τοῦ πρὸ πολλῶν ἐτῶν διακόψαντος τὴν ἔκδοσιν αὐτοῦ «Ἐκκλησιαστικοῦ Φάρου», ἐπιστημονικοῦ θεολογικοῦ Περιοδικοῦ τοῦ Πατριαρχείου Ἀλεξανδρείας, ὅπερ κατὰ τὰ πρῶτα ἔτη τῆς ἐκδόσεως αὐτοῦ ἐλαμπρύνθη, καθ' ὅσον συνεδέθη μετὰ μεγάλων καὶ ἀειμνήστων ἐκκλησιαστικῶν προσωπικοτήτων καὶ λαμπρῶν θεολόγων, οἷοι ὑπῆρξαν πρὸς τοῖς ἄλλοις ὁ Πατριάρχης Ἀλεξανδρείας Φώτιος, ὁ Ἀρχιεπίσκοπος Χρυσόστομος Παπαδόπουλος, ὁ Πατριάρχης Μελέτιος Μεταξάκης καὶ ὁ Καθηγητής, Ἀκαδημαϊκὸς καὶ Διευθυντὴς τοῦ περιοδικοῦ «Ἐκκλησία» Γρηγόριος Παπαμιχαήλ. Ἡ ἡγεσία τῆς Ἐκκλησίας τῆς Ἑλλάδος μετὰ τοῦ Χριστεπωνύμου πληρώματος αὐτῆς εὔχεται, ὅπως ἡ εὐλογίαις τῆς Α.Θ.Μ. τοῦ Πατριάρχου Ἀλεξανδρείας κ. Νικολάου καὶ ὑπὸ τὴν διεύθυνσιν τοῦ Σεβ. Μητροπολίτου Ἀξώμης Μεθοδίου ἐπανέκδοσις τοῦ «Ἐκκλησιαστικοῦ Φάρου» σημάνῃ τὴν ἀπαρχὴν μιᾶς νέας περιόδου λαμπρᾶς δόξης οὐ μόνον τοῦ περὶ οὗ ὁ λόγος Περιοδικοῦ, ἀλλὰ καὶ τοῦ Πατριαρχείου Ἀλεξανδρείας, πρὸς τὸ ὁποῖον ἕνεκα τῆς μεγάλης αὐτοῦ ἀποστολῆς ἐν τῇ ἀφρικανικῇ ἠπείρῳ, μετὰ πολλῶν ἐλπίδων στρέφει τὰ βλέμματα σύμπασα ἡ Ὀρθοδοξία».

ΕΚΚΛΗΣΙΑ, Τόμος 46 (1969) σελ. 514.

Σημείωση. Τά περιοδικά αὐτά ὑπάρχουν σέ ὅλες τίς μεγάλες Βιβλιοθῆκες τῆς Εὐρώπης, τῆς Ἀμερικῆς, τῆς Ἀφρικῆς καί τῆς Αὐστραλίας. Ἰδιαίτερα τό **Abba Salama** καί ὁ **Ἐκκλησιαστικός Φάρος** ἔχουν περιληφθεῖ στά Zeitschriften Verzeichnis Theologie. Universitäts Bibliothek I. Tübingen (1980), 2 Ausg. σ. 7 καί 65.

Ὅλες οἱ κριτικές καί οἱ ἀναφορές στά ἔντυπα αὐτά, στά περιοδικά τοῦ κόσμου εἶναι ἀδύνατο νά μνημονευθοῦν ἐδῶ. Μερικές κριτικές καταχωροῦνται πιό κάτω ὅπου γίνεται ἡ παρουσίαση τῶν συγγραφῶν μου.

Ἀκόμη, εἶναι ἀδύνατο νά ἀναφερθοῦν ἄρθρα καί σχόλια γιά τίς ἐθνικές, ἐκκλησιαστικές καί παροικιακές δραστηριότητές μου. Ὅλα αὐτά ὑπάρχουν διάσπαρτα σέ ἐφημερίδες καί περιοδικά, ἑλληνικά καί ξένα. Τά φυλάσσω, ὅμως, ὅλα στό ἀρχεῖο μου, στό ὁποῖο φυλάσσεται καί ἡ ἀλληλογραφία μου μέ ἐπίσημα πρόσωπα. Ἀκόμη, στό ἀρχεῖο μου φυλάσσονται προσωπικά ὑπομνήματά μου πού ἀναφέρονται στά ἀνωτέρω θέματα.

Γιά τὸ Περιοδικὸ Abba Salama, ἐπίσης, ὁ Καθηγητὴς τοῦ Πανεπιστημίου Ἀθηνῶν καὶ Ἀκαδημαϊκὸς κ.' Ιωάννης Καρμίρης ἔγραψε μεταξὺ ἄλλων καὶ τὰ ἀκόλουθα γιά τὴν ἔκδοση τοῦ πρώτου τόμου :

«Ἐκυκλοφόρησεν ὁ πρῶτος τόμος τῆς ἀνωτέρω Ἐπετηρίδος τῆς ἱδρυθείσης ἐν Ἀδδὶς Ἀμπέμπᾳ Αἰθιοπίας τῇ 15 Νοεμβρίου 1969 «Ἑταιρείας Ἑλληνο-Αἰθιοπικῶν Σπουδῶν» ὑπὸ τὴν προστασίαν τῆς ΑΒΥ τοῦ Διαδόχου τοῦ Αἰθιοπικοῦ Θρόνου καὶ τὴν προεδρίαν τοῦ Ἀρχιεπισκόπου τοῦ Χάρραρ Θεοφίλου, ἐχούσης ὡς σκοπὸν τὴν προαγωγὴν τῶν Ἑλληνοαιθιοπικῶν σπουδῶν. Ἐκδότης τῆς Ἐπιτηρίδος εἶναι ὁ Μητροπολίτης Ἀξώμης Μεθόδιος Φούγιας μετὰ δωδεκαμελοῦς Ἐπιτροπῆς ἐξ Ἑλλήνων καὶ Αἰθιόπων λογίων . . .

Τοιοῦτον τὸ περιεχόμενον τοῦ πρώτου τόμου τῆς «Ἐπετηρίδος τῶν Ἑλληνοαιθιοπικῶν Σπουδῶν». Ἀναμφιβόλως καὶ ἐκ τῆς ἁπλῆς ἀναγραφῆς ἐν μεταφράσει τῶν ὡς ἄνω περιεχομένων μελετῶν καταφαίνεται ἡ μεγάλη σημασία τῆς ἐν λόγῳ ἐπιστημονικῆς Ἐπετηρίδος. Δι ὃ καὶ ὀφείλονται χάριτες εἰς τὸν σχόντα τὴν πρωτοβουλίαν διὰ τὴν ἵδρυσιν τῆς Ἑταιρείας Ἑλληνοαιθιοπικῶν Σπουδῶν καὶ διὰ τὴν ἔκδοσιν τῆς Ἐπετηρίδος αὐτῆς σεβ. Μητροπολίτην Ἀξώμης Μεθόδιον, δι' ὧν μέλλει νὰ ἐπιδιωχθῇ ἡ περαιτέρω σύσφιγξις τῶν ὑφισταμένων φιλικῶν σχέσεων μεταξὺ τῶν λαῶν τῆς Ἑλλάδος καὶ τῆς Αἰθιοπίας καὶ τῶν ἐγγύτατα ἱσταμένων πρὸς ἀλλήλας Ἐκκλησιῶν αὐτῶν».

ΘΕΟΛΟΓΙΑ, Τόμος 41 (1971) *Ἰωάννης Καρμίρης*

σελ. 349 - 350.

Abba Salama. A Review on Ethio-Hellenic Studies. Vol. VIII, 1977. Editor: Methodios Fouyas, Metropolitan of Aksum.

De grieks-orthodoxe metropoliet van Ethiopië stichtte in 1968 de Helleens-Ethiopische Vereniging. Sommigen vreesden te weinig kopij om er de uitgave van een tijdschrift aan te verbinden. Ieder jaar komt er een volume van 270 à 320 pagina's van de pers. Kerkelijke en culturele onderwerpen komen aan de orde, van belang voor de Grieken in Afrika en voor de Ethiopiërs. Vol. VIII bevat studies over griekse communiteiten en personen in Ethiopië. De voornaamste studie, waarmee Theodore Natsoulas een doctoraat in de wijsbegeerte behaalde, beslaat 218 van de 278 bladzijden en is getiteld *The Hellenic Presence in Ethiopia. A Study of a European Minority in Africa (1740-1936).* De werkzaamheid van de grieks-orthodoxe Kerk in Ethiopië wordt niet behandeld.

S. Franken

"**Abba Salama,** *A Review of the Association of Ethio-Hellenic Studies*, publié par le Dr. Méthodios Fouyas, métropolite grec orthodoxe d'Axoum (P. O. Box 571, Addis-Abéba), vol. II (1971), 352 pp.; vol. III (1972), 319 pp.; vol. IV (1973), 313 pp.; vol. V (1974), 263 pp.

Cette publication annuelle, commencée en 1970 — le volume I ne nous est pas parvenu — présente un double intérêt: d'une part, des études d'ordre historique et théorique sur l'Église d'Éthiopie et ses relations avec l'Église byzanine en particulier, et d'autre part, des articles d'actualité sur les développements récents des relations de l'Église d'Éthiopie et des anciennes Églises orientales en général avec les Églises de tradition byzantine. Le rôle personnel central joué le métropolite d'Axoum, directeur de la revue, dans ces contacts, nous garantit ici une information de première main et un intérêt continu au sujet. Parmi ces questions d'actualité, nous trouvons; la visite du patriarche Nicolas VI en Éthiopie (II, 189-218); la visite du patriarche éthiopien Théophilos aux Églises de Grèce, de Constantinople et d'Alexandrie (III, 11-86); la visite de l'archevêque d'Athènes en Éthiopie (III, 140 - 175); la IVe consultation non officielle entre théologiens de l'Église orthodoxe et des anciennes Églises orientales (III, 176-180); l'intronisation du patriarche Théophilos d'Éghiopie (III, 186-193); la réunion de la commission interorthodoxe pour le dialogue avec les anciennes Églises orientales à Addis-Abéba en 1871 (IV, 11-35); la visite de S. S. Shenouda III en Russie, en Roumanie et au patriarcat œcuménique (V, 126-135); la réunion des deux sous-commissions pour le dialogue théologique entre l'Église orthodoxe et les anciennes Églises orientales (V, 243-251); etc. De nombreux articles théologiques se rapportent également au développement de ces elations oecuméniques. D'autres études son consacrées à l'évangélisation de l'Éthiopie, à l'histoire et à l'organisation de l'Église éthiopienne, etc.; une suite remarquable d'articles traite de la philosophie éthiopienne. Les textes sont publiés en grec, en anglais, en français ou en allemand. La valeur des articles et la somme des informations fournies font que cette publication ne peut être ignorée non seulement par ceux qui s'intéressent plus directement à l'Éthiopie, mais aussi par ceux qui désirent suivre de près la vie et les relations œcuméniques des Églises orientales. Nous présentons au métropolite Méthodios d'Axoum nos voeux les meilleurs pour qu'il puisse continuer ce travail de publication d'une valeur scientifique remarquable qui répond à un besoin réel.,,

Frans Bouwen

Proche Orient Chrétien
Tome xxiv. ii (1974)
pp. 208-209.
Jerusalem

Καὶ γιὰ τὰ τέσσερα περιοδικά: Methodius Fouyas, orthodox aartsbisschop van Thyateira en Groot-Brittanië, schrijft veel en weet anderen tot schrijven te bewegen. En hij krijgt het ook gepubliceerd. Zelf heeft hij een aantal studies op zijn naam staan over christendom en jodendom in Ethiopië en over de betrekkingen tussen orthodoxen, katholieken en anglicanen. Daarnaast is hij verantwoordelijk voor een verzameling van christologische documenten. Waar hij werkt, ontstaat een genootschap, collectie of tijdschrift. Eeen tijdland heeft hij *Ekklesiastikos Faros* (Alexandrië) verzorgd. Daarna gaf hij als metropoliet van Aksoem in Addis Abeba een tijdschrift voor grieks-ethiopische studies, *Abba Salama,* uit. En sinds hij aartsbisschop in Engeland is verscheen *Ekklesia kai Theologia* en ontstond de *Foundation for Hellenism in Great Britain,* die weer een nieuwe collectie uitgeeft: *Texts and Studies.* Dit tweede deel bevat een bonte reeks van 25 items in het grieks of engels, waaronder preken en toespraken, documenten over de orthodoxie in Groot-Brittannië (in het bijzonder Londen en Manchester), Scandinavië en Zwitserland, studies over het gnosticisme in het beginnend christendom en over de alexandrijnse filosoof Johannes Filoponos (6e eeuw) en een aantal korte boekbesprekingen. Vooral degene die de orthodoxie in de emigratie of de diaspora wil bestuderen, vindt hier nuttige gegevens*
Πρβλ. στὸ ἴδιο Περιοδικὸ τὴν ἀναφορὰ τοῦ A. Burg, 40 (1988) σ. 226-227. Ὁ Καθηγητὴς Β.Θ. Σταυρίδης χαρακτηρίζει τὴν Ἐπετηρίδα *Texts and Studies* ὡς ὄργανο τῆς πνευματικῆς ἡγεσίας τοῦ Γένους. *Ἐκκλησία καὶ Θεολογία,* IV (1983) σ. 944-947. Πρβλ. E.G. Farrugia, S.J., στὸ *Orientalia Christiana Periodica,* 54 (1988) σ. 251-253, H. Embleton, στὸ *Journal of the Anglican and Eastern Churches Association.* New Series, 29 August (1989) σ. 36-37. Prof. C.N. Tsirpanlis, στὸ *The Patristic and Byzantine Review,* New York, 8 (1989) σ. 253-254 κ.ἄ.

7. Ὁ ἀείμνηστος Καθηγητής τοῦ Πανεπιστημίου Ἀθηνῶν Γρηγόριος Παπαμιχαὴλ πρῶτος ἐπὶ δεκαετίαν Διευθυντής τοῦ Θεολογικοῦ Περιοδικοῦ ***Ἐκκλησιαστικός Φάρος.***

* A. J van der Aast στὸ **Christelijk Dosten**, Nijmegen, 38 (1986) σ. 66

8. Ὁ Merid Azmatch Asfa Wossen Crown Prince of Ethiopia, στό ἀνάκτορο τοῦ ὁποίου ἱδρύθηκε ἡ **Ἑταιρεία Ἑλληνο-Αἰθιοπικῶν Σπουδῶν.** Ἀργότερα τόν ἐπισκεπτόμουν στό Λονδίνο ὅπου ζοῦσε αὐτοεξόριστος.

9. Ὁ Καθηγητής Στρατῆς Ἀνδρεάδης, Διοικητής τῆς Ἐμπορικῆς Τράπεζας, ὁ ὁποῖος ὑπῆρξε μόνιμος χορηγός τῶν δέκα τόμων τοῦ περιοδικοῦ **Abba Salama.** Ἀργότερα τά παιδιά του μέ βοηθοῦσαν στίς ἄλλες ἐκδόσεις μου. Ἡ φωτογραφία εἶναι ἀπό τήν ἐπίσκεψή του στήν Ἀδδίς Ἀμπέμπα. Τόν βοήθησα νά ἐπισκεφθεῖ δύο φορές τόν αὐτοκράτορα, τόν πρωθυπουργό, τόν Πατριάρχη καί τόν Ὑπουργό Ἐμπορικῆς Ναυτιλίας περί αὐτῶν θά γραφοῦν τά δέοντα σ' ἄλλο ἔργο μου.

NU OCH ALLTID • GREKISK-ORTODOX TIDSKRIFT FÖR NORDEN

Utgivare: ORTODOX KYRKOTIDNINGS FÖRLAG
Redaktör: WOLMAR HOLMSTRÖM
Redaktionssekreterare: PAUL NORDGREN

Nr 4 1973 Vol. 1

Ortodoxa teologiska tidskrifter

Den i Addis Abeba av metropoliten dr. Methodios Fouyas utgivna årsboken "Abba Salama — A review on ethio-hellenic studies" har blivit ledande organ för dialogen mellan den grekisk-ortodoxa och den etiopiska kyrkan. Vol. III (1972) publicerar inledningsvis en detaljerad redogörelse för den nye etiopiske katholikos-patriarken Theofilos' besök i de ortodoxa kyrkocentren Istanbul, Alexandria och Aten i november 1971 (s. 11—86). Därefter följer en icke mindre grundlig dokumentation angående de teologiska kontakterna mellan ortodoxa och förkalkedoniska kristna sedan 1969 (s. 118—139, 176—189, 194—207). Något för etiopistiken värdefullt är undersökningen av A. Moges beträffande de grekiska lånorden i det fornetiopiska språket géz (s. 181—185) och den efter de bägge första volymerna fortsatta historieskrivningen över den etiopiska filosofin av prof. Claude Sumner (s. 233—295). Pierre Petrides från "Academie des Sciences d'Outre-Mer de France" granskar det fornetiopiska riket Axums omvändelsehistoria (s. 208—232), medan prof. Richard Pankhurst, föreståndare för Institutet för etiopiska studier vid Haile Selassie-universitetet, undersöker grekiska invandrares inflytande under den etiopiske kejsaren Theodoros 1867—1868 (s. 87—117).

Β΄

Ἡ Ἱστορία τῆς Ἀποστολικῆς Ἐκκλησίας Κορίνθου. Πρώτη Ἔκδοσις, Ἀθῆναι, 1968. Δεύτερη Ἔκδοση, Ἀθήνα, 1999. Σελ. 416.

ΙΣΤΟΡΙΑ ΤΗΣ ΑΠΟΣΤΟΛΙΚΗΣ ΕΚΚΛΗΣΙΑΣ ΤΗΣ ΚΟΡΙΝΘΟΥ

10. Μέ μαθητές, καθηγητές καί κοινοτικούς ἡγέτες τῆς τότε ἀνθούσης Ἑλληνικῆς Κοινότητος Ἀδδίς Ἀμπέμπας.

ΙΕΡΑ ΜΗΤΡΟΠΟΛΙΣ ΚΟΡΙΝΘΟΥ

ΣΙΚΥΩΝΟΣ - ΖΕΜΕΝΟΥ - ΤΑΡΣΟΥ & ΠΟΛΥΦΕΓΓΟΥΣ

'Αριθμ. Πρωτ. 490 'Εν Κορίνθῳ τῇ 17 - 3 - 1997

Πρός
Τό Χριστεπώνυμον Πλήρωμα
τῆς 'Αποστολικῆς 'Εκκλησίας Κορινθίας

'Επί τῇ έπανεκδόσει τοῦ περισπουδάστου ἔργου ὑπό τόν τίτλον " 'Ιστορία τῆς 'Αποστολικῆς 'Εκκλησίας τῆς Κορίνθου "άπ' ἀρχῆς μέχρι σήμερον τοῦ Σεβ/του Μητροπολίτου Πισιδίας κ.κ. Μεθοδίου Φούγια, ἐπαναποστέλλομεν τήν ὑπ'άριθμ. 613/25-2-1968 'Εγκύκλιον ἡμῶν καί ὅπως τότε, καί τώρα προτρεπόμεθα ἐνθέρμως καί συστατικῶς πρός πάντας ὑμᾶς περί τῆς ἀποκτήσεως τοῦ ἐν λόγῳ ἔργου .

Μετά θερμῶν εὐχῶν
'Ο Μητροπολίτης

ὁ Κορίνθου Παντελεήμων

Ο ΚΟΡΙΝΘΟΥ ΠΑΝΤΕΛΕΗΜΩΝ

ΕΓΚΥΚΛΙΟΣ

Πρός
Τό Χριστεπώνυμον Πλήρωμα
τῆς 'Αποστολικῆς 'Εκκλησίας Κορινθίας

Τέκνα ἐν Κυρίῳ 'Ιησοῦ 'Αγαπητά

Πολυτρόπως ὁ Κύριος εὐλογεῖ πάντας τούς ἀνθρώπους διά τῶν ποικίλων εὐεργεσιῶν τάς ὁποίας χαρίζει ἀφθόνως. Τούς Χριστιανούς εὐλογεῖ ἰδιαζόντως διότι ἀξιώνει αὐτούς τῆς παροχῆς τῆς ἀναγεννητικῆς διδασκαλίας Του, τοῦ λυτρωτικοῦ αἵματός Του, καί τῆς Χάριτος Αὐτοῦ .

Τούς Χριστιανούς τῆς 'Αποστολικῆς 'Εκκλησίας τῆς Κορίνθου καί τῆς 'Επαρχίας Κορινθίας ἐξ'ἀρχῆς ηὐλόγησε διά τῆς παραχωρήσεως νά διδαχθῆ πρός αὐτούς ἡ ἁγία διδασκαλία Του διά τῶν Κορυφαίων 'Αποστόλων Πέτρου καί πρό παντός διά τοῦ Οὐρανοβάμωνος Παύλου, ὁ 'Οποῖος καί τάς δύο γνωστάς ἐπιστολάς ἔγραψε πρός Κορινθίους καί ἱκανόν χρόνον ἐνδιέτριψε εἰς Κόρινθον,ἀπό ὅπου ἀπηύθυνε ἐπιστολάς εἰς διαφόρους Ἐκκλησίας.Ἐπί τοῦ θέματος αὐτοῦ ἐκ τῶν ὅσων εἶναι τοῖς πᾶσι γνωστά,ἐπί προσθέτως ὁ ἀρχαῖος τῆς Κορίνθου Ἐπίσκοπος Ἅγιος Διονύσιος ἔγραφε τόν Β΄μετά Χριστόν αἰῶνα τά ἑξῆς : " Ταῦτα καί σεῖς Ρωμαῖοι διά τῆς τόσης πολλῆς διδασκαλίας τήν φυτείαν,ἡ ὁποία ἐγεννήθη ἀπό τόν Πέτρον καί ἀπό τόν Παῦλον καί ἀπετελέσθη ἀπό Ρωμαίους καί ἀπό Κορινθίους τήν συνεκεράσατε,διότι καί οἱ δύο εἰς τήν Κόρινθόν μας ἀφοῦ ἐφύτευσαν ,ὁμοίως μᾶς ἐδίδαξαν, ὁμοίως σέ καί εἰς τήν Ἰταλίαν,εἰς τόν αὐτόν τόπον ἀφοῦ ἐδίδαξαν,τόν ἴδιον καιρόν ἐμαρτύρησαν ," .

Ἐκ τῶν ἀνωτέρω σημείων τά ὁποῖα ἁπλῶς μόνον ἐθίξαμεν ,καταφαίνεται ἡ ὑψίστη σημασία τῆς Ἐκκλησίας τῆς Κορίνθου καί διά τόν Χριστιανισμόν ,καί διά τήν Ἑλλάδα καί διά τήν Ἐκκλησίαν τῆς Ἑλλάδος .

Εἰς τόν τομέα αὐτόν τῆς γνώσεως ,τῆς σπουδαιότητος τῆς Κορινθιακῆς Ἐκκλησίας ἦλθεν ἤδη νά συμβάλῃ Μεγάλως διά τῆς συγγραφῆς ὑπό τόν τίτλον " Ἱστορία τῆς Ἀποστολικῆς Ἐκκλησίας τῆς Κορίνθου " τό τῆς Κορινθίας τέκνον ,ὁ Πανοσιολογιώτατος Ἀρχιμανδρίτης κ. Μεθόδιος Φούγιας,Γραμματεύς τῆς Ἱερᾶς Συνόδου .

Πολλά ἐκοπίασε καί ἐδαπάνησε,ἠνάλωσε,πολύν χρόνον εἰς τήν ἔρευναν,πηγάς πλείστας καί εἰς τήν ἡμεδαπήν καί εἰς τήν ἀλλοδαπήν ἀνεδίφησε καί ἤδη ἔφερε εἰς φῶς πλῆρες καί ὁλοκληρωμένον ἔργον ἐκ 416 σελίδων,τό ὁποῖον παρέχει πρός ὑμᾶς μέ σύστημα,μέ πληρότητα καί μέ ἐπιστημονικότητα πλήρη τήν Ἱστορίαν τῆς Ἐκκλησίας τῆς Κορίνθου ἀπ'ἀρχῆς μέχρι σήμερον .

Ὅθεν συνιστῶμεν τό περί οὗ ὁ λόγος ἔργον ἐκθύμως πρός πάντα ἐνδιαφερόμενον ἄνθρωπον τῶν Γραμμάτων καί τοῦ πνεύματος καί ἰδιαζόντως πρός τούς Κληρικούς ,πρός τούς Θεολόγους,πρός τούς Ἐκπαιδευτικούς,πρός πάντα γενικῶς ἄνθρωπον τῆς διανοήσεως καί πρός πάντα φιλομαθῆ. Τό ἐν λόγῳ σύγγραμα δέν πρέπει νά λείψῃ ἀπό καμμίαν Βιβλιοθήκην τοῦτο θά παραλαμβάνεται ἀπό τά Γραφεῖα τῆς Ἱ. Μητροπόλεως .

Διά τούς Ἱερούς Ναούς τῆς καθ' Ἡμᾶς Ἀποστολικῆς Ἱερᾶς Μητροπόλεως θεωροῦμεν ἀναγκαίαν τήν ἀπόκτησιν τῆς ἐν λόγῳ Ἱστορίας τῆς Ἀποστολικῆς Ἐκκλησίας Κορίνθου,διά τοῦτο δέον ὅπως κάθε Ἱ.Ναός προμηθευθῆ τό ἐν λόγῳ Βιβλίον .

ΙΕΡΑ ΜΗΤΡΟΠΟΛΙΣ ΚΟΡΙΝΘΟΥ
ΣΙΚΥΩΝΟΣ - ΖΕΜΕΝΟΥ - ΤΑΡΣΟΥ & ΠΟΛΥΦΕΓΓΟΥΣ

'Αριθμ. Πρωτ. 'Εν Κορίνθῳ τῇ 199

- 3 -

Εἴθε ὁ Κύριος νά εὐλογῇ τόν συγγραφέα τοῦ ἐν λόγῳ συγγράματος καί εἴθε νά χαρίσῃ πρός αὐτόν πάσας τάς προϋποθέσεις διά τήν συνεχῶς ἀποδοτικήν ἐργασίαν εἰς τήν 'Εκκλησίαν τοῦ Χριστοῦ .-

Πρός Θεόν Εὐχέτης πάντων ὑμῶν
'Ο Μητροπολίτης

Ο ΚΟΡΙΝΘΟΥ ΠΑΝΤΕΛΕΗΜΩΝ

'Η παροῦσα 'Εγκύκλιος νά ἀναγνωσθῇ ἐπ' 'Εκκλησίαις τήν Κυριακήν τῆς Σταυροπροσκυνήσεως 30 Μαρτίου 1997

Heidelberg, d. 9. April 1968

Hochwürdiger Archimandrit!

Zwar habe ich Ihnen schon einen kleinen, wie ich fürchte, für Sie nicht neuen literarischen Gruss zugesandt; aber ich möchte Ihnen doch auch noch persönlich für das freundliche Geschenk meinen Dank sagen, das Sie mir zugehen liessen. Die monumentale Geschichte von Korinth zeigt die ganze Weite der griechischen Kirchengeschichte gleichsam in einem Brennpunkt, und die liebevolle Darstellung des Heiligen Chrysostomos zeigt ihn von einer für seine Art und Bedeutung besonders wesentlichen Seite. Natürlich freut es mich auch sehr, dass Sie meine Skizze in den Griechischen Kirchenvätern meist zustimmend heranziehen konnten.

Mit wiederholtem Dank und verbindlichen Grüssen bin ich

Ihr sehr ergebener

H. v. Campenhausen

Ὁ Hans Freiherr Von Campenhausen ἦταν Καθηγητής τῆς Ἐκκλησιαστικῆς Ἱστορίας τοῦ Πανεπιστημίου τῆς Χαϊδελβέργης. Μεταξύ τῶν ἔργων του εἶναι καί τό **Griechische Kirchen-väter** μεταφρασθέν ἀπό τήν 4η ἔκδοση τοῦ 1967 στήν Ἀγγλική Γλῶσσα ἀπό τόν Stanley Godman μέ τόν τίτλο: The Fathers of the Greek Church. Pantheon, 1959. Ὁ H. von Campenhausen χαρακτηρίζει τό ἔργο μου «μνημειῶδες».

THE UNIVERSITY OF NOTTINGHAM

Department of Theology:
Head of Department:
Professor R. P. C. HANSON, M.A., D.D.

UNIVERSITY PARK,
NOTTINGHAM
~~XXXXXX XXXX~~
NG7 2RD.

Ref: RPCH/PH.

19th April, 1968.

The Rev. Dr. M. Fouyas,
9 Riga Ferraiou Str.,
Halandrion,
Athens.

Dear Dr. Fouyas,

I am very grateful to you for your kindness in sending me the two valuable volumes which you have recently produced, the <u>History of the Church of Corinth</u> and your book on the <u>Social Message of St. John Chrysostom</u>.

I hope to read them when I have some more spare time and I have no doubt that I shall benefit from them considerably. The interchange of scholarly works of this type, promoted perhaps by the patristic conferences held every four years in Oxford, is one of the most pleasant aspects of contemporary scholarship.

In reply I enclose two or three offprints of articles which I myself have written in recent years - μικρά ἀντὶ μεγάλων.

Yours sincerely,

R P C Hanson

---

* Ἀργότερον διετέλεσε μέλος τῆς Ἀγγλικανικῆς Διορθοδόξου Θεολογικῆς Ἐπιτροπῆς γιά τόν διάλογο μεταξύ τῶν δύο Ἐκκλησιῶν μέ πρόεδρο τῶν Ὀρθοδόξων τόν γράφοντα τό ἔργο τοῦτο.

WESLEY HOUSE, CAMBRIDGE

TEL. 50609

FROM THE PRINCIPAL.
THE REV. GORDON RUPP. D.D.

THE PRINCIPAL'S LODGE
WESLEY HOUSE
CAMBRIDGE

3rd June, 1968.

The Rev. Dr. M. Fouyas,
9 Riga Ferraiou Str.
Halandrion,
Athens.

My dear Methodios,

I was delighted to hear from you and to receive copies of your valuable books which I have put in the College library.

And now for the work which you have just sent me. I am sure that they do credit to your immense learning and industry. This is a very troubled time for the world and I imagine you have been through very difficult changes in the last months. We often think and speak about you. I had a letter from the Patriarch in Constantinople not long ago and he seems to be working with great vigour despite his age. I hope one day we may meet again.

I am to be President of the Methodist Church in Great Britain in the coming year, and have just been made a Professor of Church History in the University of Cambridge.

With very best wishes to you and all your family.

Yours very sincerely,

Gordon Rupp *.

Gordon Rupp

* Εἶναι ὁ καθηγητής μου στό Πανεπιστήμιο τοῦ Manchester καί, ὡς γράφω ἀνωτέρω, μαζί μέ τόν Arnold Ehrhardt ὑπῆρξαν οἱ εὐεργετήσαντές με.

Ἱστορία τῆς Ἀποστολικῆς Ἐκκλησίας Κορίνθου

Ἐν Ἀθήναις τῇ 27η Μαΐου 1968

Ἀγαπητέ μου Μεθόδιε

Πολλήν δοκιμάζω πάντοτε τήν χαράν, ὁσάκις ἡ Ὑμετέρα ἐλλογιμωτάτη καί λίαν ἀγαπητή Πανοσιολογιότης, εὐαρεστεῖται, ἵνα, ἐν τῇ εὐγενεῖ Αὐτῆς διαθέσει, μέ καθιστᾶ κοινωνόν τοῦ περιεχομένου περισπουδάστων ἐργασιῶν της, κατά ἀκριβῶς δέ τῆς ἐπιστήμης ὁρολογίαν καί ἀπαίτησιν .... οὕτω, καί ἀντικειμενικήν ἐκτίμησιν, εἰς τήν χορείαν τῶν ἐκλεκτῶν συγχρόνων ἐκκλησιαστικῶν συγγραφέων, οἵτινες διά τῆς κατά Θεόν καί θύραθεν, μορφώσεως, ἐμποιοῦν τιμήν καί καύχημα εἰς τήν ἐκθρέψουσαν αὐτούς ἐκκλησίαν καί τήν ἐπιστήμην, λόγω τῆς λιπαρᾶς αὐτῶν πνευματικῆς ἐπιμορφώσεως.

Καί ἡ χαρά μου αὐτή μετατρέπεται εἰς ἐγκαύχησιν, διότι εὐτύχησα, ἵνα, τουλάχιστον κατά τά πρῶτα, τῆς ἐκκλησιαστικῆς Αὐτῆς πορείας καί διαδρομῆς, βήματα, ἐπισφραγισθείσης, Θεοῦ εὐλογία καί συμπαραστάσει διά λίαν ἱκανοποιητικῶν, ἀποδοτικῶν ἀνελίξεων, ὡς τεκμηριοῦται, καί ἐξ ἄλλων μέν δεδομένων, ἰδιαιτέρως δ' ἐκ τῆς τοποθετήσεώς Της, εἰς ἐπικαίρους καί περιλάμπρους διοικήσεις καί θέσεις ἐν τε τῇ καθ' ἡμᾶς Ἑλλαδικῇ Ἐκκλησίᾳ καί τῷ Πατριαρχείῳ Ἀλεξανδρείας, συμπαρασταθῶ, διά τῶν ἀσθενῶν καί πτωχῶν ἐκκλησιαστικῶν καί ἐπιστημονικῶν μου δυνάμεων καί γνώσεων, ὡς συνέκδημος καί συνεργός, ἐπί τῷ τέλει ἐγκαινιασμοῦ μέλλοντος φέροντος τά ἐμβλήματα καί ἀποτυπώματα πολλῆς καί εὐπρωσδέκτου προσφορᾶς ὑπηρεσιῶν εἰς τόν ἐκκλησιαστικόν καί ἐπιστημονικόν τομέα, ὁραματισμοί ἤθη, θεία συνάρσει, ἐπιτευχθέντες, ὡς δῆλον γίνεται, ἐκ τῆς πολλαπλῆς παραγωγῆς καί ἄλλων ὡραίων μέν πνευματικῶν ἐπιτευγμάτων, ἰδιαιτέρως ὅμως ἐκ τῆς κυκλοφορίας τῶν δύο πρότριτα ἐκδοθέντων Αὐτῆς ἔργων «Κανονικά ποιμαντικά πάρεργα» καί **«Ἱστορία τῆς Ἀποστολικῆς Ἐκκλησίας τῆς Κορίνθου»**, ἐπί τήν ἀξιολόγησιν τοῦ περιεχομένου τῆς ὁποίας καί ὑπεισέρχομαι, λόγῳ τοῦ προσφιλοῦς διαφέροντος τοῦ ὑποσημειουμένου εἰς ἐκκλησιαστικάς καί ἱστορικάς ἐνασχολήσεις.

Ἡ ἱστορία τῆς Ἐκκλησίας τῆς Κορίνθου, καρπός πολυμόχθων, πολυετῶν μαρτυροῦν καί ὀτρηρῶν ἐπιστημονικῶν ἐκζητήσεων καί ἀναζητήσεων προτίθεται ἐνώπιον τῆς ἱστορίας καί τῆς ἄλλης ἐπιστήμης, ὡς ἔργον, τό ὁποῖον οὐ μόνον διερευνᾶ καί ἐπισημαίνει ἀπολύτως καί ἐπιτυχῶς, ἀγνώστους σελίδας, περί ὧν μέχρις ἡμῶν, παρά διαφόρων συγγραφέων περί τῆς Ἀποστολικῆς ταύτης Ἐκκλησίας πληροφορίαι οὐδέ μνείαν κάν ποιοῦνται, ἀλλά ὑπεισέρχεται εἰς τάς δαιδαλώδεις ἱστορικάς ταύτης πτυχάς, ἵνα ἐπιθέσῃ καί ἐπ' αὐτῶν τήν σφραγῖδα τῆς ἱστορικῆς ἐνημερότητος καί ἀληθείας· αἱ πολύτιμοι καί ἄγνωστοι ἄχρι τοῦδε παρατιθέμεναι ἱστορικαί εἰδήσεις, ὁ πλούσιος κατάλογος τῶν Ἐπισκόπων τῆς Ἀποστολικῆς ταύτης περιλάμπρου παροικίας, τομεύς πρός τόν ὁποῖον ἀπό τῶν πρώτων τῆς γενέσεως, αἰώνων, ἡ κατ' Ἀνατολάς Ὀρθόδοξος Ἐκκλησία ἐπεδείξατο εὐαισθησίαν ἐπισημάνασα τήν ἀξίαν αὐτοῦ, ἡ γλαφυρότης τῆς γλώσσης, ἡ διάρθρωσις τῆς ὕλης, κατ' ἐπιτυχῆ τρόπον, ἡ πλουσία ἐνημέρωσις καί ἡ γνωριμία τοῦ συγγραφέως της πρός τάς πηγάς καί τά βοηθήματα, εἶναι ἀρεταί, αἵτινες οὐ μόνον ἱκανοποιοῦν ἀπολύτως τόν ἀναγνώστην, τόν ὁποῖον μεταφέρουν εἰς τάς συμπαθεῖς, τῆς ἱστορίας τῆς Ἐκκλησίας τῆς Κορίνθου, ἀνελίξεις, ἀλλ' ἀναβιβάζουν τόν συντάκτην ταύτης εἰς τούς ὑψηλωτέρους τῆς ἐπιστημονικῆς ἐμπειρίας καί ἱκανότητος ἀναβαθμούς, περί τήν ἀξιολόγησιν ἱστορικῶν θεμάτων.

Τούτας τάς ὀλίγας, χαράσσω ἐνταῦθα γραμμάς ἐπιθυμῶν ἵνα ἐξωτερικεύσω τήν ἀπόλυτον ἱκανοποίησίν μου, ἥτις μέ ὁδηγεῖ ἀβιάστως εἰς τήν ἔκφρασιν εἰλικρινῶν συγχαρητηρίων προσρήσεων διά τήν πλήρη τῆς συγγραφῆς τῆς ἱστορίας τῆς Ἐκκλησίας ταύτης, ἐπιτυχίαν, εὐχόμενος, ὅπως καί ἐν τῷ μέλλοντι αἱ τυχόν δημοσιευθησόμεναι παρ' Αὐτῆς μελέται φέρουν καί αὐταί τά ἐμβλήματα ἐπιτυχοῦς προσφορᾶς ὑπηρεσιῶν εἰς τήν ἐπιστήμην, τῆς ὁποίας ἀνεδείχθητε νοσταλγός καί μυσταγωγός.

Συγχαίρων εἰλικρινῶς διά τήν ἐπιστημονικήν Αὐτῆς πληρότητα, ὡς πιστοῦται ἐκ τοῦ ὑφ' ..... περιλάμπρου τούτου συγγράμματος καί εὐχαριστῶν διά τήν προσφοράν, προσωπικῶς δέ τούτου, διατελῶ μετ' ἐνθέρμων εὐχετικῶν προσρήσεων καί βαθυτάτης ἀγάπης καί ἐκτιμήσεως.

† ὁ πρ. Λήμνου Βασίλειος

Ὁ διακεκριμένος Μητροπολίτης πρ. Λήμνου Βασίλειος Ἀτέσης συγραφέας πολλῶν ἱστορικῶν ἔργων ὡς ἐπίσκοπος Ταλαντίου, βοηθός τοῦ ἀειμνήστου Ἀρχιεπισκόπου Ἀθηνῶν Δαμασκηνοῦ ἐχειροτόνησε τόν γράφοντα εἰς Διάκονον τόν Σεπτέμβριο τοῦ 1947. Τό χειρόγραφον εἶναι δυσανάγνωστο.

† Ο ΜΗΤΡΟΠΟΛΙΤΗΣ ΠΕΙΡΑΙΩΣ
ΧΡΥΣΟΣΤΟΜΟΣ

ΕΝ ΠΕΙΡΑΙΕΙ, ΤΗ 28.4.1968

Λίαν μοι άγαπητέ Πανοσιολογιώτατε πάτερ Μεθόδιε, χαίρετε έν Χριστῷ τῷ Θεῷ πάντοτε.

Πατρικῶς εὔχομαι, ὅπως τήν παροῦσάν μου λάβητε ὑγιαίνοντες καί ἐν Κυρίῳ εὐτυχοῦντες.

Μέτ' ἐξαιρέτου χαρᾶς ἐδεξάμην τό ἄρτι κυκλοφορῆσαν βιβλίον, "Ἱστορία τῆς Ἀποστολικῆς Ἐκκλησίας Κορίνθου", μόχθον καί καρπόν τῶν θαυμασίων καί ὀτρηρῶν ἐπιστημονικῶν ἀναζητήσεων καί ἀπασχολήσεών σας, ὅπερ εὐηρεστήθητε νά μοί πέμψητε, διό καί σπεύδω νά ἐκφράσω ὑμῖν τάς ἀμέτρους εὐχαριστίας μου. Τό περί οὗ ὁ λόγος λαμπρόν ἔργον σας, τό ἐμελέτησα μετά προσοχῆς καί ἐπιμελείας ἐξιδιασμένης καί ὅλως ἀκολακεύτως ὁμολογῶ, ὅτι μοί προὐκάλεσε θαυμασμόν, διά τό πλουσιώτατον ἱστορικόν ὑλικόν τό ὁποῖον ἔχετε ἀποθησαυρίσει ἐν αὐτῷ, μέτ' ἐπιστημονικῆς εὐσυνειδησίας ὑποδειγματικῆς. Τολμῶ νά εἴπω, ὅτι ἔχω μελετήσει πᾶν ὅ,τι εἰς τήν γλῶσσάν μας ἔχει γραφῆ, σχέσιν ἔχον μέ τάς περί Παύλου σπουδάς, καί "τήν μέριμναν Αὐτοῦ περί τῶν Ἐκκλησιῶν", εἰς οὐδέν ὅμως ἐξ αὐτῶν εὗρον τόν πληροφοριακόν πλοῦτον, --τόν χειραγωγοῦντα τόν μελετητήν καί ἐρευνητήν τῶν Παυλείων ὑπέρ Χριστοῦ ἀγώνων, εἰς πληρεστέραν ἐκτίμησιν, καί κατανόησιν αὐτῶν, -- ὅν εὗρον εἰς τό θαυμάσιον βιβλίον σας. Ἡ ἀξία τοῦ βιβλίου σας ἔχει καί ἕν πρόσθετον προσόν, ὅτι δέν ρίπτει ἔκπαγλον φῶς εἰς τήν ἱστορίαν τῆς Ἀποστολικῆς Ἐκκλησίας τῆς Κορίνθου μόνον, ἀλλά οἱ χῶροι τούς ὁποίους ἐρευνᾷ καί μελετᾷ, -χωρίς ὑπερβολήν γράφω τοῦτο-, εἶναι εὐρύτατοι, " ἀπό Ἱερουσαλήμ καί κύκλῳ μέχρι Ἰλλυρικοῦ πεπληρωκέναι τό Εὐαγγέλιον τοῦ Χριστοῦ. Ρωμ. 15, 19", διά νά χρησιμοποιήσω Παύλειον φραστικόν.

Προσωπικῶς σᾶς εἶμαι εὐγνώμων, διότι μέ ἐφοδιάσατε μέ ἱστορικά ἐφόδια, μεγάλως διευκολύνοντά με εἰς πληρεστέραν μελέτην τοῦ Θεοειδοῦς ἔργου τοῦ Πρυτάνεως τῶν Ἁγίων Ἀποστόλων, Παύλου, τοῦ κατά τόν Ἱερόν Χρυσόστομον, "Στόματος τοῦ Χριστοῦ".

Σημ. στήν πρώτη ἔκδοση.

'Επί τούτοις συγχαίρων ἐγκαρδιώτατα τῇ ὑμετέρᾳ λίαν μοι ἀγαπητῇ Πανοσιολογιότητι,διά τήν θαυμασίαν προσφοράν σας,είς τάς περί Παύλου σπουδάς,διά τοῦ διακρινομένου ἐπί ἐπιστ.μονικῇ πληρότητι,βιβλίου σας,εὔχομαι πατρικώτατα,ὅπως ὁ Πανάγιος Θεός,διά τῶν πρεσβειῶν τοῦ Οὐρανοβάμονος θείου Παύλου,καταξιοῖ ὑμᾶς νά μεταπηδᾶτε ἀπό ἐπιστημονικῆς δόξης,εἰς δόξαν,καί διατελῶ,

Μετά ἐνθέρμων εὐχῶν,ἀγάπης πολλῆς καί τιμῆς ἐξαιρέτου.

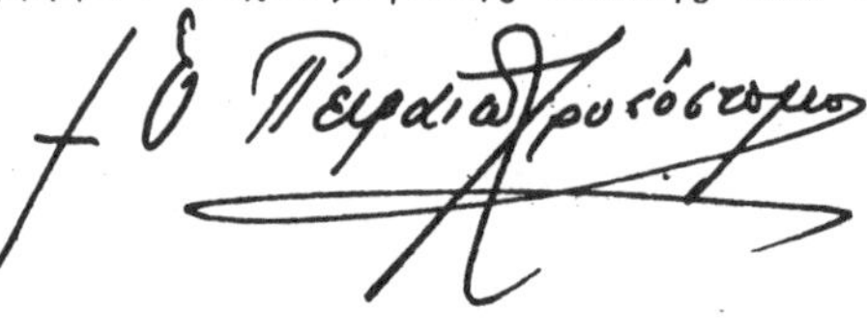

11. Εἶναι τό χωριό Καλύβια σήμερα 'Αρχαία Φενεός Κορινθίας, γενέτειρα τοῦ γράφοντος.

Σημ. Εἶναι ὁ τότε διαπρεπής Μητροπολίτης Πειραιῶς Χρυσόστομος Ταβλαδωράκης.

ΚΩΝ. ΕΥΣΤ. ΠΑΠΑΚΩΝΣΤΑΝΤΙΝΟΥ

'Αθῆναι τῇ 14 'Απριλίου 1968

Πανοσιολογιώτατε,

'Εδιάβασα τάς ἀξιόλογους ἐργασίας Σας καί Σᾶς εὐχαριστῶ διά τήν φιλόφρονα προσφρράν αὐτῶν.

Μέ ἀπησχόλησαν ἰδιαιτέρως, ὅπως ἦτο φυσικόν, ἡ ἱστορία τῆς ἀποστολικῆς ἐκκλησίας τῆς Κορίνθου καί ἐξετίμησα τήν γλαφυρότητα καί σαφήνειαν ἐν τ'αὐτῷ τῆς ἐκθέσεως, τήν πληρότητα τῆς ἐργασίας καί τόν πλοῦτον τῶν πηγῶν.
Καί ταῦτα χωρίς διάθεσιν κριτικῆς ἔργων ξένων πρός τάς ἰδικάς μου ἀπασχολήσεις.
Αἱ ἐργασίαι Σας θά εὕρουν τήν ὀφειλομένην ἀναγνώρισιν ἀπό τούς ἀσχολουμένους εἰδικῶς μέ τά ἀντικείμενα τῶν μελετῶν Σας.

'Η ἀνάγνωσις τῆς ἐκκλησιαστικῆς ἱστορίας τῆς Κορίνθου μοῦ προκαλεῖ διαφόρους σκέψεις, ἐπί τῶν ὁποίων ἡ γνώμη Σας θά ἔχῃ ἰδιαιτέραν ἀξίαν.
'Αλλά περί τούτων εἰς προσωπικήν συνάντησιν.

'Υμέτερος

Πανοσιολογιώτατον
Μεθόδιον Φούγιαν
Ρήγα Φερραίου 9
Χαλάνδριον ('Αθηνῶν).-

Εἶναι ὁ διακεκριμένος Κορίνθιος πολιτικός πού διετέλεσε πολλάκις Ὑπουργός, Πρόεδρος τῆς Βουλῆς καί Ἀντιπρόεδρος τῆς Κυβερνήσεως.

GREEK ORTHODOX ARCHDIOCESE OF THYATEIRA
AND GREAT BRITAIN

5, CRAVEN HILL,
LONDON, W.2.
PADdington 4787

Τῇ Ιη 'Απριλίου 1968

Πανοσιολογιώτατον 'Αρχιμανδρίτην
κ. Μεθόδιον Φούγιαν
Εἰς 'Αθήνας

Πανοσιολογιώτατε,

'Ελήφθησαν τά δύο τελευταῖα ἔργα ὑμῶν "ἡ 'Εκκλησία τῆς Κορίνθου" καί "αἱ Κοινωνικαί Διδασκαλίαι τοῦ Χρυσοστόμου" 'Αγγλιστί.

Τό πρῶτον τροχάδην ἐξήτασα, ἐνῷ τό δεύτερον τό διεξῆλθον μετά προσοχῆς. Καί τά δύο ὄζουν λυχνίας καί καθρεπτίζουν τοῦ συγγραφέως τήν ἐργατικότητα, τήν βαθύτητα, τήν προσοχήν καί τήν ἐπιθυμίαν προσφορᾶς εἰς τήν 'Ορθόδοξον Θεολογικήν Γραμματεῖαν τῆς ἐποχῆς μας. Τά νεώτερα ταῦτα συγγράμματά σας προστιθέμενα εἰς τά προηγούμενα, συνιστοῦν τήν συμβολήν σας ὡς ἀξίαν πάσης προσοχῆς καί διακρίνουν τήν ἐπίμονον παραγωγικότητα τῆς σκέψεώς σας καί προθέτουν αὐτήν ἐνώπιον πολλῶν ἄλλων Κληρικῶν εἰς μίμησιν πνευματικῶν πονημάτων.

Εὔχομαι συνέχειαν τῆς πνευματικῆς καρποφορίας ἵνα συνεχισθῇ ἡ τιμή πρός τήν 'Ελληνικήν Γραμματεῖαν προσφερομένη ἀπό μέρους νεωτέρου Ἕλληνος Κληρικοῦ διανοουμένου.

Σχετικῶς πρός τό θέμα τῆς 'Αρχιεπισκοπῆς Αὐστραλίας, ἔγραφα. Γνωρίζω ὅτι ἡ Α.Θ.Π. ὁ Οἰκουμενικός Πατριάρχης κ.κ. 'Αθηναγόρας ἐκτιμᾷ τό πρόσωπόν σας καί τήν κατάρτισίν σας, ἀναγνωρίζει ὡς ἐνδεικτικόν τῆς ἀξίας σας. Εἶμαι βέβαιος ὅτι, ἐάν δέν ἀχθῇ εἰς συζήτησιν ἡ ὑποψηφιότης 'Αρχιερέως διά τήν Αὐστραλίαν, ὁ Παναγιώτατος θά προσέξῃ καί ὑμᾶς. Καθ'ἅ πληροφοροῦμαι, τό ὄνομα τοῦ 'Αγίου Φιλαδελφείας 'Ιακώβου ἔχει τοποθετηθῆ εἰς τήν πρώτην θέσιν τῶν ὑποψηφίων.

Ταῦτα ἐπί τοῦ παρόντος καί διατελῶ

Μετ'εὐχῶν θερμῶν καί ἀγάπης
ὁ 'Αρχιεπίσκοπος

ὁ Θυατείρων καὶ Μ. Βρεταννίας Ἀθηναγόρας

'Αθηναγόρας 'Αρχιεπίσκοπος
Θυατείρων καί Μ.Βρετανίας

Ἀρχιμ. **ΜΕΘΟΔΙΟΥ Γ. ΦΟΥΓΙΑ**, Θεολόγου καί διδάκτορος τοῦ Πανεπιστημίου τοῦ Manchester (Ἀγγλίας). Γραμματέως τῆς Ι. Συνόδου τῆς Ἐκκλησίας τῆς Ἑλλάδος. *ΙΣΤΟΡΙΑ ΤΗΣ ΑΠΟΣΤΟΛΙΚΗΣ ΕΚΚΛΗΣΙΑΣ ΚΟΡΙΝΘΟΥ* ἀπ' ἀρχῆς μέχρι σήμερον. Σχ. 8ον μέγα. Σελίδες 416. Ἀθῆναι 1968.

Πρόκειται περί πρωτοφανοῦς ἔργου εἰς τόν τόπον μας, γραμμένου ἀπό Ἕλληνα Θεολόγον καί ἱστορικόν ἐρευνητήν. Ἀπό τήν μελέτην τοῦ ὅλου τούτου θαυμασίου ἔργου ἐξηγάγομεν τό συμπέρασμα ὅτι ἡ ἐργασία αὐτή ἀποτελεῖ μεγάλην συμβολήν εἰς τήν ἔρευναν ὄχι μόνο τῆς Ἱστορίας τῆς Ἐκκλησίας τῆς Κορίνθου, ἀλλά τῆς Ἱστορίας ὁλοκλήρου τῆς Ἐκκλησίας τῆς Ἑλλάδος, τῆς ὁποίας ἡ Μητρόπολις Κορίνθου ὑπῆρξε σπουδαιότατον κέντρον (σελ. 17). Τό ὅλον ἔργον ἀποτελεῖται ἀπό 416 σελίδες. Εἶναι εἰκονογραφημένον μέ σπανίας ἀρχαίας εἰκόνας καί σπανίους ἀνεκδότους παρ' ἡμῖν χάρτας. Ὁ κατάλογος τῶν πηγῶν καί βοηθημάτων, ὅστις ἐκτίθεται εἰς τό τέλος τῆς συγγραφῆς, ἀποτελεῖται ἀπό 16 πυκνοτυπωμένας μεγάλας σελίδας! Ἀλλά καί ὁ κατάλογος αὐτός δέν ἐξαντλεῖ τά πολλά καί ποικίλα ὑπομνήματα τῶν Εὐρωπαίων ἐπιστημόνων, τά ὁποῖα συνεβουλεύθη κατά τήν συγγραφήν τοῦ μετά χεῖρας ἔργου. Ἀλλά ἐκτός τῶν ἐν τῷ δεκαεξασελίδῳ καταλόγῳ τούτῳ ἔργων, δέον νά ληφθῶσι ὑπ' ὄψιν καί ἐκεῖνα τά ὁποία ἀπαντῶνται εἰς τάς ὑποσημειώσεις, τά ὁποῖα παρελείφθησαν πρός ἀποφυγήν ἐπιμηκύνσεως τοῦ καταλόγου. Ἀπό τάς πλουσιωτάτας πηγάς καί βοηθήματα πού ἐχρησιμοποίησεν ὁ σ. διά τήν ἐκπόνησιν τῆς Ἱστορίας τῆς Ἐκκλησίας τῆς Κορίνθου καί ἀπό τάς μακροετεῖς σπουδάς πού ἔχει κάμει εἰς τό ἐξωτερικόν (Γερμανίαν καί Ἀγγλίαν) μετά τάς ἐν Ἀθήναις θεολογικάς σπουδάς του, πείθεται πᾶς ἀμερόληπτος μελετητής τοῦ ἐν λόγῳ ἔργου ὅτι ὁ σ. πατήρ Μεθόδιος Φούγιας εἶναι κάτοχος ὄχι μόνον τῆς Ἀρχαίας Ἑλληνικῆς γλώσσης καί τῆς Λατινικῆς πατερικῆς φιλολογίας, ἀλλά καί τῆς Γερμανικῆς, Γαλλικῆς καί Ἀγγλικῆς γλώσσης, εἰς τήν ἐντέλειαν. Ἀλλά τῶν πηγῶν καί βοηθημάτων του ὁ σ. ὄχι μόνον κάνει εὐρεῖαν χρῆσιν, ἀλλά καί ἐλέγχει ταύτας καί ταῦτα μετά κριτικῆς δυνάμεως οὐ τῆς τυχούσης. Εἶναι ὄντως θαυμαστή ἡ ἐργώδης προσπάθεια ποὺ ἔκαμε ὁ σ. νά παραγάγῃ ἀπό τάς ἑκατοντάδας αὐτάς πηγάς καί βοηθήματα τό πρωτότυπον τοῦτο ἔργον τῆς Ἱστορίας τῆς Ἐκκλησίας τῆς Κορίνθου ἀπ' ἀρχῆς μέχρι σήμερον.

Εἰς τήν εἰσαγωγήν ὁ πανοσ. σ. τονίζει ὅτι ἡ διάταξις τῆς ὕλης ἐφιλοπονήθη ὑπό τούτου καί δέν ἐστηρίχθη εἰς γενικά ἔργα, ἀλλ' ἐστηρίχθη εἰς τάς πηγάς καί ἐμελέτησε τά πρακτικά τῶν συνόδων, τούς διαφόρους ἐπισκοπικούς καταλόγους, παλαιάς καί νέας Γεωγραφίας καί χάρτας καθώς καί λεξικά (σελ. 22.).

Ἀποτέλεσμα τῆς προσπαθείας αὐτῆς εἶναι ὄχι μόνον τά νέα στοιχεῖα πού παραθέτει είς τήν Ἐκκλησ. Ἱστορίαν τῆς Κορίνθου καί τά ὁποῖα θέτει ὑπ' ὄψιν τῆς Ἑλληνικῆς Ἐπιστήμης ἀλλά καί αἱ νέαι πηγαί τάς ὁποίας ἐχρησιμοποίησε. Διάφορα κείμενα ἅτινα παρέμενον ἀπ' ἀρχῆς εἰς τήν λατινικήν, ἀφορῶντα εἰς τήν ἱστορίαν τῆς Ἐκκλησίας τῆς Κορίνθου καί τῆς ἐπαρχίας Ἀχαΐας (δηλ. ὅλης περίπου τῆς Παλαιᾶς Ἑλλάδος), μετέφρασεν ὁ σ. εἰς τήν ἑλληνικήν καί δημοσιεύει εἰς τήν ἐν λόγῳ ἱστορίαν του. Τό ὅλον ἔργον διαιρεῖ ὁ σ. εἰς πέντε μέρη καί δέκα ἑπτά κεφάλαια καί τέσσερα παραρτήματα. Εἰς τό πρῶτον μέρος ἀσχολεῖται μέ τήν ἀποστολικήν καί μεταποστολικήν ἐποχήν τῆς Ἐκκλησίας τῆς Κορίνθου μέχρι τοῦ τέλους τῆς ὀγδόης ἑκατονταετηρίδος. Τό δεύτερον μέρος περιλαμβάνει τήν Ἱστορίαν τῆς Ἐκκλησίας τῆς Κορίνθου κατά τήν Βυζαντινήν περίοδον, τήν περίοδον τῆς πρώτης καί δευτέρας Φραγκοκρατίας καί τῆς πρώτης καί τῆς δευτέρας τουρκοκρατίας μέχρι καί τῶν σημερινῶν χρόνων. Τό τρίτον μέρος περιλαμβάνει τάς ἐπισκοπάς τῆς Μητροπόλεως Κορίνθου. Τό τέταρτον μέρος περιλαμβάνει τάς ὑφισταμένας καί διαλελυμένας Ι. Μονάς τῆς Ι.Μ. Κορινθίας καί τό πέμπτον μέρος περιέχει στατιστικά στοιχεῖα τῆς Ι.Μ. Κορινθίας. Ἐπίσης εἰς κεχωρισμένα παραρτήματα τοῦ κυρίου ἔργου ἀσχολεῖται ὁ σ. περί τῆς νόθου ἀλληλογραφίας τῶν Κορινθίων μετά τοῦ Ἀποστόλου Παύλου καί περί τῆς ἀποκρύφου δραστηριότητος τοῦ Ἀποστόλου Ἀνδρέου ἐν Ἀχαΐα. Ἐπίσης εἰς τό τέλος προσθέτει καί τά διάφορα Πατριαρχικά Σιγίλλια, πρός ἀποφυγήν τῆς παρεμβολῆς εἰς τήν ἱστορίαν ἐκτεταμένων κειμένων καί πρός ἀποφυγήν συγχύσεως. Αὐτή εἶναι ἐν ὠχροτάτῃ ἀπεικονίσει ἡ ἐργασία τοῦ π. Μεθοδίου Φούγια. Ἔργον λιπαράς συνθετικῆς μελέτης, διά τό ὁποῖον ἀσφαλῶς ὁ σ. κατέβαλεν ἀτρύτους πολυετεῖς μελέτας καί μόχθους.

Διά τῆς μετά χεῖρας ἐργασίας τοῦ π. Μεθοδ. Φούγια, ἡ ἐπιστήμη τῆς Ἐκκλησιαστικῆς Ἱστορίας τῆς Ἑλλάδος ἀποκτᾶ ἕνα θεράποντα πρώτου μεγέθους.

Ἀνδρέας Ι. Κεραμίδας Περιοδικό **Ἐνορία,** Ἀριθ. 441 (1968), σελ. 76.

The Master's Lodge,
Selwyn College,
Cambridge.

22nd February 1968

Dear Dr Fouyas

Many thanks indeed for sending me a copy of the History of the Church in Corinth which I am very glad to have. That is most kind of you.

Yours very sincerely

Owen Chadwick

W. Own Chadwick ἀδελφός τοῦ φίλου καί διαπρεποῦς Καθηγητοῦ Richard Chadwick, Ἱδρυτικοῦ μέλους τοῦ Ὀργανισμοῦ «Παλίντροπος Ἁρμονία».

UNIVERSITY OF MANCHESTER
MANCHESTER 13

FROM:
PROFESSOR GÜNTHER ZUNTZ
DR. PHIL., F.B.A.

TELEPHONE:
ARDwick 3333
DEPARTMENT OF HELLENISTIC GREEK

28th May, 1968.

Dear Dr. Fouyas,

Thank you very much for sending me a copy of your recent publication.

I am looking forward to finding much of interest and value in it when next I return to this field of study.

With every good wish,

Yours sincerely,

Ὁ Günther Zuntz διετέλεσε καθηγητής τοῦ Πανεπιστημίου τοῦ Manchester διαρκούσης τῆς ἐκεῖ φοιτήσεώς μου.

SAINT ANDREW'S GREEK ORTHODOX CATHEDRAL TRUST

KENTISH TOWN ROAD, LONDON NW1 9QA TEL: 0171-485 6385 / 0171 485 0198 FAX: 0171-485 9972

Σεβασμιώτατον
Μητροπολίτην Πισιδίας
κύριον Μεθόδιον.
Ρήγα Φεραίου 9,
Ἀθήνα – Χαλάνδρι – 15 232.

Λονδῖνον 31 Μαρτίου 1997.–

Σεβασμιώτατε καί πολύ ἀγαπητέ μου κύριε Μεθόδιε,

Σέ πληροφορῶ, πώς ἔλαβα τό καινούργιο βιβλίο Σου "Ἱστορία τῆς Ἀποστολικῆς Ἐκκλησίας Κορίνθου". Προσεύχομαι πάντοτε ὑπέρ τῆς ὑγείας Σου.

Χαρά μεγάλη γεννιέται μέσα μου, κάθε φορά πού μοῦ στέλνεις τά ἔργα τῶν πνευματικῶν Σου προϊόντων. Γιά τοῦτο πολύ σ'εὐχαριστῶ καί συγχρόνως, μέ μεγάλη ἀγάπη ἐγκάρδια Σέ συγχαίρω, διά τήν ἀκάματον συγγραφικήν Σου δραστηριότητα. Τιμᾶς μέ τήν προσωπικότητά Σου τήν Ἐκκλησίαν!

Ὅταν κάποιος μετά προσοχῆς διαβάζει τό περιεχόμενον αὐτοῦ τοῦ βιβλίου, διδάσκεται καί μαθαίνει ἐκκλησιαστική ἱστορία. Τό πόνημα τοῦτο μᾶς γυρίζει πίσω στήν ἀλυσίδα τῆς Ἀποστολικῆς παραδόσεως, ὅπως τήν βίωσε καί τήν δίδαξε ὁ Μέγαλος Ἀπόστολος καί παρέχει σημαντικές πληροφορίες τῆς ζωῆς καί τῆς πορείας τῆς Ἀποστολικῆς Ἐκκλησίας.

Ἡ μεγάλη ὅμως ἀξία τοῦ σπουδαίου τούτου ἔργου εἶναι νομίζω, ὁ πλοῦτος τῶν παραπομπῶν καί οἱ ὑπάρχουσες, σχεδόν σέ κάθε σελίδα του ὑποσημειώσεις. Τεκμήριον τοῦτο ἀμάχητον τῆς πολυμαθείας καί τῆς ἐπιμελημένης δουλειᾶς τοῦ συγγραφέα καί τῆς οἰκειότητος, πού ἔχει μέ τό θέμα του.

Ὁ Ἅγιος Κυανέων διακεκριμένος ἀρχιερεύς καί ἐργάτης τῆς Ἐκκλησίας, θεολόγος καί νομικός κοσμεῖται μέ πλῆθος χαρισμάτων.

Ἀναντίρρητα εἶσαι, ἀδελφέ μου Μεθόδιε, ἕνας ἀκέραιος-χαλκέντερος καί πολυγραφώτατος ἐκκλησιαστικός συγγραφέας, μέ τά πολλά καί ὀγκώδη συγγράμματά Σου, πού ὑπερέβης ἀκόμη καί τόν Ἀρχιεπίσκοπο Χρυσόστομο Παπαδόπουλο καί ἐξελίχθηκες σέ στάθμη ἀνώτερη κι αὐτοῦ τοῦ ἱστορικοῦ Γέροντά μας πρώην Λήμνου Βασιλείου.

Αἰσθάνομαι ἐσωτερική ἀπόλαυση πού σ' ἔχω φίλο ἀδελφικό, κι εὔχομαι ὁ Κύριός μας νά σ' ἐνδυναμώνει καί νά εὐλογεῖ πλουσίως τά ἔργα Σου καί μακάρι νά εἶναι θέλημά Του, νά Σέ τοποθετήσει ἡ Ἱεραρχία στήν κορυφή τῆς πυραμίδος τῆς Ἑλλαδικῆς Ἐκκλησίας, διότι ἀποτελεῖς πολύτιμον κεφάλαιον καί πεποίθησίς μου εἶναι, πώς μέ τήν βοήθεια τοῦ ἐπιτελείου Σου, θά βγάλουμε ἀπό τό ἀδιέξοδον την, ἀπό μακροῦ χρόνου χειμαζομένην μητέρα μας Ἑλλαδικήν Ἐκκλησίαν, πού τήν ταλαιπωροῦν, διότι τήν κατάντησαν δυστυχῶς “φαιδρόν πρόσωπον”, κατά Σγουρόπουλον, αὐτοί πού χάριν τῆς εὐνοίας πού τούς ἔδειξε, ἔπρεπε νά τήν εὐγνωμονοῦν!

Προσεύχομαι ὁ ὑπέρτατος ἀρχηγός τῆς Ἐκκλησίας, “καί αὐτόν ἔδωκε κεφαλήν ὑπέρ πάντα τῇ Ἐκκλησίᾳ, ἥτις ἐστί τό σῶμα αὐτοῦ, τό πλήρωμα τοῦ τά πάντα ἐν πᾶσι πληρουμένου...”, Αὐτός, ἤ νά τόν πάρει, γιά νά μήν ἁμαρτάνει περισσότερον, ἤ νά τόν ἀπαλλάξει διά παραιτήσεως. Ἀμήν!

Μέ αἴσθημα πολλῆς ἀγάπης καί βαθείας ἐκτιμήσεως Σέ ἀσπάζομαι ἀδελφικά. —

† ὁ Κυαενῶν Χρυσόστομος

Ἡ ἱστορία τῆς Ἐκκλησίας τῆς Κορίνθου

ΜΕΘΟΔΙΟΥ Γ. ΦΟΥΓΙΑ, Μητροπολίτου Πισιδίας, πρ. Ἀρχιεπισκόπου Θυατείρων καί Μεγάλης Βρετανίας: «Ἱστορία τῆς Ἀποστολικῆς Ἐκκλησίας Κορίνθου. Ἀπ' ἀρχῆς μέχρι σήμερον». Ἔκδοση Δεύτερη. Ἐκδοτικός Ὀργανισμός «Νέα Σύνορα» Α.Α. Λιβάνη, Ἀθήνα, σελ. 416.

Ἡ πρώτη ἔκδοση τοῦ ἔργου τούτου ἔγινε τό 1968, ὅταν ὁ συγγραφέας ἦταν γραμματέας τῆς Ἱερᾶς Συνόδου τῆς Ἐκκλησίας τῆς Ἑλλάδος. Ἀποτελεῖ ἔργο ἐμπεριστατωμένης ἐπιστημονικῆς ἱστορικῆς μελέτης. Ἀναφέρεται στήν ἐκκλησιαστική ἱστορία τῆς Κορίνθου, τῆς πιό σημαντικῆς ἑλληνικῆς πόλης στή ρωμαϊκή ἐποχή μετά τήν Ἀλεξάνδρεια. Τήν πόλη τῆς Κορίνθου (750.000 κατοίκους τότε), ὁ Ἀπόστολος Παῦλος κατέστησε ἕδρα τῆς Ἀποστολικῆς του δραστηριότητας καί ἵδρυσε ἐκκλησία πού διαδραμάτισε πολύπλευρη καί ἱστορική πορεία στήν Ἐκκλησία τῆς Ἑλλάδας καί τῆς Οἰκουμένης. Ὁ συγγραφέας - Κορίνθιος ὁ ἴδιος - ἀνέτρεξε σέ πολλές ἑλληνικές καί ξένες πηγές, γιά νά γράψει μιά συστηματική καί λεπτομερειακή ἱστορία τῆς σημαντικῆς αὐτῆς ἐκκλησιαστικῆς πόλης, τῆς ὁποίας ἡ ἀκτινοβολία ἐκτείνεται σέ ὅλο τόν χριστιανικό κόσμο. Ἰδιαίτερα τῆς Ἑλλάδας, τῆς ὁποίας ἡ Ἀρχιεπισκοπή τῆς Κορίνθου ὑπῆρξε σπουδαιότατο κέντρο. Τό ἔργο αὐτό ἀποτελεῖται ἀπό 17 κεφάλαια στά ὁποῖα ἐρευνῶνται ὅλα τά σχετικά μέ τήν ἐκκλησιαστική ἱστορία τῆς Κορίνθου προβλήματα.

Τό βιβλίο αὐτό ἀποτελεῖ ἔργο ἐμπεριστατωμένης ἱστορικῆς μελέτης καί πολύτιμη προσφορά ὄχι μόνο γιά τήν Ἀποστολική Ἐκκλησία τῆς Κορίνθου, ἀλλά καί γιά τήν Ἐκκλησία τῆς Ἑλλάδας.

Ἀντώνης Σπηλιόπουλος*

---

* Ἐφημερίδα **Τά Νέα** 17 Ἀπριλίου, 1997

Ο ΜΗΤΡΟΠΟΛΙΤΗΣ ΠΑΤΡΩΝ
ΝΙΚΟΔΗΜΟΣ

Ἀγαπητέ μοι ἅγιε Πισιδίας,

Ἡ β΄ ἔκδοσις τοῦ βιβλίου σας "Ἱστορία τῆς Ἀποστολικῆς Ἐκκλησίας τῆς Κορίνθου" εἶναι χαροποιὸν γεγονὸς διὰ τοὺς παρακολουθοῦντας τὴν σειρὰν τῶν συγγραφῶν καὶ ἐκδόσεών σας. Καὶ βεβαίως δι' ἐμέ, κάτοχον τῆς Α΄ ἐκδόσεως, ἤδη δὲ ἀποδέκτην τῆς εὐγενοῦς προσφορᾶς καὶ τῆς Β΄ ταύτης.

Συγχαίρω καὶ πάλιν, διαπιστῶν τὴν ἄοκνον ἐπίδοσίν σας εἰς τὴν ἔρευναν καὶ τὴν παρουσίασιν τῶν καρπῶν αὐτῆς διὰ τῶν πολυτόμων καὶ πολυτίμων ἔργων σας, τῶν ὁποίων ἠξιώθητε νὰ ἴδητε πραγματοποιουμένην τὴν ἀδιάλειπτον ἔκδοσιν.

Εὔχομαι συνέχισιν καὶ ἀνανέωσιν τοῦ ζήλου σας εἰς τὸ κεφάλαιον τοῦτο τῆς γνώσεως καὶ τεκμηριώσεως τῆς ἐπιστημονικῆς ἀληθείας.

Καὶ πᾶσαν παρὰ Κυρίου ἐνίσχυσιν καὶ εὐόδωσιν εἰς ὅ,τι καλὸν δι' ὑμᾶς καὶ καταθύμιον.

Μὲ πολλὴν ἐν Χριστῷ ἀγάπην

† ὁ Πατρῶν Νικόδημος

27-3-1997

ΑΔΕΛΦΟΤΗΣ ΘΕΟΛΟΓΩΝ
Η «ΖΩΗ»
ΙΠΠΟΚΡΑΤΟΥΣ 189
114 72 ΑΘΗΝΑΙ

'Αθῆναι 18 Μαρτίου 1997

Σεβασμιώτατον
Μητροπολίτην Πισιδίας
Κύριον κ. Μεθόδιον
Ρ. Φεραίου 9
152 32 ΧΑΛΑΝΔΡΙ

Σεβασμιώτατε,

'Η συγγραφική δραστηριότης Σας εἶναι γνωστή καί ἀναγνωρισμένη. Μέ τήν ἐπανέκδοσιν τῆς μελέτης Σας περί τῆς 'Εκκλησίας τῆς Κορίνθου προσφέρετε ἐκ νέου κάτι οὐσιαστικόν διά τήν ἐκκλησιαστικήν ἱστορίαν τοῦ τόπου μας. Σᾶς εὐχαριστοῦμεν θερμότατα καί εὐχόμεθα νά συνεχίζετε πάντοτε τό καρποφόρον συγγραφικόν ἔργον Σας πρός ἐμπλουτισμόν τῆς θεολογικῆς βιβλιογραφίας.

Μετά βαθυτάτου σεβασμοῦ
Διά τήν 'Αδελφότητα Θεολόγων "Ζωή"
'Ο Προϊστάμενος

'Αρχιμ. Νικήτας Βουτυρᾶς

'Αρχιμ. Νικήτας Βουτυρᾶς *

---

* Πάντοτε δέν ἔχαναν εὐκαιρία τά μέλη τῆς Ἀδελφότητας ἡ «Ζωή» νά παρακολουθήσουν καί νά συμπαρασταθοῦν στήν ἐκκλησιαστική ζωή τοῦ γράφοντος.

† Ο ΜΗΤΡΟΠΟΛΙΤΗΣ
ΚΑΛΑΒΡΥΤΩΝ & ΑΙΓΙΑΛΕΙΑΣ
ΑΜΒΡΟΣΙΟΣ

ΕΝ ΑΙΓΙΩ, ΤΗ .... 199...

25η Μαρτίου 1997

Σεβασμιώτατον
Μητροπολίτην Πισιδίας
κ.κ.ΜΕΘΟΔΙΟΝ
Ρήγα Φερραίου, 9
152 32 ΧΑΛΑΝΔΡΙ ΑΤΤ.

Σεβασμιώτατε,

Ἡ δοκιμασία τοῦ σεισμοῦ, τήν ὁποίαν ὁ Κύριος μᾶς παρεχώρησε κατά τό ἔτος 1995, ἔχει ἀνατρέψει τήν ὅποια ἰσορροπία τῆς ζωῆς μας. Ἀγωνιζόμεθα χωρίς ὅρια, χωρίς ὡράριον ἐργασίας, χωρίς ἀνάπαυλαν! Αὐτή εἶναι ἡ ἀληθής αἰτία τῶν παραλείψεών μου, τῆς σιγῆς μου, τῆς ἀπουσίας μου. Ἐξακολουθῶ νά τρέφω τόν ἴδιον πάντα σεβασμόν πρός τό σεπτόν πρόσωπόν σας, τόν πολυγραφώτατον Ἱεράρχην, τόν ἱκανόν ἐκκλησιαστικόν ἄνδρα, τόν δραστήριον καί ὅμως τόσον ἀδικημένον, τόν σεβαστόν ἐν Χριστῷ Ἀδελφόν! Παρακαλῶ συγχωρήσατέ μοι διά τάς παραλείψεις.

Σήμερον, παρά τόν πολύν κόπον ἀπό τόν ἑορτασμόν τῆς Ἐθνικῆς μας ἑορτῆς εἰς τήν ἱστορικήν Μονήν τῆς Ἁγίας Λαύρας, εὑρίσκω ὀλίγονχρόνον, διά νά ἐκφράσω πρός Ὑμᾶς τήν εὐγνωμοσύνην μου διά τήν πρόφρονα πρός με ἀποστολήν ἀντιτύπου ἐκ τοῦ ὀγκώδους καί περισπουδάστου ἔργου Σας μέ τίτλον «ΙΣΤΟΡΙΑ ΤΗΣ ΑΠΟΣΤΟΛΙΚΗΣ ΕΚΚΛΗΣΙΑΣ ΤΗΣ ΚΟΡΙΝΘΟΥ».

Ἐπιτρέψατέ μοι νά ἐκφράσω πρός Ὑμᾶς πλήν τῶν θερμῶν μου εὐχαριστιῶν καί τά ταπεινά μου συγχαρητήρια διά τήν νέαν πολύτιμον ταύτην προσφοράν Σας, ἥτις προστίθεται εἰς τήν χρυσῆν ἅλυσίδα τῶν λοιπῶν περιπύστων καί πολυτίμων συγγραφῶν Σας.

Παραμένω πάντοτε θαυμαστής τοῦ πληθωρικοῦ συγγραφικοῦ ἔργου Σας. Ἐπί δέ τούτοις, κατασπαζόμενος Ὑμᾶς ἐν Κυρίῳ, διατελῶ

Μετά τῆς ἐν Κυρίῳ ἀγάπης

ὁ Καλαβρύτων καί Αἰγιαλείας Ἀμβρόσιος

+ Ο ΚΑΛΑΒΡΥΤΩΝ ΚΑΙ ΑΙΓΙΑΛΕΙΑΣ ΑΜΒΡΟΣΙΟΣ *

* Ἕνα ἀπό τά πολλά γράμματα μαζί μέ τίς πολλές εὐεργεσίες πού παρεῖχε στόν γράφοντα ὁ ἀγαπητός ἀδελφός Ἀμβρόσιος.

ΑΔΕΛΦΟΤΗΣ ΘΕΟΛΟΓΩΝ
«Ο ΣΩΤΗΡ»
ΙΣΑΥΡΩΝ 42
114 72 ΑΘΗΝΑΙ
Τηλ. 36.22.108

Ἐν Ἀθήναις τῇ 21η Μαρτίου 1997

Σεβασμιώτατον
Μητροπολίτην Πισιδίας
Κύριον κ. Μ ε θ ό δ ι ο ν
Ρήγα Φερραίου 9
152 32 Χ Α Λ Α Ν Δ Ρ Ι

Σεβασμιώτατε,

Ἐλάβομεν τό τελευταίως ἐκδοθέν εἰς δευτέραν ἔκδοσιν περισπούδαστον ἔργον Σας «Ἱστορία τῆς Ἀποστολικῆς Ἐκκλησίας τῆς Κορίνθου» καί εὐχαριστοῦμεν θερμῶς διά τήν εὐγενῆ χειρονομίαν τῆς ἀποστολῆς του.

Καί διά τοῦ ἔργου τούτου ἡ Ὑμετέρα Σεβασμιότης συνέβαλεν οὐσιαστικῶς εἰς τόν ἐμπλουτισμόν τῆς συγχρόνου Θεολογικῆς Γραμματείας καί εἰδικώτερον εἰς τήν μελέτην τῆς Ἱστορίας τῆς Ἐκκλησίας τῆς Ἑλλάδος.

Ἐπιτρέψατέ μας, Σεβασμιώτατε, νά σᾶς ὑποβάλωμεν εὐλαβεῖς εὐχάς, ὅπως ὁ Κύριος ἡμῶν Ἰησοῦς Χριστός ἐνισχύῃ τάς δυνάμεις Σας καί εὐλογῇ πλουσίως πᾶσαν προσπάθειάν Σας διά τήν πρόοδον τῆς Θεολογίας, τήν ὑπηρεσίαν τῆς Ἐκκλησίας καί τήν δόξαν τοῦ Ἁγίου Ὀνόματός Του.

Ἐπί τούτοις, ἐξαιτούμεθα τάς θεοπειθεῖς εὐχάς Σας ὑπέρ τοῦ ταπεινοῦ ἔργου τῆς Ἀδελφότητός μας καί ἀσπαζόμενοι τήν δεξιάν Σας διατελοῦμεν

Μετά βαθυτάτου σεβασμοῦ
Διά τήν Ἀδελφότητα Θεολόγων «Ο ΣΩΤΗΡ»

Ἀρχιμ. Θεόδωρος Μπεράτης

Ἀρχιμ. Θεόδωρος Μπεράτης

Yale University

Paul F. Stuehrenberg
Divinity Librarian
Divinity School Library
409 Prospect Street
New Haven, Connecticut 06511-2108

Campus address:
142 SDQ
Telephone: 203 432-5292
Fax: 203 432-3906

March 24, 1997

Dr. Methodios Fouyas
9, Riga Ferraiou Str.,
GR-152 32 Khalandri
GREECE

Dear Dr. Fouyas,

I gratefully acknowledge the receipt of the volume mentioned below and extend to you our sincere thanks.

Cordially yours,

Paul Stuehrenberg
Divinity Librarian

drw

History of the Church in Corinth: From its Foundation to Our Time, second edition, by Methodios G. Fouyas, Athens 1997

†Ο ΜΗΤΡΟΠΟΛΙΤΗΣ ΒΡΕΣΘΕΝΗΣ
ΔΗΜΗΤΡΙΟΣ

Ἀθῆναι 3 Ἀπριλίου 1997

Σεβασμιώτατε καί ἀγαπητέ μου Ἅγιε Πισιδίας,
Σᾶς εὐχαριστῶ πολύ γιά τήν καινούργια, δίτομη ἔκδοση τοῦ βιβλίου σας "Ἱστορία τῆς Ἀποστολικῆς Ἐκκλησίας τῆς Κορίνθου", τήν ὁποία εἴχατε τήν εὐγενῆ καλωσύνη νά μοῦ στείλετε. Τό σημαντικό αὐτό ἔργο σας πλουτίζει τήν βιβλιοθήκη μου στόν ἱστορικό τομέα ἀλλά καί στόν βιβλικό, ἐφ' ὅσον σέ σειρά κεφαλαίων ἀναφέρεται ἀναλυτικῶς στά κείμενα τοῦ Ἀποστόλου Παύλου τά σχετιζόμενα μέ τήν Κόρινθο.

Καί πάλιν εὐχαριστῶ, συγχαίρω, καί εὔχομαι ἀδιάπτωτο συνέχιση τῆς θεολογικῆς σας προσφορᾶς, εἰς πολλά ἔτη ἐν ὑγείᾳ καί ἀκμῇ.

Μέ ἀγάπην καί τιμήν ἐν Κυρίῳ
Ἀδελφός ἐν Χριστῷ
† ὁ Βρεσθένης Δημήτριος

Σεβασμιώτατον
Μητροπολίτην Πισιδίας
κύριον Μεθόδιον

ΣΟΛΩΜΟΥ 22, 15451 ΝΕΟ ΨΥΧΙΚΟ ΑΘΗΝΩΝ

Σημ. Εἶναι ὁ σημερινός Ἀρχιεπίσκοπος Ἀμερικῆς

Tel. OXFORD 43588

REV. DR. F. L. CROSS *

CHRIST CHURCH
OXFORD
2 April 1968

Dear Dr.Fouyas,

May I send you a line of sincere thanks for your monograph on the history of the Church at Corinth? It is a very welcome gift and, if I may say so, evidently a permanent contribution to its subject. I am delighted to possess it.

I hope we may see you at the New Testament Congress to be held in Oxford next year. (provisionally, 8-12 Sept. 1969)

With every good wish in your studies.

Yours sincerely,

---

* Εἶναι ὁ μεγάλος καθηγητής τῆς Ὀξφόρδης καί ἐκδότης τοῦ Λεξικοῦ The Oxford Dictionary of the Christian Church, 1974, 2nd Ed.

UNIVERSITY OF MANCHESTER
MANCHESTER 13

FACULTY OF THEOLOGY
FROM
PROFESSOR F. F. BRUCE.

TELEPHONE:
ARDWICK 3333

Feb. 22, 1968

Dear Dr. Fouyas.

Thank you very much indeed for your kindness in sending me a copy of your book on The History of the Apostolic Church of Corinth. This is an important contribution to the history of Greek Christianity, and I am very glad to have it.

With all good wishes:

Yours sincerely.

F.F. Bruce

Περί τοῦ Καθηγητοῦ F.F. Bruce γράφω στόν πρόλογο.

Θεσσαλονίκη 6 Μαρτίου 68.

Ἀγαπητέ κ. Μοΐλλε

Σᾶς εὐχαριστῶ πολύ γιά τό ὡραῖο βιβλίο σας πού εἴχατε τήν καλωσύνη νά μοῦ στείλετε. Τό διάβασα μέ προσοχή τίς ἡμέρες πού εἴχαμε διακοπές. Εἶναι ἁπλό καί ἐξαιρετικῶς ζωντανή εἰκόνα τῆς ἱστορίας τῆς ἐπαρχίας, τῆς κοινότητος ἀπό τά πρῶτα χρόνια ὡς τίς ἡμέρες μας. Μέ πολλή εὐχαρίστηση εἶδα τή βιβλιογραφική ἐνημέρωση καί τή χρησιμοποίηση βιβλίων πού δύσκολα μποροῦν νά βρεθοῦν στόν τόπο μας.

Σᾶς συγχαίρω θερμά καί εὔχομαι νά ἔχουμε τή χαρά νά ἰδοῦμε σύντομα νά χαρίσετε καί ἄλλο ἐνδιαφέρον βιβλίο γιά ἄλλη ἐπαρχία τῆς χώρας μας.

Εἶχα μάθει ὅτι ἤλθατε στήν Ἑλλάδα, ἀλλά δέν μοῦ δόθηκε εὐκαιρία νά σᾶς ἰδῶ, γιατί δέν πηγαίνω συχνά στήν Ἀθήνα. Ἐλπίζω ὅμως ὅτι θά ἔχω ἄλλη καλή εὐκαιρία νά σᾶς συναντήσω.

Μέ φιλικούς χαιρετισμούς
καί ἐκτίμηση

Ι. Καλογήρου
Καθηγήτρια τοῦ Α.Π.Θ.

UNIVERSITY OF MANCHESTER

MANCHESTER 13

FACULTY OF THEOLOGY

TELEPHONE: ARDWICK 3333

WGR/JW.

26th February, 1968

The Rev. Dr. M. Fouyas,
9 Riga Ferraiou Str.,
Halandrion.
Athens.
Greece.

Dear Dr. Fouyas,

I am delighted to have a copy of the History of the Church in Corinth which you, as a proud Corinthean have done. It was good to hear from you and I look forward with great pleasure to reading this volume.

I was in Athens for a day last May and secured your address from Professor Rupp, but unfortunately, I was incapacitated by a bad ankle, and the time was short, so my wife (who was with me) and I missed the opportunity of seeing you, but we hope you are well. I hear from Mr. Nicolaides that you are shortly to visit Manchester. If so, I shall hope to see you.

Very good wishes and kind regards,

Yours sincerely,

For W. Gorden Robinson
J Warburton.

W. Gorden Robinson,
Tutor to the Faculty of
Theology.

† Ο ΜΗΤΡΟΠΟΛΙΤΗΣ ΜΕΣΣΗΝΙΑΣ
ΧΡΥΣΟΣΤΟΜΟΣ

ΕΝ ΚΑΛΑΜΑΤΑ, ΤΗ, 2Ιη Φεβρουαρίου Ι968

Πανοσιολογιώτατον

'Αρχιμανδρίτην κ. Μεθόδιον Φούγιαν

Γραμματέα 'Ιεράς Συνόδου

Είς 'Α θ ή ν α ς

'Αγαπητέ μοι πάτερ Μεθόδιε,

"Ελαβον τό ὀγκῶδες καί λαμπρότατον ἔργον Σας "'Ιστορία τῆς 'Αποστολικῆς 'Εκκλησίας Κορίνθου ἀπ'ἀρχῆς μέχρι σήμερον" καί εὐχαριστῶ 'Υμᾶς θερμότατα._

Πρόκειται περί ἐξόχου καί ἐμπεριστατωμένης ἐπιστημονικῆς ἱστορικῆς μελέτης, ἥτις ἀποτελεῖ ἀληθῆ καί πολύτιμον προσφοράν οὐ μόνον διά τήν 'Αποστολικήν 'Εκκλησίαν τῶν Κορινθίων, ἀλλά καί διά τήν ὅλην 'Εκκλησίαν τῆς 'Ελλάδος._

Συγχαίρων θερμότατα καί εὐχόμενος σύντομον τήν προώθησιν 'Υμῶν καί εἰς τάς ἀνωτάτας 'Εκκλησιαστικάς βαθμίδας πρός δόξαν Θεοῦ διατελῶ

Μετ'εὐχῶν καί ἀγάπης ἐν Κυρίῳ

Ο ΜΗΤΡΟΠΟΛΙΤΗΣ

† ὁ Μεσσηνίας Χρυσόστομος

1328/Acc.

Vatican City, 5th July 1968

To

The Rev. Methodios G. FOUYAS, Ph. D.
Secretary of the Holy Synod of the Church of Greece
Athens

Vatican Library has received from you a complimentary copy of your:

HISTORY OF THE CHURCH IN CORINTH from its foundation to our time,

a valued addition to its collections,for which I have the pleasure to return grateful acknowledgments.

With kind regards and best wishes,

(P. Alphonsus Raes, S. J.)

Prefect

Θεσσαλονίκη 13/3/1997

Σεβασμιώτατε.

Ἔλαβα τό νέο ὀγκωδέστατο καί θαυμάσιο, ὅπως ὅλα τά ἄλλα, βιβλίο Σας «Ἱστορία τῆς Ἀποστολικῆς Ἐκκλησίας τῆς Κορίνθου» (δεύτερη ἔκδοση). Νά συγχαρῶ τήν Σεβασμιότητά Σας; Περιορίζομαι στό νά εὐχαριστήσω «ἐκ μέσης καρδίας», κατά τό λεγόμενο, καί νά ἐκφράσω τήν μεγάλη μου ὑποχρέωση, γιατί πάντα μέ θυμᾶσθε καί τιμητικά μοῦ στέλνετε τίς πολλές καί καταπληκτικές ἐκδόσεις Σας.

Εὐχαριστῶ θερμά.

Μέ τιμή καί πολλή ἀγάπη

Ἰ. Φουντούλης

Σημ. Ὁ Ἰωάννης Φουντούλης Καθηγητής τοῦ Πανεπιστημίου Θεσσαλονίκης ὑπῆρξε συμφοιτητής μου καί διακεκριμένος ἐπιστήμων.

From:
THE REV. THOMAS F. TORRANCE, M.B.E., D.D., D.TH.
PROFESSOR OF CHRISTIAN DOGMATICS
UNIVERSITY OF EDINBURGH

NEW COLLEGE
THE MOUND
EDINBURGH, 1

37 Braid Farm Rd, Edinburgh 10
Feb.24th,1968

Dear Dr.Fouyas,

Thank you for sending me your magnificent 'History of The Apostolic Church of Corinth' .I have been studying it and find it full of valuable and exciting information–it is particularly illuminating to see the whole story strung out and followed through history like this –I am sure a great company of readers will be much indebted to you .

We would like to have many more students from Greece in Edinburgh .What a joy it must be to you all to have Prof.Kotsonis as your new Archbishop .!

Yours very sincerely,

Thomas F. Torrance

12. Ὁ τότε πρωθυπουργός Ἐλευθέριος Βενιζέλος, ἔχοντας στό πλευρό του τόν Μητροπολίτη Κορινθίας Δαμασκηνό, θεμελιώνει τή νέα Κόρινθο, μετά τήν καταστροφή τῆς Ἀρχαίας ἀπό τούς σεισμούς.

Γ'

Orthodoxy, Roman Catholicism and Anglicanism. Σελ. 280
Πρώτη ἔκδοση Oxford University Press, 1972.
Δεύτερη ἔκδοση, Holy Cross Orthodox Press, Brookline, Mass. USA, 1984.
Τρίτη ἔκδοση στήν Ἑλληνική Γλώσσα, Ἀθήνα 1996.

Orthodoxy, Roman Catholicism, and Anglicanism

by the Most Reverend Archbishop Methodios, Greek Orthodox Archbishop of Aksum.

Most studies of the Orthodox, Roman Catholic, and Anglican Churches in their mutual relations have concentrated on two of the three, dealing with Roman Catholic/Orthodox, Roman Catholic/Anglican, or Orthodox/Anglican relations. Books in English have been predominantly of Western, whether Anglican or Roman Catholic, authorship, and, even if friendly to the Orthodox, have given an outsider's viewpoint. Archbishop Methodios (Dr Methodios Fouyas) writes as an Orthodox priest and scholar, born in Greece, and educated at the Universities of Athens, Munich and Manchester. He is a Ph. D. of Manchester, and in 1970 received a D.D. from the University of Edinburgh. After serving his Church in Greece, Germany, England, and Egypt, he was appointed Archbishop of Aksum, that is, Metropolitan of the Orthodox Church in Ethiopa. He is thus a man of wide contacts, with first-hand knowledge of both East and West, and of publications not only in Greek and Russian but in English, French, and German; he is already author of a number of books in Greek, and Editor of the journal Ekklesiastikos Pharos published by the Patriarchate of Alexandria.

In this, his first considerable work in English, he considers the relations of the three Churches on a tri-lateral, not merely a bilateral, basis. Starting from the Undivided Church before the Great Schism, he considers the main issues that have divided the Churches in the past, and the attitude of each to the other two, especially the attitudes of the others to Anglican Orders. He goes on to review the teaching of the three communions regarding Church Order and the Sacraments. Finally he describes the most recent and hopeful developments in their relations arising from the Second Vatican Council, the visits of Church Leaders to each other, and other meetings and pronouncements of the 1960's.

The result is a book of unusual interest because it is written in English by an Orthodox scholar of high standing in his own Church, who is well-informed about all three churches and a friend of Christian unity. In this position he is well placed to make valuable comparisons and comments which should be heeded both by Western and by Orthodox churchpeople and should contribute to better relations on a basis on knowledge, rather than prejudice.

Orthodoxy, Roman Catholicism, and Anglicanism will be published by Oxford University Press, London, and available through Oxford University Press branches and offices throughout the world. Price and publication date will be announced.

ΟΡΘΟΔΟΞΙΑ, ΡΩΜΑΙΟΚΑΘΟΛΙΚΙΣΜΟΣ, ΑΓΓΛΙΚΑΝΙΣΜΟΣ

Μεθόδιος Γ. Φούγιας

**ΟΡΘΟΔΟΞΙΑ
ΡΩΜΑΙΟ-
ΚΑΘΟΛΙΚΙΣΜΟΣ
ΑΓΓΛΙΚΑΝΙΣΜΟΣ**

ΝΕΑ ΣΥΝΟΡΑ – Α. Α. ΛΙΒΑΝΗ

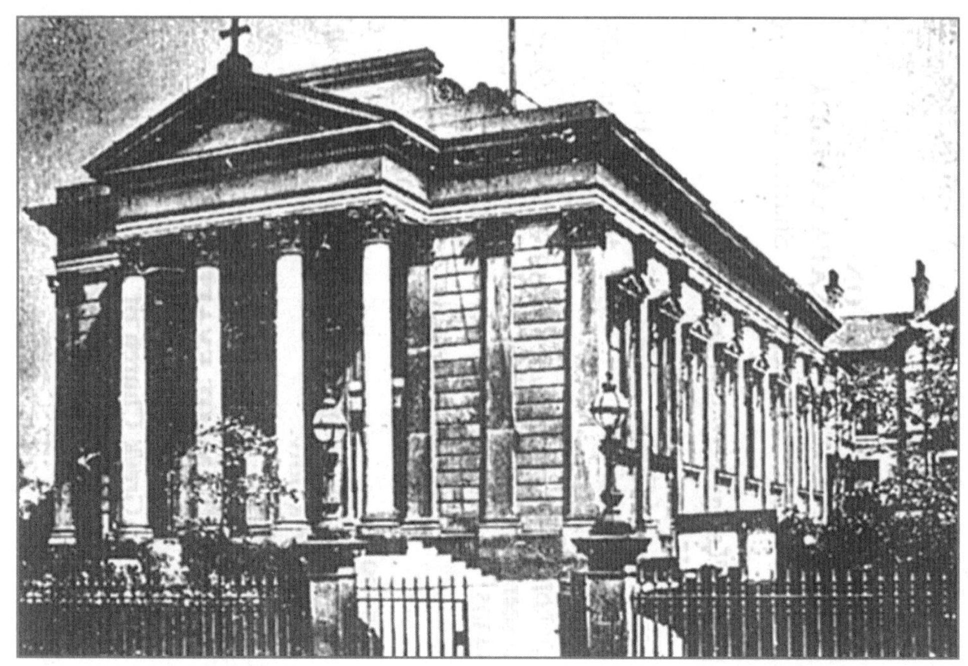

13. Ὁ Ἑλληνορθόδοξος Ναός τοῦ Εὐαγγελισμοῦ τῆς Θεοτόκου ἐν Manchester.

Ἐκτίσθη τό 1861 ὄπισθεν τοῦ ὁποίου συντηρεῖται εὐρύχωρη κατοικία καί περιβάλλεται ἀπό κῆπο. Ὀροφουργήθηκε τό δεύτερον τό ἔτος 1961-2 στή διάρκεια τῆς δικῆς μου ἱερ. διακονίας.

Στό χῶρο αὐτόν ἐγράφησαν ἀπό τόν συγγραφέα ἡ διδακτορική Διατριβή του, Ἡ **Ἱστορία τῆς Ἀποστολικῆς Ἐκκλησίας Κορίνθου** καί τό ἔργο πού ἀκολουθεῖ Orthodoxy Roman Catholicism and Anglicanism.

«Orthodoxy Roman Catholicism and Anglicanism»

«Εἰς τὴν ἀγγλικὴν γλῶσσαν ὑπὸ τοῦ Τυπογραφείου τοῦ Πανεπιστημίου τῆς Ὀξφόρδης καὶ εἰς τὸ Λονδῖνον ἐφέτος ἐξεδόθη τὸ ἔργον τοῦ Σεβ. Μητροπολίτου Ἀξώμης κ. Μεθοδίου περὶ «Ὀρθοδοξίας, Ρωμαιοκαθολισμοῦ καὶ Ἀγγλικανισμοῦ» σελ. 280.

Τὸ ἔργον φανερώνει τὸν κόπον τοῦ Μητροπολίτου καὶ τὴν προσφοράν του πρὸς τοὺς μελετητὰς τῶν τριῶν Ἐκκλησιῶν, ποὺ ζητοῦν σήμερον συνοπτικὰ νὰ ἔχουν κοντά των τὴν ζωὴν τῶν τριῶν ἐκκλησιῶν μέχρι σήμερον, καὶ προπάντων τὴν ζωὴν ἐν σχέσει πρὸς ἀλλήλας.

Διαιρεῖται κυρίως τὸ ἔργον εἰς τρία μέρη, πού εἶναι δυνατὸν τὸ πρῶτον νὰ χαρακτηρισθῇ ὡς ἱστορικὸν καὶ διὰ τὰς τρεῖς ἐκκλησίας, τὸ δεύτερον δογματικόν, κανονικὸν καὶ διοικητικόν, καὶ τὸ τρίτον ὡς τὸ ὀνομάζει ὁ ἴδιος «πρὸς τὴν ἕνωσιν».

Ὁ μελετητὴς τοῦ βιβλίου εἶναι πιθανὸν νὰ μὴ συμφωνήσῃ πρὸς μερικὰς ἀπόψεις εἰς μερικὰ σημεῖα — ὀλίγα — τὸ ὕφος εἶναι σκληρὸν καὶ ἐνθυμίζει πολεμικὴν παλαιῶν αἰώνων — ὡς ὁ ἴδιος ὁμολογεῖ — κυρίως εἰς μερικὰς γραμμὰς πού ἀφοροῦν τὴν Ρωμαιοκαθολικὴν Ἐκκλησίαν.

Ὅμως ὁ μελετητὴς μὲ ἐνδιαφέρον παρακολουθεῖ τὸν Μητροπολίτην, καὶ ζῇ μὲ αὐτὸν τὴν πορείαν τῶν αἰώνων καὶ ὀφείλει χάριτας, διότι ζῇ πάλιν τοὺς ἀγῶνας τῶν ἐκκλησιῶν καὶ τὰς θέσεις των καὶ τὰς σχέσεις των κατὰ ἐποχάς. Βλέπει τὴν ἐξέλιξιν καὶ σημειώνει τὰς ὁδοὺς καὶ τὰς τάσεις. Ὅλα γνωστὰ εἰς εἰδικούς, ἀλλὰ τώρα συγκεντρωμένα, βοήθημα μέγα διὰ τοὺς φοιτητὰς καὶ δι' ὅσους θὰ θελήσουν νὰ μάθουν τὰς σχέσεις τῶν ἐκκλησιῶν.

Σημειώνει κάπου ἐν σχέσει πρὸς τὴν Ρωμαιοκαθολικὴν Ἐκκλησίαν, ὅτι δὲν βλέπει «καμμίαν δυνατότητα καταλλαγῆς» μὲ τὴν Ὀρθόδοξον. Ἀναφέρει τοὺς λόγους, πού εἶναι ἡ ἐπανάληψις ὑπ' αὐτῆς τῆς Ρωμ. Ἐκ)σίας, ὅταν ὁμιλῇ διὰ τὴν Ὀρθοδοξίαν, τοῦ ὅρου «κεχωρισμένοι ἀδελφοί», «τῆς ἐπιστροφῆς» τῶν ὀρθοδόξων εἰς τὴν Ρωμ. Ἐκ)σίαν, τοῦ θέματος τῆς οὐσίας, προσθέτει, ὅτι τρία εἶναι τὰ ἐμπόδια τῆς «καταλλαγῆς», τὸ ζήτημα τῆς ἐκπορεύσεως τοῦ Ἁγ. Πνεύματος, τὸ Πρωτεῖον τοῦ Ρώμης, ἡ θέσις τῆς Θεοτόκου, λέγει, ὅτι οἱ Ρωμ. «ἤλλαξαν τὴν Χριστιανικὴν Πίστιν» καὶ καταλήγει μὲ τὴν θέσιν, ὅτι «τὰ πράγματα δὲν ἐπιτρέπουν νὰ εἶναι κανεὶς αἰσιόδοξος».

Σημειώνει ἀκόμη, θετικὰ σημεῖα ἐλπίδος, κυριαρχεῖ ὅμως ὁ τόνος τῆς ἀπαισιοδοξίας, πού ὀφείλεται εἰς τὴν στάσιν τῶν Ρωμαιοκαθολικῶν

Προσθέτει ὅμως, ὅτι εἰς τὰς σχέσεις ὑπάρχει πρόοδος.

Νομίζω, ὅτι τὸ θέμα τῆς ἑνώσεως τῶν δύο ἐκκλησιῶν, Ρωμ. καὶ Ὀρθ., δὲν εἶναι θέμα χρόνου, δὲν πρέπει νὰ τοποθετῆται εἰς χρονικὰ πλαίσια. Εἶναι θέμα ἀγῶνος, ἀγάπης, καὶ πορείας ἀληθείας, μὲ τὸν διάλογον, πού πρέπει νὰ συνεχίζεται καὶ μέσα εἰς τὰ γεγονότα αὐτὰ πρέπει νὰ εἴπω, ὅτι βλέπω πρόοδον, πού πρέπει νὰ μᾶς χαρίζῃ ἐλπίδα καὶ αἰσιοδοξίαν. Ἡ Ρωμ. Ἐκ)σία ἀφῆκε πολλὰς ἐκφράσεις παλαιὰς ἐν σχέσει πρὸς τὴν ὀρθοδ., ἀκόμη καὶ τοὺς ὅρους «κεχωρισμένοι καὶ ἐπιστροφὴ» ἀγωνίζεται νὰ τοὺς λησμονήσῃ καὶ δὲν τοὺς μεταχειρίζεται συχνά. — Δὲν πρέπει νὰ λησμονοῦμεν, ὅτι καὶ οἱ Ὀρθόδοξοι μεταχειριζόμεθα ἐκφράσεις, πού δὲν συντελοῦν εἰς τὴν καταλλαγήν. — Νομίζω ἀκόμη, ὅτι τὰ βασικώτερα ἐμπόδια διὰ μίαν ἀρχὴν εἰλικρινοῦς καταλλαγῆς εἶναι σήμερον τὸ Πρωτεῖον καὶ ἡ Οὐνία. Δὲν πιστεύω, ἀκόμη, ὡς λέγει ὁ Σεβασμιώτατος, ὅτι οἱ

Ρωμαιοκαθολικοὶ θέλουν νὰ μᾶς ὑποτάξουν. Ἴσως ἄλλοτε. Διὰ σήμερον μιὰ τάσις τέτοια, θὰ ἦτο ἔξω τῆς πραγματικότητος.

Καὶ οἱ ὀρθόδοξοι πρέπει νὰ κινούμεθα πρὸς τὴν ὁδὸν τῆς καταλλαγῆς. Νὰ ἑτοιμάζωνται προπάντων καὶ ἀπὸ τὰ δύο μέρη οἱ λαοί μας.

Ὅσα γράφει διὰ τὴν Ἀγγλικανικὴν Ἐκκλησίαν ἀποτελοῦν μίαν πραγματικότητα, καὶ εἶναι ἀληθές, ὅτι μερικοὶ ὀρθόδοξοι εἰδικοὶ ἔχουν σταματήσει τὴν ἱστορίαν τῆς Ἀγγλ. Ἐκκλησίας εἰς τὰ χρόνια πρὸ τοῦ β' Παγκοσμίου πολέμου. Ἐνῷ σήμερον ἡ Ἀγγλ. Ἐκκλησία ἔχει ἐκδηλώσει σταθερὰς καὶ καθαρὰς θέσεις, ἀφῆκεν ἀμφιβόλους ἀπόψεις, καὶ διατυπώνει παραδοσιακὰς διδασκαλίας. Πολὺ καλὰ καὶ ὀρθὰ ὁ Σεβ. ἐκφράζεται ἐπὶ τοῦ θέματος τούτου.

Ἕν ἄλλο σημεῖον, ποὺ ὁ Σεβ. ὑπογραμμίζει. Μερικὰς φορὰς ἡ Ὀρθοδοξία δὲν ἀπαντᾷ, καὶ μόνον ἐρωτᾷ. Καὶ ἡ Ὀρθοδοξία ὀφείλει νὰ ἐκφράσῃ θέσεις, καὶ νὰ μὴ νομίζωμεν, ὅτι μὲ τὸ νὰ λέγωμεν, ὅτι ὅσα λέγουν οἱ ἐννέα πρῶτοι αἰῶνες εἶναι ἡ ζωὴ τῆς Ἐκκλησίας μας. Ἡ Παράδοσις συνεχίζεται, δὲν ἔχει ὅρια χρόνου.

Θὰ ἤθελα — νὰ ἐπιτραπῇ νὰ γράψω κἄτι ἐν σχέσει μὲ τὴν Σύσκεψιν τῶν Ὀρθοδόξων τοῦ 48 εἰς τὴν Μόσχαν. Αἱ θέσεις τῆς Διασκέψεως αὐτῆς, αἱ περισσότεραι, ἔχουν «ξεπερασθῆ», ἐν τῇ πράξει ἔχουν ἀτονήσει. Ἐκφράζουν ἀπόψεις ἐποχῆς, καὶ ὄχι τελείως ἀμερολήπτους. Ἔπειτα, πολλοὶ ὑποστηρίζουν, ὅτι καὶ τὸ Πατριαρχεῖον Ἀλεξανδρείας ὑπέγραψεν. Εἶναι ὅμως γεγονός, ὅτι ὁ Πατριάρχης Χριστόφορος διὰ τηλεγραφήματος πρὸς τοὺς ἐκπροσώπους του, ποὺ ἦσαν οἱ ἀντιπρόσωποι τοῦ Πατριαρχείου Ἀντιοχείας, ἐπληροφόρει, ὅτι δὲν ἔχουν ἐντολὴν νὰ ὑπογράψουν. Τὰ σχετικὰ πρέπει νὰ ὑπάρχουν εἰς τὸν φάκελλον τῶν Ἀρχείων τοῦ Πατριαρχείου Ἀλεξανδρείας.

Διὰ τὴν «συμμετοχὴν εἰς τὰ μυστήρια κατ' οἰκονομίαν», ὡς σημειοῖ, τῆς μιᾶς ἐκκλησίας εἰς τὰ τῆς ἄλλης, νομίζω, ὅτι πρέπει νὰ τονισθῇ, ὅτι ἡ Ρωμ. Ἐκκλησία, κάπως καθώρισε τὴν θέσιν της ἀπέναντι τῆς Ὀρθοδοξίας, ἐνῷ ἡ Ὀρθοδοξία ὄχι, καὶ μένει εἰς τὴν θέσιν της, χωρὶς νὰ ὑπάρχῃ καμμία ἀλλαγή. Ἡ Ἀγγλ. Ἐκκλησία ἔχει προχωρήσει πολὺ εἰς τὸ σημεῖον τοῦτο, καὶ κάπως αἱ θύραι της εἶναι ἀνοικταί. Ὁ Σεβ. διατυπώνει καὶ εἰς τὸ ζήτημα τοῦτο καθαρὰ τὴν ἐξέλιξιν εἰς τὰς σχέσεις τῶν δύο Ἐκκλησιῶν.

Πρέπει νὰ ἐκφρασθοῦν εὐχαριστίαι εἰς τὸν Σεβασμιώτατον καὶ συγχαρητήρια, διότι μὲ τὸ ἔργον του, παρέδωκεν εἰς ὅλους μας συνοπτικὰ τὴν ἱστορικὴν ἐξέλιξιν τοῦ Διαλόγου καὶ τῶν σχέσεων τῶν τριῶν Ἐκκλησιῶν. Ὅλα ἔχουν συγκεντρωθεῖ καὶ δύναται νὰ βοηθηθῇ ὁ μελετητής. Αὐτὸ εἶναι καὶ ὁ ἔπαινός του».

Ἐκκλησιαστικὸς Φάρος
Vol. 55 (1973)

† Ο ΚΑΡΘΑΓΕΝΗΣ ΠΑΡΘΕΝΙΟΣ

«Orthodoxy Roman Catholicism and Anglicanism»

«Part One consists of chapters on the One Undivided Christian Church the Orthodox and Catholic Church, East and West, How the Churches view one-another, and Anglican Orders. Part Two deals with the Church and the Sacraments, comparing the teaching of the three Churches. Part Three describes the present relations between the three communions and the obstacles in the way of their reunion. The suggested Anglican-Orthodox Terms of Intercommunion (1921) are reprinted in an appendix. It is an ambitious book, covering such a vast field of history, doctrine and ecumenical relations but it is a thoroughly worthwhile exercise, because too often the Churches are treated too much in isolation. A large bibliography is supplied and a separate one on Anglican orders.

The author is on the Inter-Orthodox Theological Commission for Dialogue with the Anglican Communion, so his book is most useful as the Orthodox doctrinal position, which is otherwise not easy to locate, except in Greek (the works Ch. Androutsos are not yet translated into English). Being able to see how the Orthodox view the differences between their own teaching and that of the Roman Catholics and ourselves is fascinating There is still a slight tendency to see the teaching of the Church of England through the eyes of such apologists as Charles Gore, but his understanding is generally fairly comprehensive. Readers of The Churchman may feel thet the evangelical viewpoint of the Thirty Nine Articles (pp. 30-3) and Holy Scripture and Holy Tradition (pp. 121-7) is not fully appreciated or represented. Every theological library should have a copy of this book»

The Churchman, Winter 1972 **Alan Fairhurst**
London

«Dedicated to Nikolaos VI, Pope and Patriarch of Alexandria, this scholarly, eirenic and highly readable study deserves a very warm welcome from all Christians. The author, who visited Britain in 1970 with the Patriarch of Alexandria and now Archbishop of Addis Ababa, is a theologian of high distinction well versed in the three great traditions of which he writes and master of the relevant literature in many languages.

While the book includes many valuable detailed summaries of historical developments and background and concludes with a survey of present problems and hopes, its core is a highly illuminating comparative analysis of the doctrine of the three Churches. Since Dr. Fouyas is rightly convinced of the need for frankness about important differences (which will never be resolved without ventilation and dispassionate examination at every level) he asks both Rome and Canterbury some searching questions. Thus, while he has some very complementary things to say about Roman Catholicism yet he emphasizes that the Papal claim to infallibility and universal ecclesiastical jurisdiction are totally unacceptable to the Orthodox Church, and he endorses the judgement of Metropolitan Athenagoras that the dogma of 1870 "has produced a kind of theological havoc everywhere" (p.139). On this crucial question, indeed, the Orthodox analysis is in exact agreement with the Anglican and finds support even from top Jesuit scholars: in the New Testamant Peter exercises a leadership, but not a monarchical leadership; Matt. 16:18—19 is balanced by Matt. 18:18, I Cor. 3:11 and Eph. 2:20, while John 21:15—17 is balanced by Eph. 4:11, 1 Pet. 5:2, Acts 20:28, cf. 8:14 and 15:1—28. Consequently in the only early work on the question St. Cyprian teaches that all bishops are successors of St. Peter and are essentially equal. The question seems to be settled by the 6th Canon of Nicaea, and the 28th Canon of Chalcedon, cf. the 2nd and 3rd of Constantinople I. On the other hand, while the Orthodox reject, as alien to the early Church any idea of a bishop of bishops as superbishop, they are as eager as Anglicans to see Rome resume its ancient and exalted place as *primus inter pares*, the most glorious and beloved of the Apostolic and Patriachal Sees (pp. 78—83, 116, 127—50).

The discussion (p. 180) of Chrismation - Confirmation would have been considerably clarified by a reminder that, though Rome is now (the influence of some Anglican theology?) moving towards a stronger doctrine of Confirmation, hitherto (Canon 787) it denied that Confirmation is necessary for salvation. Surely Anglicanism should at least in her law and practice, conform to this growing practical consensus.

Anglicanism represents a genuine spirit of Orthodoxy so developed as to be understood by modern thought. Anglicanism is not a Protestant Church, but a reformed Catholic Church, which, maintains its unity with the tradition of the ancient undivided Church (p 88).

Nevertheless (p. 242) "there remain doctrinal differences", and Dr. Fouyas instances the *Filioque* and desires "the re-statement of (Anglican) teaching on certain points and the enrichment of its worship". Well, what better mentor could we have than the Orthodox Church, provided that Photius's principle be remembered: "The Churches must agreed on the essential points; for the rest, the principle of Church freedom should prevail". The *Filioque* is an essential point and for my part (cf. The Nonjurors, p. 37) I have no doubt that it should be omitted from the Creed. "Its unilateral introduction into the Creed was unquestionably irregular, and the substantive question is not "Is the doctrine (probably) true?": or even "Is it certain?" but "Is it (manifestly) revealed?". Based on an argument from Scripture, the Fathers and theological reasoning, the doctrine rates the Scholastic note "theologically certain" but cannot be *de fide* or necessary for salvation, still less qualify for inclusion in the Creed (Cyril of Jersualem, Cat. 4. 17; 5.12).

In spite of some unsuccessful proof-reading (pp. 87, 24 n. 6, 101 192, 242, 117) this splendid book should be in every private and public library».

Theology, London
June, 1973.

Anthony A Stephenson
The University of Exeter

«THE AUTHOR of this book is the Greek Orthodox Archbishop of Aksum. He has a good knowledge not only of Greek but of English, French and German. He holds an honorary degree of Doctor of Divinity from Edinburgh University.

He examines, with full documentary references, the causes of disagreement between the Churches, the growth of dialogue and the moves towards reconciliations which have developed so remarkably during the last 50 years.

He is very well informed about what he calls "the true greatness of Anglicanism". With regards to Anglican Orders, he relates how some parts of the Orthodox Church have recognized their validity and he speaks hopefully of a possible change in the negative attitude of the Roman Catholic Church regarding this matter.

In Chapter VII the teaching of the three Churches on the Sacraments is briefly compared and Anglicans are credited with having basically the same teaching on the Eucharist as the other two Churches.

Chapter VIII is head "Towards Unity": the friendly meeting between Pope Paul VI and Patriarch Athenagoras of Constantinople is recounted with joy, and similar joy is shown concerning the meeting between Pope Paul and the Archbishop of Canterbury in 1966.

The existence of the joint preparatory commission on Anglo-Roman Catholic relations is also recognized and the "substantial agreement" on Eucharistic doctrine put forth in 1971 by this commission is most thankfully accepted.

At the end of the book there are nine pages of bibliography, followed by a good index.

KF. McM.

The Southern Cross
Cape Town
21 March, 1973.

«De schrijver van dit boek, man met een brede theologische en linguistische ontwikkeling, vervuller van tal van verantwoordelijke functies in de oecumenische relaties van zijn kerk, orthodox aartsbisschop te Aksum (Ethiopië), geeft een staal van oecumenisch theologiseren zoals dit gebruikelijk was in de periode voor Lund (1952).

In het eerste, iets meer historische deel, vergelijkt hij de r. k., orthodoxe en anglikaanse tradities met elkaar en beschrijft hij hoe zij elkaar beoordelen. In deel 2 doet hij hetzelfde meer systematisch, met name t. a. v. de ecclesiologie en de sacramentsopvattingen. De lezer vindt hier een aantal wetenswaardige, zij het weining nieuwe, gegevens keurig geordend bijeen. Deel 3 komt ondanks de hoopvolle titel "Towars Unity" niet veel verder dan het opnieuw opsommen van de barrières tussen de drie beschreven tradities.

Indien deze stem representatief zou zijn voor de oecumenische opvattingen der orthodoxie, dan is de gedachte dat de recente toenaderingspogingen tussen Rome en Konstantinopel op een grote affiniteit tussen deze twee berusten, er een die, indien wij de auteur goed begrijpen, ten onrechte voedsel meent te vinden in het conciliedecreet "Over het Oecumenisme", ingegeven door gezichtsbedrog.»

Theologisch Tijdschrift
Jaargang 28 **W. Nijenhuis**
Aflevering 2
Netherlands

«Dr. Fouyas represents the Church of Alexandria on the Orthodox Theological Commission for Dialogue with the Anglican Communion, so this remarkable and unusual book on the three Communions will be carefully studied in ecumenical circles. Experts in history and doctrine will weigh up these sections, and his bibliographies will greatly assist others to make their own judgements. His record of the contacts between the churches over the years makes it a most useful reference book.

The late Ecumenical Patriarch Athenagoras was as great a man in the Orthodox Communion as Pope John was in the Roman Church and for the same reason. He once remarked that there was only one thing we should be asked on the day of judgement. "Have you loved one another?"

His loving led to meetings with Pope Paul and the lifting of the mutual excommunications of 1054. It is good to have the text of the declarations and even better to be assured by Dr. Fouyas that it is likely that finally both the Churches of Russia and Greece will accept the decision of the Ecumenical Patriarch in this matter (p. 217).

This book helps us to appreciate the size of the gulf which the Patriarch bridged, and the underlying causes of bitterness which have still to be understood by Roman Catholics if true progress is to be made. His identification of the main areas of dispute between the Orthodox and Roman Catholics is most helpful».

British Weekly
69 Fleet Street
London, E. C. 4 **A. M. Fairhurst**
October 6, 1972.

Archbishop Fouyas of the Church of Greece is exceptionally well qualified by international study and service to present a single survey of how Constantinople, Rome and Canterbury view one another. As one chapter spells out, this in fact involves six different points of view not three. The scope of the book is vast, in that it surveys historical antecedents, doctrinal agreements and disagreements, and developments in official relations. The history is necessarily somewhat simplified. The central part of the book covers all the main theological issues at stake, and one can only congratulate the writer for his sureness of touch over such a large field. The book will be valuable to many for its documentation of official relationships.

There is, however, the pervading question of tone. Anglicanism is treated most sympathetically throughout, Rome with only occasionally relieved hostility. Archbishop Fouyas does not seem to be aware of the strong evangelical tradition in Anglicanism, and sees the true Anglicanism only in its more recent and catholic manifestations. By implication he is advocating a unity to the exclusion of Protestants, which would hardly be acceptable to Anglican ecumenists themselves. The Roman Catholic Church, it appears, is the only one of the three which has ever in the course of history been subject to any form of corruption or abuse, or tainted by involvement in politics. No breath of self-critisim is allowed to taint Orthodoxy, except perhaps the admission that Anglican proposals for intercommunion made to Constantinople in 1921 still await a proper reply.

Official dialogues (three sets) are under way or in the air between all three churches. Rome-Canterbury has made most headway. After much preparation, Constantinople-Canterbury has just met this summer. Constantinople-Rome never seems to get started, though heralded by Pope and Patriarch some years ago. The reasons for the delay are elusive and implied by Archbishop Fouyas rather than stated openly: dialogue can only be undertaken "on equal terms" and this appears to be understood by Orthodoxy as meaning that Rome must drop some of its characteristic positions before the talking can start. This is not how other inter-church dialogues have been launched"

The Economist
October 14, 1972
London, S. W. 1

«The author, a member of an official Orthodox commission which is negotiating with a similar Anglican one, admits in his preface that his attitude to the Catholic Church is somewhat negative. Perhaps it would be otherwise if his ecumenical dialogue was with a Catholic group.

In so far as the possibility exists of the author accepting any view other than an Orthodox one, it is fairly clear that, when in doubt, his opinion of the Anglican position is favourable whereas that of the Catholic is not.

Some Catholic authors and personalities are afforded recognition for example Cardinal Tisserant, because of his protests against the compulsory incorporation of the Yugoslav Orthodox into the Church.

Hans Küng, though his views do not go far enough; sometimes Cardinal Jäger, more often Cardinal Lercaro, are given honourable mention. The Catholic Church is sometimes described as schismatic, at other times as heretical.

These views are based on unquestioned quotations of those Orthodox writers who advocate such views. At the same time the good will of Leo XIII, Pius XI, Pius XII and especially that of recent Popes is acknowledged

While he sees the infallibility of the Pope as less objectionable (an honorary primacy is readily conceded) the author repudiates vehemently what he calls supremacy — that is, the legal primacy over the whole Church

The Catholic scriptural interpretation of Peter's office is also attacked and the traditional quotations of Ignatious of Antioch, Irenaeus, St. John Chrysostom and others are so interpreted as to make the Catholic exposition appear biased. Terms of courtesy are interpreted as juridical recognition.

The value of the book rests mainly on the fact that all utterances of Orthodox, Anglican and Catholic origin, whether they are official or semi-official, are given vertbatim. This applies equally to numerous opinions of Orthodox, Anglican and Catholic theologians.

The book shows clearly that the middle - of - the - road Orthodox takes a far more critical view of the Catholic Church than those who are engaged in ecumenical dialogue with the Church.

From all the quoted sources it is evident that even those who are favourably disposed towards Lutherans and Calvinists harbour the gravest suspicion and regard the very existence of these Churches as a decisive obstacle against reunification.

Nevertheless, the complaint is repeatedly made that Rome strives not for reunification but for the return of others. It is hindered if not paralysed, in its understanding of the Orthodox view of unity by its legalism and juridicism.

The realistic description of many an outrage of the Roman Church are not off set by any admission worth mentioning of the mistakes of the Orthodox Church. She was, and is still, unmarred by error and can only, be accused of rigidity.

In all unresolved questions, apart from the external rites, the Orthodox point of view must be accepted by Rome and the Anglican Church. It is sad to say that such a book is a disservice to the cause of ecumenism.,,

Cardinal Koenig
Archbishop of Vienna

Catholic Herald
Friday, November 3, 1972
London

"The number of books looking at the Ecumenical Movement from an Eastern Orthodox point of view is still very small; and, of those which have appeared, most have been by Russian lay theologians in the West like the late Professor Zander or Dr. Nicholas Zernov. This makes the present work of particular interest and significance.

Its author is a Greek Orthodox Archbishop who wrote his doctorate at Manchester University and is at present serving in the Patriarchate of Alexandria as Archbishop of Greek Communities in Ethiopia. He has therefore wide knowledge of Church life in East and West, and is able to look at familiar questions and developments from an unfamiliar angle.

The book falls into three parts. The first surveys the history of the three traditions, Orthodox, Roman Catholic and Anglican, looks at the ways in which they regard one another, and considers the particular question of the Orthodox and Roman Catholic views on the validity of Anglican orders. The second part, which is more doctrinal, examines the attitudes of the three Churches to a number of issues on which there has sometimes been sharp difference in the past, and on which there is still no general unanimity. The third, which is entitled "Towards Unity," considers the changes which have taken place in their relationships, especially during the past ten years.

One of the particular values of the book lies in the amount of documentation which it gives. Readers will find here the texts of recent statements such as those made jointly by Pope Paul and Patriarch Athenagoras, or by Pope Paul and the Archbishop of Canterbury on the occasion of their famous meetings. They will also find reports of discussions which took place in 1930 and 1931 between official representatives of the Anglican and Orthodox Churches, and the text of a weighty but unofficial proposal for "terms of intercommunion" put forward to the Orthodox by a group of Anglicans in 1921. Such documents remind us of the pioneer role in the movement towards unity which Anglicans and Orthodox played in the years between the two world wars.

Archbishop Methodios is aware that some of his Western readers will find his attitude towards Rome unfashionably severe. It is not at all that the Archbishop is opposed to moves which will make for improved understanding and closer relations between Orthodox and Roman Catholics; on the contrary, he welcomes them. He wishes only that the remaining difficulties should be honestly faced.

He is aware of the depth of anti-Roman feeling which still exists among many Orthodox people; he does not find the position of the Eastern - rite Catholics to be a helpful one; he is made uneasy by the kind of superficial optimism which would declare that all dogmatic problems between Rome and Orthodoxy are already resolved. Furthermore he does not believe that those problems can be finally resolved without the Anglicans also becoming involved in the conversations.

When he turns towards Anglicanism, the writer's judgments become remarkably favourable. It would be well for Anglicans to reflect on the seriousness with which an Orthodox hierarch and theologian can take the claims of our Church. "When the Anglican Church and its tradition is more fully understood by the Orthodox, I am sure it will be recognised that Anglicanism represents a genuine spirit of Orthodoxy so developed as to be understood by modern thought. Anglicanism is not a Protestant Church, but a reformed Catholic Church, which maintains its unity with the tradition of the ancient undivided Church."

The question as between Anglicans and Orthodox is not, the Archbishop believes, simply a technical one about the validity of Anglican orders, nor even one about particular points of doctrine taken in isolation. The problem is "whether Orthodoxy and Anglicanism will in future stand for the same truths of faith and life, and whether the spiritual life of these Churches leads them to a common conception of the faith."

Although, at the official level, relations between Anglicans and Orthodox have moved only slowly during the past fifty years, the extremely fruitful nature of unofficial contacts - in bodies such as the Fellowship of St. Alban and St. Sergius, for instance - - give grounds for hoping that Anglicanism and Orthodoxy in the future will draw closer together, and together witness to the ever-new vitality of the one tradition of the undivided Church."

A. M. Allchin

Church Times
November 10, 1972
London

"If one desires to have between the covers of one book all the bewildering array of details concerning the relations of Orthodoxy, Catholicism and Anglicanism since they began to negotiate with one another then this is the book. It is in this respect a tour de force and all those engaged in ecumenical work cannot afford not to read it. Its canvas is extensive as the bibligraphy and index will prove, whether the interpretation of the facts is always balanced and unrejudiced is open to dispute, for this distinguished and talented writer undoubtedly sees the Anglican Church through rose - tinted spectacles and the Roman Catholic rather harshly as it was in the days of its eminent, isolated, triumphalist ascendency. There is the tendency to interpret all Anglican documents in as Catholic a sense as possible while Roman pronouncements are severely judged as they stand. Yet on pages 149, 150 the author sees Rome and Orthodoxy in a juster light: "The authority of the Church could then be described as the cooperation of the divine and human elements. In fact these two Churches over-emphasize one of the two aspects of the Church. The Orthodox give more strees to the pneumatology of the Church whereas the Romans ovestress the institutional structure of the Church . They appear to represent two different worlds. They are in fact complemenary."

The book's general attitude to Anglicanism can be gauged from this paragraph on page 88. "When the Anglican Church and its tradition is more fully understood by the Orthodox, I am sure it will be recognized that Anglicanism represents a genuine spirit of Orthodoxy so developed as to be understood by modern thought. Anglicanism is not a Protestant Church, but a reformed Catholic Church, which, maintains its unity with the tradition of the ancient undivided Church".

It is of considerable interest in this book to see reference to the Orthodox Conference held in Moscow in 1948, since this Council (fully documented in two volumes under the title "Actes de la Conférence de l'église Orthodoxe Russe 8 - 18 juillet 1948) has been ignored of late not only by other autocephalous Churches but by the Russian Church itself. As this Conference took a severe "anti-ecumenical" line it is to be expected that this book should also find it divested of "canonical authority," page. 101.

Concerning William Palmer (mentioned on page 38) there is surely another interpretation of his secession to Rome. He found that the Russian and Greek Churches did not agree in their rejection of him as an Anglican deacon. He finally become a Roman Catholic because he could not become Orthodox but held very Orthodox views after his reception to the Rome of pre-Infallibility days.

In a book covering so much ground as this there is bound to to be much over-lapping and some contradiction. A case in point is provided by this paragraph from page 242: "In intellectual and ethical outlook the Anglicans are unsually closer to the Romans than to the Orthodox. They distinguish between ideas and imagery and the reality behind them, while the Orthodox hold together symbols and the things they signify. Anglicans are 'western-minded' in their emphasis on systems and organisation, whereas the East is less interested in organisation than in the guardianship of the truth. Anglicans, like Romans, still think of the Church as 'Catholic' in character and extent, while the Orthodox as their names implies are more concerned for 'right doctrine' and 'true glory.' Between Orthodox and Anglicans there remain doctrinal differences, but unity can be achieved through doctrinal unity, not by the indiscriminate receiving of each other's Sacraments."

Nevertheless this is a book of great value since it looks at each confession in as thorough and documented a way as possible. Seeing one is dealing with physical-spiritual - historical it is not altogether possible to remain totally de-tached. After a reading of this book it is easier to understand the hesitancies of those who refuse to accept reunion schemes which obliterate the distinguishing features of the various Christian Communions. The problem is indeed vast and this eirenic book underlines the complexities of the situation, not only in the way it states the problem but also in the tentative solution which it offers."

Orthodox Observer
Winter 1972-73, No. 53
London

"We live in a time of apparent Christian charity, which I think could destroy the vitality of the Christian Churches . . . . All too often we are satisfied with a charitable ambiguity at the expense of truth." So writes Archbishop Methodius Fouyas, thus indicating a cautious approach to ecumenical questions. It is understandable and right that such warnings should be given and heard. But since remaining in schism and division is itself a kind of untruth, some people would emphasize that the dangers must not be allowed to paralyse action. Not on the whole, that this happens in the Archbishop's book. In a sense it constitutes a supplement to Dr. Goodall's work. It ranges freely over the whole cause of the Christian era, from the first Whitsunday to 1971, with the intention of pointing out the issues divisive and the elements common between the historical churches. Those wishing to know about the relations in which ecclesiastically the three communions named have stood through the course of history or stand at the present day will find it a compendious, accurate and up-to-date source book. How does the Orthodox Church view Anglican orders? In what kind of schism does Rome think the Orthodox Church to be? What is the place of mariology in the three churches? Such matters arouse little interest beyond a very narrow section of the membership of the church, and none at all among those outside. But they require to be considered, and here the consideration given is careful clear and helpful.

Inevitably the churches are represented as doing a good deal of posturing. They often do this in real life to put forward as good an appearance as possible when under the scrutiny of other churches, or to indicate conditions they conceive as non - negotiable. Thus Anglicanism thinks of itself as 'a catholic church which retains certain emphases of the Reformalon' ; Rome holds that 'the People's theoretical right to intervene anywhere cannot be surrendered' ; and Orthodoxy believes 'the abolition of the rite of the "uniat" churches must be the first step if there is a sincere desire on the part of Roman Catholics to engage in dialogue with the Orthodox'.

The chief emphasis of the book is on what has been and is. But a final chapter is devoted to 'Towards Unity'. Here the 'main obstacles' are listed (the *filioque*, the Roman primacy, Mariology). With this are noted the great advances in dialogue relationship between the three churches. there is no hopelessness in what is said, and there is no ill-judged optimism. 'The greatest obstacle to Roman - Orthodox unity is that from a Roman Catholic point of view the unity of the Church is understood in terms of a 'return' of the Eastern Churches to the 'Catholic Church.' Vatican Council II's notion of 'separated brethren,' the Archbishop thinks, though marking some advance, regards the Roman Church as the centre, "surrounded by the churches and communities as if they were satellites. This shows that the doctrine of the Roman Church concerning the restoration of Church unity is unaltered.' Many Anglicans would agreed with this — and many Lutheran and Reformed churchmen. But some would not care to put it quite like this."

Scottish Journal of Theology **J. K. S. Reid**
Vol. 25 no. 4 November 1972 **(Aberdeen)**

"I found this a fascinating book. Beautifully written, it combines historical erudition with a clear grasp of the present state of relationships between the three Churches named in the title.

Anyone standing in the tradition of the Reformation, even if he be an Anglican, is bound to feel rather like a spectator at a debate in which he is not directly involved.

For Archbishop Fouyas restricts himself to questions at issue between those for whom the historic episcopate is at the very heart of the Church and the Gospel.

This is not a criticism. It is valuable to have a careful analysis of a deliberately restricted subject. If the author had widened the scope of his inquiry, the book would have had to be at least twice as long and would probably have been too diffuse.

The obstacles to full communion between the three Churches are shown to be formidable. The reader is left wondering where progress is most likely to be made. On the face of it, the Roman Catholic and Orthodox Churches appear to be closest, sharing so much in common and according each other mutual recognition.

BUT the Orthodox are revealed in this book as rigid and uncompromising over against a greater flexibility on the part of Roman Catholics and Anglicans.

Their insistence on a return to the ecumenical councils of the undivided Church of the first millenium makes it difficult for them to come to terms with any who belive in the necessity of reckoning with change and development. Is there an affinity here between the Orthodox and the most conservative of Evangelicals?

Archbishop Fouyas, in common with nearly all ecclesiasical leaders, takes for granted that the road to union lies in the mutual accommodation of great international institutions through their appointed representatives.

Is this really to discern the signs of the times? Even at the national level the breakdown of proposals for Anglican Methodist reunion should make us pause and think again.

The ecumenical movement is now beginning to emerge at the grass roots where churches of very different traditions are discovering that they belong together in the Christian mission.

We have scarcely started to face the impact this is likely to have on the institutional Church in the years that lie ahead"

Baptist Times **Paul Rowntree Clifford**
November 2, 1972
London

"Unusual in its perspective and authority, this study will be read with interest by many who might otherwise not consider relations between the three communions at once. The fact that the author is the Greek Orthodox Archbishop in Addis Ababa today lends weight to the critical views of Rome, which he does not disguise. To observe that he is manifestly more at home with Anglican questions, as a result of long residence in Manchester, only balances his contribution to the dialogue.

A good third of the work is devoted to the origins of divergences between East and West, but its virtue becomes plain in the fourth chapter. This sets out the cross-views that exist at present between the Churches: Anglican-Orthodox, Roman-Orthodox, Orthodox-Roman, Anglican-Roman, and then Orthodox-Anglican and finally Roman-Anglican. This schematic arrangement is less helpful to the ecclesiologist than he might expect - Anglican Orders prove to be nodal, as ever. And the Orthodox position, for all its benevolence, is not so far removed from that of Rome for practical purposes.

The reader turns expectantly to the third section, devoted to the prospects of union, only to be disappointed. If he is a Roman Catholic he will note that the considerable improvement in Roman-Orthodox relations since Vatican II is firmly played down. This is without doubt a salutary reminder that the ecumenical achievement of the late Patriarch Athenagoras of Constantinople was by no means unopposed by Orthodox leaders in his own Church, as well as by other conservatives in the East.

The viewpoint of Archbishop Methodios is clear from the following lines in his Forward: "I am afraid that I am perhaps out of fashion in that I am not always as kind as I would wish to be towards the Roman Church. This is not because I dislike that Church, but because I wish to portray the true facts which so many contemporary ecumenists play down or ignore. We live in a time of apparent Christian charity, which, I think, could destroy the vitality of the Christian Churches. I know this is a paradox, but I am sure that all too often we are satisfied with charitable ambiguity at the expense of truth."

The Tablet **H. W. Kelany**
December 16, 1972
London

«As an Orthodox prelate, who has studied in England and has been awarded an honorary Doctorate of Divinity by the University of Edinburgh, who is fluent in most Western European languages and active in ecumenical dialogue, Archbishop Methodios would appear to be ideally qualified to undertake the difficult task of surveying the complex history of relations between the three Christian communions of his title, and the yet more complex of the doctrinal and disciplinary issues still dividing them; and, indeed, this is a book notable for the breadth of its scope as much as for the depth of its erudition. The first part of the work is mainly historical, an attempt to set out the various attitudes adopted towards each other by Eastern and Western Christians before and after the Reformation (not neglecting to discuss the debate in the West over the nature of Catholicity between Anglicanism and the Roman Communion). The second part, after briefly comparing the teaching of the three communions on various points in the theology of Church and sacraments, concludes with an assessment of the present situation, its problems and possibilities. There is a very full bibliography (with a special bibliography appended to the chapter on Anglican ordinations) and the suggested terms on intercommunion between Anglicans and Orthodox, drawn up in 1921 by Archbishop Randall Davidson's "Eastern Churches Commission", are incorporated as an appendix.

A very conscientious and thorough work, then; yet, finally, it is somehow disappointing. The atmosphere of much of the book is that of the 1930's: there is a preoccupation with what may be called 'juridical' questions (ecclesiastical authority, sacramental validity, and so forth), and the Greek theologians referred to by the Archbishop belong to a generation no less legalistic in interest and arid in tone than their Latin brethren. Astonishingly, there are no references to the work of younger Greek theologians such as Zizioulas and Nissiotis; nor to the prophetic insights embodied in the ecclesiology of Vladimir Lossky and other Russian emigré thinkers. Again, the Anglicanism discussed here is almost exclusively the 'Liberal Catholicism' of Bishop Gore and his disciples; and, although this was admittedly the major theological force in the Anglican Church in the early decades of this century it cannot be said to be so today, and Archbishop Methodios shows no awareness of either the growing vigour of Evangicalism in the Anlican Communion at present, or the radical theology and ecclesiology of the 1960's

The generally rather negative attitude of the Archbishop towards Roman Catholicism (an attitude which he admits in his Foreword and which is evident at several points throughout the book) is sad, but not really surprising; and it must be said that his discussion of the Papal primacy in relation to the historic privileges of the other Partiarchs raises some questions of vital importance, and should serve to remind Roman Catholics that the faithful of Patriarchates other than that of Rome are justiflably annoyed when regarded as a breakway group from the jurisdiction of the Pope. Western Christians will have to admit, sooner or later, that the question of jurisdiction was not so clear cut in the eleve..h century (and is not so clear - cut today) as it seemed in the era between the First and Second Vatican Councils. However, it is distressing to find the Archbishop dismissing the Uniate Churches as of no ecumenical significance. The Orthodox have often been inclined, it seems, to ignore the Uniates in the hope that they will go away (though they have, on occasion, taken more positive action against them; if the formation of certain Uniate bodies by force does little credit to Rome, their suppression by force does no more credit to the Orthodox involved); but it is surely time that the Orthodox acknowledged the significance, as a cultural and religious fact, of these bodies. The contribution of figures like Patriarch Maximos IV of Antioch to the renwal of the Roman Catholic Church at large indicates the potential of the Uniate Churches for positive and independent theologial thinking in the dialogue between East and West.

In sum, despite its rather narrow approach, its neglect of questions of spirituality, and its 'dated' understanding of ecclesiology, this book presents a very useful and readable account of a vast and difficult field. It is not a theological work, nor could one describe it as a positive contribution to practical ecumenism; nevertheless, it is a work of great care and great learning, and has much to offer"

The Downside Review **Rowan Williams**
January, 1973. London.

"This is an important **publication dicussing the relationship** between Orthodoxy and **Roman Catholicism, Orthodoxy and Anglicanism**, and Roman Catholicism and Anglicansism. The subject is discussed from the perspectives of history, theology and ecumenism, to each of which a section of the book is devoted in succession. The book is very highly documented. In fact, this is one of its strong attractions for any one interested in this field of enquiry.

The book shows that its author, an ecclesiastical dignitary of Orthodoxy , is deeply interested in the union of the three Churches, and that he writes to help the movement towards its realization. He believes that these Churches can achieve union provided all of them take up the matter with the seriousness which it demands. This is not to say that there are no difficulties in the way. The author notes that the agreement in doctrine between Orthodoxy and Roman Catholicism is clear and pronounced. But the problem, when the latter views the former, is derived from its insistences on papal supremacy. Roman Catholicism would thus look upon Orthodoxy as a separated body of Christians. Although they have a valid faith and Church life, they lack completeness on account of their refusal to come back into the fellowship of the one Church under the jurisdiction of the pope. Although some change has taken place in this standpoint in recent times, the basic Roman Catholic insistence still remains more or less unaltered. But from the Orthodox side, as also from that of Anglicanism, this Roman Catholic claim is a real hindrance to union, for which there is no solution but for Rome to change and be satisfied with the ancient position that the Pope is the first among the Partiarchs. Besides, the Archbishop refers to two issues of a theological nature, on which the two Churches have differences. They are, the question of the Procession of the Holy Spirit and the subject of St. Mary's immaculate conception and bodily assumption. If, however, Rome changes its claim of universal jurisdiction over the Church, and the two Churches come to an agreement on the theological issues, their union is indeed possible.

There are, in the main, two questions which need to be settled between Orthodoxy and Anglicanism from the point of view of the former, before they could unite. These are, the validity of Anglican Orders, and agreement on doctrinal questions. Of these two, the first has been officialy acknowledged by several of the autocephalous bodies of Orthodoxy as also by a number of theologians. However , an official action regarding union requires a decision on the question of the faith also, which remains to be solved. From the Anglican side no question has been raised about the validity of Orthodox Orders. But leading theologians of the former have urged the need for thrashing out the issues related to the faith and doctrine. In this respect the author expresses satisfaction over the fact that an officially appointed commission consisting of members from both Churches (of which he himself is a member from the side of Orthodoxy), is at work.

The relation between Roman Catholicism and Anglicanism had remained stagnant for a long time, till in recent times two Archbishops of Canterbury visited the Pope. Following the second visit, an official commission with members from both Churches has been appointed. This commission has to take up a number of subjects including the supremacy of the Pope, the validity of Anglican Orders, the doctrinal position to be adopted by the Church, and mixed marriages. On the question of the validity of Anglican Orders, although Rome had assumed a negative standpoint in 1896, there is ground for hope that the subject will be reviewed by Rome. "Since, on the Anglican side," writes the author, "no doubts exist about the fact that both the Roman and Orthodox episcopates stand in the historic succession, there is nothing that would be more fruitful for the coming-together of these three Churches than the complete mutual recognition of their ministries."

The book calls for a few comments. Firstly, the work had been compiled before the author came into intimate contacts with the Oriental Orthodox (Non-Chalcedonian Eastern) Churches. Therefore he gives the impression of a lack of concern about the fact of their existence. He refers to these churches as "Monophysite," adopting the traditional nomenclature which implies the ascription of heresy to them. Moreover, he even regrets the fact that in the Decree on Ecumenism of the second Vatican Council "no distinction was drawn between the Orthodox and the Non-Chalcedonian Eastern Churches".

Secondly, while agreeing with the author's evaluation of the Roman Catholic insistence on papal jurisdiction over the universal Church, we should note the fact that the Roman legates at the Councils of both Ephesus in 431 and Chalcedon in 451 had made statements about papal supremacy as an accepted fact in the Church. At Ephesus, for example, the Roman legate Philip, following the reading of Pope Coelestine's letter to the Council, said: "No one has any doubt, on the contrary it has been recognized in all ages, that the holy and blessed Peter, chief and head of the Apostles, pillar of the faith, foundation of the Catholic Church, received from our Lord Jesus Christ, the Saviour and Redeemer of the human race, the keys of the kingdom, and that to him has been given the power of binding and loosing sins; it is he who unto this day and without intermission both lives and judges in his successors." The emphasis made in these words is not that the Pope was the first among the Patriarchs. At Chalcedon the Roman legates clearly asserted that the Pope was above the Council. They declared that "Leo, the most blessed - - - - Archbishop of - - - - Rome, has by the agency of ourselves and the present Council - - - - deprived" Patriarch Dioscorus of Alexandria "of all the episcopal dignity and severed him from every priestly function. Accordingly this holy and great Council decrees the provision of the canon against the aforesiad Dioscorus. The statement makes out that the Alexandrine Patriarch had been condemened by the Pope; the Council was only working out the canonical provision against the condemned man. The fact that on neither of these occasions the Eastern delegates may have paid sufficient attention to the implications of the statemnts may be granted. One can also point to the decision at Chalcedon concerning Constantinople, where Rome's primacy was taken to be the result of its political importance. However, we have to argue that the question of papal jurisdiction over the universal Church deserves a more through investigation than has been done.

Thirdly, while admitting that a union of the three churches is certainly to be commended, we have to raise the question of its adequacy from the ecumenical point of view. Should not a person like Archbishop Methodios direct his attention to the matter of a union of all churches, Eastern and Western?

The value of the book may be seen from three angles. Firstly, it puts together in a concise form the history, theology and future possibilities connected with the question of a union of three churches.

Secondly, in the ecumenical movement in our times it is time that a serious effort at promoting a union plan involving at least one of the Eastern Church traditions and a Western non-Roman Catholic tradition is made. Archbishop Methodios takes it up without ignoring the Roman Catholic Church.

Thirdly, the book contains some plain speaking about the Roman Catholic Church. In view of the fact that this Church has a great role to play in the field of both Christian unity and Christian service, it should know what others think about it. This we believe, will help it to rethink its own positions and make its services available to other churches. Archbishop Methodios raises some such issues and under scores one of them namely its claim of supremacy and superiority. His point of view does indeed deserve a hearing."

Prof. V. C. Samuel

Abba Salama
vol. iv (1973) pp. 302-305
Addis Ababa

«The appearance of the book Orthodoxy, R. Catholicism and Anglicanism, I believe, something of an event in the relations between our two Churches. Almost for the first time we have an attempt to view the complicated relationships between the three traditions from a Greek Orthodox point of view. We recognise again how well-established are the friendly contacts between Anglicans and Orthodox, and can take a fresh look at the history of the discussions which took place between the two world wars. We can see also how the contacts have been taken up again in more recent years, and how they are now developing in a totally changed atmosphere. For though the writer is perhaps too severe in his general judgement of Roman Catholicism, he certainly recognises the great changes in the approach to interchurch relations which have taken place since Vatican II. By recalling the history of the 1930's in the context of 1972, he helps us to see how much the general setting in which Anglican-Orthodox conversations take place has altered».

A. M. Allchin

Sobornst No. 7, 1973
London

«An addition to the relatively small number of books in English by Orthodox writers on ecumenical subjects is greatly to be welocmed. A particularly valuable aspect of Archbishop Methodios' book is the way in which the major episcopal Churches are consistently considered together. The usefulness of the book is enhanced by its very thorough documentation, though for an analysis of the documents themselves it does not supplant Professor Istavridis's Orthodoxy and Anglicanism (now unfortunately out of print).

The Archbishop, who is a member of the Inter-Orthodox Theological Commission for dialogue with the Anglican Communion does not minimise the differences between the two Churches, nor the difficulties which lie ahead but, from a somewhat conservative Orthodox point of view, he consistently tries to make a case for Anglican-Orthodox rapprochement. Moreover, he knows Anglicanism well, having been for a number of years head of the Greek parish in Manchester and, be it said, a warm and active member of this Association - - - - »

Eastern Churches
News Letter **H. R. T. Brandreth, O. G. S.**
no. 65, 1973
London

"This is an unusual book by an unusual man. Methodios Fouyas is a Greek Orthodox Archbishop in Ethiopia who, in addition to pursuing university studies in his native Greece, has studied at the Universities of Munich and Manchester (where he earned the Ph.D.), is well-read in western European theological literature, and has an excellent first-hand knowledge of Anglicanism. He is thus exceptionally well qualified for the task he has set himself. This consists not merely of a description of the beliefs and practices of the three Christian traditions mentioned in his title, but an analysis of their mutual relations and of the prospects for their rapprochement and ultimate reunion. About the latter he is frankly pessimistic.
"A very long time will elapse," he writes in his foreword, "before there will be any alteration in the present form of the three churches... since none of them is yet prepared to make any changes in its doctrine and tradition."

He is throughout an uncompromising and often intransigent spokesman for Eastern Orthodoxy. His presentation of Anglicanism is friendly and sympathetic: one has the feeling that he wishes to correct the widespread misconceptions of his often ill-informed co-religionists. His strictures on Roman Catholicism, on the other hand, are severe. He charges Rome with having corrupted the true faith by a false and overly juridical conception of church unity which disregards the fellowship of the local churches, and replaces the conciliar nature of the church with Roman supremacy and autocracy. Rome's doctrine of the Holy Spitit is both distorted and impoverished, she "goes too far" in her Mariological doctrines, and in the creation of Uniate or Eastern Rite churches she has erected an obstacle to reunion with the East which must be removed before any real progress is possible. "Amongst the Roman Catholic hierarchy and writers we can find many friends of the Orthodox Church," Fouyas writes in a characteristic passage, "but amongst the Orthodox there is hardly a person who is not *prejudiced against Rome*" (p. 81f., emphasis in original). Whereas Roman Catholic theologians mostly think that they and the Orthodox "have the same faith," and that the only real difference is over the papal claims, the Orthodox believe that "in the West the Faith has been changed, and that there are obstacles, which at present appear insuperable, to a sincere rapprochement" (p. 204).

Even a superficial acquaintance with Orthodoxy is sufficient to confirm how widespread in the East are the views here set forward. This fact alone makes it important for these views to be more widely known and more carefully considered than they have been hitherto, especially among Roman Catholics, whose attitude toward Orthodoxy, even when friendly and sympathetic (as Fouyas admits it has been, increasingly, since Vatican II), remains all too often one of unconscious superiority and condescension.

Fouyas' indictment of Rome is thoroughly documented and on the whole fair and accurate. What it lacks, however, is balance. When everything has been said about Roman arrogance and juridicism (and the record is a long and shameful one, still too little known to Roman Catholics, though familiar enough to Orthodox and Anglicans), Orthodoxy has not been absolved of all blame for the continuing schism. Fouyas is too well-read and too obviously fair-minded to be unaware of an Orthodox triumphalism, manifested mostly in an almost neurotic sensitivity which gravely impairs even inner-Orthodox unity, and which is in its way quite as bad as the triumphalism of Rome. Greater frankness on this score would have brought him, doubtless, bitter attacks from his fellow Orthodox, but a more sympathetic hearing from Western Christians.

That said, however, this remains an important book which should on no account be neglected. The sheer amount of information it contains, as well as the mass of literature cited, is impressive. A puzzling and regrettable omission in a work referring to events as recent as 1972 is the lack of any reference, in the otherwise excellent chapter on Anglican Orders, with full bibliography, to the first full-length presentation of the case for validity from the Roman Catholic side: the present reviewer's *Stewards of the Lord*, published in 1970.,,

Prof. John Jay Hughes
School of Divinity
St. Louis University, Missouri

Journal of Ecumenical Studies
Vol. 10 (1973) pp. 796-797.
Temple University, USA

"The Greek Archbishop of Aksum has produced a book of unquestionable value for all ecumenically concerned readers. The professional historian, I am sure, would have a number of reservations in some areas but for the intelligent student of ecumensim his effort has prroven of notable service.

As the title suggests it is an investigation of the tripartite relationship between the Orthodox, Roman Catholic, and Anglican Churches. The Archbishop has concerned himself with the three traditions who glory in the name "Catholic" and in no way implies a belittling of the importance of the Protestant Churches. He states. "On the contrary, as an Orthodox I believe that they are of great importance and they deserve all our love and veneration."

Understandably, the writer gives convincing articulation of his own venerable tradition. He does what only an Easterner can do well, that is, the East's understanding of itself and its own view of the West. **In a word, this reviewer found the study rewarding and well worth its 280 pages.**

The book is in three main parts. 1) The origin of the divisions within the one Church and the reasons for them. 2) A comparative analysis of Christian doctrine as held in the three Churches.3) 'Towards Unity ', a survey of today's ecumenical scene in the light of earlier meetings between the Churches. Archbishop Fouyas adds his own comments and hopes regarding unity. He notes, "No Christian should be satisfied with a charitable ambiguity at the expense of truth" which agrees perfectly with the Decree on Ecumenism of Vatican II. With rather careful documentation the causes of disagreement between the Orthodox and the Roman Church are candidly examined. Of particular interest to us in the West is the analysis of the quarrel between Photius, the Patriarch of Constantinople and Nicholas, Pope of Rome. Also the Orthodox understanding of the Roman claim of appeals made by Easterners to the Popes in the early centuries merits thoughtful reflection.

The fact that Anglicanism has been misunderstood in both the East and West and why receives thoughtful treatment. The problem of Anglican Orders is treated and a helpful bibliography included. It is the Archbishops' opinion that ". . . .a very long time will elapse before there will be any alteration in the present form of the three Churches, Anglican, Orthodox and Roman Catholic, since none of them is yet prepared to make any changes in its doctrine and tradition."

"How the Three Churches View One Another "was the most profitable learning experience for this reader. This un't consists of just twenty-eight pages. In the section "The Orthodox Church as seen by the Roman Church" the author points out that the Decree on Ecumenism carefully avoids any condemnation of the Eastern Church, "Not only this, but they admit that the Latin Church has profited greatly from the Eastern spiritual treasury. When they speak about separation, they say that the break took place between East and West, instead of the traditional Roman contention that the Eastern Church broke off communion with Rome." Fouyas observes: "Another point which needs special emphasis is that the Council Fathers do not ask the Easterners to come back to Rome, but they do hope that, with the removal of the wall dividing the Western from the Eastern, one single bullding will, at long last, come into existence, firmly based on its cornerstone Christ Jesus, who will make them both one.' This statement reveals a change for the better in the traditional attitude of the Roman Church towards the East."

One more observation deserves our attention: "During the first centuries many of the Western Fathers are included amongst the Fathers of the Whole Church, that amongst the Popes there were Greeks, and that amongst the Saints of the Eastern Church are many of the Popes."

The letter sent to His Holiness Paul VI on the occasion of the third Pan-Orthodox Conference in 1964, "though cordial is to some extent reserved." Its reference to the Churches "honouring one another" and "awaiting the accomplishment of the will of our Lord Jesus Christ for his Church" indicate the determination of the Orthodox to preserve that independence of mind which they have always felt to be threatened by the Papal claims to universal jurisdiction."

We hope in the days to come Congar's statement— "it is the acceptance of this estrangement which is the real Oriental Schism"— will no longer be acceptable,,

David T. Thomas
Department of Religious Studies
Incarnate Word College
San Antonio, Texas

The Jurist
March, 1974. pp. 429-430

"This is an uneven book which provides an easy and convenient access to some important ecumenical documents and discussions, but at the same time unaccountably either omits a discussion of some rather important events, or presents them in such a way as to be misunderstood, unless the reader is alert and well acquainted with the history of the relations under study. There are some extremely helpful sections, in particular in regard to the most recent developments of the Roman Catholic-Orthodox dialogue; however, one cannot but wish that the writer had presented some of his material in more depth with more analytical attention rather than simply recording various facts and statements.

The book is divided into three major sections: the first is a sketch of the background of the relations of the Churches from ancient times to the modern era; the second is a study of the ecclesiological and sacramental teachings of the three Churches; and the third is an attempt to describe the current state in the relations which is extremely difficult as whatever one can say is immediately dated and quite possibly contradicted. Still the idea of this unusual format is an interesting one.

The author explains in his foreword, "We must not look in isolation at what our fellow Christians say for themselves or what we say for ourselves. We must put these together and attempt to understand one another, so that we can see the Christian tradition as a whole." Since the three Churches considered have entered into a period of serious dialogue with each other, there is much that commends itself in the author's choice of presentation.

Wisely the author early eschews flattery ("I am afraid that I am perhaps out of fashion in that I have not always been as kind as I would have liked towards the Roman Church. . ." p. vii) which he feels could destroy the vitality of the Christian Churches, obscuring points of real difference in the interest of charity. Certainly one appreciates this position, and only when all concerned are able to speak as freely as they would wish is a real dialogue possible. On several occasions in the book the author points to the strong anti-Roman feeling that occurs amongst many Orthodox which is neither unexpected nor surprising. Nevertheless, given an ancient and tangled source of wounds, it is still difficult to accept fully his statement that ". . . amongst the orthodox there is hardly a person who is not prejudiced against Rome" (pp. 81-82). It is one thing to know old grievances, but quite another to nurse them as prejudices, and one hopes that the author here understimates the charity of many Orthodox. The irenic works and words of the late Ecumenical Patriarch Athenagoras and his Holy Synod have surely led to a point beyond these lingering problems, and suggested in their ecumenical efforts that the situations of the past need not dictate the future. No-one for instance would doubt that the Romans, should they wish, could point to issues in the past which led them to have a similar lack of trust in regard to the Orthodox; the author suggests that after the Second World War, for example, many Orthodox who had been under papal obedience "returned to their own Church", but we may well wonder what choice they had, if any. By contrast, Fr. Kallistos (Timothy) Ware observes in *The Orthodox Church*, "Between 1946 and 1950, however, these Uniate Churches behind the Iron Curtain ceased to exist officially, their membership being incorporated en bloc into the Orthodox Church" (p. 178). The author is right to point to the very real difficulties in the way of the continuing dialogue; what one might ask in addition is a similar critical standard provided regarding the Anglicans and the Orthodox to see them as we are shown the Romans.

One of the strengths of such a study is that the author is free to take some account of the most recent developments in ecumenical study and *rapprochement*: there is an unusual, but important emphasis on the Lambeth Conference of 1930 in this book. That Conference actively pursued the subject of Anglican-Orthodox relations with what was then the largest and most important Orthodox delegation (headed by the Patriarch of Alexandria, Meletios Metaxakis) to visit a Western

Church in modern times. There were two immediate results of that Conference, the Alexandrian "recognition" of Anglican Orders in December, 1930, and the Joint Doctrinal Commission of October, 1931 and one later, the Bucharest Conference of 1935. Both of the earlier steps are noted by the author who helpfully prints one of the main sources for the discussions, the "Suggested Terms of Intercommunion" as an appendix, for which the modern reader is obliged. But in a surprising omission, the author neglects to treat the Bucharest Conference in any detail, although it was related to the Lambeth Conference, and although it laid the basis for what is still a deep friendship between the Romanian Orthodox Church and the Anglicans (in particular the Church of England). He follows a discussion of the Joint Doctrinal Commission with the surprising sentence, "Owing perhaps to political conditions in 1931-1939 little further of note took place in Orthodox-Anglican relations in those years" (p. 49), seeming to imply that the Bucharest Conference was "of little note". In many ways, however, the Romanian Conference and its resolutions for a recognition of Anglican Orders represents the most positive Anglican-Orthodox step yet taken, and the bonds of friendship then formed still obtain.

One notes with gratitude the detailed discussion of the activities of the Ecumenical Patriarch Athenagoras in regard to the relations between the Orthodox and the Roman Catholic Church. Such a study is helpful indeed, and reminds us again of the decisive role taken for many years by the Ecumenical Patriarchate in ecumenical leadership. But on the other hand, one must regret the fact that there is no similar effort to discuss the basic importance of Meletios Metaxakis, who as Patriarch of Constantinople "recognised" Anglican Orders in 1922, and did the same as Patriarch of Alexandria in 1930: or of the constant work of Miron Cristea, the Patriarch of Romania who was so willing to encourage ecumenical relations in the same period, and who came, as had Meletios on several occasions, to England himself in 1936 in order to strengthen the already cordial relations between the Churches; or of Archbishop Lang, who is certainly a major figure in any study of the ecumenical relations of the 20th century,

In short, no-one would doubt that there is a very real need for such a book as this, and especially one written by an Orthodox scholar. The author is quite correct in insisting that he must state the facts honestly. But on the other hand many of the facts which have been very helpful are overlooked of omitted. Obviously the area is vast, and an author has to be selective in what he chooses to include, but that is precisely the point where some could take issue with the author. It is a problem that is as true of the sources citedas it is of the facts and events discussed. Yet a step has been made and scholars must be grateful for the availability of many sources printed in the book which are not easily obtainable elsewhere, and although one may have differences as to the approach and the conclusions of the book, as a stimulus to further study the book will serve a very important role."

Sobornost, J. H. B.
Series 6; number 9: summer 1974.
pp. 677-679
London

"It is said that young people today are less and less interested in the structure of the institutional churches, or the politics of church unity, but if there is to be the authentic presence of Christ in the world, the struggle of christians to become a unified and unifying force for mankind must continue.

One therefore welcomes this unusual approach to the problem from the eastern pen of Greek-born Archbishop Fouyas of Ethiopia who brings fresh light and perspective to the debate. A Roman Catholic finds it difficult enough to see Rome as an Anglican sees her, but we have even less opportunity to view both Roman Catholicism and Anglicanism through Orthodox eyes; but unless we try to enter into another's mind and heart, and accept the real religious life-experience of the other's church we will never truly meet him as friend or brother. Only in this way can we begin to understand what the treatment of one church by another has led to in outlook and sentiment-and one suspects that the real barriers to unity are largely in this area.

The matter of Primacy of Authority and Jurisdiction is undoubtedly theological and scriptural, but it is the emotional over-tones deep in the community memory rather than failure to unravel the theological issue that make resolution of such a question so difficult. And in regard to the East this very matter is central to the problem of disunity. Along with an outline of Western aggression towards the East which make sober reading for Romans, the archbishop hints at a theological emphasis which he sees to be the root of the trouble. In Eastern thinking about God, he would maintain, the emphasis is on the three equal Persons whose unity of nature has to be preserved; to the Latin, God is One, within whom is the threefold life of Persons whose equality has to be defended. The Latin has thus a 'monarchic' mind from the start, the Greek leans to 'oligarchy', hence the Church, to the Latin, is built on a monarchic image with the petrine texts as key, while the Orthodox see the Church as a collegiate body, with the equality of the apostles as central. The debate then between East and West is about whether one bishop has ultimate jurisdiction over all others, or are all bishops equal having strict jurisdiction only in their own church—allowing at most a primacy of honour to one when the church is in council.

Unfortunately, while we in the West at least today, discuss and analyse the political theory of the papacy at length, the archbishop falls to raise or respond to some glaring problems that require solution in the Orthodox theory of collegiality, but at least it is spelt out that primacy of Jurisdiction, even more than the doctrine of Infallibility, as proclaimed in Vatican I and Vatican II are insurmountable barriers to the Greek. And the Roman is reminded that for a full nine centuries universal jurisdiction was not used or claimed by the Western Patriarch, and the Orthodox has grounds for seeing the doctrine as a later accretion, and not *de essentia ecclesiae.*

The author reveals other facts of the Orthodox approach to the West that are not generallv known to us, such as the 'quisling' nature, in orthodox eyes, of the Uniate Churches, and the offensiveness of proseletysing work by Latins among the Greeks.

It is questionable whether approaches to unity are well served by repeated historical analysis of the causes, and we might be more fruitfully engaged if we compared current faith and belief and seek to go forward from there. But if one does choose to look at history to throw light on the present, it must be done with the greatest care, and in this the archbishop has not done his homework, especially in regard to the Anglican-Roman Catholic dialogue. He quotes Casserley approvingly, for instance, of the Reformation as an episode in Anglican existence not the beginning of Anglican existence', yet he seems unware of such Anglican historians as Maitland Powicke, and in particular of the work of Professor Z. N. Brooke in regard to the term 'Ecclesia Anglicana'. The passage, introducing the chapter on Anglican attitudes to Orthodoxy, is either a supreme schoolboy howler, or else just naughty (the italics, alas, are mine): 'The Church *in* England at the time of its foundation and for four and a half centuries afterwards was in communion with the Orthodox church. 'When the final separation between Rome and Constantinople took place. . .the Church *of* England was not given opportunity to express its opinion . . . .' Or again: 'The Church of England (sic) from its earliest foundation to King Henry I was an independent church and the Popes interfered very little with it'. Thus blandly he brushes aside the pallium with the whisk of a lamb's tail, while the struggles over Investitures do not even merit a footnote. 'In actual fact', says the author, 'the Church of England is the Catholic Church of the English people'—leading logically to the conclusion that Catholic Emancipation was nothing better than the recognition of 'quislings'.

This study is also disappointing in the way the author selects his spokesmen for the three traditions. A bishop's statement here, a theologian's there, synodal decisions, private views, conciliar declarations jostle with each other without real evaluation or any sense of deep penetration. When discussing the belief or ecclesial theory of a church there is here some merit in the Roman Catholic tradition of councils and council statements in that one can know at least in substance, what the Church holds and teaches, whereas it is not nearly to easy to ascertain the Eastern position, and not easy at all to be sure in any detail what is the true Anglican stance. It can be as difficult to be indefinite, as to be over defining.

One can understand the Greek unwillingness to accept doctrinal developments that have taken place in the West since its separation from the East, but the chapter dealing with the recurrent objection against papal authority as juridical rather than as a 'primacy of love' leaves the key question unresolved—is there or is there not an ultimate juridical authority? Archbishop Fouyas sees this the central of issue between East and West, but while Steven Runciman's work is often referred to, he does not seem to give to the enormous cultural and political sources of the separation the weight they deserve—and as these recede into the past agreement may be reached sooner than we think.

The author is at his best on the Sacraments, where he is less prejudgmental and if, throughout, his comparative study of the three churches had taken this form he would have given us an even more valuable and refreshing impetus to the search for a united christendom."

New Blackfriars, **Anthony Storby**
March, 1974 London.
pp. 139-140

"Methodios Fouyas, the Greek Orthodox Archbishop of Aksum, has written a scholarly, well-documented and penetrating account of the Roman, Orthodox and Anglican Churches with special reference to the reasons that keep them apart and the common elements that bind them together. He hopes that such an investigation will lead to mutual understanding and a deeper insight into the nature of the Christian tradition in its wholeness. There is nothing more than a brief paragraph in the 'Introduction' on the Protestant Churches but the author informs us that this does not mean that he belittles their importance.

The book is divided into three parts. First, the origins and developments of Roman, Orthodox and Anglican divisions are surveyed, including a chapter on the validity of Anglican Orders, as viewed by Rome and Orthodoxy. Secondly, we have a discussion of the differences, not yet resolved, between the three Churches relating particularly to the nature of the Church and the Sacraments. Finally, the main obstacles to Roman-Orthodox unity are considered and the significance of dialogues between Rome and the Orthodox, Romans and Anglicans, and Orthodox and Anglicans is assessed.

The Archbishop's attitude to Rome is highly critical and he realizes that some readers may think that it is lacking in generosity. What he desires is that difficulties should be faced and not shirked. He does not anticipate an early change in the present form of the three Churches in spite of the historic meetings designed to promote reconciliation. He believes, however, for reasons that are not obvious, that the Roman Church will eventually show greater charity to Anglicanism, above all by recognizing Anglican orders. As for unity between Orthodoxy and

Anglicanism, he holds that the crucial issue is not the validity of Anglican orders, or indeed particular issues taken in isolation, but the question whether the spiritual life of Anglicans and Orthodox will grow into a common confession of faith."

The Expository Times — **Harold Roberts**
Edinburgh, Dec. 1973

"Het bijzondere van dit boek is dat de schrijver zich in zijn oecumenisch gerichte studie met drie Kerken tegelijk bezighoudt. Ongetwijfeld heeft een dergelijke formule haar voordelen, speciaal waar het om verwante Kerken gaat. Maar van de andere kant schept zij ook een aantal problemen, en niet alleen voor wat de compositie van het boek betreft. Het door de schrijver gekozen onderwerp is zo uitgebreid en veelomvattend dat hij zich noodgedwongen tot een tamelijk algemeen overzicht moet beperken en niet al te diep op de door nem aangeraakte kwesties kan ingaan.

Het boek bestaat uit drie delen. Het eerste deel is historisch van aard en greeft een beknopt overzicht van de oorzaken van de scheiding en van de latere betrekkingen tussen de drie Kerken. Het tweede deel is theologisch van opzet en bevat een vergelijkende analyse van de christelijke leer zoals zij door de drie Kerken gehouden wordt. Daarbij komen voornamelijk de ecclesiologie en de sacramentenleer aan de orde. In het laatste deel tracht de schrijver een beeld te schetsen van de huidige oecumenische situatie. Hij wijst op de langzaam groeiende toenadering tussen de Kerken en geeft tevens de verschilpunten aan die de verhoopte hereniging vooralsnog in de weg staan.

Voor wat met name de weergave van de leer van de katholieke Kerk betreft kan men niet aan de indruk ontkomen dat de schrijver nogal eens achterloopt en de tegenwoordige situatie niet altijd juist weergeeft. Vooral sinds Vaticanum II heeft de katholieke leer een belangrijke ontwikkeling doorgemaakt. Daar komt in deze studie echter niet zo heel veel van over. Doorgaans beschrijft de auteur de katholieke leer met behulp van vroegere kerkelijke en theologische uitspraken en heeft hij maar heel weinig oog voor de door het laatste concilie bewerkte verschuivingen. Het spreekt vanzelf dat een dergelijke handelwijze vaak een vertekend beeld oplevert en de zaak van de eenheid waar het de schrijver om te doen is eerder schaadt dan bevordert. Wellicht speelt hiering ook een nogal sterk wantrouwen ten aanzien van de katholieke Kerk een belangrijke rol.»

Het Christelijk Oosten — **C. Krijnsen**
26 (1974) 2 pp. 141-142
Nijmegen, Holland

"La evolucion del movimiento ecuménico contemporàneo hacia formas pluralistas de participacion, no solo en el proceso de unidad, sino también como testimonio de la comun confesion del Nombre de Jesùs, no debe hacer olvidar el caràcter confesional de la Iglesia y las tentativas siempre renovadas para llegar a la comunion entre las tradiciones diferentes. Este libro es un estudio doctrinal e historico sobre la Iglesia catolica, la Ortodoxia y el Anglicanismo, comparando sus respectivas posiciones que, supone el A., conciden en ser "catolicas", tradicionales y sacramentales. Thiene tres partes: la primera es una descripcion historica de las Iglesias, su separacion y las tentativas de union. Hagamos notar el capitulo sobre las ordenaciones anglicanas, que refiere las posiciones catolica y ortodoxa, y trae una buena bibliografia. La segunda parte compara las doctrinas sobre Iglesia y sacramentos, y la tercera, en fin, es una consideracion sobre el diàlogo — —presente y futuro — entre las tres comuniones. La obra esta escrita con precision, aunque alguna vez se note su falta, al referirse a la Iglesia catolica y sus instituciones. La simpatia del A. va para la Comunion Anglicana; en esto revive una constante de los teologos ortodosos del presente siglo que ven en esa Iglesia una tradicion occidental ortodoxa y no romana, a pesar de innegables ambigüedades doctrinales."

Cuadernos Monasticos **M. de Elizalde**
Ano VIII-1973 p. 551
Buenos Aires

"Archevêque grec orthodoxe d'Aksum, est simple: d'abord il examine les origines des divisions entre les trois Eglises, leurs raisons, leurs développements, les essais de réconciliation et la manière dont chacune de ces Eglises regarde les autres; dans une deuxième partie il envisage la doctrine de ces Eglises en matière d'ecclésiologie et de sacrements; dans la troisième, la plus personnelle, il s'efforce de suggérer le chemin qui conduirait vers l'unité et d'indiquer les obstacles que les Eglises y rencontreraient. Il considère plus longuement le dialogue entre orthodoxes et "Catholiques romains"; à son avis, entre ces deux Eglises, les difficultés principales concernent la procession de l'Esprit Saint, la primauté romaine et la Mère de Dieu. Comme il arrive à certains orthodoxes, l'A. durcit — et il l'avoue — sa position à l'égard des "Romains". Notons que sur les points où il voit des obstacles à l'unité les orthodoxes sont loin d'être unanimes entre eux."

Nouvelle Revue Théologique G. Ch.
(1974) p. 106. Louvain.

M. Fouyas, *Orthodoxy, Roman Catholicism and Anglicanism*, London, Oxford Univ. Press, 1972; 14 x 23, XXI + 280 blz., £ 4,50.

Bijdragen tot de oekumenische discussie van grieks-orthodoxe zijde zijn, voorzover ik weet, zeldzaam. De orthodoxie is in het westen vooral bekend door de slavofiele theologen der 19e eeuw en door het werk van russische emigranten na de revolutie. In dit boek is een griek aan het woord, een orthodoxe aartsbisschop van de griekse gemeenschappen in Ethiopië, en dus nu verbonden met het patriarchaat van Alexandrië. Door zijn studie in Duitsland en Engeland is het westen hem bekend. Opvallend zijn z'n kennis van en zijn positieve waardering van de anglikaanse traditie. De inhoud van het boek maakt het tot kennelijk verplichte lektuur voor ieder, die oekumenische theologie beoefent. De schrijver laat zich niet afleiden door politieke en sociale problemen, ofschoon hij er weet van heeft, maar houdt zich aan wat in laatste instantie van belang is: de problemen van 'Faith and Order'.

In het eerste deel van zijn boek spreekt hij over de geschiedenis der drie tradities en laat hij zien tot welk oordeel over elkander zij gekomen zijn. Het tweede deel handelt over de kerk en de sakramenten. Oppervlakkig optimisme speelt de schrijver beslist geen parten. Zoals men bij een orthodox auteur kan verwachten verwijt hij de rooms-katholieke kerk, dat zij de juridische zijde van de kerk ten koste van de mystieke geaccentueerd heeft, alsook haar neiging tot dogmatische overdefinitie. Het zijn gangbare klachten, maar zij zijn daarom nog niet ongefundeerd. Toch vraag ik mij voorzichtig af, of schrijvers oordeel in deze wel billijk is. Hebben typische westerse verschijnselen als donatisme, conciliarisme, modernisme en hedendaags secularisme de kerk niet min of meer gedwongen tot juridische en dogmatische afweer? Het derde deel toont overtuigend aan, hoe ernstig het verlangen van de schrijver naar eenheid is. Uitvoerig citeert hij documenten van de laatste tijd, zoals de toespraken van paus Paulus, patriarch Athenagoras en de aartsbisschop van Canterbury bij hun historische ontmoetingen. Katholieke oecumenici worden er door dit boek nog eens aan herinnerd, dat er waarlijk nog wel andere problemen zijn dan die hun voorgelegd worden door het protestantisme en het moderne secularisme; hoeveel aanstoot het oosten blijft nemen aan uitdrukkingen als 'oosterse schismatieken' en 'terugkeer van het oosten tot de katholieke eenheid'; dat de orthodoxie de grootste moeite heeft met de geünieerden. In trouw aan de katholieke doctrine kunnen zij zich met vrucht aan de studie van deze problemen wijden. (J. Loos)

Tidschrift voor Theologie
Nijmegen Holland
(1973) σ. 238

14. Ἐκεῖ πού ἔγραφα τό Orthodoxy, Roman Catholicism and Anglicanism. Στό Manchester μέ Ἑλληνίδες τήν Πρωτοχρονιά τοῦ 1961.

Arz. METHODIOS FOUYAS, *Orthodoxy. Roman Catholicism et Anglicanism,* (Editorial Orford University Press, Londres 1972), XXXI, 280 pp.

El libro es una magnífica presentación por parte del arzobispo M. Fouyas, arzobispo griego ortodoxo de Aksum, de la jurisdicción de Alejandría, del sentido de la Ortodoxia en su comparativa tanto dogmática como en los aspectos históricos con el Catolicismo romano y con el Anglicanismo. Una esmerada presentación tipográfica del libro y su abundante bibliografía no solo del campo ortodoxo sino también del campo católico (sobre todo en inglés) y el campo anglicano, hacen de él un libro de gran utilidad para el estudioso no solo de la Ortodoxia sino inclusive de aspectos del Anglicanismo y del mismo Catolicismo, aunque de este algo menos.

El libro tiene dos partes. En la *primera* trata de las relaciones entre lógicas y eclesiológicas entre oriente y occidente (p. 2-4). Continuamente está enmarcando la visión que sobre el mismo problema tienen las el mundo occidental y el mundo oriental. Subraya las diferencias teotres Iglesias: la Ortodoxa, la Católico-romana y el Anglicanismo vgr.

a propósito de los terminos «ortodoxo» y «católico» en las tres Iglesias (p. 23-39). Especifica muy bien las relaciones entre el Anglicanismo y la Ortodoxia hasta 1970 (p. 35-50) así como las relaciones entre el Anglicanismo y la Iglesia Romano-católica (p. 51-63). Analiza cómo es considerada cada una de las Iglesias por las otras dos (capítulo IV, p. 64-92). El último capítulo de esta primera parte está dedicado al tema de las órdenes anglicanas tanto desde el punto de vista católico como desde el punto de vista ortodoxo (p. 93-109). Por lo que respecta al punto de vista católico el lector tendrá que tener en consideración que sobre el tema se ha escrito recientemente bastante en el campo católico, que no aparece recogido por parte del autor (a veces era imposible, porque se trata de estudios posteriores). El tratamiento del problema por parte ortodoxa es digno de ser resaltado por lo completo del estudio y por la amplia bibliografía que aporta al respecto (p. 106-9).

La *segunda* parte es más sistemática. Aborda en el capítulo VI la temática sobre la Iglesia. Subrayamos algunas de las ideas de este capítulo: indica que la constitución sobre la Iglesia del Vaticano II no es satisfactoria tanto desde el punto de vista de la ortodoxia como del anglicanismo (p. 114). Es una pena que no razone más en concreto el porqué y que simplemente se contente con recoger un sumario de H. Küng en 15 proposiciones de la eclesiología del Vaticano II. De interés es que indique que en Möhler se halla la visión de la eclesiología ortodoxa en su obra *Die Einheit:* «en el último capítulo de su obra *Einheit,* titulado 'La unidad en el Primado' Möhler expresa opiniones que tienen mucho parecido con la concepción ortodoxa de la autoridad en la Iglesia. Esto no debe sorprender, porque basa sus argumentos en las fuentes patrísticas» (p. 139). Por el contrario, indica, la *Symbolik* de Möhler representada el punto de vista católico. ¿Tuvo Möhler influjo en la eclesiología de Khomiakoff? Nuestro autor se contenta con indicar que a juicio de Slenczka —autor protestante, añadimos— hay que responder que no (p. 141, n. 8). Aquí empalma con el problema de la infalibilidad de la Iglesia y afirma que la línea eslavófila seguida por varios teólogos ortodoxos en USA no representa el auténtico pensamiento de la Ortodoxia: todo el cuerpo eclesial es infalible. siendo su órgano externo los concilios ecuménicos. Sin embargo afirma que el criterio decisivo de la ecumenicidad de los concilios es el que sean reconocidos por toda la Iglesia (p. 142). *Pero* ¿no significa esto que nuestro autor asume el punto central neurálgico de la visión eclesiológica de los eslavófilos? Algo parecido ocurre con el Profesor P. Trembelas, nada amigo del pensamiento de A. Komiakoff, pero que ante el hecho de la historia tiene que cuasi retornar a la tesis eslavófila *(Dogmatique de l'Eglise* Orthodoxe Catholique, vol. II, Chevetogne 1967, p. 435-8). Este capítulo sobre la Iglesia es una exposición característica entre los ortodoxos y no ofrece mayores novedades. El capítulo VII está dedicado a los sacramentos. Resaltamos en este capítulo la sección sobre el valor de los sacramentos fuera de la única verdadera Iglesia. En principio los sacramentos no serían «válidos» (es terminología nuestra y la ponemos entre comillas) y en razón de la *economía* la Iglesia podría «hacer válido lo que era inválido» (p. 182). Aqui el autor no desarrolla algo que es chocante para la concepción occidental, pero que es un aspecto al que hoy se mira con interés en orden a la validación de las ordenaciones de las comunidades que carecen de la sucesión apostólica ministerial-episcopal. Nos referimos al tema de la economía. El último capítulo está dedicado al caminar hacía la unidad, concluyendo con un interesante apartado sobre la *communicatio in sacris (pp. 248-52).*

En resumen un sugestivo libro con aportación de importantes materiales para los estudios ecuménicos, que aporta la visión de la Ortodoxia, de cuya visión Occidente está muy a menudo tan necesitado.

Miguel Mª. Garijo Guembe

Dialogo Ecumenico
Tomo XI Ano 1976 No 41-42
Universidad Pontifica
Salamanca

15. 25 Μαρτίου 1961 ὁμιλῶ στό Manchester μέ τόν ἀείμνηστο Καθηγητή μου Arnold Ehrhardt.

METHODIOS FOUYAS: **Orthodoxy, Roman Catholicism, and Anglicanism,** *Brookline, Mass. Holy Cross Orthodox Press, 1984. 2nd Ed. pp. 280.*

This is indeed a fascinating work and it is the best account of any religious text that I have ever read. I have wondered if any other text has brought together so many various facts about the Anglican, Catholic, and Greek Orthodox Churches. The Archbishop decsribes each church with insight–the successes, the failures compromises of each movement. The Archbishop has put together a well–written work, which is based on original material and throughout his study he raises important questions about the validity of the ecumenical movement.

Archbishop Methodios Fouyas divides his work into three parts. Part One evaluates the one individual Christian Church; the Orthodox and Catholic Church; the East and West; and how the three churches view one–another. Part Two discusses the Church and the Sacraments. Part Three analyzes the efforts taward unity.

During the course of past centuries it was impossible to learn anything about the three Churches. There was too much prejudice. The Orthodox Church was practically unkown to the Western World and scholars who specialized on religious themes felt there was very little to be learned from the Orthodox Church. One example can be cited: Möhler wrote that 'the Eastern Church appears to be a static Tradition'. Harnack had made such unfair statements about Orthodoxy too. We learn across the pages of this text of the various schisms and the reasons for the development of these schisms (1), the question of the date of Easter (2), why at the Council of Sardica the West and East excommunicated each other (3), the reasons why the See of Constantinople insisted on being on equal footing with the See of Rome. Another reason for the disagreement toward unity was the huge gap in interpreting the three Persons of the Holy Trinity—The Eastern Church insisted that 'the Holy Spirit is absolutely equal with the Son and absolutely equal with the Father, and that there is no difference in the one–ness of Divine Being'. Another difference that could not be resolved at the Ecumenical mee-

tings was that the East had never felt the primacy of divine right granted to Peter by Christ. The brutality of the Fourth Crusade of 1204 *totally destroyed any feeling of brotherly relations between these two religious worlds. Photius, the greatest scholar that the Orthodox Church has produced, clashed with Nicolas, Pope of Rome and the result of this clash had very serious consequences. Rome, too, must be held accountable of the fact that she attempted to enforce her ways on other parts of the Christian World. This dogmatic attempt made the separation final between theses two churches. The spiritual authority of Rome was never understood by the East. In the East the supreme doctrinal authority rested on an Ecumenical Council consisting of five Apostolic Patriarchs of Rome, Constantinople, Alexandria, Antioch and Jerusalem. And then there was another matter to be considered: The persecution of the Orthodox by the Roman Church led to many horrible events (viz., the matter of Croatia) where there were forced mass conversions, destruction of Orthodox Churches, massacres of bishops and priests. There were also extermination camps and other acts of violence.*

The Reformation during the sixteenth century split the churches apart once again. The Latin world stayed within the confinement of the Catholic Church; the Anglo–Saxon, German, and Scandinavian became Protestant. The history of Orthodox–Anglicans is described in full in this study. There is a note by an authority, who claims that the 'Britons were converted by the Greeks'. (See W. F. Hook, L i v e s o f t h e A r c h b i s h o p s o f C a n t e r b u r y, London, 1860, *Vol.* 1, *P.* 145*).*

There is a brilliant discourse on how the churches viewed one another. Alexander Knox thought that the 'Greek Church represented the original body of Christendom; that the Church of England perpetuated the Greek tradition and that since she represented this tradition rarher than the Latin, she should seek an understanding of, and an approach to the Church of the East'. Dr. Ramsey discovered that the worship of the Eastern Church is filled with the lifting up of earth to heaven. Cardinal Bea stated that the Church of Constantinople 'maintained the true faith, therefore she took the name, Orthodox, i. e. of the true doctrine'.

The Latin Church has profited much from the Eastern spiritual treasury, but what the Eastern Church rejected was the idea that Rome provoked–that by common consent, 'the Roman See would be in control should disagreement over faith or discipline arise between the Eastern Churches'.

The Orthodox Church and its long healthy tradition is based on two important ideas: the Liturgy of the primitive Christian Church and the teaching of the Fathers who interpret Holy Scripture. The Orthodox completely agree with the Anglicans that the authority of the Church is never identified with the person of a bishop or of the Pope. In the West since 1870 authority has been transferred to the Pope of Rome and Athenagoras is correct when he says 'that this kind of supremacy has produced a kind of theological havoc everywhere'.

The greatest obstacle to Roman–Orthodox unity is 'the return of the Eastern Churches to the Catholic fold. The stumbling is there-will union prevail? The Catholic Church must bend on and correct many of its views.

This is a magnificent volume, which illuminates much of the history of the Orthodox Church. Better yet, this volume should be called an encyclopedia of the Church written by a religious leader who knows its history. It is the most up–to–date book on the subject and the author casts vast learning and erudition on his subject.

Professor Dr James Kleon Demetrius
New York

⁜ ὁ Πέργης Εὐάγγελος ⁜

ΚΠ, ΠΧ, Μαρτίου 26, 1996

Φίλτατε καί Σεβασμιώτατε Ἅγιε Πισιδίας κ.κ. Μεθόδιε,

Μέ ἀδελφική χαρά ἔλαβα τό πολύτιμο πόνημά σας **«Ὀρθοδοξία, Ρωμαιοκαθολικισμός, Ἀγγλικανισμός»** (Μετάφραση), δεῖγμα καί τοῦτο τῆς εὐρύτατης πνευματικότητας, ἀλλά καί ἀκαταπόνητης ἐργατικότητάς σας, γιά τά ὁποῖα καί σᾶς ἐκτιμῶ βαθύτατα.

Εὐχαριστῶ γιά τήν τιμή, ἀνταλάσσω θερμότατο ἀδελφικό χαιρετισμό μετά τῆς σεβασμιότητός σας, καί ἐπί ταῖς ἐγγιζούσαις ἡμᾶς ἡμέραις εὔχομαι τά εἰκότα.

Ἀσπάζομαι ἐν Κυρίῳ
ὁ Πέργης Εὐάγγελος

ПАТРИЈАРХ СРПСКИ

Dr ΜΕΘΟΔΙΟΣ Γ. ΦΟΥΓΙΑΣ
Μιτροπολιτησ Πισδιασ
πρωην Αρχιεπισκοποσ Θυατειρων και
Μεγαλησ Βρετανιασ
9, Riga Ferraiou str.
152 32 *KHALANDRI*
GREECE

21.март 1996.
Београд

ВАШЕ ВИСОКОПРЕОСВЕШТЕНСТВО,

Са топлом благодарношћу потврђујемо пријем књиге: "***ΟΡΘΟΔΟΞΙΑ ΡΩΜΑΙΟ – ΚΑΘΟΛΙΚΙΣΜΟΣ ΑΓΓΛΙΚΑΝΙΣΜΟΣ"***, коју сте нам са посветом послали на дар.

Желећи Вам даљи плодоносан архипастирски рад и свако добро од Бога, препоручујемо се Вашим светим молитвама и остајемо у Христу брат,

ПАТРИЈАРХ СРПСКИ
+Павле

† **TEOCTIST**
PATRIARHUL BISERICII ORTODOXE ROMÂNE
Aleea Patriarhiei, 2
70526 — BUCUREȘTI 4
ROMÂNIA

† **THEOCTISTE**
PATRIARCH
OF THE ROMANIAN ORTHODOX CHURCH
Aleea Patriarhiei, 2
70526 — BUCHAREST 4
ROMANIA

No. 90/1996

His Eminence
METHODIOS FOUYAS
Metropolitan of Pisidia
Formerly Archbishop of Thyateira and
Great Britain
9, Riga Ferraiou Str.
GR 152 32 KHALANDRI

Your Eminence,

We confirm with joy the receipt the Greek edition of Your Book " Orthodoxy, Roman Catholicism and Anglicanism", which You Kindly sent to us.

May God Keep You in good health and strenghten Your Eminence in Your work for the benefit of the whole of Orthodoxy.

Whith thanks and greatings in our Lord and Saviour, Jesus Christ,

PATRIARHIA ROMÂNĂ CABINETUL PATRIARHULUI

THEOCTIST

† Teoctist

PATRIARCH OF THE ROMANIAN ORTHODOX CHURCH

Ο ΠΡΟΕΔΡΟΣ ΤΗΣ ΔΗΜΟΚΡΑΤΙΑΣ

Αθήνα, 7 Μαρτίου 1996

Σεβασμιώτατε,

Σας ευχαριστώ θερμώς για την αποστολή και αφιέρωση του πολύ σημαντικού βιβλίου σας " Ορθοδοξία - Ρωμαιοκαθολισμός, Αγγλικανισμός " στην ελληνική μετάφρασή του.

Ο τόσο σαφής και ευχάριστος τρόπος της γραφής, καθιστά το σύγγραμμά σας ένα θαυμάσιο κείμενο, απο το οποίο ο αναγνώστης πληροφορείται πολλά και σημαντικά χωρίς τον κόπον της μελέτης, αλλά με την ευχαρίστηση, που δίδει ένα ωραίο βιβλίο.-

Με αγάπη και εκτίμηση

Κ. Στεφανόπουλος

ΚΩΝΣΤΑΝΤΙΝΟΣ ΣΤΕΦΑΝΟΠΟΥΛΟΣ

Σεβασμιώτατον
κ. Μεθόδιον Φούγιαν
Μητροπολίτην Πισιδίας
Ρήγα Φεραίου 9
152 32 Χαλάνδρι

ΕΛΛΗΝΙΚΗ ΔΗΜΟΚΡΑΤΙΑ

ΕΘΝΙΚΟ ΚΑΙ ΚΑΠΟΔΙΣΤΡΙΑΚΟ
ΠΑΝΕΠΙΣΤΗΜΙΟ ΑΘΗΝΩΝ

ΘΕΟΛΟΓΙΚΗ ΣΧΟΛΗ
ΤΜΗΜΑ ΠΟΙΜΑΝΤΙΚΗΣ
ΤΟΜΕΑΣ ΚΑΝΟΝΙΚΟΥ ΔΙΚΑΙΟΥ
ΚΑΙ ΒΥΖΑΝΤΙΝΗΣ ΘΕΟΛΟΓΙΑΣ
ΑΠΟ ΤΟΥ Θ΄ ΑΙΩΝΟΣ

ΚΑΘΗΓΗΤΗΣ: ΠΑΝΑΓΙΩΤΗΣ ΜΠΟΥΜΗΣ

Χρυσάφης 8
162 32 Βύρων

Σεβασμιώτατον
Μητροπολίτην Πισιδίας
κ.κ. Μεθόδιον
Ἐνταῦθα.

Ἀθήνα, 12-3-1996

Σεβασμιώτατε,

Ἔλαβα ἀπό τό φίλο Σχολικό Σύμβουλο καί ἀδελφό Σας κ. Παναγιώτη μέ μεγάλη μου χαρά τό βιβλίο Σας «Ὀρθοδοξία, Ρωμαιοκαθολικισμός, Ἀγγλικανισμός». Σᾶς εὐχαριστῶ πολύ γιά τήν εὐγενή πρός ἐμέ αὐτή προσφορά Σας καί Σᾶς συγχαίρω ἐγκαρδίως γιά τή μεγάλη αὐτή προσφορά πρός τή Θεολογία καί τή χριστιανική κοινωνία.

Μέ τήν εὐκαιρία αὐτή παρακαλῶ δεχθεῖτε ὡς ἕνα μικρό «ἀντί-δωρο» μία ἀπό τίς τελευταῖες μου μελέτες «Ὁ πόλεμος μιᾶς πορείας — Ἐκκλησιολογική ἑρμηνεία τῶν ἑπτά ἐπιστολῶν τῆς Ἀποκαλύψεως». Εὔχομαι ὁ Κύριος νά Σᾶς χαρίζει ὑγεία καί δύναμη ἐπ' ἀγαθῷ τῆς Ἐκκλησίας μας. Καλό Πάσχα.

Μέ σεβασμό καί ἀγάπη
Παναγ. Ἰ. Μπούμης

Ο ΠΡΟΕΔΡΟΣ

ΤΗΣ ΒΟΥΛΗΣ ΤΩΝ ΕΛΛΗΝΩΝ

Αθήνα, 11 Μαρτίου 1996

Προς τον
σεβ. Μητροπολίτη Πισιδίας
κ. Μεθόδιο Φούγια
Ρήγα Φερραίου 9
152 32 ΧΑΛΑΝΔΡΙ

Σεβασμιώτατε

Ευχαριστώ θερμά για την τιμητική αποστολή της ελληνικής εκδόσεως του βιβλίου σας "ΟΡΘΟΔΟΞΙΑ - ΡΩΜΑΙΟΚΑΘΟΛΙΣΜΟΣ - ΑΓΓΛΙΚΑΝΙΣΜΟΣ".

Εύχομαι αυτή η συγκριτική μελέτη της διδασκαλίας των τριών Εκκλησιών να συμβάλει στο γόνιμο διάλογο για την κατανόηση της Χριστιανικής παράδοσης, ως συνόλου και την ανάπτυξη πληρέστερων σχέσεων μεταξύ τους.

Με τιμή

ΑΠΟΣΤΟΛΟΣ ΧΡ.ΚΑΚΛΑΜΑΝΗΣ

Θεσσαλονίκη 17/3/1996

Σεβασμιώτατε.

Ἡ συνάντησή μας τήν περασμένη Δευτέρα στήν Ἀθήνα ξωντάνεψε παλιές μνῆμες καί ἀγάπης καί ἡ ἔλευση τοῦ ὄγκου τῶν θαυμασίων βιβλίων Σας ἦταν ἔμπρακτη ἀπόδειξη ὅτι πράγματι μέ θυμᾶσθε ὄχι μόνο μέ λόγια ἀλλά καί μέ ἔργα. Εὐχαριστῶ θερμά γι' αὐτό. Μέ ὑποχρέωσες πολύ μέ τήν εὐγενική χειρονομία σου. Ὅσο γιά τό περιεχόμενο τῶν πολλῶν καί ὀγκωδῶν βιβλίων, πού δέν τά διάβασα – κι οὔτε ἦταν δυνατό αὐτό σέ δυό ἡμέρες – μένω μέ τό θαυμασμό τῆς ἀριγένειας ἐργατικότητάς Σου, τῶν ἐπικαίρων καί καιρίων θεμάτων μέ τά ὁποῖα ἀσχολεῖσαι καί μέ τήν ἄριστη εἰκόνα πού δίνουν μέ τήν καλλιτεχνική καί ἄψογη ἐμφάνιση καί ἐκτύπωση. Θερμότατα συγχαρητήρια.

Φιλῶ τό χέρι Σου
μέ πολλή τιμή, ἀγάπη καί εὐχαριστίες

Ι. Φουντούλης

ΕΛΛΗΝΙΚΗ ΔΗΜΟΚΡΑΤΙΑ

ΕΘΝΙΚΟ ΚΑΙ ΚΑΠΟΔΙΣΤΡΙΑΚΟ ΠΑΝΕΠΙΣΤΗΜΙΟ ΑΘΗΝΩΝ

ΘΕΟΛΟΓΙΚΗ ΣΧΟΛΗ — ΤΜΗΜΑ ΠΟΙΜΑΝΤΙΚΗΣ

ΤΟΜΕΑΣ ΚΑΝΟΝΙΚΟΥ ΔΙΚΑΙΟΥ ΚΑΙ ΒΥΖΑΝΤΙΝΗΣ ΘΕΟΛΟΓΙΑΣ ΑΠΟ ΤΟΥ Θ΄ ΑΙΩΝΟΣ

Πανεπιστημιόπολη - Άνω Ιλίσια 157 02 Αθήνα - Τηλ.: 77 96 733

ΑΝΑΠΛ. ΚΑΘΗΓΗΤΗΣ: Πρωτ. **ΚΩΝΣΤΑΝΤΙΝΟΣ ΦΟΥΣΚΑΣ**

Σεβασμιώτατο
Μητροπολίτη Πισιδίας
Κύριο κ. Μ ε θ ό δ ι ο
Ρήγα Φερραίου 9
152 32 ΧΑΛΑΝΔΡΙ

Άνοιξη 20 Μαρτίου 1996

Σεβασμιώτατε,

Σᾶς εὐχαριστῶ θερμά γιά τήν τιμή πού μοῦ κάνατε, στέλνοντάς μου τήν ἑλληνική ἔκδοση τοῦ ὀγκώδους ἔργου Σας ***«Ὀρθοδοξία-Ρωμαιοκαθολικισμός-Ἀγγλικανισμός»***, Ἀθήνα 1966.

Διαπιστώνω μέ χαρά ὅτι καθημερινά ἀποδεικνύεσθε χαλκέντερος στίς συγγραφές καί κάλαμο ὀξυγράφο διαθέτετε καί ἐνήμερος εἶστε τόσο στά ὑπό ἐξέταση θέματα τοῦ βιβλίου Σας, ὅσο καί στά σύγχρονα θεολογικά δρώμενα, τή διεθνῆ βιβλιογραφία καί τίς διεκλησιαστικές σχέσεις. Ἡ παρουσία Σας στά θεολογικά Γράμματα εἶναι ἐντυπωσιακή.

Μαζί μέ τήν ἔκφραση τῶν θερμῶν εὐχαριστιῶν μου δεχθεῖτε, παρακαλῶ, καί τίς ταπεινές εὐχές μου γιά μακροημέρευση καί συνέχιση τῆς θεολογικῆς Σας προσφορᾶς.

Μέ βαθύτατο σεβασμό καί ἀγάπη ἐν Κυρίῳ

Πρωτ. Κωνσταντίνος Φούσκας

ΑΔΕΛΦΟΤΗΣ ΘΕΟΛΟΓΩΝ
«Ο ΣΩΤΗΡ»
ΙΣΑΥΡΩΝ 42
114 72 ΑΘΗΝΑΙ
Τηλ. 36.22.108

Ἐν Ἀθήναις τῇ 20/3/1996

Σεβασμιώτατον
Μητροπολίτην Πισιδίας
Κύριον κ. Μεθόδιον
Ρήγα Φερραίου 9
152 32 ΧΑΛΑΝΔΡΙΟΝ

Σεβασμιώτατε,

Μετά πολλῆς τῆς χαρᾶς ἐλάβομεν τό ὀγκῶδες καί περιεκτικόν βιβλίον Σας "Ὀρθοδοξία, Ρωμαιοκαθολικισμός, Ἀγγλικανισμός" (μετάφρασιν τῆς β΄ἐκδόσεως ἀπό τά Ἀγγλικά), βιβλίον, τό ὁποῖον ἀσφαλῶς, συμβάλλει καί προάγει τήν θεολογικήν σκέψιν καί ἔρευνα.

Σᾶς εὐχαριστοῦμεν θερμῶς διά τήν τιμήν.

Παρακαλοῦμεν νά δεχθῆτε τάς εὐλαβεῖς καί ἀπό καρδίας εὐχάς μας· ὁ Κύριος νά Σᾶς χαρίζῃ ἔτη μακρά, ἐν ὑγείᾳ σιδηρᾷ καί πλήρης Πνεύματος Ἁγίου νά συνεχίσητε τήν καρποφορίαν τοῦ πνεύματός σας πρός ὠφέλειαν ψυχῶν καί δόξαν τοῦ ἐν Τριάδι Θεοῦ ἡμῶν.

Ἐξαιτούμενοι τάς ὑπέρ ἡμῶν θεοπειθεῖς εὐχάς καί εὐλογίας Ὑμῶν, ἀσπαζόμεθα τήν δεξιάν Σας

μετά βαθυτάτου σεβασμοῦ
Διά τήν Ἀδελφότητα Θεολόγων "ὁ Σωτήρ"

Ἀρχιμ. Θεόδωρος Μπεράτης

Ἀρχιμ. Θεόδωρος Μπεράτης

THE BRITISH LIBRARY

HUMANITIES AND SOCIAL SCIENCES

GREAT RUSSELL STREET, LONDON WC1B 3DG

10 june 96

On behalf of the British Library Board I have pleasure in thanking you for the gift mentioned below, which you have presented to the Library.

This is very much appreciated.

ORTHODOXIA, ROMAIO-KATHOLIKISMOS
KAI AGGLIKANISMOS

D. J. Brooks

Archbishop Methodios
9 Riga Feraiou Str.
Khalandri 152 32
Athens, Greece

ΕΛΛΗΝΙΚΗ ΔΗΜΟΚΡΑΤΙΑ
ΠΟΛΙΤΙΚΟ ΓΡΑΦΕΙΟ ΠΡΩΘΥΠΟΥΡΓΟΥ

Αθήνα, 18 Ιουνίου, 1997

Σεβασμιώτατον
Αρχιεπίσκοπον Μεθόδιον
Ρήγα Φεραίου 9
152 32 Χαλάνδρι
Αθήνα

Σεβασμιώτατε,

Ο Πρωθυπουργός, κ. Κωνσταντίνος Σημίτης, σας ευχαριστεί θερμά για την ευγενική και τιμητική προσφορά όλων των βιβλίων σας που είχατε την καλωσύνη να του στείλετε.

Είναι τα πνευματικά τέκνα σας και εκφράζουν τις Αρχές σας και την υψηλή ποιότητα μορφής που πάντα υπηρετήσατε.

Με σεβασμό και εκτίμηση,

Μ. Κωστοπούλου

Μάνια Κωστοπούλου
Διευθύντρια
Γραφείου Δημοσίων Σχέσεων

Μεθοδίου Γ. Φούγια
Μητροπολίτου Πισιδίας

ΟΡΘΟΔΟΞΙΑ, ΡΩΜΑΙΟΚΑΘΟΛΙΚΙΣΜΟΣ, ΑΓΓΛΙΚΑΝΙΣΜΟΣ

Ἐκπλήσσεται ἀληθινά ὁ ἀναγνώστης κάθε φορά πού παίρνει στά χέρια του ἕνα βιβλίο τοῦ κ. Μεθοδίου γιά νά τό διαβάσει. Ὁ ὄγκος του, ἡ θεματογραφία καί ὁ ἱστορικός ἱστός του, εἶναι πάντοτε ἐπίκαιρα, μοναδικά στή βιβλιογραφία καί πρωτότυπα ὡς ἐρευνητική προσφορά. Δίνουν τήν αἴσθηση ἑνός πνευματικοῦ ἀνθρώπου μέ ἀσυνήθιστο συγγραφικό πάθος, βάθος καί πλάτος στά θεολογικά, ἐκκλησιολογικά καί ἱστορικά γεγονότα πού συνθέτουν τίς ἐκκλησίες τῆς Ἀνατολῆς καί τῆς Δύσης.

Καί τό νέο του βιβλίο (472 σελίδες), εἶναι μιά νηφάλια συγκριτική μελέτη καί ἀνάλυση ὅλων τῶν συσχετισμῶν, τῶν παραμέτρων καί τῶν ἀλληλοεξαρτήσεων, τῶν τριῶν ἐκκλησιῶν, πού μέ ἐπιστημονική πληρότητα, πρωτοτυπία, ἐνημερότητα καί συνθετικότητα παρουσιάζει καί κρίνει ὁ συγγραφέας.

Ὁ κ. Μεθόδιος ἴσως εἶναι ἕνας ἀπό τούς λίγους γνῶστες τῆς οἰκουμενικῆς βιβλιογραφίας πού σχετίζεται μέ τίς ρίζες, τίς πηγές καί τίς ἐξελίξεις τῶν χριστιανικῶν ἐκκλησιῶν σ' ὅλο τόν κόσμο. Κι αὐτό τοῦ δίνει τήν καταξιωμένη ἄνεση νά δαμάζει δημιουργικά τὸ πλούσιο ὑλικό πού κατέχει. Καί νά προσφέρει, μέ ταλέντο καί εὐστροφία στή θεολογία, στήν ἐκκλησιολογία καί ἱστορία τά ἀποθέματα τοῦ δυναμικοῦ λόγου του.

Ἐξάλλου, καί τ' ἄλλα ἔργα του: Ἕλληνες καί Λατίνοι, Τό Ἑλληνικό Ὑπόβαθρο τοῦ Ἰσλαμισμοῦ, Ἑλληνισμός καί Ἰουδαϊσμός, Ἑλληνιστική Ἰουδαϊκή Παράδοση, ἀποτελοῦν ἀποκαλυπτικη πτυχή τῶν ἐνδιαφερόντων τοῦ σ. μέ οἰκουμενικές διαστάσεις. Ἔχουν λόγο πειστικό, παρεμβατικό καί συνάμα προφητικό πού δίκαια τόν κατατάσσουν στίς μορφές τοῦ Γένους. Μέ τήν ἔννοια πού ἡ Ἐκκλησία δίνει στούς συγγραφεῖς καί στούς Πατέρες τῆς Ὀρθοδοξίας. Αὐτός εἶναι καί ὁ λόγος πού ὁ κ. Μεθόδιος εἶναι ἕνα πολύπλευρο κεφάλαιο τοῦ ἑλληνισμοῦ καί τῆς Ἐκκλησίας, τό ὁποῖο μπορεῖ νά συμβάλλει θετικά καί ἀποφασιστικά στά σύγχρονα δρώμενα τῆς Ἀνατολικῆς Ἐκκλησίας καί ὄχι μόνο.

Ἄλλωστε ὁ ἑλληνοκεντρισμός καί ὁ χριστοκεντρισμός τοῦ κ. Μεθοδίου εἶναι μιά διεισδυτική ὑπεροχή σ' ὅλα τά βιβλία του, ἀλλά καί στή στάση του ἀπέναντι στά προβλήματα τοῦ παρόντος. Κι αὐτό εἶναι μιά παράμετρος πειστική γιά ἕναν ἡγέτη πού ἐπιθυμεῖ μέ τίς συγγραφές του καί τίς κατευθύνσεις του νά δώσει τίς πρέπουσες λύσεις μέ τάξη καί διακριτικότητα σέ σημαντικές ἐκκρεμότητες τοῦ πνευματικοῦ καί κοινωνικοῦ μας βίου. **Φς**

Θεός καί Θρησκεία, Ἰούλιος - Αὔγουστος, 1996

Εὐάγγελος Π. Λέκκος
θεολόγος - νομικός
Διευθυντής Ἐκδόσεων τῆς Ἀποστολικῆς Διακονίας

Ἀθήνα, 28.3.96

Σεβασμιώτατε ἅγιε Πισιδίας Κύριε Μεθόδιε,

Μέ ἰδιαίτερη χαρά ἔλαβα καί τό νέο ὀγκῶδες βιβλίο Σας «Ὀρθοδοξία - ΡΚαθολικισμός - Ἀγγλικανισμός», στήν περιποιημένη καί καλαίσθητη ἔκδοσή σας. Δέν ἔχω λόγους νά Σᾶς εὐχαριστήσω γιά τήν τιμητική ἀποστολή. Θαυμάζω τή γνώση, τήν ἐπιστημοσύνη, τό ἀκούραστο, τήν πολυμέρεια, τή διάθεσή Σας γιά τήν χωρίς προκαταλήψεις ἐνημέρωση τῶν Χριστιανῶν καί τῶν πολιτῶν αὐτῆς τῆς Χώρας. Καί κολακεύομαι γιατί μέ τιμᾶται μέ τήν ἀγάπη καί τήν ἐκτίμησή Σας.

Παρακαλῶ τό Θεό νά Σᾶς ἔχει πάντοτε καλά, ὑγιῆ στό σῶμα καί τήν ψυχή-πνεῦμα, ὥστε νά προσφέρετε ἀπό τόν πλοῦτο πού διαθέτετε...

Ὑμέτερος, ἐν σεβασμῷ
Εὐάγγελος

16. Συνοδεία τῆς Α.Θ.Μ. τοῦ Πατριάρχου Ἀλεξανδρείας Νικολάου ἐν Λάμπεθ, 1970

16 CLARENCE DRIVE
ENGLEFIELD GREEN
EGHAM, SURREY
TW20 0NL
Tel. EGHAM (0784) 33134

PROFESSOR J. M. HUSSEY

16 December 1989

Dear Archbishop Methodios,

I was most interested to hear of your project for a volume on the <u>Patriarch Photios</u>.

I am honoured by your invitation to contribute to this and it is with great regret that I am afraid that I am unable to do so. Unfortunately I am already committed to various academic profects which means that I could not produce anything for your journal in time.

I am very sorry about this, and I wish you all success with your important undertaking.

With kind regards
Yours sincerely
Joan M Hussey

His Beatitude Archbishop Methodios of Thyateira
9, Riga Ferraiou St.,
Khalandri, 15 232
Athens, Greece.

ΒΙΒΛΙΟπαρουσίαση

Ὀρθοδοξία καί Ἀγγλικανισμός

ΜΕΘΟΔΙΟΥ Γ. ΦΟΥΓΙΑ, μητροπολίτη Πισιδίας, πρώην Ἀρχιεπισκόπου Θυατείρων καί Μεγάλης Βρετανίας, **Ὀρθοδοξία, Ρωμαιοκαθολικισμός καί Ἀγγλικανισμός**. Μετάφρ. ἀπό τή δεύτερη ἔκδοση στήν ἀγγλική γλώσσα, σελ. 470 - Ἐκδόσεις «Νέα Σύνορα» Α.Α. Λιβάνη, Ἀθήνα, 1996.

Τό ἔργο τοῦτο διαπραγματεύεται μέ ἀσυνήθιστο τρόπο τίς διαχρονικές ἱστορικές, δογματικές καί ἐκκλησιαστικές σχέσεις τῶν τριῶν Ἐκκλησιῶν. Πῶς διαιρέθηκε ἡ μία Ἐκκλησία; Πῶς ἐξελίχθηκε ἡ δογματική διδασκαλία τῆς Ρωμαιοκαθολικῆς Ἐκκλησίας καί ποιοί παράγοντες συνέβαλαν στή διαφοροποίησή της ἀπό τήν Ὀρθόδοξη Ἐκκλησία; Πῶς δημιουργήθηκε ὁ Ἀγγλικανισμός καί ποιά ἡ ἐκκλησιολογική καί θεολογική διάσταση αὐτοῦ σέ σχέση πρός τή Ρώμη καί τήν Κωνσταντινούπολη;

Τά θέματα πού διαπραγματεύεται τό βιβλίο τοῦτο εἶναι ἡ Ἐκκλησία, τά Μυστήρια, οἱ Θεολογικοί Διάλογοι, τό συνοδικό σύστημα τῆς Ἐκκλησίας, ἡ πνευματικότητα τῶν τριῶν Ἐκκλησιῶν καί οἱ ἐλπίδες γιά μιά ἑνότητα. Τό βιβλίο τοῦτο τοῦ σεβ. Μεθοδίου χαρακτηρίζεται γιά τόν πλοῦτο τῶν ἰδεῶν του, τόν πλοῦτο τῶν πηγῶν του καί ἰδιαίτερα γιά τήν πρωτοτυπία του πρός ἐνημέρωση κάθε πιστοῦ γιά τήν πορεία τοῦ Χριστιανισμοῦ στίς τρεῖς αὐτές μεγάλες Ἐκκλησίες. Ἄν λάβουμε ὑπ' ὄψη τό Περιοδικό τῶν Οἰκουμενικῶν Σπουδῶν τοῦ Πανεπιστημίου τοῦ TEMPLE τῆς Ἀμερικῆς, θά ἀντιληφθοῦμε τήν ἐντύπωση πού προξένησε στήν Ἀμερική τό βιβλίο τοῦ σεβ. Μεθοδίου. Πρόκειται, γράφει, γιά ἕνα ἀσυνήθιστο βιβλίο, γραμμένο ἀπό ἕναν ἀσυνήθιστο ἄνθρωπο, τόν Ἀρχιεπίσκοπο Μεθόδιο Φούγια. Ἡ πρώτη ἔκδοση ἔγινε ἀπό τόν ἐκδοτικό οἶκο τοῦ Πανεπιστημίου τῆς Ὀξφόρδης καί ἡ δεύτερη ἀπό τήν Ἑλληνική Θεολογική Σχολή τῆς Βοστώνης. Ὁ παρουσιαστής τοῦ ἔρχου χαρακτηρίζει τόν σεβ. Μεθόδιο ἐξαιρετικά προσοντοῦχο ἄνθρωπο, πού προδίδει αὐτόν γνώστη τῆς δυτικοευρωπαϊκής βιβλιογραφίας.

Ἀντώνης Σπηλιόπουλος*

* Ἐφημερίδα **Τά Νέα** 30 Μαρτίου 1996

ΝΕΑ ΒΙΒΛΙΑ

ΟΡΘΟΔΟΞΙΑ, ΡΩΜΑΙΟ-ΚΑΘΟΛΙΚΙΣΜΟΣ ΚΑΙ ΑΓΓΛΙΚΑΝΙΣΜΟΣ

(Μετάφραση τῆς Β′ ἔκδοσης ἀπό τά ἀγγλικά) τοῦ Δρος Μεθοδίου Γ. Φούγια, Μητροπολίτου Πισιδίας.
Ἐκδόσεις «Νέα Σύνορα» - Α.Α. Λιβάνης, Ἀθήνα 1996.

Κόσμημα γιά κάθε βιβλιοθήκη εἶναι τό νέο βιβλίο τοῦ Μητροπολίτη δρος Μεθοδίου, ὄχι μόνο γιά τό ὑψηλό περιεχόμενό του, ἀλλά καί γιά τήν ἄψογη ἐμφάνισή του, σημεῖο ὅτι ἡ ἐκδοτική δουλειά στήν Ἑλλάδα ζεῖ στιγμές μεγάλης ἀκμῆς. Πρωτοπόρος φυσικά ὁ ἐκδοτικός οἶκος Α.Α. Λιβάνη, στόν ὁποῖο ἀνήκουν συγχαρητήρια. Συγχαρητήρια ἐπίσης ἀνήκουν στό φιλόλογο καθηγητή κ. Χρ. Ε. Γιαννούλα πού ἐπιμελήθηκε τή μετάφραση τοῦ ἔργου ἀπ' τ' ἀγγλικά καί τήν ἐν γένει ἔκδοση.

Ὅσο γιά τό ἔργο αὐτό καθ' ἑαυτό ἔχουμε νά σημειώσουμε ὅτι ἔπρεπε νά τυπωθεῖ τό μνημειῶδες αὐτό σύγγραμμα καί στά ἑλληνικά, ἀφοῦ ἤδη ἡ ἔκδοσή του στ' ἀγγλικά πρίν 20 χρόνια, βρῆκε τήν ὑψηλή θέση του στή διεθνή θρησκευτική βιβλιογραφία. Ἄν τό σύγγραμμα εἶναι ἀπαραίτητο γι' αὐτούς πού σπουδάζουν Θεολογία, εἶναι ἐν τούτοις χρήσιμο καί σ' αὐτούς πού θέλουν νά ξέρουν πού βρίσκονται ὅταν συζητοῦν μέ ρωμαιοκαθολικούς ἤ ἀγγλικανούς πάνω στά τυπικά καί οὐσιαστικά ζητήματα πού χωρίζουν ἐδῶ καί τόσα χρόνια τίς ἐκκλησίες Ἀνατολῆς - Δύσης.

Τό βιβλίο ὅμως δέν σταματάει μέχρις ἐδῶ, προχωράει καί πληροφορεῖ μέ ἡμερομηνίες καί ντοκουμέντα γιά ὅσα ἔχουν γίνει μέχρι σήμερα γιά τήν κίνηση γύρω ἀπ' τόν διάλογο τῶν ἐκκλησιῶν, μέ σκοπό τή συνένωσή τους. Ὅλα αὐτά σέ ἁπλή κατανοητική γλῶσσα.

Ὀφείλονται λοιπόν χάριτες σ' αὐτόν τόν χαλκέντερο ἱεράρχη, πού μέ μοναδικό ζῆλο ὑλοποιεῖ ἐδῶ καί χρόνια τό ταλέντο του καί πλουτίζει τήν βιβλιογραφία τῆς Ὀρθοδοξίας μέ μελέτες σάν τήν ἐξεταζόμενη. Ἡ παρουσία του, ἰδιαίτερα σήμερα πού μετριοῦνται καί εἶναι τόσο λίγοι οἱ συγγραφεῖς τοῦ εἴδους, θά πρέπει νά κάνει ὑπερήφανο τό Οἰκουμενικό Πατριαρχεῖο Κωνσταντινουπόλεως, στή δύναμη τοῦ ὁποίου ἀνήκει ὁ Μητροπολίτης Πισιδίας δρ. Μεθόδιος.

ΜΑΝΟΣ ΧΑΡ.
Ἀθήνα

Ἐφημερίδα **Ταχυδρόμος** τοῦ Λονδίνου

Δ′

The Cephas Party in the Church of Corinth
St. Basil the Great and the Roman See
Ὁ Χριστιανισμός καί ὁ Ἰουδαϊσμός
ἐν Αἰθιοπίᾳ, Νουβίᾳ καί Μερόῃ
τόμος Α′, Ἀθῆναι, 1979. Σελ. 419
τόμος Β′, Ἀθῆναι, 1982. Σελ. 246

ΜΗΤΡΟΠΟΛΙΤΟΥ ΑΞΩΜΗΣ ΜΕΘΟΔΙΟΥ

Ο ΧΡΙΣΤΙΑΝΙΣΜΟΣ ΚΑΙ Ο ΙΟΥΔΑΪΣΜΟΣ ΕΝ ΑΙΘΙΟΠΙᾼ, ΝΟΥΒΙᾼ ΚΑΙ ΜΕΡΟῌ

ΤΟΜΟΣ ΠΡΩΤΟΣ

1. Ο ΧΡΙΣΤΙΑΝΙΣΜΟΣ ΕΝ Τῼ ΑΞΩΜΙΚῼ ΒΑΣΙΛΕΙῼ
2. Ο ΧΡΙΣΤΙΑΝΙΣΜΟΣ ΕΝ ΑΙΘΙΟΠΙᾼ
3. ΟΙ FALASHAS (ΙΟΥΔΑΙΟΙ) ΤΗΣ ΑΙΘΙΟΠΙΑΣ
4. Η ΕΠΙΔΡΑΣΙΣ ΤΟΥ ΕΛΛΗΝΙΣΜΟΥ ΕΠΙ ΤΟΥ ΑΙΘΙΟΠΙΚΟΥ ΧΡΙΣΤΙΑΝΙΚΟΥ ΠΟΛΙΤΙΣΜΟΥ

ΑΘΗΝΑΙ, 1979

ΑΡΧΙΕΠΙΣΚΟΠΟΥ ΘΥΑΤΕΙΡΩΝ
ΚΑΙ ΜΕΓΑΛΗΣ ΒΡΕΤΑΝΝΙΑΣ ΜΕΘΟΔΙΟΥ

Ο ΧΡΙΣΤΙΑΝΙΣΜΟΣ ΚΑΙ Ο ΙΟΥΔΑΪΣΜΟΣ ΕΝ ΑΙΘΙΟΠΙΑι, ΝΟΥΒΙΑι ΚΑΙ ΜΕΡΟΗι

ΤΟΜΟΣ ΔΕΥΤΕΡΟΣ

1. Η ΠΡΟΧΡΙΣΤΙΑΝΙΚΗ ΔΙΕΙΣΔΥΣΙΣ ΤΟΥ ΕΛΛΗΝΙΣΜΟΥ ΕΝ ΝΟΥΒΙΑι
2. Η ΕΚ ΚΩΝΣΤΑΝΤΙΝΟΥΠΟΛΕΩΣ ΙΕΡΑΠΟΣΤΟΛΗ ΔΙΑ ΤΟΝ ΕΚΧΡΙΣΤΙΑΝΙΣΜΟΝ ΤΗΣ ΝΟΥΒΙΑΣ
3. Ο ΕΛΛΗΝΙΚΟΣ ΧΑΡΑΚΤΗΡ ΤΟΥ ΧΡΙΣΤΙΑΝΙΣΜΟΥ ΤΗΣ ΝΟΥΒΙΑΣ
4. ΣΥΓΧΡΟΝΟΙ ΜΕΛΕΤΑΙ ΕΠΙ ΤΟΥ ΧΡΙΣΤΙΑΝΙΣΜΟΥ ΤΗΣ ΝΟΥΒΙΑΣ

ΑΘΗΝΑΙ 1982

Θά ἦταν μεγάλη ἡ παράλειψή μου ἐάν ὡς ἀρχιερέας τῆς Ἑλληνικῆς Ἐκκλησίας στήν Αἰθιοπία δέν συνέγραφα στήν Ἑλληνική γλώσσα τήν ἐπίδραση ἤ τήν ἱστορία τῆς παρουσίας τοῦ Ἑλληνισμοῦ στήν προσφιλεστάτη στόν Ἑλληνικό κόσμο Αἰθιοπία. Συνέγραψα λοιπόν τό δίτομο ἔργο **«Ὁ Χριστιανισμός καί ὁ Ἰουδαϊσμός ἐν Αἰθιοπίᾳ, Νουβίᾳ καί Μερόῃ»**, μέ ἰδιαίτερη ἀναφορά στόν Χριστιανισμό στό Ἀξωμικό Βασίλειο καί στήν Αἰθιοπία γενικώτερα, τήν ἱστορία τῶν Falashas (Ἰουδαίων) τῆς Αἰθιοπίας καί τήν ἐπίδραση τοῦ Ἑλληνισμοῦ ἐπί τοῦ Αἰθιοπικοῦ Χριστιανικοῦ Πολιτισμοῦ. Εἶχα ἤδη δημοσιεύσει στή Μεγάλη Ἑλληνική καί Παγκόσμια Ἐγκυκλοπαίδεια **Ὑδρία** (τόμ. Δ', Ἀθῆναι, 1979) Σύντομη Εἰσαγωγή περί τῆς Ἱστορίας τῆς Χώρας αὐτῆς, τήν ὁποία μέ τό σύντομο μελέτημά μου **The Introduction of Christianity into Aksum**, ἐδημοσίευσα στόν πρῶτο τόμο τῶν **Θεολογικῶν καί Ἱστορικῶν Μελετῶν μου** (Ἀθῆναι, 1979, σελ. 300-364)».

Ὁ πρῶτος τόμος περί τοῦ Χριστιανισμοῦ καί τοῦ Ἰουδαϊσμοῦ, λοιπόν, ἐξεδόθη τό 1979 στήν Ἀθήνα, ἐνῶ ὁ Δεύτερος τό 1982, πάλι στήν Ἀθήνα. Αὐτή τή στιγμή καί οἱ δύο αὐτοί τόμοι εὑρίσκονται ὑπό ἐπανέκδοση στόν Ἐκδοτικό Οἶκο «Νέα Σύνορα» Ἀντώνη Λιβάνη.

Στόν πρῶτο τόμο τῶν θεολογικῶν καί Ἱστορικῶν Μελετῶν δημοσιεύω μεταξύ τῶν ἄλλων καί δύο εἰσηγήσεις μου 1. **The Cephas Party in the Church of Corinth**, πού ἔκαμα στό τρίτο Διεθνές Συνέδριο τῶν περί τήν Καινή Διαθήκη Σπουδῶν στήν Ὀξφόρδη τόν Σεπτέμβριο τοῦ 1965 καί 2. **St. Basil the Great and the Roman See**, πού ἔκαμα στό τέταρτο Διεθνές Συνέδριο Πατερικῶν Σπουδῶν τόν Σεπτέμβριο τοῦ 1963 στήν Ὀξφόρδη. Περί ἀμφοτέρων τῶν Εἰσηγήσεών μου αὐτῶν ἐδημοσιεύθησαν οἱ ἑπόμενες μακρές βιβλιοκρισίες στό Περιοδικό **Studii Teologice τοῦ Βουκουρεστίου** μέ τή φροντίδα τοῦ ἀειμνήστου φίλου καί διακεκριμένου Καθηγητοῦ τοῦ Πανεπιστημίου τοῦ Βουκουρεστίου Νικολάου Τσιτέσκου.

1. Συναφεῖς πρός τό θέμα τῶν ἐπιδράσεων τῶν Ἑλλήνων στήν Ἀξώμη καί γενικώτερα πρός τήν Αἰθιοπία εἶναι καί οἱ μελέτες 1) Μητροπολίτου Ἀξώμης Μεθοδίου, **Συμβολή εἰς τήν Ἱστορίαν τῆς Ἱερᾶς Μητροπόλεως Ἀξώμης**, Ἀθῆναι, 1976 καί

2. Χρήστου Ε. Γιαννούλα, **Ἱστορία τῆς Ἱερᾶς Μητροπόλεως Ἀξώμης** (Ἀπό τό 328 μ.Χ. μέχρι σήμερα). Συμβολή στή Ἱστορία τοῦ Ἑλληνισμοῦ τῆς Αἰθιοπίας, Ἀθῆναι, 1981, τίς ὁποῖες θά χρησιμοποιήσω διεξοδικώτερα στά Ἀπομνημονεύματά μου.

Arhim. Methodios G. Fouyas. *The Cephas party in the Church of Corinth* (Cei ai lui Chefa în Biserica din Corint), Manchester, 1965.

Părintele Arhimandrit Methodios G. Fouyas, parohul bisericii grecești din Manchester-Anglia, a prezentat acest referat la cel de al treilea Congres de studii noutestamentare ținut la Oxford, la 15 septembrie 1965, în care pune în discuție, în lumina ultimelor studii, problema mult controversată ridicată de Epistola I către Corinteni I, 12: *«Și zic aceasta că fiecare din voi zice: eu sînt al lui Pavel; iar el al lui Apolon, iar eu al lui Chefa, iar eu al lui Hristos»*. Specialiștii au discutat dacă Sfinții Apostoli Petru și Pavel au vizitat sau nu Corintul, unde comunitatea creștină să se fi împărțit în patru grupe. Se știe că Sfîntul Pavel este acela care a întemeiat Biserica din Corint, pe unde au trecut și Sfinții Apostoli Petru și Barnaba, sau vreun alt discipol necunoscut al Apostolilor. Existența grupărilor lui Petru, Pavel și Apolo, presupune că aceștia au trecut cel puțin prin Corint. În cap. III, 6, Sfîntul Pavel scrie: *«Eu am sădit, Apolon a udat, dar Dumnezeu a făcut să crească»*, de unde reiese că Sfîntul Petru a trecut cîndva prin Corint, unde l-a întîlnit pe Silvan. Este cunoscută și contrazicerea dintre Sfinții Apostoli Petru și Pavel la Antiohia, care s-a rezolvat în favoarea lui Pavel (Cap. II, 11). Întrucît Sfîntul Petru a plecat la Roma să predice iudeilor din diaspora, se poate presupune deci că a trecut și prin Corint. Acest fapt este confirmat și de Dionisie, episcopul Corintului la 180, într-o scrisoare adresată episcopului Soter al Romei. După Sinodul din Ierusalim Sfîntul Luca nu mai face nici o mențiune despre activitatea Apostolului Petru, dar se știe că n-a rămas la Ierusalim și că a predicat evreilor elenistici, ca și altora, astfel că Pavel, Petru, Silvan, Barnaba, au trecut prin Corint, unde și-a creat puternice simpatii. Sfîntul Pavel uzează denumirea de Chefa, nu de Petru, ceea ce ar presupune că Petru se adresa numai evreilor, in calitate de «apostol al circumciziunii», iar Pavel își rezervase numai predica către neamuri. Este greu de presupus că fiecare dintre cei doi apostoli nu se adresau tuturor deopotrivă, mai ales cînd nu erau in același timp într-o localitate, la Antiohia, «unde de față i-am stătut împotrivă, pentru că era vrednic de înfruntare».

În privința grupurilor de la Corint s-au emis mai multe ipoteze. Prima, a lui J. Weiss (*Creștinismul primar*, vol. I, p. 340), susține că pasajul din I Cor. I, 12 este o simplă interpolare. «Eu sînt al lui Hristos», spune el, a fost luat din II Cor. X, 7. Un alt autor, F. C. Baur (*Pavel, Apostolul lui Iisus Hristos*) susține că nu erau decît două grupuri la Corint, acel al lui Pavel-Apolon și Hristos-Petru. O a treia opinie afirmă că nu erau grupuri diferite la Corint, ci, cel mult se manifesta o oarecare opoziție față de Pavel (Mary E. Andres, *Cei ai lui Hristos de la Corint)*.

Este evident că oponenții Sfîntului Pavel erau creștinii iudaizanți din Corint, care pretindeau că sînt patronați de Sfîntul Petru. Ei negau apostolia lui Pavel, care avea un caracter aparte. El era un apostol care își baza predica pe elemente esențiale, nu rasiale și in II Cor. II, 5, aceștia sînt ironizați necruțător, căci *«cu nimic nu sînt mai prejos decît apostolii cei mai mari»*. Aceștia nu erau de asemenea grupul «lui Hristos». Dacă un astfel de grup a existat, el nu putea fi decît un grup cu tendințe ascetice și gnostice, care credeau într-un Hristos mistic și nu într-un Hristos-Omul și Mîntuitorul. S-a mai admis (Carl von Weizsäcker) că partizanii lui Chefa activau fără consimțămîntul Sfîntului Petru, dar nu au avut o influență îndelungată în Biserică.

Disensiunile de la Corint n-au dus la schismă, sau la congregații separate, ci a fost mai mult o preocupare generală asupra autorității în Biserică, agravată întrucîtva de inclinarea grecilor spre discuții contradictorii. Pe de altă parte nici Sfîntul Pavel nu cruța pe oponenții săi (II Cor. XI, 13—15 și II Cor. XI, 20), dar cînd vorbea despre cei 12 Apostoli și despre Sfîntul Petru în special, tonul era altul. Se știe iarăși că Apostolii nu au făcut nimic contra activității misionare a Sfîntului Pavel dar nici nu l-au susținut. Din textul din Epistola I Corinteni III, 22, 23, unde Sfîntul Pavel scrie: *Fie Pavel, fie Apolon, fie Chefa, fie lumea, fie viața, fie moartea, fie acestea de acum, ori cele viitoare, toate ale voastre sînt, iar voi sînteți ai lui Hristos, iar Hristos al lui Dumnezeu»*, se vede că nu exista un grup «al lui

Hristos» la Corint, ci numele Său este menționat numai de Sfîntul Pavel ca un element de fuziune a tuturor grupărilor adverse. Sfîntul Clement Romanul, în *Epistola a XLVII-a către Corinteni*, nu menționează decît grupările lui Pavel, Chefa și Apolo. În Epistola II către Corinteni vedem că Sfîntul Pavel nu mai menționează cele patru grupări. Există probabilitatea că grupările adverse Sfîntului Pavel să se fi unificat într-o singură grupare și nu le mai cere ca toți să se unească, ci numai să părăsească spiritul de grup și să se înțeleagă pentru a nu compromite unitatea Bisericii. Se poate lesne deduce veracitatea afirmațiilor Sfîntului Clement Romanul (I Cor. 47), că aceste disensiuni n-au fost nici profunde și nici n-au durat multă vreme. La un moment dat oponenții Sfîntului Pavel din Corint au fost întăriți cu o seamă de noi predicatori veniți dinafară. Aceștia își arogau pe nedrept titlul de apostoli, contestîndu-i totodată Sfîntului Pavel această calitate. Cînd aceștia au sosit la Corint ei au observat că acei membri ai comunității convertiți dintre păgîni țineau unele obiceiuri vechi și au făcut din aceasta un cap de acuzație împotriva Apostolului Pavel. Dar și aceasta nu era decît vechiul conflict între iudaism și paulinism, conflict care a izbucnit de mai multe ori. Acest conflict avea să fie însă curmat de Sfîntul Apostol Pavel în Epistola către Romani, în care se adresează creștinilor de origine evreiască. Această epistolă conține cea mai adîncă și integrală discuție asupra universalității pauline și vechii parțialități iudaice. — *(Al. A. B.)*.

STUDII TEOLOGICE
5–6. Seria II-a. XVIII, (1966) pp. 376–377
Bucaresti

Methodios G. Fouyas, *St. Basil the Great and the Roman, See*, Manchester, 1965.

Arhimandritul Methodios G. Fouyas, parohul bisericii grecești din Manchester, Anglia, prezintă învățătura Sfîntului Vasile cel Mare cu privire la ecleziologie și dezvoltarea ideii de unitate creștină.

În *Epistola CCIV* către Biserica din Neocezareea, Sfîntul Vasile cel Mare își exprimă interesul pentru unitatea Bisericii și silința sa de a ține legături strînse cu un număr cît mai mare de episcopi, fiindcă Sfîntul Vasile lupta pentru unitatea Bisericii fiind convins că Ortodoxia poate triumfa numai dacă nu vor exista disensiuni printre credincioși. Sfîntul Vasile a avut întotdeauna atitudini întemeiate și a ținut echilibrul între sarcinile ce le avea ca ierarh și umilința pe care trebuia s-o practice ca monah. Fouyas subliniază că Biserica Ortodoxă menține ca definitivă învățătura marilor Părinți și acceptă interpretarea lor în toată teologia patristică.

Cu privire la jurisdicția pe care episcopul Romei a pretins-o în trecut asupra Bisericii Ortodoxe, dar care în fapt n-a existat niciodată, Fouyas constată că Biserica Răsăritului a fost întotdeauna independentă. Părinții acestei Biserici au arătat o considerație deosebită episcopului Romei, așa cum a arătat și celor de la Alexandria, Antiohia și Cezareea, și mai tîrziu celui din Constantinopol. Scaunul Romei a fost totdeauna socotit de frunte al lumii creștine și adeseori episcopii orientali uzau de formule de adresă înflorite, care în parte se utilizează și astăzi în stilul epistolar irenic bisericesc. Un autor scria de curînd (Armand de Mendieta, *Rome and Canterbury*, London, 1962, p. 189) că «este surprinzător cum au putut fi greşit interpretate unele aclamaţii ale Părinţilor din Sinoade, sau unele fraze de respect sau laudative de care au uzat patriarhii de Constantinopol, Antiohia şi Alexandria drept acte explicite de recunoaştere a unei preeminenţe». Acelaşi autor precizează că Biserica Orientală în perioada patristică, şi chiar pînă în perioada modernă, n-a recunoscut niciodată vreo jurisdicţie asupra sa, asupra organizării sale interne, asupra patriahilor, sau credincioşilor săi.

Dorinţa părinţilor Bisericii de a stabili universalitatea acesteia a fost manifestată în toate ocaziile. În acest scop ei au căutat să atragă şi pe episcopii apuseni, adresîndu-li-se în termeni măgulitori. Episcopul Damasus (366—384), renumit prin însărcinarea dată Fericitului Ieronim de a traduce Biblia (Vulgata), avea unele pretenţii de supremaţie, pe care Sfîntul Vasile cel Mare i le-a criticat cu asprime.

În concepţia Sfîntului Vasile cel Mare ca şi a altor Părinţi ai Bisericii din Răsărit se recunoştea Sfîntului Apostol Petru denumirea de «cel mai mare în credinţă dintre Apostoli, dar toţi episcopii sînt succesorii Apostolilor». Damasus a fost primul episcop roman care a afirmat că Biserica sa este apostolică. Dintr-un punct de vedere el avea dreptate. Titulatura de Biserică apostolică se cuvenea cu drept cuvînt Romei, pentru că în Apus a fost singura apostolică. Răsăritenii n-au numit niciodată însă vreuna din Bisericile Răsăritului cu titlul de Biserică apostolică, pentru că toate Bisericile erau Scaune apostolice. În Apus s-a dat această denumire de Scaun apostolic, înţelegîndu-se o jurisdicţie asupra episcopilor din această regiune a lumii. În *Epistola LXX-a* Sfîntul Vasile a explicat că prin Răsărit şi Apus înţelege vastele teritorii despărţite de o linie ce pleca din Iliria şi mergea spre sud, pînă în Egipt.

În *Comentarul la Psalmul CXXXII* Sfîntul Vasile spune că Domnul Hristos însuşi a trimis Bisericii Sale harul Duhului Sfînt ; iar în *Scrisoarea către Damasus* Sfîntul Vasile scrie : «Că toţi cei ce sînt despărţiţi unii de alţii de vaste depărtări, sînt legaţi împreună de unirea săvîrşită de dragoste şi armonia membrilor Trupului lui Hristos». Tot astfel celor din Italia şi din Galia le scria : «Toţi cei ce mărturisesc credinţa apstolică, să pună capăt pe viitor schismelor care din nefericire îi separă şi să asculte de aci înainte de autoritatea Bisericii. Numai astfel Trupul lui Hristos va fi întreg şi întregit cu toate membrele Lui».

În *Epistola LXII* Sfîntul Vasile scrie ucenicului său Chilon : «Nu ştii oare că cei ce sînt sfinţiţi de Dumnezeu a fi episcopi ai Bisericii Sale, se adună necontenit cu fraţi lor ?» În toate scrisorile sale, cu excepţia celei adresate lui Damasus, Sfîntul Vasile utilizează titulatura «Episcopilor din Apus», «fraţilor preoţi din Italia şi Galia». Cu ocazia schismei cunoscute din Biserica Antiohiei, Sfîntul Vasile se adresează episcopilor apuseni şi în consecinţă episcopului Romei, Damasus, cerîndu-le întrunirea într-un sinod comun al tuturor episcopilor din Apus şi Răsărit, pentru a rezolva nu numai schisma antiohiană, ci toate ereziile care tulburau Biserica Răsăriteană. Sfîntul Vasile reuşise să unească pe episcopii ortodocşi din Asia Mică împotriva ereziei ariene şi dorea să-i ralieze şi pe episcopii ortodocşi din Apus la lupta sa. *Epistola XCII* către italieni şi gali nu poate fi interpretată decît ca o dorinţă arzătoare a Sfîntului Vasile ca episcopii apuseni să contribuie la rezolvarea schismei, în interesul unităţii Bisericii şi mai ales pentru că episcopul schismatic Paulin fusese hirotonit de episcopul din Cagliari-Sardinia şi fusese recunoscut de episcopul Damasus.

Sfîntul Vasile cel Mare a avut însă o consideraţie deosebită faţă de Atanasie cel Mare, episcopul Alexandriei, căruia îi scrie în *Epistola LXVI* : «Oricum, situaţia bună a Bisericii antiohiene se datoreşte în bună măsură Cuvioşiei Voastre» ; iar în altă epistolă îi scria : «Purtaţi grija tuturor Bisericilor, ca şi cum ar fi toate una singură, pe care v-a încredinţat-o Stăpînul nostru al tuturora». În *Epistola LXXX* accentuiază către Sfîntul Atanasie : «Cu cît bolile Bisericii se agravează, cu atît noi toţi ne întoarcem spre desăvîrşirea ta, ferm convinşi că singura mîngîiere ce ne-a mai rămas în nenorocirile prin care trecem este oblăduirea ta, căci tu, prin folosul ce ni-l aduci cu rugăciunile tale şi prin ştiinţa ce ai de a ne da cele mai bune sfaturi în încercările prin care trecem toţi, fără deosebire şi cei care cunosc mai puţin desăvîrşirea ta, fie din auzite fie din proprie experienţă, credem că ne-ai izbăvit de groaznica furtună de acum».

Un autor mai vechi, dar cu autoritate, Arthur P. Stanley, în lucrarea sa *Instituţiile creştine* (Christian Institutions, London, 1881, p. 212) a remarcat că în primele veacuri s-a recunoscut titlul de «papă» doar episcopului Alexandriei «şi aceasta pentru motivul că se afla în fruntea celei mai învăţate Biserici, de la care toate celelalte aşteptau sfaturi şi învăţăminte». Ca şi pe episcopii din Alexandria şi Antiohia, Sfîntul Vasile cel Mare a pus pe aceeaşi treaptă şi pe episcopul Romei, care ocupa unul din cele mai importante scaune. Făcînd excepţie asupra opiniilor episcopului Damasus, el se bucura de cinstea unui «corifeu» al episcopilor apuseni, dar corifeu înseamnă numai primul în cinste.

Astfel, raporturile Sfîntului Vasile cel Mare cu apusenii n-au diferit de relaţiile sale cu alte personalităţi importante, bisericeşti sau laice (contele Terentius). Este interesant de subliniat că numai greşita interpretare a ecleziologiei marilor Părinţi ai Bisericii şi în special a aceleia a Sfîntului Vasile cel Mare a dus la neînţelegeri asupra unor importante poziţii din literatura patristică. — *(Al. A. B.)*.

STUDI TEOLOGICE
1-2. Seria II-a, XXI, (1969) pp. 136–138.
Bucaresti

17. 'Από τήν έπίσκεψη στήν Ι. Μητρόπολη 'Αξώμης τοῦ Αἰδ. Ε. Blake Γενικοῦ Γραμματέως τοῦ Παγκοσμίου Συμβουλίου 'Εκκλησιῶν, 1971.

ARCHBISHOP METHODIOS FOUYAS, **Christianity and Judaism in Ethiopia, Nubia, and Meroë,** *Volume I. Athens, 1979. pp 442. Softbound, n. p.*

This is the first and only stimulating work (in Greek) on the history of Ethiopian Christianity.

To my knowledge, there is no work like the present volume in any other language.

Archbishop Methodios is quite aware not only of the ancient sources and documents, but also of modern international bibliography on the subject, which he uses thoroughly and critically. His major challenge lies in his refutation of the traditional view that the «Nine Saints» were Syrian monophysites persecuted by the Byzantine State. The author proves exactly the contrary in that, before and up to the time when the «Nine Saints» arrived in Ethiopia (c. 480 A.D.) there was no persecution of the monophysites by the Byzantine emperors, and that the «Nine Saints» were Chalcedonians (Greeks) sent to Ethiopia by Byzantium. He also challenges the view that the Ethiopian Church turned towards the Non-Chalcedonian position after the Council of Chalcedon (451). His two basic arguments in rejecting that view is that: 1) The Greek coins in Aksum up to the 7th century show that there was no difference in faith between the Greek Byzantine Church, and the Ethiopian Church in the Aksumite period. «The antipathy of the Copts to the Greeks at that time would never have allowed such connections with Byzantium if they had been of the same faith as the Ethiopians at that time or if

18. Τό Μητροπολιτικό Μέγαρο τῆς Ἱερᾶς Μητροπόλεως Ἀξώμης. Ἐπίτευγμα τοῦ ἀειμνήστου Μητροπολίτου Ἀξώμης Νικολάου † 1967.

Ἐκκλησία καί Θεολογία, VI (1985), σέλ. 925-926

they had exercised any influence over them» (p. 356). The Byzantine emperor Justin I (518–527) was hated by the Copts. Consequently, it would be impossible for the «Nine Saints» to act as emissaries of the Byzantine state if they were under the influence of the monophysite Copts. Moreover, evidence that the Aksumite King Kaleb was an orthodox Chalcedonian is provided by the fact that the Coptic Church has not canonized him, whereas the Ethiopian, the Greek and the Roman Churches have (p. 362).

Furthermore, Archbishop Methodios entirely rejects the information of the apocryphal literature according to which Matthew the Apostle had preached the Gospel in Ethiopia. Using reliable Ethiopian and Byzantine historians (Socrates, Theodoret and Sozomen) as well as Rufinus, the author believes that Christianity was introduced to Aksum by Saint Frumentius («Abba Salama»), who was consecrated by Saint Athanasius of Alexandria and originated the episcopal line in that area. It should be certain that Saint Frumentius had brought to Aksum from Alexantria the text of the Divine Liturgy (of Saint Mark) and surely he had started translating the Holy Scriptures into the native language.

Another original feature and contribution of this book of Archbishop Methodios is his treatment of the ancient and modern history, literature and way of life of the Falashas or the Jews in Ethiopia (pp. 297–352). To be sure there is nothing on this subject in Greek, whereas whatever has been written in English and other languages is not free from confusion and contradictions. Actually the author tries in the abundant footnotes of this section as well to clarify several difficult issues raised by modern specialists.

This voluminous work ends with long lists of Ethiopian manuscripts, primary sources and documents and of modern books as well as of major articles in international journals. There is an Index of proper names and subjects. Finally, several pages in this volume are decorated by rare pictures of inscriptions, manuscripts, royal tombs, churches, maps, and portraits of Ethiopian historic cites, saints and kings.

This extremely important work deserves to be translated into English and known widely in international scholarly communities and universities.

Kingston, New York *Prof. Constantine N. Tsirpanlis*

ΜΗΤΡΟΠΟΛΙΤΟΥ ΑΞΩΜΗΣ ΜΕΘΟΔΙΟΥ, **Ὁ Χριστιανισμὸς καὶ ὁ Ἰουδαϊσμὸς ἐν Αἰθιοπίᾳ, Νουβίᾳ καὶ Μερόῃ**, *Τόμος Πρῶτος, Ἀθῆναι, 1979, σελίδες 419, μετ᾽ εἰκόνων καὶ χαρτῶν.*

Ὁ Πίναξ Περιεχομένων (σ. 415-9) εἰς γενικὰς γραμμὰς ἔχει ὡς ἑξῆς:

Ὁ ἀναγνώστης, προτοῦ εἰσέλθῃ εἰς τὴν ἐντρύφησιν τῆς ὅλης ἐργασίας, ἀνευρίσκει εὐκόλως εἰς τρία μέρη τοῦ βιβλίου: α΄) τὸν Πρόλογον, σ. 7-9, β΄) τὴν Εἰσαγωγήν, σ. 11-17, καὶ γ΄) τὴν ἀγγλικὴν Περίληψιν, σ. 353-358, τὰ βασικὰ σημεῖα, ἐπὶ τῶν ὁποίων ἐστηρίχθη ὁ συγγραφεὺς διὰ τὴν ἐπεξεργασίαν τοῦ θέματός του.

Ὁ συγγραφεὺς ἔλαβε τὴν παρόρμησιν διὰ τὴν συγγραφὴν τοῦ ἔργου του: α΄) ἀπὸ τὴν ὑφισταμένην ἀπ᾽ ἀρχῆς καὶ διὰ μέσου τῶν αἰώνων σχέσιν τοῦ ἑλληνικοῦ παράγοντος πρὸς τὴν Αἰθιοπίαν καὶ β΄) ἀπὸ λόγους καθαρῶς ἐπιστημονικοὺς (σ. 7-8, 353).

Ὁ χαρακτὴρ τῆς προσφορᾶς του διαφαίνεται ἐκ τοῦ ὅτι, προσφέρει αὕτη: α΄) νέον τι, «ἐν τῇ ἐννοίᾳ, ὅτι οὔτε ἐν ἄλλῃ γλώσσῃ, οὔτε ἐν τῇ ἑλληνικῇ ἐγράφη τοιαύτη συνθετικὴ μελέτη», καὶ β΄) «τὰς δυνατότητας εἰς τοὺς νεωτέρους Ἕλληνας

Ἐκκλησία καί Θεολογία, Β΄ (1981), σελ. 1093-1097.

ἐρευνητάς... νὰ στραφῶσι, καὶ πρὸς ἄλλους τομεῖς, οἵτινες ἔχουσιν ἐνδιαφέρον καὶ ἀπὸ ἐπιστημονικῆς καὶ ἀπὸ ἑλληνικῆς ἐθνικῆς ἀπόψεως» (σ. 8-9, 12, 128, 353).

Περιγράφεται ἀκολούθως ὁ σκοπός, εἰς ὃν ἀποβλέπει ὁ συγγραφεύς.

α΄) «... ἀσχολοῦμαι ἐν τῷ ἔργῳ τούτῳ περὶ τὸν Χριστιανισμὸν ἐν Ἀξώμῃ καὶ Αἰθιοπίᾳ καὶ οὐχὶ περὶ τὴν Ἐκκλησίαν...

Ἀλλ' ὁ σκοπός μου... εὑρίσκεται πέραν τῆς συνθέσεως τῆς ἱστορίας τοῦ Χριστιανισμοῦ ἐν Αἰθιοπίᾳ... ἀνασκευάζω τὴν ἐπικρατοῦσαν γενικῶς ἄποψιν ὅτι οἱ πρωταγωνισταὶ τῆς ὀργανώσεως τῆς Αἰθιοπικῆς Ἐκκλησίας ἐν Ἀξώμῃ ἦσαν Σῦροι μονοφυσῖται, καταδιωκόμενοι δῆθεν ὑπὸ τοῦ Βυζαντίου. Ἀντ' αὐτοῦ ἀποδεικνύω ὅτι οὗτοι ἦσαν Ἕλληνες ὀρθόδοξοι. Ἡ ὑποταγὴ ἐξ ἄλλου τῆς Αἰθιοπικῆς Ἐκκλησίας εἰς τὸ Κοπτικὸν Πατριαρχεῖον συνετελέσθη πολὺ ἀργότερον παρ' ὅσον νομίζεται καὶ τὰ μονοφυσιτικὰ στοιχεῖα εἰσήχθησαν εἰς Αἰθιοπίαν κατὰ τὸν 14 αἰῶνα» (σ. 12-14).

Διὰ τῶν ὅσων λέγονται ἐνταῦθα, συστατικῶν στοιχείων ἐκκινήσεως, ὁ συγγραφεὺς ἀποβλέπει α΄) εἰς τὴν κατάρτισιν, δι' ὅλων τῶν εἰς τὴν διάθεσίν του ἐπιστημονικῶν μέσων, μιᾶς συνθέσεως καὶ μιᾶς ἀνασκευαστικῆς ἀπόψεως, καὶ β΄) εἰς τὴν προσφορὰν πρὸς τὸ ἑλληνικὸν κοινὸν τῶν ἐπὶ τοῦ θέματος τούτου καρπῶν τῆς διεθνοῦς ἐπιστημονικῆς ἐρεύνης, «ἐφόσον διὰ κἄποιαν ἄγνωστον αἰτίαν οὐδὲν ἔργον ἐπὶ τοῦ Αἰθιοπικοῦ Χριστιανισμοῦ ὑφίσταται εἰς τὴν Ἑλληνικὴν » (σ. 12-4, 353-7).

«Ὑπάρχουσι σημεῖα ἐν τῇ πραγματείᾳ ταύτῃ τὰ ὁποῖα ἐπαναλαμβάνω» (σ. 17).

Εἰδικώτερον ἡ ἐργασία, ὅπως διαφαίνεται καὶ ἀπὸ τὸ Σχεδιάγραμμα, διαιρεῖται εἰς τρία βιβλία, ἀντικείμενα ἔχοντα τὰ τρία μεγάλα θέματα: α΄) τὴν Ἀξώμην, β΄) τὴν Αἰθιοπίαν καὶ γ΄) τοὺς Φαλάσια (Ἰουδαίους) τῆς Αἰθιοπίας (σ. 14).

Αἱ ἐν τῷ ἔργῳ συναντώμεναι πάσης φύσεως συντμήσεις θὰ θεωρῶνται ἀσφαλῶς ὑπὸ τοῦ συγγραφέως ὡς γνωσταὶ διὰ τὸν ἀναγνώστην, ἐφόσον δὲν παρατίθεται πίναξ τούτων.

Ἐκ τῆς ἀναγνώσεως τοῦ βιβλίου προβάλλουν αἱ πηγαὶ καὶ τὰ βοηθήματα, ἐπὶ τῶν ὁποίων ἐστηρίχθη ὁ συγγραφεὺς κατὰ τὴν ἐπιστημονικὴν ἐξέτασιν τοῦ θέματός του. Ἐχρησιμοποιήθησαν: Βοηθητικὸν ὑλικόν, ὅπως εἶναι τὰ νομίσματα (σ. 41-2), οἱ ὀβελίσκοι (σ. 43-9), αἱ ἐπιγραφαὶ (σ. 42-51, 53-5, 60), ἡ αἰθιοπικὴ χριστιανικὴ τέχνη εὐρύτερον (σ. 251-264), οἱ αἰθιοπικοὶ σταυροὶ (σ. 251–7), τὰ γραμματόσημα (σ. 279). Τὸ ἄμεσον ὑλικόν: τὰ χειρόγραφα, τὰ ἀνέκδοτα καὶ ἐκδεδομένα συγγράμματα, οἱ καρποὶ τῆς αἰθιοπικῆς χριστιανικῆς φιλολογίας (σ. 122-156, 264-283, 333-345, 367-404), ἀλλὰ καὶ αἱ προσωπικαὶ ἐπαφαὶ (σ. 45, 251, 282, 325, 332, 355).

Ἡ βιβλιογραφία ἐκτενής, περιεκτικὴ καὶ μετὰ πολλῆς προσοχῆς συλλεγεῖ-

σα, συναντᾶται ἐντὸς κειμένου, εἰς τὰς ὑποσημειώσεις καὶ εἰς ἰδιαίτερον κεφάλαιον (σ. 367-404). Ἀκολουθεῖται ἡ ἀλφαβητικὴ σειρὰ τῶν συγγραφέων, ἐκτὸς ὀλίγων ἐξαιρέσεων εἰς τὰς σελίδας 378, 381, 383, 384, 385, 388, 392, 400. Εἰς ἔργα τοῦ αὐτοῦ συγγραφέως ἄλλοτε ἐπαναλαμβάνεται τὸ ὄνομα τοῦ ἰδίου συγγραφέως, ἐνῷ ἄλλας φορὰς δὲν συμβαίνει τοῦτο. Εἰς αὐτὰ δὲν τηρεῖται πάντοτε ἡ χρονολογικὴ σειρὰ παραθέσεως των. Ὁ συγγραφεὺς προβαίνει εἰς κριτικὰς παρατηρήσεις ἐπὶ διαφόρων δημοσιευμάτων (σ. 11-3, 23, 25, 31-2, 36, 39-41, 64, 76, 79-81, 86, 94, 97-7, 99, 102, 104-8 116, 121-3, 156, 169, 202, 221-7, 230-1, 235, 242-4, 261, 278, 304, 311, 317, 335, 339, 344, 353-8, 367-404).

Ἐντὸς τοῦ κειμένου ἐνσωματοῦται ἀρκετὸν αὐτούσιον ὑλικόν, ἐνίοτε εἰς τὰς πρωτοτύπους γλώσσας, ὡς ἐπὶ τὸ πλεῖστον ὅμως εἰς ἑλληνικὴν μετάφρασιν ὑπὸ τοῦ συγγραφέως (σ. 46, 51, 61-4, 66-70, 76-9, 89-94, 103-4, 109-110, 132, 134-141, 167-9, 176-9, 202, 208, 261-2).

Πιθανῶς λόγῳ τυπογραφικῆς ἀβλεψίας εἰς τρεῖς περιπτώσεις οἱ ἀριθμοὶ τῶν ὑποσημειώσεων δὲν τίθενται εἰς τὴν ἰδίαν σελίδα (σ. 165-6, 317-8, 348-9).

Εἰς μίαν ἐργασίαν καθαρῶς ἱστορικὴν καὶ εἰς μέρη τινὰ γραμματολογικῆς ὑφῆς, τίθενται εἰς ἐφαρμογήν, ὡς διαφαίνεται καὶ ἐκ τῶν προαναφερθέντων, τὰ δεδομένα τῶν δύο τούτων μορφῶν τῆς ἐπιστημονικῆς ἐρεύνης. Εἰς ἀρκετὰ μέρη ἔντονος προβάλλει ὁ παράγων τῆς βιογραφίας, ἀκολουθούμενος καὶ ἀπὸ τοὺς καλῶς τοποθετουμένους χαρακτηρισμούς.

Ἐντοπίζονται τὰ προβλήματα μερικὰ ἐκ τῶν ὁποίων παραμένουν ἄλυτα, ἐνῷ δι' ἄλλα ἀναζητοῦνται καὶ ἀνευρίσκονται λύσεις (σ. 11-2, 30, 96, 102, 119, 132). Προβάλλονται καὶ ὀλίγα ἐρωτήματα, τὰ ὁποῖα ἐπιζητοῦν τὰς ἀπαντήσεις των (σ. 65, 73, 97, 121, 138). Ἀναζητοῦνται τὰ αἴτια καὶ οἱ παράγοντες, μὲ τὴν περαιτέρω δικαιολόγησιν καὶ τὴν ἀλληλοεξάρτησιν αἰτίων καὶ αἰτιατῶν (σ. 160). Δίδεται μεγάλη σημασία εἰς τὴν ἔννοιαν τῶν λέξεων (σ. 19-30, 37, 42, 297-9). Ἐξονυχίζονται ὅλαι αἱ λεπτομέρειαι διὰ τὴν ἐξακρίβωσιν τῶν χρονολογιῶν (σ. 11, 93). Παρέχονται πολλαὶ πληροφορίαι ἱστορικαὶ καὶ ἄλλαι διὰ πρόσωπα, γεγονότα, καταστάσεις κλπ. Πολλάκις διακριβοῦνται ταῦτα ἀπὸ τὴν χρῆσιν τῆς μεθόδου τῆς συγχρονίσεως πρὸς ἀνάλογα παρεμφερῆ γεγονότα, πρόσωπα κλπ. Ὁ συγγραφεὺς προβαίνει εἰς διαπιστώσεις (σ. 73). Ἀνασκευάζει, ὅπως ἐλέχθη καὶ εἰς τὴν ἀρχήν, τὰς γνώμας τῶν ἄλλων (σ. 11, 13-5, 24, 60). Ἔχει καταλήξει εἰς τὰ ἐπὶ διαφόρων θεμάτων συμπεράσματά του, εἰς τὰς γνώμας καὶ τὰς ἀπόψεις του, τὰ ὁποῖα καὶ καταλλήλως παραθέτει (σ. 133).

Διὰ μέσου τῶν σελίδων παρουσιάζεται ἔντονος ὁ προσωπικὸς χαρακτὴρ τοῦ συγγραφέως, ἰδιαιτέρως ὅμως εἰς τὸν πρόλογον, τὴν εἰσαγωγὴν καὶ τὴν ἀγγλικὴν περίληψιν καὶ εἰς ἐκφράσεις ὅπως:

«κατὰ τὴν γνώμην μου» (σ. 59, 94, 130, 307).

«προσωπικῶς δὲν πιστεύω» (σ. 84, 92, 333).
«Θεωρῶ» (σ. 85).
«Κατὰ πᾶσαν πιθανότητα» (σ. 97, 99, 117, 132, 339).
«κατ' ἐμὲ κριτὴν» (σ. 104).
«δὲν ἀποδέχομαι» (σ. 105)
«νὰ ὑποθέσωμεν», «ἐὰν ὑποθέσωμεν» (σ. 113, 115).
«παρατήρησις» (σ. 115).
«προφανῶς» (σ. 118).
«τὸ ὀρθότερον» (σ. 119).
«προτιμῶ», (σ. 123).
«νομίζω» (σ. 212, 235).
«νὰ σημειώσω» (σ. 222).
«δὲν εἶμαι ὅμως βέβαιος» (σ. 318).
«Εἶχον τὴν εὐκαιρίαν» (σ. 344).

Διὰ τὴν ἐπιστημονικὴν ἔρευναν εἶναι εὐπρόσδεκτα ὄχι μόνον ὅσα μελετῶνται καὶ ἐπισημαίνονται εἰς μίαν συγγραφήν, ἀλλὰ καὶ ἡ παράθεσις τῶν ὑφισταμένων κενῶν καὶ ἐλλείψεων, τῶν δεόντων γενέσθαι καὶ ἡ ἐξαγγελία τῶν μελλόντων.

«Δὲν ὑπάρχει ἓν corpus τῶν ἱστορικῶν αἰθιοπικῶν πηγῶν» (σ. 11-2).

Δὲν ὑπάρχει εἰσέτι ἀνώτατον ἵδρυμα «ἐν Αἰθιοπίᾳ τὸ ὁποῖον θὰ ἀποφασίζῃ ἐπὶ τῶν ἀναφυομένων ὀρθογραφικῶν, διαφορῶν τῆς γλώσσης ἢ τῶν διαφορῶν ἐπὶ τῆς προφορᾶς αὐτῶν» (σ. 27).

Ἡ ἑλληνικὴ ἐπιγραφή, ἡ ἀναφερομένη εἰς τὸν ἐκχριστιανισμὸν τῆς Νουβίας ὑπὸ τοῦ αἰθίοπος βασιλέως Σιλκώ. Τὸ θέμα τῆς διαδόσεως τῆς ἑλληνικῆς γλώσσης εἰς τὴν Νουβίαν χρῄζει ἰδιαιτέρας μελέτης, μάλιστα κατόπιν τῶν νέων ἀνακαλύψεων τῆς Πολωνικῆς Ἀποστολῆς εἰς τὴν Νουβίαν (1962-3), (σ. 57-9).

Τὸ ἔργον Kebra Nagast (Ἡ Δόξα τῶν Βασιλέων) «εἶναι ἀπορίας ἄξιον, πῶς δὲν ἐκίνησε τοῦτο τὸ ἐνδιαφέρον τῶν Ἑλλήνων ἐπιστημόνων» (σ. 128, 143).

«Μίαν νέαν ἐργασίαν περὶ τοῦ Φυσιολόγου ἑτοιμάζει ὁ Καθηγητὴς Claude Sumner» (σ. 145, 143-5). Ὁ αὐτὸς καθηγητὴς ἑτοιμάζει ἐργασίαν καὶ περὶ τοῦ ἔργου Secundus (σ. 282).

«Ἡ ἐκκλησιαστικὴ πολιτικὴ τοῦ Susenyos (1607-1613) εἶναι ἐνδιαφέρουσα καὶ ἐπιβάλλει λεπτομερεστέραν ἐξέτασιν αὐτῆς» (σ. 202).

Λόγῳ τῶν ἑλληνικῶν ἐπιδράσεων καὶ ἐξ ἡμετέρας ἀπόψεως ἐνδείκνυται ἰδιαιτέρα σπουδὴ τῆς φιλολογίας τῶν Φαλάσιας (σ. 335).

Προεξαγγέλλεται ὑπὸ τοῦ συγγραφέως ἡ ἔκδοσις μελλοντικῶς τοῦ τόμου Δευτέρου, ὁ ὁποῖος θὰ περιλαμβάνῃ τὴν ἱστορίαν τῆς Νουβίας καὶ τῆς Μερόης (σ. 59, 353).

Δέον νὰ σημειωθῇ ὅτι αἱ παρατιθέμεναι εἰς τὸ σημείωμά μου παραπομπαὶ δὲν εἶναι καὶ αἱ μόναι, αἵτινες ἐξαντλοῦν τὰ κατὰ σειρὰν ζητήματα.

Δὲν εἰσέρχομαι εἰς τὴν συζήτησιν θεμάτων οὐσίας, διότι δὲν εἶμαι «αἰθιοπιστὴς» (σ. 12). Ἁπλῶς παρουσιάζω τὸν τόμον Πρῶτον τῆς ἐργασίας ταύτης, κινούμενος ἐντὸς τῶν πλαισίων τῆς εἰδικότητός μου, τῆς ἐκκλησιαστικῆς ἱστορίας. Οὔτε καὶ προχωρῶ εἰς τὴν παράθεσιν τῶν λεπτομερειῶν τοῦ βιβλίου διότι τοῦτο θὰ ἀπήτει ἀρκετὸν ἀριθμὸν σελίδων. Ἄλλωστε ἡ ἀνάγνωσις τοῦ βιβλίου χαρίζει πραγματικὴν ἐντρύφησιν εἰς κάθε μελετητήν.

«Ὡς εἶναι ἐμφανές, ἡ μετὰ χεῖρας ἐργασία εἶναι προϊὸν μακροχρονίου ἐρεύνης» (σ. 9). Ἀποτελεῖ προσφορὰν πρώτης γραμμῆς εἰς τοὺς τομεῖς τῆς ἱστορίας, τῆς θεολογίας, τῆς ἀρχαιολογίας καὶ τῆς γλωσσολογίας διὰ τὴν Αἰθιοπίαν. Εὔχομαι εἰς τὸν φίλον καὶ σεβαστὸν ἱεράρχην τὴν ὁλοκλήρωσιν τῆς πολυτίμου του ταύτης πρωτοτύπου προσφορᾶς εἰς τὰ παρ' ἡμῖν γράμματα.

6 Ὀκτωβρίου 1979. *ΒΑΣΙΛΕΙΟΣ Θ. ΣΤΑΥΡΙΔΗΣ*
Καθηγητὴς τῆς Θεολ. Σχολῆς Χάλκης

19. Μέ τόν ἀείμνηστο Μητροπολίτη Καστορίας, μετέπειτα Ἀττικῆς Δωρόθεο Γιανναρόπουλο, διατελέσαντα Ἐφημέριο Dire Dawa καί Ἀδδίς Ἀμπέμπας.

20. Μαθητές καί Μαθήτριες τῆς τότε ἀκμάζουσας Ἑλληνικῆς Κοινότητος Dire Dawa μέ τόν γράφοντα τότε Μητροπολίτη Ἀξώμης. Σήμερα οὐδείς Ἕλληνας ὑπάρχει στή Dire Dawa, ἡ ὁποία τόσο ἤκμαζε ὥστε συντηροῦσε καί ἡμιγυμνάσιο. Στή μέση ὁ τότε ἐφημέριος τῆς Κοινότητας αὐτῆς καί σήμερα Μητροπολίτης Dar El Salam Προτέριος Παυλόπουλος

ΑΡΧΙΕΠΙΣΚΟΠΟΥ ΘΥΑΤΕΙΡΩΝ καὶ ΜΕΓΑΛΗΣ ΒΡΕΤΑΝΝΙΑΣ ΜΕΘΟΔΙΟΥ, **Ὁ Χριστιανισμὸς καὶ ὁ Ἰουδαϊσμὸς ἐν Αἰθιοπίᾳ, Νουβίᾳ καὶ Μερόῃ**, *Τόμος Δεύτερος. Ἀθῆναι, (1982) σελίδες 246, εἰκόνες καὶ χάρται 52.*

1. Ἡ Προχριστιανικὴ Διείσδυσις τοῦ Ἑλληνισμοῦ ἐν Νουβίᾳ.

2. Ἡ ἐκ Κωνσταντινουπόλεως Ἱεραποστολὴ διὰ τὸν Ἐκχριστιανισμὸν τῆς Νουβίας.

3. Ὁ Ἑλληνικὸς Χαρακτὴρ τοῦ Χριστιανισμοῦ τῆς Νουβίας.

4. Σύγχρονοι Μελέται ἐπὶ τοῦ Χριστιανισμοῦ τῆς Νουβίας.

Ὁ τόμος πρῶτος τῆς ἐργασίας ταύτης, ὁ ὁποῖος ἐκάλυπτε γεωγραφικῶς

Ἐκκλησία καί Θεολογία, Δ′ (1983), σελ. 939-942.

τὴν Αἰθιοπίαν, εἰς σελίδας 419, ἐξεδόθη τὸ 1979. Ἰδὲ βιβλιοκρισίαν ὑπὸ τοῦ γράφοντος, Ἐκκλησία καὶ Θεολογία 2 (1981) 1093 - 1097. The Greek Orthodox Theological Review 25 (1980) 336. Τὰ ὅσα λέγονται ἐκεῖ ἀπὸ πλευρᾶς μεθοδολογικῆς ἰσχύουν καὶ διὰ τὸν τόμον δεύτερον καὶ δὲν χρήζουν ἐπαναλήψεως.

Μὲ τὸν τόμον δεύτερον, εἰς σελίδας 246, τὸ 1/2 περίπου εἰς ὄγκον ἐν συγκρίσει πρὸς τὸν τόμον πρῶτον, συμπληροῦται ἡ προσπάθεια, τὴν ὁποίαν ἀνέλαβεν ὁ συγγραφεὺς διὰ νὰ καλύψῃ ἕνα τομέα σχεδὸν μὴ μελετηθέντα ἀκόμη ἀπὸ μέρους τῆς ἑλληνικῆς ὀρθοδόξου θεολογίας.

Ἡ Νουβία καὶ ἡ Μερόη γεωγραφικῶς ἀποτελοῦν τὴν περιοχήν, τὴν ὁποίαν διανύει ὁ Νεῖλος ποταμός, ἀπὸ τὰ νότια τῆς σημερινῆς Αἰγύπτου μέχρι τῶν βορείων μερῶν τοῦ σημερινοῦ Σουδάν, μεταξὺ τῶν πόλεων Ἀσσουὰν καὶ Χαρτούμ.

Αἱ τέσσαρες ὑποδιαιρέσεις τοῦ τίτλου ὑποδεικνύουν τὰς κατευθυντηρίους γραμμάς, ἐντὸς τῶν ὁποίων ἐκινήθη ὁ συγγραφεύς.

Ὁ Πίναξ Περιεχομένων (σ. 245 - 246) ἔχει ὡς ἑξῆς:

Ὁ πρόλογος καὶ ἡ εἰσαγωγὴ διαφωτίζουν τὸν τρόπον ἐργασίας, ὁ ὁποῖος ἠκολουθήθη εἰς τὸν τόμον δεύτερον τῆς παρούσης ἐργασίας.

Προκειμένου περὶ τῶν πηγῶν καὶ τῶν βοηθημάτων, δίδεται ὁ λόγος εἰς τὸν συγγραφέα.

«Προκειμένου περὶ τῆς συγγραφῆς ἑνὸς συστηματικοῦ ἐπιστημονικοῦ ἔργου περὶ τῆς Χριστιανικῆς Νουβίας, ὄντως συναντῶμεν δυσκολίας. Διότι δὲν ἔχομεν ἀρκετὰ φιλολογικὰ στοιχεῖα, οὔτε χειρόγραφα ὡς τὰ αἰθιοπικά, οὔτε συναξάρια, οὔτε ἐκκλησιαστικὴν γραμματείαν διὰ νὰ ἀντλήσωμεν ἐξ αὐτῶν. Ἔχομεν μόνον

ὀλίγας ἱστορικὰς πληροφορίας, οὐχὶ πάντοτε αὐθεντικὰς καὶ πολλοὺς «λίθους κράζοντας», ἐφ' ὧν θὰ στηριχθῶμεν», σ. 13.

«Εἰς τὸ σημεῖον τοῦτο εἶμαι ὀλίγον σχολαστικὸς καὶ θὰ ὑπερφορτώσω τὸ ἔργον μὲ ἐπιγραφάς, ἀρχαιολογικοὺς χώρους, σχέδια Ναῶν καὶ ἄλλας εἰκόνας προκειμένου νὰ ἀναπληρώσω τὰ κενά, ἅτινα παρουσιάζει ἡ ἱστορία εἰς τὸν τομέα τοῦτον...

»Ἐν πάσῃ περιπτώσει τό γε νῦν ἔχομεν ἐνώπιον ἡμῶν πολλὰ καὶ ἀξιόλογα βοηθήματα, ἵνα δώσωμεν μίαν ὄντως ζωντανὴν εἰκόνα τοῦ ἐν Νουβίᾳ Χριστιανισμοῦ...», σ. 16-18.

«Ὁμιλοῦντες περὶ χριστιανικῆς ἐν Νουβίᾳ φιλολογίας δὲν ἐννοοῦμεν οἱανδήποτε γραμματείαν ἡ ὁποία δὲν ἀνεπτύχθη ἢ δὲν ἀνεκαλύφθη, ἀλλὰ περὶ λειψάνων ἐξ ἐπιγραφῶν, ἐγκυκλίων καὶ λειτουργικῶν τύπων», σ. 119.

Ἡ βιβλιογραφία πλουσία σχεδὸν ἐξ ὁλοκλήρου εἰς ἄλλας γλώσσας παρατίθεται ἐντὸς κειμένου, εἰς τὰς ὑποσημειώσεις καὶ τὸ ἰδιαίτερον κεφάλαιον (σ. 209-232). Ἀκολουθεῖται, κατὰ τὸ μᾶλλον ἢ ἧττον, ἡ ἀλφαβητικὴ σειρὰ τῶν συγγραφέων. Εἰς τὰ ἔργα τοῦ αὐτοῦ συγγραφέως δὲν τηρεῖται πάντοτε ἡ χρονολογικὴ σειρὰ παραθέσεως αὐτῶν. Ἐπιτελεῖται ἔργον κριτικῆς ἀξιολογήσεως πολλῶν συγγραφῶν.

Ἐντὸς κειμένου τίθενται παραπομπαὶ αὐτούσιοι εἰς τὰς πρωτοτύπους γλώσσας ἢ τὴν ἑλληνικήν.

Ἐνῷ οἱ ἀσχολούμενοι μὲ τὴν Αἰθιοπίαν ἐκαλοῦντο αἰθιοπισταὶ (τόμος πρῶτος, σ. 12), ὅσοι ἐγκύπτουν εἰς τὰ τῆς Νουβίας ὀνομάζονται νουβιολόγοι, σ. 119, ὑποσημ. 1. Εἰς σημεῖά τινα συναντῶνται μερικαὶ τυπογραφικαὶ ἀβλεψίαι, πρᾶγμα ἀνθρώπινον.

Ἡ Ἐκκλησία τῆς Νουβίας.

«...ἐν Νουβίᾳ ἱδρύθη ὑπὸ τοῦ Βυζαντίου Ἑλληνικὴ Ἐκκλησία διατηρηθεῖσα ἐπὶ ὀκτὼ αἰῶνας ἄνευ ἐπικοινωνίας τινὸς μετὰ τοῦ Ἑλληνισμοῦ», σ. 10.

«Τοιουτοτρόπως ἀπομεμονωμένη ἐκ τοῦ λοιποῦ κόσμου, προσέτι δὲ καὶ ἐκ τῆς γειτονικῆς Ἐκκλησίας τῆς Αἰθιοπίας, ἡ Ἐκκλησία τῆς Νουβίας διετήρησε τὴν ἑλληνικότητά της καὶ τὴν βυζαντινὴν παράδοσιν ἐπὶ αἰῶνας, ὅτε δὲ ἦλθεν ἡ ὥρα ἔσβησε μετὰ τῆς παραδόσεως αὐτῆς. Καθ' ὅλους τοὺς αἰῶνας διετήρησε τὴν βυζαντινὴν ἀρχιτεκτονικὴν καὶ ζωγραφικὴν καὶ τὴν ἑλληνικὴν γλῶσσαν εἰς τὴν λατρείαν της», σ. 16.

«...ἡ Ἐκκλησία τῆς Νουβίας εἶχε περισσοτέρους τοῦ ἑνὸς ἐπισκόπους καὶ διῳκεῖτο κατὰ τὸ σύστημα τῶν αὐτοκεφάλων Ἐκκλησιῶν τῆς Ὀρθοδόξου Ἐκκλησίας», σ. 170.

«Ὥστε ὁ Χριστιανισμὸς τῆς Νουβίας ἔσβησεν ἐλλείψει νέου αἵματος καὶ λόγῳ τῆς κοινωνικῆς καὶ πολιτικῆς ἐπαναστάσεως, ἥτις ἐπραγματοποιήθη κατὰ

τὸν 14ον καὶ κατὰ τὸν 15ον αἱ. καὶ εἶχεν ὡς συνέπειαν τὴν ἐγκατάστασιν τὸ 1504 τοῦ ἐν Funy 'Ισλαμικοῦ Βασιλείου, ὅπερ διήρκεσε μέχρι τοῦ ἔτους 1821», σ. 175.

Καὶ εἰς τὸν τόμον δεύτερον παρατίθενται τὰ ὑφιστάμενα κενὰ καὶ αἱ ἐλλείψεις, τὸ δέον γενέσθαι καὶ ἡ ἐξαγγελία τῶν μελλόντων.

«Λυποῦμαι πολὺ διότι δὲν θὰ ἐνδιατρίψω περισσότερον εἰς τὴν ἱστορίαν τοῦ 'Ιουδαϊσμοῦ ἐν 'Ελεφαντίνῃ... 'Ελπίζω ἄλλος τις νὰ συμπληρώσῃ τὰ κενὰ τῆς ἐργασίας μου ταύτης», σ. 62, ὑποσημ. 1.

Νουβιανὴ Χριστιανικὴ Φιλολογία. «'Εὰν εὑρεθοῦν οἱ κατάλληλοι ἐρευνηταὶ δὲν ἀποκλείεται νὰ γραφῇ μία νέα καὶ ἐνδιαφέρουσα σελὶς τῆς ἐκκλησιαστικῆς ἱστορίας καὶ γραμματείας, τὰς ἐκτάσεις τῆς ὁποίας οὐδόλως δυνάμεθα ἀπὸ τοῦδε νὰ ὑπολογίσωμεν», σ. 137.

«Θὰ παραλείψω τὰς ἑλληνικὰς ἐπιγραφάς, αἵτινες εἶναι ἄσχετοι πρὸς τὴν 'Εκκλησίαν, μὲ τὴν ἐλπίδα ὅτι κάποιος ἄλλος θὰ ἐπιχειρήσῃ τὸ ἔργον τοῦτο», σ. 139 - 141.

«'Η ἐγκατάλειψις ἐπὶ αἰῶνας ἐπέφερε τὴν φθορὰν τῶν εἰκόνων, ἐνῷ δὲ τὸ ἀρχαιολογικὸν ἔργον συνεχίζεται ἡ ἱστορία τοῦ ἐν Νουβίᾳ Χριστιανισμοῦ δὲν ἔχει γραφῇ πλήρως», σ. 186.

'Επισκοπικοὶ καὶ Βασιλικοὶ Κατάλογοι. «'Απαιτεῖται περισσοτέρα προσοχὴ εἰς τὸν συσχετισμὸν τῶν ἱστορικῶν καὶ ἀρχαιολογικῶν δεδομένων, ἡ ὁποία ἐλπίζω νὰ δοθῇ ἀπὸ εἰδικόν, ὅστις θὰ διαθέσῃ περισσότερον χρόνον, ὃν δυστυχῶς ὁ γράφων δὲν δύναται πρὸς τὸ παρὸν νὰ διαθέσῃ», σ. 189.

"Οπως ἔλεγον διὰ τὸν τόμον πρῶτον, καὶ ὁ τόμος δεύτερος ἀποτελεῖ προσφορὰν πρώτης γραμμῆς εἰς τοὺς τομεῖς τῆς ἱστορίας, τῆς θεολογίας, τῆς ἀρχαιολογίας καὶ τῆς γλωσσολογίας διὰ τὴν Νουβίαν εἰς τὰ παρ' ἡμῖν θεολογικὰ γράμματα.

1 Σεπτεμβρίου 1982. *ΒΑΣΙΛΕΙΟΣ Θ. ΣΤΑΥΡΙΔΗΣ*

21. Ὁ Μητροπολίτης Νουβίας Ἄνθιμος († 1958).

22. Συνοδεία τοῦ Πατριάρχου τῆς Αἰθιοποίας Θεοφίλου εἰς ἐπίσκεψιν τοῦ ἀειμνήστου Οἰκουμενικοῦ Πατριάρχου Ἀθηναγόρου, 1972.

Ε΄

Κωνσταντινούπολις Ἀδδίς - Ἀμπέμπα, Ἀθῆναι, 1972. Β΄ Ἐκδ. 1986. Σελ. 210.

Σύγχρονη Ἱστορία τοῦ Πατριαρχείου Ἀλεξανδρείας, Ἀθήνα, 1993. Σελ. 344.

The Person of Jesus Christ in the Decisions of the Ecumenical Councils, Addis Ababa, 1976.

Ἑλληνική ἔκδοση: Τό πρόσωπο τοῦ Ἰησοῦ Χριστοῦ στίς Ἀποφάσεις τῶν Οἰκουμενικῶν Συνόδων, Ἀθήνα. 1997. Σελ. 255.

ΚΩΝΣΤΑΝΤΙΝΟΥΠΟΛΙΣ
ΑΔΔΙΣ ΑΜΠΕΜΠΑ

Ἡ Ἀλληλογραφία τοῦ Πατριάρχου Ἀθηναγόρου μετὰ τοῦ Αὐτοκράτορος τῆς Αἰθιοπίας, τῆς Ἐκκλησίας Αἰθιοπίας καὶ τῆς Ἱερᾶς Μητροπόλεως Ἀξώμης

Ἐκδιδομένη ὑπὸ τοῦ

Μητροπολίτου Ἀξώμης Μεθοδίου

ΑΘΗΝΑΙ

1972

THE PERSON OF JESUS CHRIST IN THE DECISIONS OF THE ECUMENICAL COUNCILS

A historical and doctrinal Study with the relevant Documents referring to the Christological relations of the Western, Eastern and Oriental Churches

By

METHODIOS G. FOUYAS

Ph. D. (Manchester), Hon. D. D. (Edinburgh)

Greek Orthodox Archbishop of Aksum

CENTRAL PRINTING PRESS

ADDIS ABABA

1976

- **Μελετίου Πηγᾶ Πάπα καί Πατριάρχου Ἀλεξανδρείας Ἐπιστολαί,** ἐκδιδόμεναι ἐκ τοῦ ὑπ' ἀριθ. 296 χειρογράφου τῆς Βιβλιοθήκης τοῦ Πατριαρχείου Ἀλεξανδρείας. Ἀνάτυπον ἐκ τοῦ Περιοδικοῦ **Ἐκκλησιαστικός Φάρος**, μετά Προλεγομένων καί Γενικῆς Βιβλιογραφίας Ἀθῆναι, (1976), σέλ. 375. Ἀνατύπωσις, Ἀθῆναι, 1998.

Περί τοῦ ἔργου τούτου δημοσίευσε 8σέλιδη κριτική ὁ Καθηγητής Νικόλαος Β. Τωμαδάκης στήν **Ἐπετηρίδα τῆς Ἑταιρείας Βυζαντινῶν Σπουδῶν**, ΜΓ' (1977-78), σελ. 422-430, στήν ὁποία καταλήγοντας γράφει: «Εἶναι παρήγορον ὅτι καί σήμερον ὑπάρχουν ἱεράρχαι τῆς Ὀρθοδόξου Ἀνατολικῆς Ἐκκλησίας, οἱ ὁποῖοι ἀντιλαμβάνονται τήν σημασίαν τῶν ἐν λόγῳ μελετῶν καί ἐπιχειροῦν νά εὐκολύνουν αὐτάς, ἐνῷ ἁρμοδιότερα (τῶν ἔσω καί θύραθεν) Ἱδρύματα ἀπέχουν τῆς ἀναλήψεως σχετικῆς πρωτοβουλίας, διό καί ἡ ἔκδοσις τοῦ Ἐπιστολαρίου τοῦ Πηγᾶ ἀπό τόν Ἅγιον Ἀξώμης εἶναι καί εὐπρόσδεκτος καί ἐπαινετέα...».

- **Κωνσταντινούπολις Ἀδδίς Ἀμπέμπα**, Ἀθῆναι, 1972. Β' ἔκδοση 1986.

Καίτοι στό ἔργο μας αὐτό δημοσιεύουμε τήν ἀλληλογραφία τοῦ Οἰκουμενικοῦ Πατριάρχου Ἀθηναγόρα μετά τοῦ Αὐτοκράτορα τῆς Αἰθιοπίας - Χαϊλέ Σελασιέ καί μετά τοῦ Μητροπολίτου Ἀξώμης Νικολάου, ἐν τούτοις ἡ συλλογή αὐτή προκάλεσε εὐρύτερο ἐνδιαφέρον, ὥστε σήμερα λόγω τῆς ἀναζητήσεως ἀντιτύπων ἀπό διαφόρους παράγοντες ἔμεινε μόνο ἕνα ἐξ αὐτῶν στή Βιβλιοθήκη μας. Πηγές γιά τή συλλογή τῆς ἀλληλογραφίας αὐτῆς ἦσαν τό Ἀρχεῖο τῆς Μητροπόλεως Ἀξώμης, τά Ἀνάκτορα τοῦ Αὐτοκράτορα τῆς Αἰθιοπίας καί τό Ἀρχεῖο τοῦ Πατριαρχείου τῆς Αἰθιοπίας, ὅπως γράφω στόν πρόλογο τῆς ἔκδοσης αὐτῆς.

Παρουσίασαν τό ἔργο αὐτό διακεκριμένοι συγγραφεῖς ὅπως: Οἱ

Konstantinopel - Addis Abeba. Auf die ziemlich unbekannte Seite der Ökumenischen Aktivität des verewigten Patriarchen Athenagoras I. in Richtung der Kirche von Aethiopien aufmerksam zu machen ist das Verdienst einer Monographie des griechisch-orthodoxen «Konstantinopel-Addis Abeba. Der Briefwechsel von Patriarch Athenagoras mit dem Kaiser von Aethiopien, der äthiopischen Kirche und der hl. Metropolis

Axum" (im Eigenverlag des Autors, Athen 1972, neugriechisch) hat Metropolit Fouyas in fünf Abschnitten die auf griechisch, englisch und amharisch geführte Korrespondenz des Oekumenischen Patriarchen mit Kaiser Haile Selassie, dem äthiopischen Patriarchen Abba Basilios (1959 bis 1970), seinem Nachfolger Abba Theophilos (seit 1971) und den griechisch-orthodoxen Titular-metropoliten von Axum in Addis Abeba, Nikolaos Abdallah (1927 bis 1967) und Methodios Fouyas (seit 1968), herausgegeben.

Beachtung als ökumenische Dokumente verdienten vor allem das englische Begleitschreiben Kaiser Haile Selassie vom 31. Oktober 1964, das der Monarch seiner Abordnung mitgab, die Patriarch Athenagoras zur Konferenz der vorchalzedonischen Kirchen des Orients im Januar 1965 in Addis Abeba einladen sollte. Darin werden wichtige Ansichten über den theologischen Dialog als Weg zur Einheit vertreten. Aus dem hier erstmals veröffentlichten Brief von Patriarch Athenagoras vom 2. Dezember 1961 (Protokoll Nr. 859) an Patriarch Abba Basilios von Aethiopien geht hervor, dass die Wiedervereinigung von Orthodoxen und vorchalzedonischen Christen der geplanten "Grossen Synode der Orthodoxie" vorausgehen soll und letztere auf dieser bereits vertreten sein werden. In dem amharischen Schreiben des neuen äthiopischen Patriarchen Abba Theophilos vom September 1971 wird sogar die Hoffnug ausgesprochen, dass diese Vereinigung noch zu Athenagoras' Lebzeiten erfolgen würde.

Den umfangreichsten und gewichtigsten Teil der Patriarchenkorrespondenz nimmt jedoch sein Briefwechsel mit Metropolit Nikolaos von Axum ein (65 bis 180). Darin kommt die Ausbildung äthiopischer kleriker an orthodoxen Fakultäten, vor allem aber an der Istanbuler Patriarchatshochschule von Chalki, zur Sprache; es wird klar, wieviel der orthodoxe Metropolit in Addis Abeba auf dem Umweg über äthiopische Stellen zur Verbesserung der schwierigen Lage des oekumenischen Patriarchates in der Türkei beitragen konnte; in seinem Brief vom 17, September 1961 an den Patriarchen nimmt Metropolit Nikolaos Abdallah weitblickend schon das Ergebnis der zehn Jahre später in Wien abgehaltenen Konsultation mit vorchalzedonischen Theologen vorweg, indem er von einem Missverständnis in der christologischen Terminologie zwischen Orthodoxen und Katholiken auf der einen sowie den Vorchalzedoniern auf der anderen Seite, nicht aber von Glaubens-differenzen, spricht.

Den Abschluss machen die trotz der kurzen Zeit bereits dedeutsamen Briefe zwischen Athenagoras und dem jetzigen Metropoliten von Axum, der auch Herausgeber des Bandes ist. Der Patriarch zeigt darin grosses Interesse und Anerkennung für die pastorale und wissenschaftliche Arbeit von Metropolit Fouyas, die weit über den Rahmen der orthodox-vorchalzedonischen Annäherung hinausgeht. So findet Athenagoras in seinem Schreiben vom 12. März 1969 besonders lobende Worte für die Arbeiten des Metropoliten zur orthodoxen Soziallehre.

Alles in allem sollte diese dokumentarisch wie inhaltlich wichtige Briefsammlung nirgends fehlen, wo man sich mit der Persönlichkeit und dem Wirken Athenagoras' I. und mit den vorchalzedonischen Kirchen, speziell der von Aethiopien, beschäftigt.

Heinz Gstrein

Wort und Wahrheit
Wien, 1-1973

Methodios (Fugias), Metropolit von Aksum (Hg.), Konstantinopel-Addis Ababa.

Briefwechsel des Patriarchen Athenagoras mit dem Kaiser von Aethiopien, der Kirche von Aethiopien und der Metropolie von Aksum. Athen 1972. 211 S.

Nach dem vom Vatikan und dem ökumenischen Patriarchat 1971 gemeinsam veröffentlichten *Tomos Agapēs* mit den zwischen Rom und Konstantinopel ausgetauschten Briefen, Dokumenten und Reden aus den Jahren 1958-1970 erscheint dieser bescheidene Band als ein kleinerer Bruder, der dennoch seinen Teil zum vollen Bild des grossen Patriarchen beizutragen hat. Das gilt noch nicht so sehr von der hochoffiziellen Korrespondenz mit dem Kaiser und den Oberhäuptem der (vorchalkedonensichen) Kirche von Aethiopien, als vor allem von jener mit den griechisch-orthodoxen Metropoliten Nikolaos und Methodios von Aksum; letzterer ist auch der Herausgeber dieses Briefwechsels.

Entsprechend den verschiedenen Partnern bringt der Band die Korrespondenz mit Kaiser Haile Selassie I (S. 39-39: 11 Nrn. und Telegramm zum Tod des Patriarchen); mit dem (ersten) Patriarchen Basilios von Aethiopien (S. 40-49: 9 Nrn); mit dessen Nachfolger, Patriarch Theophilos (S. 51-63: 11 Nrn). mit dem Metropoliten Nikolaos von Aksum (S. 65-180: 109 Nrn.) und seinem Nachfolger Methodios (S. 181-210: 31 Nrn.). Der Briefwechsel mit dem Kaiser und den äthiopischen Patriarchen ist teilweise in amharischer bzw. griechischer Sprache mit englischer Uebersetzung weidergegeben; letztere ist allerdings nicht immer sehr glücklich. Ausserdem enthalten die englische Texte einige sinnstörende Druckfehler (wie S. 24 province statt providence, hier und mehrmals concent statt consent; S. 49 word statt world; S. 58 rearest statt rarest). Gelegentlich fehlt auch die Angabe des Datums zu den Briefen und kann höchstens aus nachfolgenden erschlossen werden, einige Male ist die Reihenfolge selbst nicht ganz durchsichting. Sicher fehl an diesem Platz ist der Brief S. 116, der nach Inhalt und Datum nach der Ruckkehr des Patriarchen vom Heiligen Land im Januar 1964 geschrieben ist, hier aber zwischen einem Brief des Patriarchen vom 15. Januar und des Metropoliten vom 4. Februar 1963 zu stehen kommt.

Doch das sind Ausserlichkeiten. Der Band gibt noch einmal Zeugnis von dem starken Willen des Patriarchen, der Einheit zu dienen, lässt mehrmals auch die Schwierigkeiten deutlich erscheinen, die er nicht einfach zur Seite schieben konnte, weil sie in der Eigenart der Orthodoxie nach Geschichte und Verfassung begründet waren. Gerade dabei zeigt sich aber auch der vornehme Charakter Athenagoras'. Viele persönliche Züge offenbart besonders der Briefwechsel mit Metropolit

Nikolaos, trotz des "kurialen Stils", der immer gewahrt wird (und den man gerade hier ins tiefste Pfefferland wünschen möchte!). Der Metropolit selbst, wie auch sein Nachfolger, erweist sich als treuer Sachwalter des ökumenischen Patriarchen und der Orthodoxie in Aethiopien gegenüber dem Kaiser und den Vertretern der anderen Kirchen. Er sucht aber auch Verständnis für die athiopische und die übrigen vorchalkedonensichen Kirchen, auch für deren "Empfindlichkeiten", zu wecken. Auffallend die verschiedene Bezeichnung in den Briefen des Patriarchen (stets metachalkedonikai Ekklesiai - *nach*chalkedonensisch) und des Metropoliten (antichalkedonikai Ekklesiai - *gegen*chalkedonensisch). Wir haben uns inzwischen an eine dritte Weise gewöhnt und sagen *vor*chalkedonensische Kirche. Ob darin nicht tatsächlich jeweils auch eine Wertung dieser Kirchen, ihrer Stellung in Geschichte und Theologie, angesprochen ist?

Es lohnt jedenfalls, den Band sorgfältig zu lesen. Die Dokumente sind, zwar nicht alle, aber auch nicht wenige, sehr aufschlussreich für die Denkweise in den verschiedenen Kirchen auch des Ostens unter sich. Sie können helfen, von einer allzu einlinigen Beurteilung und, daraus folgend, allzu gedankenlosen Behandlung uns zu bewahren.

Ostkirchliche Studien *H. M. Biedermann OSA*
Würzburg 4/1972

"This book which was published commemorating the 80th Birthday of His Imperial Majesty, Haile Selassie I, and which contains the friendly exchange of letters between the two sister Churches of Ethiopia and Constantinople is of great historical importance.

It is evident that the Church of Ethiopia has had cordial relations and ties of friendship with the Church of Greece and Constantinople, which we have always cherished. The book does really reflect this fact. The book is indeed unique in its kind since there have never been so far any attempt to collect the rich correspondence between the Churches of Ethiopia and Constantinople.

We are confident that this book will be of Great significance and useful sources to the Students of Ethiopian history in general and to the Students of the history of the cordial relations between the Church of Ethiopia and the Church of Constantinople in particular".

Abba Salama **Rev. Nebure-Id Ermias Kebede**
Vol. IV, 1973 Administrator General
of the Patriarchate of Ethiopia

"The book presents an impressive array of official statements from all three Churches, and it is largely on the basis of these that the Archbishop, over a comprehensive range of issue, works out the relative positions of the three Churches..."

Dominic Tye, SSM.

Eastern Churches Review
Vol. V, I, 1973
London

"*Correspondance du patriarche Athénagoras avec l'empereur d'Éthiopie, l'Église d'Éthiopie et la métropole d'Axoum Édité par le métropolite Méthodios d'Axoum, Athènes*, 1972; 211 pp.

Publié l'année même de la mort du patriarche Athénagoras, ce recueil met en lumière une dimension généralement moins connue de l'activité œcuménique du grand patriarche, à savoir ses efforts de rapprochement avec les anciennes Églises orientales, et en particulier avec l'Église d'Éthiopie. Pour quiconque désire se faire une image aussi complète que possible de la personnalité du patriarche disparu, ce livre est donc en quelque sorte un complément indispensable du *Tomos Agapis*, publié par le Vatican et le Phanar en 1971. Le métropolite grec orthodoxe d'Axoum, Méthodios, qui appartient au patriarcat grec orthodoxe d'Alexandrie et a sa résidence à Addis-Abéba, réunit ici la correspondance échangée entre, d'une part, le patriarche Athénagoras, et, d'autre part, l'empereur Hailè Sélassié, le patriarche Basilios d'Éthiopie (1959-1971) et son successeur Théophilos (depuis 1971), le métropolite grec orthodoxe d'Axoum, Nicolaos (1929-1967), et son successeur qui n'est autre que l'auteur lui-même (depuis 1968). La correspondance avec l'empereur et les patriarches d'Éthiopie est en grec et en amharique, avec traduction anglaise; les lettres échangées entre le patriarche Athénagoras et les métropolites d'Axoum sont données uniquement en grec. Deux faits en particulier reçoivent un nouvel éclairage de cette documentation de premier ordre: l'invitation envoyée aux patriarches orthodoxes avant la convocation de la conférence des chefs des anciennes Églises orientales (Addis-Abéba, janvier 1965; pp. 9-16, 20-21, 142- 152, 155-159, 161-162, 165), et la réunion de la commission théologique interorthodoxe pour le dialogue avec les anciennes Églises orientales (Addis-Abéba août 1971; pp. 22-27, 33-36, 52-53, 195-204). La correspondance avec le métropolite Nicolaos d'Axoum constitue la section la plus étendue et la plus intéressante du recueil. Nous y voyons abordées, entre autres, les questions se rapportant à l'envoi d'étudiants éthiopiens aux facultés de théologie orthodoxes, à l'invitation d'observateurs éthiopiens à la Ie Conférence panorthodoxe de Rhodes, et à l'envoi d'observateurs orthodoxes à Vatican II. Il faut être reconnaissant au métropolite Méthodios d'Axoum d'avoir publié toute cette documentation, qui devra désormais faire partie intégrante de toute bibliographie sur le regretté patriarche Athénagoras."

France Bouwen

Proche Orient Chrétien
Tom. XXIV (1974) pp. 209-210.
Jerusalem

Constantinopel - Addis Abeba. De correspondentie van Patriarch Athenagoras met de Keizer van Ethiopië, de Kerk van Ethiopië en de metropolitane zetel van Axum. Uitgegeven door Methodios, metropoliet van Axum. Athene, 1972. 24×17, 211 p.

Uitgegeven bij gelegenheid van de 80e verjaardag van keizer Haile Selassie bevat deze bundel een aantal brieven met gelukwensen, uitnodigingen, paas- en kerstwensen etc. De brief van Nikolaas van Axum over het bezoek van een delegatie der Vredesbeweging (Nikodim) in 1963 aan Addis Abeba krijgt, als enige, een lang commentaar, waarin o.a. het feit dat Moskou waarnemers zond naar Vaticanum II, terwijl de orthodoxie besloten had niet op de uitnodiging in te gaan. Sommige brieven hadden weggelaten kunnen worden, zoals de dankbrief van Athenagoras aan Methodios die hem een van zijn publikaties had toegestuurd. De griekse brieven van de patriarch aan Haile Selassie gaan vergezeld van een engelse vertaling. Van zijn tweede brief is echter de griekse tekst weggevallen en alleen de vertaling overgebleven. Als de keizer Athenagoras vereert met "the grand Cordon of the Order of the Queen of Sheba" (28), bedankt de vertaalde brief van Athenagoras hem voor "the Great Ribbon of the Batallion of the Queen of Sheba" (32).

Het Christelijk Oosten **S. Franken**
Nijmegen

23. Μαθήτριες τῆς Ἑλληνικῆς Κοινότητος Ἀδδίς Ἀμπέμπας. Διακρίνεται ὁ τότε Πρέσβυς τῆς Ἑλλάδος καί ὁ ἀείμνηστος Ἀλέξανδρος Γανωτάκης, Γραμματεύς καί εὐεργέτης τῆς Κοινότητος.

Ἡ ἀλληλογραφία τοῦ Πατριάρχου Ἀθηναγόρα

ΤΟ ΝΕΟΝ ΒΙΒΛΙΟΝ ΤΟΥ ΜΗΤΡΟΠΟΛΙΤΟΥ ΑΞΩΜΗΣ

Τό ἕνα μετά τό ἄλλο καί εἰς σύντομα χρονικά ὅρια παρελαύνουν τά ἔργα τοῦ Σεβασμιωτάτου Μητροπολίτου Ἀξώμης κ. Μεθοδίου, τά ὁποῖα τυγχάνουν γενικωτέρας ἀπηχήσεως μεταξύ τῶν ἡμετέρων καί τῶν ξένων ἐκκλησιαστικῶν καί θεολογικῶν κύκλων. Καί εἶναι τοῦτο ἀξιοθαύμαστον, διότι ὁ Μητροπολίτης Ἀξώμης Μεθόδιος ἀναπτύσσει παραλλήλως καί ἐκπληκτικήν ποιμαντορικήν καί διεκκλησιαστικήν δραστηριότητα.

Κατ' αὐτάς εἰς καλαίσθητον ἔκδοσιν, δαπάνη τῆς ἐν Ἀδδίς Ἀμπέμπα ἑλληνικῆς ἑταιρείας DIABACO (Διαμάντας - Βαλασκαντζής), ἐπί τῇ 80ῇ ἐπετείῳ τῆς γεννήσεως τοῦ αὐτοκράτορος τῆς Αἰθιοπίας Χαϊλέ Σελασιέ, ὁ Σεβασμιώτατος Μητροπολίτης Ἀξώμης κ. Μεθόδιος ἐκυκλοφόρησε εἰς ἰδιαίτερον τόμον τήν ἀλληλογραφίαν τοῦ ἀειμνήστου Πατριάρχου Ἀθηναγόρου μετά τοῦ αὐτοκράτορος τῆς Αἰθιοπίας, τῶν Πατριαρχῶν τῆς Αἰθιοπικῆς Ἐκκλησίας καί τῶν Μητροπολιτῶν τῆς Ἱερᾶς Μητροπόλεως Ἀξώμης.

Αἱ ἐπιστολαί αὗται ἀποδεικνύουν δι' ἄλλην μίαν φοράν τό ἔντονον ἐνδιαφέρον τοῦ ἀειμνήστου Πατριάρχου Ἀθηναγόρου δι' ὅλας τάς χριστιανικάς Ἐκκλησίας καί ἐν προκειμένῳ καί διά τήν χριστιανικήν Αἰθιοπίαν.

Ἡ ἀλληλογραφία αὕτη ρίπτει φῶς εἰς τάς διεκκλησιαστικάς σχέσεις καί εἰς τόν προπαρασκευαζόμενον θεολογικόν διάλογον, εἰς τόν ὁποῖον πρωτοστατοῦν ὁ αὐτοκράτωρ, οἱ Πατριάρχες τῆς Αἰθιοπίας καί ἰδιαιτέρως οἱ Μητροπολῖται Ἀξώμης Νικόλαος († 1967) καί Μεθόδιος. Τούτου ἕνεκεν αἱ ἐπιστολαί αὗται ἀποτελοῦν σπουδαία κείμενα διά τάς σχέσεις τῶν Ἐκκλησιῶν ἡμῶν καί τῆς ὁμοδόξου Αἰθιοπίας.

Ὡς φαίνεται καί ἐκ τοῦ προτασσομένου προλόγου προφανής εἶναι ὁ ἐθνικός καί ὁ ἐκκλησιαστικός ρόλος τῆς Ἱερᾶς Μητροπόλεως Ἀξίωμης, τήν ὁποίαν μετά τοσαύτης ἐπιτυχίας διακονεῖ ὁ Σεβ. Μεθόδιος.

Καί ὡς ἰδέα καί ὡς ἐκτέλεσις ἡ ἔκδοσις τῆς ἐν λόγω ἀλληλογραφίας προκαλεῖ τήν ἱκανοποίησιν καί τῶν φίλων Αἰθιόπων καί ἡμῶν καί ἀποτελεῖ ἕν ἐπί πλέον στοιχεῖον εἰς τάς σχέσεις τῶν δύο λαῶν, τούς ὁποίους μετά παραδειγματικῆς δραστηριότητος ὑπηρετεῖ ὁ Σεβ. Μητροπολίτης Ἀξώμης κ. Μεθόδιος.

Α. ΡΗΓΑΣ

Ἐφημερίδα **Ἐλεύθερος Κόσμος,** Κυριακή 5 Νοεμβρίου 1972

23α. Εἰκὸνα ἀπό τή Διορθόδοξο Θεολογική Ἐπιτροπή γιά τό Διάλογο μέ τίς Ἀρχαῖες Ἀνατολικές Ἐκκλησίες πού συνῆλθε στήν Ἀδδίς Ἀμπέμπα, 18-28 Αὐγούστου 1971. Στήν εἰκόνα ὁμιλεῖ ὁ τότε Πατριάρχης τῆς Αἰθιοπίας Θεόφιλος. Ἡ ἐπιτροπή συνῆλθε στήν Ἀδδίς Ἀμπέμπα μέ τήν ἰδιαίτερη παρέμβαση τοῦ Μητροπολίτη Ἀξώμης Μεθοδίου.

ΤΟ ΝΕΟ ΒΙΒΛΙΟ ΤΟΥ ΜΗΤΡΟΠΟΛΙΤΗ κ. ΜΕΘΟΔΙΟΥ

Θλίψη προκαλεῖ ἡ νεώτερη ἱστορία τοῦ Πατριαρχείου Ἀλεξανδρείας

Στήν σύγχρονη ἱστορία τοῦ Πατριαρχείου Ἀλεξανδρείας 1934 - 1986, εἶναι ἀφιερωμένο τό νέο τεῦχος τοῦ περιοδικοῦ «Ἐκκλησία καί Θεολογία» τοῦ Μητροπολίτη Πισσιδίας κ. Μεθοδίου Φούγια, πού κυκλοφόρησε πρόσφατα.

Ὁ Μητροπολίτης κ. Μεθόδιος, πού χρημάτισε παλαιότερα Ἀρχιγραμματέας τοῦ Πατριαρχείου Ἀλεξανδρείας καί Ποιμενάρχης στήν Αἰθιοπία (Μητρόπολη Ἀξώμης) παρουσιάζει στό πλατύ κοινό ἄγνωστα κεφάλαια ἀπό τή ζωή τῆς Ἐκκλησίας τοῦ Ἁγίου Μάρκου πού, δυστυχῶς, μόνο θλίψη προκαλοῦν.

Ὁ Μητροπολίτης κ. Μεθόδιος Φούγιας διακρίνεται γιά τήν τόλμη καί τήν μόρφωσή του, γιαυτό τό λόγο μᾶς προκαλεῖ ἐντύπωση ἡ μή ἀναφορά του σέ κάποια σύγχρονα ἐπεισόδια στό Πατριαρχεῖο Ἀλεξανδρείας, ὅπως εἶναι:

1) Ἡ ἀπέλαση τῶν τεσσάρων Ἐπισκόπων ἀπό τήν Αἴγυπτο μέ ὑπόδειξη τοῦ ἀείμνηστου Πατριάρχη Νικολάου, καί ἐν ἀγνοία τῆς ἑλληνικῆς κυβέρνησης.

2) Ἡ χειροτονία κάποιων Δεσποτάδων, πού δέν εἶχαν καμιά ἐλπίδα νά χειροτονηθοῦν στήν Ἑλλάδα, καί οἱ φημολογούμενες ἐπιταγές...

3) Ἡ χειροτονία τοῦ κυροῦ Ἐπισκόπου Ἀρσινόης Στέφανου Παπαχαραλάμπους πού δώρισε ὅπως ἔλεγαν τότε τό μετόχι στό Γαργηττό, γιά νά χρισθεῖ Ἐπίσκοπος καί

4) Οἱ ἀτασθαλίες πού βρέθηκαν στό Πατριαρχεῖο μόλις ἔκλεισε τά μάτια ὁ ἀείμνηστος Πατριάρχης Νικόλαος.

Θέλουμε νά πιστεύουμε ὅτι ὁ Ἅγιος Πισσιδίας θά βρεῖ τό κουράγιο καί θά ρίξει ἄπλετο φῶς σ' αὐτές τίς ἀπαράδεκτες καταστάσεις, πού μπορεῖ λύπη νά προκαλοῦν ἀλλά ἐπιβάλλεται ἡ δημοσίευσή τους γιά τό συμφέρον τῆς Ἐκκλησίας καί τοῦ Πατριαρχείου Ἀλεξανδρείας. Οἱ στῆλες τοῦ «Τ τῶν Α» εἶναι, ὅπως γιά ἄλλους, ἀνοιχτές Ἅγιε Πισσιδίας.

Γ. ΞΕΝΟΥΔΑΚΗΣ

«Ταχυδρόμος τῶν Αἰγυπτιωτῶν» 17 Ἰουλίου 1994

METHODIOS G. FOUYAS, Metropolitan of Aksum. THE PERSON OF JESUS CHRIST IN THE DECISIONS OF THE ECUMENICAL COUNCILS. A historical and doctrinal Study with the relevant Documents referring to the Christological relations of Western, Eastern and Oriental Churches. (Central Printing Press, Addis Ababa, 1976) pp. 301.

Ἡ Α. Σ. ὁ Μητροπολίτης Ἀξώμης κ. Μεθόδιος ἐξέδωκεν ἐφέτος καὶ πρὸ ὀλίγου εἰς τὴν Ἕδραν του Ἀντὶς Ἀμπέμπα τῆς Αἰθιοπίας, διὰ τοῦ Κεντρικοῦ Τυπογραφείου, εἰς τὴν ἀγγλικὴν γλῶσσαν, μελέτην μὲ τίτλον «τὸ Πρόσωπον τοῦ Ἰησοῦ Χριστοῦ εἰς τὰς ἀποφάσεις τῶν Οἰκουμενικῶν Συνόδων». Ἡ μελέτη αὕτη εἶναι κατὰ κάποιον τρόπον συνέχεια, συμπλήρωμα τῆς ἄλλης μελέτης του καὶ τοῦ ἔργου του, πάλιν εἰς τὴν ἀγγλικὴν γλῶσσαν, «Ἡ Ὀρθοδοξία, ὁ Ρωμαιοκαθολικισμὸς καὶ ὁ Ἀγγλικανισμός». Ἀποτελοῦν τὸν κόπον του καὶ τὴν προσφοράν του, προπάντων, εἰς ὅσους ἐργάζονται καὶ μετέχουν εἰς τοὺς διαφόρους θεολογικοὺς Διαλόγους τῶν Ἐκκλησιῶν. Πρέπει ὅμως καὶ ὅλοι νὰ τὰ διαβάσουν καὶ νὰ τὰ μελετήσουν, διότι θὰ τοὺς κατατοπίσουν πολὺ καὶ πραγματικά, εἰς ὅσα γίνονται εἰς τὰς συναντήσεις τῶν ἐκπροσώπων τῶν Ἐκκλησιῶν κατὰ τοὺς Διαλόγους. Θὰ ἴδουν τὸν τρόπον τῶν ἐργασιῶν καὶ τῶν συζητήσεων, τῆς ἐξετάσεως, ἀνακοινώσεως, τῶν ἀποφάσεων, τὰς μελέτας καὶ τὰς ἀναπτύξεις τῶν θεμάτων. Καὶ τὸ σπουδαιότερον —καὶ αὐτὸ εἶναι ἄξιον ἐπαίνου καὶ εὐχαριστιῶν πρὸς τὸν συγγραφέα— θὰ ἴδουν συγκεντρωμένα τὰ τελευταῖα κείμενα, τὰ σημερινὰ θέματα, καὶ τὰς ἀποφάσεις τῶν σχέσεων καὶ τῶν διαλόγων, ποὺ κάπως θὰ εἶναι δύσκολον νὰ εὕρουν εἰς διάφορα συγγράμματα ἐκπροσώπων καὶ ἄλλων. Θὰ ἴδουν βιβλιογραφίαν καὶ μελέτας ποὺ θὰ παραπεμφθοῦν εἰς ἄλλας, καὶ αὐτὸ θὰ τοὺς ἐνημερώσῃ, θὰ τοὺς βοηθήσῃ. Χρειάζεται πολὺς κόπος καὶ ἀπαιτεῖται πολὺς καιρὸς διὰ τὴν συγκέντρωσιν αὐτῶν τῶν συγχρόνων κειμένων καὶ ὁ ἀγαπητὸς ἀδελφὸς καὶ συγγραφεύς, παρ' ὅλας τὰς ἄλλας ἀσχολίας του καὶ τὸν ἀγῶνά του, εἰς δυσκόλους ὥρας διὰ τὴν Ἐπαρχίαν του κατώρθωσε μὲ τὸν ζῆλον του νὰ τὰ εὕρῃ νὰ τὰ μελετήσῃ καὶ νὰ τὰ ἐκδώσῃ.

Ὁ ἴδιος μετέχει διαφόρων Διαλόγων καὶ διασκέψεων ὡς ἐκπρόσωπος τοῦ Πατριαρχείου μας καὶ εἶναι εἰς θέσιν νὰ γνωρίζῃ τὰ ἔξω καὶ τὰ ἔσω τῶν διαφόρων συναντήσεων. Ὁ ἴδιος ἔχει προσφέρει εἰς τοὺς διαλόγους μὲ τοὺς Ἀγγλικανοὺς καὶ τὰς Ὀρθοδόξους Ἀνατολικὰς Ἐκκλησίας, μελέτας καὶ ἀπόψεις ἐπὶ διαφόρων θεμάτων. Πρὸ πάντων μὲ τὴν συμβίωσίν του εἰς τὴν Αἰθιοπίαν μὲ τοὺς ἀδελφοὺς τῆς Ἐκκλησίας τῆς Αἰθιοπίας εἶναι εἰς θέσιν νὰ γνωρίζῃ ὄχι μόνον τὰς

Ἐκκλησιαστικός φάρος, ΝΗ' (1976), σελ. 455-457

ἀπόψεις τῶν θεολόγων των, ἀλλὰ καὶ τὰς ψυχικὰς πεποιθήσεις τῶν ἀρχηγῶν καὶ τοῦ λαοῦ καὶ τῆς Ἐκκλησίας τῆς Ἀβησσυνίας. Πιθανὸν μερικοὶ νὰ μὴ συμφωνήσουν ἀπολύτως μὲ μερικὰς ἀπόψεις τοῦ συγγραφέως, ἀλλὰ δὲν θὰ δυνηθοῦν νὰ τὰς ἀπορρίψουν, διότι εἶναι ὑποχρεωμένοι καὶ νὰ τὰς μελετήσουν καὶ νὰ τὰς λάβουν ὑπ' ὄψιν των. Καὶ αἱ ἀπόψεις του θὰ εἶναι ἀφορμή, ἡ ὁποία θὰ βοηθήσῃ ὅλους εἰς τὴν λῆψιν ἀποφάσεων καὶ εἰς τὴν χάραξιν γραμμῶν διὰ τὴν συνέχισιν τῶν διαλόγων μεταξὺ τῶν Ἐκκλησιῶν ἐπὶ βάσεων ἰσχυρῶν καὶ θεμελίων ἀκρογωνιαίων.

Δὲν κάμνω κριτικήν. Δὲν θὰ ὑπεισέλθω εἰς λεπτομερείας. Ἀλλὰ πρέπει νὰ σημειώσω, ὅτι μὲ τὴν νέαν του προσφορὰν πρὸς τὴν Ὀρθοδοξίαν καὶ πρὸς τὰς Ὀρθοδόξους Ἀνατολικὰς Ἐκκλησίας, καὶ πρὸς ὅλας τὰς Ἐκκλησίας γενικῶς, ὁ συγγραφεὺς τοποθετεῖ τὸ θέμα τοῦ Διαλόγου τῶν Ὀρθοδόξων καὶ τῶν Ρωμαιοκαθολικῶν μὲ τοὺς Ὀρθοδόξους Ἀνατολικοὺς ἐπὶ τῆς βάσεως, ἡ ὁποία, ἐὰν γίνῃ δεκτή, καὶ ἐὰν ἡ ἐργασία συνεχισθῇ ἀπὸ αὐτῆς, νομίζω, ὅτι θὰ ἀκολουθηθῇ γραμμή, ἡ ὁποία πολὺ θὰ συντελέσῃ εἰς τὴν θετικὴν πορείαν πρὸς τὴν ἕνωσιν, ἐὰν ὁ Θεὸς θελήσῃ.

Τὸ θέμα τῆς θέσεως τῶν Ἑπτὰ Οἰκουμενικῶν Συνόδων, καὶ πρῶτον, διὰ τὴν ἐξέλιξιν τῶν Διαλόγων, τὸ θέμα τῶν τεσσάρων τελευταίων, ἀποτελεῖ τὸν ἀκρογωνιαῖον λίθον τῶν συζητήσεων τοῦ μέλλοντός των.

Ὁ συγγραφεὺς διατυπώνει τρόπον ἐργασίας πρὸς τὴν ὁδὸν αὐτῶν, τὸν ὁποῖον ὀφείλουν νὰ μελετήσουν, ὅσοι ἐπιθυμοῦν τὴν ἐπιτυχίαν τοῦ διαλόγου. Νομίζω, ὅτι αὐτὴ εἶναι ἡ μόνη ὁδός, διὰ νὰ μὴ πελαγοδρομήσῃ ὁ Διάλογος. Διότι πιστεύω, ὅτι διὰ τὴν πρόοδον τοῦ Διαλόγου ἀπαιτεῖται ἡ εὕρεσις τῶν θεμάτων ἀκριβῶς, ποὺ χωρίζουν τὰς Ἐκκλησίας, καὶ ὁ τρόπος τῆς διαδικασίας καὶ ἐξετάσεώς των θετικά, ἀποτελεσματικά. Πρέπει νὰ ἀφήνωνται κατὰ μέρος θέματα καὶ συζητήσεις αἱ ὁποῖαι δὲν ἔχουν καὶ τὴν θέσιν των καὶ δὲν χωρίζουν. Καὶ τὸ οὐσιῶδες, χρειάζεται τόλμη καὶ εἰς τὸν τρόπον τῆς ἐξετάσεως καὶ εἰς τὴν ἐκλογὴν τῶν θεμάτων καὶ εἰς τὴν πορείαν τῶν διαλόγων. Χωρὶς αὐτὰ ἁπλῶς θὰ γίνωνται συζητήσεις. Νομίζω, ὅτι ὁ συγγραφεὺς βοηθεῖ πολὺ εἰς τοῦτο καὶ χαράσσει μίαν γραμμὴν θετικήν. Αὐταὶ αἱ πρὸς τοῦτο σκέψεις του πρέπει νὰ μελετηθοῦν μὲ προσοχήν.

Τὸ θέμα τῆς θέσεως τῶν Οἰκουμενικῶν Συνόδων, ὄχι μόνον διὰ τὸν Διάλογον μὲ τὰς Ὀρθοδόξους Ἀνατολικὰς Ἐκκλησίας εἶναι βασικόν, ἀλλὰ καὶ δι' ὅλους τοὺς διαλόγους τῆς Ὀρθοδοξίας. Πιστεύω, ὅτι θὰ βοηθήσῃ εἰς τοῦτο πολὺ τὸ ἔργον τοῦ Ἁγίου Ἀξώμης. Θὰ μοῦ ἐπιτραπῇ ἁπλῶς νὰ σημειώσω, ὅτι καὶ τὸ Π.Σ.Ε. μετὰ τὴν Οὐψάλαν, καὶ πρὸ πάντων μετὰ τὴν Γενικὴν Συνέλευσιν ἐν Ναϊρόμπι καὶ μάλιστα εἰς τὸ τμῆμά του Πίστις καὶ Τάξις, ἀσχολεῖται μὲ τὸ θέμα τῶν Συνόδων, καὶ γίνεται λόγος διὰ μίαν «συνοδικὴν» ἕνωσιν. Δὲν σημαίνει τοῦτο ὅτι συμφωνῶ καθ' ὅλα μὲ τὰς ἀπόψεις τοῦ Π.Σ.Ε., ἀλλὰ ἐπιθυμῶ νὰ το-

νίσω, ὅτι ἔχει ὑπογραμμισθῆ, πρῶτον, ὅτι ἡ νέα Οἰκουμενικὴ Σύνοδος προϋποθέτει ἕνωσιν εἰς τὸ Δόγμα, καὶ ἔπειτα, ὅτι καὶ τὸ Π.Σ.Ε. ὑπεχρεώθη νὰ ἐξετάσῃ τὸ θέμα τῶν Συνόδων καὶ τῆς θέσεώς των εἰς τὴν 'Εκκλησίαν.

'Η μελέτη τοῦ 'Αγίου 'Αξώμης ἀποτελεῖ τὴν ἔκφρασιν τῆς θέσεως τῆς 'Εκκλησίας μας. 'Ο ἴδιος μὲ τὴν συμμετοχήν του εἰς τὸν Διάλογον μὲ τοὺς 'Ορθοδόξους 'Ανατολικοὺς ζῇ καὶ ἀντιλαμβάνεται τὴν ἀνάγκην τῆς ἐξετάσεως τοῦ θέματος αὐτοῦ, ποὺ τὸ θεωρεῖ βασικὸν καὶ πρῶτον. Πιστεύει, ὅτι καὶ οἱ 'Ορθόδοξοι 'Ανατολικοὶ ἔχουν νοιώσει, ὅτι τὸ θέμα αὐτὸ εἶναι βασικὸν καὶ ἐκ τῶν ὧν οὐκ ἄνευ. Αὐτὸ ἀποτελεῖ αἰσιόδοξον προοπτικὴν διὰ τὴν συνέχειαν τοῦ Διαλόγου. Δὲν εἶναι τόσον ἡ θέσις καὶ ἡ πίστις διὰ τὸ πρόσωπον τοῦ Κυρίου μας 'Ιησοῦ Χριστοῦ, ποὺ μᾶς χωρίζει, ὅσον ἡ θέσις τῶν 'Αγίων Συνόδων. Ὄχι τόσον ἡ Χριστολογία, ὅσον ἡ 'Εκκλησιολογία. Καὶ ὁ Ἅγιος 'Αξώμης διατυπώνει αὐτὸ καθαρὰ καὶ μὲ εἰλικρίνειαν.

Τὰ ὀλίγα αὐτὰ σημειώνω καὶ θεωρῶ ἀπαραίτητον τὴν μελέτην τοῦ ἔργου τοῦ ἀγαπητοῦ 'Αγίου 'Αξώμης ἀπὸ ὅλους καὶ πρὸ πάντων ἀπὸ ἐκείνους, οἱ ὁποῖοι ἐνδιαφέρονται διὰ τοὺς Διαλόγους. Εἶναι ἀξία βοήθεια, ἄξιος ἀπολογισμός, ἕως τώρα διὰ τὰς ἐργασίας ποὺ ἔγιναν, ἀξία προοπτική.

Θερμὰ εὐχαριστῶ τὸν Ἅγιον 'Αξώμης. Εἶναι ἄξιος εὐχαριστιῶν καὶ συγχαρητηρίων. Καὶ τὸ Πατριαρχεῖον μας τὸν εὐχαριστεῖ, διότι εἰς αὐτὸ ἀνήκει μία θέσις διὰ τὸν Διάλογον μὲ τοὺς 'Ορθοδόξους 'Ανατολικούς, τὴν ὁποίαν δὲν πρέπει οἱ ἴδιοι ἡμεῖς νὰ ἀρνούμεθα, οὔτε οἱ ἄλλοι νὰ λησμονοῦν, νὰ ἀρνοῦνται ἢ νὰ ἀποκηρύσσουν.

'Ο Μητροπολίτης Καρθαγένης Παρθένιος

Ὁ Καρθαγένης Παρθένιος εἶναι ὁ διάδοχος τοῦ Πατριάρχου Νικολάου στόν Πατριαρχικό Θρόνο Ἀλεξανδρείας

The Person of Jesus Christ in the Decisions of the Ecumenical Councils. By ARCHBISHOP METHODIOS FOUYAS. Central Printing Press, Addis Ababa, 1976. Pp. 301. No price.

ARCHBISHOP METHODIOS of Aksum is a scholar of international reputation who is deeply concerned with Church unity. His earlier book, *Orthodoxy, Roman Catholicism and Anglicanism* and the book under review confirm this deep concern on the part of the Archbishop.

The book has its beginnings in a paper the Archbishop was asked to write as his contributions to the Dialogue of the Orthodox-Roman-Oriental-Orthodox Churches. The Dialogue itself was an event of historical importance in that it sought to establish a theological basis for a frank discussion of vital doctrinal issues of mutual concern.

The book consists of two parts and three appendices and a select bibliography. The first part is an historical account of the Christological controversies and decisions which occupied the minds of the early Church Fathers. The author discusses at great length the issues centering in the important problem of the nature and Person of Christ. He adduces lengthy excerpts from the original texts in support of his material. For example he discusses in great detail St. Leo of Rome and his Tome in conjunction with the Chalcedonian definition, which he regards to be very germane to the Christological problem. Although the documents included in the main body of the book are readily available in church histories, their inclusion should prove valuable to the reader who does not wish to go into any elaborate research but simply wants to follow the main themes of the controversies.

The second part is more interesting and is certainly relevant to our times as church leaders and theologians seek to find common ground for church unity. This part deals with the official and unofficial contacts between Orthodox, Oriental, and Roman Catholic Churches in the past fifteen years, These discussions are a hopeful sign of the changing climate on the question of Unity.

It is regrettable that these discussions were not broadened to include the 'separated brethren' from the Reformed Churches. If Church unity is to become a reality in our time, efforts must be made that such discussions be initiated in the near future and that the basis for these discussions must be the Christological problem. One need hardly stress the point that all fundamental doctrines of the Church, such as soteriology, ecclesiology and the Sacraments, are deeply rooted in the nature and Person of Jesus Christ. It is to be hoped that Archbishop Methodios' book will serve to open the door for serious discussions of this vital and central problem by the *whole* Body of Christ. In the opinion of this reviewer the value of this book lies in the fact that it brings to the attention of church leaders and theologians the importance of the doctrine of Christ.

LOUIS J. SHEIN (*Hamilton, Ontario*)

REVIEW ARTICLE

EASTERN ORTHODOX AND ORIENTAL ORTHODOX

By E. R. HARDY

THE PERSON OF JESUS CHRIST IN THE DECISIONS OF THE ECUMENICAL COUNCILS. A HISTORICAL AND DOCTRINAL STUDY WITH THE RELEVANT DOCUMENTS REFERRING TO THE CHRISTOLOGICAL RELATIONS OF THE WESTERN, EASTERN AND ORIENTAL CHURCHES by Archbishop Methdios Fouyas (Addis Ababa, 1976. 301 pp.; available from the Fellowship Bookroom hardback £7.50, paperback £6).

When in August, 1964, a plane-load of theologians arrived at Aarhus in Denmark for a meeting of the Faith and Order Commission of the World Council of Churches some of them were fascinated to find that an informal conference of theologians of the two main groups of Eastern Churches was just ending its sessions. In the work here reviewed the charming Archbishop of Axum uses the terms Eastern Orthodox and Oriental Orthodox, which are somewhat cumbersome for frequent repetition, as would be the precisely correct Chalcedonian and non-Chalcedonian. Merely as labels, without begging any questions, I will speak of Orthodox and Oriental. The latter term would also include those commonly called Nestorians, but they are not involved in the current discussions, although many of the same principles would apply in relations with them. The Church of the East, as it calls itself, seems now to be recovering from the may shocks of recent years, and may again be able to take a place in the ecumenical world; but that is not in the immediate future. The Oriental Churches involved are those commonly called Monophysite, a term to be avoided since their representatives reject it and its implications. Let us therefore be content with Oriental (Orthodox or Apostolic) for the non-Chalcedonian Churches of Armenia, Syria, Malabar, Egypt, and Ethiopia.

It was a happy result of contacts established in the context of the Faith and Order movement and the World Council that Orthodox and Orientals met face to face on neutral ground in a way in which they had not encountered each other for centuries. (The common impression that the still existing schism began when the Bishops went home from Chalcedon in 451 is a great simplification, but that can't here be discussed in detail).The theologians who met at Aarhus came as individuals, though not without the blessing of their ecclesiastical superiors. Further meetings of the same character were held at Bristol in 1967, at Geneva in 1970, and at Addis Ababa in 1971. Both sides agreed that the time was ripe for the opening of an official dialogue; the idea had been approved by a meeting of the heads of Oriental Churches as Addis Ababa in 1965, and by the 5th Panorthodox Conference at Chambésy, Switzerland, in 1968. Separate meetings and joint sub-committees have prepared the way for a Joint Conference of official Commissions, similar in status to the Joint Anglican-Orthodox

Theological Commission which met at Oxford in 1973 and at Moscow in 1976 (see pp. 223-8 of the Archbishop's book here reviewed, to which further references will be made by page alone).

II

These various Consultations have produced a considerable literature, much of which has been published in various places – for instance the full report of the Bristol Consultation in vol. XIII of *The Greek Orthodox Theological Review* (Brookline, Massachusetts, 1968). The Archbishop of Axum has the advantage of access to two periodicals which he edits – the appropriately names *Ecclesiastical Lighthouse* (Ekklesiastikos Pharos) of the Patriarchate of Alexandria, and *Abba Salama,* devoted to "Ethio-Hellenic Studies." The current number of the former includes two papers prepared for the prospective joint meeting, surveys of the Christology of the Councils by D. Staniloae and Methodios of Axum (vol. 58, 1976, pp. 130-7 and 148-163). the Archbishop's book has grown out of the preparation of his paper. Part I consists of documents related to the decisions of the Ecumenical Councils, many of which are well known, from Eusebius' report on Nicaea to the dogmatic letters of Cyril of Alexandria, the Tome of Leo and the Chalcedonian definition. One may perhapos regret that John of Antioch's Formula of Union, accepted by Cyril in the letter *Laetentur caeli* (pp. 83-87), did not remain the Church's final word in these matters. It asserts the unconfused union of two natures in one Christ, without the Leonine and Chalcedonian terms which became divisive. Later documents ate less familiar in the English-speaking world. The much-maligned Fifth Ecumenical Council attempted, though in the unfortunate form of anathemas, to reconcile Chalcedonians and non-Chalcedonians by acknowledging the common faith expressed in different terms. To its decisions Methodios adds the letter in which Pope Vigilius (finally and under pressure) gave his assent (pp. 165-173). As the Coptic scholar K. N. Khella observed at Aarhus, it is unfortunate that the disputes which followed Chalcedon did not lead to such a reconciliation as that of 433 (pp. 147-8). The Fifth Council in 553 was an effort in this direction which failed for various reasons, one of which was certainly its close association with imperial policy. Methodios then gives the decree of the Sixth Ecumenical Council, 680-6812, affirming the existence of a human will and operation – I think what we would call personality – in Christ, and the letter of Pope Agatho which is related to it as Leo's Tome to Chalcedon. I THINK I was correct some years ago in describing its proceedings as correct but unenthusiastic, marked by a certain weariness.[1] Finally come the decisions of the Seventh Council of 787 on the veneration of icons; these would cause no difficulty to Orientals, although icons do not seem to enter into their liturgical practice as they do in the Orthodox, except for the incidental inclusion of a number of their leaders in a list of heretics (pp. 197, 204).

The modern documents in Part II, headed "Towards Unity", are arranged in a logical but somewhat confusing order. Chapter IX summarizes the unofficial

Consultations of 1964-71, along with two similar meetings of Oriental and Roman Catholic theologians at Vienna. "Contemporary Relations" are represented in Chapter VII, the latter part of which reports on the preparations for official dialogue. By way of background to this Methodios gives what he labels Armenian and Ethiopian Confessions. The former is in fact a historic letter addressed by the Catholicos Nerses the Gracious (1166-1173) to the Emperor Manuel Comnenos at a time when Byzantine power extended towards (Armenian) Cilicia and Syria. In effect it accepts a position like that of the Fifth Council; the indivisible and unconfused union of God and man in Christ could be described by either of the terms, "one nature" or "two natures", properly defined.[2] The Ethiopian Confession is a statement of the common doctrine made by Patriarch Theophilos in the presence of Orientals, Orthodox, and Roman Catholics at his enthronement in 1971 (pp. 219-220, from *Abba Salama*, vol. III, 1972, pp. 186-189). Under the heading "Special Relations" Methodios records various fraternal visits between Orthodox and Oriental Patriarchs, in particular one of his chief, Nicholas VI of Alexandria, to the Supreme Catholicos of the Armenians at Etchmiadzin. These polite exchanges are not to be considered as insignificant – any more than the Christmas and Easter greetings to, among other places, Canterbury and Urecht, which are regularly recorded in *The Journal of the Moscow Patriarchare*. Chapter VIII then deals with the relations of Orientals and Roman Catholics. Significant among these is the Common Declaration of Paul VI and Shenouda III "at the Tower of St. John in the Vatican Gardens". It asserts a common christological faith – in fact in Chalcedonian terms except for the actual phrase "in two natures" – and led to the meeting of a joint (Roman) Catholic and Coptic Commission at Cairo in 1974 and 1975 (pp. 242-252).

As an Honorary D.D. of Edinburgh Archbishop Methodios has several times quoted Professor Torrance. He adds to his book an Appendix on the "Formal Relations of the Church of Scotland to the Nicene Creed and the Ecumenical Councils "– which is closer than might have been supposed – also giving without comment, the section on "The Christian and the Creeds" from the recent Church of England Report on *Christian Believing* –and a list of Chalcedonian and non-Chalcedonian hierarchs at Alexandria and Antioch to the Moslem conquest. This last is not as useful as it might be, since it doesn't include dates or indicate when the double successions began, a point taken up earlier (pp. 222-3). A Bibliography, extensive and helpful, and Index conclude the volume.

III

The dogmatic basis of the Orthodox-Oriental dialogue is the conviction that the two parties share a common faith in the incarnate Lord, though differing in the terms used to express it – as was said in the agreed statement produced at Aarhus in 1964–

> On the essence of the Christological dogma we found ourselves in full agreement. Through the different terminologies used by each side, we saw the same truth expressed. (p. 253).

Such has for some time been the view of students of the older period of the respective traditions, such as the Roman Catholic Joseph Lebon and the Anglican W. A. Wigram.[3] I have felt myself that among the sixth-century Fathers the "monophysitism" of Severus of Antioch was closer to the real intention of Chalcedon that the "neo-Chalcedonianism" of Leontius of Byzantium – the former was anxious, as against the extremists of his own party, to give full recognition to the humanity of Christ, the latter to indicate his loyalty to the Cyrilline emphasis on the hypostatic union. But it is more significant than merely historical enquiry to find responsible theologians of the Eastern Churches affirming their basic agreement, with a view to concrete action following.

How far it is valuable to attempt a detailed reassessment of ancient positions beyond a general irenic statement must remain a matter for those immediately concerned. The proposed Agenda for a Joint Commission meeting include a survey of the conciliar tradition and a special study of John of Damascus and Severus of Antioch, classic and more of less final representatives of Orthodox and Oriental Christology (pp. 227-8). I would agree that the Leonine emphasis on the two natures, so deeply engrained in Western theology, needs to be balanced by the Cyrilline emphasis on the One Christ. On the other hand there is sometimes a tendency in the Orthodox-Oriental discussions to push Leo and his Tome into the background, a one-sidedness which has led to a protest from an Athenian Professor, P. Trembelas (pp. 140-150). The relevant points seem well handled in the Roman Catholic Consultations with the Copts and with Oriental theologians generally (pp. 243-245, 256-267). It would be unfortunate if after the solid common understanding reached there were any repetition of the efforts at compromise which, as Professor Konidaris of Athens has pointed out, were made without success for two centuries between 451 and 680.[4]

Non-theological factors are never to be ignored in relations between churches. Archbishop Methodios has rightly pointed out that the nationalistic character of the ancient divisions has been exaggerated; the early anti-Chalcedonian theologians of Alexandria and Antioch were Greek-speakers in the tradition of the Greek Fathers (pp. 220-222). But it cannot be denied that the final divisions ran along national lines, and were often reinforced by unhappy denunciations of individuals. Hence one is glad to see that some discussions have reached the point of proposing the "lifting of anathemas", whether formally or informally, and the removal of offensive phrases which have found their way into liturgical usage–e.g. Addis Ababa, 1971, (pp. 260-262) and Vienna, 1973 (p. 267). Even some of those who have been denounced as heretics could be admitted in a united Church to belong to the category of saints–perhaps Orthodox and Latins might begin with the Abbot Shenute, or Shenouda, much venerated in the Coptic Church, who as it happened died on the eve of the formal divisions. There has been even some discussion of the effect of reunion on canonical church structure–pragmatic considerations might require the toleration of exceptions to the proper rule of one Bishop in one place (doubtless especially for such national groups as the Armenians), provided that due harmony was preserved (Geneva, 1970, p. 259).

When can one hope that such details will become practical questions as the important step of union of Eastern Orthodox and Orientals in one Communion is achieved? As Mar Paul Gregorius (long known to many as Paul Verghese) plaintively asked at the Conference of Orthodox Theological Schools at Athens last August, when could he hope to be received into communion with churches with which he agreed in faith and shared a common sacramental practice? It was perhaps some consolation that he was invited with the other Bishops to the head table when the Archbishop of Athens presided at a festal luncheon. The well-known French Orthodox layman, Oliver Clement, has urged that reunion with the Orientals should be placed on the agenda of the prospective Great and Holy Council, in addition to the rather technical subjects which have been proposed for its discussions.[5] But perhaps some way can be found without waiting for that desired but still uncertain event. Meanwhile those who work and pray for unity among the Eastern Churches, or at least are able to observe movements in that direction with sympathetic interest, will be grateful for the collection of materials which our good friend the Archbishop of Axum has put at our disposal.

NOTES

1. *Library of Christian Classics*, vol. III (London, 1954), p. 36.
2. On background of this see Charles A. Frazee, "The Christian Church in Cilician Armenia: Its Relations with Rome and Constantinople to 1198" in *Church History* (Chicago), vol. 45: 1975, pp. 166-184.
3. J. Lebon, *Le Monophysisme Severien* (Louvain, 1909); W. A. Wigram, *The Separation of the Monophysites* (London, 1923).
4. G. I.Konidaris, *Zur Frage nach dem Schisksal der Beschluesse von Chalkedon bis zum 6 Oekumenischen Konzil* (from Geneva, 1970, (Athens, 1973).
5. In SYNODIKA (preparatory material for the Council), vol. I, Chambésy, 1976, p. 119.

Cambridge University

Sobornost, London
series 7 : nr 4
pp. 309-313

Methodios G. Fouyas, The Person of Jesus Christ in the Decisions of the Ecumenical Councils. A historical and doctrinal Study with relevant Documents referring to the Christological relations of the Western, Eastern and Oriental Churches. Addis Abeba: Central Printing Press 1976. 301 S.

Wer, um dem vorliegenden Werk gerecht zu werden, dessen „Sitz im Leben" beachtet, wird verstehen, daß es *in unseren Breiten* eher für die Ökumeniker als für die Kirchenhistoriker von Belang ist. Der Verfasser erhebt nämlich nicht den Anspruch und hatte nicht die Absicht, den Forschungsstand zur Dogmenentfaltung in der Christologie voranzubringen. Er hatte sich vielmehr die Aufgabe gestellt, dort, wo er sein bischöfliches Amt ausübt, die aufgeschlossenen kirchlichen Kreise mit dem Erkenntnisstand der historisch-kritischen Forschung zum aufgeworfenen Thema bekannt zu machen. Man könnte sich versucht fühlen, das Werk ein Lehrbuch zu nennen. Aber auch diese Bezeichnung träfe nicht recht zu, denn es ist nicht für den Unterricht geschrieben und der Verfasser versteht sich selbst nicht als Lehrer, sondern legt dar, was er an Einsichten gewann, als er sich auf seine Mitarbeit in ökumenischen Gremien vorbereitete und sich deshalb der Mühe unterzog, das methodische Instrumentarium seiner Gesprächspartner zu erforschen und es auf die anstehende Thematik anzuwenden. Wer sich bei uns auf ökumenische

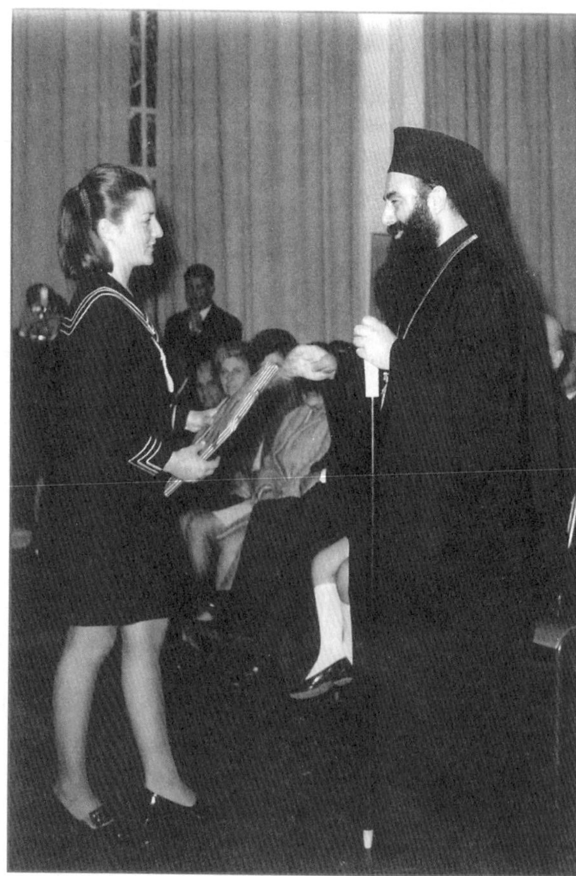

24. Ὁ τότε Μητροπολίτης Ἀξιώμης Μεθόδιος ἐπιβραβεύων ἀριστοῦχον μαθήτρια τοῦ «Μιχείου» Ἑλληνικοῦ Γυμνασίου Ἀδδίς Ἀμπέμπας.

Gesprächsrunden mit Orientalen vorbereitet, wäre also seinerseits gut beraten, die vorliegende Darstellung zu studieren, um zu ergründen, wo für den Verfasser Schwierigkeiten lagen. Dann kann er lernen, neben dem „Was" auch das „Wie" seiner Gesprächsbeiträge besser den Gegebenheiten anzupassen. Gelegentlich ergibt sich doch aus den Akten von Treffen östlicher und westlicher Theologen, daß gewichtige Referate von westlicher Seite in der anschließenden Diskussion keine Rolle mehr spielten, weil ihre Art und Weise, das Thema anzugehen, den Orientalen zu fremd war.

Der Verfasser des vorliegenden Werkes ist Erzbischof des griechisch-orthodoxen Patriarchats von Alexandrien; er amtiert in Äthiopien. Als geborener Grieche machte er seine theologischen Studien in Athen; später hatte er Studiengelegenheiten in München; schließlich erwarb er in Manchester akademische Grade. Als führender Theologe unter den Hierarchen des Alexandriner Patriarchats ist er Mitglied der Panorthodoxen Kommission für den Dialog mit den Anglikanern und mit den Altorientalen. Von letzterer Kommission in einen dreiköpfigen Ausschuß gewählt, der die weiteren Arbeiten vorzubereiten hatte, fiel ihm die Aufgabe zu, ein Gutachten über die christologische Thematik zu erstellen. Beim Studium der Unterlagen, die hierfür in den inoffiziellen Theologengesprächen zwischen Altorientalen und Orthodoxen und zwischen Altorientalen und Katholiken zusammengetragen wurden, entstand das vorliegende Buch.

Man muß sich den Wandel vor Augen halten, den es bedeutet, und man muß die Chancen für eine Annäherung zwischen Ost und West beachten, die daraus erwachsen, daß nun ein Hierarch des Patriarchats von Alexandrien konsequent das Instrumentarium der historisch-kritischen Methode auf *Fragen der Dogmenentfaltung* anwendet, und daß er seine Resultate in Äthiopien publiziert, wo er auch bei der einheimischen Kirche als Theologe beträchtliches Ansehen genießt. Daß dies geschehen ist, wiegt schwer. Über Detailfragen – selbst über so wichtige wie diese, daß der Verfasser die außertheologischen Komponenten der Kirchenspaltung in ihrer Bedeutung sicher viel zu gering ansetzt – läßt sich reden, wenn die grundsätzliche Übereinkunft darüber besteht, daß es legitim ist, auch die dogmatischen Texte der Väter und sogar jene der ökumenischen Konzilien historisch-kritisch zu untersuchen.

Wien *Ernst Chr. Suttner*

Methodios Fouyas, *The person of Jesus Christ in the decisions of the Ecumenical Councils*, Central Printing Press, Addis Ababa 1976, pp. 301.

On sait combien les relations avec les Eglises non chalcédoniennes se sont intensifiées ces dernières années tant de la part des Eglises orthodoxes que de l'Eglise catholique. L'Auteur, archevêque orthodoxe d'Aksum, qui a pris part à ces colloques, a eu l'heureuse idée de réunir en ce volume tous les documents concernant la christologie qui peuvent éclairer le débat en cours entre les églises.

La première partie comporte les décisions des sept premiers conciles introduits par une brève notice historique. L'Auteur y a joint — fort heureusement — les documents contemporains qui peuvent en éclairer le sens et la portée, par exemple la lettre d'Eusèbe de Césarée à son diocèse à propos de Nicée, celle de St Athanase à Epictète, celle de Grégoire de Nysse sur « ousia » et « hypostasis » (éditée parmi les lettres de Basile nº 38) et ainsi de suite pour les autres Conciles.

La seconde partie nous donne un compte rendu assez circonstancié des relations actuelles, d'une part des églises orthodoxes: réunion d'Addis Abeba et visites de Prélats orthodoxes aux églises arménienne et éthiopienne (sur lesquelles l'Auteur nous donne, au préalable, un bref exposé de leurs positions doctrinales), d'autre part de l'Eglise catholique: visites au Vatican du patriarche arménien Vasken I, du Patriarche syrien Jacob III, du Pape copte Anba Shenouda III. Le texte des différentes déclarations communes y est reproduit. Suit un bref historique des réunions officielles de la commission mixte copte-catholique. Enfin, un dernier chapitre retrace les conférences non officielles tenues à Aarhus et à Bristol sous l'égide du Conseil œcuménique des églises, ainsi que les réunions de Vienne dans le cadre de l'Association « Pro Oriente ».

Cette histoire est retracée avec une stricte objectivité.

Il faut savoir gré à l'Auteur d'avoir mis à la portée d'un plus large public les données d'un débat qui n'est le plus souvent que réservé à des spécialistes de l'œcuménisme.

G. Dejaifve S.J.

25. Ὁ ἀείμνηστος Πάπας καί Πατριάρχης Ἀλεξανδρείας Νικόλαος, ὁ ἀείμνηστος Ἀρχιεπίσκοπος Θυατείρων Ἀθηναγόρας Κοκινάκης, ὁ διακεκριμένος Καθηγητής Thomas Torrance καί ὁ τότε Ἀξώμης Μεθόδιος στό Ἐδιμβοῦργο.

ÎNSEMNĂRI DESPRE CĂRŢI ŞI REVISTE

ORTODOXIA, XXIX, 1977, σελ. 498-502. Βουκουρέστιον.

Arhiepiscopul **Methodios** Fouyas al Axumului, *Persoana lui Iisus Hristos în hotărîrile Sinoadelor ecumenice — Studiu istorico-dogmatic cu principalele documente referitoare la relaţiile hristologice dintre Bisericile apusene, ortodoxe, calcedoniene şi necalcedoniene*, (Centrul Printing Press, Addis Ababa, 1976), 301 p.

Autorul acestei cărţi, persoană de mare erudiţie şi profunzime teologică este foarte cunoscut astăzi în Bisericile ortodoxe şi neortodoxe de pretutindeni. El ne-a vizitat ţara acum cîţiva ani, însoţind pe Sanctitatea Sa Nicolae al VI-lea, Patriarhul grec-ortodox al Alexandriei, al cărui arhiepiscop sufragan al Arhiepiscopiei Etiopiei este. Doctor în teologie de la Atena, Doctor în filozofie de la Manchester-Anglia, Doctor honoris causa de la Edinburgh, încă tînăr, el redactează cele mai mari reviste ale Ortodoxiei africane, «Ekklesiastikos Pharos» în greceşte, la Alexandria şi «Abba Salama» la Addis Ababa, în englezeşte. Cea dintîi, premiată de Academia Atenei, contează ca revista Patriarhatului ortodox al Alexandriei, iar cea de a doua ca a asociaţiei elino-etiopiene şi are un comitet de redacţie, format din somităţile teologice ale celor două naţiuni dintre care amintim pe Prof. I. Karmiris, membru al Academiei elene, Prof. Dr. V. Samuel, decanul Facultăţii teologice din Addis Ababa etc.

Teolog de o prolificitate uimitoare, Arhiepiscopul Methodios ţine la curent apariţia celor două reviste, ajungînd acum să facă să apară pe 1977 un număr din «Abba Salama», şi concomitent, în ultimul an, de pildă «Documente referitoare la dialogul teologic dintre Bisericile Ortodoxe Răsăritene şi cele Orientale» (Atena, 1976, 197 p.), ca şi cartea pe care o vom înfăţişa cititorilor noştri acum.

(Amintim, în treacăt, că această carte este oarecum o continuare firească a uneia dintre principalele cărţi ale Arhiepiscopului Metodiu, intitulată «Ortodoxie, Romano-catolicism şi Anglicanism», publicată în editura Oxford University Press).

Prietenia legată cu teologii fruntaşi români, bursierii de altă dată la Atena (Pr. Dr. D. Fecioru şi Dr. O. Căciulă) şi legăturile din cercurile ecumenice cu alţi români — să mi se permită să amintesc aici că am cinstea de a colabora cu I. P. S. Sa, ca membri ai Comisiei mixte pentru dialogul cu Anglicanii, şi în cea cu Necalcedonienii —, l-au făcut ca astăzi să fie unul dintre prietenii cel mai strîns legaţi de Biserica şi de ţara noastră — şi de asemenea unul dintre cei mai apreciaţi teologi pentru excepţionala sa valoare în Ortodoxie. Lucrînd printre Necalcedonienii din Africa şi apoi ca membru de frunte al Comisiilor mixte ale Bisericilor Ortodoxo-Răsăriteană şi Ortodoxo-Orientală de o parte şi Ortodoxo-Anglicană de alta, lucrările sale actuale sînt menite să ajute la eforturile dialogului ecumenist al acestor două Comisii şi al familiilor respective de Biserici.

Lucrarea de faţă interesează îndeosebi aceste eforturi ecumeniste, ţinînd seama de subiectul ei, dezbătut fără întrerupere în epoca ecumenicităţii Bisericii.

Lucrarea prezentă este împărţită în *două părţi*, precedate de o scurtă *prefaţă* şi de o foarte substanţială *Introducere* şi urmate de patru *apendice*; o vastă *bibliografie* şi *indexul general* completează în mod strălucit această carte, care este înfăţişată publicului nu numai într-o formă elegantă, ca hîrtie şi tehnică de tipărire, ci şi împodobită cu toată tehnica ştiinţifică modernă. În sfîrşit, cititorul ortodox român va avea surpriza să constate că printre autorii citaţi copios în text, note şi bibliografie, sînt şi teologii Liviu Stan, Ion Coman, Dumitru Stăniloae şi Nicolae Chiţescu — unii cu aprecieri foarte măgulitoare.

În *prefaţă* (p. 11—12) autorul arată originea acestei scrieri. Sarcina primită de la Subcomitetul Bisericilor Răsăritene (Ortodoxe propriu-zise) şi Orientale (adică Coptă, Armeană, Siriană, Malabară — din India — şi Etiopiană), în vederea pregătirii Conferinţei Mixte pentru discuţiile doctrinale dintre cele două familii de Biserici. *Hristologia*, implicată de soteriologie în teologia răsăriteană, a fost înlocuită printr-o concepție juridică în cea apuseană, scrie autorul: «Cuvîntul era Dumnezeu» a fost formula discutată la primul Sinod ecumenic; «Cuvîntul s-a făcut trup» a fost apoi preocuparea multiseculară a următoarelor trei Sinoade ecumenice.

Autorul a publicat în «Ecclesiastikos Pharos»», vol. 58 (1976, p. 148—163), referatul cerut de subcomitetul ortodox al Comisiei amintite, dar materialul consultat în acest scop era așa de necesar și faptul de a scuti pe alții de luni nesfîrșite de cercetări personale prin biblioteci i s-a părut așa de bine-venit și de folositor — întrucît numai cercetarea pe viu a documentelor străvechi poate stăvili o falsă interpretare a lor —, încît pînă la sfîrșit s-a hotărît să publice tot acest prețios material imens.

În acest scop autorul a fost determinat și de insistențele profesorului V. Samuel de la Addis-Ababa, care a înțeles folosul de nedescris al unei asemenea cărți pentru discuțiile celor două familii de Biserici.

Lunga *Introducere* (p. 13—24) expune principiile care au călăuzit autorul la alegerea și interpretarea vastului material al primelor opt veacuri creștine în vederea definirii precise a concepției hristologice a timpului. El a aprofundat, ca punct de plecare, studiile teologice publicate după Conferința mondială de la New Delhi (1961) și, mai precis, de la Conferințele de la Montreal (1963) și Aarhus (1964) încoace. Nu a evitat interpretările teologilor moderni și actuali romano-catolici, anglicani sau orientali; dimpotrivă, le-a scos în relief, socotind că acestea ne ajută să accentuăm punctul de vedere ortodox și, adeseori, superioritatea lui.

Autorul descrie pe larg *procesul formulării hristologiei* în cadrul formulării doctrinei în general. El începe prin a aminti că în Biserica creștină primară au existat *două canaluri* ale autenticei tîlcuiri a Revelației dumnezeiești: *Tradiția apostolică* și *Episcopii*, succesorii Apostolilor, în *Sinoadele ecumenice*, unde iau hotărîri în materie de credință sub asistența (adică în prezența) Sfîntului Duh. Aceste formulări de credință devin mărturiile Ortodoxiei, iar Sinoadele ecumenice se auto-denumesc «Sfintele și marile Sinoade», începînd de la primul Sinod ecumenic de la Niceea. Sfînta Evanghelie, așezată în mijlocul adunării sinodale — așa cum s-a amintit în mod expres despre cele de al treilea și al patrulea Sinod ecumenic —, dă mărturie vie despre prezența acolo a lui Iisus Hristos, capul, calea, adevărul și viața Trupului Său Tainic.

În acest chip Sinoadele ecumenice devin mărturia izvoarelor învățăturii pe care trebuie s-o predice la toată lumea. Ca urmași ai Sfinților Apostoli și moștenind de la ei puterea de a lega și dezlega și ca episcopi ai unor Biserici locale, care sînt unite cu întreaga Biserică, ei se adună împreună în Sinoadele ecumenice și acolo primesc puterea de a vorbi în numele Bisericii celei una, sfîntă, sobornicească și apostolească.

În decursul vremii, Părinții Bisericii adunați în aceste Sinoade au primit aprobarea sinoadelor autentice ale Bisericii privind formulele lor de credință, pentru a fi recunoscute ca atare.

Semnul caracteristic al Sinoadelor ecumenice este deci comunicarea credinței sobornicești lăsată de Apostoli urmașilor lor. Dependența reciprocă și legătura dintre ele a Sinoadelor ecumenice este astfel garantată de succesiunea apostolică a celor ce se adună în ele și care au mărturia acelei *charisma veritatis*, ca urmași ai Apostolilor în har, adevăr și învățătură. Criteriul după care se poate constata că aceste Sinoade exprimă adevărul creștin este Revelația apostolică mărturisită de toate simboalele Bisericilor locale, a căror *lex orandi* este formulată în acea *lex credendi* — în unitatea Trupului al cărui Cap este Iisus Hristos însuși. Argumentele în acest sens sînt și scripturistice și patristice. Autorul citează pentru a exemplifica această regulă mai întîi Tomul papii Leon de la Sinodul al IV-lea ecumenic: Acesta adaugă la textele Scripturii un întreg dosar de citații din scrierile patristice. Epistola Papei Agathon, dimpotrivă, dă întîietate argumentelor patristice. Definiția calcedonică se prezintă ca o reeditare a credinței de la Niceea, pe cînd Sinodul al VI-lea ecumenic o formulează pe a sa ca o glosă a celei calcedoniene.

În ce privește *recunoașterea Sinoadelor ecumenice* se știe că cel de la Constantinopol de la 381 a fost recunoscut de-abia de cel calcedonian, care a citat Crezul constantinopolitan pentru a justifica propria-i definiție; la fel, Roma l-a numărat printre Sinoadele ecumenice de-abia în anul 517 etc. Trecînd la situația de astăzi, autorul amintește unele păreri favorabile celor șapte Sinoade ecumenice emise de teologii necalcedonieni și anglicani. O părere nuanțată în această privință a emis profesorul Henry Chadwick în studiul său «Statutul Sinoadelor ecumenice în gîndirea anglicană» (pregătit pentru Comisia teologică anglicană pentru discuţiile doctrinale în Comisia mixtă de la Oxford în 1973), unde scrie printre altele: «Primelor patru Sinoade li s-a acordat, fără îndoială, o întîietate din pricina gravităţii subiectului lor şi a acordului lor cu Scriptura. Dar principiul acordului cu Scriptura este extins şi la celelalte Sinoade. Astfel, Sinoadele al V-lea şi al VI-lea sînt acceptate în substanţă de reprezentanţii ierarhi anglicani din perioada clasică, iar rezervele acestora cu privire la Sinodul al VII-lea nu interesează teologia definiţiilor, ci consecinţele unei religii sentimentale, populare, în care nu sînt observate calificările şi distincţiile cruciale expuse de Sinodul al VII-lea».

În ce priveşte Biserica Romano-Catolică, următoarele Sinoade ecumenice, pe care ea le-a primit ca atare, a înnoit sensul primelor şapte — comune nouă, ortodocşilor — aşa cum arată adausul «Filioque», de pildă. Autorul susţine mai departe (p. 19), că «este o mare greşeală să se socotească cum că cei ce se opun Sinodului de la Calcedon au format o Biserică separată dintru început. Cuvîntul «monofizit» este un concept relativ modern, din pricină că nimeni n-a folosit acest termen în perioada care a urmat după Sinodul de la Calcedon... Nu elenismul, ci Calcedonul — şi în special Tomul Sfîntului Leon şi condamnarea lui Dioscur şi Sever — au oprit pe conducătorii celor opuşi Calcedonului de a intra în comuniune cu Biserica Bizantină». Apoi exprimă speranţa că o reexaminare a hotărîrilor Sinoadelor ecumenice în lumina învăţăturii marilor teologi din ambele părţi va crea climatul de prietenie de care avem nevoie pentru apropierea Bisericilor noastre — dînd ca model formula de unire din aprilie 433. De asemenea, este de părere că numai un nou Sinod ecumenic, la care ar participa reprezentanţii Bisericilor Orientală, Romană, Ortodoxă şi Anglicană, ar putea găsi o nouă formulă a definiţiei de la Calcedon, prin recunoaşterea autorităţii celor şapte Sinoade ecumenice, (adică propriu-zis a ultimelor trei — după Anglicani —, sau patru, — după Orientali). Această acceptare, adaugă autorul, ar avantaja străvechile tradiţii comune Bisericii noastre şi celei Orientale, împotriva unor inovaţii apusene ca Filioque şi celibatul preoţilor (combătute de Sinodul din Trullo).

Autorul menţionează şi revocarea implicită de către Sinodul Vatican II a anatemelor pronunţate de Sinoadele din trecut împotriva lui Dioscur şi a lui Sever (acest «implicit» negarantînd însă nimic in realitate. El socoteşte că ar fi mai eficientă o anulare reciprocă şi concomitentă a anatemelor de către Bisericile Ortodoxe Răsăritene şi de cele Orientale, în cadrul unui viitor Sinod, în care s-ar discuta problema reunirii Bisericilor. Pe baza unor asemenea deliberări, scrie autorul mai departe, un studiu comun al Hristologiei Sinoadelor ecumenice şi al învăţăturii acelora care se opun între ei — şi în special al scrierilor lui Sever al Antiohiei şi ale Sfîntului Ioan Damaschinul, la început, ar da putinţa Bisericilor interesate să pună temelia unei înţelegeri reale şi trainice.

La sfîrşitul acestor lămuriri, autorul reaminteşte că prezenta carte se ocupă îndeosebi de *părţile discutate* ale Hristologiei în scrierile Sfinţilor Părinţi şi în Sinoadele ecumenice; căci, *formularea ei irenică,* clasică, este făcută magistral de savanţi ca Hefele, Harnack, Dorner, Ottley, Grillmeier etc.

După aceste lămuriri generale privitoare la Sinoadele ecumenice care formează partea I-a a cărţii, autorul se ocupă în introducere cu *partea a doua a cărţii,* care e formată din trei capitole mari sub titlul «Către unitate»: Aici face o expunere istorico-dogmatică a conversaţiilor doctrinale dintre teologii Bisericilor Orientale cu cei romano-catolici de o parte şi cu cei ortodocşi de altă parte, stăruind asupra spiritului nou de apropiere şi înţelegere reciprocă şi arătînd rezultatele la care s-a ajuns pînă astăzi.

În ce priveşte doctrina hristologică, ea s-a resimţit mai ales de diviziunile dintre creştini manifestate la ultimele patru sinoade ecumenice; de aceea autorul va stărui asupra deciziilor doctrinale ale acestor sinoade şi asupra învăţătorilor Bisericii, care au contribuit la definiţiile formulărilor acestor sinoade. La baza lor rămîn însă hotărîrile primelor trei Sinoade ecumenice, comune întregii creştinătăţi, Niceea — Constantinopol — Efes.

Autorul sfîrşeşte această introducere, afirmînd că rămîne să se stabilească ce este omenesc şi ce este dumnezeiesc în cele stabilite de Sinoadele ecumenice, în cele ce urmează.

După această Introducere, dăm acum o schiţă sumară a cuprinsului acestei cărţi:

Partea I-a expune, aşa cum am arătat mai sus, *hotărîrile Sinoadelor ecumenice*

(p. 27—211) şi cuprinde şase capitole, adică pentru fiecare Sinod cîte un capitol (afară de primul capitol care înglobează primele două Sinoade ecumenice). Subdiviziunile pe capitole cuprind nu numai definiţiile sinoadelor respective, ci şi alte documente foarte importante, din punctul de vedere al istoriei dogmelor, sau în perspectiva ecumenismului contemporan, ba chiar şi mici fragmente de istoria şcolilor creştine din antichitate. Astfel, alături de definiţii sinodale, de epistole, studii şi anateme ale Sfinţilor Părinţi, sau ale adversarilor acestora, în cap. I, găsim o expunere de 10 pagini asupra Sinoadelor locale, ţinute între 325—381 şi studiul profesorului anglican Torrance asupra noţiunilor de natură, esenţă şi ipostasă la Sfîntul Atanasie, ca şi o descriere a şcolilor din Alexandria şi Antiohia; iar în cap. III, avem o expunere a criticilor contemporane şi comentariile făcute asupra Tomului lui Leon şi asupra Sinodului de la Calcedon etc.

Iată acum cuprinsul *celei de a doua părţi* a acestei cărţi, din care se poate vedea mai ales importanţa ei documentară:

Capitolul prim expune documentele privitoare la cele dintîi două Sinoade ecumenice de la 325 şi 381 (p. 27—48) şi anume: 1. Epistola lui Eusebiu al Cezareei către eparhia sa; 2. Epistola Sfîntului Atanasie către Epictet; 3. Epistola sinodală către Biserica Alexandriei.

II. Privitor la *Sinoadele locale dintre 325 şi 381* (p. 49—58). Se expune învăţătura Sf. Grigorie de Nisa: Asupra *usiei* şi *hipostase*.

III. Urmează *Şcoalele teologice ale Alexandriei şi Antiohiei* (p. 58—70): 1. Prof. Torrance asupra noţiunilor *phisis, usia* şi *hipostasei*, după Sf. Atanasie.

Capitolul al doilea cuprinde documente privind: I. *Al treilea Sinod ecumenic, 431* (p. 71—87) şi anume: 1. A doua Epistolă a Sf. Chiril către Nestorie; 2. A treia Epistolă a Sf. Chiril către Nestorie; 2. «Laetentur coeli» a Sf. Chiril către Ioan al Antiohiei.

II. Urmează istoricul celui *de al doilea Sinod de la Efes, 448* (p. 87—101) şi 1. Tomul Sf. Leon către Flavian al Constantinopolei.

Capitolul al treilea se ocupă de: I. de *Al patrulea Sinod ecumenic de la Calcedon, 451* (p. 102—132) şi expune: 1. Definiţia calcedonică de credinţă; 2. Sf. Leon al Romei şi Tomul său; 3. Proclu: Unirea divinului cu umanul în Hristos; 4. Teodor de Mopsuestia: Asupra Întrupării; 5. Sf. Chiril; 6. Cea de a doua Epistolă a Sf. Chiril către Succensus; 7. Critica contemporană şi comentarii asupra Tomului şi asupra Sinodului de la Calcedon.

Capitolul al patrulea face istoricul celui de *al cincilea Sinod ecumenic de la Constantinopol, 553* (p. 158—173) cu documentele respective: 1. Anatemele celui de al cincilea Sinod ecumenic; 2. Textul Epistolei Papei Vigiliu către Eutihie, Patriarhul Constantinopolei.

Capitolul al cincilea expune: *Al şaselea Sinod ecumenic al Constantinopolei, 680—681,* (p. 174—196) şi: 1. Formula de credinţă a Sinodului al VI-lea ecumenic: 2. Epistola papei Agaton către împărat.

Capitolul al şaselea se ocupă de *Al şaptelea Sinod ecumenic de la Niceea, 787* (p. 197—211) şi de: 1. Decretul celui de al şaptelea Sinod ecumenic; 2. Epistola Sinodului către Împărat şi împărăteasă.

Partea a II-a, intitulată *Spre unitate* (p. 212—267), face o expunere amănunţită a eforturilor spre unitate făcute în ultimii 15 ani de teologi reprezentînd Bisericile Ortodoxă, Romano-Catolică şi Orientală. Ea cuprinde următoarele trei capitole:

Capitolul al şaptelea, cu următorul cuprins: *Relaţiile contemporane ale Bisericilor Ortodoxe Răsăritene cu cele Ortodoxe Orientale* (p. 212—232) în următoarele paragrafe: 1. Cîteva cuvinte de introducere; 2. Mărturisirea armeană; 3. Mărturisirea etiopiană; 4. O notă lămuritoare asupra împărţirii scaunelor (patriarhale) ale Alexandriei şi Antiohiei; 5. Comisia teologică interortodoxă; 6. Relaţiile speciale ale celor două familii de Biserici în vremea noastră.

Capitolul al optulea, tratează despre *Relaţiile contemporane ale Bisericii Romano-Catolice cu Bisericile Ortodoxe Orientale,* în următoarele paragrafe: 1. Roma-Ecimiadzin; 2. Vizita Patriarhului sirian la Vatican; 3. Cardinalul Willebrands vizitează Antiohia şi Armenia; 4. Vizita Patriarhului Şenuda la Vatican; 5. Comisia mixtă romano-catolică şi coptă.

Capitolul al nouălea, intitulat *Conferinţele teologice neoficiale* are *două părţi* cu subdiviziunile următoare: I. Între teologii din Bisericile Ortodoxe Răsăritene şi Orientale (p. 253—263): 1. Aarhus; 2. Bristol; 3. Geneva; 4. Addis-Ababa.

II. *Între teologii Bisericilor Orientale Ortodoxe şi Biserica Romano-Catolică:* 1. Viena, 1971; 2. Viena, 1973.

Autorul a adăugat la sfîrşit *patru apendice: 1. Relaţia formală a Bisericii Scoţiei cu crezul niceean şi cu Sinoadele* ecumenice (p. 268—270); 2. *Doctrina Bisericii Angliei asupra crezurilor ecumenice* (p. 271—280); 3. *O listă a Patriarhilor Alexandriei* (p. 281); 4. *Patriarhii Antiohiei* (p. 282).

Lucrarea se încheie cu o vastă *bibliografie* foarte bine pusă la punct (p. 283—299) şi un *index general* (p. 300—302).

Concluzia pe care o impune analiza de faţă este că această carte a Mitropolitului Metodiu Fouyas de Axum, este de o valoare deosebită pentru convorbirile unioniste în curs ale reprezentanţilor Bisericilor Orientale, atît cu ai Bisericii Ortodoxe, cît şi cei ai Bisericii Romano-Catolice. O antologie a principalelor documente ale antichităţii creştine, care lămuresc problemele doctrinale majore ale controverselor dintre aceste familii de Biserici, rezolvă cea mai importantă chestiune endemic pusă în aceste discuţii: recurgerea la textele citate. Fără îndoială că textele originale — şi Mitropolitul Metodiu a folosit aproape exclusiv pe cele de limbă greacă, cu mici excepţii —, ar fi avut o şi mai mare pondere; dar interpretările acestor texte, făcute în cadrul unor informaţii perfecte din toate părţile, în lumina publicaţiilor din ultimii 15 ani — ortodoxe, orientale de toate nuanţele, romano-catolice şi chiar anglicane —, aruncă o lumină vie asupra lor din toate punctele de vedere.

În această perspectivă s-ar putea afirma că Mitropolitul Metodiu face cîteodată impresia de a fi judecător imparţial între teologii ortodocşi (calcedonieni) şi orientalii (necolcedonieni) — ceea ce este datorită faptului că autorul citează adeseori toate părerile pro şi contra unei poziţii în unele probleme, am zice, «de înaltă virtuozitate», ori «de mare subtilitate» teologică, dar nu întotdeauna cu real randament practic, deşi aprig disputate (ca problemele identificării naturii cu esenţa la unii orientali, ori dependenţa voinţei eclectic-gnomice de persoană sau de natură etc.).

Adevărul este că, făcîndu-şi studiile în străinătate, în mediile protestante şi anglicane — şi îndeplinindu-şi misiunea de conducător ortodox al Etiopiei, în mijlocul unei Biserici majoritare Ortodoxe orientale, cu familia căreia luptă să unească Biserica Ortodoxă — cum el însuşi zice — (p. 12), are o cunoaştere personală perfectă şi o informaţie de mîna întîi asupra lor — prin limba maternă, greacă şi prin a doua limbă maternă, engleza, în care şi-a făcut studiile superioare şi şi le-a încununat cu cele două doctorate.

Aceasta explică, de altfel, profunda înţelegere a punctelor de vedere deosebite — ortodoxe, orientale, romano-catolice, la care adaugă uneori pe cele anglicane —, ca şi faptul că vine în întîmpinarea celor neortodoxe cu soluţii ortodoxe fără replică, ştiind să deosebească totdeauna esenţialul de accidental şi revelatul veşnic de interpretarea temporal valabilă.

Autorul însuşi scrie despre lucrarea sa în *Prefaţă* (p. 12): «Aş vrea să repet aici ceea ce s-a scris într-o lucrare contemporană (referindu-se la «*Library of Christian Classics*», publicată la Londra şi Filadelfia — Statele Unite, în 1953 (p. 38), privind alegerea unor asemenea documente): «Vechile adevăruri trebuie să fie mereu reformulate — chiar numai ca să repeţi că formulele vechi cuprind o oarecare schimbare de sens, aşa după cum amănuntele termenilor folosiţi (ca, de pildă, «om desăvîrşit»), au sensuri deosebite în epoci diferite. Dar în viaţa noastră în Hristos nu trebuie să ne abatem de la realităţile vechi ale credinţei pe care Părinţii şi Sinoadele s-au străduit să le definească şi să le pătrundă — cunoaşterea lui Dumnezeu ca Ziditor, Răscumpărător şi Sfinţitor, şi acestea trei toate o singură Dumnezeire — ca şi convingerea noastră că Iisus, ca un frate al nostru, exprimă adevărul cel veşnic».

Prof. N. CHIŢESCU

Περιοδικό **Ortodoxia**, XXIX (1977), σελ. 498-502). Βουκουρέστι.

METHODIOS G. FOUYAS, The Person of Jesus Christ in the Decisions of the Ecumenical Councils. Addis Ababa. Central Printing Press, 1976. Pp. 301 (Softclothed).

Archbishop Fouyas' book is a general but quite deep, critical, and comprehensive survey of the Christological controversies and decisions of the Seven Ecumenical Councils with several of their texts and documents cited in full (Part I, pp. 27–211*).*

It concentrates on the controversial issues which devide Oriental and Orthodox, and similarly Eastern and Western Churches, and on the official and unofficial contacts and conversations between them in the last fifteen years (Part II, pp. 212–267*).*

As a personal witness of and participant in these contacts, Archbishop Fouyas has the great advantage and ability to make his book a most pleasant and attractive source of first-hand information and knowledge. Of course he treats his material with great sympathy toward the Ancient Oriental Orthodox Churches and his attitude toward the Roman Church is more irenic than in his other book, Orthodoxy, Roman Catholicism and Anglicanism *(London : Oxford University Press,* 1972*).*

The special purpose of this book of Dr. Fouyas is to enable «those involved in the attempts to reconcile Western and Eastern Christendom with the Orientals to understand the points of agreement and disagreement that exist and to assist further the Theological Dialogue which these Churches have already inaugurated» (p. 23*).*

Of special importance are the pages devoted to a critical reevaluation of the Council of Chalcedon and its Definition, the defense of St. Cyril's Christology, and to contemporary criticisms and comments on the Tome *of St. Leo and Chalcedon (pp.* 102–157*).*

One is fascinated by the author's total rejection of the idea that the opposition to Chalcedon was a movement in Egypt and Syria against Hellenism. His argument is that «neither Dioscorus nor his successors were Copts, and Severus of Antioch was not a Syrian». Therefore, he concludes, «it was not Hellenism but Chalcedon —especially the Tome *of St. Leo, and the condemnation of Dioscorus and Severus which prevented the leaders of Chalcedon's opponents from entering into communion with the Byzantine Church» (p.* 19*). «Consequently», he adds, «their restoration will inevitably remove the obstacles to the recognition by the Oriental Churches of the four later Ecumenical*

Abba Salama, X (1979), σελ 396-397.

Councils —if not at first as Ecumenical, then at least as Orthodox. This will be the first step in permitting restoration of Communion between the Churches involved» (p. 22).

Contrary to Professor Meyendorff, Archbishop Fouyas considers the Western contribution to the solution of the Christological problem at Chalcedon as rather insignificant and its «catholic» language as inadequate and incomplete (p. 153). I think, Dr. Fouyas is right in stating that the Orientals reject the Chalcedonian definition (terminology) although they agree with its doctrine ; that the main cause of the division was Dioscorus' disagreement with the Formulary of reunion of 433 *(p. 153). Hence, a serious reconsideration and objective reevaluation of the «Monophysite» Christology, especially that of Severus of Antioch and other leading monophysite theologians, ancient and modern, is imperative.*

A long list of books, articles, studies and papers read et the recent conferences, and a general index of names and technical terms conclude this extremely important work.

Archbishop Fouyas' The Person of Jesus Christ in the Decisions of the Ecumenical Councils *is a book that deserves the serious attention of all students of Christian theology, Eastern and Oriental Orthodox–Catholic relations, and of the ecumenical movement.*

Prof. C.N. Tsirpanlis

26. Ὁ Ἀξώμης Μεθόδιος στή Dire Dawa μέ μαθητές τοῦ Ἑλληνικοῦ Σχολείου.

ΟΙ ΟΙΚΟΥΜΕΝΙΚΕΣ ΣΥΝΟΔΟΙ ΣΤΟ ΠΡΟΣΩΠΟ ΤΟΥ ΧΡΙΣΤΟΥ

Τό πρόσωπο τοῦ Ἰησοῦ Χριστοῦ στίς ἀποφάσεις τῶν Οἰκουμενικῶν Συνόδων εἶναι ὁ τίτλος τοῦ νέου βιβλίου τοῦ πολυγραφότατου μητροπολίτου Πισιδίας Μεθοδίου Γ. Φούγια, πού ἐκυκλοφορήθη πρόσφατα ἀπό τίς ἐκδόσεις τῆς Ἀποστολικῆς Διακονίας καί εἶναι μετάφραση ἐκ τῆς ἀναθεωρημένης ἐκδόσεως ἀπό τά ἀγγλικά.

Ὅπως γράφει ὁ συγγραφέας στήν Ὀρθόδοξη θεολογία καί τή ρωμαϊκή τό χριστολογικό δόγμα ἀποτελεῖ τό κέντρο καί τό θεμέλιο τῆς πίστεως, τῆς λατρείας καί τῆς εὐσεβείας, ἀκριβῶς ὅπως διατυπώθηκε στίς τέσσερις Οἰκουμενικές Συνόδους, δηλαδή τήν 3η τῆς Ἐφέσου (431), τήν 4η τῆς Χαλκηδόνος (451), τήν 5η τῆς Κωνσταντινουπόλεως (553) καί τήν 6η ἐπίσης τῆς Κωνσταντινουπόλεως (680/81).

Ὁ μητροπολίτης Πισιδίας ἀναφέρεται ἐπίσης στά κείμενα καί τίς ἀπόψεις τῶν Πατέρων, οἱ ὁποῖοι διατύπωσαν τή χριστολογική διδασκαλία τους καί ἡ ὁποία ἀφοῦ ἀναγνωρίστηκε ὡς ἀληθής ἀποτέλεσε τήν πηγή τῆς Χριστολογίας τῶν παραπάνω Συνόδων.

Ἀπό τήν προσωπική του ἐμπειρία ὁ κ. Μεθόδιος ἔχει πεισθεῖ ὅτι οἱ ἑπτά Οἰκουμενικές Σύνοδοι ἐκφράζουν τή μόνη βάση γιά τήν καθαρότητα τῆς χριστολογικῆς διδασκαλίας καί τήν ἀδιάσειστη βάση τῆς χριστιανικῆς πίστεως. Κατά τήν ἄποψή του ὁ σοφός χαρακτηρισμός των μή Χαλκηδονίων Ἐκκλησιῶν ἀπό τό μεγάλο πατέρα τῆς Ἐκκλησίας ἅγιο Ἰωάννη Δαμασκηνό (675-749) ὅτι εἶναι αὐτές ὀρθόδοξες, μέ μόνη διαφορά τή μή ἀποδοχή τοῦ χαλκηδονίου ὅρου, πρέπει νά ἐνθαρρύνει τήν Ὀρθόδοξο Ἐκκλησία νά ἐπανενώσει τήν Ἀνατολή, πρίν ὁλοκληρωθεῖ ἡ ἀπορρόφησή της ἀπό τήν Οὐνία.

Τύπος τῆς Κυριακῆς, 22 Ἰουνίου 1997

Ἡ Ὀρθοδοξία καί οἱ ἄλλοι

ΣΕ μιά ἐποχή πού ἡ Ὀρθοδοξία φαίνεται νά ὑποφέρει ἀπό τήν ἔλλειψη ἱκανῶν ἱεραρχῶν, ἡ συγγραφική δραστηριότητα τοῦ μητροπολίτη **Πισιδίας** καί πρώην **Ἀρχιεπισκόπου Θυατείρων καί Μ. Βρετανίας Μεθόδιου Φούγια**, ἀποτελεῖ ἕνα ἐλπιδοφόρο μήνυμα.

Τίς ἡμέρες αὐτές κυκλοφόρησε ἕνα ἀκόμη σπουδαῖο καί πρωτότυπο βιβλίο του, μέ τίτλο **«Ὀρθοδοξία, Ρωμαιοκαθολικισμός καί Ἀγγλικανισμός»**.

Στό βιβλίο αὐτό ἀνιχνεύονται οἱ σχέσεις τῶν τριῶν μεγάλων Ἐκκλησιῶν, ἡ προοπτική τοῦ διεκκλησιαστικοῦ διαλόγου καί δίνονται ἀπαντήσεις πού βοηθοῦν στήν κατανόηση τῶν σημερινῶν προβλημάτων τοῦ Χριστιανικοῦ κόσμου.

Τέτοιοι ἱεράρχες εἶναι πολύτιμοι γιά τήν Ὀρθοδοξία καί εἶναι πραγματικά ἀπώλεια τό γεγονός ὅτι δέν ἀξιοποιεῖται ὅπως θά ἄξιζε σέ ἕναν ἱεράρχη τοῦ κύρους του.

Ἔθνος τῆς Κυριακῆς, 10 Μαρτίου 1996

Μεθοδίου Γ. Φούγια, Μητροπολίτη Πισιδίας, *Τό πρόσωπο τοῦ Ἰησοῦ Χριστοῦ στίς ἀποφάσεις τῶν Οἰκουμενικῶν Συνόδων*, μετ. ἐκ τῆς ἀναθεωρημένης ἐκδόσεως ἀπό τά Ἀγγλικά, Ἀποστολική Διακονία, Ἀθήνα 1997, σσ. 255.

Ἡ Ἀποστολική Διακονία, συνεχίζοντας τήν ἐκδοτική της προσφορά, μᾶς χάρισε τή χρονιά αὐτή τοῦτο τό ἐξαίρετο βιβλίο τοῦ Σεβ. Μητροπολίτη Πισιδίας κ. Μεθοδίου. Ὁ συγγραφέας, γνωστός γιά τήν πολυμέρεια, τή γλωσσομάθεια καί τή θαυμαστή ἐργατικότητά του, ἐπιχειρεῖ μέ τό παρόν πόνημα μιά περιδιάβαση στή διαχρονική ἐποχή καί τό δογματικό λειμώνα τῶν ἑφτά Οἰκουμενικῶν Συνόδων, καθώς καί τῶν ἐνδιάμεσων Τοπικων. Μέ σκοπό νά διευκολύνει τό διάλογο τῶν Ὀρθοδόξων μέ τούς Ἀντιχαλκηδονίους, στόν ὁποῖο συμμετέχει, καταγράφει τίς συνθῆκες, κάτω ἀπό τίς ὁποῖες ἔγιναν οἱ συζητήσεις καί διατυπώθηκαν οἱ ὅροι τῶν Οἰκ. Συνόδων γύρω ἀπό τό Πρόσωπο τοῦ Κυρίου. Ὁ διακεκριμένος συγγραφέας στήν προσπάθειά του αὐτή δέν ἀκολουθεῖ τή γνωστή μέθοδο τῶν δογματικῶν ἐγχειριδίων. Καταχωρίζει πατερικά καί συνοδικά κείμενα καί προσφέρει, ἐκτός ἀπό τίς ἀρχαῖες ἑρμηνεῖες, καί ἀπόψεις νεότερων ἐπιστημόνων, πού θέλουν νά εἶναι ἀμερόληπτοι καί πρός τήν πλευρά τῶν Ἀντιχαλκηδονίων. Ἐπιπλέον δέν κρύβει καί τή δική του θέση.

Τό ὡραῖο αὐτό βιβλίο εἶναι χρησιμότατο γιά τούς ἑξῆς κυρίως λόγους: πρῶτο, ἐκθέτει τή «Χριστολογία τῶν Οἰκουμενικῶν Συνόδων, ὅπως τήν ἀποδέχονται καί τή βλέπουν οἱ τρεῖς ἐκκλησίες, ἡ Ὀρθόδοξος, ἡ Ρωμαιοκαθολική καί ἡ τῶν Orientals» (σελ. 13)· δεύτερο, προσφέρει μιά σύγχρονη ἐκτενή βιβλιογραφία γιά τό θέμα (οἱ ὑποσημειώσεις σέ κάθε κεφ. μέ τίς παραπομπές, τή βιβλογραφία καί τίς διευκρινίσεις εἶναι ἕνα δεύτερο, πολύτιμο-ὅπως τό κύριο- κείμενο· τρίτο, ὁ συγγραφέας εἶναι ἀντικειμενικός πρός ὅλες τίς πλευρές. Σ'αὐτά ἄς προσθέσουμε τούς κατατοπιστικούς προλόγους (ἑλληνικῆς καί ἀγγλικῆς ἔκδοσης), τίς συντμήσεις, τίς πηγές καί τά βοηθήματα (εἴκοσι δύο σελίδες) καί τό γενικό εὑρετήριο.

Ἔχουμε μιά μόνο παρατήρηση: ἔπρεπε νά εἶχαν σημειωθεῖ καί φυσικά ἀξιοποιηθεῖ τά ἁγιορείτικα κείμενα ἐπί τοῦ θέματος (βλ. «Κοινωνία» 4/1994 καί «Σύναξη» 57 καί 58/1996). Ἡ παράλειψη αὐτή δέ μειώνει τό θαυμασμό μας γιά τόν κόπο τοῦ σεβ. Μητροπολίτη Πισιδίας.

ΧΡ.ΓΚ.

Περιοδικό **Κοινωνία** τῆς Πανελληνίου Ἑνώσεως Θεολόγων τεῦχος 3 (1997), σελ. 324.

Η ΚΡΙΤΙΚΗ ΤΟΥ ΒΙΒΛΙΟΥ

ΜΕΘΟΔΙΟΥ ΦΟΥΓΙΑ, Μητροπ. Πισιδίας, *Τό πρόσωπο τοῦ Ἰησοῦ Χριστοῦ στίς ἀποφάσεις τῶν Συνόδων.* Μελέτη Ἱστορική καί Δογματική. Ἀναθεωρημένη ἔκδοσις ἐκ τοῦ Ἀγγλικοῦ. Ἀθῆναι 1997, σελ. 255, σχ. 8ο μ.

Τό παρόν βιβλίο κυκλοφόρησε στά ἀγγλικά τό 1976, ὅταν ὁ Σεβ. συγγραφέας ἦταν Μητροπολίτης Ἀξώμης, καί προκάλεσε εὐμενέστατες κριτικές. Γραμμένο σέ μιά ἐποχή ἔντονου προβληματισμοῦ, λόγω τῆς πορείας τοῦ διαλόγου μέ τούς Μή Χαλκηδονίους Ἀνατολικούς Χριστιανούς, ἔχει ὡς κύριο θέμα του τή διδασκαλία περί τῆς ἑνότητος τοῦ προσώπου τοῦ Χριστοῦ. Πρόκειται γιά μιά Χριστολογία πού στηρίζεται στίς ἀποφάσεις καί τούς ὅρους τῶν Οἰκουμενικῶν Συνόδων καί ταυτόχρονα γιά ἕνα corpus τῶν χριστολογικῶν κειμένων τῆς ἐποχῆς τῶν συνόδων. Ἔτσι ἡ χρησιμότητά του εἶναι διπλή. Ἀπό τή μιά εἶναι ἕνα ἐγχειρίδιο δογματικῆς καί ἱστορικῆς διαπραγμάτευσης τῆς περί τοῦ Χριστοῦ διδασκαλίας, ἀπό τήν ἄλλη διασώζει κείμενα πού κανείς γιά νά τά βρεῖ πρέπει νά καταφύγει σέ εἰδικές συλλογές. Ἡ διδασκαλία περί τῆς ἑνότητος τοῦ προσώπου τοῦ Ἰησοῦ Χριστοῦ ἐπανῆλθε στήν ἐπικαιρότητα λόγῳ τοῦ Διαλόγου τῆς Ὀρθόδοξης Ἐκκλησίας μέ τίς Ἀρχαῖες Ἀνατολικές Ἐκκλησίες. Ἔτσι λοιπόν βιβλία, ὅπως τό παρόν, προσφέρουν μεγάλες ὑπηρεσίες στήν κατανόηση τῶν θεμάτων αὐτοῦ τοῦ Διαλόγου καί στήν εὐαισθητοποίηση τοῦ πληρώματος τῆς Ἐκκλησίας, μάλιστα ὅταν εὐσύνοπτα καί σχεδόν δωρικά παρουσιάζουν τή διδασκαλία τῶν Συνόδων καί κυρίως παραθέτουν τά κείμενα. Ὁ Σεβασμιώτατος συγγραφέας προχωρεῖ ἀκόμη καί σέ μιά σύγχρονη κριτική τῶν χριστολογικῶν ἐρίδων καί παρουσιάζει τό θέμα του μέ ἀξιοζήλευτη βιβλιογραφική ἐνημερότητα. Κι αὐτό βοηθᾶ πολύ εἰδικούς καί μή, μιά καί ἔχουν προσπελάσιμες διάφορες ἀπόψεις.

Γ.Θ. Πρίντζιπας, **Ἐκκλησιαστική Ἀλήθεια**, 16 Φεβρ. 1998. Τό αὐτό κείμενο δημοσιεύθηκε καί στήν ἐφημερίδα. **Ὁ Ἑλληνισμός τῆς Ἀμερικῆς**, Μάϊος, 1998.

ПАТРИЈАРХ СРПСКИ

Његово Високопреосвештенство
Митрополит Писидијски
Господин МЕТОДИЈЕ,
9, Riga Ferraiou str.
GR – 152 32 KHALANDRI, Greece

29. јул1997.г.
Београд

ВАШЕ ВИСОКОПРЕОСВЕШТЕНСТВО,

Са топлом благодарношћу потврђујемо пријем књиге: "ΤΟ ΠΡΟΣΩΠΟ ΤΟΥ ΙΗΣΟΥ ΧΡΙΣΤΟΥ", коју сте нам са посветом послали на дар.

Вашег Високопреосвештенства у Христу брат,

ПАТРИЈАРХ СРПСКИ

✝ Ο ΜΗΤΡΟΠΟΛΙΤΗΣ ΔΗΜΗΤΡΙΑΔΟΣ
ΧΡΙΣΤΟΔΟΥΛΟΣ

25.5.97

Σεβασμιώτατε Ἅγιε Πισιδίας, Χριστὸς Ἀνέστη!

Σᾶς εὐχαριστῶ θερμῶς γιὰ "Τὸ πρόσωπο τοῦ Ἰησοῦ Χριστοῦ", μὲ τὴν ἀποστολὴ τοῦ ὁποίου μὲ ἐτιμήσατε. Καὶ σᾶς συγχαίρω γιὰ τὴν λογιότητά σας, εὐχόμενος νὰ ἀξιοποιηθῇ πρὸς δόξαν Θεοῦ.

Κ. ΚΑΡΤΑΛΗ 227, 382 21 ΒΟΛΟΣ
• ΤΗΛ.: (0421) 47502, 47508 • TELEX: 282385 IMDI GR • TELEFAX: (0421) 47405

Θεσσαλονίκη 26/5/1997

Σεβασμιώτατε.

Σήμερα ἔλαβα τό νέο βιβλίο Σας „Τό πρόσωπο τοῦ Ἰησοῦ Χριστοῦ στίς ἀποφάσεις τῶν Οἰκουμενικῶν Συνόδων" καί εὐχαριστῶ πολύ γιά τήν ἀγάπη, τή μνήμη καί τήν τιμητική ἀφιέρωση. Ἰδίως ἐκεῖνο τό „διακεκριμένον" μοῦ ἄρεσε πολύ καί τό διασκεδάζω. Σᾶς συγχωρῶ γιά τήν ὑπερβολή, πού ὀφείλεται στήν προκατάληψη τοῦ „συμφοιτητῆ", καί εὐθύς ἀμέσως ἀκολουθεῖ. Αὐτό σφυρηλάτησε τούς δεσμούς τῆς μακροχρόνιας γνωριμίας καί ἀγάπης μας, πού συμπλήρωσε ἤδη τόν μισό αἰώνα. Ἐγώ θαυμάζω τήν καταπληκτική ἐκκλησιαστική σταδιοδρομία τῆς Σεβασμιότητάς Σου, τά πολλά Σου σοφά συγγράμματα, τήν ἀκατάπαυστη δραστηριότητά Σου. Καί εὔχομαι ἐγκαρδίως τό „εἰς πολλά ἔτη, Δέσποτα". Ἐσύ μέ ἀποκαλεῖς „διακεκριμένον". Ἔκανα καί κάνω ὅ,τι μπορῶ. Τό κατά δύναμιν καί ὁ οἰκτίρμων καί ἐλεήμων Θεός ἄς μή μᾶς ἀποκαλέσει „πονηρούς" δούλους.

Συγχαίρω, καί πάλι, καί εὐχαριστῶ, καί πάλι, γιά τό ὡραῖο βιβλίο Σου. Ἐπίκαιρο γιά τό διάλογο μέ τούς Μή Χαλκηδονίους, στό ὁποῖο ἐσχάτως βρέθηκα καί ἐγώ, εὐτυχῶς μόνο στήν ὑποεπιτροπή ἐπί τοῦ λειτουργικοῦ τομέως. Τά δογματικά δέν εἶναι στά στοιχεῖα μου· δέν τά καταλαβαίνω. Ἡ Σεβασμιότητά Σου εἶναι ἀετός καί ὁ αὐτός.

Χριστός ἀνέστη!

Μέ τιμή, πολλή ἀγάπη καί εὐχαριστίες

Ι. Φουντούλης

ΕΛΛΗΝΙΚΟ
ΔΗΜΟΤΙΚΟ ΣΧΟΛΕΙΟ
ΑΠΟΣΤΟΛΟΥ ΑΝΔΡΕΑ

ST. ANDREW'S GREEK SCHOOL
KENTISH TOWN ROAD,
LONDON, N.W.1. 9QA
Tel.: 071-485 0198
071-485 6385

Σεβασμιώτατον
Μητροπολίτην Πισιδίας κύριον Μεθόδιον,
Ρήγα Φεραίου 9, Χαλάνδρι - Athens - 15232

Σεβασμιώτατε,

Ἀπό τινος καιροῦ εἶμαι κάτοχος τοῦ βιβλίου Σου "τό πρόσωπον τοῦ Ἰησοῦ Χριστοῦ", πού τό διάβασα μέ πολύ καλή ὄρεξη, ὅπως φυσικά καί τ' ἄλλα ἔργα Σου.

Κατ' ἀρχήν ἐπιθυμῶ νά Σᾶ συγχαρῶ καί γι αὐτή τήν ἔκδοση καί νά γράψω ἐπαινετικά λόγια, γιά τή φοβερή σωματική ἀντοχή Σου. Ἡ ψυχική καί σωματική εὐρωστία Σου, τό πάθος Σου γιά τό γράψιμο, σήμερα λίγοι ἄνθρωποι τό ἔχουν!

Μοῦ θυμίζεις τή μάνα μου, πού κάποτε μοῦ ἔλεγε ὅτι, ὅταν ἦταν νέα, ἄκουγε στό χωριό τούς συνανθρώπους της νά λέγουν, πώς κουράζονται κι ἐκείνη μέ ἀπορία ρωτοῦσε: "τί θά πεῖ κούραση;", τόσο ἐργατική γυναίκα ἦταν.

Ἔτσι καί Σύ, εἶσαι ἄνθρωπος τῆς δουλειᾶς!

Αὐτό τό τελευταῖο βιβλίο Σου, δέν εἶναι μόνον μιά ὡραία ἔκθεση τί πιστεύει ἡ Ὀρθόδοξος Ἐκκλησία, περί τό θεανδρικό πρόσωπον τοῦ Κυρίου, ἀλλ' εἶναι ταυτόχρονα καί μιά προσωπική ὁμολογία πίστεως πρός Αὐτόν, ἰδιαίτερα ἀναγκαία, πού τίς πονηράς αὐτάς ἡμέρας εἶναι ἀπαραίτητα χρήσιμη ἡ διακήρυξή της, ἐκ μέρους Σου. Αὐτή ἡ ὁμολογία τῆς πίστεως, εἶναι, κατά τόν εὐαγγελιστή Ἰωάννη "μαρτυρία Ἰησοῦ Χριστοῦ", τήν ὁποίαν ὁ Ἰησοῦς Χριστός ὀνόμασε "πέτρα τῆς πίστεως", θεμέλιο τῆς Ἐκκλησίας.

Ἡ παράθεση τῶν ἐπιχειρημάτων καί ἡ τεκμηρίωσή τους εἶναι νομίζω μιά μορφή διακονίας γύρω ἀπό τό θεοϋπόστατο πρόσωπο τοῦ Κυρίου. Εὐέλπιστῶ ὅτι θά ὑπάρξει καί ἐκ μέρους Του ἀνταπόδοση, διότι σύμφωνα μέ τά λόγια Του, ἐκεῖνος πού θά Τόν ὁμολογήσει μπροστά στούς ἀνθρώπους, θά τόν ὁμολογήσει κι Ἐκεῖνος ἐνώπιον τοῦ οὐράνιου Πατέρα Του.

Θά ἦταν λοιπόν δίκαιη ἀνταπόδοση, Ἐκεῖνος ὡς ὑπέρτατος ἀρχηγός τῆς Ἐκκλησίας νά Σέ ὁμολογήσει διάδοχον τοῦ Ἀρχιεπισκόπου Σεραφείμ, στόν θρόνον τῶν Ἀθηνῶν, πού μέ θέρμη προσεύχομαι νά ἔχει κάμει! Αὐτές οἱ ἕδρες εἶναι κατοχυρωμένες ἀπό καταβολῆς κόσμου κατά τόν μεγάλο Ἀπόστολο!

Συγχαίροντάς Σε καί αὖθις προσεύχομαι νά ἔχεις σωματική καί διανοητική ὑγεία καί νά πάνε ὅλα καλά, μέ τό θέλημά Του, καί κατά τό δοκοῦν εἰς ἡμᾶς. Γένοιτο!

Σέ ἀσπάζομαι ἀδελφικά καί μέ πολλή ἀγάπη
στό ὄνομα τοῦ Κυρίου μας Ἰησοῦ Χριστοῦ.

† ὁ Κυανέων Χρυσόστομος

Λονδῖνον 23 Ἰουλίου 1997. —

مطرانية الأرمن في لبنان
ԱՌԱՋՆՈՐԴԱՐԱՆ ՀԱՅՈՑ ԼԻԲԱՆԱՆԻ
Prélature Arménienne du Liban
Armenian Prelacy of Lebanon

Թիւ 12/91
No.

Պէյրութ January 21, 1991
Beyrouth

His Eminence
Metropolitan Methodios Fouyas
Athens, Greece

Dear Brother in Christ,

Thank you very much for the books that you so kindly sent me, namely, The Person of Jesus Christ and The Work of Inter-Orthodox Theological Commission for the Dialogue with the Ancient Orthodox Churches. Undoubtedly, these publications will bring significant contribution to the on-going dialogue between the two ecclesial families of Orthodox Tradition. Presently I am working on a study that is related to the theological dialogue between the Armenian Church and the Greek Church in 12th century. In fact, with the growth of ecumenism a new chapter of mutual understanding and closer co-operation has openned in the life of our Churches. It is vitally important that our Churches transcend all the controversies that brought about misunderstanding, distrust and division, and manifest more visibly their unity which is the inseparable part of their common Orthodox faith.

With best wishes,

Yours in Christ

Archbishop Aram Keshishian

B.P. 409 - Beyrouth - Liban - Tél: (01) 266068 - (01) 260706 - (01) 262662 - Telex: 41355 PAL LE

Ὁ Aram εἶναι ὁ σημερινός Ἀρμένιος Καθολικός τῆς Κιλικίας.

ΒΟΥΛΗ ΤΩΝ ΕΛΛΗΝΩΝ
Δ΄ ΑΝΤΙΠΡΟΕΔΡΟΣ

Αθήνα, 21-1-1998

Κύριο
Γιάννη Ζαφειρόπουλο
Βουλευτή ΠΑΣΟΚ Ν.ΗΛΕΙΑΣ
ΑΘΗΝΑ

Αγαπητέ Γιάννη,

Σε ευχαριστώ θερμά για το βιβλίο "Το Πρόσωπο του Ιησού Χριστού", που είχες την καλωσύνη να μου στείλεις. Εκτιμώ πολύ τη χειρονομία σου, η οποία με τιμά ιδιαίτερα.

Γνωρίζω το Σεβασμιώτατο συγγραφέα του, πρώην Θυατείρων και Μεγ. Βρεττανίας κ. Φούγια και θαυμάζω τη συγγραφική του δραστηριότητα. Δυστυχώς ιερωμένοι της δικής του μόρφωσης και δραστηριότητας βρίσκονται στο "ψυγείο" και μερικοί άλλοι που τιμωρούν όσους ιερείς τόλμησαν να καταγγείλουν κλοπές και υπεξαιρέσεις ή διαφημίζονται στο PENTHOUSE, έχουν τα αξιώματα και τα από αυτά δικαιώματα. Είναι τα σημεία των καιρών μας !!

Φιλικά

ΝΙΚΟΛΑΟΣ ΚΑΤΣΑΡΟΣ
ΑΝΤΙΠΡΟΕΔΡΟΣ ΒΟΥΛΗΣ

ΣΤ'

Ἐπιστολαί Μελετίου Πηγᾶ
Πάπα καί Πατριάρχου Ἀλεξανδρείας
1590 - 1601
ἐκδιδόμεναι ἐκ τοῦ ὑπ' ἀριθ. 296
χειρογράφου τῆς Βιβλιοθήκης τοῦ
Πατριαρχείου Ἀλεξανδρείας.
Πρώτη ἔκδοση στόν «Ἐκκλησιαστικό Φάρο»
1970-1975. Ἀνατύπωσις, Ἀθῆναι, 1998. Σελ. 375.

Μεθοδίου Γ. Φούγια
Μητροπολίτου Πισιδίας
πρ. Ἀρχιεπισκόπου Θυατείρων καὶ Μεγάλης Βρεταννίας

ΕΠΙΣΤΟΛΑΙ
Μελετίου Πηγᾶ
Πάπα καὶ Πατριάρχου Ἀλεξανδρείας
1590-1601

ἐκδιδόμεναι ἐκ τοῦ ὑπ' ἀριθ. 296 χειρογράφου
τῆς Βιβλιοθήκης τοῦ Πατριαρχείου Ἀλεξανδρείας

Ἀνατύπωσις

Ἀθῆναι, 1998

ΑΔΕΛΦΟΤΗΣ ΘΕΟΛΟΓΩΝ
«Ο ΣΩΤΗΡ»
ΙΣΑΥΡΩΝ 42
114 72 ΑΘΗΝΑΙ
Τηλ. 36.22.108

Ἐν Ἀθήναις τῇ 23ῃ Ἀπριλίου 1998

Σεβασμιώτατον
Μητροπολίτην Πισιδίας
Κύριον κ. Μεθόδιον
Ρήγα Φεραίου 9
152 32 ΧΑΛΑΝΔΡΙ

Σεβασμιώτατε,
ΧΡΙΣΤΟΣ ΑΝΕΣΤΗ!

Ἐλάβομεν καί τό τελευταίως ἐκδοθέν ἔργον Σας «Ἐπιστολαί Μελετίου Πηγᾶ, Πάπα καί Πατριάρχου Ἀλεξανδρείας 1590 - 1601», τό ὁποῖον εἴχατε τήν εὐγενῆ καλωσύνην νά ἀποστείλετε καί εἰς τήν Ἀδελφότητά μας.

Εὐχαριστοῦμεν καί δι' αὐτήν τήν προσφοράν Σας, ἡ ὁποία ἀποδεικνύει τά πλούσια πρός τήν Ἀδελφότητά μας αἰσθήματα γνησίας καί εἰλικρινοῦς ἀγάπης.

Ἐπιτρέψατέ μας, Σεβασμιώτατε, νά ὑποβάλωμεν εὐλαβεῖς εὐχάς, ὅπως ὁ αἰώνιος Νικητής τοῦ θανάτου καί καθαιρέτης τοῦ Ἅδου Κύριος Ἰησοῦς Χριστός ἐνισχύῃ τάς δυνάμεις σας καί εὐλογῇ τήν ὅλην καί διά τῆς γραφίδος ἐν τῇ Ἐκκλησίᾳ προσφοράν Σας πρός δόξαν τοῦ ἁγίου Ὀνόματος Αὐτοῦ.

Ἐπί τούτοις, ἐκζητοῦντες τάς θεοπειθεῖς εὐχάς τῆς Ὑμετέρας Σεβασμιότητος ὑπέρ ἡμῶν καί τοῦ ἔργου τῆς Ἀδελφότητός μας, διατελοῦμεν

Μετά βαθυτάτου σεβασμοῦ
Διά τήν Ἀδελφότητα Θεολόγων «Ο ΣΩΤΗΡ»

Ἀρχιμ. Θεόδωρος Μπεράτης

Ἀρχιμ. Θεόδωρος Μπεράτης

Ο ΜΗΤΡΟΠΟΛΙΤΗΣ ΠΑΤΡΩΝ

ΝΙΚΟΔΗΜΟΣ

Σεβασμιώτατε καί ἀγαπητέ μοι ἅγιε Πισιδίας,

Εὐχαριστῶ διά τήν εὐγενῶς συνεχιζομένην μνείαν τῆς ἀγάπης σας, νέαν ἐκδήλωσιν τῆς ὁποίας ἔσχον διά τῆς ἀποστολῆς καί τοῦ νεοτεύκτου βιβλίου σας «Ἐπιστολαί Μελετίου Πηγᾶ». Τά ὑφ' ὑμῶν ἐκδιδόμενα κείμενα ἀποτελοῦν προσφοράν εἰς τήν ἐπιστήμην καί διευκολύνουν τήν ἔρευναν κρισίμων ἐκκλησ. θεμάτων.

Μέ πολλήν ἐν Χῷ ἀγάπην

[illegible]

30. 3. 98

ΒΙΒΛΙΑ - ΠΕΡΙΟΔΙΚΑ

Αἱ νέαι ἐκδόσεις

Σέ ἀνατύπωση ἀπό τόν «Ἐκκλησιαστικό Φάρο» ἐκυκλοφόρησε σέ ὀγκώδη τόμο 375 σελίδων τό βιβλίο τοῦ μητροπολίτου Πισιδίας, πρώην Ἀρχιεπισκόπου Θυατείρων καί Μ. Βρεταννίας Μεθοδίου, μέ τίτλο: **«Ἐπιστολαί Μελετίου Πηγᾶ, Πάπα καί Πατριάρχου Ἀλεξανδρείας 1590-1601»**.

Οἱ 318 ἀξιόλογες ἱστορικές, ἐκκλησιαστικές, θεολογικές, ἀλλά καί διεθνικές αὐτές ἐπιστολές γραμμένες ἀπό διαπρεπέστατον κρητικόν Πατριάρχην, σέ περίοδο σκοτεινή καί ἐθνικά βεβαρημένη γιά τό Ἑλληνικό Ἔθνος, ἀποκτοῦν ξεχωριστή σημασία, γιατί προέρχονται ἀπό μεγάλη γιά τήν ἐποχή του προσωπικότητα.

Ὁ Μελέτιος Πηγάς, γράφει πρός τόν Τσάρο τῆς Ρωσίας, πρός Βασιλεῖς καί ἡγεμόνες τῶν Σλαβικῶν καί Ρουμανικῶν Χωρῶν, πρός Πατριάρχες, ἀρχιερεῖς καί ἱερεῖς καί πολλούς ἄλλους διακεκριμένους Ἕλληνες καί μή ἐπί ποικίλων ζητημάτων.

Ὁ ἐπιμελητής τοῦ τόμου ἱεράρχης ἔχει τιμηθῆ μέ πολλές διακρίσεις ἀπό πανεπιστήμια καί ἐπιστημονικούς φορεῖς.

ΧΑΡΙΚΛΕΙΑ Γ. ΔΗΜΑΚΟΠΟΥΛΟΥ

Ἐφημ. **Ἑστία**, Σάββατο 2 Μαΐου, 1998

ΣΥΜΒΟΛΗ ΕΙΣ ΤΗΝ ΙΣΤΟΡΙΑΝ ΤΗΣ ΙΕΡΑΣ ΜΗΤΡΟΠΟΛΕΩΣ ΑΞΩΜΗΣ

Ὑπὸ

Μητροπολίτου Ἀξώμης Μεθοδίου

ΑΘΗΝΑΙ 1976

ΕΤΑΙΡΕΙΑ ΕΛΛΗΝΟ - ΑΙΘΙΟΠΙΚΩΝ ΣΠΟΥΔΩΝ
2

Μητροπολίτου 'Αξώμης Μεθοδίου

Δ Ε Κ Α Ε Τ Η Ρ Ι Σ
1 9 6 8 - 1 9 7 8

Α Θ Η Ν Α Ι 1 9 7 8

Ζ'

Θεολογικαί καί Ἱστορικαί Μελέται

Πρῶτος τόμος, 1979

Δέκατος Ἕκτος τόμος 2002.

ΜΗΤΡΟΠΟΛΙΤΟΥ ΑΞΩΜΗΣ ΜΕΘΟΔΙΟΥ

ΘΕΟΛΟΓΙΚΑΙ ΚΑΙ ΙΣΤΟΡΙΚΑΙ ΜΕΛΕΤΑΙ

ΣΥΛΛΟΓΗ ΔΗΜΟΣΙΕΥΜΑΤΩΝ

ΤΟΜΟΣ ΠΡΩΤΟΣ

ΑΘΗΝΑΙ, 1979

ΜΗΤΡΟΠΟΛΙΤΟΥ ΑΞΩΜΗΣ ΜΕΘΟΔΙΟΥ, Θεολογικαὶ καὶ Ἱστορικαὶ Μελέται. Συλλογὴ Δημοσιευμάτων. Τόμος Πρῶτος Ἀθῆναι, 1979. Σελ. 366 μετ' εἰκόνων 32.

Κατὰ τὸν συγγραφέα, «Ἡ μετὰ χεῖρας συλλογὴ ἀποτελεῖται ἐκ μικρῶν μελετῶν αἱ ὁποῖαι ἐδημοσιεύθησαν εἰς διάφορα περιοδικὰ καὶ ἀποτελοῦν τὸν πρῶτον τόμον τῆς σειρᾶς ταύτης» (σ. 5).

Ἡ μικροτέρα ἐκ τῶν μικρῶν τούτων μελετῶν ἀριθμεῖ 10 γραμμὰς (σ. 36, 56) καὶ ἡ μεγαλυτέρα 55 σελίδας (σ. 300-354). Αἱ χρησιμοποιούμεναι γλῶσσαι εἶναι, ὡς ἐπὶ τὸ πλεῖστον, ἡ ἑλληνική, ἀλλὰ καὶ ἡ ἀγγλική, ἡ ὀλλανδικὴ καὶ ἡ γαλλικὴ (σ. 7, 106, 116, 134, 152, 166, 182, 190, 211, 255, 266, 287, 355). Καλύπτουν αὗται ἀπὸ πλευρᾶς ἀναγνώσεως (1963-1979), συγγραφῆς ἢ δημοσιεύσεως αὐτῶν (1971-1979), τὰ ἔτη ἀπὸ τοῦ 1963 μέχρι τοῦ 1979. Καθ' ὕλην, ὡς διαφαίνεται ἐκ τοῦ τίτλου, αἱ παρατιθέμεναι εἶναι θεολογικαὶ καὶ ἱστορικαὶ μελέται.

Πολὺ ὀρθῶς πράττει ὁ συγγραφεὺς ἀναφέρων τὰ περιοδικὰ καὶ τὰς λοιπὰς ἐκδόσεις, ἔνθα ἀνεφάνησαν τὰ δημοσιεύματα τῆς συλλογῆς ταύτης (σ. 5, 7, 20, 26, 94, 102, 106, 140, 165, 181, 195, 218, 227, 231, 238, 244, 248, 255, 260, 264, 300, 355). Τὸ ἴδιον πρέπει νὰ λεχθῇ καὶ διὰ τὴν ἰδιαιτέραν μνείαν τοῦ χώρου, ἔνθα ἢ τῶν περιστάσεων, καθὰ ἃς ἀνεγνώσθησαν ἢ ἐλέχθησαν αἱ ὁμιλίαι-εἰσηγήσεις του (σ. 7, 106, 116, 134, 166, 182, 190, 202, 248, 266, 275, 287). Δι' ὡρισμένα δημοσιεύματα οὐδεμία παρομοία πληροφορία συναντᾶται, πρᾶγμα τὸ ὁποῖον μᾶς κάμνει νὰ ὑποθέσωμεν ὅτι ἴσως δημοσιεύονται ταῦτα ἐνταῦθα τὸ πρῶτον (σ. 116, 182, 297).

Σημασίαν διὰ τοὺς ἀναγνώστας τοῦ παρόντος σημειώματος ἀσφαλῶς θὰ ἔχῃ ἡ ἀντιγραφὴ τοῦ Πίνακος Περιεχομένων, ὡς τὸν παρουσιάζει ὁ συγγραφεὺς (σ. 365-6).

Abba Salama, X(1979), σελ. 390-393.

ιβ΄) Εἰκονομαχία, σ. 47–50.
ιγ΄) Ἡσυχασμός, σ. 50.
ιδ΄) Ἰανσενισμός, σ. 51–53.
ιε΄) Καθαροί, σ. 53–54.
ιστ΄) Καλβινισμός, σ. 54-56.
ιζ΄) Κογκρεγκεσιοναλισταί, σ. 56.
ιη΄) Κουάκεροι, σ. 56.
ιθ΄) Λουθηρανισμός, σ. 57-64.
κ΄) Μακεδονιακοὶ-Πνευματομάχοι, σ. 54-65.
κα΄) Μανιχαϊσμός, σ. 65.
κβ΄) Μεθοδισμός, σ. 65-66.
κγ΄) Μεννονῖται, σ. 67.
κδ΄) Μονοθελητισμός, σ. 67-70.
κε΄) Μονοφυσιτισμός, σ. 70-78.
κστ΄) Μοδερνισμός. σ. 78-80.
κζ΄) Νεστοριανισμός, σ. 80-85.
κη΄) Πελαγιανισμός, σ. 85-86.
κθ΄) Πλατωνισταὶ τοῦ Καΐμπριτζ, σ. 86-87.
λ΄) Σαβελλιανισμός, σ. 87-88.
λα΄) Στρατὸς τῆς Σωτηρίας, σ. 88.
λβ΄) Χουσῖται, Βοημοί, Μοραβοί, σ. 88-90.
λγ΄) Ὠριγενισμός. Τρία Κεφάλαια, σ. 90-91.
λδ΄) Αἱρέσεις διάφοροι, σ. 92-93.

Ἀγγλικανισμός, σ. 94-101.

Ὁ Θεολ. Διάλογος Ὀρθοδόξων καὶ Ἀγγλικανῶν, σ. 102-105.

Ἡ Χειροτονία τῶν Γυναικῶν, ἀγγλ., σ. 106-115.

Ἡ Εὐχαριστία ἐν τῇ Ὀρθοδοξίᾳ, ἀγγλ. σ. 116-133.

Ἡ Ἐπίκλησις, ἀγγλ., σ. 134-139.

Ὁ Θεολ. Διάλογος Ὀρθοδόξων καὶ Ἀνατολικῶν, σ. 140-151.

Ὁ Διάλογος μεταξὺ τῆς Ὀρθοδόξου καὶ τῶν Ἀρχαίων Ἀνατολικῶν Ἐκκλησιῶν, εἰς τὴν ὀλλανδικήν, σ. 152-165. Ἡ Χριστολογία τῶν Οἰκουμενικῶν Συνόδων, ἀγγλ., σ. 166-181.

Μία Ὀρθόδοξος Δήλωσις, σ. 182-189, ἀγγλ.

Ἡ Σημασία τῆς πολιτικῆς τοῦ Διοσκόρου διὰ τὸν Ἑλληνικὸν Κόσμον, ἀγγλ., σ. 190-194.

Κείμενα τοῦ Θεολογικοῦ Διαλόγου Ὀρθοδόξων Ρ. Καθολικῶν καὶ Ἀνατολικῶν, σ. 195-217.

Εἰσήγησις περὶ «Αὐτονόμου» καὶ «Αὐτοκεφάλου», σ. 218-226.

Εἰσήγησις ἐπὶ τοῦ θέματος «Διασπορά», σ. 227-230.
Ἐκκλησία Ἀλεξανδρείας:
α) Τὸ Πατριαρχεῖον, σ. 231-233.
β΄) Ἡ Κατηχητικὴ Σχολή, σ. 234-237.
Ἐκκλησία Ἀντιοχείας:
α΄) Τὸ Πατριαρχεῖον, σ. 238-240.
β΄) Ἡ Θεολογικὴ Σχολή, σ. 240-243.
Αἱ Ἀρχαὶ τῆς Ἐκκλησίας Ἀλεξανδρείας καὶ ὁ Ἀπ. Πέτρος, σ. 244-247.
Ἡ περὶ Δύο Φύσεων Διδασκαλία τοῦ Μ. Ἀθανασίου, σ. 248-254.
Ὁ Χρόνος Συγγραφῆς τῆς εἰς Ἐπίκτητον Ἐπιστολῆς, ἀγγλ., σ. 255-259.
Κύριλλος Λούκαρις, σ. 260-263.
Μελέτιος Μεταξάκης, σ. 264-265.
Ἡ Μερὶς τοῦ Κηφᾶ ἐν Κορίνθῳ, ἀγγλ., σ. 266-274.
Τινὰ περὶ τῆς Α΄ πρὸς Κορινθίους Ἐπιστολῆς τοῦ Ἀπ. Παύλου, σ. 275-286.
Ὁ Ἅγιος Βασίλειος καὶ ἡ Ρωμαϊκὴ Καθέδρα, σ. 287-296., ἀγγλ.
Ἰ., Π. Μίγν, σ. 297-299.
Οἱ Αἰθίοπες, σ. 300-354.
Ἡ Εἰσαγωγὴ τοῦ Χριστιανισμοῦ εἰς τὴν Ἀξώμην, ἀγγλ., σ. 355-364.

Λόγῳ τοῦ διαφορετικοῦ χαρακτῆρος τῶν δημοσιευμάτων, διάφορον ἐμφάνισιν φέρει καὶ ἡ παράθεσις ἢ μὴ τῆς ἀναλόγου βιβλιογραφίας. Ὁ συγγραφεὺς παρουσιάζει ταύτην ἐντὸς κειμένου, εἰς τὰς ὑποσημειώσεις καὶ εἰς τὸ τέλος ἑνὸς ἑκάστου σημειώματος (σ. 26, 28, 30, 36, 37-8, 39, 50, 52, 53-4, 56, 64, 65, 66, 67, 68, 80, 85, 86, 87, 89-90, 91, 83, 101, 113-5, 233, 236-7, 240, 243, 353-4). Γενικῶς ἡ προσωπικὴ ἐντύπωσίς μου εἶναι ὅτι δίδεται μεγαλυτέρα βαρύτης εἰς τὴν ξένην ἀπὸ τὴν ἑλληνικὴν βιβλιογραφίαν. Διὰ θέματα, εἰς τὰ ὁποῖα ὑπάρχει ἀτελείωτος, ἀπέραντος ἢ μεγάλη βιβλιογραφία, ὁ συγγραφεὺς περιορίζεται καὶ παραθέτει μόνον ὀλίγα ἢ τὰ κυριώτερα ἔργα (σ. 64, 85, 236, 243). Ὁ μητροπολίτης Ἀξώμης Μεθόδιος, ὅστις ἐξελίχθη ἐσχάτως εἰς ἕνα ἐκ τῶν πολυγραφωτέρων συγχρόνων ὀρθοδόξων θεολόγων συγγραφέων, συνεχῶς ἀναφέρεται εἰς τὰ ἔργα του, ἀπὸ τὰ ὁποῖα ἀντλεῖ εἴτε καὶ προσφέρει περιλήψεις. Δι' αὐτῶν δίδει καὶ τὴν περαιτέρω βιβλιογραφίαν ἐπὶ διαφόρων θεμάτων (σ. 78).

Διὰ τὸ μέλλον προεξαγγέλλεται ἡ συγγραφὴ εὐρείας μελέτης περὶ Αἰθιοπίας. «Τὸ περὶ Αἰθιοπίας θέμα ἔχει ἀνάγκην ἐκτενεστέρας διαπραγματεύσεως, ἣν ἐλπίζω συντόμως νὰ δημοσιεύσω» (σ. 5). Ἡ δὲ ἐμφάνισις εἰς τὸ ἐξώφυλλον τῆς σημειώσεως «Τόμος Πρῶτος», ὡς καὶ ἡ σχετικὴ παράγραφος εἰς τὸν Πρόλογον (σ. 5) ἐξυπονοοῦν τὴν εἰς τὸ μέλλον ἔκδοσιν καὶ ἄλλων τόμων.

Εἰς τὸν πρόλογον ὁ μητροπολίτης Ἀξώμης Μεθόδιος ἐξωτερικεύει προσω-

πικάς του σκέψεις ἐπὶ δύο φλεγόντων ζητημάτων: τῆς γλώσσης καὶ τῆς στάσεως ἔναντι τῶν μὴ ὀρθοδόξων Χριστιανῶν:

α) «Συνεχίζων νὰ γράφω εἰς τὴν ἁπλῆν καθαρεύουσαν,... ὄχι διότι ἀντιπαθῶ τὴν δημοτικήν, ἀλλὰ διότι πιστεύω ὅτι ἡ καθαρεύουσα ἐξυπηρετεῖ καλλίτερον τὰς θεολογικὰς ἐκφράσεις. Ἴσως ἀργότερον, ὅτε ἡ γλῶσσα αὕτη θὰ διαμορφωθῇ καὶ θὰ υἱοθετήσῃ ἐπισήμως λέξεις καὶ ἐκφράσεις τῆς καθαρευούσης νὰ καταστῇ δυνατὴ καὶ εἰς τὴν δημοτικὴν ἡ θεολογικὴ διατύπωσις».

β΄) «Ἐν τῇ παρούσῃ συλλογῇ κυριαρχοῦμαι ὑπὸ πνεύματος συγκαταβάσεως καὶ συμπαθείας, ἰδίως ἔναντι τῶν αἱρετικῶν καὶ τῶν ἑτεροδόξων» σ. 5)).

Βοηθητικὸς εἶναι ὁ «χρονολογικὸς πίναξ τῶν γεγονότων κατὰ τὴν Ἀρειανικὴν κρίσιν ἐν τῇ Ἐκκλησίᾳ» (σ. 35). Σχετικὰ μὲ τὴν ἀποκατάστασιν ἐντὸς τῆς Ἐκκλησίας τοῦ Ὠριγένους καὶ Θεοδώρου του Μοψουεστίας, λέγονται τὰ ἑξῆς χαρακτηριστικά:

«Ἐν τῇ ἀναθεωρήσει ὑπὸ τῆς Ἐκκλησίας μερικῶν ἀποφάσεων τῶν Οἰκουμενικῶν Συνόδων ὑπάρχει ἀρκετὸν περιθώριον διὰ νὰ κινηθῇ αὕτη. Εἶναι εὔκολον σήμερον νὰ ἴδωμεν, ὄχι λάθη εἰς τὴν διαδικασίαν τῶν Οἰκουμενικῶν Συνόδων, ἀλλὰ τὴν σκοπιμότητα τῶν περιστάσεων, αἱ ὁποῖαι ἐθυσίασαν μερικοὺς ἀπὸ τοὺς μεγάλους διδασκάλους τῆς Ἐκκλησίας. Ἡ Ἐκκλησία πρέπει νὰ κινηθῇ πρὸς τὴν κατεύθυνσιν αὐτήν, ὄχι ἀκαδημαϊκῶς, ἀλλὰ δραστικῶς. Ὄχι μεμονωμένως, ἀλλὰ καθολικῶς, ὄχι περιφερειακῶς, ἀλλὰ κεντρικῶς μὲ ὁδηγὸν τὸ Ἅγιον Πνεῦμα» (σ. 91).

Ὁ παρὼν τόμος Α΄ εἶναι πολύτιμος λόγῳ τοῦ περιεχομένου του, ἀλλὰ καὶ διότι συνιστᾷ εὔχρηστον βοήθημα διὰ κάθε μελετητήν, τὸν ἀναζητοῦττα τὰς τῇδε κακεῖσε διεσπαρμένας μελέτας τοῦ συγγραφέως. Εὔχομαι εἰς τὸν μητροπολίτην Ἀξώμης Μεθόδιον τὴν καρποφόρον συνέχισιν τοῦ συγγραφικοῦ του ἔργου, τοῦ πολυπλεύρως ἐξυπηρετοῦντος τὴν ὀρθόδοξον Ἐκκλησίαν καὶ θεολογίαν.

20 Ἰουνίου 1979.

ΒΑΣΙΛΕΙΟΣ Θ. ΣΤΑΥΡΙΔΗΣ

ΑΡΧΙΕΠΙΣΚΟΠΟΥ ΘΥΑΤΕΙΡΩΝ ΚΑΙ Μ.Β. ΜΕΘΟΔΙΟΥ, **Θεολογικαὶ καὶ Ἱστορικαὶ Μελέται,** *Συλλογὴ Δημοσιευμάτων, τόμος Δεύτερος, Ἀθῆναι, (1983), σελίδες 420.*

Βιβλιοκρισίαν ἐπὶ τοῦ τόμου πρώτου, Ἀθῆναι, 1979, ἐδημοσίευσεν ὁ γράφων εἰς τὸ περιοδικὸν «Abba Salama» 10 (1979) 390–393. Εἰς τὸν τόμον πρῶτον ὁ συγγραφεὺς ἔγραφεν:

«Ἡ μετὰ χεῖρας συλλογὴ ἀποτελεῖται ἐκ μικρῶν μελετῶν αἱ ὁποῖαι ἐδημοσιεύθησαν εἰς διάφορα περιοδικὰ καὶ ἀποτελοῦν τὸν πρῶτον τόμον τῆς σειρᾶς ταύτης», σ. 5.

Ὡρισμέναι ἀπὸ τὰς μελέτας ἐκείνας φέρουν χαρακτῆρα συγγενῆ πρὸς τὰ δημοσιευόμενα εἰς τοὺς δύο μεταγενεστέρους τόμους, δεύτερον καὶ τρίτον.

Πίναξ Περιεχομένων, σ. 419–420.

Πρόλογος, σ. 7–8.

«Ὁ δεύτερος τόμος τῆς σειρᾶς ταύτης ἀποτελεῖται ὡς ἐπὶ τὸ πλεῖστον ἐξ ὁμοιογενῶν δημοσιευμάτων, ἐνῷ ἐν τῷ πρώτῳ τόμῳ δὲν μοῦ ἦτο δυνατὸν νὰ ἐπιτύχω τοιαύτην ὁμοιογένειαν. Ἐγράφησαν τὰ περισσότερα ἐκ τούτων καὶ ἐδημοσιεύθησαν πρὸ εἴκοσι ἐννέα ἐτῶν, καθ' ὃν χρόνον διετέλουν Ἀρχιγραμματεὺς τοῦ Πατριαρχείου Ἀλεξανδρείας...», σ. 7.

Ἐδημοσιεύθησαν κατὰ τὸ πλεῖστον εἰς τὸ περιοδικὸν «Πάνταινος» τοῦ Πατριαρχείου Ἀλεξανδρείας. Τὰ ἔργα ἀνάγονται εἰς τὴν ἱστορίαν τῆς Ἐκκλησίας εἰς τὴν διασποράν. Ὁ συγγραφεὺς ἐκσυγχρονίζει τὰς μελέτας διὰ τῆς προσθήκης συμπληρώσεων. Ὡς πηγὰς - βιβλιογραφίαν χρησιμοποιεῖ τὰ ἀρχεῖα τοῦ πατριαρχείου Ἀλεξανδρείας καὶ τῆς ἀρχιεπισκοπῆς Θυατείρων, ἀνέκδοτον ὑλικόν, ἔγγραφα, τὰ ἐκκλησιαστικὰ χρονικὰ καὶ προφορικὰς πληροφορίας.

ΜΕΡΟΣ ΠΡΩΤΟΝ, σ. 9–283.

Τὸ Οἰκουμενικὸν Πατριαρχεῖον καὶ ἡ Αὐτόνομος Ἐκκλησία Ἐσθονίας, σ. 9-12. «Πάνταινος» 47 (1955) 504–505.

Δημοσιεύεται ὁ σχετικὸς τόμος τοῦ ΚΠόλεως Μελετίου Δ' (Ἰούλιος 1923). Διαφωτιστικὴ εἶναι ἡ παράθεσις πανταχοῦ εἰς τὸν τόμον τῶν ἀναλόγων ἐγγράφων. Προστίθεται ἡ νεωτέρα ἐπὶ τοῦ προκειμένου βιβλιογραφία, πρᾶγμα τὸ ὁποῖον γίνεται καὶ εἰς τὰ ἑπόμενα ἄρθρα. Διὰ περαιτέρω βιβλιογραφικὴν ἐνημέρωσιν ὁ

Ἐκκλησία καί Θεολογία, Δ' (1983), σελ. 947-951.

ἀναγνώστης παραπέμπεται εἰς τὰς βιβλιογραφικοῦ χαρακτῆρος ἐργασίας ἐπὶ τῆς ἐκκλησιαστικῆς ἱστορίας τοῦ γράφοντος. Εἰδικά:

Β.Θ. Σταυρίδου, 'Εσθονίας Μητρόπολις, Θρησκευτικὴ καὶ 'Ηθικὴ 'Εγκυκλοπαιδεία 5 (1964) 908-910.

Τὸ Οἰκουμενικὸν Πατριαρχεῖον καὶ ἡ Αὐτόνομος 'Αρχιεπισκοπὴ Φιλλανδίας, σ. 13-18. «Πάνταινος» 47 (1955) 510-513.

Παρατίθεται ὁ ἐπὶ ΚΠόλεως Μελετίου Δ' σχετικὸς τόμος ('Ιούνιος 1923).

Σκέψεις τινὲς ἐπὶ τοῦ αὐτοκεφάλου, σ. 17-18.

'Επίσημα 'Ανέκδοτα "Εγγραφα περὶ τῆς 'Εκκλησίας Λατβίας, σ. 19-47.

Τὸ ἄρθρον τοῦτο θὰ ἠδύνατο νὰ φέρῃ παράλληλον τίτλον, Τὸ Οἰκουμενικὸν Πατριαρχεῖον καὶ ἡ Αὐτόνομος 'Εκκλησία τῆς Λατβίας, μὲ τὴν προϋπόθεσιν ὅτι τὰ ἱστορικὰ περὶ ταύτης γεγονότα ἐξάγονται ἀπὸ τὴν παράθεσιν τῶν ἀναλόγων ἐγγράφων.

Τὸ Οἰκουμενικὸν Πατριαρχεῖον καὶ ἡ Αὐτοκέφαλος 'Εκκλησία 'Αλβανίας, σ. 48-51. «Πάνταινος» 48 (1956) 24-26.

'Ιστορικὴ 'Εξέλιξις τοῦ Αὐτοκεφάλου ἐν τῇ 'Ορθοδόξῳ 'Εκκλησίᾳ 'Αλβανίας, σ. 52-68. «Πάνταινος» 48 (1956) 54-56, 65-69, 105-109, 126-130, 145-150.

'Επίσημα 'Ανέκδοτα "Εγγραφα ἐπὶ τοῦ 'Αλβανικοῦ 'Εκκλησιαστικοῦ Ζητήματος, σ. 69-113.

Albanie, Rapport de la Commission d'Enquête, Société des Nations, pp. 114-127.

Τέσσαρα ἄρθρα (σ. 48-127), τὰ ὁποῖα διαφωτίζουν τὸ θέμα τοῦ αὐτοκεφάλου εἰς τὴν ὀρθόδοξον 'Εκκλησίαν τῆς 'Αλβανίας.

'Ιστορικὴ 'Εξέλιξις τῆς 'Ορθοδόξου 'Εκκλησίας Τσεχοσλοβακίας καὶ τὸ Αὐτοκέφαλον Αὐτῆς, σ. 128-144. «'Αρχεῖον 'Εκκλησιαστικοῦ καὶ Κανονικοῦ Δικαίου» 11 (1956) 43-55.

'Επίσημα "Εγγραφα περὶ τῆς 'Εκκλησίας Τσεχοσλοβακίας, σ. 145-147.

Δύο ἄρθρα ἐπὶ τῆς ὀρθοδόξου 'Εκκλησίας τῆς Τσεχοσλοβακίας.

Σύστασις τῆς 'Ορθοδόξου 'Εκκλησίας Πολωνίας καὶ τὸ Αὐτοκέφαλον Αὐτῆς, σ. 148-168. «'Αρχεῖον 'Εκκλησιαστικοῦ καὶ Κανονικοῦ Δικαίου» 12 (1957) 39-48, 115-122.

Τὸ Αὐτοκέφαλον ἐν τῇ 'Ορθοδόξῳ 'Εκκλησίᾳ Οὐκρανίας, σ. 169-193. «Πάνταινος» 47 (1955) 211-214, 226-228, 245-247, 262-264, 270-271, 290-292, 311-313, 324-325, 351-353.

'Επίσημα "Εγγραφα περὶ τῆς 'Εκκλησίας Οὐκρανίας, σ. 194-218.

'Εκκλησία Ληπκὼβ ἐν Οὐκρανίᾳ, σ. 219-231. Αὐτοτελὴς μελέτη, 'Αλεξάνδρεια: Τύπος τοῦ 'Εμπορίου, 1955.

Μέχρι στιγμῆς τρία ἄρθρα περὶ τῆς ὀρθοδόξου Ἐκκλησίας Οὐκρανίας.
Ἱστορία τῆς Ἀνακαινιστικῆς Ἐκκλησίας ἐν ΕΣΣΔ, σ. 232-235. «Πάνταινος» 48 (1956) 308-309, 324-326.

Ἡ οὕτω καλουμένη ἐπίσης ζῶσα ἢ συνοδικὴ Ἐκκλησία εἰς τὴν Ρωσίαν.
Περὶ τῶν ἐν Κριμαίᾳ Ἑλληνικῶν Ναῶν, σ. 236-247 (Κατὰ τὰ μετὰ τὴν μπολσεβικικὴν ἐπανάστασιν ἔτη). «Ἐκκλησιαστικὸν Βῆμα», 1955, ἐφημερὶς τῆς ἀρχιεπισκοπῆς Κύπρου.

Ἐνδιαφέρον θέμα. Διὰ τὸ μέλλον:

«Αἱ εἰδήσεις αὗται, λίαν ἐνδιαφέρουσαι διά τε τὸ Οἰκουμενικὸν Πατριαρχεῖον καὶ τὸν Ἑλληνισμόν, δέον νὰ συμπληρωθῶσι. Ἐν τῷ ἀρχείῳ τοῦ Οἰκουμενικοῦ Πατριαρχείου ἴσως ὑπάρχουσι πλείονα στοιχεῖα. Αἱ Θεολογικαὶ Σχολαὶ ἴσως ἀναθέσουν εἴς τινα ὑποψήφιον καθηγητὴν νὰ συντάξῃ ἐμπεριστατωμένην ἱστορίαν περὶ τῶν ἐν Κριμαίᾳ ἑλληνικῶν ναῶν», σ. 247, ὑποσ. 4.

Τὰ Προηγηθέντα τῆς Ἀνακηρύξεως τῆς Ρουμανικῆς Ὀρθοδόξου Ἐκκλησίας εἰς Πατριαρχεῖον, σ. 248-259. «Πάνταινος» 48 (1956) 31-35, 45-48, 73-77, 90-94.

Ἡ Οὐνιτικὴ Ἐκκλησία ἐν Ρουμανίᾳ, σ. 260-261. «Πάνταινος» 47 (1955) 44-45.

Δύο ἄρθρα διὰ τὴν Ἐκκλησίαν τῆς Ρουμανίας.
Τὸ Πατριαρχεῖον Ἀλεξανδρείας καὶ ἡ Ἀφρικανικὴ Ἤπειρος, σ. 262-265.
Ἔγγραφα Σχετικὰ πρὸς τὴν Ἱεραποστολικὴν Δραστηριότητα τοῦ Πατριαρχείου Ἀλεξανδρείας, σ. 266-283.
Δύο ἄρθρα σχετικὰ πρὸς τὴν ἐπέκτασιν τοῦ πατριαρχείου Ἀλεξανδρείας εἰς τὴν ἀφρικανικὴν ἤπειρον.

ΜΕΡΟΣ ΔΕΥΤΕΡΟΝ, σ. 285-353.

Η ΟΡΘΟΔΟΞΙΑ ΕΝ ΑΜΕΡΙΚΗ, σ. 285-349. «Πάνταινος» 47 (1955) - 48 (1956) Διαδοχικὰ τμήματα.

Σύντομος Πρόλογος, σ. 285.
Διὰ τὸ μέλλον.

«Νομίζω, ἐν τούτοις, ὅτι μία ἐμπεριστατωμένη ἱστορία τῶν Ἀρχιεπισκοπῶν Ἀμερικῆς καὶ Αὐστραλίας πρέπει νὰ ἀναληφθῇ ἀπὸ τὰς ἀντιστοίχους Ἀρχιεπισκοπὰς τὸ ταχύτερον», σ. 285.
Β.Θ. Σταυρίδου, Ὀρθοδοξία εἰς τὴν Ἀμερικήν, ἐν Ἀντίδωρον Πνευματικόν, Τιμητικὸς Τόμος Γερασίμου Ἰω. Κονιδάρη, Ἀθῆναι, 1981, σ. 445-460.
Ἀρχιεπισκοπὴ Βορείου καὶ Νοτίου Ἀμερικῆς, σ. 286-302.

Τὸ ἱστορικὸν μέρος τῆς μελέτης του ὁ συγγραφεὺς τὸ κατακλείει διὰ τῶν ἑξῆς, περὶ τοῦ μέλλοντος:

«Ταῦτα ἐν ἀναμονῇ τῆς συγγραφῆς καὶ ἐκδόσεως τῆς ἱστορίας τῆς Ἀρχιεπισκοπῆς ταύτης, ἥτις δέον νὰ ἀκολουθήσῃ τὴν πορείαν τῶν τεσσάρων σταδίων τῆς ἀναπτύξεώς της, Μελέτιος Μεταξάκης, Ἀθηναγόρας Σπύρου, Μιχαὴλ Κωνσταντινίδης καὶ Ἰάκωβος Κουκούζης», σ. 293.

Σύνταγμα τῆς Ἑλληνικῆς Ὀρθοδόξου Ἀρχιεπισκοπῆς Ἀμερικῆς Βορείου καὶ Νοτίου, σ. 293–302.

Α΄ Ἡ Ρουμανικὴ Ἐκκλησία, σ. 302–309.

Β΄ Ἡ Ρωσικὴ Ἐκκλησία, σ. 309–322.

Τὸ αὐτοκέφαλον αὐτῆς, σ. 322.

Γ΄ Ἡ Καρπαθορωσικὴ Ἐκκλησία, σ. 322–326.

Δ΄ Ἡ Οὐκρανικὴ Ἐκκλησία, σ. 326–335.

Ε΄ Ἡ Ἀντιοχειανὴ Ἐκκλησία, σ. 335–339.

Αἱ κατὰ τὸ 1956 ὀρθόδοξοι Ἐκκλησίαι εἰς τὴν Ἀμερικήν, σ. 337–338, ὑποσ. 2.

ΣΤ΄ Ἡ Ἀλβανικὴ Ἐκκλησία, σ. 339–340.

Ζ΄ Ἡ Βουλγαρικὴ Ἐκκλησία, σ. 341.

Η΄ Ἡ Λευκορωσικὴ Αὐτοκέφαλος Ἐκκλησία, σ. 341–342.

Θ΄ Ἡ Σερβικὴ Ἐκκλησία, σ. 342.

Κατάλογος τῶν ἐν Ἀμερικῇ Ὀρθοδόξων Ἐκκλησιῶν, σ. 343–344.

ΠΑΡΑΡΤΗΜΑ

The Constitution of the Standing Conference of Canonical Orthodox Bishops of the Americas adopted on the 8th of August 1961, pp. 345–349.

Ἡ Ὀρθόδοξος Ἐκκλησία ἐν Ἰαπωνίᾳ, Περσίᾳ καὶ Ἰνδίαις, σ. 350–353.

Β.Θ. Σταυρίδου, Ἡ Συνέλευσις τῆς Κεντρικῆς Ἐπιτροπῆς τοῦ ΠΣΕ, Γενεύη, 1973, «Κληρονομία» 6 (1974) 212–225.

ΜΕΡΟΣ ΤΡΙΤΟΝ, σ. 355–418.

The Ecumenical Patriarchate Yesterday and Today, pp. 355–364. London, December 1982.

Ἀναδημοσιεύεται ἐκ τοῦ τόμου τοῦ ἀφιερωμένου εἰς τὴν Β΄ Οἰκουμενικὴν Σύνοδον, τοῦ Οἰκουμενικοῦ Πατριαρχείου.

Ἀπάντησις εἰς τὰ λεγόμενα καὶ γραφόμενα ὑπὸ τοῦ καθηγητοῦ π. Ἰωάννου Μέγενδωρφφ περὶ τοῦ οἰκουμενικοῦ πατριαρχείου.

The Problem of the Orthodox Diaspora, A Reply to Archbishop Paul of

Karelia and All Finland, pp. 365–369. «Drita e Vertete», Boston, August (1981).

'Απάντησις τοῦ Θυατείρων καὶ Μ.Β. Μεθοδίου πρὸς τὸν Καρελίας καὶ πάσης Φιλλανδίας Παῦλον ἐπὶ τοῦ θέματος τῆς ὀρθοδόξου διασπορᾶς.

'Η ὁδὸς πρὸς τὸ Αὐτοκέφαλον ἐν τῇ 'Ορθοδόξῳ 'Εκκλησίᾳ, σ. 370–418. Αὐτοτελῶς, 'Αθῆναι, 1958.

'Ελπίζω νὰ ἔχω τὴν ἄδειαν τοῦ συγγραφέως - ἀρχιεπισκόπου ὅπως ὑποβάλω ὡρισμένας σκέψεις.

Εἰς τὸ κείμενον ἡ 'Εκκλησιαστικὴ 'Ιστορία τοῦ Βασιλείου Στεφανίδου φέρεται ἐκδοθεῖσα τὸ 1937 (σ. 372).

«Οἱ προτεστάνται μὲ τὴν πικρὰν πεῖραν ἐκ τοῦ διαμελισμοῦ των προσεπάθησαν ἔστω φανταστικῶς διὰ τῆς ἱδρύσεως τῆς Οἰκουμενικῆς κινήσεως, ἵνα ἐπουλώσωσι τὸ ὀδυνηρὸν τραῦμα τῆς χριστιανικῆς 'Εκκλησίας, ἤτοι τὴν διοικητικὴν διάσπασιν αὐτῆς», σ. 374.

Τὸ ἐπίρρημα «φανταστικῶς» θὰ ἦτο δυνατὸν ὅπως ἀποτελέσῃ τὸ σημεῖον ἐκκινήσεως δι' ἕνα διάλογον καρποφόρον. Εἰς τὸ τέλος τοῦ Κ' αἰῶνος βλέπει κανεὶς μὲ πολλὴν εὐχαρίστησιν τὰ θετικὰ βήματα, τὰ ὁποῖα διηνύθησαν πρὸς τὴν κατεύθυνσιν τῆς ἐκκλησιαστικῆς ἑνότητος ὑπὸ τῶν προτεσταντικῶν 'Εκκλησιῶν ἐντὸς τῆς οἰκουμενικῆς κινήσεως.

Εἰς τὴν σελίδα 379 ἀναγινώσκομεν,

«Αὐτόνομος ἦτο καὶ ἡ Ρωσικὴ 'Εκκλησία ἀπὸ τῆς ἱδρύσεώς της μέχρι τοῦ 1448, καθ' ὃ αὐτοανεκηρύχθη αὐτοκέφαλος... Αὐτόνομος εἶναι καὶ ἡ 'Εκκλησία Κρήτης ἀπὸ τοῦ 1890».

'Εὰν δὲν κάμνω λάθος, ἀπὸ τῆς διαδόσεως τοῦ Χριστιανισμοῦ καὶ μέχρι τοῦ ΙΕ' αἰῶνος ἡ ρωσικὴ 'Εκκλησία διετέλει ὡς μία μητρόπολις ὑπὸ τὸ οἰκουμενικὸν πατριαρχεῖον, ἡ δὲ 'Εκκλησία τῆς Κρήτης, κατὰ τὸ καταστατικόν της, διατελεῖ ἡμιαυτόνομος.

'Απὸ ὀρθοδόξου πλευρᾶς ἀντὶ τοῦ ὅρου «ἁγιοποίησις» ἴσως νὰ εἶναι προσφορωτέρα ἡ χρῆσις τῶν ὅρων «ἀναγνώρισις» ἢ «ἀνακήρυξις» ἁγίων, σ. 390–391.

'Εργασία πρωτοποριακή, καλύπτουσα τὸ θέμα τοῦ αὐτοκεφάλου ἀπὸ πολλὰς πλευρὰς διὰ τὸ ἔτος 1958, ὅτε ἐξεδόθη ἀρχικῶς.

Κατακλείω, συμφωνῶν μὲ τὰ ὅσα λέγονται εἰς τὸ τέλος τοῦ προλόγου ὑπὸ τοῦ συγγραφέως-ἀρχιεπισκόπου,

«'Η ἀξία τῶν δημοσιευμάτων τοῦ μετὰ χεῖρας Τόμου εἶναι καταφανής. Τὰ προβλήματα τῆς 'Εκκλησίας τῶν περιοχῶν, τὰ ὁποῖα διαπραγματεύομαι ἐνταῦθα, αὐξάνουν συνεχῶς καὶ καθιστοῦν οὕτω τὰς ἐργασίας ταύτας ἐπικαίρους» (σ. 8).

27 Σεπτεμβρίου 1983. *ΒΑΣΙΛΕΙΟΣ Θ. ΣΤΑΥΡΙΔΗΣ*

ΤΟΥ ΑΥΤΟΥ, τόμος Τρίτος, Ἀθῆναι (1983), σελ. 304.

Πίναξ Περιεχομένων, σ. 301-304.

Γενικὸς Πρόλογος, σ. 7-8.

«Ὁ τρίτος οὗτος τόμος τῶν Θεολογικῶν καὶ Ἱστορικῶν Μελετῶν μου ἀποτελεῖται ἐκ μικρῶν μονογραφιῶν, συγγραφεισῶν καθ' ὃν χρόνον διετέλουν Γραμματεὺς τῆς Ἱερᾶς Συνόδου τῆς Ἐκκλησίας τῆς Ἑλλάδος. Σκοπός μου ἦτο, τότε, νὰ ἐνημερώσω τὸν ἱερὸν κλῆρον τῆς Ἐκκλησίας τῆς Ἑλλάδος ἐπὶ ἐπικαίρων ζητημάτων τῆς ἐποχῆς ἐκείνης.

»Τὰ θέματα ἐκεῖνα, ἅτινα νῦν ἀναδημοσιεύονται ἐνταῦθα, ἐξήτασα μὲ πρακτικὸν καὶ παραδοσιακὸν πνεῦμα, ποὺ ἂν λησμονηθῇ, τὸ ἔθνος ἡμῶν θὰ θρηνήσῃ πολύ. Πάντως τὰ τεύχη μετὰ τῶν παραρτημάτων των ἀποτελοῦν ἁρμονικὸν σύνολον.

»Ὅσον ἀφορᾷ εἰς τὸ πέμπτον μέρος εἶναι καὶ τοῦτο συγγενὲς πρὸς τὰ ἄλλα τοῦ τόμου τούτου, διότι εἶναι ἐμπνευσμένον ἐν Λονδίνῳ ἀπὸ τὰς ἀρχιερατικάς μου εὐθύνας», σ. 7.

Ὁ συγγραφεὺς ἐκθέτει τὰς ἀπόψεις του ἐπὶ τῆς ἐμμονῆς του ἐπὶ τῶν ἀρχῶν τῆς ὀρθοδόξου παραδόσεως καὶ τῶν σχέσεων Ἑλληνισμοῦ (ὄχι Ἑλλήνων) καὶ Χριστιανισμοῦ, ἀπόψεις συνειδήσεως καὶ ἀποστολῆς, σ. 7-8.

ΚΑΝΟΝΙΚΑ ΚΑΙ ΠΟΙΜΑΝΤΙΚΑ ΠΑΡΕΡΓΑ, σ. 9-300.

I. Ὁ Ἱερεὺς καὶ τὸ Ἔργον Αὐτοῦ, σ. 9-80.

Μετὰ δύο Παραρτημάτων

1. Περὶ τῆς Χειροτονίας τοῦ Ἀποστόλου Παύλου καὶ

2. Περὶ τῆς Ἐπιθέσεως τῶν Χειρῶν. Αὐτοτελὴς Μελέτη, Ἀθῆναι, 1968.

II. Διάκονοι καὶ Διακόνισσαι ἐν τῇ Ἀρχαίᾳ Ἐκκλησίᾳ, σ. 81-129. Αὐτοτελεῖς μελέται, Ἀθῆναι, 1968.

III. Ἡ Χειροτονία τῶν Πρώτων Παπῶν τῆς Ἐκκλησίας Ἀλεξανδρείας, σ. 131-167. Αὐτοτελὴς μελέτη, Ἀθῆναι, 1968.

«5. Τὸ συμπέρασμα ἐκ τῆς ἐρεύνης ταύτης:

Ἐκ τῶν ἀνωτέρω συνάγεται ὅτι αἱ πληροφορίαι περὶ τῆς χειροτονίας τῶν πρώτων ἐπισκόπων τῆς Ἐκκλησίας Ἀλεξανδρείας ὑπὸ τῶν πρεσβυτέρων ἀναφέρονται εἰς τὴν ἐκλογὴν αὐτῶν καὶ μόνον. Καὶ ἂν ἀκόμη δεχθῶμεν ὅτι μέχρι τοῦ Δημητρίου δὲν ὑπῆρχον ἐπίσκοποι εἰς τὴν Ἐκκλησίαν Ἀλεξανδρείας, ὅπερ ἀπίθανον, ἡ χειροτονία ἐτελεῖτο διὰ τῆς χειρὸς τοῦ νεκροῦ ἐπισκόπου ὡς ἀνωτέρω», σ. 152.

IV. Τὸ Κῦρος τῶν Αἱρετικῶν καὶ Σχισματικῶν Μυστηρίων ἐν τῇ Ἀρχαίᾳ Ἐκκλησίᾳ, σ. 169-226. Αὐτοτελὴς Μελέτη, Ἀθῆναι, 1968.

Ἐκκλησία καί Θεολογία, Δ΄ (1983), σελ. 952-954.

V. Ποικίλα, σ. 227-300.

The General Assembly of the Church of Scotland. Sermon, Delivered in St. Giles' Cathedral, Edinburgh, 17th May 1981, pp. 229-235. «Texts and Studies» 1 (1982) 207-213.

'Ομιλία λεχθεῖσα κατὰ τὴν γενικὴν συνέλευσιν τῆς 'Εκκλησίας τῆς Σκωτίας εἰς τὸν καθεδρικὸν ναὸν τοῦ St. Giles, 'Εδιμβοῦργον, 17 Μαΐου 1981.

Christian Hellenism: The Classical Christian Heritage. A Paper read in the School of Ecumenics, Dublin 23rd May, 1981, pp. 236-240. «Texts and Studies» 1 (1982) 214-217.

'Ο Χριστιανικὸς 'Ελληνισμός: 'Η Κλασσικὴ Χριστιανικὴ Κληρονομία. Σχολὴ τοῦ Οἰκουμενισμοῦ, Δουβλῖνον, 'Ιρλανδία, 23 Μαΐου 1981.

Christian Priesthood, General Introductory Remarks. (A Paper read in the International Academy of Religious Sciences, Brussels, 1981), pp. 241-253. «Texts and Studies» 1 (1982) 218-229.

Χριστιανικὴ 'Ιερωσύνη, Εἰσαγωγικαὶ Παρατηρήσεις. Διεθνὴς 'Ακαδημία Θρησκευτικῶν 'Επιστημῶν, Βρυξέλλαι, 1981, 'Ομιλία συγγενὴς πρὸς ἄλλας ἀναφερομένας ἐνταῦθα.

Βραχὺ 'Ιστορικὸν Σημείωμα περὶ τῶν 'Αμέσων Διαδόχων τῶν 'Αγίων 'Αποστόλων, σ. 254-259. Τόμος εἰς μνήμην τοῦ ἀειμνήστου μητροπολίτου 'Ικονίου 'Ιακώβου.

Τὸ Πρόβλημα τῆς 'Ορθοδόξου Διασπορᾶς, 'Απάντησις εἰς τὸν Σεβ. 'Αρχιεπίσκοπον Καρελίας καὶ Πάσης Φιλλανδίας κ. Παῦλον, σ. 260-264. «'Εκκλησία καὶ Θεολογία» 2 (1981) 586-590. 'Αγγλιστὶ εἰς τὸν τόμον δεύτερον, σ. 365-369.

The Filioque in Ecumenical Perspective. (A Paper read at the Llandaff Conference of the Anglican Orthodox Joint Doctrinal Commission, July 1980, revised and updated by Protopresbyter George D. Dragas), pp. 265-300. «'Εκκλησία καὶ Θεολογία» 3 (1982) 1061-1096.

'Ομιλία περὶ ἐκπορεύσεως τοῦ 'Αγίου Πνεύματος καὶ ἐκ τοῦ Υἱοῦ ὑπὸ τοῦ ὀρθοδόξου συμπροέδρου τῆς μικτῆς θεολογικῆς ἐπιτροπῆς 'Αγγλικανῶν καὶ 'Ορθοδόξων τὸ 1980 εἰς τὴν Μεγάλην Βρεταννίαν, ἡ ὁποία ἀνεθεωρήθη καὶ ἐκσυνεχρονίσθη ὑπὸ τοῦ πρωτοπρεσβυτέρου Γεωργίου Δ. Δράγα. 'Ακολουθεῖ βιβλιογραφία κατ' ἐκλογὴν μὲ τὴν χρονολογικὴν σειρὰν τῶν ἐκδόσεων.

'Η κατακλεὶς τῆς βιβλιοκρισίας μου διὰ τὸν τόμον πρῶτον τῆς σειρᾶς «Θεολογικαὶ καὶ 'Ιστορικαὶ Μελέται», νομίζω ὅτι διακρατεῖ τὴν ἐπικαιρότητά της καὶ διὰ τοὺς ἀκολουθοῦντας δύο τόμους, δεύτερον καὶ τρίτον. 'Η ἔκφρα-

σις «τόμος Α» ἠμπορεῖ νὰ ἀντικατασταθῇ μὲ τὰς ἀναλόγους «τόμος Β'» καὶ «τόμος Γ'».

«Ὁ παρὼν τόμος Α' εἶναι πολύτιμος λόγῳ τοῦ περιεχομένου του, ἀλλὰ καὶ διότι συνιστᾷ εὔχρηστον βοήθημα διὰ κάθε μελετητήν, τὸν ἀναζητοῦντα τὰς τῇδε κακεῖσε διεσπαρμένας μελέτας τοῦ συγγραφέως. Εὔχομαι εἰς τὸν μητροπολίτην (ἀρχιεπίσκοπον) Ἀξώμης (Θυατείρων καὶ Μ.Β.) Μεθόδιον τὴν καρποφόρον συνέχισιν τοῦ συγγραφικοῦ του ἔργου, τοῦ πολυπλεύρως ἐξυπηρετοῦντος τὴν ὀρθόδοξον Ἐκκλησίαν καὶ Θεολογίαν».

27 Σεπτεμβρίου 1983. *ΒΑΣΙΛΕΙΟΣ Θ. ΣΤΑΥΡΙΔΗΣ*

27. Στιγμιότυπο ἀπό τό παγκόσμιο Συνέδριο ἀφιερωμένο στήν Ἀπόδημη Ἑλληνίδα πού συγκάλεσε καί ὠργάνωσε ὁ γράφων. Στήν εἰκόνα ἀριστερά διακρίνεται ὁμιλῶν ὁ Ὕπατος Ἁρμοστής τῆς Κυπριακῆς Δημοκρατίας Sir Τάσος Παναγίδης.

ΑΡΧΙΕΠΙΣΚΟΠΟΥ ΘΥΑΤΕΙΡΩΝ ΚΑΙ ΜΕΓΑΛΗΣ ΒΡΕΤΑΝΝΙΑΣ ΜΕΘΟΔΙΟΥ, **Θεολογικαὶ καὶ Ἱστορικαὶ Μελέται,** *Συλλογὴ Δημοσιευμάτων, τόμος Τέταρτος, Ἀθῆναι, 1983, σελίδες 454.*

Βιβλιοκρισίαι διὰ τοὺς τρεῖς πρώτους τόμους, ὑπὸ Β. Θ. Σταυρίδου:
τόμος Α', Ἀθῆναι, 1979, Abba Salama 10 (1979) 390-393.
τόμος Β', Ἀθῆναι, 1983, Ἐκκλησία καὶ Θεολογία 4 (1983) 947-951.
τόμος Γ', Ἀθῆναι, 1983, αὐτ., σ. 952-954.

Μὲ γοργὸν ρυθμὸν συνεχίζεται ἡ ἔκδοσις τῶν τόμων τῆς σειρᾶς ταύτης, οἱ ὁποῖοι συνιστοῦν, τρόπον τινά, τὰ Ἅπαντα τοῦ Θυατείρων καὶ Μ. Βρεταννίας Μεθοδίου Φούγια. Ἤδη ἔφθασεν αὕτη εἰς τὸν τόμον τέταρτον, Ἀθῆναι, 1983.

Ὁ παρὼν τόμος περιλαμβάνει τρεῖς μελέτας.

«Αἱ ἀποτελοῦσαι τὸν μετὰ χεῖρας τόμον τρεῖς μελέται, περὶ Ἱερωσύνης, περὶ Οἰκονομίας καὶ περὶ Χριστολογίας, ἀποτελοῦν βασικὰς ἀρχὰς τῆς Ἐκκλησίας» (σ. 5).

Ὁ συγγραφεὺς ὁμιλεῖ διὰ τὸν τρόπον τῆς ἐργασίας του.

«Αἱ μελέται τοῦ παρόντος τόμου ἐγράφησαν ὄχι μόνον ἐκ πηγῶν, ἀλλὰ καὶ ἐκ πείρας ἣν καθημερινῶς ἐν τῇ ἀσκήσει τῶν ἀρχιερατικῶν ἡμῶν καθηκόντων ἀντλοῦμεν. Ὁ ἐν τῇ Ἐκκλησίᾳ καὶ ὑπὲρ τῆς Ἐκκλησίας ἀγὼν καὶ ἡ συναίσθησις τῆς εὐθύνης ἔναντι τοῦ Θεοῦ καὶ τῆς Ἐκκλησίας Του εἶναι οἱ κυριώτεροι παράγοντες διὰ νὰ διδαχθῇ τις τὴν σημασίαν τῶν πλουσίων δωρεῶν τοῦ Θεοῦ ἐν τῇ Ἱερωσύνῃ, τῇ Οἰκονομίᾳ καὶ τῇ Χριστολογικῇ ὁρολογίᾳ», σ. 6.

I. Γένεσις καὶ Ἀνάπτυξις τῆς Χριστιανικῆς Ἱερωσύνης. Μελέτη Ἱστορικὴ Ἀναφερομένη εἰς τὸ Πολίτευμα τῆς Ἐκκλησίας καὶ Ἰδιαιτέρως εἰς τὴν Ἀποστολικὴν Διαδοχήν, σελίδες 7-151.

Ἐκκλησιαστικὸς Φάρος 53 (1971) 533-549. 54 (1972) 5-34, 133-193, 479-509.

Περιλαμβάνει τέσσαρα κεφάλαια:

1. Τὸ Ἀποστολικὸν Ἀξίωμα, σ. 21-50.

2. Ἡ Χριστιανικὴ Ἱερωσύνη, σ. 51-78.

3. Ἡ Ἀποστολικὴ Διαδοχή, σ. 79-111.

4. Ἡ Ἀποστολικὴ Διαδοχὴ εἰς τὰς Ἀποστολικὰς Ἐκκλησιαστικὰς Ἕδρας, σ. 113-134.

Παράρτημα, σ. 135-151.

II. Περὶ τὴν Ἐκκλησιαστικὴν Οἰκονομίαν, Ἀπάντησις εἰς Καθηγητὰς τῆς Θεολογίας, σ. 153-310.

Ἐκκλησία καί Θεολογία, Ε' (1984), σελ. 968-969.

Πρόκειται περὶ τῶν καθηγητῶν τοῦ πανεπιστημίου 'Αθηνῶν Παναγιώτου Μπρατσιώτου, Παναγιώτου Τρεμπέλα, Κωνσταντίνου Μουρατίδου, 'Ανδρέου Θεοδώρου καὶ Νικολάου Π. Μπρατσιώτου, οἱ ὁποῖοι ὑπέβαλον ὑπόμνημα τὴν 5ην 'Ιουνίου 1972 πρὸς τὴν ἱ. σύνοδον τῆς 'Εκκλησίας τῆς 'Ελλάδος, μὲ τὸν τίτλον:

«'Η 'Εκκλησιαστικὴ Οἰκονομία ἐν Σχέσει πρὸς τὴν Εἰσήγησιν τῆς Προπαρασκευαστικῆς 'Επιτροπῆς».

Θέμα μεγάλου ἐνδιαφέροντος διὰ τὴν ὀρθόδοξον Θεολογίαν καὶ 'Εκκλησίαν, περὶ τὸ ὁποῖον ἐγράφησαν καὶ γράφονται ἀρκεταὶ μελέται ἀπὸ θεολόγους ὀρθοδόξους καὶ ἄλλους.

'Εκκλησιαστικὸς Φάρος 56 (1974) 5-55, 261-270. 57 (1975) 65-79, 309-353. 58 (1976) 5-24.

III. Χριστολογικὴ 'Ορολογία ἐν τῇ 'Αρχαίᾳ 'Εκκλησιαστικῇ Φιλολογίᾳ, σ. 311-449.

'Εκκλησιαστικὸς Φάρος 58 (1976) 445-454. 59 (1977) 5-45. 60 (1978) 5-32. 61 (1979) 5-18. 'Εκκλησία καὶ Θεολογία 1 (1980) 5-14. 4 (1983) 619-653.

'Υπάρχουν δύο κεφάλαια.

1. Οἱ Χριστολογικοὶ "Οροι κατὰ τὴν Περίοδον μέχρι τῆς Πρώτης Οἰκουμενικῆς Συνόδου, σ. 323-363.

2. Οἱ Χριστολογικοὶ "Οροι κατὰ τὴν Περίοδον ἀπὸ τῆς Πρώτης Οἰκουμενικῆς Συνόδου 325 μέχρι τῆς Δευτέρας Οἰκουμενικῆς Συνόδου 381, σ. 365-448.

'Εργασία Χριστολογική.

Βασίλειος Θ. Σταυρίδης

16 'Ιουλίου 1984.

ΑΡΧΙΕΠΙΣΚΟΠΟΥ ΘΥΑΤΕΙΡΩΝ ΚΑΙ ΜΕΓΑΛΗΣ ΒΡΕΤΑΝΝΙΑΣ ΜΕΘΟΔΙΟΥ, **Θεολογικαὶ καὶ 'Ιστορικαὶ Μελέται,** *Συλλογὴ Δημοσιευμάτων, τόμος Πέμπτος, 'Αθῆναι, 1984, σελίδες 379, μετ' εἰκόνων.*

'Η κληρονομία τοῦ Οἰκουμενικοῦ Πατριαρχείου ἐν Δυτικῇ, Κεντρῴᾳ καὶ Νοτίῳ Εὐρώπῃ, 1453-1922.

Σύστασις καὶ ὀργάνωσις τῆς 'Αρχιεπισκοπῆς Θυατείρων καὶ 'Εξαρχίας Δυτικῆς καὶ Κεντρῴας Εὐρώπης.

'Εκκλησία καί Θεολογία, Ε' (1984), σελ. 969-971.

'Από τὴν Διασπορὰν εἰς τὴν ὠργανωμένην 'Εκκλησίαν, 1922–1962 (σ. 7).

'Ο συγγραφεὺς τὸ 1956 εἶχε δημοσιεύσει τὸν τόμον Α' τοῦ ἔργου του «'Ιστορία τῆς 'Ορθοδόξου 'Εκκλησίας ἐν Διασπορᾷ. Δυτικὴ καὶ Κεντρῴα Εὐρώπη», ὅπου περιελάμβανεν ὑλικὸν περὶ τῶν ἑλληνικῶν ὀρθοδόξων παροικιῶν εἰς τὴν περιοχὴν ταύτην μέχρι τοῦ ἔτους 1956. Εἰς τὸν τόμον πέμπτον τῶν Θεολογικῶν καὶ 'Ιστορικῶν Μελετῶν του ἐπανεκδίδει τὸ ὑλικόν, μὲ μίαν συμπλήρωσιν καὶ ἐπέκτασιν μέχρι τοῦ ἔτους 1962.

'Εφόσον εἶναι εἰς θέσιν νὰ γνωρίζῃ ὁ γράφων, αὕτη εἶναι ἡ πρώτη καὶ μόνη ἐργασία, ἡ ὁποία περιλαμβάνει παρομοίαν ὕλην δι' ὁλόκληρον τὴν Εὐρώπην.

Μέχρι τοῦ ἔτους 1962, ἔτους τοῦ θανάτου τοῦ Θυατείρων 'Αθηναγόρου τοῦ Καββάδα, αἱ ἐκκλησιαστικαὶ αὗται περιοχαὶ ὑπήγοντο ἅπασαι ὑπὸ τὴν μητρόπολιν Θυατείρων. 'Εκτοτε ὅμως διεχωρίσθη ἡ μία αὕτη ἐκκλησιαστικὴ περιφέρεια εἰς πολλὰς μητροπόλεις, αἵτινες καλύπτουν σήμερον ὁλόκληρον τὴν Εὐρώπην.

Διὰ τὴν ἀπὸ τοῦ 1962 καὶ ἑξῆς περίοδον, ὁ συγγραφεὺς λέγει: «'Από τοῦ θανάτου τούτου ἄρχεται νέα περίοδος διὰ τὴν 'Αρχιεπισκοπὴν Θυατείρων, τὴν ἱστορίαν τῆς ὁποίας θὰ γράψῃ ἄλλος» (σ. 10).

Κατὰ τὸν Κ' αἰῶνα οἱ πρὸ τοῦ 1922 χρόνοι ἀποτελοῦν τὴν εἰσαγωγὴν εἰς τὴν ἱστορίαν ταύτην. Διὰ τῆς ἱδρύσεως τὸ ἔτος 1922 (–1962) τῆς μητροπόλεως Θυατείρων ἀρχίζει ἡ πρώτη φάσις τῆς ἱστορίας τοῦ Κ' αἰῶνος, διὰ τῆς λειτουργίας δὲ τῶν νέων μητροπόλεων ἀπὸ τοῦ 1962 καὶ ἑξῆς ἐμφανίζεται ἡ δευτέρα φάσις τῆς ἱστορίας ταύτης.

'Ο τόμος ἐνέχει σημασίαν διότι ἐκτὸς τοῦ ἱστορικοῦ μέρους, περιλαμβάνει καὶ ἀνέκδοτα κείμενα διὰ τὰς περισσοτέρας περιοχάς, ποὺ ἐξετάζονται εἰς αὐτόν. 'Εχει δὲ καὶ τὴν ἀνάλογον βιβλιογραφίαν ἐντὸς κειμένου καὶ εἰς τὰς ὑποσημειώσεις.

Κεφ. Πέμπτον: Ἑλληνικαὶ Ὀρθόδοξοι Κοινότητες ἐν Γαλλίᾳ, σ. 355-357.

Κεφ. Ἕκτον: Ἕλληνες Ἱεράρχαι εἰς τὴν Δυτικὴν καὶ Κεντρῴαν Εὐρώπην, σ. 359-376.

Γερμανὸς Στρηνόπουλος, Γερμανὸς Καραβαγγέλης, Ἀθηναγόρας Καββάδας, Μελέτιος Καραμπίνης, Χρυσόστομος Τσίτερ, Ἰάκωβος Βίρβος.

Ἤδη ὁ συγγραφεὺς προέτεινε τὴν συγγραφὴν τῆς ἱστορίας τῶν εἰς τὴν Εὐρώπην ἐπαρχιῶν καὶ ἐκκλησιαστικῶν παροικιῶν τοῦ Οἰκουμενικοῦ Πατριαρχείου (ἀπὸ τοῦ 1962 καὶ ἑξῆς) ἀπὸ ἄλλους. Ἡ πρότασις αὕτη εἶναι ἐπίκαιρος, ἐφόσον αἱ μητροπόλεις αὗται ἔχουν καλῶς διοργανωθῆ, μὲ πρωθιεράρχας ἱκανοὺς καὶ ἐπιτελεῖα, κατὰ τὸ μᾶλλον ἢ ἧττον, δυνάμενα νὰ καλύψουν καὶ αὐτὸν τὸν τομέα. Ὅσον ἐνωρίτερον γίνῃ τοῦτο τόσον τὸ καλλίτερον. Σχεδὸν ὅλαι αἱ μητροπόλεις ἔχουν τακτικὰ περιοδικά. Θὰ ἦτο δυνατὸν ἐτησίως νὰ προετοιμάζηται ἓν χρονικόν, νὰ ἐκδίδωνται τὰ σχετικὰ ἐκκλησιαστικὰ ἔγγραφα. Καλὸν θὰ ἦτο ἐπίσης νὰ κατηρτίζετο καὶ ἡ ἀνάλογος διὰ μίαν ἑκάστην ἐπαρχίαν καὶ παροικίαν βιβλιογραφία, ἡ ὁποία κατὰ διαστήματα θὰ ἀνενεοῦτο, καὶ μία συνολικὴ βιβλιογραφία δι' ὅλας ἐξ αὐτῶν.

Ἔχει ἤδη ἐξαγγελθῆ ἡ προετοιμασία παρομοίων ἔργων διὰ τὰς ἀρχιεπισκοπὰς Ἀμερικῆς καὶ Θυατείρων ἀπὸ τοὺς Παῦλον Γ. Μανώλην καὶ Ἀνδρέαν Τηλλυρίδην. Ἐδημοσιεύθησαν δὲ δύο καλαὶ ἐργασίαι, ὑπὸ τύπον διαλέξεων, ἡ μία διὰ τὴν Ὀρθοδοξίαν εἰς τὴν Γαλλίαν (Γαλλίας Μελέτιος, Ὀρθόδοξος Μαρτυρία καὶ Σκέψις ἀρ. 39 (1983) 8-18) καὶ ἡ ἄλλη διὰ τὴν Ὀρθοδοξίαν εἰς τὴν Σκανδιναβίαν (Σουηδίας Παῦλος, Κείμενα καὶ Μελέται 2 (1983) 183-196).

Βασίλειος Θ. Σταυρίδης

16 Ἰουλίου 1984.

ΑΡΧΙΕΠΙΣΚΟΠΟΥ ΘΥΑΤΕΙΡΩΝ ΚΑΙ ΜΕΓΑΛΗΣ ΒΡΕΤΑΝΝΙΑΣ ΜΕΘΟΔΙΟΥ, **Θεολογικαὶ καὶ Ἱστορικαὶ Μελέται,** *Συλλογὴ Δημοσιευμάτων, τόμος Ἕκτος, Ἀθῆναι, 1984, σελίδες 301.*

«Αἱ βασικαὶ μελέται τοῦ μετὰ χεῖρας ἕκτου τόμου τῶν Θεολογικῶν καὶ Ἱστορικῶν Μελετῶν μου εἶναι ἡ "Περὶ τοῦ κοινωνικοῦ μηνύματος τῶν ὁμιλιῶν τοῦ Ἁγίου Ἰωάννου τοῦ Χρυσοστόμου τῶν ἐκφωνηθεισῶν ἐν Κωνσταντινουπόλει" καὶ ἡ "Περὶ τοῦ βίου καὶ τῶν ἔργων τοῦ Ἰωάννου Μαυρόποδος, Μητροπολίτου Εὐχαΐτων". Εἰς ταύτας προσέθεσα καὶ τρεῖς μικρὰς μελέτας μου ἀναφερομένας εἰς τὸν Βοήθιον, τὸν Μέγαν Φώτιον καὶ τὸν Σέργιον Μπουλγάκωφ» (σ. 7).

Ἐκκλησία καὶ Θεολογία, Ε' (1984), σελ. 971-973.

'Επίσης ὑπάρχουν καὶ δύο συλλογαὶ ἐγγράφων, ἀναφερομένων εἰς τὸν Μελέτιον Μεταξάκην, ἐν εἴδει παραρτήματος.

Ι. Τὸ Κοινωνικὸν Μήνυμα τῶν 'Ομιλιῶν τοῦ 'Αγίου 'Ιωάννου τοῦ Χρυσοστόμου τὰς ὁποίας ἐξεφώνησεν ἐν ΚΠόλει 398–404.

Διατριβὴ ἐπὶ διδακτορίᾳ γενομένη δεκτὴ ὑπὸ τῆς θεολογικῆς σχολῆς τοῦ πανεπιστημίου τοῦ Μάντσεστερ ('Αγγλίας), 1962, σελίδες 9–167, ἀγγλιστί.

"Εκδοσις αὐτοτελής, 'Αθῆναι, 1968.

II. Anicius Manlius Torquatus Severinus Boethius (c. 480–c. 524), σ. 169–171, ἑλληνιστί.

Σύντομος μελέτη περὶ τοῦ Βοηθίου, ὁ ὁποῖος «ὑπῆρξεν ἀξιόλογος φιλόσοφος, θεολόγος καὶ ἑλληνομαθής» (σ. 169).

'Εκκλησία καὶ Θεολογία 1 (1980) 110–112.

III. The Sobriety of St. Photius, 820–891 or 897/898, Patriarch of Constantinople 858–867 and 878–886, pp. 173–178.

The Patristic and Byzantine Review 2 (1983) 151–155.

Διάλεξις περὶ τοῦ χαρακτῆρος καὶ τοῦ ἤθους τοῦ ἱεροῦ Φωτίου, ἀναγνωσθεῖσα εἰς τὸ πατερικὸν συμπόσιον τῆς Κῶ (1983).

IV. 'Ιωάννης Μαυρόπους, Μητροπολίτης Εὐχαΐτων (ΙΑ' Αἰών). ('Εποχὴ-Βίος-"Εργα-Χαρακτήρ), σ. 179–252.

Αὐτοτελὴς μελέτη τυπωθεῖσα εἰς 'Αλεξάνδρειαν (τυπογραφεῖον Θ. Κασιμάτη), τὸ 1955.

'Ο συγγραφεὺς προέφθασε νὰ συμπεριλάβῃ εἰς τὴν βιβλιογραφίαν του καὶ τὴν τελευταίαν περὶ Μαυρόποδος ἐργασίαν τοῦ 'Απόστολου Καρπόζηλου, Συμβολὴ στὴ Μελέτη τοῦ Βίου καὶ τοῦ "Εργου τοῦ 'Ιωάννη Μαυρόποδος, 'Ιωάννινα, 1982.ὶ

V. Πρωθιερεὺς Σέργιος Μπουλγάκωφ, σ. 253–261.

VI. Παράρτημα Α'. Οἱ "Αγγλοι περὶ τοῦ Πατριάρχου Μελετίου καὶ περ τῶν Σχέσεων Αὐτοῦ μετὰ τῆς 'Αγγλικανικῆς 'Εκκλησίας, σ. 263–271.

'Εκκλησιαστικὸς Φάρος 53 (1971) 515–523.

VII. Παράρτημα Β'. "Εγγραφά Τινα τοῦ Πατριάρχου Μελετίου Μεταξάκη, σ. 273–295.

'Αλληλογραφία του μὲ τὸν Θυατείρων Γερμανόν.

'Ο ἀρχιεπίσκοπος Θυατείρων καὶ Μ. Βρεταννίας Μεθόδιος, μὲ τὴν συλλογὴν αὐτήν, ἡ ὁποία ἔφθασεν αἰσίως εἰς τὸν τόμον ἕκτον, μὲ τὰ ὑπ' ἐκείνου ἐκδοθέντα σοβαρὰ θεολογικὰ περιοδικὰ καὶ τὰ λοιπὰ δημοσιεύματά του, ἐμφανίζεται ὡς ἕνας ἀπὸ τοὺς πολυγραφωτέρους ὀρθοδόξους ἱεράρχας καὶ θεολόγους τοῦ Κ' αἰῶνος. Κατορθώνει καὶ συνδυάζει ἐπιτυχῶς τὰ ποιμαντικὰ καὶ λοιπὰ

αὐτοῦ καθήκοντα ὡς ἱεράρχης τοῦ Οἰκουμενικοῦ Θρόνου καὶ πρὸς τὸ συγγραφικὸν ἔργον, ὡς ἔπραττον οἱ πατέρες τῆς Ἐκκλησίας. Ὑποβάλλω εὐχὰς διὰ μίαν καρποφόρον συνέχειαν.

Βασίλειος Θ. Σταυρίδης

16 Ἰουλίου 1984.

28. **Ταρσός.** *Ἡ γενέτειρα τοῦ Ἀποστόλου Παύλου. Ἀπό τό ἔργο τῶν W. J. Conybeare καί J. S. Howson,* **The Life and Epistles of St. Paul,** *Port Hope, Onatario (1870), sel. 21.*

ΑΡΧΙΕΠΙΣΚΟΠΟΥ ΘΥΑΤΕΙΡΩΝ ΚΑΙ ΜΕΓΑΛΗΣ ΒΡΕΤΑΝΝΙΑΣ ΜΕΘΟΔΙΟΥ, **Θεολογικαί καί Ἱστορικαί Μελέται,** *Συλλογή Δημοσιευμάτων, τόμος Ἕβδομος, Ἀθῆναι, 1984, σ. 308.*

Τόμοι 1 (1979)-6 (1984). Βιβλιοκρισίαι ὑπό Β.Θ. Σταυρίδου, Abba Salama 10 (1979) 390-393. Ἐκκλησία καί Θεολογία 4 (1983) 947-954. 5 (1984) 968-973.

Ὁ τόμος ἕβδομος, ὁ καί τελευταῖος μέχρι σήμερον, ἐνεφανίσθη τό 1984 εἰς τάς Ἀθήνας. Κατά τόν συγγραφέα ἀρχιεπίσκοπον,

«Τά ἐν τῷ τόμῳ τούτῳ... δημοσιεύματα συνελέγησαν κατά τήν ἐν Ἀξώμῃ ἀρχιερατικήν διακονίαν μου καί ἀπέβλεπον εἰς τόν ἀπαρτισμόν τοῦ βασικοῦ ὑλικοῦ διά τήν συγγραφήν μιᾶς συστηματικῆς καί τεκμηριωμένης Ἱστορίας τῆς Ἱερᾶς Μητροπόλεως Ἀξώμης» (σ. 9).

Τά ὅσα λέγονται ἐδῶ καταδεικνύουν ἐπακριβῶς τόν χαρακτῆρα τῶν περιεχομένων τοῦ ἀνά χεῖρας τόμου.

Περιεχόμενα, σ. 307-308.

Μέρος Α', Ἐκθέσεις τοῦ Μητροπολίτου Ἀξώμης Χριστοφόρου πρός τόν Πατριάρχην Ἀλεξανδρείας Φώτιον, σ. 11-129.

Abba Salama 5 (1974) 9-125.

Ἔκδοσις κειμένων διά τήν ἱστορίαν τῆς μητροπόλεως Ἀξώμης, εἰς τά ἑλληνικά καί ἀγγλικά.

Μέρος Β', Σύμμεικτα Ἑλληνοαιθιοπικά, σ. 131-223.

Abba Salama 1 (1970). 2 (1971). 7 (1976). 8 (1977). 9 (1978).

Κείμενα ἀνέκδοτα, μεταφράσεις καί ἄρθρα ὑπό τοῦ συγγραφέως.

Μέρος Γ', Δεκαετηρίς Μητροπολίτου Ἀξώμης Μεθοδίου (1968-1978), σ. 225-287.

Ἀναδημοσιεύεται ἐξ αὐτοτελοῦς μελέτης, δημοσιευθείσης εἰς τάς Ἀθήνας τό 1978. Ἴδε βιβλιοκρισίαν ὑπό τοῦ γράφοντος εἰς τήν μελέτην ταύτην, Κείμενα καί Μελέται 1 (1982) 321-324.

Μέρος Δ', Ὁ Χριστιανισμός ἐν Αἰθιοπίᾳ καί Νουβίᾳ, σ. 289-306, ἀγγλιστί.

Δύο διαλέξεις ἀναγνωσθεῖσαι εἰς τήν Ἀγγλίαν καί τήν Βοστώνην. Ἡ πρώτη, περί τοῦ Χριστιανισμοῦ εἰς τήν Αἰθιοπίαν καί ἡ δευτέρα εἰς τήν Νουβίαν, ἐπί θεμάτων τῆς εἰδικότητος τοῦ συγγραφέως.

Ὁ τότε Ἀξώμης καί τώρα Θυατείρων Μεθόδιος τό ἀρχικόν του σχέδιον περί τῆς συγγραφῆς μιᾶς συστηματικῆς καί τεκμηριωμένης ἱστορίας τῆς Ἱε-

---

Ἐκκλησία καί Θεολογία, ΣΤ' (1985), σελ. 953-956.

ρᾶς μητροπόλεως Ἀξώμης τό ἀνέθηκεν εἰς τόν φιλόλογον καθηγητήν Χρῆστον Γιαννούλαν.

«Τήν μελέτην τοῦ κ. Χρήστου Γιαννούλα ἐδημοσίευσα ἐν συνεχείᾳ εἰς τήν Ἐπετηρίδα τῆς Ἱερᾶς Ἀρχιεπισκοπῆς Θυατείρων καί Μεγάλης Βρεταννίας "Ἐκκλησία καί Θεολογία", τόμ. Β' (1981), σελ. 9-431, καί δύναται ὁ ἐνδιαφερόμενος νά ἀποφανθῇ περί τῆς ἀξίας αὐτῆς» (σ. 9).

Ὁ γράφων ὑπέβαλε τάς σκέψεις του ἐπί τῆς μελέτης ταύτης τοῦ Χρήστου Γιαννούλα καί ἐπεσήμανε τήν ἀξίαν της εἰς ἀνάλογον βιβλιοκρισίαν, Κείμενα καί Μελέται 1 (1982) 298-299.

Εὔχομαι εἰς τόν ἀρχιεπίσκοπον Θυατείρων καί Μ.Β. κ. Μεθόδιον τήν συνέχισιν τοῦ συγγραφικοῦ καί ἐκδοτικοῦ αὐτοῦ ἔργου.

Βασίλειος Θ. Σταυρίδης

1 Ἰουλίου 1985.

ΑΡΧΙΕΠΙΣΚΟΠΟΥ ΘΥΑΤΕΙΡΩΝ ΚΑΙ ΜΕΓΑΛΗΣ ΒΡΕΤΑΝΝΙΑΣ ΜΕΘΟΔΙΟΥ, **Θεολογικαί καί Ἱστορικαί Μελέται,** *Συλλογή Δημοσιευμάτων, τόμος Ὄγδοος, Ἀθῆναι, 1985, σελίδες 362, μετ' εἰκόνων.*

Τόμοι 1 (1979) - 6 (1984). Βιβλιοκρισίαι ὑπό Β.Θ. Σταυρίδου, Ἄμπα Σαλάμα 10 (1979) 390-393. Ἐκκλησία καί Θεολογία 4 (1983) 947-954. 5 (1984) 968-973.

Πίναξ Περιεχομένων, σ. 361-362.

Γενικός Πρόλογος, σ. 7-8.

«Τά περιεχόμενα τοῦ τόμου τούτου, ὀγδόου κατά σειράν τῶν Θεολογικῶν καί Ἱστορικῶν Μελετῶν μου, ἀναφέρονται κυρίως εἰς τήν προσπάθειαν διά τήν προσέγγισιν τῆς ἡμετέρας Ἐκκλησίας μετά τῶν Ἀρχαίων Ἀνατολικῶν "Ὀρθοδόξων" Ἐκκλησιῶν, μέ ἐξαίρεσιν τό Β' μέρος, ὅπερ ἔχει ὡς θέμα τάς σχέσεις Ὀρθοδόξων καί Ἀγγλικανῶν, καί τό Παράρτημα, εἰς τό ὁποῖον ἐκτίθενται τά σχετικά μέ τήν Α' Προσυνοδικήν Πανορθόδοξον Διάσκεψιν» (σ. 7).

Τά δημοσιευόμενα ἐδῶ ἔγγραφα ἐνεφανίσθησαν ἀρχικά εἰς τά περιοδικά: Ἐκκλησιαστικός Φάρος (1969-1979) καί Ἄμπα Σαλάμα (1970-1979) καί ἀ-

---

Ἐκκλησία καί Θεολογία, ΣΤ' (1985), σελ. 954-956.

ναφέρονται εἰς τήν δρᾶσιν τοῦ δρος Μεθοδίου Φούγια, ὡς μητροπολίτου Ἀξώμης (1968-1979) τοῦ πατριαρχείου Ἀλεξανδρείας. Ὁ συγγραφεύς, ὁ ὁποῖος ἀπό πολλῶν ἐτῶν καί μέχρι σήμερον συμμετέχει ὑπευθύνως εἰς τούς διαχριστιανικούς θεολογικούς διαλόγους, ἐκφράζει τάς ἐπ' αὐτῶν σκέψεις του.

«Χαίρω διότι δύναμαι νά ἐκδώσω εἰς ἕνα τόμον ὅσα ἔγραψα ἤ ἔπραξα ἐν σχέσει πρός τά ἀνωτέρω. Ἐάν ὅμως ἐρωτηθῶ τί θά εἶχον νά προσθέσω γενικῶς περί τῶν Διαχριστιανικῶν Διαλόγων, θά ἀπήντων ὅτι τά ἐπιτεύγματά των ἐάν δέν εἶναι ἀπογοητευτικά, εἶναι πάντως ἀσήμαντα. Ἴσως ἀπαιτεῖται ἀκόμη μακρά πορεία καί ὑπομονή. Διά ποῖον λόγον; Αὐτό τό γνωρίζει ὁ Θεός.

»Ὅσον ἀφορᾷ ἡμᾶς πρέπει νά ἀπολλύωμεν τόν καιρόν μας καί νά μή ἐναποθέτωμεν τάς ἐλπίδας μας εἰς τά Συνέδρια. Ἡ ἀποστολή ἡμῶν εἶναι εἰς τήν βάσιν, εἰς τήν στερέωσιν καί ἐπέκτασιν τοῦ εἰς τήν ἡμετέραν φροντίδα ἐμπιστευθέντος λαοῦ, ὅστις διά τοῦ ἀκτινοβολοῦντος πνεύματός του θά ἑλκύσῃ καί τό ἐνδιαφέρον τῶν ἑτεροδόξων, τοῦ Ἁγίου Πνεύματος ἐπενεργοῦντος, πρός συμφιλίωσιν καί πιθανήν ἕνωσιν» (σ. 8).

Μέρος Α'. Σχέσεις Ὀρθοδόξου Καθολικῆς Ἐκκλησίας καί Ἀρχαίων Ἀνατολικῶν Ἐκκλησιῶν, σ. 9-250.

Τό μεγαλύτερον μέρος τοῦ τόμου τούτου ἀφιεροῦται εἰς τάς σχέσεις τῶν δύο ὡς ἄνω ἀδελφῶν ἐκκλησιαστικῶν οἰκογενειῶν, εἰς γεγονότα καί ἐπαφάς εἰς τάς ὁποίας ἔλαβε μέρος ὁ συγγραφεύς κατά τά ἔτη 1971-1975. Ἐκτός τοῦ ἔργου τῆς προπαρασκευῆς διά τήν ἔναρξιν τοῦ ἐπισήμου θεολογικοῦ διαλόγου μεταξύ τῶν δύο Ἐκκλησιῶν, ὑπάρχει καί ἕν ἐνδιαφέρον κεφάλαιον, μέ τόν τίτλον: «Ἀλεξάνδρεια-Ἐτσμιατζίν» (σ. 217-247), ὅπου ὁ λόγος πλέκεται γύρω ἀπό τήν ἐπίσημον ἐπίσκεψιν τοῦ πατριάρχου Ἀλεξανδρείας Νικολάου Στ' εἰς τήν Ἀρμενίαν, 19-25 Νοεμβρίου 1974.

Μέρος Β'. Σχέσεις Ὀρθοδόξων καί Ἀγγλικανῶν, σ. 251-304.

Μέρος σύντομον. Ἐπαφαί μεταξύ τῶν δύο Ἐκκλησιῶν τῶν ἐτῶν 1970-1977. Παράλληλα πρός τά ὅσα γράφονται διά τόν ἐπίσημον θεολογικόν διάλογον μεταξύ Ἀγγλικανῶν καί Ὀρθοδόξων, εἰς τό κεφάλαιον «Ἀλεξάνδρεια-Καντουαρία» (σ. 253-264) γίνεται λόγος διά τό ἐπίσημον ταξίδιον τοῦ αὐτοῦ πρωθιεράρχου πρός τήν Ἐκκλησίαν τῆς Ἀγγλίας, 16-18 Μαΐου 1970.

Παράρτημα. Ἔκθεσις πρός τήν Α.Θ.Μ., τόν Πάπαν καί Πατριάρχην Ἀλεξανδρείας καί Πάσης Ἀφρικῆς κ. Νικόλαον περί τῆς Α' Προσυνοδικῆς

Πανορθοδόξου Διασκέψεως, σ. 305-359 (Σαμπεζύ, Γενεύη, Ἑλβετία, 21-30 Νοεμβρίου 1976).

Βασίλειος Θ. Σταυρίδης

Κυριακή, 1 Σεπτεμβρίου 1985
Ἑορτή τῆς Ἰνδίκτου.

29. Ἀνωτέρω ὁ ἀρχιεπίσκοπος Μεθόδιος μετά τῶν Βοηθῶν Ἐπισκόπων του. Διοκλείας Κάλλιστο, Τελμησοῦ Χριστοφόρο, Ζηνουπόλεως Ἀρίσταρχο, Κυανέων Χρυσόστομο, Τροπαίου Γρηγόριο, Πατάρων Εἰρηναῖο καί Μιλητουπόλεως Τιμόθεο.

ΑΡΧΙΕΠΙΣΚΟΠΟΥ ΘΥΑΤΕΙΡΩΝ ΚΑΙ ΜΕΓ. ΒΡΕΤΑΝΝΙΑΣ ΜΕΘΟΔΙΟΥ, Θεολογικαὶ καὶ Ἱστορικαὶ Μελέται. Συλλογὴ δημοσιευμάτων (τόμοι 9ος καὶ 10ος, Ἀθῆναι 1986-87).

Συνεχίζοντας τὴ συστηματικὴ δημοσίευση τῶν ἔργων του, ὁ Σεβ. Ἀρχιεπίσκοπος Θυατείρων καὶ Μ. Βρεταννίας κ. Μεθόδιος (Φούγιας) ἐξέδωκε προσφάτως δύο ἀκόμη τόμους (τὸν 9ο καὶ τὸν 10ο), στοὺς ὁποίους συγκεντρώνει ἄφθονο καὶ ἐνδιαφέρον ὑλικὸ γιὰ τὴν ἱστορία, κυρίως, τῆς ὀρθοδόξου Διασπορᾶς στὸν κόσμο γενικώτερα, ἰδιαιτέρως ὅμως στὴ Δυτικὴ Εὐρώπη.

Ὁ 9ος τόμος ἔχει περιλάβει κατὰ προτίμηση μελέτες, οἱ ὁποῖες προέρχονται ἀπὸ τὴν πολυσχιδὴ δράση τοῦ συγγραφέως των ὡς ποιμενάρχου τοῦ ἑλληνορθοδόξου πληρώματος τῆς Μ. Βρεταννίας. Ὁμιλίες, μηνύματα (πασχαλινά, χριστουγεννιάτικα κ.λπ.), εἰσηγήσεις στὰ τοπικὰ κληρικο-λαϊκὰ συνέδρια τῆς Ἀρχιεπισκοπῆς Θυατείρων καὶ Μ. Βρεταννίας κ.λπ. γεμίζουν τὶς σελίδες τοῦ τόμου αὐτοῦ καὶ ἀντανακλοῦν τὴν ἀγωνία ἑνὸς ἱεράρχου, ὁ ὁποῖος παλεύει νὰ διατηρήση ζωντανὴ τὴ φλόγα τῆς ὀρθοδόξου παραδόσεως στὰ πλαίσια μιᾶς κοινωνίας, ποὺ ὁ ἄκρος φιλελευθερισμός της καὶ ἡ τεχνικὴ πρόοδος ἔχουν — ὅπως λέγει — νοθεύσει τὸ χριστιανικὸ ἰδεῶδες καὶ παραλύσει τὶς Χριστιανικὲς Ἐκκλησίες. Βεβαίως, παρατηρεῖ ὁ συγγραφεύς, ἡ Ὀρθόδοξος Ἐκκλησία στὴ Μ. Βρεταννία παρουσιάζει, σύμφωνα πρὸς τὶς ἐπίσημες στατιστικές, σχετικὴ αὔξηση. «Ἀλλὰ μὲ ποίους κόπους τοῦ ἱεροῦ κλήρου καὶ μὲ πόσας θυσίας τοῦ εὐσεβοῦς λαοῦ προωθεῖται ἡ Ἐκκλησία ἡμῶν ἐν Βρεταννίᾳ;».

Ἀπὸ τὸ πλούσιο περιεχόμενο τοῦ τόμου ἀναφέρομε ἐνδεικτικῶς: τὸν ἐνθρονιστήριο λόγο τοῦ συγγραφέως στὸν ἀρχιεπισκοπικὸ θρόνο Θυατείρων καὶ Μ. Βρεταννίας, ὁ ὁποῖος περιέχει βασικὲς ποιμαντικὲς ἀρχὲς τῶν ὀρθοδόξων ἐν μέσῳ τοῦ ἀγγλικοῦ λαοῦ· τὴν ὁμιλία του κατὰ τὴ χειροτονία τοῦ Ἐπισκόπου Διοκλείας κ. Καλλίστου, διαπρεποῦς ὀρθοδόξου θεολόγου ἀγγλικῆς καταγωγῆς, καθηγητοῦ τῆς ὀρθοδόξου θεολογίας στὸ Πανεπιστήμιο τῆς Ὀξφόρδης, «δώρου τοῦ Κυρίου πρὸς ἡμᾶς, διότι οὕτως αἱ ρίζαι τῆς Ἐκκλησίας ἡμῶν εἰσδύουν βαθύτερον ἐντὸς τῆς βρεταννικῆς κοινωνίας»· τὰ ἄρθρα «Ἡ νηφαλιότης τοῦ Μ. Φωτίου, Πατριάρχου Κωνσταντινουπόλεως» καὶ «Ὁ Χριστιανισμὸς στὴ νεωτέρα Εὐρώπη μὲ εἰδικὴ ἀναφορὰ στὴν

Ἐκκλησία καί Θεολογία, Vols VII-VIII (1986-1987), σελ. 723-725.

Ὀρθόδοξο Ἐκκλησία» (μὲ ἐνδιαφέροντα στατιστικὰ στοιχεῖα καὶ γενικὴ ἐκτίμηση τῆς δυνατότητος συμβολῆς τῆς Ἐκκλησίας αὐτῆς στὴ διαμόρφωση τῆς χριστιανικῆς προσωπικότητος τῆς Δυτικῆς Εὐρώπης)· «Τὸ φρόνημα τῶν Πατέρων τῆς Ἐκκλησίας» καὶ «Ἡ ὀρθόδοξη παράδοση», μελέτες οἱ ὁποῖες θίγουν βασικὰ θέματα ὀρθοδόξου θεολογικῆς αὐτοσυνειδησίας· «Ἡ Ὀρθόδοξη Ἐκκλησία στὴν Ἀμερικὴ» καὶ «Ἡ κληρονομία τοῦ Οἰκουμενικοῦ Πατριαρχείου στὴν Εὐρώπη», ὅπου ἀνακινεῖται τὸ ὅλο κανονικὸ πρόβλημα τῆς ὀρθοδόξου Διασπορᾶς καὶ τῆς ὑπαγωγῆς της, κατὰ τοὺς ἱεροὺς κανόνας, στὸ Οἰκουμενικὸ Πατριαρχεῖο. Τὸν τόμο κλείνει μία πολὺ ἐνδιαφέρουσα μελέτη γιὰ τὴν «Ὑπερχιλιετῆ παρουσία τῆς ἑλληνικῆς γλώσσης ἐν Νουβίᾳ».

Ἂν ὁ 9ος τόμος εἶναι ἀφιερωμένος ἀποκλειστικὰ στὴν ἑλληνικὴ Διασπορά, ὁ 10ος περιέχει ὑλικὸ (τὸ ὁποῖο προέρχεται ἀπὸ παλαιότερη μελέτη τοῦ συγγραφέως) σχετικὸ πρὸς τὴ ρωσικὴ καὶ τὴν ἄλλη, μὴ ἑλληνική, ὀρθόδοξη Διασπορὰ στὴ Δυτικὴ καὶ τὴν Κεντρικὴ Εὐρώπη. Ὁ συγγραφεὺς παρατηρεῖ στὴν Εἰσαγωγή του, ὅτι «ἐν ἀντιθέσει πρὸς τοὺς ρωμαιοκαθολικοὺς καὶ τοὺς προτεστάντας, οἵτινες εὐκόλως ἐνσωματοῦνται εἰς τὰς ἐπιτοπίους ἐκκλησιαστικὰς ὀργανώσεις των, ὅταν μεταναστεύουν ἢ μετακινοῦνται ἀπὸ χώρας εἰς χώραν, οἱ ὀρθόδοξοι ἀκολουθοῦν μᾶλλον, οὐχὶ βεβαίως πάντοτε, τὰς ἐθνικὰς αὐτῶν κατευθύνσεις· καὶ τοῦτο διότι ἡ Ὀρθόδοξη Ἐκκλησία διαθέτει ἐκκλησιαστικὴ δομὴ μὲ μεγάλη ἐλαστικότητα, ἡ ὁποία ἐπιτρέπει τὴν πολυμορφικὴ διοικητικὴ ὀργάνωση τῶν ὀρθοδόξων τῆς Διασπορᾶς». Βεβαίως ὅμως, σπεύδει νὰ παρατηρήσει ὁ συγγραφεύς, ἡ γραμμὴ τοῦ Οἰκουμενικοῦ Πατριαρχείου «εἶναι ἄξια παντὸς σεβασμοῦ καὶ ἐπαίνου, ἀλλὰ δὲν πρέπει νὰ λησμονηθῆ ὅτι, ὡς πρωτόθρονος Ἐκκλησία, ἔχει καὶ ὑποχρεώσεις διὰ τὴν εὐστάθειαν καὶ πρόοδον ὅλων τῶν Ὀρθοδόξων Ἐκκλησιῶν».

Εἰδικώτερα, ὁ 10ος τόμος περιέχει κεφάλαια σχετικὰ πρὸς τὴ ρωσικὴ Ἐκκλησία στὴ Δυτικὴ καὶ Κεντρώα Εὐρώπη ἀπὸ τῆς ὀκτωβριανῆς ἐπαναστάσεως μέχρι τῆς θεσμικῆς ὀργανώσεως τῆς ρωσικῆς ἱεραρχίας τοῦ ἐξωτερικοῦ στὸ Κάρλοβιτς τῆς Σιρμίας (1921)· τὴν ἐν συνεχείᾳ διαίρεση τῆς ρωσικῆς Ἐκκλησίας στὴ Δυτικὴ καὶ Κεντρώα Εὐρώπη· τὴ σχετικὴ δράση τοῦ Μητροπολίτου Εὐλογίου καὶ τὴ συμβολή του στὴν ἐλευθέρα ὑπαγωγὴ τῶν ρωσικῶν ὀρθοδόξων παροικιῶν τῆς Εὐρώπης στὴν κανονικὴ δικαιοδοσία τοῦ Οἰκουμενικοῦ Πατριαρχείου· τὴ μεταπολεμικὴ περίοδο τῆς ρωσικῆς Διασπορᾶς στὴν Εὐρώπη· τὶς ἄλλες (μὴ ἑλληνικὲς) ὀρθόδοξες Ἐκκλησίες Δυτικῆς Εὐρώπης (ρουμανική, γεωργιανή, οὐκρανικὴ καθὼς καὶ τὶς ὀρθόδοξες κοινότητες τῶν βαλτικῶν χωρῶν, τῆς Σερβίας, τῆς Πολωνίας καὶ τῆς Βουλγαρίας)· τὶς προσπάθειες γιὰ τὴ δημιουργία γηγενοῦς Ὀρθοδόξου Ἐκκλησίας στὴ Δύση, τόσο διὰ τῆς ἱδρύσεως «Ὀρθοδόξου Καθολικῆς Ἐκ-

κλησίας», ὅσο καὶ διὰ τῆς ἀσκήσεως ὀρθοδόξου ἱεραποστολῆς στὴ Γαλλία. Ὁ τόμος κατακλείεται μὲ δύο ἰδιαιτέρως ἐνδιαφέρουσες μελέτες («Ἡ κανονικὴ ὑπόσταση τῆς Ἀρχιερατικῆς Συνόδου τῶν Ρώσων τοῦ Ἐξωτερικοῦ ἐν Κάρλοβιτς» καὶ «Τὸ Οἰκουμενικὸν Πατριαρχεῖον καὶ ἡ Ὀρθόδοξος Ἐκκλησία ἐν Διασπορᾷ») καθὼς καὶ μὲ δύο ἀκόμη κεφάλαια, στὰ ὁποῖα περιελήφθησαν «Κείμενα ἀναφερόμενα εἰς τὴν ἐν διασπορᾷ ρωσικὴν Ὀρθόδοξον Ἐκκλησίαν Κεντρικῆς καὶ Δυτικῆς Εὐρώπης» καὶ «Κείμενα ἀναφερόμενα εἰς τὴν ἐν Γαλλίᾳ λεγομένην Καθολικὴν Ὀρθόδοξον Ἐκκλησίαν». Πρόκειται γιὰ ὑλικό, τὸ ὁποῖο ἀσφαλῶς εἶναι πολύτιμο γιὰ κάθε ἐρευνητὴ τῆς πρόσφατης ἱστορίας τῆς Ὀρθοδοξίας στὴ Δυτικὴ Εὐρώπη. Στὴν πρώτη περίπτωση (ποὺ εἶναι καὶ ἡ κατὰ πολὺ σπουδαιότερη) ἔχομε συλλογὴ κειμένων ποὺ ρίπτουν φῶς στὶς πτυχὲς τῶν σχέσεων τῆς ρωσικῆς Διασπορᾶς, μετὰ τὴν ὀκτωβριανὴ ἐπανάσταση, μὲ τὸ Οἰκουμενικὸ Πατριαρχεῖο· στὴ δευτέρα ἔχομε κείμενα σχετικὰ πρὸς τὴν προσπάθεια (τοῦ π. Κοβαλέφσκυ κ.ἄ.) δημιουργίας μιᾶς γνησίας δυτικοευρωπαϊκῆς Ἐκκλησίας, ἀνεξάρτητης ἀπὸ τὴν ἱστορικὰ διαμορφωμένη ἐκκλησιαστικὴ παράδοση τῆς Ἀνατολῆς καὶ τῆς Δύσεως.

Γενικῶς, πρόκειται περὶ δύο τόμων, οἱ ὁποῖοι ἀποτελοῦν ἀξιόλογη συμβολὴ τοῦ συγγραφέως στὴν ἀντιμετώπιση τοῦ κανονικοῦ θέματος τῆς ὀρθοδόξου Διασπορᾶς, θέματος τὸ ὁποῖο, ὡς γνωστό, ἔχει ἀναγραφῆ στὴν ἡμερησία διάταξη τῆς προσεχοῦς Δ' Προσυνοδικῆς Πανορθοδόξου Διασκέψεως.

Περιοδικὸ Ἐπίσκεψις, 377 (1987)

ΑΡΧΙΕΠΙΣΚΟΠΟΥ ΘΥΑΤΕΙΡΩΝ ΚΑΙ ΜΕΓ. ΒΡΕΤΑΝΝΙΑΣ ΜΕΘΟΔΙΟΥ, Θεολογικαὶ καὶ Ἱστορικαὶ Μελέται, Συλλογὴ Δημοσιευμάτων, τόμοι Α' (1979) - Ι' (1987), Ἀθῆναι, σσ. 3725.

Καρπὸ συγγραφικῆς καὶ ἐρευνητικῆς ἐργασίας μερικῶν δεκαετιῶν ἀποτελεῖ ἡ μνημειώδης σειρὰ ἀπὸ τοὺς δέκα τόμους, ποὺ εἶδαν τὸ φῶς τῆς δημοσιότητας μέχρι σήμερα, τῆς συλλογῆς δημοσιευμάτων τοῦ Ἀρχιεπισκόπου Θυατείρων καὶ Μεγάλης Βρεταννίας κ. Μεθοδίου Φούγια. Καὶ μόνο ὁ ἀριθμὸς τῶν σελίδων 3725 δημιουργεῖ δέος γιὰ κεῖνον ὁ ὁποῖος θὰ ἤθελε νὰ πλησιάσει μὲ κάποια κριτικὴ ματιὰ τὸν πλοῦτο καὶ τὴν ποικιλία τῶν θεμάτων θεολογικοῦ καὶ ἱστορικοῦ περιεχομένου, ποὺ σὲ δεδομένη στιγμὴ γράφτηκαν γιὰ νὰ ἐξυπηρετήσουν ὁρισμένες λειτουργικὲς ἀνάγκες τῆς Ἐκκλησίας καὶ τῆς ἐπιστήμης καὶ ποὺ σήμερα ἐξακολουθοῦν νὰ ἔχουν τὴν ἐπικαιρότητά τους. Χωρὶς νὰ μειώνεται στὸ ἐλάχιστο ἡ ἀξία καὶ τῶν ἄλλων μελετῶν, ἐπισημαίνουμε τὶς μελέτες γιὰ τὶς Ἐκκλησίες τῆς Διασπορᾶς, ποὺ ἀποτελοῦν πολύτιμη πηγὴ γιὰ περαιτέρω ἔρευνα καὶ σπουδαῖο κεφάλαιο τῆς Ἐκκλησιαστικῆς Ἱστορίας.

Ἡ πρώτη ἐπιστημονικὴ καὶ ἐρευνητικὴ προσπάθεια τοῦ συγγραφέα ἐντοπίζεται στὸν ΣΤ' (1984) τόμο (σσ. 301), ὅπως διαβάζουμε καὶ στὸν Πρόλογο (σ. 7) «... ἡ περὶ Ἰωάννου Μαυρόποδος, γραφεῖσα κατὰ τὴν ἐν Μονάχῳ διατριβήν μου (1951-1954), ἥτις καὶ ἀποτελεῖ τὸ πρωτόλειόν μου»[1], στὸ πρόσωπο τοῦ Ἰωάννου Μαυρόποδος[2], μητροπολίτου Εὐχαΐτων, ξεχωριστῆς προσωπικότητας τοῦ ΙΑ' αἰῶνος. Ὁ συγγραφέας, γνώστης τῆς μέχρι τότε βιβλιογραφίας, ἐπιχειρεῖ νὰ ἀπεικονίσει τὴ μορφὴ τοῦ Μαυρόποδος ὡς μιὰ

---

1. Ἰωάννης Μαυρόπους, Μητροπολίτης Εὐχαΐτων (ΙΑ' αἰὼν) (Ἐποχὴ-Βίος-Ἔργα-Χαρακτήρ), Ἀλεξάνδρεια 1955, τώρα ΣΤ' (1984), σσ.179-252 μὲ προσθήκη στὴ βιβλιογραφία.

2. Στὸν Πρόλογο ὁ συγγραφέας μᾶς ἐξομολογεῖται ὅτι: «Πρὶν ὅμως στραφῶ πρὸς τὸν Μαυρόποδα, εἶχον ἀρχίσει νὰ μελετῶ ἕτερον Ἰωάννην, τὸν Φιλόπονον, ἀλλ' ἐνωρὶς ἀντελήφθην ὅτι δι' ἐμέ, τὸν τότε ἄπειρον, ὁ Φιλόπονος ἦτο δυσκολώτατον ἐγχείρημα», γεγονὸς ποὺ ἀποδεικνύει τὶς ἀνησυχίες τοῦ τότε ἐκκολαπτόμενου ἐπιστήμονα.

Ἐκκλησία καί Θεολογία, Vol. IX (1988), σελ. 263-280.

μορφὴ ἐξέχουσα τῆς ἐπιστήμης καὶ τῆς Ἐκκλησίας καὶ ἑνὸς ἀνθρώπου ποὺ διακρινόταν γιὰ τὴ βαθειά του πίστη. Ἡ μελέτη χωρίζεται σὲ τρία κεφάλαια. Στὸ πρῶτο, «Ἡ περίοδος», *ἐξετάζεται τὸ ἱστορικὸ πλαίσιο τῆς δράσεώς του μὲ σκοπὸ νὰ φανεῖ ἡ συμβολὴ τοῦ Ἰωάννου Μαυρόποδος στὴ διαμόρφωση τῆς περιόδου αὐτῆς, ἀφοῦ ὁ ἥρωάς μας σὰν σημαίνουσα προσωπικότητα ἐπηρέασε τὴν ἐποχή του. Στὸ δεύτερο κεφάλαιο,* «Ὁ βίος τοῦ Ἰωάννου Μαυρόποδος», *ἐπιχειρεῖται μιὰ κατὰ τὸ δυνατὸ πλήρης βιογραφία τοῦ Ἰωάννου καὶ ἀξιολογεῖται ἡ δράση του ὡς ἀνθρώπου, διδασκάλου καὶ μητροπολίτου. Ἀποδεικνύεται περίτρανα ὁ ρόλος τοῦ Μαυρόποδος καὶ τὸ ἀσυμβίβαστο τοῦ χαρακτῆρος του καί, τέλος, στὸ τρίτο κεφάλαιο ἐξετάζεται μὲ τὸν τίτλο:* «Τὸ ἔργον καὶ ὁ χαρακτὴρ τοῦ Μαυρόποδος» *τὸ συγγραφικό του ἔργο καὶ ἰδιαίτερα τὸ ποιητικό. Ὁ συγγραφέας πράγματι μᾶς χάρισε μιὰ πρώτη ὁλοκληρωμένη μελέτη γιὰ τὸν Ἰωάννη Μαυρόποδα, τὸν πιστὸ ἱεράρχη τῆς Ὀρθοδοξίας ποὺ λάμπρυνε τὴν Ἐκκλησία.*

«Τὸ Κοινωνικὸν μήνυμα τῶν ὁμιλιῶν τοῦ Ἁγίου Ἰωάννου τοῦ Χρυσοστόμου, τὰς ὁποίας ἐξεφώνησεν ἐν Κωνσταντινουπόλει 398-404», *Διδακτορικὴ διατριβὴ ποὺ ὑποβλήθηκε τὸ 1962 στὴ Θεολογικὴ Σχολὴ τοῦ Πανεπιστημίου Manchester (Ἀγγλίας) εἶναι ἡ ἄλλη μελέτη ποὺ καλύπτει τὸν ΣΤ' τόμο (σσ. 9-171) μαζὶ μὲ τὶς τρεῖς μικρότερες στὸ Βοήθιο, τὸ Μέγα Φώτιο καὶ τὸ Σέργιο Μπουλγάκωφ*[3]. *Ἡ μελέτη εἶχε δημοσιευθεῖ αὐτοτελῶς τὸ 1968 στὴν ἀγγλικὴ γλώσσα καὶ τώρα ἀναδημοσιεύεται ἀφοῦ πρὸ πολλοῦ ἔχει ἐξαντληθεῖ. Ἐδῶ ὁ συγγραφέας μὲ μεθοδικότητα καὶ μὲ γνώση τῆς ξένης καὶ ἑλληνικῆς βιβλιογραφίας ἐξετάζει τὸ κοινωνικὸ μήνυμα τὸ ὁποῖο περικλείουν οἱ ὁμιλίες Ἰωάννου τοῦ Χρυσοστόμου τῆς περιόδου 398-404, τότε ποὺ ὁ «Ἅγιος Πατὴρ» ὡς πατριάρχης τῆς Κωνσταντινουπόλεως μὲ τὸ φλογερὸ κήρυγμά του στηλίτευσε τὴν κακοδαιμονία καὶ τὴ διαφθορὰ στὴν πολιτικὴ καὶ κοινωνικὴ ζωὴ τῆς ἐποχῆς του. Ἀρχίζοντας ἀπὸ τὶς ὁμιλίες του «εἰς τὰς Πράξεις τῶν Ἀποστόλων» (MG. PG. 60, σσ. 13-384, ΝΕ'), κλείνει τὸν κύκλο τῶν ὁμιλιῶν μὲ τὸ «Ἐγκώμιον εἰς τοὺς ἁγίους πάντας τοὺς ἐν ὅλῳ τῷ κόσμῳ μαρτυρήσαντας» (MG. PG. 50, σσ. 705-712), ἕνα εὐρύτερο φάσμα ὁμιλιῶν (σσ. 19-23), ὅπου μὲ εὐστοχία πέτυχε νὰ ἐπισημάνει τὰ στοιχεῖα*

---

3. (α) Anicius Manlius Torquatus Severinus Boethius (C. 480—C. 524), σσ. 169-171, (β) The sobriety of St. Photios, 820-891 or 897/8 Patriarch of Constantinople 858-867 and 878-886 (σσ. 173-178), (γ) Πρωθιερεὺς Σέργιος Μπουλγάκωφ (253-261) καὶ τελειώνει μὲ δύο Παραρτήματα: Α) «Οἱ Ἄγγλοι περὶ τοῦ Πατριάρχου Μελετίου καὶ περὶ τῶν σχέσεων αὐτοῦ μετὰ τῆς Ἀγγλικανικῆς Ἐκκλησίας» (σσ. 263-271) καὶ Β) «Ἔγγραφά τινα τοῦ Πατριάρχου Μελετίου Μεταξάκη» (σσ. 273-295). Προφανῶς δημοσιεύονται γιὰ πρώτη φορά, ἀφοῦ δὲν ἀναγράφεται καμία ἔνδειξη ἄλλης δημοσιεύσεως.

ἐκεῖνα ποὺ καθιστοῦν πράγματι τὶς ὁμιλίες τοῦ Χρυσοστόμου πάντοτε ἐπίκαιρες γιὰ τὸ κοινωνικό τους μήνυμα (σσ. 25-154), καὶ νὰ κλείσει τὴν ὅλη μελέτη του μὲ τὴν πλούσια βιβλιογραφία (σσ. 155-167). Ἐπειδὴ ἤθελα νὰ ἐπισημάνω τὸ ξεκίνημα τῆς ἐπιστημονικῆς ἀφετηρίας τοῦ Σεβασμιωτάτου, παρουσίασα κάπως ἀνορθόδοξα τὴ σειρὰ τῆς ἐκδόσεως τῶν τόμων, γιατὶ πιστεύω ὅτι θὰ ἔπρεπε νὰ φανεῖ πραγματικὰ ὅτι ὁ συγγραφέας ἀπὸ τὰ πρῶτα βήματά του στόχευσε ὑψηλά, προοιωνίζοντας εὐοίωνο τὸ συγγραφικό του μέλλον. Ἡ μέχρι τώρα συγγραφική του δραστηριότητα, πέρα ἀπὸ τὴ σειρὰ τῶν δέκα τόμων, εἶναι ἀξιόλογος καὶ ἐπιβλητική, ὄχι μόνο σὲ ὄγκο καὶ ποιότητα ἀλλὰ καὶ σὲ προβολὴ τῆς ἑλληνικῆς ἐπιστημονικῆς σκέψεως παγκοσμίως μὲ τὶς ἄλλες δημοσιεύσεις του καὶ τὶς πρωτοβουλίες του γιὰ τὴν ἔκδοση ἐπιστημονικῶν περιοδικῶν[4].

Ὁ Α΄ τόμος εἶδε τὸ φῶς τῆς δημοσιότητας τὸ 1979 (σσ. 366 μὲ 32 εἰκόνες), ὅταν ἀκόμη ὁ συγγραφέας ἦταν Μητροπολίτης Ἀξώμης καὶ συνέλαβε τὴν ἀναγκαιότητα τοῦ ἐγχειρήματος ὡς προσφορὰ πρὸς οἱονδήποτε μελετητὴ ποὺ θὰ ἤθελε νὰ πλησιάσει τὸ ἔργο του, ἀπαλλάσσοντάς τον ἀπὸ τὴν ἀναζήτηση τῶν μελετῶν του στὰ διάφορα προσιτὰ ἢ μὴ ἔντυπα. Στὸν Πρόλογό του ὁ συγγραφέας γράφει: «Ἡ μετὰ χεῖρας συλλογὴ ἀποτελεῖται ἐκ μικρῶν μελετῶν αἱ ὁποῖαι ἐδημοσιεύθησαν εἰς διάφορα περιοδικὰ καὶ ἀποτελοῦν τὸν πρῶτον τόμον τῆς σειρᾶς ταύτης» (σ. 5). Ἡ δημοσίευση ἢ συγγραφή τους καλύπτει τὴ χρονικὴ περίοδο 1971-1979, ἂν καὶ μερικὲς ἀπὸ αὐτὲς δημοσιεύονται ἐδῶ γιὰ πρώτη φορὰ (σσ. 116-133, 134-139, 182-189, 287-296, 297-299). Καλὸ θὰ ἦταν νὰ μπορούσαμε νὰ παραθέσουμε τὸν Πίνακα Περιεχομένων ὅπως ἔχει (σσ. 365-366) γιὰ καλύτερη ἐνημέρωση τοῦ ἀναγνώστη, ἐπειδὴ ὅμως δὲν εἶναι δυνατὸν νὰ γίνει αὐτὸ οὔτε γιὰ τὸν πρῶτο, οὔτε καὶ γιὰ τοὺς ἄλλους τόμους, θὰ ἀρκεσθοῦμε σὲ μιὰ ἐπισήμανση τῶν ἐπὶ μέρους θεμάτων.

Οἱ περισσότερες ἀπὸ τὶς μελέτες ἔχουν γραφεῖ στὴν ἑλληνικὴ γλώσσα καὶ λιγώτερες στὴν ἀγγλική. Στὴν ἑλληνικὴ γλώσσα: Ἑτερόδοξοι καὶ Αἱρέσεις *(σσ. 20-93)*, Ἀγγλικανισμὸς *(σσ. 94-101)*, Ὁ Θεολογικὸς Διάλογος Ὀρθοδόξων καὶ Ἀγγλικανῶν *(σσ. 102-105)*, Ὁ Θεολογικὸς Διάλογος Ὀρθοδόξων καὶ Ἀνατολικῶν *(σσ. 140-151)*, Κείμενα ἐπὶ τῶν προσφάτων ἐξελίξεων τοῦ Θεολογικοῦ Διαλόγου Ὀρθοδόξων καὶ Ἀρχαίων Ἀνατολικῶν Ἐκκλησιῶν *(σσ. 195-217)*, Εἰσήγησις τοῦ Μητροπολίτου Ἀξώμης Μεθοδίου, ἀρχηγοῦ τῆς Ἀντιπροσωπείας τοῦ Πατριαρχείου Ἀλεξανδρείας, ἐπὶ τοῦ θέματος «Τρόπος ἀνακηρύξεως Αὐτοκεφάλου καὶ Αὐτονόμου Ἐκκλησίας» *(σσ. 218-226)*, Εἰσήγησις τοῦ Μητροπολίτου Ἀξώμης Μεθοδίου,

---

4. Πιστεύω ὅτι θὰ μᾶς δοθεῖ ἡ εὐκαιρία νὰ ἐπανέλθουμε.

ἀρχηγοῦ τῆς Ἀντιπροσωπείας τοῦ Πατριαρχείου Ἀλεξανδρείας, ἐπὶ τοῦ θέματος «Διασπορὰ» *(σσ. 227-230)*, Ἐκκλησία Ἀλεξανδρείας *(σσ. 231-237)*, Ἐκκλησία Ἀντιοχείας *(σσ. 238-243)*, Αἱ ἀρχαὶ τῆς Ἐκκλησίας Ἀλεξανδρείας καὶ ὁ Ἀπόστολος Πέτρος *(σσ. 244-247)*, Ἡ περὶ τῶν δύο φύσεων τοῦ Χριστοῦ διδασκαλία τοῦ Ἁγίου Ἀθανασίου *(σσ. 248-254)*, Τινὰ περὶ τῆς πρώτης πρὸς Κορινθίους ἐπιστολῆς τοῦ Ἀποστόλου Παύλου *(σσ. 275-286)*, Οἱ Αἰθίοπες, σύντομος εἰσαγωγὴ εἰς τὴν ἱστορίαν τῆς χώρας καὶ τοῦ λαοῦ αὐτῆς *(σσ. 300-354)*. *Στὰ ἀγγλικά:* Τὸ Ὁμοούσιον *(σσ. 7-19)*, Ἡ χειροτονία τῶν Γυναικῶν *(σσ. 106-115)*, Ἡ Εὐχαριστία ἐν τῇ Ὀρθοδοξίᾳ *(σσ. 116-133)*, Ἡ Χριστολογία τῶν Οἰκουμενικῶν Συνόδων *(σσ. 166-181)*, Μία Ὀρθόδοξος Δήλωσις *(σσ. 182-189)*, Ἡ σημασία τῆς πολιτικῆς τοῦ Διοσκούρου γιὰ τὸν Ἑλληνικὸ Κόσμο *(σσ. 190-194)*, Ἡ Εἰσαγωγὴ τοῦ Χριστιανισμοῦ εἰς τὴν Ἀξώμην *(σσ. 355-364)*.

Ὅπως ἀντιλαμβάνεται ὁ ἀναγνώστης, τὰ θέματα ποὺ περιλαμβάνονται στὸ μεγαλύτερο μέρος τοῦ τόμου εἶναι ἀνομοιογενή, ὅπως καὶ τὰ ἄλλα μικρότερα ποὺ δὲν ἀναφέρονται, καὶ ὡς ἐκ τούτου δὲν κρίνεται σκόπιμο νὰ ἐπισημανθοῦν οἱ ἐπὶ μέρους θέσεις, οὔτε καὶ νὰ ἀξιολογηθοῦν μία πρὸς μία οἱ μελέτες. Θὰ περιορισθοῦμε σὲ γενικὲς κρίσεις καὶ μάλιστα προβάλλοντας τὶς θέσεις τοῦ Διαλόγου μετὰ τῶν ἄλλων Ἐκκλησιῶν ποὺ πολὺς λόγος γίνεται τὰ τελευταῖα χρόνια, ὅπως μὲ τὶς Ἀρχαῖες Ἀνατολικὲς Ἐκκλησίες, τοὺς Δυτικοὺς καὶ Ρωμαιοκαθολικούς, τοὺς Ἀγγλικανοὺς καὶ ἄλλους. Συνέδρια, εἰσηγήσεις, διάλογοι προσεγγίσεως μεταξὺ τῶν ἄλλων Ἐκκλησιῶν μὲ σκοπὸ τὴν ἑρμηνεία, τὴν κατανόηση καὶ τὴν οἰκείωση τῆς Ἀλήθειας, μὲ ἀντικειμενικὸ σκοπὸ τὴν οἰκοδόμηση τῆς μιᾶς, ἁγίας, καθολικῆς καὶ ἀποστολικῆς Ἐκκλησίας. Ὁ σ. ὡς ἐνεργὸν μέλος τῆς Διορθοδόξου Θεολογικῆς Ἐπιτροπῆς γιὰ τὸ Διάλογο μετὰ τῶν Ἀρχαίων Ἀνατολικῶν Ἐκκλησιῶν μᾶς ἀποθησαυρίζει εἰσηγήσεις καὶ κείμενα, τὰ ὁποῖα ἀποτελοῦν καὶ θὰ ἀποτελέσουν πολύτιμο πυρήνα γνώσεως γιὰ τὸ μέλλοντα νὰ ἀσχοληθεῖ ἱστορικό. Οἱ εἰσηγήσεις του γιὰ τὸν τρόπο «Ἀνακηρύξεως Αὐτοκεφάλου καὶ Αὐτονόμου Ἐκκλησίας», τὸ θέμα «Διασπορά», τὸ Διάλογο μὲ τοὺς Ἀγγλικανούς, παρὰ τὴ συντομία τους, ἀποτελοῦν θεμελιώδη κείμενα ποὺ περικλείουν αὐτούσια τὴν ὀρθόδοξη θεολογικὴ σκέψη καὶ τὸ γνήσιο πνεῦμα τῆς ζώσης Ἐκκλησίας.

Σημαντικὸ μέρος τοῦ τόμου καταλαμβάνουν οἱ δημοσιεύσεις του γιὰ τὶς Αἱρέσεις καὶ τοὺς Αἱρετικούς, ποὺ εἴτε ὡς ἄρθρα σὲ ἐγκυκλοπαίδεια εἴτε ὡς μικρὲς μελέτες σὲ περιοδικὰ ἀναδημοσιεύονται ἐδῶ καὶ στοχεύουν νὰ καταποπίσουν τὸν ἀναγνώστη ἀπὸ ἱστορικῆς καὶ δογματικῆς πλευρᾶς γιὰ τὸ σφαλερὸ τῆς πίστεως, ἔναντι τῆς ὀρθῶς φρονούσης Ἐκκλησίας. Οἱ Αἱρέσεις, ποὺ κατὰ καιροὺς τάραξαν τὴν ἐκκλησιαστικὴ γαλήνη καὶ στάθηκαν αἰτία σχισμάτων στὴν Ἐκκλησία, ἐξακολουθοῦν καὶ σήμερα νὰ ἀποτελοῦν αἰτία διχασμοῦ καὶ ἀντιθέσεων. Ξεκινώντας ἀπὸ τὴν ὀρθολογιστικὴ σκέψη καὶ τὴ διδασκαλία τῶν διαφόρων φιλοσοφικῶν συστημάτων ποὺ δὲν δέχονται καὶ δὲν μποροῦν νὰ καταλάβουν τὸ Μυστήριο τῆς Θείας Ἀποκαλύψεως, πολλοὶ ἑτεροδόξησαν μὲ ἀποτέλεσμα νὰ δημιουργηθοῦν οἱ διάφορες Αἱρέσεις ποὺ καταταλαιπώρησαν τὴν Ἐκκλησία. Ὁ σ. ἀπαριθμεῖ 34 κατηγορίες Αἱρέσεων μὲ πρῶτο τὸν Ἀγνωστικισμό. Χαρακτηριστικὸ εἶναι τὸ συγκαταβατικὸ πνεῦμα μὲ τὸ ὁποῖο ἀντιμετωπίζει ὁ Σεβασμιώτατος τοὺς Αἱρετικοὺς καὶ Ἑτεροδόξους, ὅπως ὁ ἴδιος σημειώνει καὶ στὸν Πρόλογό του (σ. 5) καὶ ἀποφαίνεται γιὰ τὴν ἀποκατάσταση τῶν Ὠριγένους καὶ Θεοδώρου Μοψουεστίας (σ. 91). Τελειώνοντας θέλω νὰ ἐπισημάνω τὶς προσωπικὲς μέν, ἀλλὰ σοφὲς σκέψεις τοῦ συγγραφέα (σ. 5) γιὰ δυὸ ζωτικὰ θέματα, τῆς γλώσσας καὶ τῆς στάσεως τῆς Ἐκκλησίας μας ἔναντι τῶν μὴ Ὀρθοδόξων Χριστιανῶν.

Μὲ τὴν ἔκδοση τοῦ Β' τόμου (1983) (σσ. 420), τὸν συγγραφέα τὸν βρίσκουμε Ἀρχιεπίσκοπο Θυατείρων καὶ Μεγάλης Βρεταννίας, ὁ ὁποῖος παρ' ὅλες τὶς ἐνασχολήσεις του καὶ τὶς ἐκδοτικές του δραστηριότητες[5], δὲν λησμόνησε τὴ συνέχιση τῆς σειρᾶς. Στὸν Πρόλογο (σ. 7) μᾶς πληροφορεῖ ὅτι: «τὰ περισσότερα ἐκ τούτων (ἐγράφησαν) καὶ ἐδημοσιεύθησαν πρὸ εἴκοσι ἐννέα ἐτῶν, καθ' ὃν χρόνον διετέλουν Ἀρχιγραμματεὺς τοῦ Πατριαρχείου Ἀλεξανδρείας καὶ ἔζων μίαν ἔντονον ἐκκλησιαστικὴν ζωήν, ἐν τῇ ὁποίᾳ λόγῳ τῆς θέσεώς μου ἤμην ἀναμεμειγμένος» καὶ ὅτι «ὁ δεύτερος τόμος ἀποτελεῖται ὡς ἐπὶ τὸ πλεῖστον ἐξ ὁμοιογενῶν δημοσιευμάτων, ἐνῷ ἐν τῷ πρώτῳ τόμῳ δὲν μοῦ ἦτο δυνατὸν νὰ ἐπιτύχω τοιαύτην ὁμοιογένειαν».

Ὁ τόμος χωρίζεται σὲ τρία μέρη. Τὸ πρῶτον (σσ. 9-283) περιλαμβάνει, ὅπως καὶ τὰ ὑπόλοιπα μέρη, δημοσιεύματα ποὺ ἀνάγονται στὴν ἱστορία τῆς ἀναπτυσσομένης Ἐκκλησίας τῆς Διασπορᾶς μὲ πρωταγωνιστή, ὅπως εἶναι φυσικό, τὸ Οἰκουμενικὸ Πατριαρχεῖο Κωνσταντινουπόλεως ποὺ ἡ ὑπαγωγὴ τῶν Ἐκκλησιῶν αὐτῶν ἐνδυναμώνει τὸν οἰκουμενικὸ ρόλο καὶ χαρακτήρα του. Ὁ συγγραφέας γιὰ τὴν ἀνάπτυξη τῶν ἐπὶ μέρους θεμάτων ποὺ ἀφοροῦν τὶς Ἐκκλησίες: Ἐσθονίας, Φιλλανδίας, Λατβίας, Ἀλβανίας, Τσεχοσλοβακίας, Πολωνίας, Οὐκρανίας, τὴν ἀνακαινιστικὴ Ἐκκλησία στὴν ΕΣΣΔ, τὴ Ρουμανική, τὴν Οὐνιτικὴ Ἐκκλησία στὴ Ρουμανία καὶ τὰ δύο σχετικὰ ἄρθρα

---

5. Ἤδη ἀπὸ τὸ 1980 ἐκδίδει τὴν Ἐκκλησιαστικὴ καὶ Θεολογικὴ Ἐπετηρίδα τῆς Ἱ. Ἀρχιεπισκοπῆς Θυατείρων καὶ Μεγ. Βρεταννίας «Ἐκκλησία καὶ Θεολογία», μὲ ὀκτὼ ὥς σήμερα ὀγκωδεστάτους τόμους, καὶ ἀπὸ τὸ 1982 τὸ «Texts and Studies», μὲ ἕξι τόμους ὥς σήμερα. Σημειώνουμε ἀκόμη ὅτι ὡς Μητροπολίτης Ἀξώμης δημοσίευσε διάφορα ἔργα ἀγγλιστὶ καὶ διηύθυνε τὰ περιοδικὰ «Ἐκκλησιαστικὸς Φάρος» καὶ «Abba Salama».

γιὰ τὸ Πατριαρχεῖο Ἀλεξανδρείας, χρησιμοποίησε ἀνέκδοτο ὑλικὸ ἀπὸ τὰ ἀρχεῖα τοῦ Πατριαρχείου Ἀλεξανδρείας, ἀπὸ τὰ χρονικὰ τῶν Ἐκκλησιῶν καὶ ἀπὸ πρόσωπα, τὰ ὁποῖα γνώριζαν τὰ πράγματα. Μὲ τὴ σημερινή τους ἀναδημοσίευση, μᾶς πληροφορεῖ ὁ ἴδιος, πλουτίστηκαν καὶ μὲ νέα στοιχεῖα ποὺ ἄντλησε ἀπὸ τὸ ἀρχεῖο τῆς Ἀρχιεπισκοπῆς Θυατείρων καὶ Μ. Βρετανίας, μὲ σκοπὸ νὰ καταστοῦν ἀκόμη πιὸ ἐπίκαιρα. Παρὰ τὴ συντομία τῆς διαπραγματεύσεως τῶν ἐπὶ μέρους θεμάτων, τὰ μελετήματα αὐτὰ μᾶς διασώζουν πολύτιμες εἰδήσεις καὶ μᾶς παρουσιάζουν ἐπίσημα ἀνέκδοτα ἔγγραφα, ποὺ θὰ ἀποτελέσουν ἀφετηρία ἀργότερα γιὰ περαιτέρω ἔρευνα. Μὲ ἐπιτυχία ὁ σ. ἐκμεταλλεύθηκε τὴν ὑπάρχουσα ἀλληλογραφία καὶ τὶς ἐπίσημες ἐκθέσεις καὶ ἐγκυκλίους, ὥστε τὰ μελετήματά του νὰ διεκδικοῦν τὴν πληρότητα τοῦ θέματος ποὺ διαπραγματεύονται. Τὸ πρῶτο μέρος κλείνει μὲ τὰ δύο μελετήματα τοῦ κ. Μεθοδίου γιὰ τὸ Πατριαρχεῖο Ἀλεξανδρείας καὶ τὴν ἱεραποστολικὴ δραστηριότητά του στὴν Ἀφρικανικὴ Ἤπειρο.

Τὸ δεύτερο μέρος (σσ. 285-353) καταλαμβάνει, κατὰ κύριο λόγο, ἡ διαπραγμάτευση τοῦ θέματος γιὰ τὴν Ὀρθοδοξία στὴν Ἀμερικὴ καὶ τὴ δημιουργία τῆς Ἀρχιεπισκοπῆς Βορείου καὶ Νοτίου Ἀμερικῆς ὡς καὶ τῶν ἄλλων Ὀρθοδόξων Ἐκκλησιῶν: Ρουμανικῆς, Ρωσικῆς, Καρπαθορωσικῆς, Οὐκρανικῆς, Ἀντιοχειανῆς, Ἀλβανικῆς, Βουλγαρικῆς, Λευκορωσικῆς καὶ Σερβικῆς, ὅπου ὁ συγγραφέας μὲ συντομία διαπραγματεύεται ἕνα μεγάλο θέμα καὶ εὔχεται ὅπως σύντομα ἀναληφθεῖ πρωτοβουλία γιὰ τὴ συγγραφὴ «ἐμπεριστατωμένης ἱστορίας τῶν Ἀρχιεπισκοπῶν Ἀμερικῆς καὶ Αὐστραλίας» (σσ. 285). Ἔχω τὴ γνώμη ὅτι μιὰ ἐπὶ μέρους ἀναλυτικώτερη ἀνάπτυξη τῶν θεμάτων ποὺ θίγονται δὲν θὰ ἦταν ἄσκοπη ἀπὸ μέρους τοῦ συγγραφέα, ἕως ὅτου εὑρεθεῖ ὁ μελλοντικὸς ἱστορικὸς ποὺ θὰ μᾶς χαρίσει κάποιο συστηματικώτερο ἔργο. Ἀκολουθεῖ ὁ κατάλογος τῶν ἐν Ἀμερικῇ Ὀρθοδόξων Ἐκκλησιῶν (σσ. 343-344) καὶ τὸ Παράρτημα (σσ. 345-349). Στὶς σελίδες 350-353 γίνεται λόγος γιὰ τὴν «Ὀρθόδοξον Ἐκκλησίαν ἐν Ἰαπωνίᾳ, Περσίᾳ καὶ Ἰνδίαις»[6].

Στὸ τρίτο καὶ τελευταῖο μέρος (σσ. 355-418) ἀναδημοσιεύεται ἀπὸ τὸν τόμο τοῦ ἀφιερώματος στὴ Β' Οἰκουμενικὴ Σύνοδο τοῦ Οἰκουμενικοῦ Πατριαρχείου, Ἀπάντηση σὲ κεῖνα ποὺ ἔχει γράψει καὶ ἔχει πεῖ ὁ καθηγητὴς π. Ἰωάννης Μέγενδωρφ περὶ τοῦ Οἰκουμενικοῦ Πατριαρχείου καὶ Ἀπάντηση τοῦ Θυατείρων καὶ Μ. Β. Μεθοδίου πρὸς τὸν Καρελίας καὶ πάσης Φιλλανδίας Παῦλο ἐπὶ τοῦ θέματος τῆς Ὀρθοδόξου Διασπορᾶς στὴν ἀγγλική. Καὶ κλείνει ὁ τόμος μὲ τὴ μελέτη: «Ἡ ὁδὸς πρὸς τὸ Αὐτοκέφαλον ἐν τῇ Ὀρθο-

6. Βασιλείου Θ. Σταυρίδου, *Ἡ συνέλευσις τῆς Κεντρικῆς Ἐπιτροπῆς τοῦ ΠΣΕ, Γενεύη, περ. «Κληρονομία» 6 (1974), σσ. 212-225.*

δόξῳ Ἐκκλησίᾳ» *(σσ. 370-418), ποὺ εἶχε δεῖ τὸ φῶς τῆς δημοσιότητας γιὰ πρώτη φορὰ αὐτοτελῶς τὸ 1958, ὅπου ὁ σ. στὸ «Ἀντὶ Προλόγου» (σ. 373) μᾶς κατατοπίζει γιὰ τὴ μορφὴ μὲ τὴν ὁποία ἀναδημοσιεύεται σήμερα καὶ τὴν ἐπικαιρότητα ἢ μὴ τῆς μελέτης του. Στὸν πίνακα τῶν κυριωτέρων βοηθημάτων γιὰ τὴν Ἐκκλησιαστικὴ Ἱστορία τοῦ Βασιλείου Κ. Στεφανίδου, ἂς διορθωθεῖ ἡ χρονολογία τῆς ἐκδόσεως ἀπὸ 1937 σὲ 1947-1948 καὶ ὁ ὅρος Αὐτόνομος γιὰ τὴν Ἐκκλησία Κρήτης, ἂς σημειωθεῖ ἡμιαυτόνομος σύμφωνα μὲ τὸ καταστατικό της[7].*

Ἀναλυτικὸ Πίνακα τῶν Περιεχομένων στὸν τόμο τῶν μελετῶν θὰ βρεῖ ὁ ἀναγνώστης στὶς σελίδες 419-420. Γεγονὸς εἶναι, ὅτι οἱ μελέτες τοῦ τόμου αὐτοῦ, ἐκτὸς ἀπὸ τὴ σπουδαιότητά τους γιὰ τὶς πολύτιμες πληροφορίες τους, ἀποδεικνύουν καὶ τὸ μέγεθος τοῦ ἔργου ποὺ ἐπιτελεῖ σήμερα ἡ Ὀρθόδοξη Ἐκκλησία ὡς ζῶσα πραγματικότητα ἀνὰ τὸν Κόσμο.

Συνεχίζοντας ὁ Σεβασμιώτατος τὴν προσπάθειά του νὰ συγκεντρώσει τὶς διασκορπισμένες μελέτες του καὶ νὰ χαρίσει ἕνα εὔχρηστο βοήθημα στοὺς μελετητές, μᾶς παρουσιάζει χωρὶς καθυστέρηση καὶ τὸν Γ' τόμο (1983), σσ. 304, ὅπου ἀναδημοσιεύονται μονογραφίες τοῦ συγγραφέως, ὅταν αὐτὸς ὑπηρετοῦσε ὡς Γραμματέας τῆς Ἱερᾶς Συνόδου τῆς Ἐκκλησίας τῆς Ἑλλάδος. Γραμμένες γιὰ ὁρισμένο σκοπό, ὅπως ὑπαινίσσεται ὁ ἴδιος στὸν Πρόλογό του (σσ. 7-8), καὶ μάλιστα μὲ σκοπὸ νὰ ἐνημερωθεῖ ὁ ἱερὸς κλῆρος τῆς Ἐκκλησίας τῆς Ἑλλάδος σὲ ἐπίκαιρα ζητήματα τῆς ἐποχῆς, δὲν παύουν νὰ ἔχουν τὴν ἐπικαιρότητά τους καὶ σήμερα, ἀφοῦ ἀπευθύνονται στοὺς πνευματικοὺς ταγοὺς τῆς ζώσης Ἐκκλησίας, τὸν ἐνοριακὸ κλῆρο ποὺ βρίσκεται πιὸ κοντὰ στὰ προβλήματα καὶ τὶς ἀνησυχίες τῶν ἀνθρώπων τῆς καθημερινότητας.

Προβληματιζόμενος καὶ σήμερα ὅπως καὶ τότε ὁ σ., ὁριοθετεῖ ἐπιγραμματικὰ τὶς σκέψεις του μὲ εὐρύτητα, ἀλλὰ καὶ ἀνησυχία: «Τὰ θέματα ἐκεῖνα, ἅτινα νῦν ἀναδημοσιεύονται ἐνταῦθα, ἐξήτασα μὲ πραγματικὸν καὶ παραδοσιακὸν πνεῦμα, ποὺ ἂν λησμονηθῇ, τὸ ἔθνος ἡμῶν θὰ θρηνήσῃ πολύ... Ὁ σύγχρονος ὀρθόδοξος ἱερὸς κλῆρος πρέπει πρῶτον νὰ καταρτισθῇ ἐπὶ τῆς οὐσιώδους θεωρητικῆς πρακτικῆς καὶ ὀρθοδόξου παραδόσεως καὶ κατόπιν νὰ ἐπεκταθῇ εἰς νεοφανῆ θέματα, ποὺ ἐνῶ φαίνονται ὅτι σχετίζονται πρὸς τὴν Ἐκκλησίαν, οὐδεμίαν ἐν τῇ πραγματικότητι ἔχουν πρὸς αὐτὴν σχέσιν. Ὁ ἱερεὺς ποὺ γνωρίζει τὸ ἔργον του θὰ οἰκοδομῇ μὲ τὴν ὀρθοδοξίαν του καὶ μὲ τὴν συναίσθησιν τῆς εὐθύνης τοῦ νὰ περιφρουρῇ τὸν θησαυρὸν τῆς πίστεως μὲ χριστιανικὸν καὶ πνευματικὸν τρόπον, ποὺ πρέπει νὰ ἐπιδεικνύῃ πρὸς

---

7. *Βλ. καὶ βιβλιοκρισία* Βασ. Θ. Σταυρίδη, *Ἐκκλησία καὶ Θεολογία, Ἐκκλησιαστικὴ καὶ Θεολογικὴ Ἐπετηρὶς... Δ' (1983), σσ. 947-951.*

τοὺς ἐκτὸς καὶ ἐντὸς τῆς Ὀρθοδόξου Ἐκκλησίας», καὶ συνεχίζει: «Ἐξ ἄλλου δίδω μεγάλην σημασίαν εἰς τὴν σχέσιν Ἑλληνισμοῦ (ὄχι Ἑλλήνων) καὶ Χριστιανισμοῦ, οὐχὶ ἐκ σωβινιστικῶν λόγων, ἀλλὰ ἐκ λόγων θείας προνοίας, ἐπειδὴ πιστεύω ὅτι τὸ ἑλληνικὸν πνεῦμα κατ' ἐξοχὴν εὐνοημένον ἀπὸ τὸν Θεὸν διηκόνησε τὸν Χριστιανισμὸν καὶ εἶναι λάθος νὰ προσπαθῇ τις νὰ ὑπερτονίσῃ τὴν σημασίαν τοῦ Ἑλληνισμοῦ ἐν σχέσει πρὸς τὸν Χριστιανισμόν».

Χωρὶς νὰ ἔχουμε τὴν πρόθεση νὰ μεταφέρουμε τὸν Πίνακα Περιεχομένων (σσ. 301-304) ἀναλυτικά, ἐπισημαίνουμε μὲ τὸ γενικὸ τίτλο: «Κανονικὰ καὶ Ποιμαντικὰ Πάρεργα» *τὶς ἐπὶ μέρους ἑνότητες* Ι. Ὁ ἱερεὺς καὶ τὸ ἔργον αὐτοῦ *μετὰ δύο παραρτημάτων: 1. Περὶ τῆς Χειροτονίας τοῦ Ἀποστόλου Παύλου καὶ 2. Περὶ τῆς ἐπιθέσεως τῶν Χειρῶν (σσ. 10-80),* ΙΙ. Διάκονοι καὶ Διακόνισσαι ἐν τῇ ἀρχαίᾳ Ἐκκλησίᾳ *(σσ. 81-129),* ΙΙΙ. Ἡ χειροτονία τῶν πρώτων Παπῶν τῆς Ἐκκλησίας Ἀλεξανδρείας *μετὰ σημειωμάτων: 1. Περὶ τῆς Χειροτονίας τοῦ Ἁγίου Εἰρηναίου, 2. Περὶ τῆς σημασίας τοῦ 13ου κανόνος τῆς ἐν Ἀγκύρᾳ Συνόδου, 3. Μετὰ ἐπισκοπικοῦ χάρτου τῆς Ἐκκλησίας Ἀλεξανδρείας τῶν τριῶν πρώτων χριστιανικῶν αἰώνων καὶ 4. Σελίδων τινῶν ἐκ τῆς Ἱστορίας τῆς Ἐκκλησίας Ἀλεξανδρείας (σσ. 131-167),* **IV.** Τὸ κῦρος τῶν Αἱρετικῶν καὶ Σχισματικῶν Μυστηρίων ἐν τῇ Ἀρχαίᾳ Ἐκκλησίᾳ *(σσ. 169-226) καὶ* **V.** Ποικίλα. *Στὰ ἀγγλικά: 1. Ὁμιλία κατὰ τὴ γενικὴ συνέλευση τῆς Ἐκκλησίας τῆς Σκωτίας στὸν καθεδρικὸ ναὸ τοῦ St. Giles, Ἐδιμβοῦργο, 17 Μαΐου 1981 (σσ. 229-235), 2. Ὁ Χριστιανικὸς Ἑλληνισμός: Ἡ Κλασικὴ Χριστιανικὴ Κληρονομιά. Σχολὴ τοῦ Οἰκουμενισμοῦ, Δουβλίνο, Ἰρλανδία, 23 Μαΐου 1981 (σσ. 236-240), 3. Χριστιανικὴ Ἱεροσύνη, Εἰσαγωγικὲς Παρατηρήσεις. Διεθνὴς Ἀκαδημία Θρησκευτικῶν Ἐπιστημῶν, Βρυξέλλες, 1981 (σσ. 241-253), 6. The Filioque in Ecumenical Perspective, Ὁμιλία περὶ ἐκπορεύσεως τοῦ Ἁγίου Πνεύματος καὶ ἐκ τοῦ Υἱοῦ ὑπὸ τοῦ ὀρθοδόξου συμπροέδρου τῆς μεικτῆς θεολογικῆς ἐπιτροπῆς Ἀγγλικανῶν καὶ Ὀρθοδόξων τὸ 1980 στὴ Μ. Βρετανία, ἡ ὁποία ἀναθεωρήθηκε καὶ συγχρονίστηκε ἀπὸ τὸν πρωτοπρεσβύτερο Γεώργιο Δ. Δράγα. Μὲ πλούσια βιβλιογραφία (σσ. 265-300), 4. Βραχὺ Ἱστορικὸν Σημείωμα περὶ τῶν ἀμέσων διαδόχων τῶν Ἁγίων Ἀποστόλων (σσ. 254-259), Τὸ πρόβλημα τῆς Ὀρθοδόξου Διασπορᾶς, Ἀπάντησις εἰς τὸν Σεβασμιώτατον Ἀρχιεπίσκοπον Καρελίας καὶ πάσης Φινλανδίας κ. Παῦλον (σσ. 260-264).*

Στὸν τόμο αὐτὸν δεσπόζει ὁ κανόνας τοῦ μέτρου γιὰ τὸ ἔργο καὶ τὰ προβλήματα τοῦ ἱερέως, τοῦ Ἕλληνα πρεσβυτέρου-ἐφημερίου, ποὺ τὸ ἱερατικὸ καὶ διδακτικό του ἔργο πρέπει νὰ ἀποτελεῖ ζωντανὴ πράξη στὴ σύγχρονη κοινωνία μὲ τὰ πολλαπλά της προβλήματα. Πέρα τοῦ ἱστορικοῦ χαρακτήρα τῶν ἐπὶ μέρους θεμάτων ὁ σ. ἐπανέρχεται στὶς ἀρχὲς τῆς Ὀρθοδόξου Παρα-

δόσεως, γιατὶ πιστεύει ὅτι ἡ θεωρητικὴ γνώση τῆς πρακτικῆς τῆς Ἀρχαίας Ἐκκλησίας εἶναι δυνατὸ νὰ σταθεῖ ὡς μέτρο τονώσεως, ἀναζωογονήσεως καὶ λύσεως τῶν ἐπὶ μέρους θεμάτων ποὺ ἀπασχολοῦν τὴν Ἐκκλησία καὶ τοὺς λειτουργούς της.

Μὲ τὸ ἴδιο πνεῦμα καὶ μὲ τὴν ἴδια προοπτικὴ εἶναι ἐπιλεγμένες καὶ οἱ μελέτες ποὺ καλύπτουν τὶς σελίδες τοῦ Δ' (1983) τόμου (σσ. 454) τῆς σειρᾶς. Βέβαια στὴν ἀνάπτυξη τῶν θεμάτων αὐτῶν ἐξετάζονται σὲ μεγαλύτερο βάθος καὶ πλάτος τὰ προβλήματα καὶ ἀνοίγονται νέες προοπτικὲς στὴ Θεολογικὴ Ἐπιστήμη, ἡ ὁποία μέχρι σήμερα γιὰ τὸν ἄλφα ἢ βῆτα λόγο δὲν τὰ εἶχε ἐξετάσει συστηματικά. Γνώστης τῆς Πατερικῆς Θεολογίας καὶ τῆς σύγχρονης βιβλιογραφίας, ὁ συγγραφέας ἀναλύει μὲ κάθε λεπτομέρεια καὶ προβάλλει τὶς ὀρθόδοξες θέσεις, ὡς ἐχέγγυα καὶ ἀφετηρία περαιτέρω ἔρευνας. Ὅπως καὶ ὁ ἴδιος τονίζει στὸ Γενικὸ Πρόλογό του (σσ. 5-6): «Ἡ ἀπογύμνωσις τῆς χριστιανικῆς πίστεως ἐκ τῆς πατερικῆς παραδόσεως θὰ σημάνῃ καὶ τὴν κατάπτωσιν εἰς τὴν ἀπιστίαν καὶ τὴν ἀπόρριψιν τῆς θεότητος τοῦ Κυρίου. Ἡ ἑλληνικὴ σοφία, πρὸς ἣν καταφεύγουν οἱ πατέρες δανεισθέντες σκέψεις καὶ ὅρους, ἔχει ὄντως θείαν ἐπίσης προέλευσιν ὡς εἶχον καὶ οἱ ἅγιοι προφῆται τῆς Παλαιᾶς Διαθήκης. Ἡ Ἐκκλησία καὶ εἰς τὸ θέμα τοῦτο πρέπει νὰ παραμείνῃ πιστὴ εἰς τὴν παραδοθεῖσαν ἡμῖν πατερικὴν διδασκαλίαν, δι' ἧς Αὕτη δύναται νὰ μεταδίδῃ εἰς γλῶσσαν κατανοητὴν καὶ εἰς σκέψεις λογικὰς τὴν ἀποκαλυφθεῖσαν θείαν διδασκαλίαν. Αἱ σύγχρονοι ἀπόπειραι ἀντικαταστάσεως τῶν κλασσικῶν πατερικῶν ὅρων δι' ἀφῃρημένων ἐννοιῶν καταλήγουν εἰς μυθιστορήματα καὶ ὄχι εἰς τὴν κατανόησιν τοῦ ἐν Χριστῷ τῷ Σωτῆρι ἡμῶν προσώπου τοῦ σεσαρκωμένου Θεοῦ», ἡ ἀπομάκρυνση ἀπὸ τὸ πνεῦμα αὐτὸ τῆς Ἐκκλησίας θὰ βλάψει ἀνεπανόρθωτα τὴν Ὀρθοδοξία.

Ἡ Ὀρθόδοξη Ἐκκλησία, κιβωτὸς τοῦ Πνεύματος τῆς Ἀποστολικῆς Παραδόσεως, πρέπει νὰ συνεχίσει νὰ ταυτίζει τὴ διδασκαλία της ὡς σύμβολο ἑνότητας μὲ τὶς ἀδελφὲς Ἐκκλησίες «ἐν πνεύματι» χριστιανικῆς ἀγάπης, χωρὶς ὅμως νὰ ἀπομακρύνεται τῆς ἀληθινῆς διδασκαλίας, ποὺ ἀποτελεῖ καὶ τὸν ἀκρογωνιαῖο λίθο τῆς θεϊκῆς διδασκαλίας τοῦ Θεανθρώπου.

Ὅπως καὶ ἀλλοῦ ἔχουμε τονίσει, θὰ περιορισθοῦμε καὶ ἐδῶ νὰ παραπέμψουμε τοὺς ἀναγνῶστες μας στὰ ἴδια τὰ κείμενα τῶν μελετῶν τοῦ συγγραφέα, ἀφοῦ δὲν εἶναι δυνατὸν νὰ ὑπεισέλθουμε σὲ ἀναλυτικὴ παρουσίαση, περισσότερο δὲ νὰ βιβλιοκρίνουμε τὶς ἐπὶ μέρους θέσεις τῶν ἀναπτυσσομένων θεμάτων. Ἀπὸ τὸν Πίνακα Περιεχομένων μεταφέρουμε τοὺς τίτλους τῶν μελετῶν: 1) Γένεσις καὶ Ἀνάπτυξις τῆς Χριστιανικῆς Ἱερωσύνης, *Μελέτη ἱστορικὴ ἀναφερομένη εἰς τὸ Πολίτευμα τῆς Ἐκκλησίας καὶ ἰδιαιτέρως εἰς τὴν Ἀποστολικὴν Διαδοχὴν (σσ. 7-151). Μετὰ τὸν Πρόλογο καὶ τὴν Εἰσαγωγή, ἡ ὁποία καὶ κατατοπίζει πλήρως τὸν ἀναγνώστη γιὰ τὴν ἀνάπτυ-*

ξη τοῦ θέματος, ἡ μελέτη χωρίζεται σὲ 4 κεφάλαια καὶ κλείνει μὲ τὸ παράρτημα καὶ τὴν πλούσια βιβλιογραφία. 2) Περὶ τὴν Ἐκκλησιαστικὴν Οἰκονομίαν, *Ἀπάντησις εἰς καθηγητὰς τῆς Θεολογίας (σσ. 153-310) καὶ* 3) Χριστολογικὴ Ὁρολογία ἐν τῇ Ἀρχαίᾳ Ἐκκλησιαστικῇ Φιλολογίᾳ *(σσ. 311-449). Μετὰ τὴν Εἰσαγωγὴ ἀκολουθοῦν: Κεφάλαιον Πρῶτον: Οἱ Χριστολογικοὶ ὅροι κατὰ τὴν περίοδον μέχρι τῆς Πρώτης Οἰκουμενικῆς Συνόδου, Κεφάλαιον Δεύτερον: Οἱ Χριστολογικοὶ ὅροι κατὰ τὴν περίοδον ἀπὸ τῆς Πρώτης Οἰκουμενικῆς Συνόδου (325) μέχρι τῆς Δευτέρας Οἰκουμενικῆς Συνόδου (381), σὲ δύο μέρη.*

Νομίζω ὅτι εἶναι περιττὸ νὰ τονίσουμε ἰδιαίτερα τὴν ἀξία τοῦ περιεχομένου τοῦ τόμου αὐτοῦ, ἀφοῦ καὶ μόνο ἡ ἀναγραφὴ τῶν θεμάτων εἶναι ἀρκετὴ νὰ πείσει τὸν ἀναγνώστη - μελετητή, ὅτι πρόκειται περὶ σοβαρῶν θεολογικῶν ζητημάτων ποὺ ἅπτονται τῶν βασικῶν ἀληθειῶν τῆς Ἐκκλησίας μας.

Ὁ Ε' (1984) τόμος (σσ. 379) εἶναι ἐξ ὁλοκλήρου ἀφιερωμένος στὶς Μητροπόλεις τοῦ Οἰκουμενικοῦ Πατριαρχείου καὶ τὶς Ἑλληνορθόδοξες Κοινότητες τῆς Δυτικῆς, Κεντρώας καὶ Νοτίου Εὐρώπης καὶ εἰδικώτερα «Ἡ κληρονομία τοῦ Οἰκουμενικοῦ Πατριαρχείου ἐν τῇ Δυτικῇ, Κεντρώᾳ καὶ Νοτίῳ Εὐρώπῃ 1453-1922, Σύστασις καὶ ὀργάνωσις τῆς Ἀρχιεπισκοπῆς Θυατείρων καὶ Ἐξαρχίας Δυτικῆς καὶ Κεντρώας Εὐρώπης, Ἀπὸ τὴν Διασπορὰν εἰς τὴν ὠργανωμένην Ἐκκλησίαν 1922-1962», ὅπως στὴν προμετωπίδα ἀναγράφεται ὑπὸ τοῦ συγγραφέως.

Μὲ τὸ θέμα αὐτὸ ἔχει ἀσχοληθεῖ ὁ συγγραφέας ἀπὸ τὸ 1956[8], ὅταν ἀκόμα ὁ Σεβασμιώτατος ἦταν ἀρχιγραμματέας τῶν Πατριαρχείων Ἀλεξανδρείας καὶ τῆς Ἱερᾶς Συνόδου. Ἔγραφε τότε μεταξὺ τῶν ἄλλων στὸν Πρόλογο: «Ἡ ἱστορία τῆς Ὀρθοδόξου Ἐκκλησίας ἐν διασπορᾷ εἶναι ὅσῳ περίεργος καὶ πλουσία εἰς μεταβολάς, τόσῳ ἐκτενὴς καὶ πολλὰ δύναται νὰ γραφῶσι περὶ αὐτῆς. Ἐνταῦθα προτιθέμεθα νὰ ἐπιθεωρήσωμεν ὁλόκληρον τὴν Ὀρθόδοξον Ἐκκλησίαν ἐν διασπορᾷ μέχρι τῶν καθ' ἡμᾶς ἡμερῶν καὶ νὰ εἰσέλθωμεν, κατὰ τὸ ἐφικτόν, εἰς τοὺς λόγους, τὰ αἴτια καὶ τὰς ἀφορμὰς τῆς δημιουργίας ἑκάστης Ὀρθοδόξου Ἐκκλησίας ἐν διασπορᾷ. Τοιαύτη ἀπόπειρα συστηματικῆς ἐρεύνης τῶν Ὀρθοδόξων ἐν διασπορᾷ Ἐκκλησιῶν διὰ πρώτην φορὰν ἐπιχειρεῖται». Νά τώρα, μετὰ ἀπὸ τόσα χρόνια, ἐπανέρχεται, ἀναδημοσιεύοντας καὶ προσαρμόζοντας τὸ θέμα του στὶς πραγματικές του διαστάσεις. Σήμερα στὴν Εὐρώπη, ὅπως σημειώνει καὶ ὁ ἴδιος (σ. 14), δὲν ὑπάρχει θέμα Ὀρθοδόξου Διασπορᾶς, γιατὶ στὴν περιοχὴ αὐτὴ ὑπάρχουν ὀργανωμένες Μητροπόλεις τοῦ Οἰκουμενικοῦ Πατριαρχείου, οἱ ὁποῖες

8. Ἀρχιμανδρίτου Μεθοδίου Φούγια, *Ἱστορία τῆς Ὀρθοδόξου Ἐκκλησίας ἐν Διασπορᾷ, τόμ. πρῶτος (Δυτικὴ καὶ Κεντρώα Εὐρώπη), Ἀλεξάνδρεια 1956.*

καὶ ἱκανοποιοῦν τὸ πνεῦμα τῶν κανόνων τῆς διοικήσεως τῆς Ἐκκλησίας. Τὸ θέμα ἔχει τεθεῖ πλέον στὶς πραγματικές του διαστάσεις, διαμορφώνοντας ἔτσι νέες καταστάσεις στὸ ἐκκλησιαστικὸ ζήτημα ποὺ τὴν εὐθύνη καὶ τὶς πρωτοβουλίες ἐπωμίζεται τὸ Οἰκουμενικὸ Πατριαρχεῖο.

Μετὰ τὸ Γενικὸ Πρόλογο (σσ. 9-10) ἀκολουθεῖ ἡ ἐμπεριστατωμένη Εἰσαγωγὴ (σσ. 11-24) καὶ ἀκολουθοῦν: Κεφάλαιον Πρῶτον, Ἑλληνικαὶ Ὀρθόδοξοι Κοινότητες ἐν Οὐγγαρίᾳ καὶ Αὐστρίᾳ *(σσ. 25-191), Κεφάλαιον Δεύτερον,* Ἑλληνικαὶ Ὀρθόδοξοι Κοινότητες ἐν Γερμανίᾳ *(σσ. 193-240), Κεφάλαιον Τρίτον,* Ἑλληνικαὶ Ὀρθόδοξοι Κοινότητες ἐν Μεγάλῃ Βρεταννίᾳ *(σσ. 241-297), Κεφάλαιον Τέταρτον,* Ἑλληνικαὶ Ὀρθόδοξοι Κοινότητες ἐν Ἰταλίᾳ καὶ Μάλτᾳ *(σσ. 299-354), Κεφάλαιον Πέμπτον,* Ἑλληνικαὶ Ὀρθόδοξοι Κοινότητες ἐν Γαλλίᾳ *(σσ. 355-357), Κεφάλαιον Ἕκτον,* Ἕλληνες Ἱεράρχαι εἰς τὴν Δυτικὴν καὶ Κεντρώαν Εὐρώπην *(σσ. 359-376), Πίναξ Περιεχομένων (σσ. 377-379). Ἡ μελέτη πλαισιώνεται ἀπὸ ἀρκετὲς φωτογραφίες καὶ φωτοτυπίες ἐγγράφων καὶ ἐπιγραφῶν ποὺ πιστεύω πὼς εἶναι παράλειψη ἡ ἔλλειψη κάποιου πίνακα, ὅπως ἔγινε στὸν πρῶτο τόμο.*

Ἡ ὁλοκλήρωση τῆς μελέτης πραγματοποιεῖται στὸ Ι' (1987) τόμο (σσ. 479), ὅπου ὁ συγγραφέας ἐπεκτείνει τὴν ἔρευνά του πέρα τῶν ἑλληνικῶν κοινοτήτων καὶ ἰδιαίτερα στὴ δραστηριότητα «τῶν ἀδελφῶν Ρώσων Ὀρθοδόξων», ἂν καὶ πολλὲς ἄλλες διεσπαρμένες ὀρθόδοξες κοινότητες ὑπάρχουν στὴν περιοχή, τῶν Ρώσων ποὺ μετὰ τὴν μπολσεβικικὴ ἐπικράτηση ἐγκατέλειψαν τὴν πατρίδα τους. Τίτλος: «Συμβολὴ εἰς τὴν Ἱστορίαν τῆς Ὀρθοδόξου Ἐκκλησίας ἐν τῇ Δυτικῇ καὶ Κεντρῴᾳ Εὐρώπῃ, Ρωσικὴ Ἐκκλησία» *(σσ. 11-476), Πίναξ Περιεχομένων (σσ. 477-478) καὶ Πίναξ Εἰκόνων (σ. 479).*

Ὅπως ἀντιλαμβάνεται ὁ ἀναγνώστης - μελετητής, ὁ συγγραφέας μᾶς χάρισε ἕνα πολὺ σπουδαῖο ἔργο καλύπτοντας μιὰ χρονικὴ περίοδο ἀρκετῶν χρόνων, γιὰ νὰ μὴν ποῦμε αἰώνων, ποὺ ἡ ζωτικὴ παρουσία τοῦ ἑλληνικοῦ στοιχείου στὴ γεραρὰ Ἤπειρο ἔπαιξε ἀποφασιστικὸ ρόλο γιὰ τὴ δημιουργία Ἑλληνικῶν Ὀρθοδόξων Κοινοτήτων καὶ τὴ διαμόρφωση τῆς Ἐκκλησίας τῆς Διασπορᾶς. Ἡ ἐκκλησιαστικὴ ὀργάνωση τῆς Ὀρθοδοξίας στὴν Εὐρώπη, Δυτικὴ καὶ Κεντρώα, συμπίπτει μὲ τὴν πατριαρχία τοῦ Μελετίου Δ' (25 Νοεμβρίου 1921-20 Σεπτεμβρίου 1923), ὁ ὁποῖος ὄχι μόνο ἀποκατέστησε τὰ δικαιώματα τοῦ Οἰκουμενικοῦ Θρόνου ἐπὶ τῶν Ἐκκλησιῶν, ἐκτὸς τῶν ὁρίων τῶν Αὐτοκεφάλων Ἐκκλησιῶν, ἀλλὰ μὲ τὴν ἵδρυση τῆς Μητροπόλεως Θυατείρων καὶ τὴν τοποθέτηση τοῦ τότε Σχολάρχου τῆς Θεολογικῆς Σχολῆς Χάλκης μητροπολίτου Σελευκείας Γερμανοῦ Στρηνοπούλου, δικαίωσε τὴν ἀπόφασή του.

Στὸ Γενικὸ Πρόλογο τοῦ Ε' τόμου (σ. 9) μᾶς πληροφορεῖ ὁ σ. ὅτι αναδη-

μοσιεύει τὸ πρῶτο μέρος τῆς ἐργασίας του τοῦ 1956, γεγονὸς ποὺ δὲν μπορεῖ νὰ ταυτισθεῖ μὲ τὴ νέα μορφὴ ποὺ ἔχει πάρει ἡ μελέτη του. Ὅπως ἀποδεικνύει ἡ ἀντιπαραβολή, ἁπλῶς χρησιμοποίησε πολλὰ στοιχεῖα ποὺ εἶχε συγκεντρώσει τότε, ἡ δὲ σημερινὴ μορφὴ ἀναδιαρθρωμένη ἀποτελεῖ οὐσιαστικὰ νέα γραφὴ τοῦ θέματος. Ὁ ἐμπλουτισμός της μὲ καινούργιες εἰδήσεις καὶ ἀνέκδοτα ἔγγραφα τὴν καθιστοῦν ἀκόμη πιὸ χρήσιμη γιὰ τὸ μελλοντικὸ ἐρευνητή, ὁ ὁποῖος θὰ ἔχει τὴν εὐχέρεια νὰ στηριχθεῖ σὲ ἠλεγμένες πληροφορίες καὶ πλούσιο ὑλικό. Μὲ τὴν Εἰσαγωγὴ ἐπιδιώκει ὁ Σεβασμιώτατος νὰ κατατοπίσει τὸν ἀναγνώστη σὲ ὅ,τι ἀφορᾶ τὸ ὅλο θέμα τῶν Ἑλληνικῶν Κοινοτήτων καὶ τὴν ἐκκλησιαστικὴ διοίκησή τους καὶ τὴ μέριμνα ποὺ κατὰ καιροὺς τὸ Οἰκουμενικὸ Πατριαρχεῖο ἔλαβε γιὰ τὴν ὁμαλὴ λειτουργία τους καὶ τὴν ἠθική τους ἐξύψωση μὲ τὰ κατάλληλα πρόσωπα ποὺ τοποθέτησε ὡς ποιμενάρχες.

Παρακολουθώντας βῆμα πρὸς βῆμα τὴν ἱστορικὴ πορεία τῆς ἀναπτύξεως τῶν κοινοτήτων, τὶς ἀγωνίες καὶ τὶς θυσίες τῶν πρώτων μεταναστῶν, θαυμάζει κανεὶς τοὺς ἀνθρώπους αὐτοὺς ποὺ μακριὰ ἀπὸ τὴν πατρίδα τους στάθηκαν ποδηγέτες, διατηρώντας ἄσβεστη τὴ φλόγα τῆς θρησκείας, τῆς γλώσσας καὶ τῶν ἐθίμων. Ἵδρυσαν ἐκκλησίες, σχολεῖα, βιβλιοθῆκες, πολιτιστικοὺς συλλόγους[9], διακρίθηκαν σὲ θέσεις καὶ ἀξιώματα, μαχόμενοι ἥρωες τῆς καθημερινῆς ζωῆς ἀπέκτησαν περιουσίες καὶ τὸ σπουδαιότερο στάθηκαν στὸ πλευρὸ τῆς χειμαζομένης μεγάλης πατρίδας, χαρίζοντας στοὺς μεγάλους ἀγῶνες τοῦ Ἔθνους τὸ παρὸν γιὰ τὴν ἐλευθερία. Λαμπρὲς σελίδες ἔχουν ἀφήσει οἱ φανεροὶ καὶ ἀφανεῖς ὁμογενεῖς στὴν Οὐγγαρία, Αὐστρία, Γερμανία, Μεγάλη Βρεταννία, Ἰταλία, Μάλτα, Γαλλία καὶ ἀλλοῦ, ποὺ ἡ σπουδὴ καὶ ἡ ἔρευνα ἁπλῶς ἐπιβάλλει ἕνα ἐλάχιστο χρέος τιμῆς, ἐπιβεβαιώνοντας περίτρανα τὸ δαιμόνιο τῆς φυλῆς. Εἶναι ἀδύνατο νὰ ἐπισημάνει κανεὶς στὸ συλλεκτικὸ πλοῦτο τῶν εἰδήσεων ποὺ παρουσιάζει ὁ συγγραφέας, διαφορετικὲς θέσεις καὶ ἂν θέλετε καὶ παρατηρήσεις, ἀφοῦ χωρὶς ὑπερβολὴ θὰ ἔπρεπε ὁ ὑποφαινόμενος νὰ ἀνατρέξει σὲ ἀνάλογο χρόνο ἔρευνας, ἀκολουθώντας τὴν ἴδια περιπλάνηση στὶς πηγὲς καὶ τὴ βιβλιογραφία. Ἀρκοῦμαι πράγματι σὲ μιὰ σκελετωμένη παρουσίαση τῆς μελέτης, ἀποφεύγοντας, ὅπως ἀντιλαμβάνεται ὁ ἀναγνώστης, νὰ προβῶ σὲ ἰδιαίτερη συζήτηση προβλημάτων καὶ θέσεων, τῶν θέσεων αὐτῶν ποὺ γιὰ πρώτη φορὰ ὁ συγγραφέας μᾶς χαρίζει μὲ τὸ ἔργο του.

---

9. Τὸ ἐντυπωσιακὸ στοιχεῖο τῆς δημιουργικότητας ἀποδεικνύεται ἐκτὸς τῶν ἄλλων ποὺ ἀναφέρονται στὴ μελέτη καὶ ἀπὸ τὸ φωτογραφικὸ ὑλικὸ ποὺ κοσμεῖ τὸν τόμο καὶ ποὺ ἀποδεικνύει χειροπιαστὰ τοῦ «λόγου τὸ ἀσφαλές».

Στὴ σελίδα 10 τοῦ Γενικοῦ Προλόγου μεταξὺ τῶν ἄλλων ἀναφέρονται: «Ἡ μετὰ χεῖρας μελέτη περιλαμβάνει εἰσαγωγὴν εἰς τὴν ἱστορίαν τῶν ὑπὸ τὴν Μητρόπολιν Θυατείρων ἱστορικῶν ἱερῶν ναῶν μέχρι τοῦ θανάτου τοῦ Ἀρχιεπισκόπου Ἀθηναγόρα Καββάδα (1962). Ἀπὸ τοῦ θανάτου τούτου ἄρχεται νέα περίοδος διὰ τὴν Ἀρχιεπισκοπὴν Θυατείρων, τὴν ἱστορίαν τῆς ὁποίας θὰ γράψῃ ἄλλος», γεγονὸς ποὺ ἀποδεικνύει τὴν πρόθεση τοῦ συγγραφέα νὰ προωθήσει τὴν ἱστορικὴ ἔρευνα στὶς πραγματικές της διαστάσεις, ὅπως καὶ γιὰ τὸ θέμα τῶν Κοινοτήτων στὴ Γαλλία ποὺ σκόπιμα νομίζω περιορίστηκε τόσο (σσ. 355-357), γιὰ νὰ δοθεῖ ἡ εὐκαιρία καὶ σὲ ἄλλο ἐρευνητὴ νὰ γράψει. Τὸ ἕκτο καὶ τελευταῖο κεφάλαιο τῆς μελέτης ὁ Σεβασμιώτατος τὸ ἀφιέρωσε δικαιωματικὰ στοὺς ταγοὺς ἱεράρχες ποὺ μὲ τὴν προσωπικότητα καὶ τὴν ἐργατικότητά τους συνετέλεσαν ἀποτελεσματικὰ στὴν ἄνοδο τῆς ἐκκλησιαστικῆς τάξης τῶν Κοινοτήτων καὶ τὴν ἐξύψωση τοῦ ρόλου τοῦ Οἰκουμενικοῦ Πατριαρχείου.

Ἐκτὸς ἀπὸ τὶς Ἑλληνικὲς Ὀρθόδοξες Κοινότητες, τὸ ἐνδιαφέρον τοῦ συγγραφέα στράφηκε καὶ στὴ δραστηριότητα τῶν ἀδελφῶν Ρώσων ὀρθοδόξων, οἱ ὁποῖοι, μετὰ τὴν μπολσεβικικὴ ἐπικράτηση, ἀναγκάστηκαν νὰ ἐγκαταλείψουν τὴν πατρίδα τους καὶ νὰ ἐγκατασταθοῦν ἀλλοῦ. «Καίτοι ὑφίστανται ἐν τῇ περιοχῇ ταύτῃ πολλαὶ διεσπαρμέναι ὀρθόδοξοι κοινότητες, τὸ ἐνδιαφέρον μου ἐνετοπίσθη ἰδιαιτέρως εἰς τὴν δραστηριότητα τῶν ἀδελφῶν Ρώσων ὀρθοδόξων, οἵτινες ἐγκατέλειψαν τὴν πατρίδα των μετὰ τὴν μπολσεβικικὴν ἐπικράτησιν ἐν αὐτῇ. Αἱ ἀρχαὶ τῆς μελέτης ταύτης εὑρίσκονται ἐν τῷ πρώτῳ τόμῳ τῆς πραγματείας μου "Ἱστορία τῆς Ὀρθοδόξου Ἐκκλησίας ἐν Διασπορᾷ", ἐκδοθέντος πρὸ τριακονταετίας ἐν Ἀλεξανδρείᾳ. Διὰ τοῦ τόμου τούτου ὁλοκληρώνω τὴν περὶ τῆς Ὀρθοδόξου Ἐκκλησίας ἐν Διασπορᾷ ἐπιθεώρησίν μου», ἔτσι μᾶς ὑπομνηματίζει ὁ συγγραφέας στὸ Γενικὸ Πρόλογό του (σ. 9) γιὰ τὴν ἀπόφασή του νὰ ὁλοκληρώσει τὴ μελέτη του γιὰ τὴν Ὀρθόδοξη Ἐκκλησία τῆς Διασπορᾶς. Ἐπειδὴ οἱ μελέτες αὐτὲς προορίζονται, ὅπως γράφει καὶ ὁ ἴδιος, καὶ γιὰ μελετητὲς - ἀναγνῶστες ἐκτὸς τῶν ἑλληνικῶν ὁρίων, ἀρκετὰ κείμενα δημοσιεύονται ὅπως γράφτηκαν ἀπὸ τὴν ἀρχὴ καὶ στὴ γλώσσα ποὺ γράφτηκαν, ἐκτὸς ἀπὸ τὰ ρωσικὰ ποὺ πολλὰ ἀπὸ αὐτὰ μεταφράσθηκαν στὴν ἑλληνικὴ ἢ τὴ γαλλικὴ γλώσσα.

Ἡ δομὴ τῆς μελέτης κατὰ κεφάλαια, σύμφωνα μὲ τὰ περιεχόμενα, παρουσιάζει τὴν παρακάτω διάρθρωση: Μετὰ τὴν Εἰσαγωγὴ (σσ. 11-15) καὶ τὶς Συντμήσεις (σ. 16), Κεφάλαιον Πρῶτον, Ἡ ἐν Δυτικῇ καὶ Κεντρῴᾳ Εὐρώπῃ Ρωσικὴ Ἐκκλησία *(σσ. 17-28), Κεφάλαιον Δεύτερον,* Διαίρεσις τῆς ἐν τῇ Δυτικῇ καὶ Κεντρῴᾳ Εὐρώπῃ Ρωσικῆς Ἐκκλησίας *(σσ. 29-98), Κεφάλαιον Τρίτον,* Μεταπολεμικὴ περίοδος *(σσ. 99-126), Κεφάλαιον Τέταρτον,* Ἄλλαι Ὀρθόδοξοι Ἐκκλησίαι ἐν τῇ Δυτικῇ Εὐρώπῃ *(σσ. 127-140), Κεφά-*

λαιον Πέμπτον, Προσπάθειαι διὰ τὴν δημιουργίαν γηγενοῦς Ὀρθοδόξου Ἐκκλησίας ἐν τῇ Δύσει *(σσ. 141-152), Κεφάλαιον Ἕκτον*, Ἡ Ὀρθόδοξος Διασπορὰ ἐξ ἐπόψεως κανονικῆς *(σσ. 153-196), Κεφάλαιον Ἕβδομον*, Κείμενα ἀναφερόμενα εἰς τὴν ἐν Διασπορᾷ Ρωσικὴν Ὀρθόδοξον Ἐκκλησίαν Κεντρικῆς καὶ Δυτικῆς Εὐρώπης *(σσ. 197-409), Κεφάλαιον Ὄγδοον*, Κείμενα ἀναφερόμενα εἰς τὴν ἐν Γαλλίᾳ λεγομένην Καθολικὴν Ὀρθόδοξον Ἐκκλησίαν *(σσ. 411-468), Βιβλιογραφία (σσ. 469-476) καὶ Πίνακας εἰκόνων (σ. 479).*

Στὴν Εἰσαγωγὴ ἐπισημαίνονται τὰ προβλήματα ποὺ ἀνέκυψαν καὶ ἀνακύπτουν ἀπὸ τὴν ἰδιομορφία τῶν Ὀρθοδόξων Ἐκκλησιῶν καὶ εἰδικώτερα τῶν Ρώσων, τοὺς ὁποίους μὲ ξεχωριστὴ ἀγάπη καὶ συμπάθεια εἶδε καὶ ἀντιμετώπισε τὸ Οἰκουμενικὸ Πατριαρχεῖο, «καίτοι κέκτηται τὰ ἐκ τῶν Κανόνων δικαιώματα τοῦ ἐπιβλέπειν καὶ ἐπικουρεῖν» τοὺς ἐκτὸς τῶν ὁρίων τῶν Αὐτοκεφάλων Ἐκκλησιῶν ὀρθοδόξους χριστιανούς. Ἡ Μεγάλη Ἐκκλησία, χωρὶς νὰ παραβλέπει τὰ αἰσθήματα τῶν Ρώσων ἀδελφῶν, προσπάθησε καὶ προσπαθεῖ μὲ αἴσθημα ὑψηλῆς εὐθύνης νὰ διαφυλάξει τὴν ἑνότητα τῆς «πολυτέκνου» Ρωσικῆς Ἐκκλησίας.

Ἡ ἀνάπτυξη τοῦ πρώτου κεφαλαίου παρὰ τὴ συντομία του εἶναι κατατοπιστικώτατη, γιατὶ ὁ συγγραφέας κατόρθωσε νὰ μᾶς συγκεντρώσει τὶς ἀπαραίτητες εἰδήσεις καὶ νὰ μᾶς περιγράψει τὰ γεγονότα ποὺ ὁδήγησαν τὴ διαίρεση τῆς Ρωσικῆς Ἐκκλησίας μέσα καὶ ἔξω τοῦ σοβιετικοῦ κράτους. Χωρὶς νὰ εἶναι δυνατὸν νὰ παρακολουθήσουμε μὲ κάθε λεπτομέρεια τὶς εἰδήσεις ἢ καὶ τὶς θέσεις τοῦ συγγραφέα στὰ ἐπὶ μέρους κεφάλαια ποὺ ἀκολουθοῦν, ἐπικροτοῦμε τὴν ὅλη συγγραφικὴ προσπάθεια τοῦ Σεβασμιωτάτου, ὁ ὁποῖος πράγματι μᾶς χάρισε ἕνα ἀξιόλογο βοήθημα καὶ μιὰ πρωτοποριακὴ μελέτη. Πολύτιμα ἀνέκδοτα κείμενα βλέπουν γιὰ πρώτη φορὰ τὴ δημοσιότητα, καὶ ὁ μετέπειτα μελετητὴς θὰ ἔχει νὰ ἀντλήσει πολλὰ γιὰ περαιτέρω ἔρευνα τοῦ θέματος.

Ὁ πλούσιος ἀποθησαυρισμὸς τῶν ἐγγράφων φανερώνει τὴν εὐσυνείδητη διάθεση τοῦ συγγραφέα, ὁ ὁποῖος χρησιμοποιώντας τὰ ἀρχεῖα τῆς Ἀρχιεπισκοπῆς Θυατείρων καὶ Μ. Βρεταννίας στὸ Λονδίνο, τῆς Ἐξαρχίας τοῦ Οἰκουμενικοῦ Πατριαρχείου τῶν Ρωσικῶν Ὀρθοδόξων Παροικιῶν Εὐρώπης στὸ Παρίσι, τοῦ Πατριαρχείου Ἀλεξανδρείας κ.ἄ. κατόρθωσε νὰ προσεγγίσει τὴν ἱστορικὴ ἀλήθεια καὶ νὰ μᾶς παρουσιάσει μιὰ ἁλυσίδα ἱστορικῶν γεγονότων ποὺ πλαισιώνουν γενικώτερα ἐνδιαφέροντα τῶν Ἐκκλησιῶν τῆς Διασπορᾶς. Ἡ πλούσια βιβλιογραφία, Γενικὴ καὶ Εἰδική, κατὰ κύριο λόγο ξένη, καὶ ἡ ἀναφορὰ τοῦ ἰδίου σὲ ὅ,τι ἔχει δημοσιεύσει στὸ Β' (1983) τόμο τῆς σειρᾶς καὶ ἀλλοῦ δίνουν τὸν τόνο τῆς ὑπεύθυνης προσέγγισης σὲ ἕνα τόσο μεγάλο θέμα.

Ὁ Ζ' (1984) τόμος (σσ. 308) εἶναι ἀφιερωμένος ἐξ ὁλοκλήρου στὴ Μητρόπολη Ἀξώμης μὲ τὸν τίτλο: «Συμβολὴ εἰς τὴν Ἱστορίαν τῆς Ἱερᾶς Μητροπόλεως Ἀξώμης», *ἐπαρχία στὴν ὁποία ὑπηρέτησε τὸ πρῶτον ὁ Σεβασμιώτατος. Στὸ Γενικὸ Πρόλογο (σσ. 9-10) ἐξομολογεῖται ὁ συγγραφέας ὅτι «ἡ ἰδέα εἶχε διατυπωθῆ πρὸς ἐμὲ ἀπὸ τὸν ἀείμνηστον προκάτοχόν μου ἐν Ἀξώμῃ, Μητροπολίτην Νικόλαον († 1967), ὅτε ὑπηρέτουν παρ' αὐτῷ ὡς ἐφημέριος». Τὶς πηγές, ἀφοῦ ἐπισήμανε, δημοσίευσε στὰ περιοδικὰ* «Ἐκκλησιαστικὸς Φάρος» *καὶ* "Abba Salama" *καὶ τὶς ὁποῖες σήμερα ἀναδημοσιεύει, τὴ δὲ συγγραφὴ ἀνέλαβε ὁ καθηγητὴς φιλολογίας κ. Χρῆστος Γιαννούλας μετὰ τὴν ἀθλοθέτησή της ἀπὸ τὸν ἴδιο στὴν Ἀκαδημία Ἀθηνῶν μὲ τὸν τίτλο: «Ἱστορία τῆς Ἱερᾶς Μητροπόλεως Ἀξώμης (Ἀπὸ τὸ 328 μ.Χ. μέχρι σήμερα), Συμβολὴ στὴν Ἱστορία τοῦ Ἑλληνισμοῦ τῆς Αἰθιοπίας»,* «Ἐκκλησία καὶ Θεολογία», *τόμος Β' (1981), (σσ. 5-427) καὶ ὄχι ὅπως ἐσφαλμένα γράφει (σσ. 9-431), καλύπτοντας πράγματι ἕνα κενὸ τῆς ἑλληνικῆς βιβλιογραφίας. Τὸ περιεχόμενο τοῦ τόμου, σύμφωνα μὲ τὸν Πίνακα Περιεχομένων, παρουσιάζει τὴν παρακάτω διάρθρωση:* Μέρος Α': *Ἐκθέσεις τοῦ Μητροπολίτου Ἀξώμης Χριστοφόρου πρὸς τὸν Πατριάρχην Ἀλεξανδρείας Φώτιον (σσ. 11-129),* Μέρος Β': *Σύμμεικτα Ἑλληνοαιθιοπικὰ (σσ. 131-223),* Μέρος Γ': *Δεκαετηρὶς Μητροπολίτου Ἀξώμης Μεθοδίου (1968-1978) (σσ. 225-287) καὶ* Μέρος Δ': *Ὁ Χριστιανισμὸς ἐν Αἰθιοπίᾳ καὶ Νουβίᾳ (σσ. 289-306). Ὁ τόμος εἶναι ἀφιερωμένος στὴ μνήμη τῶν προκατόχων του Μητροπολιτῶν Ἀξώμης Χριστοφόρου (1908-1914) καὶ Νικολάου (1928-1967), στὴ δὲ σελίδα 6 ὑπάρχει Χάρτης τῆς Ἱερᾶς Μητροπόλεως Ἀξώμης.*

Πρέπει πράγματι νὰ τονισθεῖ ἡ ἀξία τοῦ περιεχομένου τοῦ τόμου, ἀφοῦ ἄλλωστε ἡ ὕλη ἡ ὁποία παρουσιάζεται εἶναι ἀρχειακὴ καὶ ἀποτελεῖ πολύτιμη πηγὴ εἰδήσεων. Γιὰ τὴ Μητρόπολη Ἀξώμης καὶ τὸν Ἑλληνισμὸ γενικώτερα τῆς περιόδου 1905-1912, μᾶς μιλοῦν οἱ ἐκθέσεις τοῦ Χριστοφόρου Ἀξώμης πρὸς τὸν Πατριάρχη Ἀλεξανδρείας Φώτιο (1900-1925). Τὰ «Σύμμεικτα Ἑλληνοαιθιοπικὰ» μὲ τὴν «αὐτοσχέδιο ἔκθεση Ἀβυσσινιακῶν» (σσ. 135-168) καὶ τὰ ἄλλα ντοκουμέντα ἀποτελοῦν ἐπίσης πηγὴ τῶν Ἑλληνοαιθιοπικῶν σχέσεων καὶ τῆς δραστηριότητας ποὺ ἀνέπτυξε τὸ Πατριαρχεῖο Ἀλεξανδρείας καὶ οἱ Ἑλληνικὲς Κοινότητες μὲ τὴν ἵδρυση τῶν σχολείων καὶ τῶν ἄλλων πνευματικῶν δραστηριοτήτων.

Οἱ σελίδες τὶς ὁποῖες ἀφιερώνει ὁ συγγραφέας γιὰ τὸν ἑαυτό του κανένα ἄλλο σκοπὸ δὲν ἐξυπηρετοῦν, παρὰ νὰ διαφυλαχθοῦν τὰ ἱστορικὰ ἐκεῖνα στοιχεῖα τῆς ἐκκλησιαστικῆς ζωῆς τῆς παραμονῆς του στὴν Αἰθιοπία (1968-1978), χρόνια ποὺ συμπίπτουν μὲ τὴν ἀρχιερατεία του στὴ Μητρόπολη Ἀξώμης καὶ μάλιστα μετὰ τὴν ἐπελθοῦσα πολιτικο-κοινωνικὴ ἀλλαγὴ τῆς χώρας. Ἄλλωστε ἐπιβάλλεται νὰ ἐξαρθεῖ τὸ δημιουργικὸ ἔργο καὶ ἡ πολυ-

σχιδῆς προσωπικότητα τοῦ Σεβασμιωτάτου ποὺ ἀνάλωσε καὶ ἀναλίσκει τὸν ἑαυτό του γιὰ τὸ καλὸ τῆς Ἐκκλησίας καὶ τῆς ἐπιστήμης.

Ὁ Η' (1985) τόμος (σσ. 362) περιλαμβάνει θέματα ποὺ ἀναφέρονται στὴν προσπάθεια γιὰ τὴν προσέγγιση τῆς Ἐκκλησίας μας μετὰ τῶν Ἀρχαίων Ἀνατολικῶν Ἐκκλησιῶν, τὶς σχέσεις Ὀρθοδόξων καὶ Ἀγγλικανῶν, ὡς καὶ Παράρτημα ὅπου ἐκτίθενται τὰ σχετικὰ μὲ τὴν Α' Προσυνοδικὴ Πανορθόδοξο Διάσκεψη. Τὰ κείμενα αὐτὰ πρωτοεμφανίστηκαν στὰ περιοδικά: «Ἐκκλησιαστικὸς Φάρος» (1969-1979) καὶ Ἄμπα Σαλάμα (1970-1979) καὶ ἀναφέρονται στὴ δράση τοῦ Μεθοδίου Φούγια ὡς Μητροπολίτου Ἀξώμης (1968-1979) τοῦ Πατριαρχείου Ἀλεξανδρείας, ὁ ὁποῖος ἀπὸ πολλὰ χρόνια μέχρι καὶ σήμερα συμμετέχει ὑπεύθυνα στοὺς διαχριστιανικοὺς θεολογικοὺς διαλόγους.

Σύμφωνα μὲ τὸν Πίνακα Περιεχομένων (σσ. 361-362) ἔχουμε: Μέρος Α', *Σχέσεις Ὀρθοδόξου Καθολικῆς Ἐκκλησίας καὶ Ἀρχαίων Ἀνατολικῶν Ἐκκλησιῶν (σσ. 9-250),* Μέρος Β', *Σχέσεις Ὀρθοδόξων καὶ Ἀγγλικανῶν (σσ. 251-304) καὶ* Παράρτημα, *Ἔκθεσις πρὸς τὴν Α.Θ.Μ. τὸν Πάπαν καὶ Πατριάρχην Ἀλεξανδρείας καὶ πάσης Ἀφρικῆς κ. Νικόλαον περὶ τῆς Α' Προσυνοδικῆς Πανορθοδόξου Διασκέψεως (σσ. 305-359). Τὸν τόμο συνοδεύουν ἀρκετὲς εἰκόνες ἱστορικοῦ πλέον περιεχομένου, πίνακας ὅμως δὲν ὑπάρχει καὶ σημειώνεται ὡς παράλειψη.*

Κατὰ κύριο λόγο τὸ μεγαλύτερο μέρος τοῦ τόμου ἀφιερώνεται στὶς σχέσεις τῶν ἀδελφῶν Ἐκκλησιῶν, στὰ γεγονότα καὶ τὶς ἐπαφὲς τῶν ὁποίων ὁ ἴδιος ὁ συγγραφέας ἔλαβε μέρος κατὰ τὴ χρονικὴ περίοδο 1971-1975. Στὶς σελίδες 217-247 μποροῦμε νὰ παρακολουθήσουμε τὴν ἐπίσημη ἐπίσκεψη τοῦ Πατριάρχου Ἀλεξανδρείας Νικολάου ΣΤ' στὴν Ἀρμενία, 19-25 Νοεμβρίου 1974. Στὸ δεύτερο μέρος περιλαμβάνονται τὰ γεγονότα τῶν ἐπαφῶν τῶν δύο Ἐκκλησιῶν Ὀρθοδόξου καὶ Ἀγγλικανικῆς τῶν ἐτῶν 1970-1977. Ὁ Θεολογικὸς αὐτὸς Διάλογος, ποὺ σήμερα παρὰ τὶς δυσκολίες του εὑρίσκεται σὲ ἐξέλιξη μὲ ἐκπρόσωπο τοῦ Οἰκουμενικοῦ Πατριαρχείου τὸ συγγραφέα, ἀναμένει καλύτερη τύχη[10]. Καὶ κλείνει ὁ τόμος μὲ τὴν Ἔκθεση πρὸς τὸν Πατριάρχη Ἀλεξανδρείας Νικόλαο περὶ τῆς Α' Προσυνοδικῆς Πανορθοδόξου Διασκέψεως, Σαμπεζύ, Γενεύη καὶ Ἑλβετία 21-30 Νοεμβρίου 1976.

Εἶναι περιττὸ νὰ τονίσουμε γιὰ μιὰ ἀκόμη φορὰ τὴν ἀξία τῶν κειμένων αὐτῶν ποὺ ἀποτελοῦν καὶ θὰ ἀποτελέσουν ἐπίσημα ντοκουμέντα τῆς Ἐκκλησίας μας. Ὁ ἴδιος στὸ Γενικὸ Πρόλογο (σσ. 7-8) μεταξὺ τῶν ἄλλων γράφει: «Χαίρω διότι δύναμαι νὰ ἐκδώσω εἰς ἕνα τόμον ὅσα ἔγραψα ἢ ἔπραξα

---

10. Πεπραγμένα τῶν τελευταίων συναντήσεων ἔχουν δημοσιευθεῖ στοὺς τόμους τῆς Ἐκκλησιαστικῆς καὶ Θεολογικῆς Ἐπετηρίδος τῆς Ἱερᾶς Ἀρχιεπισκοπῆς Θυατείρων καὶ Μεγάλης Βρεταννίας «Ἐκκλησία καὶ Θεολογία».

ἐν σχέσει πρὸς τὰ ἀνωτέρω. Ἐὰν ὅμως ἐρωτηθῶ τί θὰ εἶχον νὰ προσθέσω γενικῶς περὶ τῶν Διαχριστιανικῶν Διαλόγων, θὰ ἀπήντων ὅτι τὰ ἐπιτεύγματά των ἐὰν δὲν εἶναι ἀπογοητευτικά, εἶναι πάντως ἀσήμαντα. Ἴσως ἀπαιτεῖται ἀκόμη μακρὰ πορεία καὶ ὑπομονή. Διὰ ποῖον λόγον; Αὐτὸ τὸ γνωρίζει ὁ Θεός. Ὅσον ἀφορᾷ εἰς ἡμᾶς πρέπει νὰ μὴ ἀπολύωμεν τὸν καιρόν μας καὶ νὰ μὴ ἐναποθέτωμεν τὰς ἐλπίδας μας εἰς τὰ Συνέδρια. Ἡ ἀποστολὴ ἡμῶν εἶναι εἰς τὴν βάσιν, εἰς τὴν στερέωσιν καὶ ἐπέκτασιν τοῦ εἰς τὴν ἡμετέραν φροντίδα ἐμπιστευθέντος λαοῦ, ὅστις διὰ τοῦ ἀκτινοβολοῦντος πνεύματός του θὰ ἑλκύσῃ καὶ τὸ ἐνδιαφέρον τῶν ἑτεροδόξων, τοῦ Ἁγίου Πνεύματος ἐπενεργοῦντος, πρὸς συμφιλίωσιν καὶ πιθανὴν ἕνωσιν».

Τέλος ὁ Θ' (1986) τόμος (σσ. 352) τῆς συνέχειας τῶν Θεολογικῶν καὶ Ἱστορικῶν Μελετῶν, ἀφιερωμένος «Εἰς τοὺς ἐν Μεγάλῃ Βρεταννίᾳ, Ἰρλανδίᾳ καὶ Μάλτᾳ ἐκλεκτοὺς Συνεργάτας» του, «ἀπεικονίζει κατὰ τὸ μᾶλλον ἢ ἧττον τὴν ἐν Μεγάλῃ Βρεταννίᾳ ἀρχιερατείαν» του, ἀφοῦ περιέχει κυρίως ὁμιλίες, μηνύματα καὶ εἰσηγήσεις του γιὰ τὶς μεγάλες γιορτὲς τῆς Ἐκκλησίας καὶ τοῦ Ἔθνους μας. Βέβαια, ὅπως ἀντιλαμβάνεται ὁ ἀναγνώστης, ὁ τόμος δὲν ἦταν δυνατὸ νὰ συμπεριλάβει τὸ πλῆθος τῶν ὁμιλιῶν καὶ λόγων ποὺ ἔχει ἐκφωνήσει ὁ Σεβασμιώτατος κατὰ τὴ διάρκεια τῆς ἀρχιερατείας του στὴ Μεγάλη Βρεταννία, γιατί, ὅπως καὶ ὁ ἴδιος λέγει, θὰ χρειάζονταν πολλοὶ τόμοι γιὰ τὸ σκοπὸ αὐτόν. «Ἐνταῦθα συμπεριέλαβον τόσα, ὅσα ἐνόμισα ὅτι θὰ δώσουν μίαν εἰκόνα τῆς παρουσίας τῆς Ἐκκλησίας ἐν Βρεταννίᾳ, ἐχούσης μακρὰν μὲν παράδοσιν, ἀλλ' οὐχὶ εἰς τὴν παροῦσαν ἔκτασιν» (σ. 7 τῆς Γεν. Εἰσαγωγῆς).

Χωρὶς νὰ μεταφέρουμε ἀναλυτικὰ τὸν Πίνακα Περιεχομένων (σσ. 347-352), θὰ προσπαθήσουμε ἐπιγραμματικὰ νὰ κατατοπίσουμε τὸν ἀναγνώστη, ὁ ὁποῖος καὶ θὰ πρέπει νὰ ἀνατρέξει μόνος του στὶς σελίδες τοῦ Πίνακα γιὰ νὰ ἐπισημάνει τὸν πλοῦτο τῶν θεμάτων, μὲ τὰ ὁποῖα ὁ συγγραφέας καταπιάνεται. Γενικὸς Πρόλογος (σσ. 7-9), Κεφάλαιο Πρῶτο: Ὁ ἐνθρονιστήριος Λόγος εἰς τὸν Ἀρχιεπισκοπικὸν Θρόνον Θυατείρων καὶ Μεγάλης Βρεταννίας *(σσ. 11-16), Κεφάλαιο Δεύτερο:* Ἡ Ἐκκλησία *(σσ. 17-23), Κεφάλαιο Τρίτο:* Ὁμιλίες σὲ χειροτονίες *(σσ. 25-36), Κεφάλαιο Τέταρτο:* Εἰσηγήσεις σὲ Ἱερατικὰ Συνέδρια *(σσ. 37-59), Κεφάλαιο Πέμπτο:* Χριστουγεννιάτικα *(Μηνύματα) (σσ. 63-82), Κεφάλαιο Ἕκτο:* Πρωτοχρονιάτικα *(Μηνύματα) (σσ. 83-98), Κεφάλαιο Ἕβδομο:* Πασχαλινὰ *(Μηνύματα) (σσ. 99-123), Κεφάλαιο Ὄγδοο:* Παιδεία-Νεολαία *(σσ. 125-162), Κεφάλαιο Ἔνατο:* Ἀπόδημος Ἑλληνισμὸς-Κοινοτικὰ-Σωματειακὰ *(σσ. 163-218), Κεφάλαιο Δέκατο:* Ὁμιλίες, Ἐγκύκλιοι καὶ Μηνύματα γιὰ τὴν Ἐθνικὴ Ἐπέτειο τῆς 25ης Μαρτίου 1821 *(σσ. 219-245), Κεφάλαιο Ἑνδέκατο:* Ὁμιλία καὶ Μηνύματα γιὰ τὴν Ἐθνικὴ Ἐπέτειο τῆς 28ης Ὀκτωβρίου 1940 *(σσ. 247-262), Κεφά-*

λαιο Δωδέκατο: Πρόλογοι-Μηνύματα Ἐκκλησιαστικῶν Ἡμερολογίων *(σσ. 263-274), Κεφάλαιο Δέκατο Τρίτο:* Διαλέξεις-Ἄρθρα *(σσ. 275-346).*

Ἐκτὸς τοῦ μορφωτικοῦ περιεχομένου τὰ μηνύματα ἀπηχοῦν τὴν ἀγωνία τῆς Ἐκκλησίας στὸ θρησκευτικό, ἠθικὸ καὶ κοινωνικὸ τομέα. Περικλείουν τὰ ἰδεώδη τῆς φυλῆς καὶ ὁριοθετοῦν τὴν ἀποστολὴ τῆς Ἑλληνικῆς Ἐκκλησίας ποὺ εἶναι συνδεδεμένη ἀπὸ αἰῶνες μὲ τὴν Παιδεία τοῦ Ἔθνους γιὰ τὴν πραγματικὴ ἐξύψωση τοῦ ἀνθρώπου. Ἡ ἀποστολὴ τῆς Ἐκκλησίας στὸν Ἀπόδημο Ἑλληνισμὸ εἶναι οὐσιαστικὴ καὶ προπορεύεται τὶς περισσότερες φορὲς καὶ αὐτοῦ τοῦ Ἑλληνικοῦ Κράτους, κρατώντας πάντοτε τὸ λάβαρο τῆς ἐθνικῆς συνείδησης, μέσα σ' ἕνα κόσμο ἀπὸ πρώτης ὄψεως ἐχθρικό.

Τελειώνοντας τὸ βιβλιοκριτικὸ αὐτὸ σημείωμά μου γιὰ ἕνα ἔργο ποὺ τὴ συνέχειά του περιμένουμε, ἕνα ἔργο σὲ ὄγκο καὶ ποιότητα σημαντικό, ἕνα ἔργο ποὺ καταξιώνει τὸ συγγραφέα του, θεωρῶ τιμὴ γιὰ τὸν ἑαυτό μου τὴν παρουσίασή του καὶ πιστεύω ὅτι πολλοὶ θὰ ἀνατρέξουν στὶς σελίδες του τόσο γιὰ ἐνημέρωση ὅσο καὶ γιὰ νὰ ἀντλήσουν εἰδήσεις πολύτιμες γιὰ τὰ δικά τους πονήματα.

Νικόλαος Λ. Φορόπουλος

Ὁ Νικόλαος Φορόπουλος εἶναι καθηγητής φιλόλογος μέ πτυχία θεολογίας, φιλολογίας καί Πολιτικῶν Ἐπιστημῶν Παντείου ΑΣΠΕ. Ἔχει δημοσιεύσει πολλά ἔργα καί ἔχει συμμετάσχει σέ πολλά ἀρχαιολογικά, ἱστορικά, λαογραφικά κ.ἄ. Σωματεῖα.

THE CROSSWAYS
2 TEMPLE ROAD
BUXTON
DERBYSHIRE
SK17 9BA
ENGLAND
Tel : Buxton (0298) 3250

May 10 1988

The Most Revd Archbishop Methodios Fouyas
9, Riga Ferraiou Str.
Khalandri
Athens, Greece

My dear Archbishop Methodios,

Volume XI of your Theological and Historical Studies has just arrived, with your compliments.

Please accept my warm thanks for your kindness in sending this volume. It is full of interesting studies and addresses.

With friendliest greetings and best wishes:

Yours sincerely,

F. F. Bruce

F. F. Bruce

Ὁ διαπρεπής καθηγητής F.F Bruce ὑπῆρξε βιβλικός διδάσκαλος στό Πανεπιστήμιο τοῦ Manchester κάτοχος τῆς Ἑλληνικῆς Γλώσσας καί προσφιλέστατος στόν γράφοντα καί τόν ἀδελφό του Παναγιώτη.

1. *Aksum-Thyateira.* A Festschrift for Archbishop Methodios of Thyateira and Great Britain. General Editor G. Dragas. London, Thyateira House, 1985. 28 x 21, 702 p.
2. *Theologikai kai istorikai meletai* (Theological and Historical Studies. A Collection of Minor Works). T.7 en 8. Athene, 1984-1985. 24 x 17, 308-362 p.
3. *Texts and Studies* (Foundation for Hellenism in Great Britain). Vol. III en IV. London, Thyateira House, 1984-1985. 24 x 17, 350-388 p.

1. In dit tijdschrift zijn reeds meerdere werken van aartsbisschop Methodios Fouyas besproken. Bij gelegenheid van zijn 60e verjaardag bood een uitgebreide schare vrienden hem een *Festschrift* aan, dat in omvang (700 bladzijden!) en inhoud de activiteiten van de jubilaris waardig is. G. Dragas, die het geheel coördineerde, geeft in het grieks en het engels een uitgebreide biografie van de aartsbisschop. Geboren in de buurt van Korinthe (1925), trad hij op 20-jarige leeftijd in het klooster en werd hij in het patriarchaat Alexandrië priester gewijd. Hij studeerde theologie en geschiedenis in Athene, München en Manchester en hield zich ook met pastoraal werk bezig. In 1976 werd hij tot metropoliet van Aksoem gewijd en tien jaar later benoemd tot aartsbisschop van de griekse gemeenschap in Engeland. In dertig jaar tijds schreef hij talrijke werken en voerde hij de redactie van vier tijdschriften. Naast deze biografie bevat het *Festschrift* een aantal brieven van bisschoppen en een 40-tal studies, waarvan meerdere van zeer hoog gehalte. Wij vermelden er enkele van. S. Brock handelt over de christologie van de kerk van het Oosten op de synodes van de 5e tot de 7e eeuw. H. Küng heeft het over orthodoxie en rooms-katholicisme en ziet de pauselijke jurisdictiemacht als strijdpunt tussen beide. G. Rupp spreekt over Luther en de oosterse kerken. D. Konstantelos gaat in op de figuur van de H. Fotios. S. Runciman wijdt een studie aan patriarch Jeremias II en het patriarchaat Moskou. Over de eenheid schrijven N. Nissiotis van orthodoxe en H. Wagner van katholieke zijde. Metropoliet Bartholomaios behandelt de dialoog tussen orthodoxen en katholieken, terwijl Colin Davey de stappen naar de eenheid in de periode 1972-1984 toelicht. Een rijke verzameling.
2. Van de collectie *Theologische en historische studies* verschenen weer twee delen. Vol. 7 bevat een aantal reeds vroeger in het tijdschrift *Abba Salama* gepubliceerde artikels over de geschiedenis van het griekse bisdom Aksoem: brieven uit de jaren 1905-1912 en documenten met betrekking tot de situatie in Ethiopië in de tweede helft van de 19e eeuw en betreffende het bisdom Aksoem onder metropoliet Methodios (1968-1978). Vol. 8 biedt, nu de hervatting van de gesprekken tussen orthodoxe en kleine oosterse kerken wordt voorbereid, een overzicht van de vorige bijeenkomsten. Verder wordt gesproken over de dialoog tussen orthodoxen en anglicanen en over de eerste preconciliaire panorthodoxe conferentie, die in 1976 plaatsvond.
3. Het tijdschrift *Abba Salama* (A Review of the Association of Ethio-Hellenic Studies), dat metropoliet Methodios in 1970 oprichtte en tot 1979 leidde, vindt een voortzetting in *Texts and Studies* (A Review of the Foundation for Hellenism in Great Britain). Onlangs werden twee delen gepubliceerd. Deel 3 bevat 20 bijdragen: enkele officiële documenten en een aantal artikelen. De documenten betreffen de viering van het feest van St.-Andreas te Constantinopel, de viering van de zondag van de orthodoxie en het bezoek van de metropoliet van Praag. Van de in het grieks of het engels geschreven artikelen vermelden we: T. Torrance, *De drie hiërarchen en de grieks-christelijke gedachte*;A. Tillyrides, *Hieronymos Myriantheus 1838-1898, deken van de Aya Sofia*; Aartsbisschop Methodios, *Verslag van een reis naar Rome en Malta;* Aartsbisschop Methodios, *Het christendom in het huidige Europa;* G. Dragas, *St.-Makarios van Korinthe over het gebed des Heren.*

Deel 4 is op dezelfde wijze samengesteld en biedt naast boekbesprekingen een aantal documenten betreffende het patriarchaat en het aartsbisdom, een lezing van aartsbisschop Methodios over de orthodoxe traditie en een over de orthodoxe kerk in Amerika en enkele artikelen. N. Nissiotis spreekt over de filosofische vooronderstellingen in de theologie van Basilius, Gregorius en Johannes Chrysostomus. Ch. Giannoulas handelt over de akten uit het archief van de griekse kerk in Manchester. N. Kokosalakis gaat in op de politieke, educatieve en maatschappelijke rol van de kerk in Engeland. Metropoliet Paulos van Zweden tenslotte beschrijft de synode van Constantinopel in 861. De meeste publikaties zijn in het grieks gesteld.

A. Burg

Het Christelijk Oosten
Nijmegen, 40 (1988) 3,
σελ. 226-227.

Archbishop Methodios FOUYAS, *Theological and Historical Studies. A Collection of Minor Works*. Vol. XII. Athènes, 1988. 279 p. 24 × 17.

Le douzième volume des *opera omnia* de l'archevêque Methodios se compose de trois parties. Dans la dernière, on trouve réédités quelques articles des années 1954-1957 concernant le Patriarcat œcuménique, l'Église orthodoxe de Grèce, l'unité de l'Église orthodoxe et l'œcuménisme. L'ancien exarque de Grande-Bretagne y publie aussi sa lettre d'adieu à l'archidiocèse; fondé en 1922 par le patriarche Meletios Metaxakis, celui-ci compte aujourd'hui un quart de million de fidèles, provenant surtout de l'immigration grecque d'Égypte et de Chypre. La partie centrale du recueil reproduit le journal du patriarche Metaxakis pour une partie de l'année 1925, avec quelques lettres des années 1928-1930 et un compte rendu de son élection au patriarcat d'Alexandrie en 1926: ces pièces d'archives avaient déjà été éditées par l'archevêque Methodios en 1971. Inédits, en revanche, sont les documents publiés dans la première partie du volume. Datant de deux années chaudes de la crise chypriote (1957 et 1958), elle proviennent du Foreign Office et concernent le Patriarcat œcuménique, alors dirigé par Athénagoras Ier, de sainte mémoire. Il en ressort que la Grande-Bretagne, et en particulier l'Église d'Angleterre, par le truchement du Canon H. M. Waddam, alors secrétaire de son Conseil pour les relations extérieures, soutinrent résolument la Patriarcat dans le conflit tendu qui l'opposait au gouvernement turc depuis septembre 1955.

A. DE HALLEUX

Bodleian Library

Please reply to English Accessions
Department of Printed Books

CB/PS

23 May 1988

Dear Sir,

We write to thank you for Volume XI of "Theological and Historical Studies". Please find our receipt form enclosed.

May we ask if it is possible for you to supply any of the Volumes I - X that were published in this country. We made a similar request on 14th January 1987, then we had not known of the existence of such a series. Now, upon the receipt of Volume XI, we would be most grateful for news of the previous issues.

Yours faithfully,

Principal Library Assistant

The Editor
"Theological and Historical Studies"
Thyateira House
5 Craven Hill
London W2 3EN.

Bodleian Library
Broad Street, Oxford OX1 3BG
Telephone OXFORD (0865) ~~244675~~ 277000
Telex 83656

IRÉNIKON
REVUE TRIMESTRIELLE

B-5395 CHEVETOGNE
(BELGIQUE)

M....,

L'ouvrage que vous avez eu l'amabilité de nous envoyer :

Theological and Historical Studies. A Collection of minor Works, vol. XI. Ed. by Methodios Fouyas, archbishop of Thyateira and Great-Britain. Londres, Thyateira House, 1988; in-8, 284 p.

a été annoncé avec les indications habituelles dans la REVUE IRÉNIKON de cette année 1989, N° 3

Veuillez agréer, M ...., nos salutations distinguées.

Le Rédacteur,

Archbishop Methodios Fouyas, *Theological and Historical Studies*. A Collection of Minor Works, Vol. XII. Athene, 1988. 24 x 17, 280 p.

In het twaalfde deel van deze serie (zie CO 44 (1992) 218) publiceert Methodios Fouyas weer een aantal documenten en kleinere bijdragen van diverse opzet, waarvan het merendeel reeds elders uitgegeven is. Nieuw zijn de onder de titel *Documents from the Foreign Office Related to the Ecumenical Patriarchate* (11-97) zonder verder commentaar gepubliceerde diplomatieke correspondentie en nota's over de hachelijke positie van het oecumenisch patriarchaat en van de griekse minderheid in Istanbul ten tijde van de Cypriotische crisis in de vijftiger jaren van deze eeuw en, in het bijzonder, over een eventuele verhuizing van het patriarchaat uit Istanbul en Turkije. De overige bijdragen zijn voornamelijk teksten in het grieks, zoals het, evenmin van commentaar voorziene, dagboek (van 30 januari tot 11 september 1925) en enkele andere documenten van patriarch Meletios IV Metaxakis, die van 1920 tot 1923 oecumenisch patriarch en van 1926 tot 1935, als Meletios II, patriarch van Alexandrië was (99-229). Deze teksten zijn eerder gepubliceerd, vooral in het tijdschrift *Ekklisiastikos Faros* in het jaar 1971. De andere, korte artikelen gaan over onderwerpen, die de griekse orthodoxie en het oecumenisch patriarchaat betreffen, en stammen uit de jaren 1948, 1954, 1955 en 1957. Eén tekst is ,,actueel'': de toespraak die de auteur op 18 april 1988 in het engels hield bij zijn aftreden als aartsbisschop van Thyateira en Groot-Brittannië (239-249), toen hij door de oecumenische patriarch gedwongen werd zijn functie neer te leggen. In deze toespraak gaat Methodios uitvoerig in op wat hij voor de orthodoxe kerk in Engeland sinds zijn aantreden aldaar in 1979 tot stand gebracht heeft. Over de oecumenische dialoog met de anglicanen schreef hij het boek *Orthodoxy, Roman Catholicism and Anglicanism*, verschenen te Londen in 1972 en in 1985.

A. Davids

Het Christelijk Oosten, 45 (1993), σ. 133.

UNIVERSITÉ SAINT-PAUL
223, RUE MAIN

SAINT PAUL UNIVERSITY
223 MAIN STREET

OTTAWA CANADA
K1S 1C4

BIBLIOTHÈQUE UNIVERSITAIRE

UNIVERSITY LIBRARY

October 28, 1991

Excellency Dr. Methodios Fouyas
9, Riga-Ferraiou Str.
GR-152 32 KHALANDRI
Greece

Your Excellency,

I have just received volume 8 of your collection: Theological and Historical Works as a donation to the Saint Paul University Library.

We thank Your Excellency for this donation. We had already the whole collection of Theological and Historical Works volumes 2-11, but we are missing vol. 1 and we would appreciate receiving this volume 1 which we have been unable to get used or new or as photocopy.

Accept, Your Excellency, with my gratitude, my respectuous feelings,

Jean-L. Allie
Jean-Léon Allie, O.M.I., C.M.
Acquisition Librarian

Methodios Fouyas, *Theological and Historical Studies*. A Collection of Minor Works, Vol. XI. London, Thyateira House, 1988. 24 × 16½, 284 p.
Texts and Studies. A Review for Hellenism in Diaspora, Vol. VII. Athens, 1988. 24 × 17, 308 p.

1. Als aartsbisschop van Thyateira en Groot-Brittannië gaf Methodios Fouyas regelmatig studiebundels uit, waarin hij eigen werken publiceerde. Vol. XI vangt aan met een in 1951-1954 te München geschreven werkstuk, dat later tweemaal in het grieks verscheen en nu in de oorspronkelijke duitse taal wordt gebracht. De studie behandelt het leven en de werken van Joannes Mauropus, metropoliet van Euchaita (11e eeuw). De meeste jaren van zijn leven bracht deze door als leraar. Hij vormde belangrijke personen als Michaël Psellos, Konstantinos Leichudes, Joannes Xifilinos. Ook zijn invloed op de keizer bij de opbouw/restauratie van de universiteit is bekend. Tijdens het patriarchaat van Michaël Kerularios, met de bekende moeilijkheden met Rome en het Westen, werd hij tot metropoliet van Euchaita benoemd. Was dit een verbanning of een promotie? Na korte tijd keerde hij naar Constantinopel terug. De weinige biografische gegevens zijn voornamelijk ontleend aan zijn werken: epigrammen, brieven (gepubliceerd door P. Lagarde), preken, liturgische en hagiografische teksten, die de auteur analyseert en bespreekt. De duitse tekst bevat een aantal zetfouten. Zo worden kleine letters gebruikt, waar hoofdletters dienen te staan. Verder bevat deze bundel toespraken, bisschoppelijke brieven en preken, die de bisschop bij gelegenheid van kerkelijke of nationale feesten uitgaf.

2. In een andere serie groepeert aartsbisschop Methodios korte studies en artikels van hemzelf en van andere schrijvers. Dit deel bevat, naast enkele bisschoppelijke brieven van Methodios, de tekst van twee conferenties, die handelen over de situatie op Cyprus: de onafhankelijkheidsverklaring en de *enosis* in 1959 (metropoliet Chrysostomos van Krition); de opstand van 1974 en de turkse invasie met als gevolg de opsplitsing van het eiland in twee delen (A. Christofidè). Th. Torrance wijdt enkele bladzijden aan de hermeneutiek van Clemens van Alexandrië. A. Tèlluridè publiceert 126 documenten die betrekking hebben op een aantal gebeurtenissen uit het leven het van Meletios Metaxakis: bisschop van Athene, oecumenisch patriarch van Constantinopel (1920-1923) en tenslotte patriarch van Alexandrië. Vele brieven betreffen de contacten met de anglicaanse kerk in Engeland (o.m. met kanunnik J. Douglas).

A. Burg

Phone 612-363-3514

HILL MONASTIC MANUSCRIPT LIBRARY

An Archive of Medieval and Renaissance Historical Sources

Bush Center

Julian G. Plante, Ph.D.
Executive Director

SAINT JOHN'S UNIVERSITY
Collegeville, Minnesota 56321

17 June 1988

Archbishop Methodios
9, Riga Ferraiou St r.
Khalandri, Athens - GREECE

Dear Archbishop Methodios:

This will acknowledge receipt with many thanks of your volume of Theological and Historical Studies: A Collection of Minor Works, vol. 11 (1988). We are pleased to have this volume in our library.

With all best wishes, I remain,

Sincerely yours,

Julian G. Plante

JGP

Methodios FOUYAS, *Theological and Historical Studies.* A Collection of Minor Works. T. 9, 10 et 11. Athènes, s.n. - Londres, Thyateira House, 1986-1988, 3 vol. 352, 479 et 284 p. 24x17.

La R.T.L. a dèjà présenté plusieurs des volumes dans lesquels Mgr Mèthode Fouyas, ancien exarque du Patriarcat oecuménique pour la Grande-Bretagne, réedite ses principaux écrits scientifiques ou ecclésiastiques, sous le titre général d'«Études théologiques et historiques». Le neuvième tome réunit les principales homèlies et allocutions, parfois inédites, que le prélat a prononcées depuis son intronisation à Londres jusqu'en 1986, devant une bonne trentaine d'auditoires, à l'occasion de fêtes religieuses ou civiles, ainsi que quelques conférences données a Athènes, en Angleterre ou en Amérique. Sauf ces dernières, publiées en anglais, tout le volume est en grec. Le lecteur y appréciera le zèle pastoral de l'evêque pour sa communauté grecque orthodoxe, la seule Église chrétienne du Royaume Uni à enregistrer un accroissement quantitatif, et il mesurera également son souci pour l'éducation et la promotion de l'«ethnos» grec, dans l'esprit des Peres de l'Église qui ont indissociablement lié l'hellénisme à l'orthodoxie.

Le dixième volume du recueil présente une contribution remarquable a l'histoire contemporaine de l'Église orthodoxe en Europe occidentale et centrale. Plus précisément, il ne s'agit pas ici de l'Orthodoxie grecque, dont le savant auteur avait longuement traitè dans le tome V des *Études.* Les trois premiers chapitres du tome X sont consacrés à l'Église orthodoxe russe: ses fondations en Europe avant la Révolution de 1917; ses divisions sous le régime soviétique (Église vivante, Église nationale ukrainienne), avec leurs répercussions dans l'émigration (Synode de Karlovtsy, métropolie de Mgr Euloge, occasionnellement la «Mitropolia» américaine) et les efforts du Patriarcat de Moscou pour restaurer sa juridiction à l'étranger. Les quatrième et cinquième chapitres font l'histoire des filiales occidentales d'autres Églises orthodoxes: roumaine, georgienne, ukrainienne, baltes, serbe, polonaise et bulgare, ainsi que celle des Églises orthodoxes occidentales (Italie et, surtout, l'Église orthodoxe catholique de France, issue de la communauté de Mgr Winnaert et se trouvant actuellement sous l'obédience de l'Église orthodoxe roumaine). L'important chapitre sixième examine le problème épineux du statut canonique de la diaspora orthodoxe, du point de vue du Patriarcat oecuménique, dont on sait qu'il diffère de celui du patriarcat de Moscou. Enfin, les septième et huitième chapitres rassemblent une bonne centaine de documents d'archives, pour la plupart des lettres officielles, concernant l'Église orthodoxe russe de la diaspora et l'Église catholique orthodoxe de France. Les textes russes sont traduits en grec, tandis que les autres sont présentés dans leur original grec, français ou anglais. Beaucoup de ceux qui étaient jusqu' ici inédits semblent provenir des archives du patriarch Mélèce Metaxakis, auquel l'évêque de Thyatire dédie son ouvrage; d'autres sont conservés au Foreign Office. Cette documentation donne une valeur exceptionnelle a la présente étude, dont nous ne connaissons pas d'équivalent. De nombreuses illustrations photographiques permettent au lecteur de mettre un visage sur bien des noms, célèbres ou oubliés. En un mot, tant les sources éditées par Mgr Méthode que son travail d'historien seront désormais indispensables pour mieux comprendre le passé récent et la situation actuelle des Églises orthodoxes dans nos regions.

Le onzième volume, qui sera vraisemblablement le dernier de l'archevêque de Thyatire et de Grange-Bretagne, contient, comme le précédent, des communications faites a l'occasion de diverses rencontres oecuméniques, ainsi que les messages de Pâques, de Noël et des fêtes nationales grecques de 1982 à 1988, et des homélies adressées au clergé et au peuple fidèle de l'archevêché ou à des auditoires anglicans durant les mêmes années. Relevons comme spécialement digne d'intérêt la communication *Fundamental Consensus and Christian Fellowship* de 1987 (p. 90-100), avec sa très nette définition de la position orthodoxe vis-à-vis de l'oecuménisme protestant et sa sévére critique du texte de convergence de Foi et Constitution *Baptême, Eucharistie, Ministère;* l'A. y admet une application de l'«èconomie» en matière oecuménique. Soulignons également son appréciation, exeptionnele aujourd'hui dans l'Orthodoxie, de la théologie de S.Augustin, qui «ouvrit des voies nouvelles», entre autres «vers la pensée grecque» (p. 101); l'ecclésiologie augustinienne antidonatiste de la *Catholica* est valorisée, dans le sens de la continuité, plus que du contraste, avec celle de S. Cypriane (p. 103-104). La première partie du volume reproduit les prémices de l'oeuvre scientifique de m.F. muries a Munich en 1951-1954 sous la direction de H.-G. Beck: *Johannes Mauropus, Metropolit von Euchaita (II.Jht.). Eine Skizze seines Lebens und seines Werkes.* Sa réimpression (p.11-82) sera bienvenue de ceux qu'aurait rebutés la version grecque augmentée de 1955, qui avait été réimprimée en 1984 dans le sixième volume des *Theological and Historical Studies.*

Prof A. DE HALLEUX

Revue Théologique de Louvain
Tom. 21 (1990), σελ. 106-107

Ὁ ἀείμνηστος καθηγητής A. de Halleux ἐδημοσίευσε πολλά καί πολισέλιδα εὐμενῆ σχόλια γιά τό ἔργο μου **Ἕλληνες καί Λατῖνοι** βλ. Le Concile de Florence: union ou uniatisme **Proche-Orient Chrétien** t. XLI (1991) pp. 201-219.

ALANDIS (London) LTD

5 Bury Street, St. James's, London SW1Y 6AB
Telephone: 071-930 8867 Telex: 888256 ALNDIS G Fax: 071-839 6582

His Eminence Dr. Methodios Fouyas,
9 Riga Ferraiou Street,
Khalandrion 15232,
Athens,
Greece

20th March 1991

Your Eminence,

Both of us would like to express to you our most sincere congratulations - Your perseverance, courage, goodwill, and fortitude is an example for us all.

You have our profound admiration and very warmest wishes for everything of the best in the future.

Μέ σεβασμό καί ἀγάπη,
Ἀλέξανδρος

Alexander V. Georgiadis

Tony.

Antony V. Georgiadis

Registered Office: Three Quays, Tower Hill, London EC3R 6DS Registered in England No. 1379265

Οἱ ἀδελφοί Ἀλέξανδρος καί Ἀντώνιος Βάσου Γεωργιάδη ὑπῆρξαν μόνιμα οἰκονομικοί ὑποστηρικτές τῶν ἐκδόσεών μου.

Leonidas and Eirini Los
Tassos and Maria

8,St. Stephens Close,
Avenue Rd.,
London N.W 8 6DB

0171 - 586 5829

Dr.Methodios Fouyias,
Bishop Of Pisidias,
9, Riga Ferraiou St.,
15232 Khalandri
Attikis,
GREECE

December 9, 1998

Your Eminence,

The enclosed is sent to you with much love from us all and our sincerest warmest wishes for a very Merry Christmas and a very Happy and Healthy New Year.

Tassos is presently a student at Lausanne University, Maria will be going to Royal Holloway and Bedford Colleged, University of London in September 1999 to study Italian and Management.

Eirini and I are well but very busy.

Before closing, Eirini, Tassos and Maria together with Eirini's mother Mrs. Maro Lemos join me in praying that the Good Lord grant you good health and every success now and in the future.

With much love from all of us,

Respectfully yours,

Leonidas T. Los

Encl. Draft for $ 2,000.00

Εἶμαι εὐγνώμων πρός τήν ἀρχοντικήν οἰκογένεια τοῦ Λεωνίδα καί τῆς Εἰρήνης Λῶ γιά τήν πλούσια καί μόνιμη στήριξη τῶν ἐκδόσεών μου.

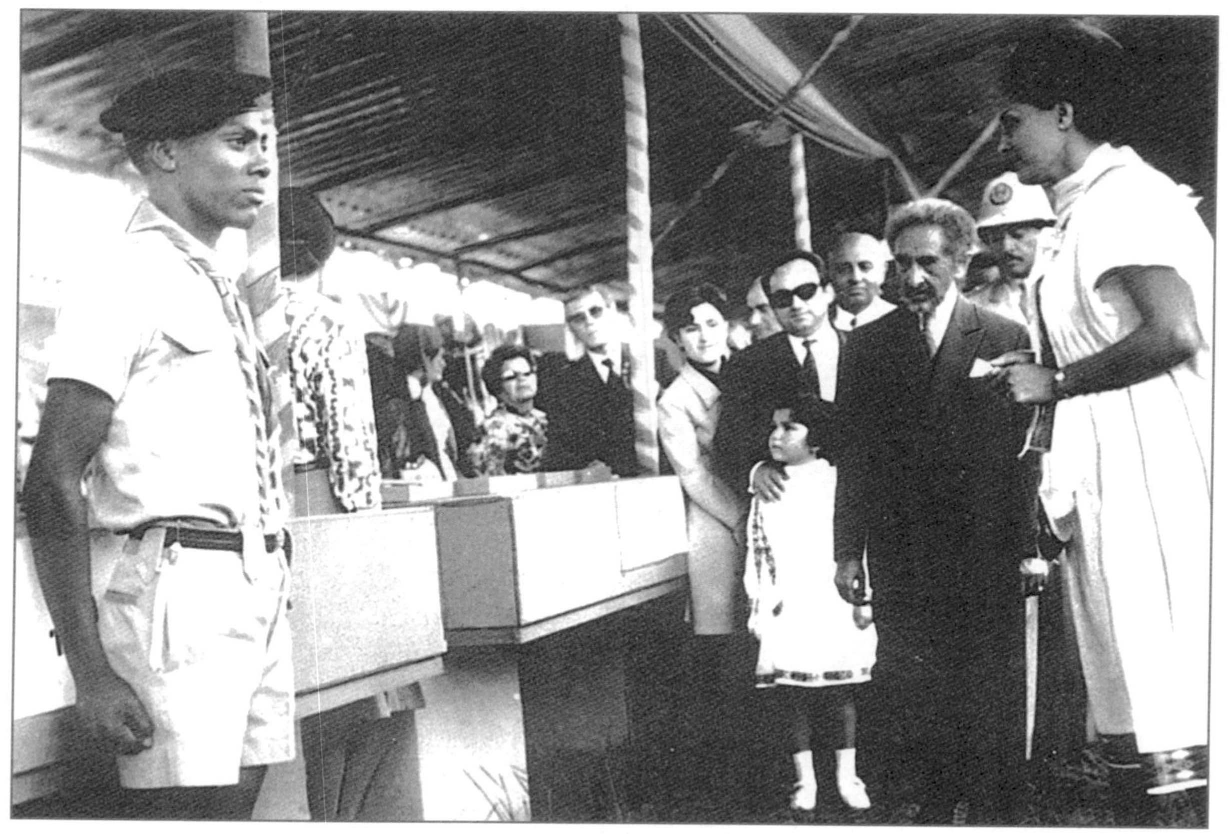

30. Μία άπό τίς πολλές συναντήσεις όμογενῶν μέ τόν ἀείμνηστον μέγα φιλέλληνα Αὐτοκράτορα τῆς Αἰθιοπίας Χαϊλέ Σελασσιέ. Στή φωτογραφία ὁ τότε Πρόεδρος τῆς Ἑλληνικῆς Κοινότητας Ἀδδίς Ἀμπέμπας ἀείμνηστος Νικόλαος Γεωργακᾶς μέ τή σύζυγό του, ὁ καθηγητής Παναγιώτης Φούγιας μέ τή σύζυγό του καί τή θυγατέρα του καί ὁ ἀείμνηστος Μέγας εὐεργέτης τῆς Κοινότητας Ἀλέξανδρος Γανωτάκης.

Η΄

Ἐπετηρίδα, «Ἐκκλησία καί θεολογία»

Πρῶτος Τόμος 1980

Δωδέκατος Τόμος 1993

ΕΚΚΛΗΣΙΑ ΚΑΙ ΘΕΟΛΟΓΙΑ

ΕΚΚΛΗΣΙΑΣΤΙΚΗ ΚΑΙ ΘΕΟΛΟΓΙΚΗ ΕΠΕΤΗΡΙΣ ΤΗΣ ΙΕΡΑΣ ΑΡΧΙΕΠΙΣΚΟΠΗΣ ΘΥΑΤΕΙΡΩΝ ΚΑΙ ΜΕΓ. ΒΡΕΤΑΝΝΙΑΣ

ΤΟΜΟΣ Α΄ 1980

ΠΕΡΙΕΧΟΜΕΝΑ

THYATEIRA HOUSE, 5 CRAVEN HILL. LONDON W.2

Ἐκκλησία καὶ Θεολογία: *Ἐκκλησιαστικὴ καὶ Θεολογικὴ Ἐπετηρὶς τῆς Ἱερᾶς Ἀρχιεπισκοπῆς Θυατείρων καὶ Μεγάλης Βρεταννίας, Ἐκδίδεται προνοίᾳ τοῦ Ἀρχιεπισκόπου Θυατείρων καὶ Μεγάλης Βρεταννίας Μεθοδίου, τόμος Α΄ (1980) 1 - 595.*

Μὲ τὸν τίτλον «Ἐκκλησία καὶ Θεολογία» κάμνει τὴν ἐμφάνισίν του ἕν νέον ἐκκλησιαστικὸν καὶ Θεολογικὸν περιοδικόν. Ὁ ἐκδότης του εἶναι ὁ ἀρχιεπίσκοπος Θυατείρων Μεθόδιος Φούγιας. Οὗτος προηγουμένως, ὡς μητροπολίτης Ἀξώμης τοῦ Πατριαρχείου Ἀλεξανδρείας, ἐπανεξέδωκε τὸ περιοδικὸν «Ἐκκλησιαστικὸς Φάρος» Ἀλεξάνδρεια, Ἀντὶς Ἀμπέμπα, /51 (1952/1969) -, ἤρχισε δὲ ἐκδίδων καὶ τὸ νέον περιοδικὸν Abba Salama, Ἀντὶς Ἀμπέμπα, 1(1970 - Χ, 1979). Ἡ ἔκδοσις τῶν δύο τούτων περιοδικῶν τοῦ πατριαρχείου Ἀλεξανδρείας ὠφείλετο εἰς τὰς προσωπικὰς προσπαθείας τοῦ τότε Ἀξώμης Μεθοδίου. Πάντως εὐχῆς ἔργον θὰ εἶναι ὅπως εὑρεθῇ ὁ συνεχιστὴς τοῦ ἐκδοτικοῦ τούτου ἔργου εἰς τὸ Πατριαρχεῖον Ἀλεξανδρείας, τοὐλάχιστον διὰ τὴν τακτικὴν ἐμφάνισιν τοῦ Ἐκκλησιαστικοῦ Φάρου, ἑνὸς ἐκ τῶν παλαιοτέρων καὶ γνωστοτέρων θεολογικῶν περιοδικῶν τοῦ αἰῶνός μας, Ἀλεξάνδρεια, 1(1908) ἑξ.

Κατέστη συνήθεια ὅπως ἀναζητῇ κανεὶς τὸν πρόλογον ἢ τὰ εἰσαγωγικὰ λόγια τοῦ ἐκδότου εἰς τὴν ἀρχὴν ἑκάστου νέου παρομοίου περιοδικοῦ, πρᾶγμα τὸ ὁποῖον δὲν συμβαίνει ἐδῶ. Ὡς ἐκ τούτου διαφωτιστικὸς εἶναι ὁ κανονισμὸς τῆς ἐπετηρίδος ταύτης. Κατ' αὐτόν, ἡ ἐπετηρὶς ἐκδίδεται ἅπαξ τοῦ ἔτους καὶ εἶναι ἀνοικτὴ διὰ συνεργασίαν εἰς κάθε συγγραφέα καὶ ἐπιστήμονα. «Ἰδιαίτερον ἐνδιαφέρον ἔχουν αἱ συνεργασίαι ἐπὶ θεμάτων ἐκκλησιαστικῆς ἱστορίας καὶ ἀρχαιολογίας, δογματικῆς, ἱστορίας τῶν πηγῶν τοῦ Χριστιανισμοῦ, ἱστορίας τῶν Ὀρθοδόξων Ἐκκλησιῶν καὶ διεκκλησιαστικῶν σχέσεων». Αἱ ἐργασίαι εἰς τὸν τόμον Α΄ (1980) ἐμφανίζονται σχεδὸν ἐξ ἡμισείας εἰς τὴν ἑλληνικὴν καὶ τὴν ἀγγλικήν, μὲ περισσοτέρας μᾶλλον σελίδας ἀφιερουμένας εἰς τὴν ἀγγλικήν. Ὅπως συμβαίνει καὶ μὲ ἄλλα περιοδικά, ἴσως θὰ ἦτο καλὸν νὰ ὑπάρχῃ ἡ περίληψις ἑκάστου ἄρθρου, εἰς μίαν ἢ περισσοτέρας σελίδας, διὰ μὲν τὰ δημοσιεύματα τῶν ἄλλων γλωσσῶν εἰς τὴν ἑλληνικήν, διὰ δὲ τὰ δημοσιεύματα τῆς ἑλληνικῆς εἰς τὴν ἀγγλικὴν (ἢ μίαν τῶν ἄλλων διεθνῶν γλωσσῶν).

Ἐκκλησία καί Θεολογία, Β΄ (1981), σελ. 1088-1092.

ΠΕΡΙΕΧΟΜΕΝΑ:

1. Θυατείραν Μεθοδίου, Χριστολογικὴ ῾Ορολογία, ῾Η Σημασία τῶν ῞Ορων «Πρόσωπον», «Φύσις», «Οὐσία», «῾Υπόστασις», «῾Υποστατικὴ ῞Ενωσις», «Περιχώρησις», «Κένωσις», καὶ «Οἰκονομία» μετὰ τῶν ᾿Αντιστοίχων Λατινικῶν ᾿Εννοιῶν ἐν τῇ ᾿Αρχαίᾳ ᾿Εκκλησίᾳ, σελίδες 5 - 14.

᾿Εμφανίζεται ὡς συνέχεια ἐκ τοῦ περιοδικοῦ «᾿Εκκλησιαστικὸς Φάρος», 61 (1979) 18.

2. Στυλιανοῦ Παπαδοπούλου, Μεγάλου Βασιλείου, Βιογραφικὸ Σχεδίασμα σελίδες 15 - 89.

῾Ο καθηγητὴς τῆς πατρολογίας τοῦ πανεπιστημίου ᾿Αθηνῶν Στυλιανὸς Παπαδόπουλος στηρίζεται κυρίως εἰς τὰ δεδομένα τῶν πηγῶν, ἔχων δὲ ὑπ᾿ ὄψιν τὰ ἔργα συγχρόνων συγγραφέων, παρακολουθεῖ τὰ σημαντικὰ ἱστορικὰ γεγονότα καὶ ἀποτολμᾶ, ὅπως λέγει, τὴν πληρεστέραν μέχρι σήμερον βιογράφησιν τοῦ Μ. Βασιλείου. Θέτει ὑπὸ συζήτησιν τὰς γνώμας τοῦ συναδέλφου Κωνσταντίνου Καλλινίκου ἀπὸ τὴν μελέτην του :

Συμβολαὶ εἰς τὸ Πρόβλημα τῆς ᾿Ερεύνης τοῦ Χρόνου Συγγραφῆς τῶν ᾿Επιστολῶν τοῦ Μ. Βασιλείου , ᾿Εκκλησιαστικὸς Φάρος, 61 (1979) 19 - 139.

3. Constantine N. Tsirpanlis, Sone Reflections on Philoxenus' Christology pp. 87 - 98.

῾Ο καθηγητὴς Κωνσταντῖνος Ν. Τσιρπανλῆς ἐκθέτει συντόμως τὴν Χριστολογίαν τοῦ Φιλοξένου (π. 440 - 523).

4. Καρθαγένης Παρθενίου, ῾Ιερὰ Μητρόπολις Καρθαγένης, σελίδες 99 - 104.

῾Ο Καρθαγένης Παρθένιος, ἐπὶ τῇ βάσει τῶν ἀρχειακῶν ἐργασιῶν τοῦ βιβλιοφύλακος τοῦ Πατριαρχείου ᾿Αλεξανδρείας Ν.Σ. Φιριππίδη διὰ τὴν «῾Ελληνικὴν ᾿Εκκλησίαν Τύνιδος», τὸ 1932, διατυπώνει τὰ ὑπάρχοντα στοιχεῖα περὶ τῶν πρώτων ἐνοριῶν-κοινοτήτων τῆς ἐπαρχίας του.

5. ῾Ελενουπόλεως ᾿Αθανασίου, περὶ ῾Ιερατικῶν καὶ Λειτουργικῶν ᾿Αμφίων, σελίδες 105 - 9.

῾Ο καθηγητὴς τῆς χριστιανικῆς ἀρχαιολογίας εἰς τὴν ἱ. θεολογικὴν σχολὴν τῆς Χάλκης μητροπολίτης ῾Ελενουπόλεως ᾿Αθανάσιος Πάπᾶς ἐκθέτει τὰ σχετικὰ μὲ τὸ θέμα τῶν ἀμφίων, κατὰ ἕνα τρόπον σύντομον καὶ περιεκτικόν.

6. Anicius Manlius Torquatus Severinus Boethius (c. 480 - c. 524), pp. 110-2.

Σύντομον σημείωμα περὶ τοῦ Βοηθίου (π. 480 - π. 524), διὰ τὴν συμπλήρωσιν 1500 χρόνων ἀπὸ τῆς γεννήσεώς του.

7. F.F. Bruce, The Manchester Faculty of Theology, pp. 113 - 17.

῾Ο καθηγητὴς F.F. Bruce κάμνει συντόμως τὸ ἱστορικὸν τῆς θεολογικῆς

σχολῆς τοῦ πανεπιστημίου τοῦ Μάντσεστερ, κατὰ τὴν συμπλήρωσιν τῶν 75 χρόνων εἰς τὴν ζωὴν αὐτῆς (1904 - 1979).

8.- - - - - -, Ἐπὶ τοῦ Θεολογικοῦ Διαλόγου Ὀρθοδόξων καὶ Παλαιοκαθολικῶν, Ἔκθεσις πρὸς τὸν Πατριάρχην Ἀλεξανδρείας, σελίδες 118 - 130.

Πρόκειται περὶ τῆς Γ' ἐν ὁλομελείᾳ συνδιασκέψεως τῆς μικτῆς θεολογικῆς ἐπιτροπῆς ἐπὶ τοῦ διαλόγου Ὀρθοδόξων καὶ Παλαιοκαθολικῶν Βόννη, κέντρον τῆς Ἱ. μητροπόλεως Γερμανίας, 20 - 24 Αὐγούστου 1979.

9. Louis J. Shein, L.N. Tolstoy' s Concept of immortality, pp. 131 - 140.

Τὸ ἄρθρον ἔχει τίτλον : «Ἡ περὶ Ἀθανασίας Ἀντίληψις τοῦ Τολστόϋ».

10. Βασιλείου Θ. Σταυρίδου, Ὀρθοδοξία καὶ Διασπορά, Ἐνεστῶσα Κατάστασις καὶ Κανονικὴ Θέσις τῆς Ὀρθοδόξου Διασπορᾶς, σελίδες 141 - 196.

Ἡ μελέτη αὕτη ἐγράφη τὸ ἔτος 1976. Ἡ εἰς τὸ τέλος βιβλιογραφία περιλαμβάνει ἔργα μέχρι τοῦ 1976. Κατὰ τὴν δημασίευσιν της προσετέθησαν δύο δημοσιεύματα τοῦ ἐκδότου Μεθοδίου Φούγια, τοῦ ἔτους 1979 (σ. 193). Ἀπὸ τοῦ 1976 καὶ ἑξῆς ἐπλουτίσθη ἡ ὡς ἄνω βιβλιογραφία καὶ ἀπὸ ἄλλας ἐπὶ τοῦ θέματος μελέτας.

11. T.F. Torrance, World Alliance of Reformed Churches, Official Warc Delegation to the Ecumenical Patriarchate, Istanbul 26 - 30 July, 1979. Memorandum on Orthodox/Reformed Relations, pp. 197 - 205.
Memorandum on Orthodox/Reformed Discussions, pp. 206 - 211.

Ἐδῶ δημοσιεύονται πρωτοτύπως εἰς τὴν ἀγγλικὴν τὰ δύο μνημόνια :

α) Ἐπὶ τῶν Σχέσεων Ὀρθοδόξων - Μετερρυθμισμένων, καὶ

β) Ἐπὶ τῶν Συζητήσεων Ὀρθοδόξων - Μετερρυθμισμένων, τὰ ὁποῖα ἀνεγνώσθησαν κατὰ τὴν ἐπίσημον ἐπίσκεψιν τοῦ παγκοσμίου συνδέσμου μετερρυθμισμένων Ἐκκλησιῶν (ΠΣΜΕ) εἰς τὸ Οἰκουμενικὸν Πατριαρχεῖον, Φανάριον, 26 - 30 Ἰουλίου 1979, καὶ δὴ κατὰ τὴν συνάντησιν μεταξὺ τῶν ἐκπροσώπων αὐτοῦ μετὰ τῶν μελῶν τῆς συνοδικῆς ἐπιτροπῆς ἐπὶ τῶν διαχριστιανικῶν σχέσεων τοῦ Οἰκουμενικοῦ Πατριαρχείου.

Ἀπὸ πλευρᾶς τῆς ὡς ἄνω συνοδικῆς ἐπιτροπῆς ἀνεγνώσθη ἡ εἰσήγησις, ὑπὸ τὸν τίτλον : «Οἰκουμενικὸν Πατριαρχεῖον καὶ ὁ ΠΣΜΕ», προετοιμασθεῖσα ὑπὸ τοῦ γράφοντος.

12. Colin Davey, Metrophanes Kritopoulos (1589 - 1639) and Relations between the Orthodox, Roman Catholic and Reformed Churches, Pioneer for Unity, pp. 212 - 286.

Ὁ ἀγγλικανὸς πρεσβύτερος Colin Davey, εἰδικὸς ἐπὶ τῆς Ὀρθοδόξου Ἐκκλησίας καὶ ἐπὶ τοῦ θεολογικοῦ διαλόγου μεταξὺ Ἀγγλικανῶν καὶ Ὀρθοδόξων, παρουσιάζει ὡς καρπὸν διαλόγου μεταξὺ Ἀγγλικανῶν καὶ Ὀρθοδόξων, ὡς καὶ τὸν καρπὸν τῶν πολυετῶν αὐτοῦ μελετῶν τὴν βιογραφίαν τοῦ Μητροφάνους Κριτο-

πούλου, Πατριάρχου Ἀλεξανδρείας (1589 - 1639). Αὕτη εἶναι μία ἐπιστημονικὴ πραγματεία ἐπὶ τοῦ προσώπου καὶ τοῦ ἔργου τοῦ βιογραφουμένου πατριάρχου, τῆς ἐκκλησιαστικῆς ἱστορίας τῶν χρόνων ἐκείνων καὶ τῶν σχέσεων τῆς Ὀρθοδοξίας πρὸς τὴν ρωμαιοκαθολικὴν καὶ τὰς Ἐκκλησίας τῆς Μεταρρυθμίσεως.

13. Petros Vassiliadis, Did Q Exist? pp. 287 - 328.

Ὁ δρ. Πέτρος Βασιλειάδης, τοῦ Πανεπιστημίου Θεσσαλονίκης, θέτει ὑπὸ συζήτησιν τὴν ὕπαρξιν τῆς οὕτω καλουμένης πηγῆς «Q» τῶν συνοπτικῶν εὐαγγελίων.

14. Ἀποστόλου Ἀθ. Γλαβίνα, Ἐπίσημα Ἔγγραφα περὶ τῆς Ἀναγνωρίσεως τοῦ Αὐτοκεφάλου τῆς ἐν Ἀλβανίᾳ Ὀρθοδόξου Ἐκκλησίας, σελίδες 329 - 367.

Ὁ ὑφηγητὴς τοῦ Πανεπιστημίου Θεσσαλονίκης Ἀπόστολος Ἀθ. Γλαβίνας συνέγραψε τὴν ἐπὶ ὑφηγεσίᾳ διατριβήν :

Τὸ Αὐτοκέφαλον τῆς ἐν Ἀλβανίᾳ Ὀρθοδόξου Ἐκκλησίας ... Ἰωάννινα, 1978. Ἰδὲ ἐκτενῆ βιβλιοκρισίαν ὑπὸ Β. Θ. Σταυρίδου, Κληρονομία 11 (1979) 223 - 230.

Συμπλήρωσιν ταύτης ἀποτελοῦν αἱ ἐργασίαι :

α) ὡς ἄνω, καὶ

β) Ἡ Ὀρθόδοξος Ἐκκλησία τῆς Ἀλβανίας κατὰ τὰ Ἔτη 1937 - 1967, Ἰωάννινα, 1980, ἀνάτυπον ἀπὸ τὸ «Ἠπειρωτικὸ Ἡμερολόγιο», 2 (1980) 133 -160. Βιβλιοκρισία ὑπὸ Β.Θ. Σταυρίδου, ἀνέκδοτος.

Ὁ Γλαβίνας διὰ τούτων καλύπτει ἓν κενὸν καὶ προεξαγγέλλει τὴν συνέχισιν τῶν ἐπὶ τῆς ὀρθοδόξου Ἐκκλησίας τῆς Ἀλβανίας ἐρευνῶν του.

15. J.H.P. Reumann, The Use of Οἰκονομία and Related Terms in Greek Sources to about A.D. 100, σελ. 368 - 430.

Ἡ μελέτη τοῦ ὡς ἄνω καθηγητοῦ τοῦ λουθηρανικοῦ θεολογικοῦ σεμιναρίου τῆς Φιλαδελφείας, ΗΠΑ, «Ἡ Χρῆσις τοῦ Ὅρου «Οἰκονομία» καὶ Ἀναλόγων Ὅρων εἰς τὰς Ἑλληνικὰς Πηγὰς μέχρι καὶ περὶ τὸ 100 μ.Χ.», συνεχίζεται ἀπὸ τὸ περιοδικὸν Ἐκκλησιαστικὸς Φάρος, 61 (1979) 603.

16. T.J. Dennis, St. Gregory of Nyssa' s Defence of the Doctrine of the Resurrection of the Body, pp. 431 - 458.

Ὁ δρ. T. J. Dennis ἀσχολεῖται μὲ τὴν διδασκαλίαν τοῦ Γρηγορίου Νύσσης ἐπὶ τῆς ἀναστάσεως τῶν σωμάτων. Συνέχεια καὶ τέλος ἀπὸ τὸν Ἐκκλησιαστικὸν Φάρον, 61 (1979) 562.

17. Otto F.A. Meinardus, St. Michael's Miracle of Khonae and its Geographic Setting, pp. 459 - 469.

Ὁ δρ. O.F.A. Meinardus θεωρεῖται εἷς ἀπὸ τοὺς ὀλίγους δυτικοὺς θεολόγους, οἱ ὁποῖοι γνωρίζουν καλῶς καὶ παρουσιάζουν κατὰ ἕνα ἐπιστημονικὸν τρόπον τὴν καθ' ἡμᾶς ὀρθόδοξον ἀνατολικὴν Ἐκκλησίαν. Εἰδικῶς ἀσχολεῖται μὲ τὸν ὀρθόδοξον μοναχισμὸν καὶ τὴν ἁγιολογίαν. Ἐδῶ περιγράφει τὴν «Ἀνάμνησιν Θαύματος Ἀρχαγγέλου Μιχαὴλ ἐν Χάναις» τῆς Μικρᾶς Ἀσίας καὶ τὴν τοποθεσίαν ταύτην.

18. Διάλογος τῶν Ἐκκλησιῶν Ρωμαιοκαθολικῆς καὶ Ὀρθοδόξου, Κείμενα Ἀναφερόμενα εἰς τὴν Ἔναρξιν τοῦ Θεολογικοῦ Διαλόγου τῶν Ἐκκλησιῶν Ρωμαιοκαθολικῆς καὶ Ὀρθοδόξου, σελίδες 470 - 496.

Πάτμος - Ρόδος, 29 Μαΐου - 4 Ἰουνίου 1980.

19. Constantinople - Rome, pp. 497 - 502.

Ἐπίσημος ἐπίσκεψις ἀντιπροσωπείας τοῦ Οἰκουμενικοῦ Πατριαρχείου, ὑπὸ τὴν προεδρίαν τοῦ Μητροπολίτου Χαλκηδόνος Μελίτωνος, εἰς τὸ Βατικανὸν τὴν 29ην Ἰουνίου 1980, ἑορτὴν τῶν Ἀποστόλων Πέτρου καὶ Παύλου καὶ τὰ ἀνταλλαγέντα κατ' αὐτὴν κείμενα - προσφωνήσεις.

20. Διπλωματικαὶ Σχέσεις Ἑλλάδος καὶ Βατικανοῦ, σελίδες 503 - 6.

Ὑποβολὴ διαπιστευτηρίων τοῦ Στεφάνου Σταθάτου, πρώτου πρέσβεως τῆς Ἑλλάδος εἰς τὸ Βατικανόν, πρὸς τὸν Πάπαν Ἰωάννην - Παῦλον Β' (12 Ἰουνίου 1980).

21. Μιλητουπόλεας Τιμοθέου, Θεολογικαὶ Συζητήσεις Ὀρθοδόξων καὶ Ἀγγλικανῶν, σελίδες 507 - 512.

Ἡ συνέλευσις τῆς μικτῆς θεολογικῆς ἐπιτροπῆς ἐπὶ τοῦ θεολογικοῦ διαλόγου μεταξὺ Ὀρθοδόξων καὶ Ἀγγλικανῶν, Llandaff, Cardiff, 14 - 21 Ἰουλίου 1980.

22. George Dragas, Nature and Grace According to St. Athanasius, pp. 513 - 554.

Οἱ ὅροι «Φύσις» καὶ «Χάρις» κατὰ τὸν Μ. Ἀθανάσιον.

Βιβλιοκρισίαι, σελίδες 555 - 565.

Νεκρολογίαι, σελίδες 566 - 9.

ε) John Meyendorf, Fr. Georges Florovsky (1893 - 1979), pp. 566 - 8.

b) S.W. Sykes, Geoffrey Lampe (1912 - 1980), pp. 568 - 9.

Χρήστου Γιαννούλα, ἐπιμελείᾳ, Γενικὸν Εὑρετήριον, σελίδες 571 - 595.

Διὰ τὸν τρόπον τοῦ καταρτισμοῦ τοῦ Εὑρετηρίου ὑπὸ τοῦ Χρ. Γιαννούλα εὐρύτερον, ἴδε τοῦ Ἰδίου, ἐπιμελείᾳ,

Ἐκκλησιαστικὸς Φάρος, Ἰδιαίτερον Τεῦχος, 51 (1952/1969) – 60 (1978). Βιβλιοκρισία ὑπὸ Β.Θ. Σταυρίδου, Abba Salama, 10 (1979) 393 - 5.

Εὔχομαι εἰς τὸν ἐκδότην τῆς ἐπετηρίδος ταύτης ἀρχιεπίσκοπον Θυατείρων Μεθόδιον καλὴν ἀρχὴν καὶ τὴν τακτικὴν ἀνὰ πᾶν ἔτος ἐμφάνισιν τοῦ περιοδικοῦ «Ἐκκλησία καὶ Θεολογία». Τὸν εὐχαριστῶ δὲ διὰ τὴν μέχρι τοῦδε πρόφρονα φιλοξενίαν εἰς τὰ ὑπ' ἐκείνου ἐκδιδόμενα περιοδικὰ τῶν ταπεινῶν πονημάτων του.

1 Ὀκτωβρίου 1980.

ΒΑΣΙΛΕΙΟΣ Θ. ΣΤΑΥΡΙΔΗΣ
Καθηγητὴς τῆς Θεολ. Σχολῆς Χάλκης

Α. Γ. ΤΣΟΠΑΝΑΚΗΣ
ΠΑΛΑΙΑ ΣΥΜΜΑΧΙΚΗ ΟΔΟΣ 101
555 35 - ΠΥΛΑΙΑ
ΤΗΛ. 301.791 - ΘΕΣΣΑΛΟΝΙΚΗ

Πυλαία - Θεσ/νίκης 26-4-94

Σεβασμιώτατε Μητροπολίτη Πισιδίας
καί ἀγαπητέ μου κ. Μεθόδιε Φούγια

Σᾶς εὔχομαι καλό Πάσχα καί καλή δύναμη γιά τήν συνέχιση τῆς πάντοτε θαυμαστῆς δραστηριότητάς σας. Σκέφτομαι συχνά τί θά μπορούσατε νά εἴχατε πραγματοποιήσει ἀκόμη μέσα στήν ἀνθρώπινη δραστηριότητα καί τόν ἀνθρώπινο κόσμο, ἄν δαμάζατε πότε πότε τό "θυμοειδές" σας στό "λογιστικόν", χωρίς νά τό ὑποτάσσετε σ' αὐτό.

Ἀλλά, μέ ἀφορμή τόν νέο ἐπιστημονικό τόμο (ΙΓ') τῆς "Ἐκκλησίας καί Θεολογίας" μέ τίς σχεδόν 800 σελίδες καί τήν ἀξιόλογη συγγραφική συνεισφορά σας καί τίς σημαντικές συνεργασίες. Καλό τό Πάσχα — μέ τήν ἐπιστροφή μου ἀπό τήν Ρόδο, ὅπου πηγαίνουμε σήμερα γιά ὀλίγες ἡμέρες — θά διαβάσω καί θά ξεφυλλίσω τό περιεχόμενο.

Σᾶς εὐχαριστῶ πολύ καί σᾶς συγχαίρω εὐχαρίστως

Καλή Ἀνάσταση

Α. Γ. Τσοπανάκης

Ὁ Ἀγαπητός Γ. Τσοπανάκης, μέλος τῆς Ἀκαδημίας Ἀθηνῶν, εἶναι γνωστός στόν Μεθόδιο ἀπό τό ἔτος 1952, στό Μόναχο τῆς Γερμανίας.

Université de Paris 1 - Panthéon Sorbonne
Centre de recherches d'histoire et civilisation byzantines
et du Proche Orient chrétien

Paris, le 29 janvier 1990

Σεβασμιώτατε,

Je vous remercie pour votre invitation à collaborer au dixième volume de *Church and Theology* consacré au Patriarche Photius pour le onze centième anniversaire de sa mort.

Malheureusement, je dois décliner votre invitation: mes fonctions à la tête du Centre Georges-Pompidou ne me permettraient pas de consacrer suffisamment de temps à ce travail. Croyez que je le regrette bien sincèrement.

En vous adressant tous mes voeux de réussite pour ce volume que les byzantinistes liront avec le plus grand intérêt, je vous prie de me croire

Hélène Ahrweiler

Archevêque Methodios de Thyateira
Church and Theology
9, Rue Riga Ferraiou
Khalandri 15232
Athènes, Grèce.

17, rue de la Sorbonne 75231 Paris Cedex 05. *Tél.*: 40 46 28 35.

P.S. Peut-être pourriez-vous jeter un coup d'oeil sur l'article que j'avais publié dans Byzantinische Zeitschrift, 58, 1965 : "La carrière de Photius avant son patriarcat"...

ΒΑΣΙΛΗΣ Δ. ΠΑΠΑΔΟΠΟΥΛΟΣ Α θ ή ν α, 2Ι.8.9Ι

Π ρ ο ς

Το Μητροπολίτη Πισιδίας κ. Μεθόδιο
Ρήγα Φεραίου 9 -Χαλάνδρι

Σ ε β α σ μ ι ώ τ α τ ε.

Πήρα το νέο σας πόνημα "Εκκλησία και Θεολογία" που είναι αφιερωμένο στην προβολή της προσωπικότητας του ιερού Φωτίου Αρχιεπισκόπου και Πατριάρχου Κωνσταντινουπόλεως. Οι αγώνες σας για την Ορθοδοξία και τα πνευματικά της μηνύματα είναι γνωστοί πλέον και πέραν της χώρας μας.

Αποτελεί και αυτό νέα προσπάθεια πολιτιστικής αυτογνωσίας όχι μόνο των Ελλήνων, αλλά και όλων εκείνων που υπηρετούν το όραμα της Ενωμένης Ευρώπης.

Μπορούν τα προοδευτικά και ανθρώπινα αυτά μηνύματα που περιέχονται στο βιβλίο σας να αποτελέσουν ικανά στοιχεία για έναν πολιτισμικό Χάρτη της Ευρώπης, αλλά και ασφαλή οδηγό της ενότητας της Ορθοδοξίας και του Χριστιανισμού, στα πλαίσια ενός ουσιαστικού διαλόγου που οι καιροί επιβάλλουν να αρχίσει αμέσως με στόχο τον ορισμό μιας νέας Οικουμενικής Συνόδου. Η ανθρωπότητα την έχει ανάγκη.

Μετά βαθυτάτου σεβασμού και αγάπης.

ΒΑΣΙΛΗΣ ΠΑΠΑΔΟΠΟΥΛΟΣ
Βουλευτής - Πρόεδρος της Πρωτοβουλίας
Για την Παγκόσμια Ενότητα της Ορθοδοξίας

ΒΥΖΑΝΤΙΝΕΣ ΜΟΡΦΕΣ

Ἕνας πατριάρχης, ἕνας μοναχός, ἕνας βασιλεύς

Ἐκκλησία καί Θεολογία. Ἐκκλησιαστική καί Θεολογική Ἐπετηρίς, Τόμος Ι, Ἀθήνα 1989-1991, σελ. 702, ἐκδίδεται ἀπό τόν Μητροπολίτη Πισιδίας (πρώην Θυατείρων καί Μεγάλης Βρετανίας) Μεθόδιο Φούγια.

Ὁ ὀγκώδης αὐτός τόμος ἀποτελεῖ ἀφιέρωμα στήν κεντρική προσωπικότητα τοῦ ἐνάτου αἰώνα, στόν Μέγα Φώτιο, μέ τήν εὐκαιρία συμπληρώσεως 1100 ἐτῶν ἀπό τό θάνατό του.

Ὁ τόμος περιλαμβάνει μιά σειρά ἀξιόλογων καί ἀρκετά διαφωτιστικῶν μελετῶν, θεολογικοῦ ἀλλά καί ἱστορικοφιλολογικοῦ ἐνδιαφέροντος πού ἐπικεντρώνονται στή μορφή τοῦ Φωτίου, στίς ἀντιλήψεις καί στό πλούσιο ὑπερχρονικό, ὑπερτοπικό καί ὑπερεθνικό ἔργο του.

Τῶν μελετῶν αὐτῶν προηγοῦνται κείμενα σέ μορφή προλόγου γιά τό ἔργο, μεταξύ τῶν ὁποίων καί ἐπευλογία τοῦ μακαρίου Οἰκουμενικοῦ Πατριάρχου Δημητρίου. Ἡ μεγάλη καί σύνθετη εἰσαγωγή πού ἀκολουθεῖ, ἐκτός ἀπό στοιχεῖα βιογραφικά, παρέχει πληροφορίες γιά τό συγγραφικό ἔργο τοῦ Φωτίου, γιά τίς ἀπόψεις του περί Ἑλληνισμοῦ καί ἀνθρωπισμοῦ, γιά τήν πολιτική του, τή θέση του στό Οἰκουμενικό Πατριαρχεῖο, τή στάση του ἔναντι τῆς Ρώμης, ἀλλά καί γιά τήν ἁγιότητά του.

Οἱ μελέτες πού ἀκολουθοῦν (δέκα στά Ἑλληνικά, τρεῖς στά Γερμανικά καί δύο στά Ἀγγλικά), καρπός ἀξιέπαινης προσπάθειας ἀπό ἀνθρώπους τοῦ πνεύματος, κληρικούς καί λαϊκούς, συνθέτουν τήν πολύπλευρη καί χαρισματοῦχο προσωπικότητα τοῦ Ἁγίου Φωτίου. Μεταξύ ἄλλων παρουσιάζεται ἡ θέση του στήν ὑμνογραφία, ἡ συμβολή του στόν ἐκχριστιανισμό τῶν Σλάβων, ἡ διένεξή του μέ τόν Πατριάρχη Ἰγνάτιο, ἡ βιβλική ἑρμηνεία του, ὁ ἴδιος ὡς ἐπίσκοπος καί ὡς ἐπιστολογράφος, ἡ θέση του στήν ἱστορία κ.λπ.

Τόν ἐπιστημονικό χαρακτήρα τοῦ ἔργου ἐπιπλέον καταδεικνύει καί ἡ ὕπαρξη πλήρους βιβλιογραφίας (ἀπό τόν 16ο αἰώνα ἕως τό 1990), πού παρατίθεται κατά χρονική διαδοχή τῶν ἔργων καί κατόπιν κατ' ἀλφαβητική σειρά τῶν ἤδη προαναφερθέντων συγγραφέων μέ ἀναγραφή τοῦ ἔτους συγγραφῆς. Αὐτή ἡ ἐκτεταμένη βιβλιογραφία ὀφείλεται στόν Πρωτοπρεσβύτερο καθηγητή Γεώργιο Δ. Δράγα. Τό ἔργο ὁλοκληρώνεται μέ γενικό εὑρετήριο ὀνομάτων καί σημαντικῶν ὅρων, ἑλληνικῶν καί ξένων.

Μέσα ἀπό τό ἀναμφισβήτητης ἀξίας ἔργο τονίζεται ἰδιαίτερα ἡ προσφορά τοῦ «φωτώνυμου καί φωτολόγου» ἁγίου, τόσο ἡ ἐκκλησιαστική ὅσο καί ἡ ἐθνική. Μορφή διαποτισμένη ἀπό τό οἰκουμενικό καί φιλειρηνικό πνεῦμα τῆς Ὀρθοδοξίας στάθηκε ἀκαταμάχητος πρόμαχός της ἔναντι τῆς Δύσεως, καθώς βασικό στοιχεῖο στή σκέψη καί στή δράση του ἀποτελεῖ ἡ ἱστορική παραδοσιακή συνέχεια τῆς Ἐκκλησίας. Στά χρόνια του ἡ Ἐκκλησία σημείωσε ἔντονη ἐσωτερική καί ἐξωτερική ἱεραποστολική δραστηριότητα (ὁριστική κατάπαυση τῆς Εἰκονομαχίας στό ἐσωτερικό καί διάδοση τοῦ Εὐαγγελικοῦ λόγου σέ Σλάβους, Βούλγαρους, Ρώσους καί Ἄραβες, ἀποκατάσταση τῆς ἑνότητας διηρημένων Ἐκκλησιῶν τῆς Ἀνατολῆς καί προσπάθειες γιά διατήρηση καί ἀποκατάσταση τῆς ἑνότητας μεταξύ παλαιᾶς καί νέας Ρώμης).

Ὡς ἀρχιερέας ὑπῆρξε διορατικός, διαλλακτικός, ἀλλά καί μαχητικός, ὅπου χρειάστηκε, ἐνῶ στίς πολλαπλές δοκιμασίες του (ἀναθεματισμοί, συκοφαντίες, ἐξευτελισμοί, φυλακή, ἐξορία) ἐπέδειξε καρτερία, μακροθυμία καί ταπείνωση.

Στό ἔργο ἐξάλλου τοῦ Μεγάλου Φωτίου διακρίνει κανείς μία σύνθεση Χριστιανισμοῦ καί ἑλληνικῆς κλασσικῆς ἀρχαιότητας, τῆς ὁποίας ὑπῆρξε βαθύς γνώστης. Ἄλλωστε χαρακτηρίζεται ὡς πρόδρομος τοῦ ἑλληνοχριστιανικοῦ ἰδανικοῦ. Ἡ μεγάλη κλασσική καί χριστιανική του μόρφωση διαποτίζει ὁλόκληρο τό ἔργο του. Ὡς συγγραφέας ὑπῆρξε πολυγραφότατος.

Περιοδικό Ἀνάπλασις, Ἀριθ. 342 (1992), σελ. 92.

UNIVERSITY OF MANCHESTER
MANCHESTER 13

23. 2. 68

FROM:
PROFESSOR GÜNTHER ZUNTZ
DR. PHIL., F.B.A.

TELEPHONE:
ARDwick 3333

DEPARTMENT OF HELLENISTIC GREEK

Dear Dr Fouyas,

Thank you very much for sending me a copy of your great work from which I hope to learn very much.

Yours sincerely

G. Zuntz

31. Συνέδριο Ὀρθοδόξων καί Ἀγγλικανῶν στή Γενεύη 1981. Πρόεδρος τῶν Ὀρθοδόξων ὁ Θυατείρων Μεθόδιος. Μέλη ἐπιφανεῖς Ὀρθόδοξοι καί Ἀγγλικανοί Θεολόγοι. Στήν πρώτη σειρά διακρίνεται ὁ ἐπιφανής Ρῶσος Ἀρχιεπίσκοπος Βρυξελλῶν Βασίλειος καί ὄπισθεν τοῦ Καισαρείας Βασιλείου ὁ μεγάλος Καθηγητής τῆς Δογματικῆς Θεολογίας Ρουμάνος Νικόλαος Τσιτέσκου.

ΑΔΕΛΦΟΤΗΣ ΘΕΟΛΟΓΩΝ
"Ο ΣΩΤΗΡ"
ὁδὸς Ἰσαύρων 42
ΑΘΗΝΑΙ (706)
Τηλ. 622-108

Ἐν Ἀθήναις τῇ 8ῃ Αὐγούστου 1981

Σεβασμιώτατον
Μητροπολίτην Πισιδίας
Κύριον κ. Μεθόδιον
ΧΑΛΑΝΔΡΙΟΝ

Σεβασμιώτατε,

Μετ᾽εὐγνωμοσύνης ἐδέχθην τὰς εὐχὰς τῆς Ὑμετέρας Σεβασμιότητος, μετὰ τοῦ ὀγκώδους Τόμου τῆς σειρᾶς "Ἐκκλησία καὶ Θεολογία", τοῦ ἀφιερωμένου εἰς τὴν μεγάλην μορφὴν τοῦ ἱεροῦ Φωτίου, τὸν ὁποῖον εἴχετε τὴν εὐγενῆ καλωσύνην νὰ μοῦ ἀποστείλετε.

Ὄντως μνημειώδης εἶναι ὁ Τόμος οὗτος, ὁ τῇ Ὑμετέρᾳ ἐμπνεύσει συγγραφεὶς ὑπὸ τῆς Σεβασμιότητος Ὑμῶν καὶ ἑτέρων ἀξιολόγων ἐρευνητῶν. Τυγχάνει δὲ καὶ ἐπίκαιρος ἡ ἔκδοσίς του, ἀφοῦ εἰς τοὺς καιροὺς μας, ἕνεκα τῶν διαλόγων μετὰ τῶν παπικῶν, τὸ ἔργον καὶ ἡ προσωπικότης τοῦ Μ. Φωτίου χαράσσουν τὴν ὀρθὴν γραμμὴν πλεύσεως διὰ τοὺς Ὀρθοδόξους.

Εὐχαριστῶν καὶ αὖθις διὰ τὴν πρόφρονα ἀποστολὴν τοῦ Τόμου, ἐκζητῶ τὰς εὐχὰς τῆς Ὑμετέρας Σεβασμιότητος καὶ ἀσπάζομαι τὴν δεξιὰν Αὐτῆς

μετὰ βαθυτάτου σεβασμοῦ

Ἀρχιμ. Λεωνίδας Διαμαντόπουλος

Westfälische Wilhelms-Universität
Fachbereich Katholische Theologie
Katholisch-Ökumenisches Institut
Abt. II, Östliche Kirchen
Dr. Thomas Bremer

44 Münster, den February 26th, 1991
Bogenstraße 6

Herrn
Dr. Methodios Fouyas
9, Riga Ferraiou Str.
GR - 152 32 Khalandri
Griechenland

Your Eminence,

Thank you very much for your kind letter from February 15th. We are very interested in the books and journals you offer for subscription. However, when I checked our library, I had to notice that we did not receive any of your publications so far. We have the first volume (1980) of Ekklesia kai Theologia, which we have bought (from a Greek bookseller) in 1981. By reasons, which are not known to me (I did not work in this institute, then), there were never achieved other volumes although these themes are very important for our library. As it would not be very reasonable to buy volume X while the vols II - IX are missing, I would kindly ask you to inform us which possibilities exist for us to complete our library. The same question arises concerning the Texts and Studies volume VII. We do not have any of the prior volumes.
The book "Greeks and Latins" we order herewith and ask you to send it to us.
Looking ahead to hear from you, I remain
Yours in Christ

Th. Bremer

(Dr. Thomas Bremer)

Νέα Πεντέλη, 26η 'Απριλίου 1994.

Σεβασμιώτατε,

Θερμότατα εὐχαριστοῦμε, ἡ σύζυγός μου καί ἐγώ, γιά τήν φιλόφρονα προσφορά τοῦ ὄντως ὡραίου βιβλίου σας πε- τοῦ " Ἑλληνικοῦ ὑποβάθρου τοῦ Χριστιανισμοῦ ", ὡς καί τοῦ ΙΒ΄τόμου τῆς 'Επετηρίδος "'Εκκλησία καί Θεολογία".

Τό πρῶτο ἀπό τά βιβλία σας αὐτά εἶναι κατ'ἐξοχήν ἐπίκαιρο κατά τούς σημερινούς τόσον χαλεπούς διά τό Γένος μας καιρούς. Ὅταν περισσεύει ἡ ἐνορχηστρωμένη, σατανικῶς κατευθυνομένη, πανταχόθεν εἰς βάρος αὐτῆς τῆς ἐθνικῆς μας ἀκεραιότητος ἐπιβουλή. Τό βιβλίο σας προσφέρει ἀκριβῶς μέ τήν λαμπρή τεκμηρίωσί του μιά ἀπό τίς ἰσχυρότερες ἐπάλξεις γιά τήν ἄμυνα τοῦ Ἑλληνισμοῦ. Ὄχι τόσο γιά νά πείσει τούς ξένους. Αὐτοί στήν μεγάλη πλειοψηφία τους γνωρίζουν τήν ἀλήθεια. Ἁπλῶς τήν κακοποιοῦν ἀδιστάκτως εἰς τόν βωμόν τῶν ἰδίων των ἀνόμων ἐπιδιώξεων καί συμφερόντων. Ἔτσι τό βιβλίο σας ἀναδεικνύεται ἰδιαιτέρως χρήσιμο κυρίως πρός ἐμπλουτισμό τῆς ἰδικῆς μας ἐθνικῆς αὐτογνωσίας. Ἡ ὁποία καί ἐμφανίζει δυστυχῶς ἔλλειμμα τεράστιο ἐξ αἰτίας τῆς δογματικῆς τυφλότητος τῶν πνευματικῶν μας ταγῶν, οἱ ὁποῖοι, στήν συντριπτική τους πλειονοψηφία, εἶναι ἄξιοι τοῦ τίτλου τῶν πνευματικῶν ἀρουραίων μόνον !... Μόνον δέ ἡ ἀκεραίωσις τῆς ἐθνικῆς μας αὐτοσυνειδησίας θά μᾶς θωρακίσει, ὥστε ἀποτελεσματικῶς νά ἀντιμετωπίζουμε κάθε ἐπιβουλή...

'Ιδιαιτέρως χρήσιμος καί ὁ νέος τόμος τῆς "'Εκκλησίας καί Θεολογίας". Ὅσο ὀδυνηρές καί ἄν εἶναι οἱ σελίδες μέ τά λυπηρά γεγονότα ἀπό τήν ζωή τῆς 'Εκκλησίας τῆς 'Αλεξανδρείας. Διότι πάντοτε ἡ ἀλήθεια εἶναι ἱκανῶς προτιμωτέρα...

Ἔχετε ὅλες μας τίς εὐχές διά τάς Ἁγίας ἡμέρας τοῦ Πάσχα. Καί κάθε ἀπό Θεοῦ δύναμι πρός συνέχισι τοῦ πνευματικοῦ σας ἔργου εἶναι ἡ εὐχή ὅλων, ὅσων ἔτυχε νά γνωρίσουν τήν ἤδη πολυτίμητη προσφορά σας.

Μέ φιλικούς χαιρετισμούς

Χρῆστος Σαρτζετάκης
τ. πρόεδρος τῆς Δημοκρατίας.

† Ο ΠΗΛΟΥCΙΟΥ ΒΑΡΝΑΒΑC

ΓΕΝΙΚΟC ΠΑΤΡΙΑΡΧΙΚΟC ΕΠΙΤΡΟΠΟC

Πρὸς

τὸν Σεβασμιώτατον Μητρ. Θυατείρων κ. Μεθόδιον

εἰς Ἀθήνας.

Ἀλεξάνδρεια 10-10-1991

Ἀγαπητέ ἐν Χριστῷ ἀδελφέ,

Εὐχαριστῶ λίαν διὰ τὸν ἀποσταλέντα μοι τόμον Ι 1989-1991 ΕΚΚΛΗΣΙΑ ΚΑΙ ΘΕΟΛΟΓΙΑ.

Καὶ πάλιν συγχαίρω διὰ τὰς πολυτίμους ἐκδόσεις τῶν συγγραμμάτων Σας καὶ εὔχομαι ὅπως ὁ Θεὸς ἐνισχύῃ πάντοτε τὸ ἔργον Σας.

Μετ' ἀδελφικῶν ἀσπασμῶν καὶ τῆς ἐν Κυρίῳ ἀγάπης

† ὁ Πηλουσίου Βαρνάβας

ΕΚΚΛΗΣΙΑ ΚΑΙ ΘΕΟΛΟΓΙΑ

Ἐκκλησιαστικὴ καὶ Θεολογικὴ Ἐπετηρὶς

ΤΟΜΟΣ Ι΄ (1989 - 1991): ΑΓΙΟΣ ΦΩΤΙΟΣ Ο ΜΕΓΑΣ

Μετὰ ἀπὸ τὴν βιβλιοκριτικὴν παρουσίασιν τοῦ σπουδαίου συγγράμματος «Ἕλληνες καὶ Λατῖνοι» τοῦ Σεβασμιωτάτου Μητροπολίτου Πισιδίας κ. Μεθοδίου, τὴν ὁποίαν ἐδημοσιεύσαμεν πρὸ καιροῦ εἰς τὸν «Ο.Τ.», πάλιν τώρα εὑρισκόμεθα εἰς τὴν εὐχάριστον θέσιν νὰ παρουσιάσωμεν, ἐν μεγίστῃ συντομίᾳ, τὸ ἐν συνεχείᾳ νέον συγγραφικὸν καὶ ἐκδοτικὸν ἐπίτευγμα τοῦ ἰδίου.

Πρόκειται περὶ τοῦ 10ου τόμου τῆς ἐκκλησιαστικῆς καὶ θεολογικῆς ἐπετηρίδος «ΕΚΚΛΗΣΙΑ ΚΑΙ ΘΕΟΛΟΓΙΑ», ἡ ὁποία ἐκδίδεται ὑπὸ τοῦ Σεβ. Μητροπολίτου Πισιδίας κ. Μεθοδίου Φούγια. Ἡ προσφορὰ τῆς ἐπετηρίδος αὐτῆς εἰς τὴν θεολογικὴν ἐπιστήμην εἶναι μεγάλη.

Ὁ ὀγκώδης αὐτὸς τόμος ἐξ 702 σελίδων εἶναι ἀφιερωμένος ὁλόκληρος εἰς τὸν ἅγιον Φώτιον τὸν Μέγαν, ἐπὶ τῇ συμπληρώσει 1100 ἐτῶν, κατὰ τὸ ἔτος 1991, ἀπὸ τῆς ἐν Κυρίῳ κοιμήσεως αὐτοῦ. Τὸ γεγονὸς τοῦτο εἶναι μία ἔμπρακτος συμμετοχὴ εἰς τὸν ἑορτασμὸν αὐτόν, ὁ ὁποῖος, δυστυχῶς, ἐπέρασε σχεδὸν ἀπαρατήρητος, ἀφοῦ δὲν γνωρίζομεν νὰ ἔχῃ γίνει κάποια εἰδικὴ καὶ ἐπίσημος σχετικὴ ἐκδήλωσις, ἐκτὸς ἀπὸ τὴν ἡμέραν τῆς μνήμης τοῦ ἁγίου Πατρός, 6 Φεβρουαρίου, εἰς τὴν ἱερὰν Μονὴν Πεντέλης, ἡ ὁποία ὅμως εἶναι τακτή, ἐπαναλαμβανομένη κατ' ἔτος. Ὡς ἐκ τούτου ἡ ἔκδοσις τοῦ ἐν λόγῳ τόμου ἔχει μεγάλην ἐπικαιρότητα καὶ ὁ πολυγραφώτατος Σεβασμιώτατος, διδάκτωρ τῆς Θεολογίας καὶ Φιλοσοφίας, τιμᾶται πολὺ ἀπὸ τὴν ἐπαινετὴν αὐτὴν πρωτοβουλίαν του.

Τὰ περιεχόμενα τοῦ πανηγυρικοῦ αὐτοῦ τόμου εἶναι ἀξιόλογα. Τὸ πατριαρχικὸν Γράμμα πρὸς τὸν Σεβασμιώτατον ἐκδότην τοῦ ἀοιδίμου Οἰκουμενικοῦ Πατριάρχου Δημητρίου δὲν εἶναι τυπικόν, ἀλλὰ πολὺ οὐσιαστικόν, ἀναφερόμενον μὲ πυκνὰς χαρακτηριστικὰς ἐννοίας εἰς τὴν ἁγίαν προσωπικότητα καὶ τὸ πολυσχιδὲς ἔργον τοῦ μεγάλου Πατριάρχου ἁγίου Φωτίου. Ὁ καθηγητὴς THOMAS F. TORRANCE, μέλος τῆς Βρεταννικῆς Ἀκαδημίας, χαιρετίζει ἐνθουσιωδῶς τὴν ἔκδοσιν αὐτὴν μὲ θερμὸν μήνυμά του πρὸς τὸν ἐκδότην ἅγιον Πισιδίας. Ἐπίσης ὁ ὁμότιμος Καθηγητὴς τῆς Θεολογικῆς Σχολῆς τοῦ Πανεπιστημίου Ἀθηνῶν κ. Εὐάγγελος Δ. Θεοδώρου μὲ ἐπιστολήν του πρὸς τὸν ἐκδότην διαπραγματεύεται, συνοπτικῶς, τὸ θέμα: «Ὁ Μέγας Φώτιος ὡς φορεὺς τῆς ἰδέας τῆς παγχριστιανικῆς καὶ πανευρωπαϊκῆς ἑνότητος». Παρατίθεται δὲ καὶ κείμενον τοῦ Πάπα Ἰωάννου Η΄ περὶ τοῦ Μ. Φωτίου.

Ἡ περισπούδαστος ἐξ 126 σελίδων ἱστορικογραμματολογικὴ εἰσαγωγὴ εἰς τὸν Μέγαν Φώτιον τοῦ Σεβ. Πισιδίας κ. Μεθοδίου, μετ' ἀλφαβητικοῦ πίνακος γενικῆς βιβλιογραφίας, εἶναι μία ἀκόμη μεγάλη συμβολή του εἰς τὸ ἐρευνητικὸν ἔργον περὶ τοῦ μεγάλου τούτου ἁγίου Πατρὸς τῆς Ἐκκλησίας μας.

Ὁ κορμὸς τοῦ παρουσιαζομένου τόμου ἐδημιουργήθη ἀπὸ 15 ἐξαιρετικὰς μελέτας, περὶ τοῦ ἁγίου Φωτίου καὶ τοῦ ἔργου του, ἰσαρίθμων διακεκριμένων ἐπιστημόνων, Ἑλλήνων καὶ ξένων.

Ὁ θησαυριστικὸς αὐτὸς τόμος τελειώνει: α΄) μὲ τὴν μεθοδικωτέραν καὶ πληρεστέραν, διεθνῶς, ἐξ 116 σελίδων σχετικῆς βιβλιογραφίας, κατὰ χρονολογικὴν σειρὰν ἀπὸ τὸ ἔτος 1561 ἕως τὸ ἔτος 1990, τοῦ Πρωτοπρεσβυτέρου Γεωργίου Δράγα, Καθηγητοῦ τοῦ Πανεπιστημίου Ντάραμ (DURHAM) τῆς Ἀγγλίας, β΄) μὲ ἀλφαβητικὸν πίνακα συγγραφέων καὶ γ΄) μὲ γενικὸν ἀλφαβητικὸν εὑρετήριον ὑπὸ Χρήστου Ε. Γιαννούλα, φιλολόγου.

Συγχαίροντες τὸν Σεβασμιώτατον Μητροπολίτην Πισιδίας κ. Μεθόδιον (Ἀρχιεπίσκοπον πρ. Θυατείρων καὶ Μ. Βρεταννίας), εὐχόμεθα νὰ μακροημερεύῃ μὲ ὑγείαν κατ' ἄμφω, νὰ τὸν βοηθήσῃ ὁ Θεὸς νὰ ἐκδώσῃ καὶ τὰ ἄλλα ἔργα του, τὰ ὁποῖα ἑτοιμάζει καὶ ἡ Μήτηρ Ἐκκλησία τοῦ Οἰκουμενικοῦ Θρόνου νὰ τὸν χρησιμοποιήσῃ ἀποδοτικώτερον διὰ τὰς ποιμαντικὰς ἀνάγκας.

Ὀρθόδοξος Τύπος, 20 Δεκ. 1991

With best wishes
for Christmas
and the New Year

from

Dr. Homer S. Habibis

4, Porchester Terrace,
London, W2 3TL

Sold to support The National Gallery

Ὁ ἀείμνηστος τώρα Ὅμηρος Χαπίπης ὑπῆρξε μεγάλη προσωπικότητα τοῦ Ἀποδήμου Κυπριακοῦ Ἑλληνισμοῦ. Σπουδαῖος γιατρός διετέλεσε Πρόεδρος τῆς Ἑλληνικῆς Κυπριακῆς Ἀδελφότητος ἐπί πολλά χρόνια καί Πρόεδρος τῆς Παγκοσμίου Κυπριακῆς Ὁμοσπονδίας.

16 Avenue Road
London NW8 6BP

13 Σεπτεμβρίου 1991.

Σεβασμιώτατον Αρχιεπίσκοπον,
Μητροπολίτην Μεθόδιον,
Εις Χαλάνδρι.

Σεβασμιώτατε Ἀρχιεπίσκοπέ μας

Η Ευγενία κι΄εγώ, περιερχόμεθα, μ΄ ευγνωμοσύνη και με θαυμασμό προς τη διάνοια που Σας εδώρησε ο Δημιουργός, το νέο Βιβλίο Σας.

Ο ένατος Τόμος της Εκκλησίας και Θεολογίας του 1989 με 1991 που κοσμείται εκτός των άλλων και με τα περί του Μέγα Αγίου Πατριάρχου Φωτίου Κωνσταντινουπόλεως, τα οποία Εσείς ιεραποστολικώς διαδίδετε, πάσι τοις έθνεσι, Σας κάμνει, για πολλοστή φορά άξιο του δικού Σας επισκοπικού Αξιώματος!

Είθε να είσθε γερός και δυνατός, πάντα, μ΄όλη την οικογένειά Σας.

΄Εχετε μόνιμα τη μεγάλη στοργή μας

Ἀσπάζομαι τὴ δεξιά Σας
μὲ βαθὺ σέβας
Διαμαντής

Ὁ κ. Διαμαντῆς Πατέρας εἶναι μέλος τοῦ St. Nicholas Trust καί Πρόεδρος τοῦ Συμβουλίου τῆς Ἑλληνικῆς Κοινότητος τοῦ Ἁγ. Νικολάου Λονδίνου.

DUMBARTON OAKS

WASHINGTON, D.C. 20007

Byzantine Library

(202) 342-3240

August 7, 1991

Archbishop Methodios
9, Riga Ferraiou Str.
Khalandri, 152 32 Athens
GREECE

Dear Archbishop Methodios:

Thank you very much for sending us Ekklesia kai Theologia, 1989/91. We appreciate your gift to our Library.

With best wishes,

Sincerely yours,

Irene Vaslef

Dr. Irene Vaslef
Librarian

1703 32nd Street, N.W. • Washington, D.C. 20007 • Cable: HARDOAKS, Washington, D.C.

Il Cardinale Arcivescovo di Bologna

Eccellenza Reverendissima,

Le esprimo viva gratitudine per avermi voluto cortesemente inviare il volume:CHURCH AND THOLOGY.

Gradisca il mio cordiale deferente saluto.

Bologna,10 settembre 1991.

+ Giacomo Biffi
Cardinale Arcivescovo

Sua Ecc.za Rev.ma
Archbishop Methodios
9.Riga Ferraiou Str.
KHALANDRI, 152 32 ATHENS
GREECE

The Most Reverend
Archbishop
Dr. Methodios Fouyas
9, Riga Ferraiou Str.,
GR-152 32 Khalandri
Greece

BLACKWELL'S
Beaver House, Hythe Bridge Street
Oxford England OX1 2ET

Telephone (0865) 792792
Telex 83118 *Telegrams* Books Oxford Telex
Fax (0865) 791438

Your reference *Please quote in your reply:* BH/NEBS/OPD/TMO 7.3.91

Dear Lord Archbishop,

Thank you for your letter of 15th of February 1991 which has come to my attention. I fully understand the reasons for your wanting to charge fixed prices in future and have made a note of the details given. May I however, ask you to confirm, that the price of $ US 200.00 for vol.X of Ecclesia and Theology is correct? This is an enormous jump from the last volume supplied and we would like to be absolutely sure of the correctness of the price, in case our customers are going to query it.

I would also like to confirm our standing orders with you.

ECCLESIA and THEOLOGY: Our order number ZA/25743 for 2 copies refers We need 2 copies of vol.X, but also 2 copies of vol.IX which we have never received.

TEXTS AND STUDIES: Our order ZA/35505 for 1 copy refers. We nees 1 copy of vol.8 , but also one copy of vol.7, which was never receiv

Please can you send us these volumes as soon as possible together with your invoice. Thank you very much for your help.

Yours faithfully

Traude Molloy
Traude Molloy
Standing Orders
Series Acquisition

B. H. Blackwell Ltd. *Registered Office:* 50 Broad Street, Oxford. *Registered No.* 165100 England

INSTITUUT VOOR OOSTERS CHRISTENDOM

Instituut voor Oosters
Christendom
Erasmusplein 1
6525 HT Nijmegen
Telefoon 080 - 615603
Bank: Credit Lyonnais
Rekeningnr. 64.45.62.811
Gironr. van de bank 17.75.387

- Πρός τόν Σεβασμιώτατον
Μητροπολίτη κ. Μεθόδιο

Betreft: Nijmegen, 10η τοῦ Σεπτ. 1991

Σεβασμιώτατε,

Σᾶς εὐχαριστοῦμε πάρα πολύ γιά τόν ὡραίο τόμο ι' (1989-1991) "Ἐκκλησία καί Θεολογία" πού μᾶς στείλατε.
Ἐπίσης θά θέλαμε νά σᾶς πληροφορήσουμε γιά μιά ἀλλαγή ὀνόματος καί διευθύνσεως πού ἔγινε πρόσ-φατα σέ μᾶς.
Σᾶς εὔχομαι ὅλα τά καλά.

Μετά ἐκτιμήσεως,

Dr. Basilius Groen,
διευθυντής

SYRIAN PATRIARCHATE
OF ANTIOCH AND ALL THE EAST
DAMASCUS - SYRIA

By the Grace of God

No.E274/91.

Sept.23,1991

His Grace Archbishop Methodios
9 Riga Ferraiou St.
Khalandri, 152 32
Athens, Greece

Your Grace,

We are in receipt of the book "Church and Theology, an Ecclesiastical and Theological Review" edited by you. We thank you for sending the same to us. We congratulate you for compiling and editing such a big and comprehensive volume which is also useful to the teachers and students of Theology. May God the Almighty grant you strength and wisdom to write and edit more such works for the benefit of the Church and its mission.

May the peace of our Lord be with you.

With all best wishes, yours in Christ,

Ignatius Zakka I Iwas
Patriarch of Antioch and all the East
Supreme head of the Universal Syrian
Orthodox Church

ΑΠΟΣΤΟΛΟΣ ΧΡ. ΚΑΚΛΑΜΑΝΗΣ
ΔΙΚΗΓΟΡΟΣ - τ. ΥΠΟΥΡΓΟΣ
ΒΟΥΛΕΥΤΗΣ Β' ΠΕΡ. ΑΘΗΝΩΝ
ΣΟΛΩΜΟΥ 58 & ΠΑΤΗΣΙΩΝ
ΤΗΛ. 360 8640 - 360 3405
ΑΘΗΝΑ - Τ.Κ. 106 82

Αθήνα, 13 Αυγούστου 1991

Σεβασμιώτατο Μητροπολίτη Πισιδίας
Κύριο Μεθόδιο Φούγια
Ρήγα Φεραίου 9
Χ Α Ν Α Ν Δ Ρ Ι

Σεβασμιώτατε,

Σας ευχαριστώ θερμά για την ευγενική αποστολή του πρώτου τόμου του περισπούδαστου και λίαν επωφελούς έργου σας " Εκκλησία και θεολογία" και σας εύχομαι υγεία και δύναμη για τη συνέχιση και ολοκλήρωσή του.

Απόστολος Χρ.Κακλαμάνης

Andrea-Maria Cardinal Deskur

Presidente Emerito del Pontificio Consiglio delle Comunicazioni Sociali

remercie de tout coeur Son Eminence le Métropolite Methodios pour son magnifique ouvrage "The Ecclesiastical Diversification of the Greeks and the Latins from the time of St. Photius to the Council of Florence".

00120 Città del Vaticano 22 juillet 1991

+ Ο ΑΡΧΙΕΠΙΣΚΟΠΟΣ ΚΥΠΡΟΥ
ΧΡΥΣΟΣΤΟΜΟΣ

Τῷ Σεβασμιωτάτῳ Μητροπολίτῃ Πισιδίας, ἀγαπητῷ ἀδελφῷ, κυρίῳ Μεθοδίῳ, ἀσπασμόν ἅγιον ἐν Χριστῷ.

Μετά πολλῆς χαρᾶς ἐλάβομεν καί τόν 11ον τόμον (1992) τῆς ὑπό τῆς Ὑμετέρας λίαν ἀγαπητῆς Σεβασμιότητος ἐκδιδομένης κατ' ἔτος Ἐκκλησιαστικῆς καί Θεολογικῆς Ἐπετηρίδος ὑπό τόν τίτλον "Ἐκκλησία καί Θεολογία".

Εὐχαριστοῦντες θερμῶς τῇ Ὑμετέρᾳ φίλῃ Σεβασμιότητι διά τήν πρόφρονα ἀποστολήν, συγχαίρομεν Αὐτῇ ἀπό καρδίας διά τήν ἔκδοσιν τοῦ τόμου, περιέχοντος καί τούτου, ὡς καί ὁ προηγούμενος, ἀξιολόγους πραγματείας, ἀναφερομένας κατά τό πλεῖστον εἰς τόν Μέγαν Φώτιον ἐπί τῇ συμπληρώσει 100ετίας ἀπό τοῦ θανάτου αὐτοῦ.

Ὁλοψύχως δ' εὐχόμενοι τῇ Ὑμετέρᾳ Σεβασμιότητι ὑγίειαν, μακροημέρευσιν καί πλουσίαν τήν παρά Θεοῦ ἐνίσχυσιν πρός ἀπρόσκοπτον καί ἐπιτυχῆ συνέχισιν τῶν ὡραίων, περισπουδάστων καί ὠφελίμων ἐκδόσεων Αὐτῆς, ἀπονέμομεν Αὐτῇ καί αὖθις τόν ἐν Χριστῷ ἀδελφικόν ἡμῶν ἀσπασμόν.

Μετά πολλῆς τῆς ἐν Κυρίῳ ἀγάπης

ὁ Κύπρου Χρυσόστομος

Ἐν τῇ Ἱ. Ἀρχιεπισκοπῇ Κύπρου,
τῇ 22ᾳ Φεβρουαρίου 1993.

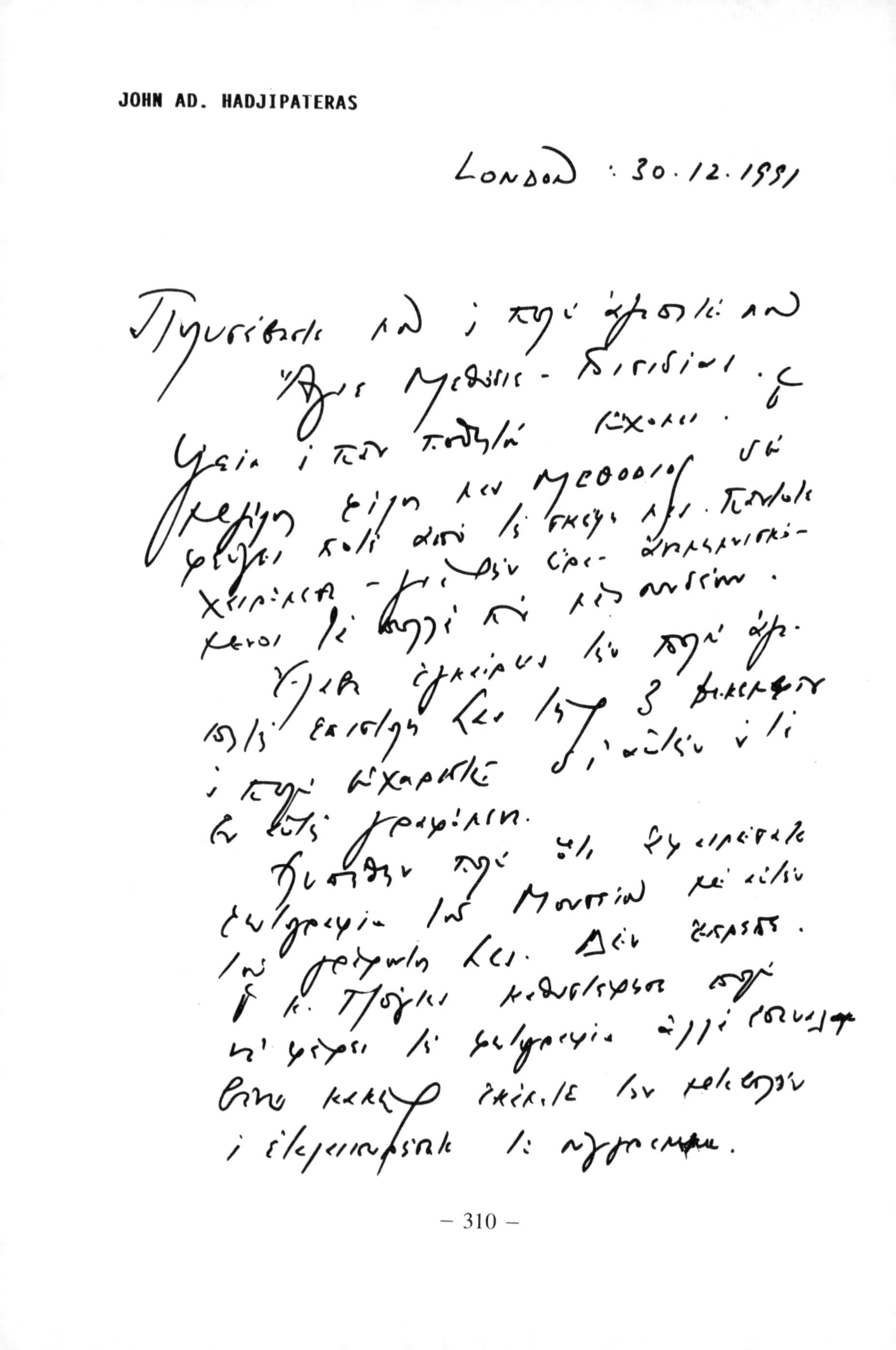

JOHN AD. HADJIPATERAS

LONDON : 30.12.1991

[illegible]

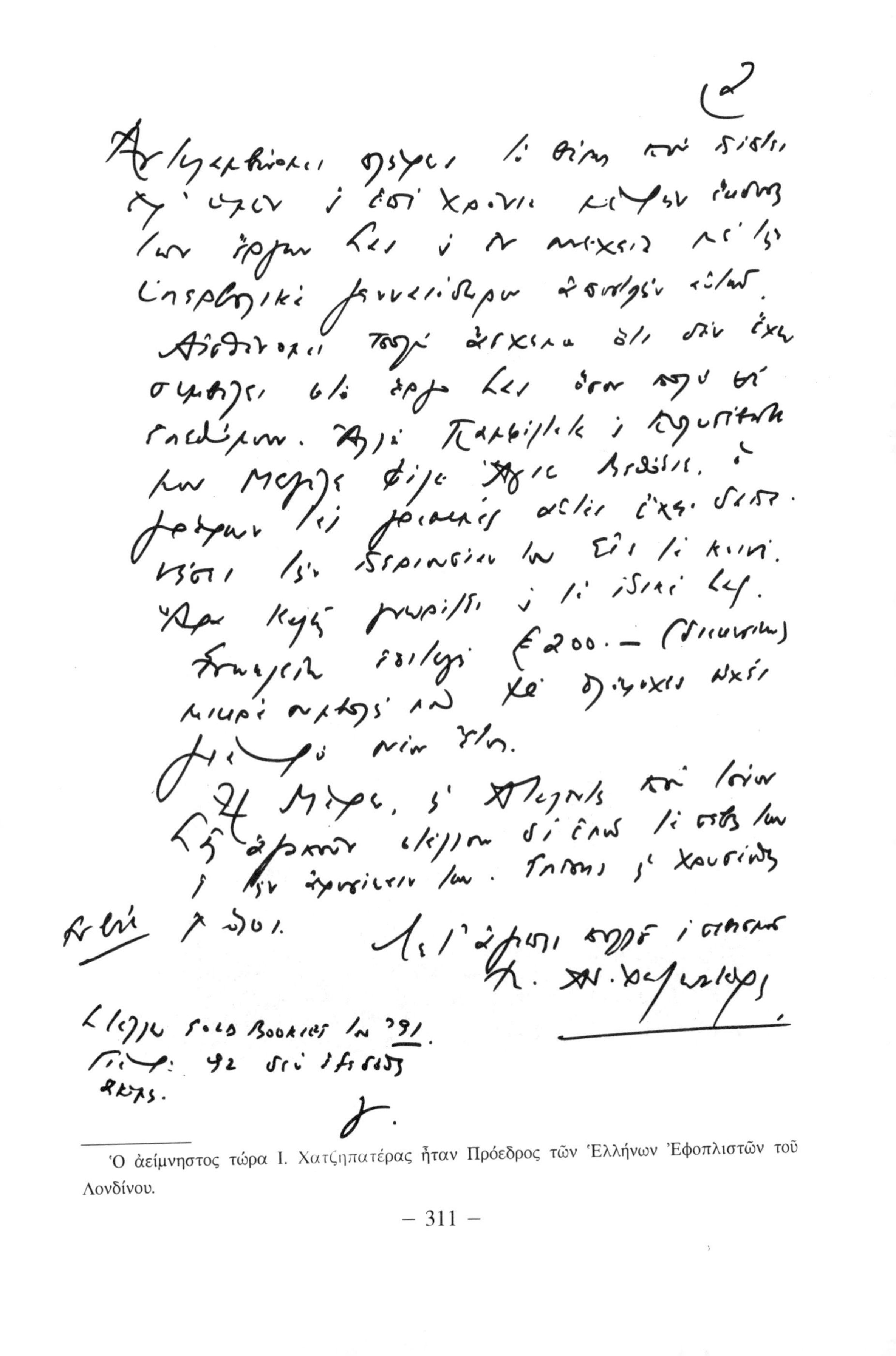

Ὁ ἀείμνηστος τώρα Ι. Χατζηπατέρας ἦταν Πρόεδρος τῶν Ἑλλήνων Ἐφοπλιστῶν τοῦ Λονδίνου.

16 CLARENCE DRIVE
ENGLEFIELD GREEN
EGHAM, SURREY
TW20 0NL
Tel. EGHAM (0784) 33134

PROFESSOR J. M. HUSSEY

16 November 1991

Dear Archbishop Methodios,

How very good of you to send me the fine volume of Ecclesia kai Theolgia dedicated to celebrating the Photian year.

It is a splendid tribute to the memory of the great Patriarch - a grand collection of scholarly papers which I have read with interest and profit. Scholars do indeed owe a debt to the editor. Thank you very much.

I hope that all goes well with you now and I send you my best wishes.

With kindest regards
Yours sincerely
Joan Hussey

32. Πανορθόδοξος προσυνοδική διάσκεψη στή Γενεύη. Τρίτος ἀπό ἀριστερά ὄρθιος ὁ σημερινός Οἰκουμενικός Πατριάρχης Βαρθολομαῖος. Δεξιά στόν Ἀξώμης Μεθόδιο κάθεται ὁ μακαριστός Μητροπολίτης Λένινγκρατ Νικόδημος. Δεξιά πρῶτος ἀπό τούς ὄρθιους ὁ καθηγητής Ἰωάννης Καρμίρης.

ARCHBISHOP'S HOUSE,

WESTMINSTER, LONDON, SW1P 1QJ

18 July, 1991

Dear Archbishop,

It was so good to be in contact with you through the book which you have so kindly sent to me. I did appreciate it very much.

I do hope that you are managing to keep well. I am so sad that we are unable to meet from time to time.

With kindest regards.

Yours sincerely,

Basil Hume

Archbishop of Westminster

Most Reverend
Archbishop Methodius,
9, Riga Ferraiou Str.,
GR-152 32 Khalandri,
GREECE.

Εἶναι ὁ προσφιλής στόν γράφοντα Καρδινάλιος George Basil Hume, ὁ ὁποῖος παρέστη καί στήν ἐνθρόνιση αὐτοῦ ὡς Ἀρχιεπισκόπου Θυατείρων.

16 CLARENCE DRIVE
ENGLEFIELD GREEN
EGHAM, SURREY
TW20 0NL
Tel. EGHAM (0784) 33134

PROFESSOR J. M. HUSSEY

6 April 1991

Dear Archbishop Methodius,

I should like to thank you most warmly for the gift of your splendid book which reached me last week. It was most generous of you & I am very grateful & look forward to using it.

Meanwhile I am venturing to send you a copy of my last book which is on the medieval Orthodox Church, though I am sure that it contains nothing not already known to you. It is coming by separate post. With every good wish & again very many thanks

Yours sincerely

Joan Hussey

Εἶναι ἡ παγκοσμίου φήμης Καθηγήτρια Joan Hussey. Τήν εἴδαμε καί σέ προηγούμενη ἐπιστολή της.

HENRICUS CARD. GULBINOWICZ
Archiepiscopus Metropolita Wratislaviensis

50-328 Wrocław
ul. Katedralna 11, tel. 22 50 83

Wratislaviae, die 20.VIII.1991 a.

His Excellence,

I received your appreciated present of a book. I thank you very much for it. I remain your brother in Christ and i'll remenber you in my prayers.

+ Henricus Card. Gulbinowicz

+ Henricus Cardinalis Gulbinowicz
Archiepiscopus Metropolita Wratislaviensis

Archbishop Methodios

9, RIGA FERRAIOU STR.
Khalandri, 152 32 ATHENS

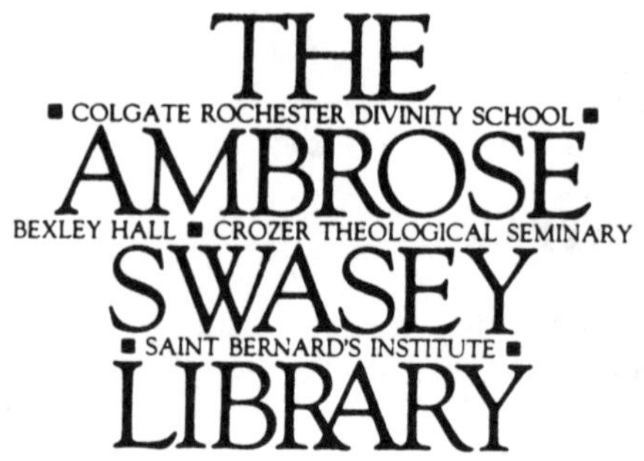

September 16, 1991

Archbishop Methodios
9 Riga Ferraiou St.
Khalandri, 152 32
Athens, Greece

Dear Sir:

We receive your publication EKKLESIA KAI THEOLOGIA as a generous gift; however, we did not receive volume 9 (1988). Would it still be possible for us to obtain this volume?

I look forward to your reply. Thank you for your time.

Sincerely,

Luanne Brando

Luanne Brando
Serials Coordinator

1100 SOUTH GOODMAN STREET ■ ROCHESTER, NEW YORK 14620-2592 ■ 716 · 271-1320

IL PATRIARCA DI VENEZIA

Venezia, 8 ottobre 1991

Illustrissimo Signore,

ho ricevuto il volume EKKLESIA kai THEOLOGIA, che Lei mi ha gentilmnete inviato, e l'ho molto gradito.

Mentre La ringrazio, mi è cara l'occasione per porgerLe il mio deferente saluto.

Illustrissimo Signore
Dott.METHODIOS FOUYAS
9 Riga Ferraiou Str.
Khalandri, 152 32
ATHENS, Grecia.

Der Erzbischof von Köln

D-5000 Köln 1, den
Kardinal-Frings-Straße 10 11.09.1991

Hochwürdigsten Herrn
Erzbischof Dr. Methodios Fouyas
9, Riga Ferraiou Str. Khalandri

GR-152 32 Athens

Lieber Herr Erzbischof Methodios!

Herzlich danke ich Ihnen für die Übersendung Ihres Buches "Church and Theogoly. An Ecclesiastical and Theological Review".

Ich habe Ihr Buch mit Interesse zur Kenntnis genommen und weiß die Zusendung als ein Zeichen der Verbundenheit zu schätzen.

In der Liebe Christi grüßt Sie

Ihr

+ Joachim Card. Meisner

Il Cardinale Roger Etchegaray

thanks Archbishop METHODIOS most sincerely for the first volume of his important work on The Church and Theology.

+ Roger cardinal Etchegaray

Rome, 9 September 1991

le 31 juillet 1991

Le Cardinal Roger Etchegaray

Président de la Commission Pontificale "Justitia et Pax"
Président du Conseil Pontifical "Cor Unum"

remercie vivement Son Eminence Methodios, Archevêque émérite de Thyateira, pour l'envoi du livre "The Ecclesiastical Diversification of the Greeks and the Latins from the time of St. Photius to the Council of Florence".

Avec ses respectueux et religieux sentiments

+ Roger card. Etchegaray

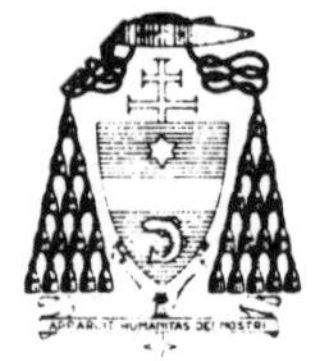

Malines, August 14, 1991.

To Archbishop Methodios Fouyas
9, Riga Ferraiou Str.
Khalandri

152 32 ATHENS

GREECE

Dear Archbishop,

Your study "Church and Theologie : an ecclesiastical and theological review" reached me safely.

I am impressed by the theological insights that are inspiring.

With my best wishes, I remain,

Yours fraternally in Christ,

+ Godfried Cardinal DANNEELS,
Archbishop of Malines-Brussels.

Wollemarkt 15, B-2800 Mechelen - Tel. (015) 21 65 01 - Fax. (015) 20 94 85

New College Library

Mound Place, Edinburgh EH1 2LU, Scotland Telephone 031–225 8400

5th September 1991

Archbishop Methodios
9 Riga Ferraiou Str.
Khalandri,
152 32 ATHENS
Greece

Dear Archbishop Methodios

The Librarian acknowledges receipt of your kind donation of Church and Theology.

Yours sincerely

pp M. Simpson

Librarian

New College Library is the Divinity Section of Edinburgh University Library

ΕΚΚΛΗΣΙΑ ΚΑΙ ΘΕΟΛΟΓΙΑ

Ἐκκλησιαστική καί Θεολογική Ἐπετηρίδα
ΤΟΜΟΣ Ι′ (1989-1991)

Νέα συγγραφική παραγωγή τοῦ Ἀρχιεπισκόπου πρ. Θυατείρων καί Μ. Βρετανίας κ. ΜΕΘΟΔΙΟΥ.

Στήν ἐποχή μας τό ἐνδιαφέρον ὅλων ἐπικεντρώνεται στό μεγάλο θέμα τῆς εὐρωπαϊκῆς ἑνοποίησης. Ὕστερα μάλιστα ἀπό τίς τελευταῖες συγκυρίες τῶν κοσμογονικῶν ἀλλαγῶν στήν Ἀνατολική Εὐρώπη καί τήν ἀπελευθέρωση τοῦ μεγάλου ὄγκου τῆς Χριστιανικῆς Ὀρθοδοξίας, ἡ ἑνοποίηση παίρνει διαστάσεις πολύπλοκες. Ἡ συμβολή τοῦ Χριστιανισμοῦ καί τῶν Ἐκκλησιῶν στήν οὐσιαστική προσέγγιση τῶν λαῶν δέν πρέπει νά ἀγνοηθεῖ. Γιατί μιά ἕνωση μόνο πολιτικοοικονομική, χωρίς πνευματικό ὑπόβαθρο, δέν θά παρεῖχε ἀσφαλεῖς ἐγγυήσεις. Ἡ προσφυγή σέ πηγές παλαιότερες γιά ἀναζήτηση ἀρραγῶν θεμελίων καί ἡ ἀναφορά σέ ἱστορικά ὁρόσημα καί προσωπικότητες ἱστορικοῦ κύρους, μπορεῖ ἀσφαλῶς νά ὁριοθετήσει σταθερά μιά ἑνοποιητική πορεία γιά τό παρόν καί γιά τό μέλλον.

Ὁ 9ος αἰώνας μ.Χ. καί ἡ δεσπόζουσα μορφή τοῦ μεγάλου πνευματικοῦ ἡγέτη, τοῦ σοφοῦ Οἰκουμενικοῦ Πατριάρχου Μεγ. Φωτίου, πρέπει νά θεωρηθεῖ μιά τέτοια πηγή ἐμπνεύσεων, ἱκανή νά ποδηγετήσει τό σύγχρονο πανευρωπαϊκό ἐπιχείρημα. Κατά τόν ὁμότιμο καθηγητή τοῦ Πανεπιστημίου Ἀθηνῶν καί τ. πρύτανι κ. Εὐάγγελο Θεοδώρου, ὁ Μ. Φώτιος μέ τό τεράστιο συγγραφικό, ἀνθρωπιστικό καί ἐκκλησιαστικοπολιτικό ἔργο του «προβάλλει τό ἰδεῶδες τῆς ἀληθοῦς παιδείας, τό γνήσιο ὀρθόδοξο ἀνθρωπιστικό ἰδεῶδες, τό ἰδεῶδες τῆς ἑνότητας «ἐν τῇ πολυμορφίᾳ», γιατί ὁ Μ. Φώτιος ὑπῆρξε πρόδρομος τοῦ γνήσιου οἰκουμενισμοῦ καί ἐλαύνεται ἀπό τοῦ πνεύματος τῆς χριστιανικῆς παναγάπης».

Αὐτή τή μεγάλη ἱστορική φυσιογνωμία παρουσιάζει καί ἐρευνᾶ ὁ Σεβασμιώτατος Μητροπολίτης Πισιδίας κ. Μεθόδιος Φούγιας - γνωστός, βέβαια, στόν Ἀπόδημο Ἑλληνισμό ὡς Ἀρχιεπίσκοπος πρώην Θυατείρων καί Μ. Βρετανίας -, στό ἀξιόλογο ἔργο του: «ΕΚΚΛΗΣΙΑΣΤΙΚΗ ΚΑΙ ΘΕΟΛΟΓΙΚΗ ΕΠΕΤΗΡΙΔΑ», τό δέκατο τόμο τῆς ὁποίας ἀφιερώνει στόν Πατριάρχη Φώτιο καί στήν ἐποχή του. Πρόκειται γιά ἔργο συλλογικό ἀπό 702 σελίδες, στό ὁποῖο συμμετέχει πλειάδα διακεκριμένων Ἑλλήνων καί ξένων συγγραφέων ὑπό τήν ἐπιστασία τοῦ Μητροπολίτου κ. ΜΕΘΟΔΙΟΥ. Οἱ διαπρεπεῖς αὐτοί ἐρευνητές, σέ μιά μεγαλόπνοη πράγματι συγγραφική παραγωγή, παρουσιάζουν μέ ἐπιστημονική συνέπεια τή φωτεινή προσωπικότητα τοῦ Μ. Φωτίου. Οἱ τομεῖς τοῦ Φωτιανοῦ ἔργου πού ἐρευνῶνται εἶναι:

- Τό ἰδεολογικό ὑπόβαθρο τῆς γνωστῆς διένεξης τοῦ Φωτίου μέ τόν προκάτοχό του Πατριάρχη Ἰγνάτιο.

- Ἡ μεθοδολογία τοῦ ἑρμηνευτικοῦ του ἔργου.

- Ἡ ψυχολογική του ὀξυδέρκεια καί ἡ ἱκανότητα διακριτικῆς διείσδυσης στό βιωματικό καί ψυχολογικό τρόπο λειτουργικότητας τοῦ ἀνθρώπου.

- Ἡ συμβολή τοῦ Φωτίου στόν ἐκσυγχρονισμό τῶν Σλάβων.

- Ἡ ἐπίμονη καί εὔστοχη ἀντίδρασή του στίς ἐπεκτατικές τάσεις τῆς Δυτικῆς Ἐκκλησίας.

- Τό ἐπιστολογραφικό του ἔργο.

- Τό νομοκανονικό του ἔργο.

Ἡ σημαντικώτερη ὅμως μελέτη τῆς ΕΠΕΤΗΡΙΔΑΣ εἶναι ἡ ἐκτεταμένη πραγματεία τοῦ ἴδιου τοῦ Σεβαμιωτάτου ἐκδότη κ. ΜΕΘΟΔΙΟΥ, πού φέρει τόν τίτλο: «ΕΙΣΑΓΩΓΗ ΕΙΣ ΤΟΝ ΜΕΓΑΝ ΦΩΤΙΟΝ» (σελ. 126) καί ἡ ὁποία προτάσσεται του ὅλου ἔργου. Στόν πρόλογο καί στήν εἰσαγωγή ὁ συγγραφέας παρουσιάζει, μέ τρόπο κριτικό καί βιβλιογραφικά τεκμηριωμένα, τή μεγαλοφυία τοῦ Φωτίου. Μᾶς πληροφορεῖ ὅτι ὁ σοφός ἄνδρας πρέπει νά ἦταν αὐτοδίδακτος καί παρά ταῦτα ἡ πολυμέρεια τῶν γνώσεών του ἦταν καταπληκτική. Μᾶς τόν ἐμφανίζει ποιητή, γεωγράφο, ἀρχαιολόγο, φιλόλογο, θεολόγο, φιλόσοφο, μαθηματικό, ἰατρό, ρήτορα, νομικό, πολιτικό, κανονολόγο κλπ. Τόση ἦταν ἡ πολυμέρεια τοῦ ἀνδρός, ὥστε καί αὐτοί οἱ κατήγοροί του «ἐφαντάσθηκαν ὅτι ἦτο πεπροικισμένος δι' ὑπερφυσικῆς καὶ διαβολικῆς δυνάμεως καί ἐμπνεύσεως (σελ. 16).

Ἀλλ' ἡ πολυμέρεια τοῦ Φωτίου παρουσιάζεται ἀνάγλυφα στά πολυάριθμα ἔργα του. Αὐτά μελετᾶ καί κρίνει ὁ συγγραφέας τῆς ΕΠΕΤΗΡΙΔΑΣ μέ ἐπαινετή ἐπιστημονική εὐσυνειδησία. Μέ τή βοήθεια πλούσιας βιβλιογραφίας καί τήν ἀντιπαράθεση ἐπιχειρημάτων πολλῶν κριτικῶν μελετᾶ τά γραμματολογικά προβλήματα τῶν Φωτιανῶν συγγραφῶν καί προβάλλονται ἀπό τό συγγραφέα τά ταλέντα τῆς μεγαλοφυίας τοῦ φωτεινοῦ ἡγέτη τῆς 9ης μ.Χ. ἑκατονταετηρίδας.

Ἔτσι, στό «ΛΕΞΙΚΟ» καί στή «ΜΥΡΙΟΒΙΒΛΟ» - ὁλόκληρη βιβλιοθήκη ἀπό ἑκατοντάδες τόμους ἀρχαίων Ἑλλήνων καί χριστιανῶν συγγραφέων, πού κρίνονται μέ τό φῶς τῆς φιλολογικῆς καί ἱστορικῆς κριτικῆς τοῦ Φωτίου - ἀναφέρεται ὁ θεολόγος, ὁ ἱστορικός, ὁ φιλόσοφος, ὁ κριτικός Φώτιος.

Στό πλούσιο ὑμνογραφικό του ἔργο λάμπει τό ποιητικό του ταλέντο καί στά ἔργα του «ΝΟΜΟΚΑΝΩΝ» καί «ΣΥΝΑΓΩΓΑΙ ΚΑΙ ΑΠΟΔΕΙΞΕΙΣ ΑΚΡΙΒΕΙΣ» φαίνεται ἡ νομοκανονική του ὀξυδέρκεια.

Στά «ΑΜΦΙΛΟΧΙΑ», εἶδος ἐπιστολογραφίας, ἐμφανίζεται ὁ δεινός ἐπιστολογράφος πού καλλιεργεῖ τέλεια αὐτό τό λογοτεχνικό εἶδος τῆς ἐποχῆς του. Ἐδῶ ὁ Σεβ. συγγραφέας ἐπιχειρεῖ ἐπιτυχῆ σύγκριση τοῦ Μ. Φωτίου μέ ἄλλους μεγάλους Πατέρες τῆς Ἐκκλησίας καί τόν βρίσκει ἐφάμιλλο τοῦ Ἱεροῦ Χρυσοστόμου. Καί ὅταν ἐξετάζει τούς «ΛΟΓΟΥΣ» καί τίς «ΟΜΙΛΙΕΣ» τοῦ Φωτίου, μᾶς ἐκπλήσσει μέ τίς ἀνεξάντλητες πληροφορίες πού παρέχει σχετικά μέ τίς ἀλλεπάλληλες ἀνά τούς αἰῶνες ἐκδόσεις αὐτῶν τῶν Φωτιανῶν ἔργων.

Στίς παραγράφους πού ἀκολουθοῦν παρουσιάζει τό Μ. Φώτιο ὡς προσωπικότητα διαποτισμένη βαθιά ἀπό τήν κλασσική ἀρχαιότητα, κύριο ἀρχιτέκτονα τοῦ Μεσαιωνικοῦ Ἑλληνισμοῦ, δημιουργό τοῦ ἑλληνοβυζαντινοῦ ἰδεώδους πού φιλοτέχνησε τήν ὑπεροχή τοῦ Ἑλληνισμοῦ ἔναντι τῶν Λατίνων καί μεταλαμπαδευτή αὐτοῦ τοῦ ἰδεώδους στίς Σλαβικές φυλές, στούς Βουλγάρους καί τούς Ρώσους.

Τήν πολιτική μεγαλοφυία τοῦ Μ. Φωτίου καί τή θαυμαστή διορατικότητά του συμπεραίνει ὁ συγγραφέας ἀπό τήν ἀρχική μεγαλειώδη σύλληψη τοῦ ἀνδρός νά συγκεντρώσει στά χέρια του τήν ἐκκλησιαστικοπολιτική ἐξουσία, παλεύοντας ἀνάμεσα στήν ἀκόρεστη φιλοδοξία τοῦ Καίσαρα Βάρδα, στήν ἐπίσης ἀκατάβλητη ἀρχομανία τοῦ Βασιλείου Β′ τοῦ Μακεδόνα, ἱδρυτοῦ τῆς ὁμώνυμης Δυναστείας, στήν ἀναξιότητα τοῦ Μιχαήλ Γ′ καί στήν παποκαισαρική βουλιμία τοῦ πάπα Νικολάου Α′.

Στή συνέχεια τεκμηριώνει πειστικά τήν ἁγιότητα τοῦ Φωτίου καί ἀποδεικνύει τή δίκαιη ἀνακήρυξή του ὡς Ἁγίου ἀπό Ἐκκλησιαστικές Συνόδους. Ἀνασκευάζει δέ μέ ἱκανά ἐπιχειρήματα ἀντιφατικές γιά τό Φώτιο κρίσεις Ρωμαιοκαθολικῶν κυρίως θεολόγων.

Ἡ ὅλη πραγματεία τοῦ Σεβ. κ. ΜΕΘΟΔΙΟΥ κατακλείεται μέ σύντομη ἀναφορά στό ποιμαντορικό ἔργο τοῦ Φωτίου ὡς Οἰκουμενικοῦ Πατριάρχου καί ἐξαίρονται οἱ ἀγῶνες του τόσο κατά τή διάρκεια τῆς Ἰγνατιανῆς διένεξης, ὅσο καί στήν ἀποφασιστική ἀντίδρασή του στίς ἐπεκτατικές πολιτικές βλέψεις τοῦ Πάπα Νικολάου Α′.

Τέλος, ἐπισημαίνεται εὔστοχα τό ἐλπιδοφόρο γεγονός ὅτι «σήμερα οἱ Ρωμαιοκαθολικοί συγγραφεῖς προσπαθοῦν νά μετριάσουν τήν κατά τοῦ Φωτίου πολεμικήν καί φυσικά καί συζητοῦν περί ἀναγνωρίσεως τῆς Φωτιακῆς Συνόδου τοῦ 879/80 ὡς οἰκουμενικῆς». Ἡ παραπάνω διαπίστωση προβάλλεται ἀπό τό συγγραφέα ὡς ἐγγύηση γιά μιά μελλοντική προσέγγιση Ἀνατολῆς καί Δύσεως.

Αὐτή λοιπόν ἡ προσέγγιση, πού σήμερα βαφτίστηκε «ἑνοποίηση», ἄν στηριχθεῖ σέ ἱστορικές ρίζες, πού μποροῦν νά ἄρουν τίς πολλές ἀντιθέσεις πού κυριαρχοῦν στόν εὐρωπαϊκό χῶρο, μπορεῖ νά ὁδηγήσει σέ μόνιμη ἑνότητα τό σημερινό Δυτικό κόσμο. Ὁ Σεβ. κ. ΜΕΘΟΔΙΟΣ αὐτές ἀκριβῶς τίς ρίζες θίγει στό πολύ ἀξιόλογο συγγραφικό του ἔργο, τόσο στή μελέτη πού προσπαθήσαμε μέ κάθε συντομία νά παρουσιάσουμε, ὅσο καί στό προηγούμενο ἔργο του: «ΕΛΛΗΝΕΣ ΚΑΙ ΛΑΤΙΝΟΙ» πού, ὡς γνωστόν, ἔτυχε εὐμενέστατης ὑποδοχῆς στούς Ὀρθόδοξους θεολογικούς κύκλους. Εἶναι μιά ἔγκυρη καί ὑπεύθυνη ἀπάντηση στίς ἀπαιτήσεις τῶν καιρῶν μας, πού ζητοῦν ἐπίμονα τή γεφύρωση τῶν ἀντιθέσεων. Καί εἶναι ἀκόμη μιά ἀφυπνιστική ὑπόμνηση τοῦ χρέους πού ἐπωμίζεται σήμερα ἡ Χριστιανική ἐκπροσώπηση μπροστά στήν ἐπίμονη ἀναζήτηση τῶν λαῶν ὅλης τῆς Εὐρώπης γιά μιά ἄρρηκτη σύνδεση, τήν ὁποία ἐγγυᾶται μέ σιγουριά μόνο ἡ ἐπιστροφή στή γνήσια Χριστιανική καί 'Εκκλησιαστική Παράδοση στό χῶρο τῆς 'Ανατολῆς καί τῆς Δύσεως.

ΗΛΙΑΣ Π. ΚΑΡΥΩΤΗΣ
Θεολόγος - πρώην Γυμνασιάρχης

33. Τό κτίριο τῶν 'Υπουργῶν τῆς Σοβ. 'Ενώσεως. Κορινθιακοῦ ρυθμοῦ, 1788. Στό Κρεμλῖνο.

Εὐρωπαρατηρητής, Βρυξέλλες, ἔτος 17ο, 1992.

Bodleian Library

From the Head of Acquisitions and Collection Development
Department of Printed Books

17-SEP-91

Dear Dr Fougias,

I am writing to thank you for your kind donation of the following works:

EKKLESIA KAI THEOLOGIA
Ekklesia kai theologia. Vol. 10 (1989-91).

FOUGIAS (Methodios G.)
Eoistēmonikes drastēriotētes, ekklēsiastikes kai ethnikes symvoles, epimelia: D.G.Dragos.

Yours sincerely,

Dr G.P.M. Walker
Head of Acquisitions & Collection Development

Dr M G Fougias
9, Riga Ferraiou Str.
Khalandri
152 32 ATHENS
Greece

Bodleian Library
Broad Street, Oxford OX1 3BG
Telephone OXFORD (0865) 277000
Telex 83656 Fax (0865) 277182

International Subscription Agency
Internationale Zeitschriftenagentur
Agence Internationale d'Abonnements

Karger Libri AG
Allschwilerstrasse 10
P.O. Box · Postfach · Case Postale
CH–4009 Basel
Switzerland · Schweiz · Suisse

Telephon +41 61 306 15 00
Telefax +41 61 306 12 34
E-Mail journals@libri.karger.ch
www.libri.ch

KargerLibri

Metropolitan Methodios
9, Riga Feraiou Str.
Khalandri
15232 Athens
Hellas

June 20, 2001
Ref. 16700000.bd/380040+490534

Re: - "The world wide spredding of the Hellenic civilization"
- "Ekklesia kai theologia" ISSN 0260-5678

Dear Sir

We have just received your book **"The world wide spredding of the Hellenic civilization"**. According to our telephone conversation today we do not have to pay it. Thank you very much indeed. We will give it to a big library in Zürich (Zentralbibliothek Zürich).

Furthermore, this same client is interested in the journal **"Ekklesia kai theologia"**. In 1996 this title had been suspended. Please let us know if there are any plans for this journal to be continued or notify us if it does no longer exist. Our client wants all issues that have been published as of 1995 and onwards. Use ref. 705359 in you correspondence.

Thank you for your help and prompt attention to this matter. We look forward to hearing from you soon.

Sincerely yours
KARGER LIBRI AG, BASEL
International Subscription Agency

(Mrs.) Barbara Dürr
Book Series

✝ Ο ΜΗΤΡΟΠΟΛΙΤΗΣ ΔΗΜΗΤΡΙΑΔΟΣ

ΧΡΙΣΤΟΔΟΥΛΟΣ

12. 2. 93

Ἀγαπητέ μου,

Σᾶς εὐχαριστῶ θερμότατα γιά τόν ἀξιόλογον τόμον ΙΑ' "Ἐκκλησία καί Θεολογία", ἀφιερωμένον καί αὐτόν εἰς τόν Ἱερόν καί Μέγαν Φώτιον, πού μοῦ ἐστείλατε. Ἀδελφικῶς καί ταπεινῶς συγχαίρω τόν πολυτάλαντον καί χαλκέντερον ἀγωνιστήν σας, διά τά ὅσα ἡ ἐξαίρετη θεολογική σας ἐργασία συνεχῶς παρέχει, τιμῶσα τήν θεολογικήν μας σκέψιν. Ὁ Θεός νά σᾶς εὐλογῇ.

Μέ ἀδελφικήν ἀγάπην

[signature]

Κ. ΚΑΡΤΑΛΗ 227, 382 21 ΒΟΛΟΣ
• ΤΗΛ.: (0421) 47502, 47508 • TELEX: 282385 IMDI GR • TELEFAX: (0421) 47405

469/1993.

S.E.R.

Archbishop METHODIOS

ATHENS

I wish to acknowledge with gratitude your book which I recently received.

Esztergom, 22.02.1993.

Primate of Hungary
Archbishop of Esztergom

† *Teoctist*

Patriarhul Bisericii Ortodoxe Române

Nous vous remercions beaucoup pour le livre "EKKLISIA KAI TEOLOGIA", que vous avez eù l'amabilitè de nous envoyer et nous vous prions de croire à l'assurance de notre amour chrètien èt de notre estime.

Buc.16.III.1993

PROCHE-ORIENT CHRÉTIEN
REVUE D'ÉTUDES ET D'INFORMATIONS
SAINTE-ANNE B. P. 19079
JÉRUSALEM
TÉL. 02 - 283285
02 - 281992
FAX 972 2 280.764

The Right Reverend Archbishop
METHODIOS FOUYAS
9 Riga Ferraiou Odos
KHALANDRION 152 32 ATHENS
G R E E C E

24th. February 1993.

Your Grace,

We have the honour to send you herewith an abstract of Fr. Andre de Halleux' article : "Le Concile de Florence:union ou uniatisme", which was published in our periodical PROCHE-ORIENT CHRETIEN 1991 III-IV 201-219, and which refers to your publication:"The Ecclesiastical Diversification of the Greeks and the Latins from the time of St Photius to the Council of Florence", 858-1439 (Athens 1990). A copy of the issue which contains the article has also been sent to your adress by surface mail. We do hope that it will reach you soon.

We receive quite regularly the issues of EKKLISIA kai THEOLOGIA which are published by your diligence in exchange of our periodical PROCHE-ORIENT CHRETIEN. Unfortunately we still are behind schedule in the production and publication of POC; POC 1992 I-II will be published in June/July 1993.

Thanking You for this benevolent sharing in the fruits of your research and your works, we remain

Respectfully yours,

F.J.GRUBER

Secretary of POC.

ΥΠΟΥΡΓΕΙΟ ΕΘΝΙΚΗΣ ΑΜΥΝΗΣ
ΥΠΟΥΡΓΟΣ

Αθήνα 12 Φεβρουαρίου 1993

Σεβασμιώτατο
Μητροπολίτη Πισιδίας
κ.κ. Μεθόδιο Φούγια
Ρήγα Φεραίου 9
152 32 - ΧΑΛΑΝΔΡΙ

Σεβασμιώτατε,

'Ελαβα τον πρόσφατο ια' τόμο της Εκκλησιαστικής και Θεολογικής Επετηρίδος με τίτλο "Εκκλησία και Θεολογία" και ευχαριστώ θερμά για την ευγενική σας σκέψη να μου αποστείλετε ένα αντίτυπο.

Αποτελεί ιδιαίτερη χαρά για μένα η διαπίστωση της συνέχισης του πολυτίμου επιστημονικού έργου που επιτελείτε τόσο σε ότι αφορά την ανάλυση της προσωπικότητος του Μεγάλου Φωτίου, όσο και σε ότι αφορά γενικότερα την Ορθόδοξη εκκλησία μας.

Δεχθείτε, Σεβασμιώτατε, και πάλι τα θερμά μου συγχαρητήρια.

Με σεβασμό

ΙΩΑΝΝΗΣ Μ. ΒΑΡΒΙΤΣΙΩΤΗΣ
ΥΠΟΥΡΓΟΣ ΕΘΝΙΚΗΣ ΑΜΥΝΗΣ

Joseph Cardinal Ratzinger

I-00120 CITTÀ DEL VATICANO

March 8, 1993

His Excellency
Archbishop Methodios
9, Riga Ferraiou Street
Khalandri,
152 32 Athens
GREECE

Your Excellency:

I gratefully acknowledge having received the book, "*Church and Theology*", which Your Excellency had the kindness to send me. It is my fervent prayer that this and other such works will help to foster understanding in our common search for unity.

With prayerful best wishes, I have the honor to be, Your Excellency,

Sincerely in Christ,

Joseph Card. Ratzinger

Ὁ Καρδινάλιος Ratzinger διετέλεσε Καρδινάλιος τοῦ Μονάχου.

† Ο ΑΡΧΙΕΠΙΣΚΟΠΟΣ ΑΥΣΤΡΑΛΙΑΣ
ΣΤΥΛΙΑΝΟΣ

16-2-93

Φίλτατε Ἀδελφέ [illegible],

[illegible]

[illegible]

Ekklesia kai Theologia, T.X. (1989-1991). Athene 1991. 24 x 16½, 20-704 blz.
Acta Baltica, XXVIII-1990. Königstein/T., Institutum Balticum, 1991. 23 x 16, 344 blz., DM 40.

1. De 10e jaargang van dit tijdschrift vangt aan met een apologetisch artikel ten gunste van metropoliet Methodios van Pisia, vroeger aartsbisschop van Thyateira en Groot-Brittannië. Deze moest enkele jaren geleden om niet geheel duidelijke redenen zijn zetel in Engeland verlaten, die hem, na zijn verzet tegen het kolonelsregime in Griekenland en een verblijf in Ethiopië en Egypte, was toegewezen. Hij woont nu in Athene. Torrance vergelijkt hem onder meer met patriarch Fotios, die ook veel moeilijkheden ondervond bij de verdediging van de orthodoxie (11-15). Aan genoemde patriarch is verder het hele deel gewijd n.a.v het 11e eeuwfeest van zijn afsterven. Aartsbisschop Methodios schreef zelf een lang inleidend artikel over Fotios' leven en geschriften, over zijn patriarchaat en zijn politiek en over zijn plaats in de geschiedenis. Daarop volgen 16 detailstudies van o.m. metropoliet Chrysostomos, M. Glasswell, A. Wittig, G. Neville Budsall, D. Konstantelou, I. Kornarakis, P. Plank, A. Lesoudis, A. Kallis. Speciaal vermelden wij het streven van G. Dragas *Towards a complete Bibliographia Photiana in Chronological Progression with an Index to Authors* (531-669). De artikelen over *Paus Johannes VIII en Constantinopel* (A. Burg) in COH 5(1952-53) 269-278 en 6(1953-54) 24-32 zijn niet vermeld.
Een interessante bundel met artikelen in het grieks, engels en duits.
2. Onder de sovjetbezetting was het onmogelijk veel objectieve informatie over de Baltische Staten te bekomen. Het *Institutum Balticum* (Königstein) poogde de weinige beschikbare inlichtingen te verzamelen in de *Acta Baltica.* Nu langzaam meer materiaal loskomt, geeft dit tijdschrift hieraan een bredere verspreiding. Het hier besproken deel is voornamelijk gewijd aan de geschiedkundige en de actuele ontwikkelingen in Letland en Estland. Prof. H. Strod, onlangs benoemd voor de weer opgerichte leerstoel van de geschiedenis van Letland aan de staatsuniversiteit te Riga, verstrekt gegevens over de geschiedeniswetenschap in bezet Letland (1945-1990). Verder vindt men er bijdragen van E. von Noltein (Zelfbestuur van Riga vóór de bezetting), van R. Grulich (Over aartsbisschop Profittlich) en van M. Bumanis (Nationaliteitenpolitiek in Letland). E. Benz biedt een lange studie (19-167) - die in een volgend deel zal worden voortgezet - over de gebeurtenissen rond de revolutie van 1905, een keerpunt in de historische ontwikkeling van Estland en Letland. Er zijn vele overeenkomsten met de huidige situatie.

A. Burg

PROFESSOR DR. HANS KÜNG
WALDHÄUSER STR. 23 · D-7400 TÜBINGEN 1
TEL. (07071) 62646 · FAX (07071) 610140

7. April 1993

Herrn Erzbischof Dr. Methodios Fouyas
9, Riga Ferraiou Str.

GR-152 32 Khalanbri

Sehr verehrter Herr Erzbischof Methodios,

herzlich danke ich Ihnen für Ihre freundliche Einladung, für Band XII der Review »Ecclesia and Theologia« einen Beitrag zu schreiben. Seien Sie sicher, daß ich mir die Antwort auf Ihre Anfrage nicht leicht gemacht habe, aber ich kann Ihnen beim besten Willen keine Zusage geben. Sie können sich denken, daß beinahe täglich Anfragen dieser und anderer Art aus dem In- und Ausland bei mir eingehen. Ich versuche, allen Anforderungen gerecht zu werden, so gut ich kann; aber auch ich habe nur beschränkte Kräfte. In erster Linie muß ich meine Lehr- und Forschungstätigkeit an der Universität Tübingen gewissenhaft erfüllen. Zugleich muß ich dafür Sorge tragen, daß neben allen möglichen Sonderverpflichtungen auch noch meine wissenschaftlichen Publikationen nicht zu kurz kommen. Nachdem ich in letzter Zeit besonders viele Verpflichtungen übernommen habe, muß ich für längere Zeit einen Stop einlegen. Wenn man wie ich die 65 erreicht hat, muß man mehr denn je mit den Kräften haushalten.

Mit der herzlichen Bitte um Ihr Verständnis für meine negative Antwort und mit allen guten Wünschen bin ich

Ihr

Hans Küng

Priester Peter Plank
Dr. theol. habil.
König-Heinrich- Str. 63
D-8700 Würzburg

Würzburg, den 15.3.93

Sr. Eminenz
Hochwürdigsten Herrn
Herrn Methodios
Metropolit von Pisidia
9, Riga Ferraiou Str.
GR- 152 32 Khalandri

Sevasmiotate Despota,

haben Sie vielen herzlichen Dank für die Zusendung des Bandes XI der von Ihnen herausgegebenen Zeitschrift Ekklisia ke Theologia! Auch Ihren Brief vom 1. März habe ich erhalten und mich über Ihr Vertrauen gefreut. Doch muß ich Ihnen mitteilen, daß ich mich nicht in der Lage sehe, Ihrem Wunsch zu entsprechen, etwas über die Gegenwartslage der römisch-katholischen Kirche und ihren Einfluß auf die Welt von heute im allgemeinen und auf die Einigung Europas im besonderen zu schreiben. Dies wird Sie nicht freuen. Aber vielleicht freut Sie der Grund für meine Abbsage: Seit 4. Oktober letzten Jahres bin ich durch die Gnade Gottes ein Angehöriger der Heiligen Orthodoxen Kirche. Mit ausdrücklicher Zustimmung seiner Heiligkeit Patriarch Alexij II. bin ich als Priester in den Klerus der deutschen Eparchie des Moskauer Patriarchates aufgenommen worden. Dadurch habe ich zwar meine Stellung an der Universität verloren. Zudem ist unsere schwer geprüfte Kirche nicht in der Lage, ihre Priester außerhalb Rußlands zu bezahlen. Doch bedeutet das alles nichts im Vergleich zu der Tatsache, daß ich nun in der von mir schon so lange verehrten und geliebten wahren Kirche Christi leben darf.

Mit der Bitte um Ihren bischöflichen Segen für meine kleine orthodoxe Gemeinde, die fast nur aus Deutschen besteht, verbleibe ich

Ihr in Christus ergebener

Peter Plank
(Peter Plank)

ПАТРИЈАРХ СРПСКИ

25. Април 1994.г.
Београд

The Most Reverend
Dr.METHODIOS FOUYAS, Archbishop,
9,RIGA FERRAICU STR.
GR - 152 32 KHALANDRI
G R E E C E

ВАШЕ ВИСОКОПРЕОСВЕШТЕНСТВО,
ДРАГИ У ХРИСТУ БРАТЕ,

Са топлом благодарношћу потврђујемо пријем зборника "ЕКЛИСИА КЕ ТЕОЛОГИА", из 1993. године, који сте нам послали на дар.

Упућујући Вам срдачне честитке и најбоље жеље поводом наступајућег Празника над празницима Васкрсења Христа Спаситеља, препоручујемо се Вашим светим молитвама и остајемо у Христу брат,

ПАТРИЈАРХ СРПСКИ

+ Павле

ПАТРИЈАРХ СРПСКИ

Ἐν Βελιγραδίῳ, τῇ 8ῃ Μαρτίου 1993

Τῷ Σεβασμιωτάτῳ Μητροπολίτῃ Πισιδίας
κυρίῳ κυρίῳ Μεθοδίῳ
Ρήγα Φερραίου 9
Χαλάνδριον, εἰς Ἀθήνας 15232

Σεβασμιώτατε,
Ἅγιε ἀδελφέ,

Μετ᾿ εὐγνωμοσύνης καὶ θερμῶν συγχαρητηρίων ἐπὶ τοῖς τόσον αἰγλήεσσι καρποῖς τῶν Ὑμετέρων θεολογικῶν, συγγραφικῶν καὶ ἐκδοτικῶν κόπων ἐπιβεβαιοῦμεν τῇ Ὑμετέρᾳ γεραρᾷ τε καὶ φίλῃ Σεβασμιότητι τὴν λῆψιν τοῦ ΙΑ' τόμου (1992) τοῦ ἐγκρίτου Ὑμῶν περιοδικοῦ „Ἐκκλησία καὶ Θεολογία", παρακαλοῦντες ἅμα Ὑμᾶς ἐκθύμως, ὅπως μέμνησθε ἐν προσευχαῖς τῆς ἐσταυρωμένης Ἐκκλησίας ἡμῶν καὶ τοῦ μαρτυρικοῦ ἔθνους ἡμῶν.

Ὑμέτερος ἐν Χριστῷ ἀδελφὸς καὶ συλλειτουργὸς

+ ὁ Πεκίου, Βελιγραδίου καὶ Καρλοβικίου + Павле

Der Erzbischof von Köln

D-5000 Köln 1, den
Kardinal-Frings-Straße 10 26.2.1993

Jr.-Nr. 101 032 I 81

Hochwürdigsten Herrn
Erzbischof Dr. Methodios Fouyas
9, Riga Ferraiou Str.

GR-152 32 Khalandri

Lieber Herr Erzbischof,

herzlich danke ich Ihnen für die freundliche Übersendung des Bandes "Church and Theology. An ecclesiastical and theological Review". Ich habe diesen Band aufmerksam zur Kenntnis genommen und danke Ihnen für dieses Zeichen der Verbundenheit.

In der Liebe Christi

Ihr

+ Joachim Card. Meisner

PONTIFICIUM CONSILIUM
AD CHRISTIANORUM UNITATEM FOVENDAM

E Civitate Vaticana, die 17 février 1993

PROT. N. 1155/93/b

Eminence,

Je viens de recevoir le tome 21 (1992) d'**EGLISE ET THEOLOGIE.**

Chaque fois que je reçois cet ouvrage, je ne peux pas m'empêcher de vous témoigner de suite toute mon admiration pour le travail infatigable que vous assumez en le réalisant.

De tout coeur, je vous remercie de l'attention fraternelle que vous avez à mon égard en me fournissant cette importante publication et je vous offre mes voeux les plus chaleureux pour que ce travail continue et vous donne toute satisfaction.

Cette lettre me donne aussi l'occasion de redire à Votre Eminence mes sentiments de fidèle et respectueuse charité.

Pierre Duprey

+ Pierre Duprey
Secrétaire

Son Eminence
l'Archevêque **METHODIOS**
9, Odor Riga Ferraiou
Khalandri
GR-152 32 ATHENES (Grèce)

ΤΗΛ. 32.21.835

ΑΘΗΝΑΙ, ~~118~~ 105 57
26α, ΛΕΩΦ. ΑΜΑΛΙΑΣ

Σεβασμιώτατον
Μητροπολίτην Πισιδίας, Μεθόδιον
9, Ρήγα Φεραίου
152 32 Χαλάνδρι – Αθήνα

Αθήνα, 15 Φεβρουαρίου 1993

Σεβασμιώτατε,

Έλαβα τον ΙΑ΄ Τόμον της "Εκκλησίας και Θρησκείας" και σας είμαι ιδιαιτέρως υπόχρεως διά την τιμήν να μου τον στείλετε και δια την έκφρασιν των ευχαριστιών σας διά την ασήμαντον συμβολήν μου εις ενίσχυσιν του σημαντικωτάτου αυτού έργου.

Η εργατικότης σας, η επιμονή σας και η συστηματική σας προσπάθεια δια την συγκέντρωσιν και κατάταξιν τόσων πολλών ιστορικών και θεολογικών στοιχείων, εν συνδυασμώ με την αναλυτικήν εμβάθυνσιν και σχολιασμόν των, κατατάσσουν όχι μόνον το ανά χείρας αλλά και όλα τα άλλα έργα σας εις την κατηγορίαν των "Κλασσικών". Επιπροσθέτως, η σαφήνεια της διατυπώσεως τα καθιστά προσιτά και γλαφυρά και εις τον μέσον αναγνώστην ο οποίος ημπορεί ευχερώς να τα παρακολουθήσει χωρίς να είναι ηναγκασμένος να διέλθει διά μέσου της δαιδαλώδους βυζαντινής σκεπτικής ή των λατινογενών στοχασμών, της θεολογικής φιλοσοφίας.

Σας εύχομαι να σας δώσει ο Θεός την δύναμιν να συνεχίσετε ακαταπονήτως το πολύτιμον έργον σας, προς το καλόν της τόσον ταλαιπωρουμένης πατρίδος μας.

Με σεβασμόν και αγάπην,

Χρ. Γ. Αχής

Andrea-Maria Cardinal Deskur

Presidente Emerito del Pontificio Consiglio delle Comunicazioni Sociali

presents his compliments to His Grace, Archbishop Methodius, and thanks him for the interesting book "Church and Theology", with an assurance of prayers for himself personally and for all his pastoral activities.

† [signature]

00120 Città del Vaticano February 26, 1993

Il Cardinale Carlo Maria Martini

Arcivescovo di Milano

sentitamente ringrazia per il dono del volume "Ecclesia e Teologia" e formula vivi auguri di ogni bene per il suo ministero pastorale.

Porge un fraterno saluto

† [signature]

19 marzo 1993

C.N. Hadjipateras

TELEPHONE: 071-626 6391

Mitre House,
12-14 Mitre Street,
London, EC3A 5BU

18.5.94

Σεβασμιώτατε,

Ἔλαβα τό νέον Σας πόνημα, τήν Ἐπετηρίδα «Ἐκκλησία καί Θεολογία», Τόμος ΙΒ΄ (1993) καί Σᾶς εὐχαριστῶ θερμότατα γιά τήν πολύτιμη προσφορά, συγχαίρων συγχρόνως ὑμᾶς γιά τό ἄοκνο προσπάθειά Σας καί τήν συνέχιση τῆς θεολογικῆς καί θεόπνευστης ὁδοῦ Σας γιά τήν ὁποίαν πρέπει νά εἶσθε ὑπερήφανος.

Πάντοτε Σᾶς ἐνθυμούμεθα ὅλοι ἐδῶ παροικία καί Σᾶς εὐχόμεθα ὑγείαν καί κάθε εὐλογίαν.

Μέ σεβασμόν καί ἀγάπην

Κ.Ν. Χατζηπατέρας

Ὁ Δρ. Κ.Ν. Χατζηπατέρας εἶναι συγγραφέας καί παράγων τῆς Ἑλληνικῆς Παροικίας στό Λονδίνο.

ΜΟΡΦΩΤΙΚΟΣ ΣΥΛΛΟΓΟΣ
ΑΓΡΟΤΙΚΗΣ ΝΕΟΛΑΙΑΣ
ΚΑΣΤΑΝΕΩΝ
"Ο ΑΓΙΟΣ ΚΟΣΜΑΣ Ο ΑΙΤΩΛΟΣ"

Καστανιές 19-4-1994
Αριθ.Πρωτ. —

Ταχ. Δ/νση : 680 08 Καστανιές Έβρου
Πληροφορίες: Κωνστ.Σουργουτσίδης
Τηλ. 0552 85085/85078 FAX: 0552 85448

ΠΡΟΣ:Σεβασμιώτατον
Μητροπολίτην
Πισιδίας κ.κ.ΜΕΘΟΔΙΟΝ
Ρήγα Φερραίου 9
152 32 Χαλάνδρι-Αθήνα

ΘΕΜΑ: "Έκφραση ευχαριστιών".

ΣΧΕΤΙΚΑ:

Σεβασμιώτατε,

Λάβαμε συγκινημένοι τον ΙΒ΄τόμο του περιοδικού ΕΚΚΛΗΣΙΑ ΚΑΙ ΘΕΟΛΟΓΙΑ, που εκδίδει η Υμετέρα Σεβασμιώτητα.

Σας ευχαριστούμε θερμώς για την ευγενική Σας προσφορά,η οποία και τιμά ιδιαιτέρως το Σύλλογό μας,διότι επικοινωνεί μαζί Σας,αλλά προσφέρετε δια του τρόπου αυτού πεδία διευρύνσεως των γνώσεων της νεολαίας της ακριτικής μας περιοχής,σε τομείς και τόπους,που Εσείς καλύτερα από κάθε άλλον κατέχετε.

Ευχόμαστε εκ βάθους καρδίας,ο Πανάγαθος Θεός να Σας χαρίζει Υγεία και Φωτισμό,έτσι ώστε να εμπλουτίσετε την Ιερά Επιστήμη της Θεολογίας προσφέροντάς την τήν πολύτιμη εμπειρία Σας,αλλά και να συνεχίσετε την προσφορά Σας στην Εκκλησία ,όπως θεοφιλώς και κατά το παρελθόν πράξατε.

Εύχεσθε και για την ευόδωση του δικού μας ταπεινού έργου.

Μετά Υιϊκού σεβασμού
Για Δ.Σ.

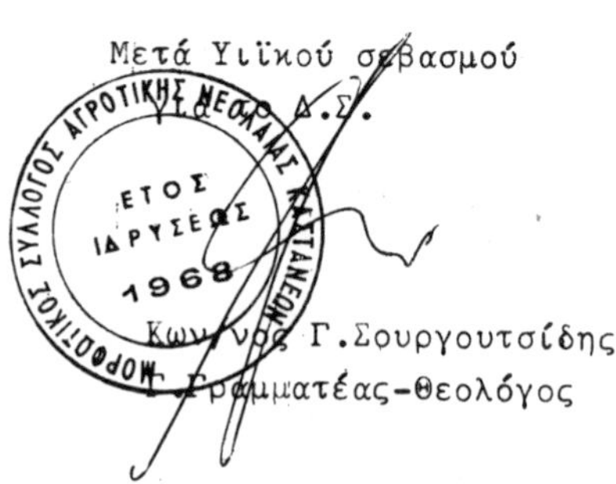

Κωνσ/νος Γ.Σουργουτσίδης
Γραμματέας-Θεολόγος

Δέν παραλείπω νά ἀνταποκρίνομαι σέ ἁπλούς συμπολίτες μας φιλοαναγνῶστες.

† Ο ΜΗΤΡΟΠΟΛΙΤΗΣ ΔΗΜΗΤΡΙΑΔΟΣ
ΧΡΙΣΤΟΔΟΥΛΟΣ

25.1.93

Δέσποτά μου,

Σᾶς εὐχαριστῶ γιὰ τὰ συγκινητικὰ γιὰ μένα λόγια σας, ποὺ μὲ συγκινοῦν καὶ [illegible]. Πῶς νὰ [illegible] ἀπὸ τὴ [illegible] [illegible]; Προσεύχομαι ἐκτενῶς. Εὐχαριστῶ.

[illegible]

Κ. ΚΑΡΤΑΛΗ 227, 382 21 ΒΟΛΟΣ
• ΤΗΛ.: (0421) 47502, 47508 • TELEX: 282385 IMDI GR • TELEFAX: (0421) 47405

ΑΔΕΛΦΟΤΗΣ ΘΕΟΛΟΓΩΝ
Η «ΖΩΗ»
ΙΠΠΟΚΡΑΤΟΥΣ 189
114 72 ΑΘΗΝΑΙ

Ἀθῆναι 16/2/93

Σεβασμιώτατε

Ἐλάβομεν τὸν ΙΑ΄ τόμον τῆς Ἐκκλησίας καὶ Θεολογίας καὶ σᾶς εὐχαριστοῦμεν θερμῶς.

Μὲ θαυμασμὸν καὶ ἔκπληξιν δεχόμεθα τὸν καρπὸν τῆς [illegible] δραστηριότητός σας καὶ μὲ πολλὴν ἱκανοποίησιν [illegible] τὰ ἀπὸ [illegible] περὶ τοῦ Μ. Φωτίου. [illegible] ὅταν [illegible] τὴν μικρότητα τῶν ἐν τῇ Διοικούσῃ Ἐκκλησίᾳ ὑπευθύνων, μὲ τὴν [illegible]. Ἡμεῖς σᾶς [illegible], εὐχόμεθα [illegible] Κύριος [illegible] πάντοτε..

Μὲ πολλὴν ἀγάπην καὶ σεβασμὸν
Ἀρχιμ. [illegible]

ΕΚΚΛΗΣΙΑΣΤΙΚΗ ΚΑΙ ΘΕΟΛΟΓΙΚΗ ΕΠΕΤΗΡΙΣ

Ἡ Α.Σ. ὁ Μητροπολίτης Πισιδίας Μεθόδιος Φούγιας μᾶς πληροῖ θαυμασμοῦ διά τά θεολογικά συγγράμματα πού ἐκδίδει καί πού ἀναφέρονται στήν Ὀρθοδοξία καί σέ ἄλλα θρησκευτικά θέματα.

Πολυγραφότατος συγγραφεύς πλουτίζει μέ τά ἔργα του τίς χριστιανικές βιβλιοθῆκες τῆς Ὀρθοδοξίας. Ἀνήσυχον καί δημιουργικόν πνεῦμα ὁ παμφίλτατος καί σεβαστός Μεθόδιος δέν μᾶς λησμονεῖ. Δέν λησμονεῖ τούς ἀγῶνες τοῦ Φωτός καί μᾶς στέλνει ὁσάκις ἐκδίδει ἕνα ἔργο του διά νά τό διαβάσωμεν καί ν' ἀντλήσωμεν πολλά ὀφέλη καί διά νά διδαχθῶμεν γιά πολλά θέματα, μέ τά ὁποία ἀπασχολεῖται μέ τόση εὐχέρειαν μέ τόση δεξιοτεχνίαν ἀποτελώντας παράδειγμα πρός μίμησιν γιά τίς νεώτερες γενεές πού ἔχουν μεσονύκτιον γιά τήν θρησκείαν στήν ὁποία ἀνήκουν, γιά τήν ἱστορίαν της, γιά τούς ἀγῶνες τῆς Ὀρθοδοξίας πού βάλλεται ἀπό ὅλες τίς μεριές.

Ἀλλ' αὐτό δέν εἶναι τό οὐσιῶδες πού γράφομεν γιά τό βιβλίο αὐτό.

Τό ἔχομεν ἀνά χείρας καί διαπιστώνομεν κι ἀνακαλύπτομεν ὅτι ὁ Μητροπολίτης Μεθόδιος καταπιάνεται μέ τήν σύγχρονη ἱστορία τῆς Ἀλεξανδρείας καί ἀποκαλύπτει συμβάντα, ἱστορικές λεπτομέρειες πού καί ἐάν τίς γνωρίζεις χρειάζονται κόπον, χρόνον γιά νά βρεῖς τά δοκουμέντα καί νά τίς ταξινομήσεις.

Ὁ Μητροπολίτης Μεθόδιος διετέλεσεν Μητροπολίτης Ἀξώμης, κατόπιν Ἀρχιεπίσκοπος καί τώρα ἀνήκει στό θρόνο τοῦ Οἰκουμενικοῦ Πατριαρχείου.

Ἦταν λοιπόν ἴσως ἀπό τούς λίγους πού θά μποροῦσαν ν' ἀσχοληθοῦν μέ τό ἔργο ὅλως ἰδιαιτέρως τῶν τριῶν τελευταίων Πατριαρχῶν Μελετίου, Χριστοφόρου καί Νικολάου Στ. Ὁμολογοῦμεν ὅτι ἐμεῖς θά ἐδιστάζομεν ν' ἀσχοληθῶμε μέ τήν περίοδον τῶν δύο προαναφερομένων Πατριαρχῶν. Ὅμως ἐκεῖνος πού γράφει τήν ἱστορία πρέπει νά γράφει τήν ἀλήθεια. Νά μή διστάζει, οὔτε νά τόν φοβίζει ἡ θέση του.

Ὅλοι γνωρίζομεν τήν λεπτή θέση στήν ὁποίαν εὑρίσκεται κάθε ἱεράρχης ὅταν γράφει ἱστορία. Ἀδίστακτος ὁ Μεθόδιος. Δέν τόν τρομάζουν οἱ παλίρροιες, τά κόμματα...

Ἄλλωστε τούς μεγάλους ἄνδρες δέν τούς φοβίζει ἡ ἀλήθεια ἐνῶ ἀπεχθάνονται τό ψεῦδος κι ὅλα τά παράγωγά τους.

Θ' ἀρκεσθοῦμε σ' αὐτά. Δημοσιεύομεν κατωτέρω τόν πρόλογο τοῦ Μητροπολίτου Πισιδίας Μεθόδιου. Ἀπό τόν ὁποῖον πολλά μπορεῖ νά συναγάγει ὁ ἀναγνώστης.

Ἐμεῖς συγχαίρομεν τόν Μητροπολίτην Μεθόδιον καί τοῦ εὐχόμεθα νά συνεχίζει τό συγγραφικό θεολογικό ἔργο του. Ἔργον πού τόν ἀναδεικνύει ἄξιον τῆς Ἐκκλησίας σκαπανέα.

Σωκράτης Πατέρας

Ἐφημερίδα «**Φῶς**» τοῦ Καΐρου, 30 Ἀπριλίου 1994. Δυστυχῶς τώρα ὁ τελευταῖος Ἕλληνας δημοσιογράφος τῆς Αἰγύπτου ἔχει ἐγκαταλείψει τά ἐγκόσμια.

PONTIFICIO ISTITUTO
PER GLI STUDI ORIENTALI
PIAZZA S. MARIA MAGGIORE, 7
00185 ROMA

Roma, li 22.04.1994

His Excellency
Most Rev. METHODIOS FOUYAS
Archbishop
9, Riga Ferraiou Str.
GR-152 32 KHALANDRI

Ho l'onore di comunicarLe che è pervenuta a questa Biblioteca la pubblicazione della S. V. gentilmente inviata, come appresso segnato.

Le rendo a nome della Biblioteca le dovute grazie, e distintamente La saluto.

Fr. François Gick, SJ
(Prefetto della Biblioteca)

- EKKLESIA KAI THEOLOGIA, Tomos 12/1993

We kindly ask you, if possible, to send us the Vol. 11/1992 of the EKKLESIA KAI THEOLOGIA which we are missing. Thank you very much.

ΟΙΚΟΥΜΕΝΙΚΟΝ ΠΑΤΡΙΑΡΧΕΙΟΝ

ΑΡΧΙΓΡΑΜΜΑΤΕΙΑ
ΤΗΣ ΑΓΙΑΣ ΚΑΙ ΙΕΡΑΣ ΣΥΝΟΔΟΥ

Πρός
τόν Σεβασμιώτατον
Μητροπολίτην Πισιδίας
κύριον Μεθόδιον,
Εἰς Ἀθήνας.

Φανάριον, 27 Ἀπριλίου 1994.

Σεβασμιώτατε καί ἀγαπητέ ἐν Χριστῷ ἅγιε ἀδελφέ,

Μετά βαθείας χαρᾶς ἔλαβον τόν ΙΒ' τόμον τῆς τῇ μερίμνῃ τῆς ὑμετέρας ἀγαπητῆς Σεβασμιότητος ἐκδιδομένης ἐκκλησιαστικῆς καί θεολογικῆς ἐπετηρίδος "ΕΚΚΛΗΣΙΑ ΚΑΙ ΘΕΟΛΟΓΙΑ", καί μετά πολλῆς προσοχῆς καί ἐνδιαφέροντος διεξῆλθον τό πλούσιον καί ἐνδιαφέρον περιεχόμενόν της.

Ἀναμφίβολον γεγονός τυγχάνει ὅτι καί διά τῆς σειρᾶς ταύτης τῶν ὑμετέρων ἐκδόσεων συμβάλλετε οὐσιαστικῶς εἰς τήν θεολογικήν καί ἱστορικήν ἔρευναν τῆς εὐρυτέρας περιοχῆς τῆς καθ' ἡμᾶς Ἀνατολῆς.

Μετά τῶν εὐχαριστιῶν μου ἐπί τῇ ἀποστολῇ τοῦ ὡς ἄνω Τόμου καί τῶν θερμῶν ἀδελφικῶν εὐχῶν μου δι' ἕν εὐλογημένον ἐν παντί Ἅγιον Πάσχα,

διατελῶ μετά τῆς ἐν Κυρίῳ ἀδελφικῆς ἀγάπης καί τιμῆς,

+ ὁ Φιλαδελφείας Μελίτων

THE UNITED LIBRARY

19 February 1993

Dr. Methodios Fouyas
9, Riga Ferraiou Str.
GR-152 32 Khalandri
Greece

Dear Archbishop Methodios:

I am writing in reference to the letter we received from you dated 30 January 1993. You requested that we prepay US $200 for vol. XI of Ekklesia and Theology. In March of 1991 we prepaid US $200 and understood that this would cover the cost of vols X and XI. We do not wish to pay more than US $100 per volume. Also, our reference 1ACU8219 is only for Texts and Studies whereas our reference for Ekklesia and Theology is 1ACD6608. I look forward to hearing from you in regard to the cost of future volumes of Ekklesia and Theology. Thank you for your time and consideration of this account.

Sincerely,

Martha W. Sedgwick

Martha W. Sedgwick
Technical Services Assistant

GARRETT-EVANGELICAL THEOLOGICAL SEMINARY 2121 SHERIDAN ROAD

SEABURY-WESTERN THEOLOGICAL SEMINARY/2122 SHERIDAN ROAD

LIBRARY OFFICES/2121 SHERIDAN ROAD/EVANSTON, ILLINOIS 60201/(708) 866-3909

Church and Theology Vol XI edited By Metropolitan Methodios (Fouyas) of Pisidia (formerly Archbishop of Thyateira and Great Britain) Athens 1992, 626pp Greek and English

Many are they who would like to see the dust settle of the «Photian Legend», through which the Latins maligned St Photios the Great, patriarch of Constantinople (858-67), as the individual most responsible for the Schism between East and West. But it still profits us to study the struggles of their towering leader with the followers of his predecessor Ignatius and their ultimate champion Pope Nicholas I, as these events illustrate the vital difference between the «primacy of honour» conferred by the Orthodox and papal primacy as unilaterally established by Rome. Vol XI of *Church and Theology* was dedicated to the scholarly layman raised to the patriarchal throne against the wishes (as Columba Sanders' recent series of articles in this magazine has emphasized) and the present volume, while dealing also with such contemporary issues as the Russian Church under liberalism and ecumenism, devotes considerable space to Photios in its English section.

In a major reassessment of St Photios the late Francis Dvornik, a Czech Catholic priest, points out that much of the documentation on the case is from hostile sources. Fr Dvornik stresses the Patriarch's erudition, strictly Orthodoxy, «very sharp language» against heretics, and maps out the territorial disputes and political violence associated with the ecclesiastical crisis of authority caused by the existence of two camps: the Photians and the Ignatians. Dvornik repeatedly claims that the Byzantines were delighted to involve the Pope as arbitrator in the clash. In an interesting paper read at Berkeley, metropolitan Methodios accuses Rome of exporting «caesaropapism» to Byzantium and states categorically that «any notion that Photios supported Roman Primacy is utterly groundless».

The former head of the Greek Church in Britain also includes under the general title 'Orthodoxy and the West' a useful summary of ecumenical contact with Roman Catholics and Anglicans. Having come unstuck with the obstinacy of Primacy and finally having lost patience with the latter's lack of common beliefs, Dr Fouyas concludes that we must first resolve our differences with our brothers in the East (i.e. Oriental Churches).

Not unconnected with the fruitless «dialogue of love» is the Metropolitan's depressing sketch of the failure of the Greek Orthodox Church to make an impact in the Europe of the «New World Order». We have, he says, «missed the train». There is no doubt in his mind that

«Rome's intentions are to bring all of Christian Europe under her complete hegemony». He urges not a boycott but «close cooperation with leading officials of the European Communities». He sees the Russian Orthodox Church as a giant to be reckoned with in Europe but expresses his fears about Russia's imperial pretensions...*

34. Συνοδεία τῆς Α.Θ.Μ. τοῦ Πατριάρχου Νικολάου ἐν Σοβιετικῇ Ἑνώσει, 1969.

* **Orthodox Outlook**, vol. VII (1994), σελ. 24. Λονδῖνο

Μητροπολίτου Πισιδίας **Μεθοδίου** Φούγια, **ΕΚΚΛΗΣΙΑ ΚΑΙ ΘΕΟΛΟΓΙΑ**, ἐκκλησιαστική καί θεολογική ἐπετηρίς, τόμος ΙΑ΄ (1992), Ἀθῆναι 1992, σσ. ιδ΄+ 626.

Αἰσίως, λοιπόν, ἡ λαμπρή «ἐκκλησιαστική καί θεολογική ἐπετηρίς», τήν ὁποίαν ἵδρυσε καί διευθύνει ὁ ἀστείρευτος κάλαμος τοῦ Σεβ. Μητροπολίτου Πισιδίας κ. Μεθοδίου (Ἀρχιεπισκόπου πρ. Θυατείρων καί Μεγάλης Βρεταννίας), εἰσῆλθε στή δεύτερη δεκαετία της, μέ τήν ἔκδοση τοῦ 11ου ὀγκώδους τόμου της. Ἀφιερωμένη «εἰς τήν Σύναξιν τῆς ἐν ἐνεργεία Ἱεραρχίας τοῦ Οἰκουμενικοῦ Πατριαρχείου» (Κωνσταντινούπολη, 29-31 Αὐγούστου 1992), ἀποτελεῖ συνέχεια καί συμπλήρωμα τοῦ Ι΄ τόμου, ὁ ὁποῖος ἀναφερόταν στή μορφή καί τό ἔργο τοῦ ἁγίου Φωτίου, τοῦ μεγάλου Πατριάρχου ΚΠόλεως. Περιέχει, κυρίως, μαρτυρίες περί τοῦ ἱεροῦ Πατρός ὄχι μόνον ἀπό τούς συγχρόνους του ἀλλά καί τούς μεταγενεστέρους· συκοφαντίες πού διατυπώθηκαν ἐναντίον του· ἀνέκδοτο λόγο περί αὐτοῦ· κρίσεις γιά τό πρόσωπό του κ.ἄ. Ὁ τόμος περιλαμβάνει, ἐπιπροσθέτως, καί ἕτερες μελέτες γενικωτέρου ἐνδιαφέροντος, ἀναφερόμενες στίς Ὀρθόδοξες Ἐκκλησίες Ρωσίας καί Τσεχοσλοβακίας· στά θέματα: Ὀρθοδοξία στήν Εὐρώπη καί Ὀρθοδοξία καί Δύση· στούς Μεσαιωνικούς Ἕλληνες καί τήν ἄποψή τους γιά τήν λατινική γλῶσσα· στούς Πατέρες καί αἱρετικούς· στά βασίλεια τῶν Γασανιδῶν καί τῶν Λαχμιδῶν· στίς μορφές τῶν Ἀμβροσίου Πλειανθίδη καί Γερμανοῦ Καραβαγγέλη κ.λπ.

Τόν ΙΑ΄ τόμο προλογίζει, λιτά καί μεστά, ὁ πολιός Μητροπολίτης Ἀττικῆς κ. Δωρόθεος (Γιανναρόπουλος). Οἱ μελέτες, πού συνοπτικά ἀναφέρθηκαν καί περιέχονται στόν τόμο, ὀφείλονται στή γραφίδα τοῦ Σεβ. Πισιδίας κ. Μεθοδίου (7 ἀπό τίς συνολικά 25) καί τῶν: Ι.Ν. Βαλλέτα, Ab. Sellerus, Α. Β. Γ., Α. Δ. Κυριακοῦ, Α. Μ. Ἰβάντσωφ - Πλατώνωφ, Ἀθ. Παπαδοπούλου - Κεραμέως, Κυζίκου Καλλινίκου, Ἡλιουπόλεως Γενναδίου, Β. Ν. Τατάκη, F. Dvornik, T. F. Torrance, A. Helliotis, Γρηγ. Οἰκονομάκου, Παν. Γ. Φούγια, R. Pankhurst, George D. Dragas, Mother Eufrosina καί Ἀσημίνας Δεδούση (σσ. ζ΄-ιδ΄ καί 1-484).

Ἀκολουθεῖ στό Β΄ τμῆμα (σσ. 485-518) ἡ δημοσίευση εἰσηγήσεων, ἀντιφωνήσεων, ὁμιλιῶν, ἀνακοινώσεων καί μηνυμάτων μέ τήν εὐκαιρία τῆς Συνάξεως τῶν ἐν ἐνεργεία Ἱεραρχῶν τοῦ Οἰκουμενικοῦ Θρόνου, καθώς καί ἀναφορά στό νεοεκλεγέντα πατριάρχη Αἰθιοπίας κ. Παῦλο, τόν ἀπελθόντα προκάτοχό του Θεόφιλο καί τόν π. Ἰωάννη Meyendorff (1926 - 1992). Καί τό ἔργο ὁλοκληρώνεται μέ βιβλιοκρισίες 18 ἔργων θεολογικοῦ κυρίως ἐνδιαφέροντος (σσ. 519-555), τό βιβλιογραφικό Δελτίο (σσ. 556-564) καί τό Εὑρετήριο ὀνομάτων καί πραγμάτων (σσ. 565 - 623, συντάκτης ὁ κ. Χ.Ε. Γιαννούλας).

Ἐκεῖνο πού ἐντυπωσιάζει τόν ἀναγνώστη, ἐκτός ἀπό τό μέγεθος τοῦ τόμου (640 σελίδες, διαστάσεων 17Χ24 ἑκατ.) εἶναι ἡ καλλιέπεια τοῦ λόγου· ὁ Σεβ. Πισιδίας χειρίζεται τή γλώσσα μέ δεξιοτεχνία καί σεβασμό. Γράφει λιτά, ἀκριβολογεῖ, λακωνίζει - χωρίς νά ἀδικεῖ τά νοήματα. Εἶναι, ἐπί πλέον, ἡ εὐρύτητα τῶν γνώσεων καί ἡ πληρότητα ἐνημερώσεώς του σέ ὅ,τι ἀφορᾶ στόν ἱερό Φώτιο καί στά ἄλλα θέματα μέ τά ὁποῖα καταγίνεται· τό ἀποδεικνύουν ἡ παρατιθέμενη ἑλληνική καί ξενόγλωσση βιβλιογραφία καί ἡ πλούσια χρήση πηγῶν καί βοηθημάτων. Ἄν στά παραπάνω προσθέσουμε τίς εὔστοχες παρατηρήσεις καί κρίσεις, τούς σχολιασμούς, τήν ἐξαγωγή συμπερασμάτων καί τή διατύπωση προβλέψεων (ὄχι προφητικῶς, ἀλλ' ὡς ἐπιστέγασμα γνώσεως καί μακρᾶς ἐμπειρίας) γιά τίς ἐξελίξεις πού μέλλει νά συμβοῦν σέ ἀρκετά ἐκκλησιαστικά καί ἐθνικά θέματα, ἀντιλαμβανόμαστε τό μέγεθος τῆς προσφορᾶς τοῦ ἐκδότου τῆς «Ἐκκλησίας καί Θεολογίας» στήν Ὀρθοδοξία καί τόν Ἑλληνισμό, σέ δυσοίωνους μάλιστα καιρούς.

Ὁ τόμος, ὅπως καί οἱ προηγούμενοι, ἐκδόθηκε μέ τήν οἰκονομική ἐνίσχυση ὁμογενῶν τούς ὁποίους ὁ Σεβ. ἐκδότης διακόνησε.

ΕΥΑΓΓΕΛΟΣ Π. ΛΕΚΚΟΣ*

35. Συνοδεία τῆς Α.Θ.Μ. τοῦ Πάπα καί Πατριάρχου Ἀλεξανδρείας Νικολάου ἐν Ἐρεβάν Ἀρμενίας, 1974.

* **Ἐκκλησία**, 1-15 Ἀπριλίου 1993

Μητροπολίτου Πισιδίας **Μεθοδίου** Φούγιά, **ΕΚΚΛΗΣΙΑ ΚΑΙ ΘΕΟΛΟΓΙΑ**, Ἐκκλησιαστική καί Θεολογική Ἐπετηρίς, Τόμος ΙΒ' (1993) Ἀθῆναι σσ. 594.

Ἀφιερωμένος «στή μνήμη τοῦ Καπετάνιου Ἀλεξάνδρου Ἀγούδημου» κυκλοφόρησε πρόσφατα καί ὁ 12ος πολυσέλιδος τόμος τῆς Ἐπετηρίδος «Ἐκκλησία καί Θεολογία» πού ἐκδίδεται ἀπό τόν Σεβ. Μητροπολίτη Πισιδίας κ. Μεθόδιο. Εἴχαμε καί ἄλλοτε τήν εὐκαιρία νά γράψουμε τά δέοντα γιά τήν πολύτιμη προσφορά τοῦ Σεβασμιωτάτου στά ἐκκλησιαστικά καί θεολογικά Γράμματα (β. «Ἐκκλησία» 1991, σσ. 651-52 καί 1993, σ. 213). Καθώς, ὅμως, τά χρόνια περνοῦν καί οἱ τόμοι τῆς Ἐπετηρίδος ἔφθασαν αἰσίως τούς δώδεκα, θαυμάζουμε τήν ποιότητα καί τήν ποσότητα τῆς προσφορᾶς τοῦ Σεβ. κ. Μεθοδίου, ὅταν μάλιστα ληφθεῖ ὑπόψη ὅτι δέν περιορίζεται μόνο στήν Ἐπετηρίδα αὐτή. Μόλις πρίν ἀπό λίγους μῆνες κυκλοφορήθηκε ἕνα ἄλλο σημαντικό ἔργο του ἀπό τίς ἐκδόσεις τῆς Ἀποστολικῆς Διακονίας μέ τίτλο **«Τὸ ἑλληνικό ὑπόβαθρο τοῦ Χριστιανισμοῦ»** (Ἀθήνα 1993, σσ. 315), πού γνωρίζει κυκλοφοριακή ἐπιτυχία καί ἀπέσπασε εὐμενέστατες κριτικές ἀπό ἀνθρώπους τῶν Γραμμάτων καί τόν ἡμερήσιο καί περιοδικό Τύπο.

Πρίν νά κάνουμε κάποιες παρατηρήσεις γιά τόν 12ο τόμο, δίνουμε ἕνα γενικό διάγραμμα τῶν περιεχομένων του: Προτάσσονται οἱ εὐχαριστίες τοῦ ἐκδότη πρός τούς χορηγούς τῆς ἐκδόσεως (ἀρχιερεῖς, ἐπιχειρήσεις καί σημαίνοντα πρόσωπα κυρίως τοῦ ἐφοπλιστικοῦ κόσμου)· ἀκολουθεῖ τό ἀπό 6 Φεβρουαρίου 1994 συγχαρητήριο (γιά τόν ΙΑ' τόμο) Γράμμα τῆς Α. Θ. Παναγιότητος, τοῦ Οἰκουμενικοῦ Πατριάρχη κ. Βαρθολομαίου, ἡ ἔγχρωμη φωτογραφία του καί ἔγγραφα πατριαρχικά πού σχετίζονται πρός τήν ἀναγνώριση τοῦ «Ὀρθοδόξου Ἰνστιτούτου «Πατριάρχης Ἀθηναγόρας» τοῦ Berkeley Καλλιφόρνιας, ὡς ἐπισήμου Διορθοδόξου Ἱδρύματος τοῦ Πατριαρχείου. Ἕπεται τό κύριο μέρος τοῦ τόμου (σσ. 13-344) ὅπου ἐκτίθεται ἡ **«Σύγχρονη Ἱστορία τῆς Ἐκκλησίας Ἀλεξανδρείας (1934-1986)**, γραμμένη ἀπό τόν Σεβ. Πισιδίας κ. **Μεθόδιο** (περί αὐτῆς στή συνέχεια). Τά λοιπά περιεχόμενα ἔχουν ὡς ἑξῆς: Εὐαγγέλου Π. **Λέκκου,** Ἡ ἀνακήρυξη τοῦ Σεβ. Μητροπολίτου Δράμας κ. Διονυσίου ὡς Διδάκτορος τῆς Θεολογικῆς Σχολῆς Θεσσαλονίκης (5.3.1993) καί ἡ πρός τιμήν του ἐκδήλωση ἀπό τή Νομαρχία καί τό Δῆμο Δράμας 3.7.1993 (σσ. 345-354)· Rev. Prof. Demetrios J. **Constantelos,** The Eastern Orthodox Church today: One in many (σσ. 355-400)· Dr. Michael **Wittig,** Momentaufnahmen aus der Katholischen Kirche (σσ. 401-408)· Rev. Dr. M.E. **Glasswell,** The present condition of the Church of England and Anglicanism in general (σσ. 409-418)· Δρος Παν. **Φούγια,** Τό νόημα τῆς ἑορτῆς τῆς Ὀρθοδοξίας (σσ. 419-426)· Bishop **Makarios** of Riruta, Vision of Germanos, Archbishop of

Thyateira. On the Ecumenical Patriarchate (σσ. 427-430)· Dr. Otto F. A. **Meinardus,** The Coptic Church towards the end of the 20th century: From a national to an international Christian community (σσ. 431-472)· Francis **Dvornik** (†), The Patriarch Photius: Father of Schism - or Patron of Reunion ? (σ. 473-487)· Prof. Richard **Pankhurst,** The craftsmen's Monasteries of Shawa and their Judaeo - christian curstoms: A review of the Literature (σσ. 488-503)· Ad. Prof. Stanislaw **Chojnacki,** Notes on worship of holy Images in Ethiopia (σσ. 504-533). Ἀκολουθοῦν (γραμμένες ἀπό τόν Σεβ. ἐκδότη τῆς Ἐπετηρίδος): **Νεκρολογίες** τῶν Ἀττικῆς Δωροθέου (2.7.1993), Στρατῆ Γ. Ἀνδρεάδη (14.3.1989), Richard Hanson (23.12.88) καί Δημητρίου Στανιλοάε (5.10.1993)· **βιβλιοκρισίες** ἔργων τῶν Ἄννας Ἀναστασάκου. Droit Roger - Pol, Μητροπ. Νικοπόλεως Μελετίου, Γ.Π. Μύρου, Μητροπ. Δράμας Διονυσίου, T.F. Torrance, Μητροπ. Γόρτυνος Θεοφίλου, D.J. Constatelos, Ἐπισκόπου Ἀχελώου Εὐθυμίου, (Μητροπ. Νικοπόλεως Μελέτιο:) Grigorij D' Jačenko καί Βλ. Ι. Φειδά δηλαδή καί βιβλιογραφικό δελτίο (σσ. 534-564). Ὁ Τόμος ὁλοκληρώνεται μέ **τιμητικό παράρτημα**, ἀφιερωμένο στόν Thomas F. Torrance (σύγχρονο θεολόγο καθηγητή - ἀκαδημαϊκό, φιλέλληνα, φιλορθόδοξο καί μεγάλο ἀνθρωπιστή), γραμμένο ἀπό τόν Dr. George D. **Dragas,** μέ τίτλο Prof. T.F. Torrance on his 80th Birthday (σσ. 567-576) καί τό **Γενικό εὑρετήριο** (ὑπό κ. Χρήστου Ε. **Γιαννούλα,** φιλολόγου Καθηγητοῦ), τό ὁποῖον ὅμως καλύπτει μόνο τίς 338 σελίδες τοῦ τόμου «γιά τεχνικούς λόγους».

Ὡς πρός τόν κύριο κορμό τοῦ τόμου, πού ἀναφέρεται στή «Σύγχρονη Ἱστορία τῆς Ἐκκλησίας Ἀλεξανδρείας, 1934-1986», σημειώνουμε ὅτι ὁ Σεβ. στηρίχθηκε γιά τή συγγραφή της σέ ἀρχειακό ὑλικό πού εἶχε θέση στή διάθεσή του ὁ Μητροπολίτης Ἀξώμης Νικόλαος καί ἄλλοι Ἀρχιερεῖς τοῦ Ἀλεξανδρινοῦ θρόνου, ἐνῶ ἡ προϋπηρεσία του ὡς ἐφημερίου (1959-60) στήν Ἀδδίς Ἀμπέμπα, ὡς Ἀρχιγραμματέως τοῦ Πατριαρχείου Ἀλεξανδρείας (1954-56) καί ὡς Μητροπολίτου Ἀξώμης (1968-79), τοῦ ἐξασφάλισαν ὄχι μόνο γνώση τῶν κατά τό Πατριαρχεῖο συμβάντων, ἀλλά καί ἕνα πλῆθος ἐγγράφων καί πρωτότυπο «ὑλικό τῶν Συνοδικῶν συνεδριάσεων», τό ὁποῖο (ὅπως σημειώνει στή σ. 15) δέν γνωρίζει «ἄν ἔχη διασωθῆ ἀλλοῦ».

Ἡ Ἱστορία τῶν ἐτῶν 1934 κι ἑξῆς ἀποτελεῖ συνέχεια τῆς ἀντίστοιχης «Ἱστορίας τῆς Ἐκκλησίας Ἀλεξανδρείας, 62-1935», πού εἶχε γράψει ὁ ἀείμνηστος ἀρχιεπίσκοπος Χρυσόστομος (Παπαδόπουλος). Γι' αὐτό καί, ἐπειδή σ' αὐτήν ὁ Χρυσόστομος ἀναφέρεται συνοπτικά στόν Μελέτιο ὡς πατριάρχη Ἀλεξανδρείας (†1935), ὁ Σεβ. κ. Μεθόδιος ξεκινᾶ τή δική του Ἱστορία μέ μιά ἐκτενῆ ἀναφορά στόν Μελέτιο (σσ. 17-44), μέ ἰδιαίτερη μνεία τοῦ ἔργου καί τῆς συμβολῆς του στήν πνευματική πρόοδο τῆς ἑλληνικῆς ὀρθοδόξου Ἐκκλησίας καί τῶν Κοινοτήτων της (ἵδρυση σχολείων, ἐπιστημονικῶν περιοδικῶν, ἐπιστημονικῶν σωματείων, ὀρφανοτροφείων, ἀκαδημιῶν, ἱεροδιδασκαλείων, διοργάνωση πανορθοδόξων συνεδρίων, σύσταση ἐπισκοπῶν, κατάρτιση κανονισμῶν, βιβλιοθηκῶν), ἐνῶ παράλληλα δέν παρέλειπε νά συγγράφει καί νά ἐκδίδει σπουδαία βιβλία. Συνεχίζει μέ τό Ζήτημα τῆς ἐκλογῆς πατριάρχου Ἀλεξανδρείας τή Διένεξη Ι. Μονῆς Σινά καί Πατριαρχείου γιά τό σιναϊτικό Μετόχι στό Κάιρο, τό Ἡμερολογιακό Ζήτημα, τούς πατριάρχες Νικόλαο καί Χριστοφόρο, ἀναφέρεται στίς ἀντιπαραθέσεις Πατριάρχου - Συνοδικῶν, τή χειροτονία ἐπισκόπων χωρίς συμμετοχή καί συγκατάθεση τῆς Ι. Συνόδου, στά οἰκονομικά τοῦ Πατριαρχείου, τό συνοδικό σύστημα, στά προηγηθέντα καί τά κατά τήν παραίτηση τοῦ Χριστοφόρου καί τό θάνατό του, στά τῆς ἐκλογῆς τοῦ Νικολάου ΣΤ', ἐνῶ κάνει λόγο καί γιά τίς σχέσεις τῆς Ἀλεξανδρινῆς Ἐκκλησίας μέ τήν Κοπτική ἐπί πατριάρχου Χριστοφόρου καί σέ τρία Παραρτήματα ἀναφέρεται στόν πατριάρχη Νικόλαο καί τή Μείζονα Σύνοδο ἐν Κύπρῳ (5.7.1973), στό Νέο Πατριαρχικό Μέγαρο καί στόν Ἅγιο Νεκτάριο Πενταπόλεως.

Ἡ Ἱστορία τῆς πεντηκονταετίας αὐτῆς (1934-1986) εἶναι πολύ πρόσφατη. Γίνεται, ἑπομένως, ἀναφορά σέ πρόσωπα καί πράγματα γνωστά καί ἐνίοτε ζῶντα ἀκόμη. Παρατίθενται πολλά ἔγγραφα καί κείμενα πού εἶναι «θλιβερά καί ἴσως ἄλλος θά ἐδίσταζε νά δημοσιεύση», ὅπως παραδέχεται καί ὁ συγγραφέας ἐκδότης, ὁ ὁποῖος ὅμως πιστεύει ὅτι «τό συμφέρον τῆς Ἐκκλησίας ἐπιβάλλει διαφάνεια καί μόνον σκοτεινές δυνάμεις θά ἤθελαν ν' ἀποκρύψουν τήν ἀλήθεια». (σ. 15).

Ὅπως καί νά ἔχει τό πράγμα, ἡ Ἱστορία τῆς περιόδου 1934-1986, ὅπως ἐκτίθεται, εἶναι ζωντανή καί διαβάζεται μέ ἐνδιαφέρον. Ἡ παράθεση πλήθους φωτογραφιῶν σημαινόντων προσώπων τῆς Ἀλεξανδρινῆς Ἐκκλησίας καί τῶν δραστήριων καί πολυάνθρωπων ἑλληνικῶν κοινοτήτων, τῶν ἱδρυμάτων, τῶν σχολείων κ.λπ., ὑπενθυμίζουν τό ἔνδοξο παρελθόν τοῦ Ἑλληνισμοῦ στήν ἀφρικανική ἤπειρο πού -κρίμασιν οἷς οἶδε Κύριος- ὁδηγήθηκε σέ μαρασμό ἤ ἐξαφάνιση.

ΕΥΑΓΓΕΛΟΣ Π. ΛΕΚΚΟΣ

Περιοδικό Ἐ**Ἐκκλησία**, 1-15 Ἰουλίου 1994

UNIVERSITE CATHOLIQUE DE LOUVAIN
Bibliothèque Générale et de Sciences Humaines
Bibliothèque de Théologie
Grand-Place, 45
1348-LOUVAIN-LA-NEUVE

EKKLESIA KAI THEOL.
Monseigneur Methodios Fouyas
9, Riga Ferraiou Str.
GR-15232 KHALANDRI-ATHENS
GRECE

Le 5.7.1994

Concerne : Echange. ***EKKLESIA KAI THEOL.***

Monseigneur,

Après vérification de notre collection, nous constatons que les années 1989, 1990, 1991 manquent.

Vous serait-il possible de nous procurer ces volumes?, nous en serions très heureux.

Nous profitons de la présente lettre pour vous rappeler notre adresse :

UNIVERSITE CATHOLIQUE DE LOUVAIN
Bibliothèque de Théologie
Grand-Place 45,
B-1348-LOUVAIN-LA-NEUVE

Nous vous prions de croire, Monseigneur, à l'expression de nos sentiments les plus respectueux.

V. Meulemans

V. MEULEMANS
Gestionnaire des périodiques

Dr. J. A. J. MEIJER

Your Excellency

In 1972 I defended, at the Oriental Institute in Rome, my dissertation on: "A successful Council of Union, A theological Analysis of the Photian Synod of 879-880" which in 1975 was published in "Ἀνάλεκτα Βλατάδων nr. 23" and which received a very good response in the orthodox world (Fr. Meyendorff a.o.). I enclose a photocopy of the greek Περίληψις of the book.

As you understand I still keep myself informed on publication on St. Photios - of which by the way I painted also an icon which hangs in our chapel here in Tilburg.

For that reason I would like to receive very much *Ἐκκλησία καὶ Θεολογία* Τόμος Ι' 1989-1990, which is totally dedicated to Φώτιος.

Dr. J. A. J. MEIJER

In that context I want to say to you that up to 1987 we always received the very much valued volumes of "Ἐκκλησία καὶ Θεολογία", but the last volume we received was volume Ζ'-Η' (1986-1987). If possible we would like to receive the missing copy (1988-1989) also. And remain on your mailing list.

With the expression of our gratitude and the best wishes for a Blessed celebration of Christmas, I remain

Johan Meijer

Dr. J. Meijer Director
of the Apostolaat voor Oosterse
kerken

Il Cardinale Arcivescovo di Bologna

A Sua Ecc. za Rev.ma

l'Arcivescovo Metropolita Metodio

9, Riga Ferraiou Str.

Khalandri, 152 31 ATHENS

GREECE

Mi è giunto il volume dal titolo: "Church and Theology", che ha Ella voluto premurosamente farmi pervenire.

Mentre La ringrazio vivamente per la cortese attenzione, mi è gradita l'occasione per farLe giungere i sensi della mia stima e il mio più cordiale e fraterno saluto in Cristo.

Bologna, 3 marzo 1993.

+ Giacomo Biffi

+ Giacomo Biffi

Cardinale Arcivescovo

Ο ΓΕΡΩΝ ΜΗΤΡΟΠΟΛΙΤΗΣ
ΚΑΙΣΑΡΕΙΑΣ ΒΑΣΙΛΕΙΟΣ
ΓΕΝΙΚΟΣ ΠΑΤΡΙΑΡΧΙΚΟΣ ΕΠΙΤΡΟΠΟΣ
ΕΛΛΗΝΙΚΟΝ ΟΡΘΟΔΟΞΟΝ ΠΑΤΡΙΑΡΧΕΙΟΝ
ΙΕΡΟΣΟΛΥΜΩΝ
P. O. BOX 14256 - ΤΗΛ. 289124 - ΙΕΡΟΥΣΑΛΗΜ

Ἀγαπητέ μοι Μεθόδιε, Ἅγιε Πισιδίας,

Θερμῶς εὐχαριστῶ Σοι, ἐπὶ τῇ πρόσφατον ἀποστολῇ τοῦ ΙΑ΄ Τόμου "Ἐκκλησία καὶ Θεολογία", ἅμα δ' ἐπιστέλλων Σοι τὸ ἀδελφικόν μου τοῦτο γράμμα, ὁλοψύχως συγχαίρω Σοι ἐπὶ τῷ μακροχρονίῳ τούτῳ πονήματι τῆς ἀξιεπαίνου συγγραφικῆς Σου δράσεως καὶ τοῦ ὀξυτάτου καλάμου Σου. Κύριος ὁ Θεὸς κραταιώνοι σ' ἔτι μακρόβιον ἐν τῷ ἀμπελῶνι Αὐτοῦ, ἐπ' ἀγαθῷ Αὐτοῦ καὶ τῆς Ἁγιωτάτης Αὐτοῦ Ἐκκλησίας, πρὸς ἔπαινον δὲ τῆς ἀδελφικῆς Σου ἀγάπης καὶ τῆς ἣν ἀκοιμήτως φυλάττεις τιμῆς Πατρίδος.

Ὀσφραινόμενοι δ' ὅσον οὔπω τὴν Ἁγίαν καὶ Μεγάλην Τεσσαρακοστήν, ἀπὸ καρδίας εὔχομαι Σοι καὶ πᾶσι τοῖς περὶ Σὲ ἐν κατανύξει ἀξιωθῆναι προσκυνῆσαι τὰ τοῦ Κυρίου Πάθη καὶ ἐν χαρᾷ καὶ ἀγαλλιάσει ἑορτάσαι τὴν λαμπροφόρον Αὐτοῦ Ἀνάστασιν.

Κατασπαζόμενος δέ σε ἀδελφοποθήτως ἐν Χριστῷ Ἀναστάντι, διατελῶ
[illegible] πάντοτε
ὁ Κ(αισαρείας) Βασίλειος.

Ἐν Ἱεροσολύμοις
τῇ 30/3/93.

16 Avenue Road
London NW8 6BP
27 Ἀπριλίου 1994

Σεβασμιώτατε

Ἡ ἀνεξάντλητη κι ἀστείρευτη πηγή τῆς διάνοιας Σας κι ὁ χείμαρρος τῶν αἰσθημάτων τῆς καρδιάς Σας, συνετέλεσαν νά εἴμεθα δέκται, ἄλλου ἑνός ψήγματος χρυσοῦ, μέ τή λήψη τοῦ νέου περισπουδάστου ἀκαδημαϊκοῦ τόμου, Ἐκκλησία καί Θεολογία.

Εὐχαριστώντας καί αὖθις μ' ὅση δύναμη καί θέρμη διαθέτομε, Σας εὐχόμεθα ἐπίσης, ἡ θεία ζωή πού ἐξεπήγασε ἀπό τόν ἱερό τάφο τῆς Ἱερουσαλήμ, νά ζωογονῇ χριστιανικά καί τό δικό Σας βίο, πάντοτε.

Ἔχετε ὅλη τήν ἀγάπη μας.
Ἀσπαζόμεθα τή δεξιά Σας
μ' ἀφοσίωση & μέ στοργή
Διαμαντῆς & Εὐγενία

Ὁ Διαμαντῆς Π. Πατέρας εἶναι ὅπως ἐλέχθη, Πρόεδρος τῆς Ἑλληνικῆς Κοινότητος Ἁγίου Νικολάου Λονδίνου καί εὐεργετικός παράγοντας τῆς παροικίας.

UNIVERSITE CATHOLIQUE
DE LOUVAIN
UCL

Louvain-la-Neuve, le 24 mars 1998

Bibliothèque de théologie
Grand-place 45

B - 1348 - LOUVAIN-LA-NEUVE

Nos Réf / Our ref: OT000000

EKKLESIA KAI THEOL;

Riga Ferraiou Str.
GR- 152 32 KHALANDRI-athens
GRECE

RECLAMATION / CLAIM

TITRE: NOTRE ECHANGE. Ekklesia kai theol.
TITLE:

REMARQUE: Depuis le T. 12, 1993, nous n'avons plus reçu aucun exemplaire.
REMARK: Auriez-vous la gentillesse de bien vouloir nous faire savoir si la publication de la revue a repris.

Nous vous remercions de votre collaboration.

V. Meulemans

Viviane Meulemans
Service des Périodiques

Μητροπολίτου Πισιδίας **Μεθοδίου Φούγια, 'Εκκλησία καί Θεολογία** ('Εκκλησιαστική καί Θεολογική 'Επετηρίς), τόμ. Ι', 1989-1991 (Church and Theology - An Ecclesiastical and Theological Review - Editor Metropolitan Methodios of Pisidia, formerly Archbishop of Thyateira and Great Britain). 'Η ἔκδοσις τοῦ λαμπροῦ τούτου τόμου, πού στό μέλλον θά εἶναι ἕνα ἀπό τά σπουδαιότερα βοηθήματα στίς περί τόν ἱερόν Φώτιον σπουδές, εἶχεν ἤδη προαναγγελθῆ ἀπ' τό ἔτος 1989· πρβλ. συνέντευξι τοῦ Σεβ. Μητροπολίτου Πισιδίας (πρ. 'Αρχιεπισκόπου Θυατείρων) κ. Μεθοδίου στό «Δελτίον Κορινθιακῶν Μελετῶν» τόμ. Α' τεῦχος 3, ἔτος 1990, σσ. 7-12). Πρέπει νά σημειωθῆ ὅτι ὁ Σεβ. Δρ. Μεθόδιος Φούγιας προσφάτως ἔχει ἐπί πλέον ἀφιερώσει στόν Μ. Φώτιο δεκάδες σελίδων τοῦ περισπουδάστου ἔργου του **«Ἕλληνες καί Λατῖνοι»** ('Αθῆναι, 1990).*

* Καθηγ. Εὐάγγελος Θεοδώρου, Περιοδικό **'Εκκλησία**, 1/15 Σεπτ. 1991.

DAWSON

Edt n° 4368053

CLAIMS

Title :

4966910	EKKLESIA KAITHEOLOGIA

Deadline for claiming : ____________________

Do you accept claims via e-mail ? Yes ❑ No ❑

Do you produce a publication schedule ? Yes ❑ No ❑
(If yes, please send it to us)

Supplements :

Do you publish supplements ? Yes ❑ No ❑
Are supplements included in subscription price ? Yes ❑ No ❑

If no, please state price and date of publication for all supplements due in 1999
Price : ________ Date of publication : ___/___/___

How many days does it take you to set up a new subscription and begin supplying issues ? ______________

Contact details : Name ____________ Title ____________
Phone ____________ Fax ____________
E-mail ________________________

TARIFS 1999

- -

Edt n° 4368053

ELECTRONIC EDITIONS

Title :

4966910	EKKLESIA KAITHEOLOGIA

Electronic version (available on the Internet) : Yes ❑ No ❑

http:// ____________________

Free to print subscribers ? Yes ❑ No ❑

If no,
price to existing print subscribers : ____________
price to non print subscribers : ____________

Your contact in Dawson : François Ladeuille (E-mail ladeuille@dawson.co.uk)

TARIFS 1999

 Search Menu History Download Brief Records Previous Next

COPAC Full Records

Search terms: A/T=Ekklesia and Theologia (ranked).

Displaying record 3 of 4.

3.		
	Title Details:	**Ekklesia kai theologia** = Church and theology : ekklesiastike kai theologike epeteris tes Hieras Archiepiskopes Thyateiron kai Megales Bretannias
	Publisher:	London (Thyateira House, 5 Craven Hill, W2) : [Archbishopric of Thyateira and Great Britain], 1980-1991
	Physical Desc.:	v. ; 24cm
	ISSN:	02605678
	Notes:	Annual Text in Greek and English
	Subject(s):	Great Britain. Orthodox Eastern churches - History - Serials Orthodox Eastern Church - Great Britain - History - Periodicals
	Document Type:	Periodical
	Language:	English Greek, Modern [1453-]

For holdings information select a library from those below. Those marked † give current availability.

Holding Libraries: Trinity College Dublin†

 Search Menu History Download Brief Records Previous Next

ΑΔΕΛΦΟΤΗΣ ΘΕΟΛΟΓΩΝ
Η «ΖΩΗ»
ΙΠΠΟΚΡΑΤΟΥΣ 189
114 72· ΑΘΗΝΑΙ

Ἀθῆναι 29/4/94

Σεβασμιώτατε ἅγιε Πισιδίας

Ἐλάβομεν καὶ τὸν ΙΒ' τόμον: «Ἐπικλήσεις καὶ Θεολογίες» καὶ σᾶς εὐχαριστοῦμεν θερμῶς.

Ποῦ καιρὸς γιὰ τὴν ἀνάγνωσιν κανεὶς στὸν κόπο σας, ἀλλὰ καὶ στὰ ὅσα συνέβησαν σ' αὐτὴ τὴν κοσμογονικὴ ἐποχὴ καὶ τὰ ὁποῖα βλέπουμε νὰ γίνονται σωστὰ καὶ τὰ σήμερον συμβαίνοντα. Καὶ αὐτὰ μὲν τότε, καὶ τώρα; Πῶς βλέπετε τὴ συνέχεια; Φαινομενικὰ ἀπογοητευτικά. Ὑπάρχουν σημεῖα διαφορετικά; Ὁπωσδήποτε ὁ Κύριος τοῦ ἀμπελῶνος ἀγρυπνεῖ καὶ ματαιώνει τὶς βουλὲς τοῦ πονηροῦ. Εὐχαί.

Μετὰ πολλῆς ἀγάπης καὶ σεβασμοῦ.
Ἀρχιμ. [illegible]

Υ.Γ. Τὸ ἄλλο θέμα πῶς πάει;
[illegible]

311 β

† Βαρθολομαῖος ἐλέῳ Θεοῦ Ἀρχιεπίσκοπος Κωνσταντινουπόλεως Νέας Ρώμης καί Οἰκουμενικός Πατριάρχης

Ἱερώτατε Μητροπολῖτα Πισιδίας, ὑπέρτιμε καί ἔξαρχε Σίδης καί Ἀτταλείας, ἐν Ἁγίῳ Πνεύματι ἀγαπητέ ἀδελφέ καί συλλειτουργέ τῆς ἡμῶν Μετριότητος κύριε Μεθόδιε, χάρις εἴη τῇ ὑμετέρᾳ Ἱερότητι καί εἰρήνη παρά Θεοῦ.

Ἀσμένως ἐλάβομεν καί τόν ΙΒ΄τόμον (1993) τῆς ὑπό τῆς ὑμετέρας ἀγαπητῆς Ἱερότητος ἐκδιδομένης Ἐκκλησιαστικῆς καί Θεολογικῆς Ἐπετηρίδος "Ἐκκλησία καί Θεολογία", ὅνπερ καί μετά τῆς δεούσης προσοχῆς, διά γε τό ἐνδιαφέρον περιεχόμενον αὐτοῦ, διεξελθόντες ἀπεθησαυρίσαμεν εἶτα ἐν τῇ καθ' ἡμᾶς Πατριαρχικῇ Βιβλιοθήκῃ, πρός εὐρυτέραν ἀπ' αὐτοῦ ὠφέλειαν.

Ἐκφράζοντες, διά τοῦ μετά χεῖρας Πατριαρχικοῦ ἡμῶν Γράμματος, τῇ ὑμετέρᾳ Ἱερότητι τάς θερμάς εὐχαριστίας ἡμῶν ἐπί τῇ πρόφρονι ἀποστολῇ τοῦ λίαν ἀξιολόγου τούτου τεκμηρίου φιλοπονίας καί συγχαίροντες ἅπαξ ἔτι ἐπί τῇ εὐδοκίμῳ καί ἀξιεπαίνῳ συγγραφικῇ δραστηριότητι αὐτῆς, ἐπ' ὠφελείᾳ τοῦ Λαοῦ τοῦ Θεοῦ, εὐχόμεθα αὐτῇ ὑγείαν καί δαψιλῆ τήν ἄνωθεν ἐνίσχυσιν ἐν τῇ ζωῇ καί ταῖς πνευματικαῖς ἐνασχολήσεσιν αὐτῆς, ἐπ' ἀγαθῷ τῆς Ἁγίας ἡμῶν Ἐκκλησίας.

Εἴησαν παρά Θεοῦ τά ἔτη τῆς ὑμετέρας Ἱερότητος ὅτι πλεῖστα, ὑγιεινά καί σωτήρια.

αϡϟδ΄ Ἰουνίου κθ

ὁ Κωνσταντινουπόλεως ἀγαπητός ἐν Χριστῷ ἀδελφός Β.

Ἐλέχθη ἀπὸ τὸν γράφοντα σὲ Ἱερατικὸ Συνέδριο, 1984

Ἡ Ἀρχιεπισκοπὴ Θυατείρων ἔχει εὐρύτερη ἀποστολή, τὴν ὁποία πρέπει ὅλοι μας νὰ ἀντιληθοῦμε. Λόγω θέσεως πρέπει νὰ μεταδώσει τὸ μήνυμα τῆς Ἐκκλησίας καὶ πέρα ἀπὸ τὰ ὅριά της. Αὐτὴ εἶναι ἡ ἀποστολή τῶν περιοδικῶν μας «Ἐκκλησία καὶ Θεολογία» καὶ «Texts and Studies». Μὲ αὐτὰ δημιουργοῦμε στηρίγματα τῆς Ἐκκλησίας μας στὸν ξένο τόπο, ὅπου τὴν ἐγκαθιδρύσαμε, καὶ ἴσως προσφέρουμε καὶ γενικότερη ὑπηρεσία. Αὐτὸ φαίνεται ἀπὸ τὰ ἀναρίθμητα γράμματα ποὺ παίρνουμε ἀπὸ προσωπικότητες τῶν Ὀρθοδόξων Ἐκκλησιῶν καὶ τῆς ἐπιστήμης. Σᾶς διαβάζω ἕνα, ποὺ προέρχεται ἀπὸ τὸν γνωστὸ σὲ ὅλους μας διακεκριμένο Δρα Κώστα Χατζηπατέρα:

Σεβασμιώτατε, ***26 Δεκεμβρίου 1983***

Ἔλαβα εἰς διπλοῦν τὸν περισπούδαστον τόμον «Ἐκκλησία καὶ Θεολογία» μὲ τὶς βαθύτατες μελέτες καὶ ἐμβριθῆ θεολογικὰ δοκίμια, τὶς σοφὲς βιβλιοκρισίες καὶ τὸ ἐκπληκτικὰ πλῆρες Γενικὸν Εὑρετήριον, καί, μαζὶ μὲ τὶς ἐγκάρδιες καὶ εὐγνώμονες εὐχαριστίες μου, Σᾶς ἀπευθύνω καὶ πάλι τὰ θερμότατα συγχαρητήριά μου γιὰ τὴν καταπληκτική Σας δραστηριότητα καὶ ἐπιμέλεια. Μὲ δέος καὶ θαυμασμὸ ἀναλογίζομαι τὸ ἀπέραντον τῆς ἐργασίας Σας ἐπ' ἀγαθῷ τοῦ Ἔθνους καὶ τῆς Ἑλληνικῆς Ὀρθοδοξίας, διὰ τὴν συνέχισιν τῆς ὁποίας ἐργασίας ἔχετε ξεπεράσει ὅλες τὶς προσδοκίες τοῦ ποιμνίου Σας.

Εὔχομαι ὁλόψυχα νὰ διέλθετε τὸ Νέον Ἔτος ἐν πλήρει ὑγείᾳ καὶ πνευματικῇ ἀκμῇ, πρὸς χαρὰν ὅλων μας.

Μὲ βαθύτατον σεβασμὸν καὶ
πολλὴν ἀγάπην

Κώστας Ν. Χατζηπατέρας

Ο ΠΡΟΕΔΡΟΣ ΤΗΣ ΔΗΜΟΚΡΑΤΙΑΣ

Αθήνα, 1 Απριλίου 1998

Σεβασμιώτατε,

Σας ευχαριστώ πολύ για την προσφορά και ευγενική αφιέρωση του βιβλίου σας << Επιστολαί - Μελετίου Πηγά, Πάπα και Πατριάρχου Αλεξανδρείας 1590-1601 >>.

Με αγάπη

ΚΩΝΣΤΑΝΤΙΝΟΣ ΣΤΕΦΑΝΟΠΟΥΛΟΣ

Σεβασμιώτατο
Μητροπολίτη Πισιδίας
πρ. Αρχιεπισκόπου Θυατείρων &
Μεγάλης Βρεταννίας
Κύριο Μεθόδιο Φούγια
Ρήγα Φερραίου 9
152 32 Χαλάνδρι

36. Τό Συνέδριο τήν ὥρα πού τό προσφωνεῖ ὁ Πρέσβυς τῆς Ἑλλάδας κ. Στέφανος Σταθάτος.

McMASTER UNIVERSITY
Department of Modern Languages
1280 Main Street West, Hamilton, Ontario, Canada L8S 4M2
Telephone: (416) 525-9140, Ext. 4388

Home address:

150 Judith Crescent

Ancaster, Ontario. L9G 1L5
Canada.

June 15, 1988

Archbishop Methodios
9, Riga Ferraiou Street
Khalandri, 15232
Athens, Greece.

Dear Archbishop Methodios:

I was pleased to receive the proofs of my article which I dully corrected. There were only some minor typographical errors. I trust that this time my article will finds its place in one of your publications, either EKKLESIA KAI THEOLOGIA or in EKKLESIASTIKOS PHAROS. Does the new address mean that you have been moved to Greece? or this is just a temporary address? I will be glad to know about it.

I have some sad news to convey to you. We have just lost our eldest son, Brian, who died from a rare type of cancer. He was only 41 years old and he only lasted 43 days from the day he entered the Toronto Western Hospital for a simple check-up. They discovered that the cancer had gone through his blood system and entered his brain, which left him paralyzed and without the ability to speak. The funeral took place on June 2, 1988. It was a great shock to us. He leaves a wife and a little daughter 8 years of age. This experience has pretty well drained our physical and emotional strength, but as Christians we have not lost hope and we know that death is not the final thing, that Christ is the Resurrection and the Life. This gives us comfort and hope.

Thank you for sending me a copy of THEOLOGICAL AND HISTORICAL STUDIES which I am looking forward to reading the interesting articles, etc. I will be looking forward to receiving the journal in which my article will appear, hopefully in the near future.

With kind personal regards and best wishes in your work.

Sincerely yours in Christ,

Louis J. Shein

A CENTURY OF DISCOVERY — McMASTER UNIVERSITY 100 1887-1987 — UN SIECLE DE DÉCOUVERTES

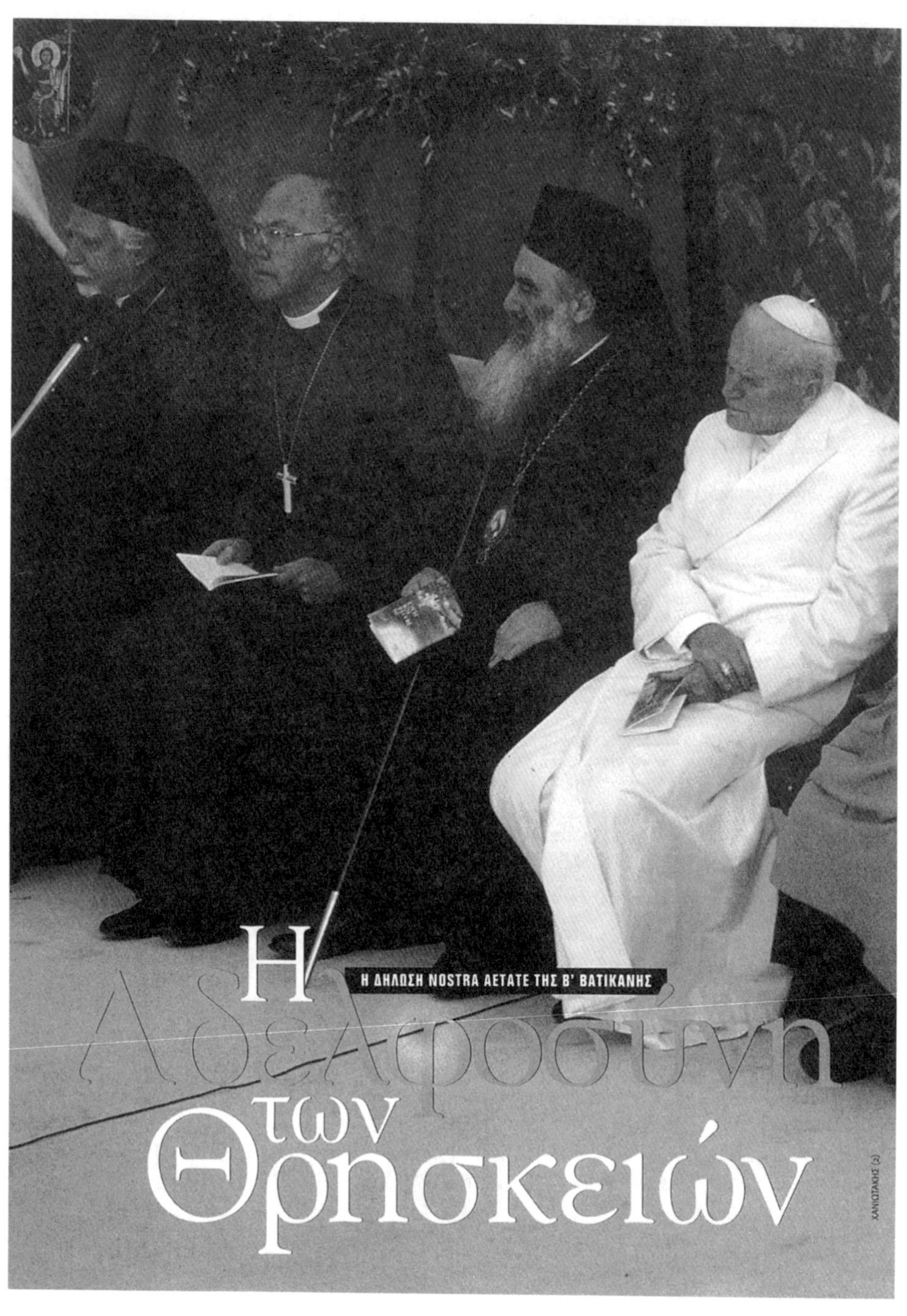

37. Τό 1986 στήν 'Ασσίζη γιά τήν συνεργασία τῶν θρησκειῶν. Ὁ Delai - Lama, ὁ ῞Αγ. Πάπας Ἰωάννης - Παῦλος ΙΙ, ὁ Ἀρχιεπίσκοπος Μεθόδιος, ὁ Ἀγγλικανός Ἀρχιεπίσκοπος, ὁ ἀντιπρόσωπος τοῦ Πατριαρχείου Ἀντιοχείας κ.ἄ.

Θ′

Texts and Studies

Πρῶτος Τόμος 1982

Δέκατος Τόμος, 1989-1991

FOUNDATION FOR HELLENISM
IN GREAT BRITAIN

TEXTS AND STUDIES

VOL. I

THYATEIRA HOUSE

LONDON 1982

Printed by Spectrum Litho Ltd., 77 Leonard St., London EC2A 4QS. Tel.: 01-739 4252

ARCHBISHOP METHODIOS OF THYATEIRA AND GREAT BRITAIN, editor, **Texts and Studies,** *I (1982) pp. 346, London, England, with pictures.*

Ὁ ἀρχιεπίσκοπος Θυατείρων καὶ Μεγάλης Βρεταννίας Μεθόδιος Φούγιας εἶναι ὁ ἐκδότης τοῦ νέου περιοδικοῦ «Texts and Studies», Λονδῖνον 1 (1982), σελίδες 346, τὸ ὁποῖον τίθεται εἰς τὴν πνευματικὴν ὑπηρεσίαν τοῦ γένους καὶ τῆς παροικίας εἰς τὴν Μεγάλην Βρεταννίαν καὶ τὴν Ἰρλανδίαν.

Μετὰ τὸ θεολογικὸν περιοδικὸν «Ἐκκλησία καὶ Θεολογία» 1(1980) συν., τοῦτο εἶναι τὸ δεύτερον νέον περιοδικόν, τὸ ἐκδιδόμενον ὑπὸ τοῦ ἀρχιεπισκόπου Θυατείρων καὶ Μεγάλης Βρεταννίας.

Ὅλοι οἱ συγγραφεῖς, ἐκτὸς ἑνὸς τοῦ Sir Steven Runciman, εἶναι ὀρθόδοξοι θεολόγοι καὶ γράφουν εἰς τὴν ἀγγλικήν, τὴν γαλλικήν, τὴν γερμανικὴν καὶ τὴν ἑλληνικήν. Οἱ ἴδιοι συγγραφεῖς παρουσιάζουν περισσότερα τοῦ ἑνὸς δημοσιεύματα. Διὰ λόγους τεχνικοὺς - μεθοδολογικοὺς δὲν γνωρίζω κατὰ πόσον θὰ ἦτο καλλίτερον ἐὰν αἱ ἐργασίαι ἑνὸς ἑκάστου συγγραφέως ἠκολούθουν κατὰ σειρὰν ἡ μία τὴν ἄλλην.

Ὁ τόμος Α' (1982) περιλαμβάνει κείμενα-ἔγγραφα, ἐπιστολάς, ἄρθρα, μελέτας, μονογραφίας, ὁμιλίας, προσφωνήσεις, βιβλιοκρισίας, κτλ.

Πίναξ Περιεχομένων, σ. 345 - 6.

Θυατείρων καὶ Μεγάλης Βρεταννίας Μεθοδίου, Πρόλογος, σ. 5-9.

«Ὁ πρῶτος τόμος ἀφιεροῦται εἰς τὸν πρῶτον ἀρχιερέα τῆς Μητροπόλεως Θυατείρων ἀείμνηστον Γερμανόν, τοῦ ὁποίου καταχωρῶ ἐδῶ ἀπόσπασμα ἔκ τινος λόγου του κατὰ τὴν τελετὴν τῆς ἐπιδόσεως εἰς αὐτὸν τοῦ Σταυροῦ τοῦ Λάμπεθ τὸ 1943 . . . καὶ τὸ δημοσίευμα τοῦ... Σπύρου Ἀλεξίου ἐν τῇ... Ἐφημερίδι ΚΑΘΗΜΕΡΙΝΗ τῆς 2ας Ἰουλίου 1981» (σ. 5).

Κωνσταντινουπόλεως Δημητρίου, Ἐγκύκλιος διὰ τὸν Ἑορτασμὸν τῆς 1600ῆς Ἐπετείου ἀπὸ τῆς Συγκλήσεως τῆς Β' ἐν ΚΠόλει Οἰκουμενικῆς Συνόδου (381/1981), ἀγγλιστί, σ. 11-20.

Βασιλείου Ν. Ἀναγνωστοπούλου, Ἡ ὑπὸ τοῦ Οἰκουμενικοῦ Πατριαρχείου Ἵδρυσις τῆς Ἱερᾶς Μητροπόλεως Θυατείρων, σ. 21 - 37.

Ὁ ὁμότιμος καθηγητὴς τῆς ἱ. θεολογικῆς σχολῆς Χάλκης Βασίλειος Ν. Ἀναγνωστόπουλος ἀναφέρεται εἰς τὸ ἱστορικὸν τῆς ἱδρύσεως τῆς ἱ. μητροπόλεως Θυατείρων τὸ 1922 ὑπὸ τοῦ ΚΠόλεως Μελετίου Δ' (1921 - 1923), μὲ πρῶτον ἱεράρχην τὸν ἀείμνηστον ἀπὸ Σελευκείας Γερμανὸν Στρηνόπουλον, κάμνει μίαν σύντομον ἀναδρομὴν εἰς τὴν ἱστορίαν αὐτῆς μέχρι τοῦ παρόντος καὶ

Ἐκκλησία καί Θεολογία, Δ' (1983), σελ. 944-946.

παραθέτει τὰ δύο πατριαρχικὰ ἐπὶ τῆς ὀρθοδόξου διασπορᾶς κείμενα, α') ἐπὶ 'Ιωακεὶμ Γ' (1908) καὶ β') ἐπὶ Μελετίου Δ' (1922).

Κωνσταντίνου Β. Καλλινίκου, 'Η 'Αναγκαιότης καὶ ἡ Σημασία τῶν Νέων ἐν Εὐρώπῃ 'Ιδρυθεισῶν 'Ιερῶν Μητροπόλεων καὶ 'Εξαρχιῶν τοῦ Οἰκουμενικοῦ Πατριαρχείου, σ. 38 - 68.

'Ο ὁμότιμος καθηγητὴς τῆς αὐτῆς σχολῆς Κωνσταντῖνος Β. Καλλίνικος γράφει ἄρθρον παρόμοιον, κατὰ τὸ μᾶλλον ἢ ἧττον, πρὸς τὸ προηγούμενον, μὲ ἀναφορὰν πρὸς ὅλας τὰς εἰς τὴν Εὐρώπην μέχρι τοῦ 1982 ἱδρυθείσας ἐπαρχίας τοῦ οἰκουμενικοῦ θρόνου, παραθέτων συνάμα καὶ τοὺς ἱδρυτικοὺς τῶν ἐπαρχιῶν τούτων τόμους.

Καὶ αἱ δύο ἐργασίαι τῶν ἀγαπητῶν συναδέλφων εἰς τὴν Χάλκην συνιστοῦν μίαν σύντομον καὶ χρήσιμον εἰσαγωγὴν διὰ τὴν ἐξέτασιν τῆς ἱστορίας τῶν εἰς τὴν εὐρωπαϊκὴν ἤπειρον ἐπαρχιῶν τοῦ οἰκουμενικοῦ πατριαρχείου.

Andreas Tillyrides, Archbishop Germanos Strenopoulos and the Ecumenical Movement, Unpublished Documents, pp. 69 - 184.

'Ο Δρ. 'Ανδρέας Τηλλυρίδης εἰς εὐρυτέραν ἐργασίαν του ἐπὶ τῆς ἱστορίας τῆς ἀρχιεπισκοπῆς Θυατείρων εἰς τὸ περιοδικὸν «'Εκκλησία καὶ Θεολογία» 2(1981), σελ. 765 - 859, ἠσχολήθη μὲ τὸ ἴδιον ἀντικείμενον ἐρεύνης, τὴν κατάρτισιν δηλαδὴ βιογραφίας τοῦ Γερμανοῦ Στρηνοπούλου (Σελευκείας, Θυατείρων), ἑνὸς ἐκ τῶν πλέον ἐξεχόντων ἱεραρχῶν τῆς ὀρθοδόξου 'Εκκλησίας κατὰ τὸν Κ' αἰῶνα. 'Εδῶ συνεχίζει τὴν ἔκδοσιν ἀναλόγου ἀνεκδότου ἀρχειακοῦ ὑλικοῦ (103 ἔγγραφα), τὴν φορὰν αὐτὴν ἐπὶ τῶν σχέσεων τοῦ Θυατείρων Γερμανοῦ πρὸς τὴν οἰκουμενικὴν κίνησιν (σ. 79 - 183), μὲ μίαν σύντομον εἰσαγωγὴν καὶ βιβλιογραφίαν εἰς τὴν ἀρχὴν (σ. 69 - 78). 'Η ὅλη αὕτη ἐργασία ἀποβλέπει, κατὰ τὸν συγγραφέα, εἰς ἕνα σκοπόν:

«Σκοπεύω μίαν ἡμέραν νὰ γράψω μίαν βιογραφίαν τοῦ 'Αρχιεπισκόπου Γερμανοῦ καὶ δι' αὐτὸν τὸν λόγον ἐπιθυμῶ πρῶτον ὅπως ἐκδώσω τὴν ἀλληλογραφίαν του, οὕτως ὥστε νὰ ἔχω μίαν πλήρη εἰκόνα τῆς δυναμικῆς καὶ ἐπηρεαζούσης δράσεώς του κατὰ τὴν σύγχρονον ἱστορίαν» (σ. 70, ὑποσημ. 3).

'Επισκόπου Ζηνουπόλεως 'Αριστάρχου, ἐπιμελείᾳ, 'Ανέκδοτα Μητροπολίτου Θυατείρων Γερμανοῦ (1951), σ. 185 - 206.

"Εκδοσις προσφωνήσεων, ὁμιλιῶν καὶ εὐχῶν γενομένων ὑπὸ τοῦ Θυατείρων Γερμανοῦ (1917 - 1943).

Archbishop Methodios of Thyateira and Great Britain, The General Assembly of the Church of Scotland, Sermon delivered by... in St. Giles' Cathedral, Edinburgh, 17th May 1981, pp. 207-213.

'Ομιλία λεχθεῖσα κατὰ τὴν γενικὴν συνέλευσιν τῆς 'Εκκλησίας τῆς Σκωτίας εἰς τὸν καθεδρικὸν ναὸν τοῦ St. Giles, 'Εδιμβοῦργον, 17 Μαΐου 1981.

Idem, Christian Hellenism: The Classical Christian Heritage (A Paper read by..., in the School of Ecumenics, Dublin 23rd May, 1981), pp. 214-217.

'Ομιλία ὑπὸ τοῦ ἰδίου, μὲ θέμα: «'Ο Χριστιανικὸς 'Ελληνισμός: 'Η Κλασσικὴ Χριστιανικὴ Κληρονομία», λεχθεῖσα εἰς τὴν σχολὴν τοῦ οἰκουμενισμοῦ, Δουβλῖνον, 23 Μαΐου 1981.

Idem, Christian Priesthood, General Introductory Remarks (A Paper read by..., in the International Academy of Religious Studies, Brussells, 1981), pp. 218 - 229.

Χριστιανικὴ 'Ιερωσύνη, Εἰσαγωγικαὶ Παρατηρήσεις. 'Ομιλία λεχθεῖσα ὑπὸ τοῦ ἰδίου εἰς τὴν διεθνῆ ἀκαδημίαν τῶν θρησκευτικῶν ἐπιστημῶν, Βρυξέλλαι, 1981.

Sir Steven Runciman, The Three Hierarchs and the Continuity of the Greek Civilization. A Paper Delivered on the Occasion of the Celebration of the Greek Letters. London 30 Jan. 1982, pp. 230 - 9.

Οἱ Τρεῖς 'Ιεράρχαι καὶ ἡ Συνέχισις τοῦ 'Ελληνικοῦ Πολιτισμοῦ, ὑπὸ τοῦ Στῆβεν Ράνσιμαν. 'Ανεγνώσθη κατὰ τὸν ἑορτασμὸν τῆς ἐπετείου τῶν ἑλληνικῶν γραμμάτων, τῶν τριῶν ἱεραρχῶν, Λονδῖνον, 30 'Ιαν. 1982.

'Ανδρέου Τηλλυρίδου, 'Ο 'Αλέξανδρος Λυκοῦργος πρὸς τὸν Γλάδστωνα, σ. 240 - 267.

Very Rev. George Dragas, The Contribution of Hellenism to Thought and Life in Great Britain (A Paper Read at the Inaugural Day of the Foundation for Hellenism in Great Britain, 20th February 1982), pp. 268 - 276.

'Η Προσφορὰ τοῦ 'Ελληνισμοῦ εἰς τὴν Σκέψιν καὶ τὴν Ζωὴν εἰς τὴν Μεγάλην Βρεταννίαν. 'Ομιλία λεχθεῖσα εἰς τὴν Μ. Βρεταννίαν τὴν 20ὴν Φεβρουαρίου 1982.

Κ.Ε.Σ. ('Ανακοίνωση τοῦ Κεντρικοῦ 'Εκπαιδευτικοῦ Συμβουλίου), 'Εκπαίδευση καὶ Ταυτότητα τῆς 'Ελληνικῆς Νεολαίας στὴ Μεγάλη Βρεταννία, σ. 277 - 281.

Θυατείρων καὶ Μεγάλης Βρεταννίας Μεθοδίου, Εἰσηγήσεις, σ. 282 - 293.

Πρὸς τὴν Νεολαίαν, 25 'Οκτωβρίου 1981, ἀγγλιστί, σ. 282-6.

Πρὸς τὰς Βοηθητικὰς 'Αδελφότητας, 21 Νοεμβρίου 1981, σ. 287 - 9.

Πρὸς τὸ Η' 'Εκπαιδευτικὸν Συνέδριον, 31 'Ιανουαρίου 1981, σ. 290 - 3.

Πρωτοπρεσβυτέρου Γεωργίου Δράγα, Οἱ Τρεῖς 'Ιεράρχαι Στῦλοι τοῦ Νεοελληνισμοῦ, σ. 294 - 7.

Βιβλιοκρισίαι, σ. 298 - 326. 'Υπὸ Βασιλείου Θ. Σταυρίδου, σ. 298 - 304, 321 - 6 καὶ Θυατείρων Μεθοδίου, σ. 304 - 320.

Εὑρετήριον, σ. 327 - 344.

27 'Ιουνίου 1983 Β. Σταυρίδης

ARCHBISHOP METHODIOS OF THYATEIRA AND GREAT BRITAIN, ed., **Texts and Studies** *II (1983) pp. 362, with pictures.*

Texts and Studies I (1982), Βιβλιοκρισία ὑπὸ Β. Θ. Σταυρίδου, Ἐκκλησία καὶ Θεολογία 4 (1983) 944–947.

Μὲ τὴν ἐμφάνισιν τοῦ τόμου II (1983) ἡ ἐτησία ἔκδοσις «Κείμενα καὶ Μελέται», μὲ ἐκδότην τὸν ἀρχιεπίσκοπον Θυατείρων καὶ Μ. Βρεταννίας Μεθόδιον, εἰσέρχεται εἰς τὸν ὁμαλὸν ρυθμὸν τῆς πορείας αὐτῆς.

Ἅπαντες οἱ συγγραφεῖς, ἐκτὸς τριῶν, εἶναι ὀρθόδοξοι ἐπιστήμονες καὶ ἄνθρωποι τῶν γραμμάτων. Γράφουν εἰς τὴν ἑλληνικὴν καὶ τὴν ἀγγλικήν, μὲ περισσότερα ἄρθρα εἰς τὴν πρώτην γλῶσσαν. Δι' αὐτὸ ἴσως θὰ εἶναι καλὸν ὁ τίτλος τοῦ περιοδικοῦ τούτου καὶ τὰ ἄλλα σχετικὰ μὲ αὐτὸ νὰ ἐνεφανίζοντο εἰς μίαν σελίδα τοῦ ἐξωφύλλου παραλλήλως καὶ εἰς τὴν ἑλληνικήν, ὅπως συμβαίνει καὶ μὲ τὸ ἕτερον τῶν περιοδικῶν τοῦ ἰδίου ἐκδότου, «Ἐκκλησία καὶ Θεολογία».

Τὴν φορὰν ταύτην ὁ πολυγραφώτατος ἀρχιεπίσκοπος Θυατείρων καὶ Μ. Βρεταννίας Μεθόδιος ἀντιπροσωπεύεται μόνον εἰς τὰς βιβλιοκρισίας.

Πίναξ Περιεχομένων, σ. 361–362.

Οἰκουμενικὸν Πατριαρχεῖον, σ. 5–16, 199–205.

α') Χαλκηδόνος Μελίτωνος, Λόγος ἐπὶ τῇ Ἐνάρξει τῶν Ἐργασιῶν τῆς Β' Προσυνοδικῆς Διασκέψεως (1982), σ. 5–12.

β') Τοῦ Αὐτοῦ, Εἰσήγησις πρὸς τὴν Ὁλομέλειαν τῆς Διασκέψεως, σ. 13 - 16.

γ') Ἡ Ἵδρυσις τῆς Μητροπόλεως Ἑλβετίας, σ. 199–205.

2 Ὀκτωβρίου 1982.

Paul G. Manolis, Thyateira and America, pp. 17–97.

Θυάτειρα καὶ Ἀμερική. Ὑλικὸν ἀπὸ τὸ ὑπὸ προετοιμασίαν τρίτομον ἔργον τοῦ Π. Γ. Μανώλη, «Ἡ Ἱστορία τῆς Ἑλληνικῆς Ὀρθοδόξου Ἐκκλησίας εἰς τὴν Ἀμερικήν». Ἱστορικὰ σημειώματα καὶ ἔκδοσις ἀνεκδότου ὑλικοῦ.

Χρήστου Ε. Γιαννούλα, ἐκδ., Πρακτικὰ ἐκ τοῦ Ἀρχείου τῆς Ἑλληνικῆς Ἐκκλησίας ἐν Μαγκεστρίᾳ, σ. 99–122.

Ἐκκλησία καί Θεολογία, Vol. V (1984), σελ. 965-967.

A. Tillyrides, Hieronymos Myriantheus (1838-1898), pp. 123-181.

'Αρχιμανδρίτης Ἱερώνυμος Μυριανθεύς, ὁ διαπρεπὴς προϊστάμενος τοῦ ναοῦ τῆς ἁγίας Σοφίας τοῦ Λονδίνου (1838-1898). Μία πρώτη προσπάθεια συλλογῆς ὑλικοῦ διὰ τὴν προετοιμασίαν-συγγραφὴν τῆς βιογραφίας τοῦ ἀνδρός. Ἔκδοσις ἀρχειακοῦ ὑλικοῦ.

Idem, The Significance of «The Archives» of the Greek Archdiocese of Thyateira and Great Britain, pp. 267-270.

Ἡ σημασία τῶν ἀρχείων τῆς ἱ. Ἀρχιεπισκοπῆς Θυατείρων καὶ Μ. Βρεταννίας. Τὸ καθόλου ὑλικὸν τὸ φιλοξενούμενον εἰς αὐτήν.

Idem, Eleftherios Venizelos (1864-1935) and Meletios Metaxakis (1871-1935), pp. 271-276.

Ἐλευθέριος Βενιζέλος (1864-1935) καὶ Μελέτιος Μεταξάκης (1871-1935). Αἱ σχέσεις τῶν δύο τούτων διαπρεπῶν Κρητῶν.

Idem, Archbishop Germanos of Thyateira and Nikos Kazantzakis, pp. 277-281.

Ἡ ἐπέμβασις τοῦ Θυατείρων Γερμανοῦ ὑπὲρ τοῦ Ν. Καζαντζάκη, κατόπιν αἰτήσεως τοῦ δευτέρου, διὰ τὸ βραβεῖον Νόμπελ.

Σουηδίας Παύλου, Ἱστορικὸν Σχεδίασμα περὶ τῆς Ὀρθοδοξίας ἐν Σκανδιναβίᾳ, σ. 183-196.

Διάλεξις γενομένη τὴν 2αν Ἀπριλίου 1982 εἰς τὴν Φιλλανδίαν. Ἄγνωστοι ἐν πολλοῖς ἐνδιαφέρουσαι πληροφορίαι περὶ τῆς Ὀρθοδοξίας εἰς τὴν Σκανδιναβίαν. Εὐχῆς ἔργον θὰ ἦτο ἡ προετοιμασία καὶ συγγραφὴ παρομοίων ἔργων δι' ὅλας τὰς ἐπαρχίας τοῦ Οἰκουμενικοῦ Πατριαρχείου εἰς τὸ ἐξωτερικόν.

Ἐλενουπόλεως Ἀθανασίου, Προσφώνησις ἐπὶ τοῖς Ὀνομαστηρίοις τοῦ Μητροπολίτου Γέροντος Χαλκηδόνος Μελίτωνος, σ. 197-198.

Sir Steven Runciman, The Orthodox Church in Great Britain, pp. 207-209.

Ἡ Ὀρθόδοξος Ἐκκλησία εἰς τὴν Μεγάλην Βρεταννίαν.

G. Dragas, Anglicanism and Orthodoxy, pp. 211-217.

Συνέδριον ἐπὶ τοῦ θέματος «Ἀγγλικανισμὸς καὶ Ὀρθοδοξία», 9 Ὀκτωβρίου 1982, Θεολογικὴ Σχολή, πανεπιστήμιον Ντάραμ, Ἀγγλία.

Βασιλείου Θ. Σταυρίδου, Ἐκκλησιαστικὰ καὶ Θεολογικὰ Περιοδικὰ τοῦ Οἰκουμενικοῦ Πατριαρχείου, σ. 219-229.

Σύντομον ἄρθρον διὰ τὰ ἐκκλησιαστικὰ γράμματα, μὲ ἀντικείμενον ἐρεύνης τὰ περιοδικὰ τοῦ Οἰκουμενικοῦ Πατριαρχείου: ἡ Ἀναγέννησις, ὁ Ἀπόστολος Ἀνδρέας, ἡ Ἐκκλησιαστικὴ Ἀλήθεια, ἡ Ἐκκλησιαστικὴ Ἐπιθεώρησις, ἡ Ὀρθοδοξία, ὁ Νέος Ποιμήν.

Constantine Callinikos, The Place of Gnosticism in Early Church's History, ed. by Bishop Aristarchos of Zenoupolis, pp. 231-241.

«Κατωτέρω δημοσιεύομε ἀνέκδοτη ἐργασία τοῦ ἀειμνήστου Μ. Οἰκονόμου Κωνσταντίνου Καλλινίκου "Περὶ τῆς θέσεως τοῦ Γνωστικισμοῦ εἰς τὴν ἀρχαίαν Ἐκκλησίαν", τὴν ὁποίαν ὁ ἀείμνηστος εἶχεν ὑποβάλει τὸ 1907 ὡς φροντιστηριακὸ γύμνασμα εἰς τὸ Πανεπιστήμιο τῆς Μαγχεστρίας» (σ. 231). Ὁ Ζηνουπόλεως Ἀρίσταρχος.

F. F. Bruce, Reflections of a Teacher of Greek, pp. 243-252.

Καθηγητὴς εἰς τὸ πανεπιστήμιον τοῦ Μάντσεστερ τῆς Ἀγγλίας. Σκέψεις του ἐπὶ τῆς διδασκαλίας τῶν ἑλληνικῶν.

T. F. Torrance, The Orthodox Church in Great Britain, pp. 253-259.

Ὁ γνωστὸς καθηγητὴς τοῦ πανεπιστημίου τοῦ Ἐδιμβούργου ἀσχολεῖται μὲ τὸ αὐτὸ θέμα, μὲ τὸ ὁποῖον ἐνδιέτριψε προηγουμένως ὁ σὲρ Στῆβεν Ράνσιμαν.

Idem, John Philoponos of Alexandria, Sixth Century Christian Physicist, pp. 261-265.

Συνέδριον ἐπὶ τοῦ θέματος «Ἰωάννης ὁ Φιλόπονος Ἀλεξανδρείας», Λονδῖνον, 2-4 Ἰουνίου 1983 (1982;).

Mother Thekla, The Monastery of the Assumption a History, pp. 283-301.

Ἡ μονὴ τῆς Κοιμήσεως τῆς Θεοτόκου, Ἀρχιεπισκοπὴ Θυατείρων καὶ Μ. Βρεταννίας.

Πάνου Ἐλ. Ἀραδιπιώτη, Τὸ Ἑλληνικὸ Σχολεῖο τοῦ Ἀποστόλου Ἀνδρέα Λονδίνου, σ. 303-309.

Ὁμιλίαι, σ. 311-333.

Κ. Ν. Χατζηπατέρα (σ. 311-319), Ὁμ. Χαπίπη (σ. 321-322), Τάσου Παναγίδη (σ. 323-326), Στέλιου Κατσέλλη (σ. 327-333).

Ἑταιρία Ἑλλήνων Ἐπιστημόνων Μεγάλης Βρεταννίας, Ἔκθεσις Πεπραγμένων καὶ Ἀπολογισμὸς Διοικήσεως ΙΖ΄ Διοικητικῆς Περιόδου, Ἰανουαρίου 1982- Ἰανουαρίου 1983, σ. 335-340.

Βιβλιοκρισίαι, σ. 341-359.

Θυατείρων Μεθοδίου, σ. 341-353, Βασιλείου Θ. Σταυρίδου, σ. 353-359.

Σημείωσις: Τὸ Εὑρετήριον τοῦ τόμου τούτου θὰ δημοσιευθῇ εἰς τὸν ἑπόμενον τόμον.

Βασίλειος Θ. Σταυρίδης

16 Ἰουλίου 1984.

ARCHBISHOP METHODIOS OF THYATEIRA AND GREAT BRITAIN, ed., **Texts and Studies** *III (1984) pp. 350, with pictures.*

Texts and Studies I (1982), Βιβλιοκρισία ὑπό Β.Θ. Σταυρίδου, Ἐκκλησία καί Θεολογία 4 (1983) 944-947.

Texts and Studies II (1983), Βιβλιοκρισία ὑπό Β.Θ. Σταυρίδου, Ἐκκλησία καί Θεολογία 5 (1984) 965-967.

Πίναξ Περιεχομένων, σ. 349-350.

Μητροπολίτου Γέροντος Χαλκηδόνος Μελίτωνος, Ὁ Ὅρος Πίστεως τῆς Χαλκηδόνος καί τό Μήνυμά του Σήμερον, σ. 5-13.

Ὁμιλία λεχθεῖσα τήν 15ην Μαρτίου 1984 κατά τήν τελετήν τῆς ἀναγορεύσεως αὐτοῦ εἰς ἐπίτιμον διδάκτορα τῆς Θεολογίας ὑπό τοῦ ποιμαντικοῦ τμήματος τῆς θεολογικῆς σχολῆς τοῦ ἀριστοτελείου πανεπιστημίου Θεσσαλονίκης.

Γαλλίας Μελετίου, Ἡ Ὀρθοδοξία εἰς τήν Γαλλίαν, σ. 15-28.

Ὁμιλία ἐκφωνηθεῖσα εἰς τήν θεολογικήν σχολήν τοῦ Τιμίου Σταυροῦ Βοστώνης κατά τήν ἐπίδοσιν τοῦ διδακτορικοῦ διπλώματος «τιμῆς ἕνεκεν». Μία μελέτη-παράδειγμα διά τήν συγγραφήν καί ἑτέρων παρομοίας φύσεως

Ἐκκλησία καί Θεολογία, VI (1985), σελ. 950-952.

ἐργασιῶν διά τάς ἄλλας ἐπαρχίας καί περιοχάς τοῦ οἰκουμενικοῦ πατριαρχείου εἰς ὅλον τόν κόσμον. Μία καλή εἰσαγωγή εἰς τό θέμα.

Οἰκουμενικόν Πατριαρχεῖον, σ. 29-62.

Α', Ἡ Θρονική Ἑορτή (30 Νοεμβρίου 1983), σ. 29-44.

Β', Ἡ Κυριακή τῆς Ὀρθοδοξίας ἐν Φαναρίῳ (11 Μαρτίου 1984), σ.45-52.

Γ', Ἡ Ἐπίσκεψις εἰς τό Οἰκουμενικόν Πατριαρχεῖον τοῦ Μητροπολίτου Πράγας καί Πάσης Τσεχοσλοβακίας Δωροθέου (3-10 Μαΐου 1984), σ. 53-62.

Δρος Ἀθανασίου Παπᾶ, Μητροπολίτου Ἑλενουπόλεως, Προσφώνησις ἐπί τοῖς Ὀνομαστηρίοις τοῦ Μητροπολίτου Γέροντος Χαλκηδόνος Μελίτωνος, σ. 63-64.

Ἐλέχθη εἰς τήν ἱεράν μητρόπολιν Χαλκηδόνος, 9.3.1984.

Γεωργίου Ἐμμ. Μερίκα, Ὁμοτίμου Καθηγητοῦ τοῦ Πανεπιστημίου Ἀθηνῶν, Τακτικοῦ Μέλους τῆς Ἀκαδημίας Ἀθηνῶν, Ἡ Συμβολή τοῦ Ἑλληνικοῦ Πνεύματος στήν Ἐξέλιξη τῆς Ἰατρικῆς διά μέσου τῶν Αἰώνων, σ. 65-79.

Διάλεξις δοθεῖσα εἰς τό Λονδῖνον κατά τήν ἑορτήν τῶν Τριῶν Ἱεραρχῶν (30.1.1983), μερίμνῃ τῶν συνεργαζομένων μετά τῆς ἀρχιεπισκοπῆς Θυατείρων καί Μεγάλης Βρεταννίας σωματείων.

Ἀρχιμανδρίτου Ναυκρατίου Τσουλκανάκη, Νικολάου Κριτίου καί Μακαρίου Καλογερᾶ, Ἀνταλλαγή Ἐπιστολῶν περί τῶν Ἐξαρχικῶν Δικαιωμάτων τοῦ Πρώτου ἐπί τῶν Σταυροπηγιακῶν Μονῶν τῆς Σάμου, σ. 81-86.

Ἔκδοσις Κειμένων (ΙΗ' αἰών).

Prof. T.F. Torrance, F.B.A., Edinburgh, The Three Hierarchs and the Greek Christian Mind, pp. 87-96.

Διάλεξις δοθεῖσα εἰς τό Λονδῖνον κατά τήν ἑορτήν τῶν Τριῶν Ἱεραρχῶν (1984), μερίμνῃ τῆς ἀρχιεπισκοπῆς Θυατείρων καί Μεγάλης Βρεταννίας μετά τῶν συνεργαζομένων μετ' αὐτῆς σωματείων.

A.Tillyrides, D. Phil., Oxon., Hieronymos Myriantheus (1838-1898), the Distinguished Dean of Agia Sophia, pp. 97-188.

Ἀνδρέου Τηλλυρίδου, Ἀρχιμανδρίτης Ἱερώνυμος Μυριανθεύς, ὁ Διαπρεπής Προϊστάμενος τοῦ Ναοῦ τῆς Ἁγίας Σοφίας τοῦ Λονδίνου (1838-1898), ἐπί τῷ Ἑορτασμῷ τῆς Ἑκατονταετηρίδος τοῦ Ναοῦ τούτου.

Ἔκδοσις ἀρχειακοῦ ὑλικοῦ. Τό μεγαλύτερον εἰς ἀριθμόν σελίδων κείμενον (100 σελίδες περίπου). Συνέχεια ἀπό τόν προηγούμενον τόμον ΙΙ (1983) 123-181 καί τέλος.

Πάνου Ἐλ. Ἀραδιπιώτη, Ἀδελφότης Κυριῶν Ἀποστόλου Ἀνδρέα Λονδίνου, σ. 189-192.

Μιχάλη Κασιῆ, Ἡ Παροικιακή Ἐκπαίδευση καί τό Μέλλον τῆς Παροικίας, σ. 193-204.

Ὁμιλία πού ἔγινε εἰς τό σεμινάριον Διδασκάλων Ἀγγλίας, 27 Μαΐου 1984, παρόντος τοῦ ἀρχιεπισκόπου Θυατείρων καί Μ.Β. Μεθοδίου.

Ὁμιλίαι Διαφόρων, σ. 205-217, 225-229, 261-265.

Ἑταιρία Ἑλλήνων Ἐπιστημόνων Μεγάλης Βρεταννίας, Πεπραγμένα Δεκάτης Ὀγδόης Διοικητικῆς Περιόδου, Ἰαν. 1983 - Ἰαν. 1984, σ. 219-223.

Ρώμη-Μάλτα, Τό Χρονικόν Μιᾶς Βιβλικῆς Πορείας (5-11 Ἰουλίου 1983), σ. 231-259. (Ὑπό τήν Ἀρχηγίαν τοῦ Ἀρχιεπισκόπου Θυατείρων καί Μ.Β. Μεθοδίου).

Archbishop Methodios of Thyateira and Great Britain, Christianity in Modern Europe, with Special Reference to the Orthodox Church, pp. 267-286.

Ἀρχιεπισκόπου Θυατείρων καί Μ.Β. Μεθοδίου, Ὁ Χριστιανισμός εἰς τήν Σύγχρονον Εὐρώπην, μέ εἰδικήν ἀναφοράν πρός τήν Ὀρθόδοξον Ἐκκλησίαν (Δυτική Εὐρώπη). Διάλεξις δοθεῖσα εἰς τήν θεολογικήν σχολήν τοῦ Τιμίου Σταυροῦ Βοστώνης, ΗΠΑ, 13 Φεβρ. 1984.

Τοῦ Ἰδίου, Βιβλιοκρισίαι, σ. 317-324.

Dr. George D. Dragas, University of Durham, St. Macarios of Corinth on the Lord's Prayer, pp. 287-310.

Δρος Γεωργίου Δ. Δράγα, Ὁ Ἅγιος Μακάριος ὁ Κορίνθου (1731-1805), ἐπί τῆς Κυριακῆς Προσευχῆς. Διάλεξις εἰς τό κέντρον τοῦ πάπα Ἰωάννου Παύλου Β', Middlesbrough, Μάρτιος 1984.

Τοῦ Ἰδίου, Γενικόν Εὑρετήριον, δύο τόμοι II, III (1983-1984), σ. 329-347.

Dr. P.G. Fouyas, The Significance of the Three Hierarchs for the Greek Nation and Christianity, pp. 311-315.

Δρος Παναγιώτου Γ. Φούγια, Ἡ Σημασία τῶν Τριῶν Ἱεραρχῶν διά τό Ἑλληνικόν Γένος καί τόν Χριστιανισμόν. Διάλεξις λεχθεῖσα εἰς τό Μάντσεστερ τό 1965.

Βιβλιοκρισίαι, σ. 317-327, ὑπό

Θυατείρων Μεθοδίου, σ. 317-324.

Βασιλείου Θ. Σταυρίδου, σ. 324-327.

Πρωτοπρεσβυτέρου, ὡς ἄνω, Γενικόν Εὑρετήριον, σ. 329-347.

Τόμος II (1983), σ. 329-337.

Τόμος III (1984), σ. 339-347.

Βασίλειος Θ. Σταυρίδης

1 Ἰουλίου 1985.

Κείμενα καὶ Μελέται (Texts and Studies) 4 (1985) 1-388, μετ' εἰκόνων.

Ἡ ὑπὸ τοῦ ἀρχιεπισκόπου Θυατείρων καὶ Μ.Β. Μεθοδίου ἐκδιδομένη ἐτησία περιοδικὴ αὕτη ἔκδοσις ἐσταθεροποιήθη εἰς τὰς 400 περίπου σελίδας κατὰ τόμον. Συναντῶνται ὡρισμέναι ἀναδημοσιεύσεις, διὰ τῶν ὁποίων διασώζεται πολύτιμον ὑλικόν.

Πίναξ Περιεχομένων, σ. 387-388.

Θυατείρων καὶ Μ.Β. Μεθοδίου, Ἡ Ὀρθόδοξος Παράδοσις, σ. 5-9, ἀγγλ.

Διάλεξις εἰς τὴν θεολογικὴν σχολὴν τοῦ Τιμίου Σταυροῦ τοῦ ἑλληνικοῦ κολλεγίου, Βοστώνη, ΗΠΑ, 12 Φεβρουαρίου 1984.

Τοῦ ἰδίου, Ἡ Διαφύλαξις τῆς Ὀρθοδόξου Παραδόσεως εἰς τὴν Πρακτικὴν Θρησκευτικήν μας Ζωήν, σ. 11-15, ἀγγλ.

Ὁμοίως. Εἰς τὸ παρεκκλήσιον, 13 Φεβρουαρίου 1984.

Τοῦ Ἰδίου, Ἡ Ὀρθόδοξος Ἐκκλησία εἰς τὴν Ἀμερικήν, σ. 17-24, ἀγγλ.

Διάλεξις εἰς τὸ Λονδῖνον. Ὁ εἰδικὸς ἱστορικὸς ἐπὶ τῶν ὀρθοδόξων Ἐκκλησιῶν εἰς τὸ ἐξωτερικὸν δίδει ἕνα σκιαγράφημα τῆς Ὀρθοδοξίας εἰς τὴν Ἀμερικήν.

Τοῦ Ἰδίου, Ἡ Κληρονομία τοῦ Οἰκουμενικοῦ Πατριαρχείου εἰς τὴν Εὐρώπην, σ. 25-28, ἀγγλ.

Ἐργασία παρομοίας φύσεως, ἀναφερομένη εἰς τὴν Εὐρώπην.

Τοῦ Ἰδίου, Ἀλληλογραφία μετὰ τῶν Ἀρχιεπισκόπων Καντουαρίας καὶ Ὑόρκης (1984), σχέσιν ἔχουσα πρὸς τὴν εἰς ἐπίσκοπον χειροτονίαν τοῦ ἐπισκόπου Ντάραμ Δρος Δ. Τζένκινς, σ. 29-32, ἀγγλ.

Ὅλαι αἱ ἐργασίαι τοῦ ἰδίου συγγραφέως παρατίθενται κατὰ σειράν, ἡ μία κατόπιν τῆς ἄλλης, εἰς τὴν ἀρχὴν τοῦ περιοδικοῦ. Μία λογικὴ τοποθέτησις.

Τοῦ Ἰδίου, Βιβλιοκρισίαι, σ. 351-355.

Οἰκουμενικὸν Πατριαρχεῖον, Ἡ Θρονικὴ Ἑορτὴ (30 Νοεμβρίου 1984), σ. 33-46, γαλλ.-ἑλλ.

Ἱεροκῆρυξ τῆς ἡμέρας ὁ Πέργης Εὐάγγελος, μὲ θέμα: Ὁ Θρόνος καὶ ἡ Πίστη τοῦ Περιεστῶτος Λαοῦ, σ. 42-46.

Δέρκων Κωνσταντίνου, Τὸ Μέλλον τῆς Ὀρθοδοξίας, σ. 47-52.

Μελλοντολογία. Λόγος. Πάνσεπτος πατριαρχικὸς ναός. Κυριακὴ τῆς Ὀρθοδοξίας. 3 Μαρτίου 1985.

Τριήμερος Ἑορτασμὸς τῶν Ἑλληνικῶν Γραμμάτων ἀπὸ τὴν Ἀρχιεπισκοπὴν Θυατείρων καὶ Μ. Βρεταννίας (1985), σ. 53-97.

Ἐκκλησία καί Θεολογία, Ζ-Η (1986-87), σελ. 729-731.

Ὁμιλητὴς ὁ Νικόλαος Νησιώτης, καθηγητὴς τοῦ πανεπιστημίου Ἀθηνῶν, μὲ θέμα: Φιλοσοφικὲς Προϋποθέσεις τοῦ Θεολογικοῦ Ἔργου τῶν Τριῶν Ἱεραρχῶν, σ. 77-97.

Χρήστου Ε. Γιαννούλα, Πρακτικὰ ἐκ τοῦ Ἀρχείου τῆς Ἑλληνικῆς Ἐκκλησίας ἐν Μαγχεστρίᾳ, σ. 99-168.

Συνέχεια καὶ ὁλοκλήρωσις τῆς ἐκδόσεως τῶν πρακτικῶν τούτων (1864-1890). ΚΜ 2 (1983) 99-122. Ἡ μεγαλυτέρα εἰς ἀριθμὸν σελίδων μελέτη.

Ν. Κοκοσαλάκη, Ὁ Πολιτιστικός, Ἐκπαιδευτικὸς καὶ Κοινωνικὸς Ρόλος τῆς Ἐκκλησίας στὴ Βρετανία, σ. 169-192.

Ἀξία λόγου ἐπιστημονικὴ ἔρευνα.

Γεωργίου Χατζηφάνη, Στιοῦαρτ καὶ Ρέβεττ καὶ αἱ «Ἀρχαιότητες τῶν Ἀθηνῶν», σ. 193-206, ἀγγλ.

Αἱ ἐργασίαι τῶν δύο ὡς ἄνω συγγραφέων ἐπὶ τῶν ἀρχαιοτήτων τῶν Ἀθηνῶν.

Σουηδίας Παύλου, Ἡ ἐν ΚΠόλει Σύνοδος τοῦ 861 (Πρωτοδευτέρα), σ. 207-223.

Θεωρεῖται ἡ Α' μεγάλη ἢ τοπικὴ φωτιανὴ σύνοδος. Ὁ Σουηδίας Παῦλος μὲ τὰ εἰς περιοδικὰ ἢ ἄλλας συλλογικὰς ἐκδόσεις δημοσιευόμενα ἐπὶ διαφόρων μορφῶν τοῦ συνοδικοῦ εἰς τὴν ὀρθόδοξον Ἐκκλησίαν συστήματος ἄρθρα του προσφέρει-παρουσιάζει ὑπολογίσιμον ὑλικὸν διὰ τὴν μελέτην τοῦ θεσμοῦ τούτου.

Ἡ Ὀρθόδοξος Ἐκκλησία ἐν Εὐρώπῃ, σ. 225-229.

Διαλογικὴ συζήτησις τῶν Γαλλίας Μελετίου, Νικολάου Λόσκυ καὶ Ὀλιβιὲ Κλεμάν, τὴν 28ην Ἰουνίου 1984, εἰς τὰ πλαίσια τῆς τηλεοπτικῆς ἐκπομπῆς «Ἐλεύθερον Βῆμα».

Ἠλία Μελία, Ἡ Ἀποστολικὴ Πίστις ὡς Προοπτικὴ Μιᾶς Συνοδικῆς Κοινότητος τῶν Χριστιανικῶν Ἐκκλησιῶν (Εἰσαγωγὴ εἰς τὴν Συνάντησιν τῶν Τεσσάρων Χριστιανικῶν Ὁμολογιῶν ἐν Γαλλίᾳ, 22 Μαΐου 1984), σ. 231-239.

Ὁ Ἑορτασμὸς τῆς Ἐθνικῆς Ἐπετείου τῆς 25ης Μαρτίου 1821 στὸ Λονδῖνο (1985), σ. 241-253.

Ἑλενουπόλεως Ἀθανασίου, Στὸ Γέροντα, σ. 255-256.

Μὲ τὴν Ἀφορμὴν τῶν Ὀνομαστηρίων τοῦ Χαλκηδόνος Μελίτωνος. Ἱ. Μητρόπολις Χαλκηδόνος. 9 Μαρτίου 1985.

Π. Ἐλευθεριάδη, Ἕλληνες Κύπριοι στὴ Μεγάλη Βρετανία, Κοινωνικο-πολιτιστικὲς Δραστηριότητες, σ. 257-283.

Μία Μεγαλειώδης Ἱστορικὴ Πορεία τοῦ Ρυταριανοῦ Ὁμίλου Ἀθηνῶν, στὴν Ἀγγλία καὶ στὴν Ἰρλανδία, σ. 285-333.

Γεωργίου Δ. Δράγα, ΠΣΕ, Ἐπιτροπὴ Πίστεως καὶ Τάξεως. Ἡ Κοινότης τῶν Γυναικῶν καὶ τῶν Ἀνδρῶν καὶ ἡ Ἑνότης καὶ Ἀνανέωσις τῆς Ἐκκλησίας καὶ τῆς Ἀνθρωπίνης Κοινότητος. Πράγα, Τσεχοσλοβακία, 25 Σεπτεμβρίου-2 Ὀκτωβρίου 1985, σ. 335-344, ἀγγλ.

(Ἐπισκόπου) Ἔλυ Πέτρου, Λόγος. Ναὸς ἁγίου Κλήμεντος, Καΐμπριτζ. Κυριακὴ 13 Ὀκτωβρίου 1985, σ. 345-347, ἀγγλ.

Ἀλυόνα Κοζεεβνίκωβ, Ἀρχιεπίσκοπος Βρυξελλῶν Βασίλειος (1900-1985), Νεκρολογία, σ. 349-350, ἀγγλ.

Βιβλιοκρισίαι, σ. 351-372.

Θυατείρων καὶ Μ.Β. Μεθοδίου, σ. 351-355.

Βασιλείου Θ. Σταυρίδου, σ. 355-361.

Ἰωάννου Ε. Ρεξίνη, σ. 362-372.

Δέσπως Ἀθ. Λιάλιου, Γενικὸν Εὑρετήριον, σ. 373-386.

Ἑορτὴ τῆς Κοιμήσεως τῆς Θεοτόκου,
15 Αὐγούστου 1986

Βασίλειος Θ. Σταυρίδης

38. Συνεργασία στό Λονδῖνο μέ Προέδρους Ἑλληνικῶν Κοινοτήτων.

Κείμενα καὶ Μελέται 5-6 (1986-1987) 1-319. Εἰκόνες, Φωτογραφίαι.

Βιβλιοκρισίαι τῶν προηγουμένων τόμων ὑπὸ Βασιλείου Θ. Σταυρίδου: Κείμενα καὶ Μελέται (ΚΜ) 1 (1982), Ἐκκλησία καὶ Θεολογία (ΕΘ) 4 (1983) 944-947.
ΚΜ 2 (1983), ΕΘ 5 (1984) 965-967.
ΚΜ 3 (1984), ΕΘ 6 (1985) 950-952.
ΚΜ 4 (1985), ΕΘ 7-8 (1986-1987) 729-731.

Πίναξ Περιεχομένων, σ. 318-319.

Θυατείρων καὶ Μ.Β. Μεθοδίου, Αἱ Βασικαὶ Προϋποθέσεις διὰ τὴν Ἐκκλησιαστικὴν Ἐπικοινωνίαν, σ. 5-15.

Ἀνακοίνωσις. Θεολογικὸν Συνέδριον τῆς Λουθηρανικῆς Ἐκκλησίας τῆς Ἀμερικῆς. Πουέρτο Ρίκο. 30 Ἰανουαρίου - 6 Φεβρουαρίου 1987. Ἀγγλιστὶ ΕΘ 7-8 (1986-1987) 609-619.

39. Στό Κοινοβούλιο τῆς Σκωτίας. Στό Ἐδιμβοῦργο καθ' ἥν ὥραν ὁμιλεῖ ἡ Πρωθυπουργός τῆς Μεγάλης Βρεταννίας κυρία Θάτσερ.

Τοῦ Ἰδίου, Διάλεξις μὲ θέμα: Ἡ Ἑλληνικὴ Γλώσσα στὴ Νουβία, σ. 219-222, 22 Μαΐου 1986. Λονδῖνον. Δημοσίευσις, Τοῦ Ἰδίου, Θεολογικαὶ καὶ Ἱστορικαὶ Μελέται, Ἀθ., 1986, ΙΧ, 337-346.

Τάσου Παναγίδη, Εἰσήγηση, σ. 219-221.

Θυατείρων Μεθοδίου, Ἀπάντησις, σ. 221-222.

Τοῦ Ἰδίου, Βιβλιοκρισίαι, σ. 292-294.

Διορθόδοξος Προπαρασκευαστικὴ Ἐπιτροπὴ τῆς Ἁγίας καὶ Μεγάλης Συνόδου τῆς Ὀρθοδόξου Ἐκκλησίας, Σαμπεζύ, 15-23 Φεβρουαρίου 1986, σ. 17-34.

Μύρων Χρυσοστόμου, Ἐναρκτήριος Ὁμιλία, σ. 17-27.

Τοῦ Αὐτοῦ, Ὁμιλία ἐπὶ τῇ Λήξει τῶν Ἐργασιῶν, σ. 29-31.

Ὁ Μύρων Χρυσόστομος Πρόεδρος τῆς Ἐπιτροπῆς ταύτης.

Ἀνακοινωθέν, σ. 33-34.

Δέρκων Κωνσταντίνου, Πρὸς Μίαν Ποιμαντικὴν τοῦ Περιβάλλοντος, σ. 35-40.

Λόγος. Πατριαρχικὸς Ναός. Ἑορτὴ τῶν Τριῶν Ἱεραρχῶν (30 Ἰανουαρίου 1983).

Πέργης Εὐαγγέλου, Φώτιος Β', Οἰκουμενικὸς Πατριάρχης (1929-1935), σ. 41-46.

Λόγος. Πατριαρχικὸς ναός. Πατριαρχικὴ καὶ Συνοδικὴ Λειτουργία εἰς μνήμην Φωτίου Β' (1874-1935), ἐπ' εὐκαιρίᾳ τῆς 50ῆς ἐπετείου ἀπὸ τοῦ θανάτου του (12.1.1935). Ἀνάλογος ὁμιλία εἰς τὴν ἱερὰν Μονὴν τῆς Ἁγίας Τριάδος Χάλκης ὑπὸ Β.Θ. Σταυρίδου. Ἀδελφαὶ ἐργασίαι. Ἴδε ΕΘ 7-8 (1986-1987) 683-693.

Μητροπολίτου Ἀντωνίου Μπλούμ, Ἀποστολὴ καὶ Μέλλον τῆς Ὀρθοδοξίας στὴ Δύση, σ. 47-51.

Ἱεράρχης τοῦ πατριαρχείου Μόσχας εἰς τὴν Ἀγγλίαν.

Ἑλενουπόλεως Ἀθανασίου, Ὁ Ζωγράφος Νικόλαος Κεσσανλῆς καὶ Μερικὰ Ἔργα του, σ. 53-76.

Ὁ Νικόλαος Κεσσανλῆς (τέλη τοῦ ΙΘ' - ἀρχαὶ τοῦ Κ' αἰῶνος) ὑπῆρξεν ἕνας ἀπὸ τοὺς ἁγιογράφους-ζωγράφους τῆς πόλεως. Ἄρθρον μέσα εἰς τὰ πλαίσια τῆς εὐρυτέρας καὶ πλήρους ἐργασίας τοῦ συγγραφέως / μητροπολίτου γύρω ἀπὸ τοὺς Πολίτας Ζωγράφους-Ἁγιογράφους τοῦ ΙΘ' καὶ Κ' Αἰῶνος.

Τοῦ Ἰδίου, Στὸ Γέροντα, σ. 117-118.

Μὲ τὴν ἀφορμὴν τῶν ὀνομαστηρίων τοῦ Χαλκηδόνος Μελίτωνος, 9.3.1986.

Τοῦ Ἰδίου, Ὡσαύτως (9.3.1987), σ. 225-226.

Πάλλη, Α.Α., Ὁ Θυατείρων Γερμανός, σ. 77-85.

Ὁμιλία. Φιλολογικὸς Σύλλογος Παρνασσός, Ἀθῆναι. 21 Ἰανουαρίου 1955. Πολιτικὸν Μνημόσυνον εἰς μνήμην τοῦ Θυατείρων Γερμανοῦ ὑπὸ τοῦ Θρακικοῦ Κέντρου.

Θυατείρων Γερμανοῦ, Ἡ Συμβολὴ τοῦ Ὀρθοδόξου Ἑλληνικοῦ Κλήρου εἰς τὴν Ἀναγέννησιν τῆς Ἑλλάδος, σ. 87-106.

Ἐργασία ἀνέκδοτος. «Δὲν γνωρίζω ποῦ ἐδόθη ἡ διάλεξις αὕτη. Ἔκ τινος σημειώματος φαίνεται ὅτι αὕτη ἐδόθη καὶ ἀγγλιστὶ τὴν 4ην Νοεμβρίου 1943. Ὁ Θ.Μ.», σ. 106, ὑποσημείωσις.

Δήμητρας Κούκουρα, Ἡ Ἐκκλησιαστικὴ Γλῶσσα καὶ οἱ Γλωσσικὲς Ἐπιλογὲς τοῦ Ἁγίου Γρηγορίου τοῦ Παλαμᾶ, σ. 107-115.

Γλωσσολόγος-Θεολόγος. Ἀνακοίνωσις. Θεολογικὸν συνέδριον ἱερᾶς μητροπόλεως Θεσσαλονίκης εἰς τιμὴν καὶ μνήμην Γρηγορίου τοῦ Παλαμᾶ. 12-14 Νοεμβρίου 1984.

Χρήστου Ε. Γιαννούλα, Αἱ Ἀρχαὶ τῆς ἐν Λιβερπούλῃ τῆς Ἀγγλίας Ἑλληνικῆς Ἐκκλησίας τοῦ Ἁγίου Νικολάου, σ. 119-153.

Συνέχεια εἰς τὴν δημοσίευσιν ἀρχειακοῦ ὑλικοῦ ἀπὸ τὰς διασωζομένας πηγὰς τῶν ἑλληνικῶν ὀρθοδόξων Ἐκκλησιῶν τῆς Μεγάλης Βρεταννίας. Προηγουμένως ἀπὸ τὸ Μάντσεστερ. Ἴδε ΚΜ 2 (1983) 99-122. 4 (1985) 99-168.

Τοῦ Ἰδίου, Γενικὸν Εὑρετήριον, σ. 299-317.

Ὄθωνος Φ.Α. Μαϊνάρδου, Ἡ Θεία Εὐχαριστία εἰς τὴν Ἱστορικὴν Ἐνορίαν τῶν Κοπτῶν, σ. 155-170, ἀγγλ.

Γράφει ὁ εἰδικὸς ἐπὶ τῆς κοπτικῆς Ἐκκλησίας καὶ Θεολογίας.

Γ' Προσυνοδικὴ Πανορθόδοξος Διάσκεψις (Σαμπεζύ, 28 Ὀκτωβρίου - 6 Νοεμβρίου 1986), σ. 171-180.

Κείμενα.

Βασιλείου Θ. Σταυρίδου, Ὀρθόδοξος Διασπορὰ (β' ἔκδοσις ἐπηυξημένη), σ. 181-210.

Α' ἐκδ. ΕΘ 1 (1980) 141-196. Ἓν ἀπὸ τὰ δέκα θέματα, τὰ ἀναγραφόμενα εἰς τὸν κατάλογον θεμάτων τῆς ἁγίας καὶ μεγάλης συνόδου τῆς ὀρθοδόξου Ἐκκλησίας. Συμπληρωματικὴ βιβλιογραφία.

Τοῦ Αὐτοῦ, Βιβλιοκρισίαι, σ. 289-292.

Παναγιώτου Φούγια, Ἡ Ἐπετηρὶς τῆς Ἀναρρήσεως τῆς ΑΘΠ τοῦ Οἰκουμενικοῦ Πατριάρχου Κυρίου Δημητρίου εἰς τὸν Οἰκουμενικὸν Θρόνον, σ. 211-217.

Δεκαπενταετηρὶς (1972-1977).

Ἰακώβου Τσούνη, Δραστηριότητες, σ. 223.

Ἡ Ἐπίσκεψις τοῦ Μητροπολίτου Βαρσοβίας κ. Βασιλείου εἰς τὸ Οἰκουμενικὸν Πατριαρχεῖον (Χριστούγεννα 1986), σ. 227-233.

Θεοδώρου Νατσούλα, Ἡ Κατάστασις τῆς Ἀφρικανικῆς Ὀρθοδόξου Ἐκκλησίας τῆς Κένυας, 1982, σ. 235-244.

Μελέτη κατατοπιστική.

Εὐαγγέλου Δ. Θεοδώρου, Τὸ Ἰδεῶδες τῆς Ἑλληνικῆς Παιδείας, σ. 245-263.

Βιβλιογραφία. Λόγος. Ἑορτὴ τῶν Ἑλληνικῶν Γραμμάτων. Ναὸς τῆς Ἁγίας Σοφίας, Λονδῖνον, Μ. Βρεταννία, 30 Ἰανουαρίου 1986.

Τοῦ Ἰδίου, Διατί ἡ Ἑλληνικὴ Παροικία τῆς Μεγάλης Βρεταννίας πρέπει νὰ παραμείνῃ Ἑλληνική, σ. 265-287.

Βιβλιογραφία. Εἰσήγησις, Ἐκπαιδευτικὸν Συνέδριον τῆς Ἱερᾶς Ἀρχιεπισκοπῆς Θυατείρων καὶ Μεγάλης Βρεταννίας, 24 Ἰανουαρίου 1987. Τόπος ὁ αὐτός.

Βιβλιοκρισίαι, σ. 289-294.

Βασιλείου Θ. Σταυρίδου, σ. 289-292.

Θυατείρων καὶ Μ.Β. Μεθοδίου, σ. 292-294.

Χρήστου Ε. Γιαννούλα, Γενικὸν Εὑρετήριον, σ. 299-319.

Βασίλειος Θ. Σταυρίδης

Παρασκευή, 1 Ἰανουαρίου 1988.
Ἑορτὴ τοῦ Ἁγίου Βασιλείου.

40. Μέ τήν κυρία Μάργαρετ Θάτσερ Πρωθυπουργό τῆς Μεγάλης Βρεταννίας.

ARCHBISHOP METHODIOS OF THYATEIRA AND GREAT BRITAIN (ed.), *Texts and Studies*, Vols V-VI, Published at the expenses of Jacovos Tsounis, Thyateira House, Foundation for Hellenism in Great Britain, London 1987, p. 320.

Volumes V-VI of *Texts and Studies* contain a palette of themes of historical, theological, pastoral and general interest. They consists of 24 contributions, 5 book-reviews (p. 289-294), a short bibliography (p. 295-297) by Archbishop Methodios and a general index by Ch. E. Giannoulas (p. 299-317). The contributions vary in length and quality and cover various facets which make up community life in the Greek Orthodox Church, even if this community life is not restricted to that of Great Britain. They range from reflections on ecumenism to speeches, given on various occasions, from past and present leaders of the Greek Orthodox Church, to theological, philosophical and linguistic disquisitions. There is an article on a little-known painter, N. Kessanlis (1859-1931) and his icons and architecture (p. 53-76). Whoever wants to discover something about the Foundation for Hellenism in Great Britain may turn to p. 223, where there is a short description of the activities of its newly-elected president, J. Tsounis. However, more information about the Foundation itself would have been appreciated. All the contributions are written in modern Greek in its katharevusa form, with the exception of two items, which are in English. Both relay the feeling of a new dimension of Orthodoxy as it strikes root in the African continent and comes in contact with the various expressions of Oriental Christianity. The first, by O. Meinardus, discusses "The Eucharist in the Historical Experience of the Copts" (p. 155-170) and illustrates how sacramental (especially eucharistic) spirituality permeates every aspect of Coptic life. Th. Natsoulas' "Status of the African Orthodox Church of Kenya" (p. 235-244) depicts the ups and downs of a young Church caught between colonialistic attitudes and schismatic reactions.

Here may be pointed out a few recurrent themes: a local community in search of its identity; its relationship to the dominant culture and religion, England and Anglicanism; general reflections about recent events in the Orthodox Church as well as its relationship to other Christian denominations.

Given the time and place, the concern for the identity of the Greek community in Great Britain is understandable enough. The story of the foundation of the first Greek Church in Liverpool, p. 119-153, and the portrait of a former Archbishop of Thyateira, Germanos, (p. 77-85) shed some light on the roots of an ethnic group. Nor is the link of affection to the fatherland and the ecumenical patriarchate forgotten, as witness Archbishop Germanos' own speech about the part played by the clergy in the rebirth of the nation (p. 87-106) and the speech held on the fiftieth anniversary of the death of Photios II of Constantinople († 1935) (p. 41-46). The article on the Greek educational ideal show this theme as an on-going concern (cfr p. 247f, and also p. 102, 221, 270). And *diaspora* itself becomes subject of some interesting reflections; cfr p. 181f, where three different meanings of diaspora are listed.

The traditionally good relationships between Orthodox and Anglicans are amply reflected in these papers (cfr p. 82), but critical notes are not missing (cfr Orthodox comments on the ordination of women on p. 177f). Indeed, one of the most important contributions of this collection seems to be "The Third Pre-Synodal Panorthodox Conference", a relatively short report (p. 171-180) on the relations of the Orthodox Church to other Christian Churches. The suggestion that the official dialogue between Catholics and Orthodox ought to take up not only themes that unite the two Churches, but also those that divide, especially in the area of ecclesiology, is to be welcomed (p. 176). Nevertheless, the method pursued by this dialogue so far, that is, to take up the issues which unite as a basis for considering the problems that still remain to be resolved, has produced some good results.

Written largely in a language unfortunately accessible to a limited public, these two volumes of *Texts and Studies* are not likely to reach far beyond the immediate Greek community. However, to catch a glimpse of what is going on in Orthodoxy one would profit by perusing these documents, which add a concrete element that perhaps no theoretical account of Orthodoxy can fully replace. To accuse the present publication of regionalism would thus miss the point. Still, the spectrum of interests could have been enlarged by inviting more writers from outside the community, yet interested in it.

E. G. Farrugia, S.J.

Orientalia Christiana Periodica
Vol. 54/1-1988, σελ. 251-253

41. Μέ τόν ἀείμνηστο Πρωθυπουργό τῆς Ἑλλάδος Ἀνδρέα Παπανδρέου.

King's College London

UNIVERSITY OF LONDON

STRAND, LONDON WC2R 2LS TELEPHONE: 01-836 5454

THE LIBRARY

LIBRARIAN
D.G. Law, M.A., DIP.LIB., A.L.A

14·2·91

Dear Sir or Madam,

we are fortunate enough to receive from you as a gift the following title:-

Texts and Studies

However, the issues listed below have failed to reach us:-

~ 8 —> , 1989 —>

As we are anxious to maintain a complete set of this publication, we should very much appreciate your sending us the missing issues.

I look forward to hearing from you.

Yours faithfully,

Gary Horrocks

Periodicals Assistant

The Most Revd.Metropolitan Methodios of
Rhiga Ferraeou 9
GR-152 32 HALANDRI
Athene

Griekenland

THIS IS A CLAIM FOR OUR SUBSCRIPTION/STANDING ORDER

1st claim Date: 12-09-2001

Title: Texts and studies : a review / the Foundation for Hellenism in Great Britai
London ; Athens : Thyateira House, 1982- .... - 24 cm
Text in English, Greek, French and German.
ISSN 02641666

MISSING ISSUE(S):
11[and onwards---]

Please ship to:
Bibliotheek der Rijksuniversiteit
Dep. Acquisition
P.O. Box 559
9700 AN Groningen
The Netherlands

Fax : +31 50 - 3634996
E-mail : tssadmin@ub.rug.nl

MORM/our ref.: 89011494/TB 4577 V.A.T. Registration Number: NL001932706B01

ΑΔΕΛΦΟΤΗΣ ΘΕΟΛΟΓΩΝ
«Ο ΣΩΤΗΡ»
ΙΣΑΥΡΩΝ 42
114 72 ΑΘΗΝΑΙ
Τηλ. 36.22.108

'Εν 'Αθήναις τῇ 24ῃ Φεβρουαρίου 1992

Σεβασμιώτατον
Μητροπολίτην Πισιδίας
Κύριον κ. Μεθόδιον
Ρήγα Φερραίου 9
152 32 Χαλάνδριον

Σεβασμιώτατε,

'Ελάβομεν τά δύο νέα βιβλία Σας, "TEXTS AND STUDIES - VOL.VIII-X 1989-1991" καί "'Επιστημονικές δραστηριότητες, ἐκκλησιαστικές καί ἐθνικές συμβολές", πού καί πάλιν εἴχατε τήν καλωσύνην νά μᾶς ἀποστείλετε.

Παρακαλοῦμεν, Σεβασμιώτατε, νά δεχθῆτε τάς εὐχαριστίας μας, τόσον διά τήν ἀποστολήν αὐτήν, ὅσον καί διά τήν ἐπιδεικνυομένην πρός τήν 'Αδελφότητά μας ἀγάπην Σας.

Εὐχόμεθα εὐλαβῶς, ὅπως ὁ Κύριος Σᾶς ἐνισχύῃ εἰς τό συγγραφικόν καί τό καθόλου ἔργον Σας καί τό καθιστᾷ καρποφόρον διά τήν 'Ορθόδοξον Θεολογίαν καί τήν 'Αγίαν μας 'Εκκλησίαν.

'Επί τούτοις, ἐπικαλούμενοι τάς εὐχάς Σας καί ἀσπαζόμενοι τήν δεξιάν Σας, διατελοῦμεν

Μετά βαθυτάτου σεβασμοῦ
Διά τήν 'Αδελφότητα Θεολόγων "ὁ Σωτήρ"

Ἀρχιμ. Λεωνίδας Διαμαντόπουλος

Methodios FOUYAS (éd.), *Texts and Studies. A Review for Hellenism and Diaspora*. Vol. VII. Athènes [9, Rhiga Ferraiou, Khalandri 152 323], 1988. 305 p. 24 × 19.

Le septième tome de la revue annuelle que dirige l'archevêque Methodios comprend, avec les écrits pastoraux de la dernière année de son ministère à l'archevêché orthodoxe de Thyatire et de Grande-Bretagne, deux exposés concernant la question chypriote et quelques comptes rendus. Un long article du professeur Thomas F. Torrance, *The Hermeneutics of Clement of Alexandria* (p. 61-105) est susceptible d'intéresser plus directement le patrologue occidental. L'auteur y reproche au didascale alexandrin d'avoir biaisé son herméneutique chrétienne par le préjugé philosophique de la distinction entre le sensible et l'intelligible, et d'avoir ainsi transformé la typologie en allégorie. Particulièrement important pour l'histoire de l'Église orthodoxe contemporaine, de l'anglicanisme et du mouvement œcuménique nous est apparu le dossier inédit, provenant des archives des archevêchés orthodoxes d'Amérique et de Londres, du Conseil œcuménique des Églises et de Lambeth Palace, que publie A. Tillyridis, *Mélétios Metaxakis, Documents inédits* (p. 107-303, en grec, avec les originaux anglais et français). Ces pièces apportent des précisions biographiques nouvelles sur cette personnalité complexe, depuis 1918, année de sa nomination comme archevêque d'Athènes, jusqu'à sa mort, survenue en 1935, et surtout pour les années dramatiques de son patriarcat à Constantinople et de son élection controversée à Alexandrie. Le Canon J.A. Douglas († 1956) paraît avoir joué un rôle décisif lors de ces événements, tout comme dans la tentative d'établir la communion officielle entre Orthodoxes et Anglicans lors de la Conférence de Lambeth de 1930. Les historiens trouveront ici des sources irremplaçables. Les textes sont publiés dans leur langue originale. On se demande parfois si toutes les fautes d'orthographe des textes anglais et français proviennent des épistoliers eux-mêmes.

A. DE HALLEUX

Methodios FOUYAS (éd.), *Texts and Studies. A Review for Hellenism in Diaspora*, t. 8-10 (1989-1991). Athènes, 9 Rhiga Ferraiou (Khalandri, GR-15232), 1991. 622 p. 24 × 17.

Ce volume triple de la revue qu'édite le savant métropolite de Pisidie ne répond que partiellement à son objectif, mais le lecteur ne sera pas déçu d'y trouver plus qu'il n'en attendait. Outre l'ensemble des allocutions et messages occasionnés par le décès du patriarche de Constantinople Dimitrios I (9 octobre 1991), par l'élection de son successeur Vartholomaios (2 novembre) et par la fête patronale du Siège œcuménique, il y trouvera un ensemble de contributions relatives aux Églises Orthodoxes Orientales: deux articles du pasteur O.F.A. Meinardus sur l'Église Copte Orthodoxe, un du syriaciste S. Brock sur Jacques de Saroug († 521), poète théologien de l'Église Syrienne Orthodoxe, et un de R. Pankhurst sur l'Église Éthiopienne Orthodoxe.

Plus important encore pour l'histoire de la récente réconciliation des deux familles d'Églises Orthodoxes, une bonne moitié du volume, dû à la plume infatigable de Mgr Methodios, apporte une documentation en bonne partie inédite sur les antécédents du dialogue, depuis la I[e] Conférence Panorthodoxe de Rhodes (1961) jusqu'aux accords d'Anba Bichôï (1989) et de Chambésy (1990). L'auteur fut la cheville ouvrière de deux rencontres décisives sur cette voie (Addis Abeba, 1971 et 1973), alors qu'il était le métropolite orthodoxe grec d'Axoum. Les actes et les déclarations ici publiés sont aussi éclairants pour le théologien que pour l'historien.

Par contraste avec ses jugements peu amènes vis-à-vis de Rome, du mouvement œcuménique et du christianisme occidental en général (cf. p. 43), Mgr Methodios témoigne d'une étonnante ouverture vis-à-vis des Églises Orthodoxes Orientales. À le lire, les séparations furent conduites par de saints personnages qui restèrent fidèles à leurs principes jusqu'à y sacrifier leur personne et leur siège: Nestorius, Dioscore ou Sévère (p. 45). «Comment donc pouvons-nous nier la plénitude de l'Église là où les évêques des Églises Orientales sœurs exercent leurs fonctions hiérarchiques et où la succession patriarcale apostolique est indiscutablement présente?» (p. 48). La réconciliation actuelle se ramènerait donc, pour les Orthodoxes, à une «rencontre avec des cohéritiers des mêmes sièges patriarcaux d'Alexandrie et d'Antioche, victimes comme nous de la voracité des Églises occidentales» (p. 48).

A. DE HALLEUX

ΒΙΒΛΙΟΚΡΙΣΙΑΙ

TEXTS AND STUDIES (Κείμενα καί Μελέται), A REVIEW FOR HELLENISM IN DIASPORA, VOL. VIII-X (1989 - 1991), ATHENS (χ.χ.), σσ. 622.

Ἐπιβλητικός σέ ὄγκο καί περιεχόμενο κυκλοφόρησε ὁ τελευταῖος τόμος τοῦ TEXTS AND STUDIES πού ἐκδίδει ἀπό τό 1981 ὁ Ἀρχιεπίσκοπος πρώην Θυατείρων καί Μεγάλης Βρεταννίας καί νῦν Μητροπολίτης Πισιδίας κ. Μεθόδιος Φούγιας καί εἶναι ἀφιερωμένος στόν ἀείμνηστο Μητροπολίτη Χαλκηδόνος Μελίτωνα († 1990) «γιά τό μεγάλο διεκκλησιαστικό ἔργο του» καί τόν ἀοίδιμο Μητροπολίτη Ἀξώμης Νικόλαο († 1967) «γιά τήν ἐξαίρετη συμβολή του στήν προσέγγιση τῶν Ἐκκλησιῶν Ἑλληνικῆς καί Αἰθιοπικῆς».

Ἐκτός ἀπό τίς σημαντικές καί ἐπίκαιρες μελέτες, ὁ τόμος πλαισιώνεται μέ θέματα πού ἀφοροῦν τή δραστηριότητα τοῦ Οἰκουμενικοῦ Πατριαρχείου, ἀλλά καί ἄλλα πού προβάλλουν τό Θεολογικό καί Ἐκκλησιαστικό τομέα τῆς Ὀρθόδοξης Ἐκκλησίας μας. Ἡ συνεχής παρουσία τῶν Θεολογικῶν περιοδικῶν καί τῶν ἄλλων μελετῶν τοῦ ἀκάματου καί δραστήριου τούτου Ἱεράρχου, ἀποτελεῖ ἀνεκτίμητη προσφορά στήν Ὀρθόδοξη Θεολογική Ἐπιστήμη, γεγονός πού νομίζω ὅτι πρέπει νά προβληματίσει σοβαρά τήν Ἐπίσημη Ἐκκλησία. Διαπρύσιος κήρυκας τοῦ πατερικοῦ πνεύματος, προβάλλει τήν Ὀρθόδοξη Ἐκκλησία, σάν τή στοργική μητέρα πού θά πρέπει νά ἀγκαλιάσει μέ ἀγάπη τίς ἀρχέγονες Ἐκκλησίες τῆς Ἀνατολῆς. Ἡ ἐπανένωση τῆς Ὀρθόδοξης Καθολικῆς Ἐκκλησίας μέ τίς Ἀνατολικές εἶναι ἰδιαίτερα ζωτική γιά μᾶς σήμερα.

Πρίν προχωρήσουμε στόν ἐπιλεκτικό θά λέγαμε σχολιασμό τῶν περισσοτέρων δημοσιευμάτων, μεταφέρουμε τόν πίνακα περιεχομένων τοῦ τόμου γιά πληρέστερη ἐνημέρωση τοῦ ἀναγνώστη: εὐχαριστίες τοῦ ἐκδότη (σ. 6), Μητροπολίτου Πισιδίας Μεθοδίου: Στροφή πρός τήν ἕνωσιν μέ τούς ORIENTALS (σσ. 7 - 350), Παναγιώτου Γ. Φούγια: Τά Ἑλληνικά Γράμματα δύναμη γιά τήν ἐπιβίωση τοῦ Γένους «καί τῆς Ἐκκλησίας μας» (σσ. 351-381), Θεολόγου Παναγιωτίδου (†): Ὁ ἐν Ρωσία Ἑλληνισμός (σσ. 382 - 409), OTTO F.A. MEINARDUS: ASPECTS OF THE POPULAR RELIGION IN THE LIGHT OF THE PRESENT COPTIC RENAISSANCE (σσ. 410 - 435), Τοῦ ἴδιου: ABOUT THE COCTION AND CONSECRATION OF THE HOLY MYRON IN THE COPTIC CHURCH (σσ. 436 - 445), Προσφώνησις τοῦ Οἰκουμενικοῦ Πατριάρχου Δημητρίου, Πρός τόν Μακαριώτατον Πατριάρχην τῶν Κοπτῶν κ.κ. Σενούντα (σσ. 446 - 447), SEBASTIAN BROCK, THE SYRIAN ORTHODOX REACTION TO THE COUNCIL OF CHALCEDON: JACOB OF SERUCH'S HOMILY ON THE COUNCIL OF CHALCEDON (σσ. 448 - 459), RICHARD

PANKHURST: THE ETHIOPIAN TABOT, OR ALTARSLAB, AND THE MANBARA TABOT, OR ALTAR: A BRIEF NOTE (σσ. 460 - 464), Παναγιώτου Γ. Φούγια: Προοπτικές γιά τήν Ἑλληνική Διασπορά (σσ. 465 - 478), Μητροπολίτου Ζιχνῶν καί Νευροκοπίου Σπυρίδωνος: Ἡ Ἁγία Γραφή καί ἡ Ἑλληνικότητα τῆς Μακεδονίας (σσ. 479 - 485), Ἀπό τήν χειροτονία τοῦ Καθηγητοῦ Θεοδώρου Ζήση (σσ. 486 - 498), GEORGE D. DRAGAS: THE RAPPROACHEMENT OF THE ORTHODOX CATHOLIC CHURCH AND THE ORIENTAL ORTHODOX CHURCHES. A PERSONAL ORINION FROM A PATRISTIC POINT OF VIEW (σσ. 499 - 508), OINOUSIA MARITIME MUSEUM (σσ. 509 - 514), Οἰκουμενικόν Πατριαρχεῖον, Μέρος πρῶτον: Μητροπολίτου Φιλαδελφείας Μελίτωνος: Ὁ Ποιμήν ὁ Καλός (517 - 524), Μητροπολίτου Γέροντος Χαλκηδόνος Βαρθολομαίου: Χαιρετισμός κατά τό γεῦμα μετά τόν ἐνταφιασμόν τοῦ ἀοιδίμου Οἰκουμενικοῦ Πατριάρχου Δημητρίου (σ.σ. 525 - 526), Μέρος Δεύτερον: Μητροπολίτου Πέργης Εὐαγγέλου, Λόγος προσαγορευτήριος εἰς τόν Οἰκουμενικόν Πατριάρχην Βαρθολομαῖον Α' (σσ. 527 - 531), Λόγος ἐνθρονιστήριος τῆς Α. Θ. Παναγιότητος, τοῦ Οἰκουμενικοῦ Πατριάρχου κ.κ. Βαρθολομαίου Α' (σσ. 533 - 541), Πρόποσις τῆς Α.Θ.Π. τοῦ Οἰκουμενικοῦ Πατριάρχου κ.κ. Βαρθολομαίου Α' κατά τό μετά τήν ἐνθρόνισιν Αὐτοῦ παραταθέν γεῦμα (σσ. 542 - 543), Μέγα Μήνυμα (σ. 544), Εὐχαριστία (σ. 544), Μέρος Τρίτον: Ἡ Θρονική Ἑορτή τοῦ Οἰκουμενικοῦ Πατριαρχείου, Ὁμιλία τοῦ Μητροπολίτου Σεβαστείας Δημητρίου (σσ. 545 - 548), Προσφώνησις τῆς Αὐτοῦ Θειοτάτης Παναγιότητος τοῦ Οἰκουμενικοῦ Πατριάρχου κ.κ. Βαρθολομαίου πρός τήν ἀντιπροσωπείαν τῆς Ρωμαιοκαθολικῆς Ἐκκλησίας (σσ. 549 - 552), SPEECH OF HIS EMINENCE EDWARD IDRIS CARDINAL CASSIDY (σσ. 553 - 555), Ἐπιστολή τῆς Αὐτοῦ Ἁγιότητος τοῦ Πάπα Ἰωάννου Παύλου Β' πρός τήν Α.Θ.Π. τόν Οἰκουμενικόν Πατριάρχην (σσ. 556 - 557), Δωρεές Ἰωάννου καί Δώρας Κριτικοῦ (σ. 560), Εὐφροσύνη Μ. Παντελιά. Νεκρολογία (σ. 566), Χρήστου Ε. Γιαννούλα, Γενικόν Εὑρετήριον (σσ. 567 - 618) καί Περιεχόμενα (ἀναγράφεται ὁ πίνακας Εἰκόνων καί Χαρτῶν) (σσ. 619 - 622).

Ἐπιστέγασμα τῶν διεκκλησιαστικῶν μελετῶν τοῦ Σεβασμιωτάτου ἀποτελεῖ ἡ μελέτη: Στροφή πρός τήν ἕνωσιν μέ τούς ORIENTALS, Ἐκκλησιαστικές καί Θεολογικές ἐπαφές μεταξύ τῶν δύο Οἰκογενειῶν τῆς Ἀνατολικῆς Ὀρθοδόξου Ἐκκλησίας, ἤτοι τῆς Ὀρθοδόξου Καθολικῆς Ἐκκλησίας καί τῶν ORIENTAL ORTHODOX CHURCHES. Ὅπως καί ὁ ἴδιος ὁ συγγραφέας ἀναφέρει στήν εἰσαγωγή του (σ. 17), ἡ μελέτη αὐτή ἀποτελεῖ συμπλήρωμα καί ὁλοκλήρωση τῶν προγενεστέρων προσπαθειῶν του γιά τή διερεύνηση τῶν σχέσεων τῶν Χριστιανικῶν Ἐκκλησιῶν Ἀνατολῆς καί Δύσεως. Ὁ συνεχής θεολογικός διάλογος, παρά τά πολλά καί ἐπίμαχα θέματα πού κατά καιρούς προβλήθηκαν ἀπό τίς ἐπί μέρους Ἐκκλησίες, προώθησε ἀρκετά τίς σχέσεις τῶν Ἐκκλησιῶν μέ πνεῦμα ἀδελφωσύνης καί ἀγάπης. Τό ὅτι μέχρι σήμερα δέν ἐπετεύχθη τό προσδοκώμενον δέν εἶναι τῆς παρούσης νά ἐξετασθεῖ.

Ἡ μελέτη παρουσιάζει τήν παρακάτω δομή: Πρόλογος (σσ. 9-14), Εἰσαγωγή (σσ. 17-25), Προθεωρία (σσ. 26-35), AN INTRODUCTION IN ENGLISH (σσ. 36-51), Μέρος πρῶτο: Οἱ διαμορφωτές τῶν Χριστολογικῶν Ὅρων (σσ. 53 - 74), Μέρος Δεύτερο: Ὁ Θεολογικός καί Ἐκκλησιαστικός Διάλογος (σσ. 75 - 176), Μέρος τρίτο: Πανορθόδοξες διασκέψεις, Ἡ στροφή τῆς Ὀρθοδόξου Ἐκκλησίας πρός τούς ORIENTALS (σσ. 177 - 229), Μέρος τέταρτο, Ἡ Μεικτή Συνέλευσις τό 1985 - Ἀναθέματα καί Συνοδικές ἀποφάσεις (σσ. 231 - 275), Μέρος πέμπτο: Παράρτημα Πρῶτο, THE DIALOGUE BETWEEN THE ORTHODOX AND ORIENTAL CHURCHES (σσ. 276 - 298), Παράρτημα Δεύτερο, SUB - COMMITTEES (σσ. 299 - 314), Παράρτημα Τρίτο, Ἡ Ὀργάνωσις τῶν Ἀνατολικῶν Ὀρθοδόξων Ἐκκλησιῶν (σσ. 315 - 319), Ἐπιλεγόμενα (σσ. 321 - 326), Πηγές καί Βοηθήματα (σσ. 327 - 350), Συμπλήρωμα (σ. 350). Χωρίς νὰ τραβοῦμε σέ κριτική ἐνημέρωση τῶν ὅσων ὁ συγγραφέας ἱστορικά παρουσιάζει, ἐπισημαίνουμε ἐκεῖνα πού ὁ ἴδιος ἀναφέρει στίς σελίδες 214 - 216 γιά τήν παραποίηση τῶν γεγονότων καί τήν προσοχή πού πρέπει νά ἐπιδεικνύεται ἀπό ἐκείνους πού ἀντιπροσωπεύουν τό διάλογο μεταξύ τῶν ἀρχεγόνων Ἐκκλησιῶν.

Θά σταθοῦμε γιά λίγο στίς μελέτες τοῦ κ. Παναγιώτη Γ. Φούγια, οἱ ὁποῖες καί θεμελιώνουν τίς νουνεχεῖς ἀντιλήψεις τῶν ἀνθρώπων ἐκείνων, πού ἐξακολουθοῦν μέχρι σήμερα νά πιστεύουν στή δύναμη τοῦ Ἔθνους καί τῆς Ἐκκλησίας. Ἡ πρώτη μελέτη ὁριοθετεῖ τό μέγεθος τῆς προσφορᾶς πού συντελέστηκε μέ τήν καλλιέργεια τῶν Ἑλληνικῶν Γραμμάτων ἀπό τῆς ἐποχῆς τῶν Μεγάλων Πατέρων τῆς Ἐκκλησίας καί συνεχίστηκε στό Βυζάντιο καί στή μακραίωνη Τουρκική δουλεία. Τά φωτισμένα πρόσωπα ἔξω καί μέσα τοῦ Ἑλληνισμοῦ κράτησαν γιά αἰῶνες τή δάδα, ποδηγετώντας στήν πίστη καί στήν ἀγάπη τῆς Πατρίδας. Ἡ παιδεία συνταιριασμένη μέ τούς πόθους τῆς ἐλευθερίας πέτυχε νά κρατήσει παρά τίς ἀντίξοες περιστάσεις, αὐτό πού μέ θαυμασμό καί ὑπερηφάνεια μέχρι σήμερα ὀνομάζουμε Ἑλλάδα. Μέσα σέ λίγες σελίδες ὁ συγγραφέας κατώρθωσε νά μᾶς χαρίσει μιά ὁλοκληρωμένη μελέτη γιά τή λειτουργικότητα τῶν Ἑλληνικῶν Γραμμάτων στούς αἰῶνες πού πέρασαν. Σχετικά μέ τά ἀναφερόμενα γιά τή Σιναϊτική Σχολή Χάνδακος, θά μοῦ ἐπιτρέψει νά τόν παραπέμψω στήν ἀνακοίνωση τοῦ καθηγητοῦ Νικολάου Β. Τωμαδάκη στό Στ' Διεθνές Κρητολογικό Συνέδριο (βλ. Ἡ δῆθεν Σιναϊτική Σχολή Χάνδακος καί ἡ προσπάθεια τοῦ Μαξίμου Μαργουνίου πρός ἵδρυσιν Φροντιστηρίου διά τούς Ὀρθοδόξους ἐν Κρήτῃ, ἀνάτυπο ἀπό τά Πεπραγμένα Στ' Διεθνοῦς Κρητολογικοῦ Συνεδρίου, τόμος Β', Χανιά 1991, σσ. 621 - 652).

Καί παλαιότερα ὁ κ. Φούγιας ἀσχολήθηκε μέ τό θέμα τῆς Διασπορᾶς, διατυπώνοντας μέ ἐπιτυχία τίς ἀπόψεις του γιά τῇ λύση τοῦ προβλήματος τῆς ἐκπαιδεύσεως τῶν νέων (βλ. Ὁ ρόλος τῆς Ἑλληνικῆς Ἐκκλησίας τῆς διασπορᾶς στήν Ἐκπαίδευση τῶν Ἑλληνοπαίδων τοῦ Ἐξωτερικοῦ, στό Ἀξώμη - Θυάτειρα, Ἀφιέρωμα εἰς τόν Ἀρχιεπίσκοπον Θυατείρων καί Μεγάλης Βρεταννίας, Μεθόδιον, 1985, THYATEIRA HOUSE, LONDON W. 2, σσ. 367 - 388). Σήμερα ἐπανέρχεται καί πάλι προσδιορίζοντας τίς προοπτικές πού πρέπει νά ἀκολουθηθοῦν στό καυτό αὐτό θέμα. Οἱ σκέψεις του ἀποκρυσταλλωμένες ὁριοθετοῦν τά μέτρα πού πρέπει σύντομα νά παρθοῦν, ἄν θέλουμε νά προφυλάξουμε τούς νέους ἀπό τήν ἀλλοτρίωσή τους.

Ἡ ἀναδημοσίευση τῆς μελέτης τοῦ Θεολόγου Παναγιωτίδου γιά τόν Ἑλληνισμό τῆς Ρωσίας, ἡ ὁποία ἀπό τό 1919 εἶχε δεῖ τό φῶς τῆς δημοσιότητας, εἶναι σήμερα ἐπίκαιρος μετά καί τόν ἐπαναπατρισμό τῶν Ἑλλήνων Ποντίων, ἀλλά καί αὐτῶν πού μέχρι τώρα παραμένουν ἐκεῖ. Καί τότε ἔπρεπε καί τώρα πρέπει νά προσεχθεῖ τό θέμα τῶν Ἑλλήνων πού ζοῦν στίς Δημοκρατίες τῆς Κοινοπολιτείας. Τό ἐνδιαφέρον τῆς Ἐκκλησίας καί τῆς Πολιτείας πρέπει πάση θυσία νά ἐνταθεῖ.

Καί «κλείνω» μέ τήν ἐπισήμανση τῆς συζητήσεως γιά τήν Ἑλληνικότητα τῆς Μακεδονίας πού ἔλαβε χώρα στήν ΕΤ 3 τῆς Θεσσαλονίκης, μεταξύ τοῦ Κοσμήτορα τῆς Θεολογικῆς Σχολῆς τοῦ Ἀριστοτελείου Πανεπιστημίου Θεσσαλονίκης κ. Γιούλτση, τοῦ καθηγητοῦ τῆς ἰδίας Σχολῆς κ. Γαλάνη καί τοῦ Μητροπολίτου Ζιχνῶν καί Νευροκοπίου κ. Σπυρίδωνος. Τό μέρος πού δημοσιεύεται ἐδῶ εἶναι αὐτό πού ἀναφέρεται στίς σκέψεις τοῦ Σεβασμιωτάτου μέ θέμα «Ἡ Ἁγία Γραφή καί ἡ Ἑλληνικότητα τῆς Μακεδονίας».

ΝΙΚΟΛΑΟΣ ΛΥΚ. ΦΟΡΟΠΟΥΛΟΣ

Περιοδικό **Ἐκκλησία,** 1-15 Σεπεμβρίου 1992.

Oriental Institute
Pusey Lane
Oxford, OX1 2LE

20 ii 91

Your Grace,

Thank you very much for your letter. I look forward to seeing your major book on <u>Greeks & Latins</u>: it is most kind of you to promise me a copy.

I am greatly honoured by your invitation to contribute something to the eighth volume of <u>Texts and Studies</u>, on the Oriental Orthodox Churches. I should be very pleased to accept the invitation. I have not yet decided upon a topic – this will in part depend on how soon you require a typescript: I should accordingly be most grateful if you could let me know the date by which you would like to have the contribution, and I will do my best to comply.

With my respectful greetings

Yours sincerely

Sebastian Brock.

Ὁ καθηγητής Sebastian Brock προσφιλής συνεργάτης μου εἶναι καί ἱδρυτικό στέλεχος τοῦ Ὀργανισμοῦ «Παλίντροπος Ἁρμονία», μαζί μέ τούς ἄλλους Ἀκαδημαϊκούς T. Torrance καί H. Chadwick.

Texts and Studies. A Review for Hellenism in Diaspora. Vol. VIII-X (1989-1991). Athene, 23½ x 16½, 622 p.

Dit deel van *Texts and Studies*, een van de vele uitgaven van aartsbisschop Methodios Fouyas, vangt aan met een uitgebreide studie (7-350) van de hand van de uitgever zelf, waarin ook vroeger gepubliceerde studies worden verwerkt. Het geheel gaat over de weg naar eenheid tussen de orthodoxe en de oud-oosterse kerken. Ook in CO 30 (1978) 240-253 wijdde hij een bijdrage aan dit onderwerp. Na enkele inleidingen in het grieks en het engels behandelt hij de christologische leer van een aantal kerkelijke schrijvers uit de tijd van het ontstaan van het monofysitisme. Vervolgens wijdt hij aandacht aan geschriften en uitspraken van de huidige leiders van de oud-oosterse kerken (syrische, armeense, koptische, ethiopische). Tenslotte geeft hij een overzicht van de panorthodoxe ontmoetingen in onze eeuw. De oorspronkelijk in het grieks of het engels gepubliceerde artikels zijn hier in dezelfde taal overgenomen. Hierna volgen meerdere aan genoemde kerken gewijde bijdragen. Zo o.m. O. Meinardus: volksreligie bij de kopten; het *myron* in de koptische kerk; S. Brock: een homilie van Jakob van Saroeg over Chalcedon; G. Dragas: de toenadering tussen de orthodoxe en de oud-oosterse kerken. In een laatste deel wordt een aantal documenten van het oecumenisch patriarchaat gepubliceerd.

A. Burg

42. Μέ τόν ἀείμνηστο Οἰκουμενικό Πατριάρχη Δημήτριο.

МОСКОВСКИЙ ПАТРИАРХАТ

СВЯЩЕННЫЙ СИНОД
РУССКОЙ ПРАВОСЛАВНОЙ ЦЕРКВИ

ОТДЕЛ ВНЕШНИХ ЦЕРКОВНЫХ СНОШЕНИЙ

191 Москва, Даниловский вал 22,
Данилов монастырь, ОВЦС
Телефон 235-04-54

№ 1300

MOSCOW PATRIARCHATE

RUSSIAN ORTHODOX CHURCH
HOLY SYNOD

DEPARTMENT FOR EXTERNAL CHURCH RELATIONS

Danilov Monastery,
Danilovsky Val 22, Moscow ~~191~~ 113191
Telephone: 235-04-54

April 17, 1992

His Eminence Metropolitan of
Pisidia Methodios

Your Eminence,

On behalf of His Holiness Patriarch Alexy II of Moscow and All Russia I cordially thank you for the book received"Texts and Studies" which is extremely interesting for us and will be used in our work.
I wish to you the abundant help from God and strong health for many years.

With respectful love in the Lord,

Vice-Chairman of the Department for
External Church Relations of the
Moscow Patriarchate
Archpriest

Victor Petliuchenko

43. Ἑορτή τῶν Ἑλληνικῶν Γραμμάτων. Ἀριστερά ὁ ἀείμνηστος Πρόεδρος τῆς Ἑλληνικῆς Κυπριακῆς Ἀδελφότητος Γιατρός Ὅμηρος Χαπίπης, ὁ ἐπίσης ἀείμνηστος Ἰωάννης Ἀδ. Χατζηπατέρας, πρόεδρος τῶν Ἑλλήνων Ἐφοπλιστῶν Λονδίνου, τοῦ ὁποίου δημοσιεύομεν στόν παρόντα τόμο πολλές χειρόγραφες ἐπιστολές καί ὁ ἐξαίρετος Διπλωμάτης Στέφανος Σταθάτος Πρέσβυς τῆς Ἑλλάδος στό Λονδίνο ἐνῶ ὁμιλεῖ.

ПАТРИЈАРХ СРПСКИ

7. март 1992. г.
Београд

Његово Преосвештенство
Архиепископ Др. МЕТОДИОС ФУЈАС,
152 32 КАЛАНДРИ,
Г Р Ч К А

ВАШЕ ВИСОКОПРЕОСВЕШТЕНСТВО,

Са топлом благодарношћу потврђујемо пријем књиге "TEXTS AND STUDIES A Review for Hellenism in Diaspora", коју сте нам изволели послати на дар.

Желећи Вам даљи успех у раду и свако добро од Бога, препоручујемо се Вашим светим молитвама и остајемо у Христу брат

ПАТРИЈАРХ СРПСКИ

44. Μέ τόν ἀλησμόνητο καί εὐφυέστατο Μητροπολίτη Χαλκηδόνος Μελίτωνα.

Bibliotheek
Theologische
Universiteit

VAN DE GEREFORMEERDE
KERKEN IN NEDERLAND

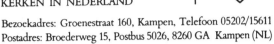

Bezoekadres: Groenestraat 160, Kampen, Telefoon 05202/15611
Postadres: Broederweg 15, Postbus 5026, 8260 GA Kampen (NL)

March 10, 1992

Archbishop Methodios
9, Riga Ferraiou Str.
KHALANDRI
152 32 ATHENS
Griekenland

Dear Sir!

Thank you very much for sending us:

Texts and studies VIII-X
1989-1991.

With kindest regards.
Yours faithfully

Mrs Betsy Havinga
Libra.ass.

45. Στή Μάλτα μέ τόν ἀείμνηστο πρόεδρο τῆς Ἑλληνικῆς Κοινότητος Πέτρο Σορωτό καί τόν Πρόξενο τῆς Ἑλλάδος Παντ. Μαϊράγκα. Σήμερα ἡ Ἑλληνική Παροικία τῆς Μάλτας ἔχει 15 Ἑλληνίδες συζύγους Μαλτέζων καί 10 Ἕλληνες συζύγους Μαλτέζων γυναικῶν.

Bodleian Library

From the Head of Acquisitions and Collection Development
Department of Printed Books

18-MAR-92

Dear Archbishop Methodios

I am writing to thank you for your kind donation of the following work:

METROPOLITAN METHODIOS OF PISIDIA
Revolution towards unity: Ecclesiastical and theological contacts amongst the Eastern Orthodox Catholic Church and the Oriental Orthodox Church. (Texts and Studies, VIII-X).

Yours sincerely

Dr G.P.M. Walker
Head of Acquisitions & Collection Development

Archbishop Methodios
9, Riga Ferraiou Str.
Khalandri, 152 32 ATHENS
Greece

Bodleian Library
Broad Street, Oxford OX1 3BG
Telephone OXFORD (0865) 277000
Telex 83656 Fax (0865) 277182

Ο ΠΡΟΕΔΡΟΣ

Αθήνα, 6 Απριλίου 1992

Προς
Τον Σεβασμιώτατο Μητροπολίτη Πισιδίας
Κύριο Μεθόδιο

Σεβασμιώτατε,

Δεχθείτε, παρακαλώ, τις θερμές ευχαριστίες μου για την τιμητική για μένα προσφορά αντιτύπου της περιοδικής εκδόσεως "Texts and Studies, A Review for Hellenism in Diaspora", vol. VIII-X, 1989-1991, τα κείμενα της οποίας διεξήλθα με μεγίστη ωφέλεια.

Υμέτερος ευχέτης

ΜΙΧΑΗΛ ΣΑΚΕΛΛΑΡΙΟΥ

46. Μέ τούς ἀείμνηστους Ἀρχιεπίσκοπο Κύπρου Μακάριο καί Πατριάρχη τῆς Αἰθιοπίας Θεόφιλο στή Μητρόπολη Ἀξώμης.

UNIVERSITY OF HELSINKI
FACULTY OF THEOLOGY
Department of Systematic Theology

Fabianinkatu 7
00130 HELSINKI
FINLAND

Jan 28, 1992

Church and Theology
An Ecclesiastical and Theological Review

9, Riga Ferraiou Str.
Khalandri

GR - 152 32 Athens
Greece

Dear Sir,

We noticed your publication in the list of received books of the Ecumenical Review 1/1992. We found your review quite interesting.

As a centre of Ecumenical Studies in the University of Helsinki, we could be interested in subscribing "Church and Theology". Therefore we ask if you could be so kind as to send us further information on ouyr publication to our address:

Ecumenical Studies
Department of Systematic Theology
Univeristy of Helsinki
Fabianinkatu 7
SF - 00130 Helsinki
Finland.

With gratitude,

Yours sincerely

Antti Saarelma

Antti Saarelma

FRANCISCUS CARDINALIS MACHARSKI
ARCHIEPISCOPUS METROPOLITA CRACOVIENSIS

With thanksgiving
and best greetings

+ Card. Macharski

Texts and Studies, A Review of the Foundation for Hellenism in Great Britain. V-VI. London, Thyateira House, 1987. 24 × 17, 320 p.

In dit deel van *Text and Studies* heeft de toenmalige aartsbisschop van Thyateira en Groot-Brittannië, Methodios, 24 artikels van verschillende auteurs bijeengebracht. Hijzelf schrijft over de fundamentele consensus van de kerkelijke communio. Verder bevat dit deel de teksten, de besluiten en het communiqué van de bijeenkomst te Chambésy in 1986 ter voorbereiding van de grote orthodoxe synode en artikels over patriarch Fotios II (1929-1935), over de orthodoxie in het Westen, over de schilder N. Kessanlès, over metropoliet Germanos van Thyateira, de voorganger van aartsbisschop Methodios, over de eucharistie bij de Kopten en over de situatie van de afrikaans-orthodoxe kerk in Kenya.

A. Burg

"Het Christelijk Oosten"

oktober 1991 - 43e jaargang - afl. 4

ΧΡΗΣΤΟΣ Α. ΣΑΡΤΖΕΤΑΚΗΣ

Σεβασμιώτατε,

Εὐχαριστῶ θερμῶς γιά τήν ἀποστολή τοῦ τόμου VIII-X τῶν TEXTS AND STUDIES, λαμπροῦ περιεχομένου, ὅπως ὅλα τά δημοσιεύματά σας.

Συγχαρητήρια διά τήν ἀκάματον πνευματικήν σας ἐνεργητικότητα.

Μέ φιλικούς χαιρετισμούς

18 Μαρτίου 1992

ΕΛΕΥΘ. ΒΕΝΙΖΕΛΟΥ 91, ΤΗΛ.
ΧΟΛΑΡΓΟΣ ΑΤΤΙΚΗΣ

H.E. Archbishop METHODIOS FOUGAS

Il Cardinale Roger Etchegaray

Presidente della Pontificia Commissione "Justitia et Pax"
Presidente del Pontificio Consiglio "Cor Unum"

with many thanks for the volume TEXTS AND STUDIES - A Review for Hellenism in Diaspora, and with a vivid memory of our meeting in Assisi.

Sincerely yours,

14 May 1992

Il Cardinale Carlo Maria Martini
Arcivescovo di Milano

most thankful for having kindly sent the review for Hellenism in Diaspora, expresses his best wishes and his kindest regards.

Yours in Christ
+ Carlo Maria Card. Martini

23 March 1992

Il Cardinale Roger Etchegaray

thanks very sincerely Archbishop METHODIOS for the last volume of his "Texts and Studies" graciously sent to him.

+ Roger card. Etchegaray

Rome, 16.III.92

Le Card. Corrado Bafile

vous exprime sa vive reconnaissance pour le don du livre "Texts and Studies - A Review for Hellenism in Diaspora" vol. VIII-XII et vous offre l'assurance de son profond respect.

Rome, le 24 mars 1992

C. Card. Bafile

REGNUM CHRISTI FLOREAT

Francis Cardinal Arinze
President
Pontifical Council for Interreligious Dialogue
Vatican City

13 March 1992

Your Excellency,

Please accept my deep gratitude for your excellently prepared Texts and Studies which you sent me.

In union of prayer. Francis Card. Arinze

† Ο ΑΡΧΙΕΠΙΣΚΟΠΟΣ ΑΥΣΤΡΑΛΙΑΣ

ΣΤΥΛΙΑΝΟΣ

[illegible]

5-5-92

† Ο ΜΗΤΡΟΠΟΛΙΤΗΣ ΔΗΜΗΤΡΙΑΔΟΣ
ΧΡΙΣΤΟΔΟΥΛΟΣ

10.2.92

Σεβασμιώτατε Ἀδελφέ Ἅγιε Πισιδίας,

Σᾶς εὐχαριστῶ [illegible] διά τά "Texts and Studies" (1988-1991) καθώς καί διά τό Βιογραφικόν σας, πού περιέχει τίς πληθωρικές δραστηριότητές σας εἰς δόξαν Θεοῦ. Συγχαίρων καί ἀδελφικῶς εὔχομαι ἐγκαρδίως νά συνεχίσετε μέ

Κ. ΚΑΡΤΑΛΗ 227, 382 21 ΒΟΛΟΣ
• ΤΗΛ.: (0421) 47502, 47508 • TELEX: 282385 IMDI GR • TELEFAX: (0421) 47405

ἀμείωτον ζῆλον τήν πολυτίμητον προσφοράν σας εἰς τήν [illegible] Ἐκκλησίαν καί σᾶς ἴδωμεν καί πάλιν τιθέμενον ἐπί τήν λυχνίαν τῆς ἐνεργοῦ συμμετοχῆς σας εἰς τά τῆς Οἰκουμενικῆς [illegible].

Μετά ἀγάπης ἐν Χριστῷ

217144/1 HALD
ATHE 217139
230 SUG001
ETCHMIADZIN 52/51 15/5 2001

HIS EMINENCE ARCHBISHOP METHODIOS
9 RIGA FERRAIOU STREET KHALANDRI
15232 ATHENES GRECE

DEAR BROTHER IN CHRIST WITH PLEASURE AND THANKS RECEIVED TEXTS AND STUDIES.A REVIEW FOR HELENISM IN DIASPORA VOLUME 8-10 STOP MAY ALMIGHTY GOD BLESS YOUR EFFORTS AND GIVE YOU STRENGTH TO CONTINUE YOUR THEOLOGICAL WORKS

ARCHBISHOP NERSES BOZABALIAN

47. Ὁ ἀείμνηστος Ἀρχιεπίσκοπος Ἀθηνῶν Σεραφείμ, ὁ μακαριστός Πρόεδρος τότε τῆς Βουλῆς Κωνστ. Παπακωνσταντίνου καί ἄλλοι ἐπίσημοι παρακολουθοῦν ὁμιλία τοῦ Ἀρχιεπισκόπου Θυατείρων Μεθοδίου στό ξενοδοχεῖο τῶν Ἀθηνῶν King George. Θέμα: Ὁ Χριστιανισμός στή σημερινή Εὐρώπη.

† Ο ΑΡΧΙΕΠΙΣΚΟΠΟΣ ΚΥΠΡΟΥ
ΧΡΥΣΟΣΤΟΜΟΣ

Τῷ Σεβασμιωτάτῳ Μητροπολίτῃ Πισιδίας, ἀγαπητῷ ἀδελφῷ, κυρίῳ Μεθοδίῳ, ἀσπασμόν ἅγιον ἐν Χριστῷ.

Μετά πολλῆς χαρᾶς ἐδεξάμεθα καί τόν τόμον 8ον - 10ον (1989 - 1991) τῶν "Texts and Studies", τῶν ὁποίων ἐκδότης εἶναι ἡ Ὑμετέρα λίαν ἀγαπητή Σεβασμιότης.

Συγχαίροντες θερμῶς τῇ Ὑμετέρᾳ Σεβασμιότητι διά τάς ἐν τῷ τόμῳ τούτῳ ἐκδιδομένας περισπουδάστους μελέτας καί τά ἀξιόλογα κείμενα, εὐχαριστοῦμεν Αὐτῇ ἀπό καρδίας διά τήν εὐγενῆ χειρονομίαν τῆς ἀποστολῆς, εὐχόμενοι ἅμα Αὐτῇ ὑγίειαν καί συνέχισιν τῆς συγγραφικῆς Αὐτῆς προσφορᾶς πρός τήν Ἐκκλησίαν.

Μετά τῆς ἐν Κυρίῳ ἀγάπης

† ὁ Κύπρου Χρυσόστομος

Ἐν τῇ Ἱ. Ἀρχιεπισκοπῇ Κύπρου,
τῇ 18ῃ Μαρτίου 1992.

HANS ROHR
ZÜRICH 1

BUCHHANDLUNG UND ANTIQUARIAT ZUM OBERDORF AG

CH-8024 Zürich
Oberdorfstrasse 5, Postfach
Tel. 01 / 251 36 36 / Tx 56385
Postscheckkonto 80-9613

Filiale: Torgasse 4
Filmbuchhandlung: Oberdorfstrasse 3

REGISTERED
Dr. Methodios Fouyas
Archbishop
9, Riga Ferraiou Str.,
GR-152 32 Khalandri

Zürich, 15. Mai 1991 r/SO/Z

Dear Sir,

we thank you for your circular of February 15, 1991.

we beg you to record one standing order for Ekklesia kai theologia, vol. 9 and following volumes.

Do send us a proforma-invoice for volume 9 less booksellers discount.

Yours sincerely,

HANS ROHR
BUCH...
802...

Dear Sir,

herewith we claim the above order.

Further we claim our order for TEXTS AND STUDIES. Foundations for Hellenism in Great Britain, vol. 7 and the following

Yours sincerely,

Zürich, 8th August 1991 r

ΥΠΟΥΡΓΕΙΟ ΕΘΝΙΚΗΣ ΑΜΥΝΑΣ
ΥΠΟΥΡΓΟΣ

Αθήνα 11 Φεβρουαρίου 1992

Σεβασμιώτατο

Μητροπολίτη Πισιδίας

κ.κ. Μεθόδιο Φούγια

Ρήγα Φεραίου 9

152 32 - ΧΑΛΑΝΔΡΙ

Σεβασμιώτατε,

'Ελαβα τον τόμο VIII - X, 19 89-1991, "Texts and Studies. A Review for Hellenism in Diaspora" καθώς και την εργασία σας "Επιστημονικές δραστηριότητες, εκκλησιαστικές και εθνικές συμβολές" και σας ευχαριστώ θερμά που είχατε την ευγενή καλοσύνη να μου τα στείλετε.

Σας συγχαίρω για το ευρύτατο έργο σας και ιδίως, Σεβασμιώτατε, διότι οι εμπεριστατωμένες μελέτες που περιέχονται στον πλούσιο αυτό τόμο, παρουσιάζουν με σαφήνεια και πληρότητα της ζωή και τις ιδιαιτερότητες των Προχαλκηδονίων Εκκλησιών της Ανατολής και την ανάγκη για τη συνέχιση του Θεολογικού Διαλόγου μαζί τους.

Με σεβασμό

ΙΩΑΝΝΗΣ Μ. ΒΑΡΒΙΤΣΙΩΤΗΣ

IL PATRIARCA DI VENEZIA

Venezia, 25 marzo 1992

Rev.mo Arcivescovo,

ho ricevuto il volume "*Texts and Studies*" (a Review for Hellenism in Diaspora).

Apprezzo l'impegno di studio che lo ispira e ringrazio per l'attenzione usatami.

Cordiali saluti nel Signore.

Con molta fraternità

[illegible]

PONTIFICIUM CONSILIUM
AD CHRISTIANORUM UNITATEM FOVENDAM

E Civitate Vaticana, die 24 août 1992

PROT. N. 3764/92/b

Excellence,

A cause de différents engagements et réunions, je constate de ne pas avoir encore remercié Votre Excellence de l'envoi de ses deux dernières publications, **Ekklesia Kai Theologia (1989-1991)** et **Texts and Studies (Volumes VIII-X)**. J'ai noté surtout les études dédiées au Patriarche Photios.

Profondément reconnaissant de l'amitié que Votre Excellence me témoigne, et en me félicitant avec vous pour toute l'activité que vous déployez, je vous prie de croire à mes sentiments de respectueuse et fraternelle charité.

+ Pierre Duprey
secrétaire

Son Excellence
l'Archevêque **Méthodios Fouyas**
9, Odos Riga Ferraiou
Khalandri
GR-152 32 ATHENES (Grèce)

ՊԱՏՐԻԱՐՔԱՐԱՆ ՀԱՅՈՑ

ARMENIAN PATRIARCHATE

№ Թուական
Date

CH/F-001 March 30, 1992

His Grace Archbishop Methodios of Pisidia
9 Riga Ferraiou Str
Khalandri
15232 Athens
GREECE

Dear Brother-in-Christ,

We received with delight the gift you were kind enough to send us recently, and we thank you for your consideration.

The book, Vol.VIII-X of "Texts and Studies, A Review for Hellenism in the Diaspora," provided us with several hours of precious, thoughtful reading.

We were very impressed by the great personal endeavours you have consecrated towards the production of this learned tome, and ask the Lord to bless your work.

With our prayers for your continued good health,

Abp. Torkom Manoogian

Archbishop Torkom Manoogian
Armenian Patriarch of Jerusalem

ՓՈՍՏԱՐԿՂ 14235 ՀԵՌԱՁԱՅՆ 894866 ԵՐՈՒՍԱՂԷՄ
P.O.BOX 14235 PHONE: 894866 JERUSALEM

SYRIAN PATRIARCHATE
OF ANTIOCH AND ALL THE EAST
DAMASCUS - SYRIA

By the Grace of God

No.E123/92.

March 14,1992

His Grace Archbishop Methodios
9, Riga Ferraiou Str.
KHALANDRI, 152 32 ATHENS
G R E E C E.

Your Grace,

We have received the book "Text and Studies A Review for Hellenism in Diaspora Vol VIII-X" which you sent to us.We thank you for sending the same to us. May the peace of our Lord be with you.

With best wishes, yours in Christ,

Ignatius Zakka I Iwas
Patriarch of Antioch and all the East
Supreme head of the Universal Syrian
Orthodox Church

Phone: 8499, 8392

The Malankara Orthodox Syrian Church

CATHOLICATE OFFICE,
DEVALOKAM P. O.
KOTTAYAM 686 038

PROF. E.J. JOHN,
PUBLIC RELATIONS OFFICER.

Date 4-3-1992

To

H.G. Archbishop Dr. Methodios Fouyas,
9 Riga Ferraiou St., Khalandri,
152 32 - Athens, Greece.

Your Grace,

This is to acknowledge receipt of the book "Texts and Studies" a review for Hellenism in Diaspora Vol VIII-X, 1989-1991; sent to His Holiness, Baselius Marthoma Mathews II, Catholicos of the East.

I am directed by His Holiness to thank Your Grace for the same.

With all best wishes and warm regards.

Yours in His Service,

E.J. John.

GREEK ORTHODOX ARCHDIOCESE OF NORTH AND SOUTH AMERICA

ΕΛΛΗΝΙΚΗ ΟΡΘΟΔΟΞΟΣ ΑΡΧΙΕΠΙΣΚΟΠΗ ΒΟΡΕΙΟΥ ΚΑΙ ΝΟΤΙΟΥ ΑΜΕΡΙΚΗΣ

10 EAST 79th STREET, NEW YORK, N.Y. 10021 • TEL (212) 570-3500 • CABLE: ARCHGREEK, NEW YORK

27 Μαρτίου 1992

Σεβασμιώτατον Μητροπολίτην
Πισιδίας κ. Μεθόδιον
Ρήγα Φερραίου 9
Χαλάνδρι

Σεβασμιώτατε Άγιε Άδελφέ,

Τί έπίκαιρο καί πόσο έποικοδομητικό τό βιβλίο σας: "TEXTS AND STUDIES - A REVIEW FOR HELLENISM IN DIASPORA". Σᾶς εὐχαριστῶ γιά τήν καλωσυνάτη θύμησι καί προσφορά σας.

Σέ μιά έποχή τόσο πνευματικά αἰχμηρή ὅσο ἡ δική μας ἔρχεσθε νά στάξετε μέ κάθε λέξι καί σκέψι σας μιά σταγόνα δροσιᾶς, ἕνα μῦρο ἀνοιξιάτικο.

Εὔχομαι νά εἶναι καί γιά σᾶς ἀφορμή, γιά νέες ἐμπνεύσεις καί ἐξάρσεις ἡ συγγραφή σας, πού τόσο τονώνει τό ἑλληνοχριστιανικό ἦθος μας τήν ἐποχή αὐτή.

Μέ ἀγάπη πολλή καί θερμές ἑόρτιες εὐχές

Ο ΑΡΧΙΕΠΙΣΚΟΠΟΣ

Ο ΑΜΕΡΙΚΗΣ ΙΑΚΩΒΟΣ

ΑΙ,νκ

Information Services & Systems
Library Services

Periodicals Office

KING'S College LONDON
Founded 1829

Archbishop Methidios
9 Riga Ferraiou Str.
Khalandri
15232 Athens
Greece

Strand
London WC2R 2LS
Tel 0171-873 2139/2140
Fax 0171-872 0207
General Enquiries
0171-873 2424
Email: a.bell@kcl.ac.uk

Date as postmark

Anne Bell
BA MA ALA
Director of Library Services

Dear Madam/ Sir,

We receive the following title from you as a gift:-

Texts and Studies: A Review for Hellenism in Diaspora

However, the following issues have not been received:-

Vol. 11, 1992 onwards

As we would like to maintain a complete set of this publication, we would be very grateful if you could supply these missing issues, if they are still available.

I look forward to hearing from you.

Yours faithfully,

Julia Owen

Julia Owen

Humanities Library, Periodicals.

Joseph Cardinal Ratzinger

SEKRETARIAT

I-00120 CITTÀ DEL VATICANO

15 maggio 1992

A Sua Eccellenza Rev.ma
Arcivescovo METHODIOS
9, Riga Ferraiou Str.
Khalandri

152 32 Athens - GRECIA

Eccellenza Reverendissima,

Sua Eminenza il Card. Ratzinger ha ricevuto il Suo libro "*Texts and Studies. A Review for Hellenism in Diaspora*", e mi incarica di ringraziarLa per il gentile pensiero.

Mi valgo della circostanza per porgerLe distinti ossequi e confermarmi
dev.mo

Jn. Clemens

Mons. Josef Clemens
Segretario part.

With the Compliments of

NEBS DEPT.

BLACKWELL'S

Hythe Bridge Street,

Oxford OX1 2ET.

England.

Dear Sirs

Please see attached copy of your pro-forma /LETTER
invoice number dated 18.7.91
for : Texts and Studies, Vol. 8 (1988-91)

The invoice was paid by cheque no. 087729
on 30.9.91 but we have not yet received
the book(s).
Please send them as soon as possible for our
standing order no. ZA/35505
Thankyou.

Yours faithfully

R. Franklin.

Miss. R.Franklin
Series Acquisitions

THE BRITISH LIBRARY

ACQUISITIONS UNIT (HSS-WEL)

BOSTON SPA, WETHERBY
WEST YORKSHIRE LS23 7BQ
UNITED KINGDOM

ARCHBISHOP METHODIOS
9 RIGA FERRAIOU STR.
KHALANDRI
152 32 ATHENS
GREECE

Telephone	01937 546980
Fax	01937 546176
Int. Fax	+44 1937546176
Our Ref	120905/D
Your Ref	
Date	20-Jul-1998
E-Mail	H&SS-Accessions @BL.UK

ACQUISITIONS UNIT (HSS-WEL) FIRST CLAIM FOR NON SUPPLY

Dear Sir/Madam

Title: **TEXTS & STUDIES # A REVIEW FOR HELLENISM IN DIASPORA** ISSN

Issue(s) not supplied:

Publication Date	Copies
VOL 11	1 required

You kindly donate the above publication. Please supply the missing issue(s) or advise whether:

- ☐ Issues are enclosed/despatched.
- ☐ Issue(s) not yet published. Issue(s) due ...
- ☐ Claimed issue(s) out of print / not available.
- ☐ Title has ceased publication with issue ...

Other comments / information

PLEASE RETURN THIS FORM TO ACQUISITIONS UNIT (HSS-WEL) WITH YOUR REPLY

ΟΡΘΟΔΟΞΟΣ ΑΚΑΔΗΜΙΑ ΚΡΗΤΗΣ
ΓΩΝΙΑ ΧΑΝΙΩΝ

Γωνιά, 30-10-1992

Προς
τον Σεβασμ. Μητροπολίτη Πισιδίας
κ.κ. ΜΕΘΟΔΙΟ
Ρήγα Φερραίου 9
152 32 ΧΑΛΑΝΔΡΙ

Σεβασμιώτατε,

Επιβεβαιώνομε τη λήψη των δημοσιευμάτων σας....................
....
- Επιστημονικές δραστηριότητες, εκκλησιαστικές και εθνικές συμβολές
- TEXTS AND STUDIES vol. VIII-X (1989 - 1991)....................
....

που είχατε την ευγένεια να αποστείλετε προς εμπλουτισμό της Βιβλιοθήκης της Ορθοδόξου Ακαδημίας Κρήτης και σας γνωρίζομε πως έγινε η σχετική καταχώρηση στον τόμο εισερχομένων εντύπων, με αριθμούς 9137 και 9136 αντίστοιχα.

Σας ευχαριστούμε θερμά και ελπίζομε πως δεν θα παύσετε να εκδηλώνετε και στο μέλλον τη συμπαράστασή σας στο έργο του Ιδρύματος.

Θαυμάζοντας τον ακάματο συγγραφικό και αγωνιστικό σας αγώνα και έργο, θα ευγνωμονώ, γιατί δεν [illegible] πάντα το Ίδρυμα!

Μετά σεβασμού
Ο Γεν. Διευθυντής

(Αλέξ. Παπαδερός)

The Most Revd.Metropolitan Methodios of
Rhiga Ferraeou 9
GR-152 32 HALANDRI
` Athene

Griekenland

THIS IS A CLAIM FOR OUR SUBSCRIPTION/STANDING ORDER

2nd claim

Date: 21-11-2001

Title: **Texts and studies** : a review / the Foundation for Hellenism in Great Britai
London ; Athens : Thyateira House, 1982- .... - 24 cm
Text in English, Greek, French and German.
ISSN 02641666

MISSING ISSUE(S):
11[and onwards---]

Please ship to:
Bibliotheek der Rijksuniversiteit
Dep. Acquisition
P.O. Box 559
9700 AN Groningen
The Netherlands

Fax : +31 50 - 3634996
E-mail : tssadmin@ub.rug.nl

MORM/our ref.: 89011494/TB 4577 V.A.T. Registration Number: NL001932706B01

Ι΄

Ἕλληνες καί Λατῖνοι

Πρώτη ἔκδ. Ἀθῆναι, 1990
Δευτέρα ἔκδ. Ἀποστ. Διακονία
τῆς Ἐκκλ. τῆς Ἑλλάδος 1994, σελ. 501

ΕΛΛΗΝΕΣ
ΚΑΙ ΛΑΤΙΝΟΙ

ΑΡΧΙΕΠΙΣΚΟΠΟΥ
ΠΡ. ΘΥΑΤΕΙΡΩΝ ΚΑΙ ΜΕΓΑΛΗΣ ΒΡΕΤΑΝΝΙΑΣ
ΜΕΘΟΔΙΟΥ Γ. ΦΟΥΓΙΑ
ΜΗΤΡΟΠΟΛΙΤΟΥ ΠΙΣΙΔΙΑΣ

ΕΛΛΗΝΕΣ ΚΑΙ ΛΑΤΙΝΟΙ

Β' ΕΚΔΟΣΙΣ

Μεθοδίου Γ. Φούγια, *Ἀρχιεπισκόπου πρώην Θυατείρων καὶ Μεγάλης Βρεταννίας, «Ἡ Ἐκκλησιαστική Ἀντιπαράθεσις Ἑλλήνων καὶ Λατίνων, ἀπό τῆς ἐποχῆς τοῦ Μεγάλου Φωτίου μέχρι τῆς Συνόδου τῆς Φλωρεντίας, 858-1439, Ἱστορικὴ καὶ Θεολογικὴ Μελέτη ἀναφερομένη στίς ποικίλες φάσεις τῶν ἐκκλησιαστικῶν σχέσεων τῶν δύο λαῶν». Μὲ πρόλογο τοῦ Μητροπολίτου Ἀττικῆς Δωροθέου, Ἀθῆναι 1990, σσ. 501. Συνοπτικὸς τίτλος ἐπί τοῦ ἐξωφύλλου:* **Ἕλληνες καὶ Λατῖνοι.**

Ἡ πνευματικὴ παρουσία τοῦ κ. Μεθοδίου εἶναι δεδομένη γιὰ τὰ γράμματα καὶ τὴν Θεολογικὴ Ἐπιστήμη[1]. Πέραν ἀπὸ τὰ στενὰ ὅρια τοῦ Ἑλληνικοῦ χώρου, ὁ Σεβασμιώτατος ἔχει ἐπιβληθεῖ μὲ τὶς μέχρι σήμερα μελέτες του στὴν παγκόσμια βιβλιογραφία. Πολυγραφότατος καὶ ταλαντοῦχος κατώρθωσε νὰ παρουσιάσει ὄχι ἁπλῶς μιὰ ἱστορικὴ μελέτη, ἀπαριθμώντας τὰ γεγονότα πού ἔλαβαν χώρα ἀπὸ τοῦ 858 μέχρι τοῦ 1439, ἀλλὰ ἐμβαθύνοντας καὶ ἑρμηνεύοντας αὐτά, νὰ μᾶς χαρίσει πράγματι ἕνα ἔργο πολύτιμο[2].

---

1. Βλ. πρόχειρα *Νικ. Λυκ. Φοροπούλου*, Ἀρχιεπισκόπου Θυατείρων καὶ Μεγ. Βρεταννίας Μεθοδίου, *Θεολογικαὶ καὶ Ἱστορικαὶ Μελέται*, Συλλογὴ Δημοσιευμάτων, τόμοι Α´ (1879) - Ι´ (1987), Ἀθῆναι, σσ. 3725, *Ἐκκλησία καὶ Θεολογία*, Ἐκκλησιαστικὴ καὶ Θεολογικὴ Ἐπετηρίς, τόμος Θ´ (1988) σσ. 263-280 καὶ ἀνάτυπον.
2. Ἐδημοσιεύθηκαν πολλὲς ἀξιόλογες κριτικὲς γιὰ τὸ ἔργο τοῦτο τοῦ Σεβασμιωτάτου κ. Μεθοδίου. Κρίνω ἀπαραίτητο νὰ ἀναφερθῶ στὶς κυριώτερες κριτικὲς ποὺ ἔχω ὑπ᾽ ὄψει μου. Τοῦ καθηγητοῦ τοῦ Πανεπιστημίου τοῦ Colgate John E. Rexine, στὸ *Patristic and Byzantine Review*, vol. 10 (1991), σ. 71-75 ἀγγλιστί. Τοῦ Δρος Δ. Κουσίου στὴν ἐφημερίδα τῶν Βρυξελλῶν *Εὐρωπαρατηρητής*, Ἀπρίλιος 1991. Τοῦ Δρος Γρηγορίου Ι. Οἰκονομάκου στὸ Περιοδικὸ *Παρνασσὸς ΛΓ´ (1991), σ. 407-409. Τοῦ Δρος Ἀριστείδη Δουλαβέρα*, στὸ *Δελτίο Ἱδρύματος Κορινθιακῶν Μελετῶν*, 6 (1991), σ. 77-79. Τοῦ Ι. Γιακουμάτου, στὴν Ἐφημερίδα τοῦ Λονδίνου, *Ὀρ-Ταχυδρόμος*, Μάϊος 1991. Τοῦ Πρωτοπρεσβυτέρου Ἰωάννου Κ. Διώτη στὴν Ἐφημερίδα *Ὀρ-*

Ἐκκλησία καί Θεολογία, XI (1992), σελ. 544-554.

Ἡ ἱστορικὴ καὶ θρησκευτικὴ περίοδος αὐτὴ τοῦ Βυζαντίου, ἐσημάδεψε ὅσο καμιὰ ἄλλη τὶς τύχες τῆς Ἐκκλησίας καὶ τοῦ Γένους, ὥστε ἡ ἀναδίφηση τῶν γεγονότων ἔχει νὰ προσφέρει ἐκτὸς ἀπὸ τὴν ἀναβάπτιση καὶ τὴ γνώση, τὶς προϋποθέσεις ἑνὸς ἔντονου προβληματισμοῦ τοῦ σήμερα. Ὁ συγγραφέας ἐπεσήμανε τὸ γεγονὸς αὐτὸ ὡς προϋπόθεση: «Ὁ λόγος ποὺ μὲ ὡδήγησε νὰ καταπιαστῶ μὲ τὸ θέμα τοῦτο εἶναι ἡ βαθειά κρίσις ποὺ διέρχεται σήμερα ὁ Ἑλληνισμὸς καὶ κατὰ συνέπεια καὶ ἡ Ἐκκλησία». (Εἰσαγωγὴ σ. 17), οριοθετώντας ἔτσι τὴν ἐπικαιρότητα τοῦ ἱστορικοῦ γίγνεσθαι, μὲ ἐξέχουσα μορφὴ τὸν Πατριάρχη Φώτιο καὶ τοὺς ἄλλους πρωταγωνιστὲς τῶν γεγονότων Ἀνατολῆς καὶ Δύσεως.

Τὸ ἔργο ἀγκαλιάζοντας μὲ ἀμεροληψία τὰ γεγονότα ἀπευθύνεται χωρὶς καμιὰ προκατάληψη καὶ πρὸς ἐμᾶς τοὺς Ὀρθοδόξους, ἀλλὰ καὶ πρὸς τοὺς Λατίνους καὶ πρὸς ὅλους ἐκείνους πού θὰ ἀνατρέξουν νὰ συμβουλευθοῦν τὶς σελίδες του μὲ ἀντικειμενικότητα. Γνώστης τῆς Ἑλληνικῆς, ἀλλὰ καὶ τῆς Παγκόσμιας βιβλιογραφίας ὁ συγγραφέας κατόρθωσε νὰ ἑρμηνεύσει τὰ γεγονότα μὲ ἐμβρίθεια, χωρὶς νὰ ὑπεραμυνθεῖ μὲ φανατισμὸ τὶς θέσεις τῆς ἡμετέρας καὶ μόνον Ἐκκλησίας.

Ἡ δομὴ τοῦ ἔργου μὲ βάση καὶ τὸν πίνακα περιεχομένων παρουσιάζει τὴν παρακάτω μορφή: Πρόλογος Μητροπολίτου Ἀττικῆς Δωροθέου (σσ. 7-9), Πρόλογος τοῦ συγγραφέα (σ. 11), Συντομογραφίες (σσ. 13-14), Εἰσαγωγὴ (σσ. 17-26), *Μέρος πρῶτο:* Ἡ Ἑλληνικὴ Ἀνατολὴ καὶ ἡ Λατινικὴ Δύσις: 1. Δύο κόσμοι – Μία Ἐκκλησία (σσ. 31-47), 2. Ἡ ἑλληνικότητα τῆς ἀρχαίας Ἐκκλησίας τῆς Ρώμης (σσ. 48-54), 3. Ἕλληνες καὶ Λατῖνοι (σσ. 55-67), 4. Ὁ ἐκχριστιανισμὸς τῆς Ρωμαϊκῆς Αὐτοκρατορίας καὶ ὁ Ἑλληνισμὸς (σσ. 68-72), 5. Τὸ συνοδικὸ σύστημα τῆς Ἐκκλησίας (σσ. 72-75), 6. Σχίσματα στὸ σῶμα τῆς Καθολικῆς Ἐκκλησίας (σσ. 76-79), 7. Ἡ Πενταρχία τῶν Πατριαρχῶν (σσ. 79-82), 8. Ὁ ρόλος τῶν Βυζαντινῶν αὐτοκρατόρων στὰ ἐκκλησιαστικὰ ζητήματα (σσ. 83-92), *Μέρος Δεύτερο:* Ἡ Ἐποποιΐα τῆς Ἑλληνικῆς Ἐκκλησίας. Ἡ σύγκρουσις Ρώμης-Κωνσταντινουπόλεως: 1. Οἱ πατριάρχες Ἰγνάτιος καὶ Φώτιος (σσ. 95-97). 2. Ἡ ἔντασις στίς σχέσεις τῶν Ἐκκλησιῶν Κωνσταντιουπόλεως-Ρώμης, 858-886, α. Ἡ Πρωτοδευτέρα Σύνοδος τῆς Κωνσταντινουπόλεως (861), β. Ἡ ἀντίδραση τοῦ Πάπα Νικολάου (24.4.858 - 13.11.867), (σσ. 98-109), 3. Οἱ Σύνοδοι τοῦ 867 καὶ τοῦ 869/70 τῆς Κωνσταντινουπόλεως, α. Τὰ αἴτια (σσ. 110-113), β. Ἡ Σύνοδος τοῦ 867

Θόδοξος Τύπος. Ἀθῆναι 24.5.1991. Τοῦ Ε. Π. Λέκκου στὸ Περιοδικὸ *Ἐκκλησία* 15 Νοεμ. - 1 Δεκ. 1991. Τοῦ D.S. στὸ Περιοδικὸ τοῦ Πατριαρχείου τῶν Μελχιτῶν *Le Lien,* 56 (1991) σ. 73 (Beyrouth Λιβάνου), στὸ *Revue Théologique de Louvain* T. 23 (1992), σελ. 236-237 τοῦ καθηγητοῦ A. de Halleux, τοῦ M. Paparozzi, στὸ Περιοδικὸ *Orientalia Christiana Periodica,* vol. 58 (1992), σελ. 305 καὶ ἄλλων σὲ πολλὲς ἐφημερίδες τοῦ Καΐρου καὶ τῆς Ἑλλάδος.

(σσ. 113-114), γ. Ἡ Σύνοδος τοῦ 869/70 (σσ. 114-118), δ. Ἡ ἐπιστολὴ τοῦ Πάπα Ἀδριανοῦ πρὸς τὸν αὐτοκράτορα (σσ. 118-119), ε. Ἡ Οἰκουμενικότητα τῶν Συνόδων τοῦ 869/70 καὶ τοῦ 879/80. (σσ. 119-124), 4. Οἱ σχέσεις Φωτίου καὶ Πάπα Ἰωάννου Η΄ (872-882) (σσ. 124-126), 5. Ἐπιστολὲς τοῦ Πατριάρχου Φωτίου α. Ἐγκύκλιος ἐπιστολὴ τοῦ Πατριάρχου Φωτίου πρὸς τοὺς τῆς Ἀνατολῆς ἀρχιερατικοὺς θρόνους (σσ. 127-137), β. Ἡ ἀπολογητικὴ ἐπιστολὴ τοῦ Πατριάρχου Φωτίου πρὸς τὸν Πάπα Νικόλαο. (σσ. 137-150), 6. Ἐπιστολές τοῦ Πάπα Ἰωάννου Η΄. α. Πρὸς τοὺς αὐτοκράτορες τοῦ Βυζαντίου (σσ. 150-158), β. Πρὸς τὸν πατριάρχη Φώτιο (σσ. 158-161), γ. Πρὸς τοὺς Ἀνατολικοὺς πατριάρχες καὶ ἐπισκόπους (σσ. 161-164), 7. Σύντομη ἀναδρομὴ στὴν ἱστορικὴ ἐξέλιξι τοῦ filioque (σσ. 164-175), *Μέρος Τρίτο:* Ἡ ὁριστικὴ Ρῆξις Ρώμης-Κωνσταντινουπόλεως: 1. Ἡ περίοδος ἀπὸ τοῦ Μ. Φωτίου μέχρι τοῦ Μιχαὴλ Κηρουλαρίου (σσ. 179-185), 2. Μιχαὴλ Κηρουλάριος (1043-1059) καὶ Λέων Θ΄ (1049-1054) (σσ. 185-189), 3. Ἡ διαμάχη Κωνσταντινουπόλεως καὶ Ρώμης γιὰ τὶς ἑλληνικὲς ἐπαρχίες τῆς Ν. Ἰταλίας. (σσ. 189-203), 4. Ὁ Ἀντιοχείας Πέτρος καὶ ὁ Ἀχρίδος Λέων στὴ διαφορὰ Μιχαὴλ Κηρουλαρίου καὶ Λέοντος Θ΄ (σ. 204), 5. Ἐπιστολές. α. Πρώτη ἐπιστολὴ τοῦ Βουλγαρίας Λέοντος πρός τινα ἐπίσκοπον Ρώμης περὶ τῶν ἀζύμων καὶ τῶν Σαββάτων. (σσ. 205-211), β. Δευτέρα ἐπιστολὴ τοῦ Βουλγαρίας Λέοντος περὶ τῶν ἀζυμων. (σσ. 211-215), γ. Τρίτη ἐπιστολὴ τοῦ Βουλγαρίας Λέοντος περὶ τῶν ἀζύμων. (σσ. 216-226), δ. Ἐπιστολὴ τοῦ Πάπα Λέοντος πρὸς τὸν αὐτοκράτορα Κωνσταντῖνο Μονομάχο imperatorem Novae Romae (σσ. 226-227), ε. Ἐπιστολὴ τοῦ Πάπα Λέοντος πρὸς τὸν Πατριάρχη Μιχαὴλ τὸν Κηρουλάριο. (σσ. 228-229), στ. Πρώτη ἐπιστολὴ τοῦ Μιχαὴλ Κηρουλαρίου πρὸς τὸν Ἀντιοχείας Πέτρο (σσ. 230-234), ζ. Δευτέρα ἐπιστολὴ τοῦ Μιχαὴλ Κηρουλαρίου πρὸς τὸν Ἀντιοχείας Πέτρο. (σσ. 234-236), η. Ἐπιστολὴ τοῦ Ἀντιοχείας Πέτρου πρὸς τὸν Μιχαὴλ Κηρουλάριο. (σσ. 236-243), θ. Ἐπιστολὴ τοῦ Βενετίας Δομινίκου πρὸς τὸν Ἀντιοχείας Πέτρο. (σσ. 243-245), ι. Ἐπιστολὴ τοῦ Ἀντιοχείας Πέτρου πρὸς τὸν Βενετίας Δομίνικο. (σσ. 245-254), 6. Ἀπόφασις ἢ «σημείωμα» τῆς ἐν Κων/πόλει Συνόδου τοῦ 1054. (σσ. 254-260), *Μέρος Τέταρτο:* Ἡ κάμψις τῶν Ἑλλήνων, τὸ δρᾶμα τῆς Ἑλληνικῆς Ἐκκλησίας: 1. Οἱ σταυροφορίες. (σσ. 263-269), 2. Ἡ Δ΄ Σταυροφορία (σσ. 269-276), 3. Συνέπειες τῶν σταυροφοριῶν γιὰ τὴν Ἐκκλησία τῶν Ἑλλήνων καὶ τῶν Λατίνων. (σσ. 276-280), 4. Ἡ ἀνάκτησις τῆς Κωνσταντινουπόλεως ἀπὸ τοὺς Ἕλληνες καὶ οἱ κίνδυνοι ἀπὸ Ἀνατολὴ καὶ Δύσι. (Ἡ Σύνοδος τῆς Λυῶνος (1274) (σσ. 281-288), β. Δύο Ἀθανάσιοι ἔναντι τῶν ἀποφάσεων τῆς Συνόδου τῆς Λυῶνος. (σσ. 289-291), γ. Γενικὲς κρίσεις γιὰ τὴν ἐκκλησιαστικὴ πολιτικὴ τοῦ Μιχαὴλ Η΄ τοῦ Παλαιολόγου. (σσ. 292-293). *Μέρος Πέμπτο:* Ἡ τραγωδία τῆς Ἑλληνικῆς Ἐκκλησίας καὶ οἱ Πρωταγωνιστὲς αὐτῆς: 1. Ἀπὸ τὴ Σύνοδο τῆς Λυῶνος πρὸς τὴ Σύνοδο τῆς Κωνσταντίας. (σσ. 297-306), 2. Ἡ Σύνοδος τῆς Πίζας (25 Μαρτίου 1409) (σ. 306), 3. Ἡ Σύνοδος τῆς Κωνσταντίας καὶ οἱ Ἕλληνες (5 Νοεμβρίου 1414) (σσ. 307-311), 4. Ἡ Σύνοδος τῆς Παβίας-Σιένης (1423-1424) (σσ. 311-312), 5. Ἡ Σύνοδος τῆς Βασιλείας (1431-1437) (σσ. 312-315), 6. Ἡ Σύνοδος τῆς Φερράρας-Φλωρεντίας. α. Πηγὲς (σσ. 315-320), β. Ἡ κατάστασις τῆς αὐτοκρατορίας καὶ ἡ ἔναρξις τῶν ἐργασιῶν τῆς Συνόδου Φερράρας-Φλωρεντίας. (σσ. 321-327), γ. Γιατί μετέσχον οἱ Ἕλληνες στὴ Σύνοδο τῆς Φερράρας-Φλωρεντίας (σσ. 327-331), δ. Μερικὲς παρατηρήσεις ἀπὸ τὴν ἐντύπωσι τῶν Ἑλλήνων στὴν Ἰταλία κατὰ τὴν πρώτη ἐπαφὴ αὐτῶν μὲ τοὺς Λατίνους. (σσ. 332-334), ε. Τὸ ἔργο τῆς Συνόδου (σσ. 334-359), στ. Ὁ θάνατος καὶ ἡ ὑποτιθεμένη διαθήκη τοῦ πατριάρχου (σσ. 359-367), ζ. Ὁ ὅρος τῆς λεγομένης ἑνώσεως τῆς 6ης Ἰουλίου 1439 (σσ. 367-372), 7. Οὐνιτισμὸς (σσ. 372-394), 8. Ὁ Πλήθων καὶ οἱ μαθητές του στὴ Φλωρεντία. (σσ. 394-397), 9. Ὁ Ἰσίδωρος. (σσ. 397-400), 10. Ὁ Βησσαρίων. (σσ. 400-403), 11. Μετὰ τὴ διακήρυξη τῆς ἑνώσεως. (σσ. 403-407), 12. Ἡ ἐπίσημη ἀπόρριψις τῆς ἑνώσεως στὴν Ἀνατολή. (σσ. 407-411), 13. Γενικὲς κρίσεις περὶ τῆς Συνόδου τῆς Φερράρας-Φλωρεντίας. (σσ. 412-419), 14. Ὁ πάπας Εὐγένιος ὁ Δ΄ (σσ. 419-421), 15. Ὁ Οἰκουμενικὸς Πατριάρχης Ἰωσὴφ Β΄ (1416-1439), (σσ. 421-425), 16. Ὁ αὐτοκράτορας Ἰωάννης Η΄ ὁ Παλαιολόγος. (σσ. 426-427) 17. Ὁ Καρδινάλιος Ἰουλιανὸς Καισαρίνι. (σ. 428), 18. Ὁ Ἐφέσου Μᾶρκος. (σσ. 429-430), Ἐπίλογος (σσ. 431-441) καὶ σύνοψη (CONCLUSION) (σσ. 443-452). Ἀκολουθοῦν: Πηγὲς καὶ βοηθήματα (σσ. 453-477), Εὑρετήρια: Εὑρετήριον ὀνομάτων (σσ. 479-491), Εὑρετήριον συγγραφέων (σσ. 492-496), περιεχόμενα (σσ. 497-500) καὶ ὁ πίνακας: Εἰκόνες, φωτογραφίες καὶ χάρτες (σ. 501).

Ὅπως ἀντιλαμβάνεται ὁ ἀναγνώστης-μελετητής, ὁ συγγραφέας προώθησε ἀποτελεσματικὰ τὴν ἐπιστημονικὴ ἔρευνα σὲ ἕνα θέμα ποὺ κρατᾶ γιὰ αἰῶνες τὸ χωρισμὸ τῶν Ἐκκλησιῶν καὶ ἐξακολουθεῖ μέχρι καὶ σήμερα νὰ ταλανίζει τὸ Χριστιανισμό. Τὰ ἱστορικὰ μηνύματα ποὺ ἐκπέμπονται, πέραν ἀπὸ τὰ πρόσωπα ποὺ διαδραμάτισαν τὰ γεγονότα καὶ ἐσφράγισαν μὲ τὴν προσωπικότητά τους τὰ ἀρνητικὰ ἢ καὶ τὰ θετικὰ σὲ κάποιο βαθμὸ ἀποτελέσματα, τὰ αἴτια καὶ οἱ ἀφορμὲς παραμένουν καὶ ἡ μακροχρόνια κρίση στὶς Ἐκκλησιαστικὲς σχέσεις Ἑλλήνων καὶ Λατίνων δηλητηριάζει, ἀφοῦ ἡ προσπάθεια τῆς Δυτικῆς Ἐκκλησίας κατατείνει στὴν ὑποταγὴ τῆς Ὀρθοδοξίας. Οἱ θέσεις αὐτὲς ἀποκρυσταλλώνονται μὲ τὶς εὔστοχες ἀναλύσεις τῶν κειμένων ποὺ παραθέτει ὁ συγγραφέας καὶ ποὺ σκοποῦν νὰ ἐξουδετερώσουν τὶς πρόχειρες πολλὲς φορὲς ἑρμηνεῖες ποὺ προβάλλονται. Ἐδῶ θέλω νὰ ἐπισημάνω τὴν τοποθέτηση τῶν κειμένων μέσα στὸ σῶμα τῆς μελέτης, καὶ ὄχι σὲ παράρτημα ποὺ συνήθως τοποθετοῦνται, γεγονὸς ποὺ ἀναγκάζει τὸν μελετητὴ νὰ ἐνσκύψει παράλληλα καὶ στὰ κείμενα μαζὶ μὲ τὶς ἀναλύσεις τους, βγάζοντας ἀμέσως τὰ συμπεράσματά του.

Ἐπισημαίνοντας τὶς καίριες θέσεις τῶν προγενεστέρων μελετητῶν ξένων καὶ ἡμετέρων, θαρραλέα προβάλλει τὶς ἀντιθέσεις του, ὑποστηρίζοντας μὲ ἀντικειμενικότητα ὅ,τι κατὰ τὴ γνώμη του ἐπιβάλλεται νὰ προταθεῖ χωρὶς προκαταλήψεις ἢ κάποια ἐχθρότητα. Προφητεύει, ὅ,τι διὰ τῆς ἱστορικῆς ἀλήθειας διαφαίνεται, τοὺς μελλοντικοὺς κινδύνους ποὺ κρύβουν ὁ παπικὲς διαθέσεις καὶ οἱ προπαγανδιστικὲς ἀντιορθόδοξες ἐνέργειες, ποὺ μὲ κάθε μέσο προωθοῦν τὴν ἀλλοτρίωση τοῦ Ἑλληνισμοῦ ποὺ αἰῶνες μέχρι σήμερα ἔμεινε ἀλώβητος. Στὴ σελίδα 18 τῆς εἰσαγωγῆς του μεταξὺ τῶν ἄλλων διαβάζουμε: «Μὲ τέχνη προσπαθοῦν οἱ δυνάμεις τῆς Εὐρώπης νὰ ἐξευρωπαΐσουν τὴν πρωτοευρωπαία Ἑλλάδα καὶ νὰ τὴν εὐθυγραμμίσουν μὲ τὴ ζωὴ τῶν εὐρωπαϊκῶν λαῶν στὰ ἤθη καὶ στὰ ἔθιμα, καὶ ἀκόμη καὶ στὰ ἐκκλησιαστικὰ θέματα στὰ ὁποῖα ἔχει βάλει τὴ σφραγῖδα της ἡ Ρωμαιοκαθολικὴ Ἐκκλησία καὶ ὁ Προτεσταντισμός. Τέτοια θέματα εἶναι ἡ οἰκογενειακὴ ζωή, οἱ χριστιανικὲς ἑορτές –ὅπως ὁ κοινὸς ἑορτασμὸς τοῦ Πάσχα– καὶ πολλὰ ἄλλα πρὸς τὰ ὁποῖα ὁλοένα μᾶς ἑλκύουν μὲ χίλιους τρόπους καὶ ἐμεῖς ἀκολουθοῦμε γιὰ νὰ δίνουμε τὸ «παρών» στὴν προκατασκευασμένη πολιτικὴ καὶ ἐκκλησιαστικὴ ἕνωσι, ποὺ μᾶς θυμίζει τὶς ἕτοιμες cedules τῶν Λατίνων στὴ Σύνοδο τῆς Φλωρεντίας. Σ' ἐκεῖνα ποὺ ἀρνήθηκαν οἱ πατέρες μας νὰ ὑποταγοῦν, χάριν τῆς ἀλήθειας καὶ τῆς ἀξιοπρεπείας μας, ἐμεῖς μὲ κρυφὸ καὶ φανερὸ τρόπο παραδινόμασθε γιὰ νὰ κερδίσουμε μερικὰ ἀγαθὰ ποὺ στὴν πραγματικότητα εἶναι μέσα ἐξαγορᾶς καὶ ναρκωτικὰ ἀτονίας». Ὁ μεστὸς σὲ νοήματα προβληματισμὸς τοῦ Σεβασμιωτάτου, θέλω νὰ πιστεύω ὅτι διερμηνεύει μὲ τὸν καλύτερο τρόπο τὶς ἐμπειρίες ποὺ ὁ ἴδιος μέχρι σήμερα ἔχει, μὲ τὴ ζωντανὴ παρουσία του στὰ Διεθνῆ Κέντρα καὶ τὶς Ἐκκλησιαστικές του σχέσεις μὲ τὶς ἄλλες Ἐκκλησίες.

Ὀρθοτομώντας παρεμβάλλει: «Ἐπιθυμῶ νὰ παρουσιάσω τὴ συνεχὴ ἱστορικὴ ὁδὸ ποὺ ἀκολούθησε ἡ ἑλληνικὴ πολιτεία καὶ κατ' ἀνάγκη καὶ ἡ Ἐκκλησία στὸ Βυζάντιο, ἀπὸ τὸ Μέγα Φώτιο καὶ τό Μιχαὴλ Κηρουλάριο ἕως τὴ Σύνοδο τῆς Φλωρεντίας, μιὰ ὁδὸ ἀγώνων γιὰ ἀνεξαρτησία καὶ ἀξιοπρέπεια καὶ περαιτέρω μιὰ ὁδὸ καθόλου τιμητικὴ γιὰ τὸν Ἑλληνισμὸ καὶ φυσικὰ καὶ γιὰ τὴν Ἐκκλησία μας» (σσ. 18-19). Ἡ ἀποκρυστάλλωση τῶν θέσεών του ἐντοπίζονται στὶς συγκρίσεις ὄχι μόνο τῶν γεγονότων ἀλλὰ καὶ τῶν προσώπων ποὺ διαδραμάτισαν τὰ γεγονότα, ὅπως τὸ Φώτιο μὲ τὸν Πάπα Νικόλαο Α΄, τὸ Μιχαὴλ Κηρουλάριο καὶ τὸ Λέοντα Θ΄ καὶ ἄλλους καὶ ἀπὸ τὰ δύο στρατόπεδα. Ἡ ἀξεπέραστη θεολογικὴ καὶ πνευματικὴ θέση τοῦ Φωτίου προβάλλεται ὡς ἀντιπαράθεση στοὺς φιλοσοφικοὺς στοχασμοὺς τῶν Λατίνων, οἱ ὁποῖοι φιλοσοφώντας παρερμηνεύουν τὸ πνεῦμα τῶν Πατέρων καὶ τὶς ἀποφάσεις τῶν Οἰκουμενικῶν Συνόδων. Ὁ Ἀριστοτελισμός, ὅπως γράφει, κατηύθυνε τὴ σκέψι τῶν Λατίνων καὶ συγχρόνως διαιροῦσε τοὺς πνευματικότερους χριστιανοὺς τῆς Ἀνατολῆς, ποὺ ἑκούσια ἢ ἀκούσια ἐπηρεάζονταν ἀπὸ τὴν Πλατωνικὴ φιλοσοφία (σ. 39).

Μὲ ἰδιαίτερο ἐνδιαφέρον θὰ πρέπει νὰ παρακολουθήσει ὁ ἀναγνώστης στὸ πρῶτο μέρος τοῦ βιβλίου τό: «Δύο κόσμοι - Μία Ἐκκλησία» γιὰ νὰ ἀρυσθεῖ ὄχι μόνον τὶς ὁριοθετημένες γνώσεις ποὺ μέχρι σήμερα πιθανῶς νὰ γνώριζε, ἀλλὰ καὶ τὶς προεκτάσεις ποὺ συντελέστηκαν στὸ πρόσφατο παρελθὸν στίς σχέσεις τῶν δύο Ἐκκλησιῶν καὶ οἱ ὁποῖες τείνουν νὰ πρυτανεύσουν στὴ λύση τοῦ προβλήματος, μόνο θεωρητικὰ καὶ στὰ πλαίσια τοῦ θεολογικοῦ διαλόγου. Ὁ συγγραφέας διαβλέπει μακρὺ δρόμο, ἐφόσον ἡ ὑπεροψία τῆς Ρώμης παρουσιάζεται ἄκαμπτη καὶ ἀγνοεῖ ἔτσι τελικὰ τὴ χριστιανικὴ συγκατάβαση ποὺ εἶναι ὁ κανόνας τῆς λύσεως τῶν διαφορῶν. Οἱ ρίζες τοῦ κακοῦ ὑπάρχουν, πολὺ πιὸ πρὶν ἀπὸ τὶς ἐκκλησιαστικὲς ἀντιθέσεις τῶν δύο Ἐκκλησιῶν, ἀπὸ τὴ στιγμὴ ποὺ ἡ Δύση θέλησε νὰ θέσει ἐκποδὼν τὴν κυριαρχία τῆς Βυζαντινῆς Αὐτοκρατορίας στὴ Νότια Ἰταλία καὶ νὰ σταθεῖ ἀνασχετικὴ δύναμη γιὰ τοὺς Βυζαντινούς. Ἡ σύγκρουσις μεταξὺ Ρώμης καὶ Κωνσταντινουπόλεως μὲ τὶς δογματικὲς διαφορὲς ποὺ ἐμφανίζονται ἐπὶ Φωτίου ἐπισφραγίζουν ταυτόχρονα καὶ τὴν κοσμικὴ δύναμη ποὺ ἀναζητοῦσε νὰ ἐπιτύχει ἡ Δυτικὴ Ἐκκλησία. Πλησιάζοντας ὁ συγγραφέας τὰ γεγονότα ἀβίαστα, κατέληξε σὲ συμπεράσματα ποὺ στοχεύουν νὰ διερμηνεύσουν τὸ πνεῦμα καὶ τὴν πίστη τῆς Ὀρθόδοξης Ἐκκλησίας μας, τὴν πίστη ποὺ ἐκείνη δίδαξαν οἱ Πατέρες μας καὶ δογμάτισαν οἱ Οἰκουμενικές Σύνοδοι.

Στὸ πρῶτο μέρος ἐπισημαίνονται καὶ ἀναλύονται μὲ κριτικὸ πνεῦμα ἱστορικὲς ἀλήθειες ποὺ σκόπιμα ἔχουν λησμονηθεῖ ἢ διαστρεβλωθεῖ, ἐξυπηρετῶντας τὶς γνωστὲς σκοπιμότητες. Τονίζεται ἡ ἑλληνικότητα τῆς ἀρχαίας Ἐκκλησίας τῆς Ρώμης, ἡ ὁποία καὶ στάθηκε γιὰ τοὺς πρώτους αἰῶνες τοῦ Χριστιανισμοῦ ὁ συνδετικὸς κρίκος καὶ ἡ ἀραγὴς ἑνότητα καὶ ἡ ἐπικοινωνία μὲ τὶς ἄλλες ἀδελφὲς Ἐκκλησίες. «Ἡ δημιουργικὴ ἐπαφή, ὅπως γράφει (σ. 55) ὁ σ., τοῦ Χριστιανισμοῦ μὲ τὶς σταθερὲς ἰδέες τῆς ἑλληνικῆς παραδόσεως ἔδωσαν στὴ Χριστιανικὴ σκέψι Ἑλλήνων καὶ Λατίνων τὰ ἐχέγγυα γιὰ τὴν καθολικότητα τῆς χριστιανικῆς θεολογίας, ὅπως εἶχε προορισθῆ ἀπὸ τὸν ἴδιο τὸ Χριστὸ καὶ ἀπὸ τὸν ἀπόστολο Παῦλο». Ἡ ἐξέλιξη τοῦ ἑλληνικοῦ πνεύματος, συνταιριασμένου μὲ τὸ Χριστιανισμὸ καὶ τὴ φιλοσοφία τῶν Πατέρων, στέργιωσε τὸ θρίαμβο τοῦ χριστιανισμοῦ σ' Ἀνατολὴ καὶ Δύση ἀναμορφώνοντας τὶς ταυτόχρονα ἀνθρώπινες κοινωνίες ποὺ στέναζαν μὲ τὶς προκαταλήψεις τῆς ἐποχῆς. «Ἡ Ἐκκλησία, ἡ ὁποία ἀνεφύη στὴν Ἀνατολή, κινήθηκε πρὸς τὴ Δύσι, πρὸς τὴ Ρώμη, καὶ ἐνθρονίζοντας τὸν Παπισμὸ παρήγαγε τὸ Λατινικὸ Χριστιανισμό» (σ. 60). Ἡ Ἀνατολικὴ Ρωμαϊκὴ Αὐτοκρατορία, ὅπως θέλουν πολλοὶ ἱστορικοὶ τῆς Εὐρώπης νὰ ὀνομάζουν τὸ Βυζάντιο, ἔχει ὅλα τὰ γνωρίσματα μιᾶς νέας τάξεως πραγμάτων, παρὰ τὸν ὅρο Νέα Ρώμη ποὺ χρησιμοποιεῖ. Οἱ αὐτοκράτορες διάδοχοι τοῦ Μ. Κωνσταντίνου, φρόντισαν νὰ θωρακίσουν τὴν Αὐτοκρατορία μὲ τὸν ἑλληνικὸ πολιτισμὸ καὶ τὴ Χριστιανικὴ πίστη, γεγονὸς ποὺ προσέδωσε ἰδιαίτερη μορφὴ καὶ αἴγλη στὸ νέο Κράτος.

Μὲ κάθε ἄνεση ὁ συγγραφέας κριτικάρει τὶς θέσεις ποὺ ἔχουν διατυπώσει διακεκριμένοι συγγραφεῖς τῆς Δύσεως, οἱ ὁποῖοι καὶ προσπάθησαν νὰ ἑρμηνεύσουν πολλὲς φορὲς τὰ γεγονότα καὶ τὰ φαινόμενα ὑποκειμενικὰ καὶ μεροληπτικά, χωρὶς νὰ λάβουν ὑπ' ὄψη τους τὶς ψυχολογικές, γλωσσικές, ἐθνικὲς καὶ πολιτιστικὲς διαφορὲς τῶν δύο λαῶν. «Ἡ δυσαρέσκεια τῆς Ἀνατολῆς πρὸς τὸν πάπα ἐξαρτιόταν, ὅπως γράφει ὁ σ., κυρίως ἀπὸ τὸν αὐτοκράτορα κι ὄχι ἀπὸ τὴν Ἐκκλησία, ἰδίως ὅταν ἀμφισβητοῦνταν ἡ μοναδικὴ αὐθεντία του στὴ Δύση». Χωρὶς νὰ εἶναι δυνατὸν νὰ παρουσιάσουμε μία πρὸς μία τὶς ἐπισημάνσεις ποὺ κάνει ὁ Σεβασμιώτατος, ἐπισημαίνουμε ὅτι τὰ θέματα τοποθετοῦνται στὴν ὀρθή τους θέση καὶ ἀναλύονται μὲ τὸν ἀντικειμενικὸ τρόπο τὰ γεγονότα. Οἱ πολιτικοὶ παράγοντες ποὺ πράγματι ἔπαιξαν σημαντικὸ ρόλο τὴν περίοδο αὐτὴ καὶ ἀπὸ τὶς δύο πλευρές, κάθε ἄλλο ἐβοήθησαν νὰ κρατηθεῖ ἡ ἑνότητα τῆς Ἐκκλησίας καὶ γενικώτερα τὸ κλῖμα συνεργασίας μεταξὺ Ἀνατολῆς καὶ Δύσεως. Ὁ ρόλος τῶν Βυζαντινῶν Αὐτοκρατόρων κάθε ἄλλο παρὰ κολακευτικὸς εἶναι τὴν περίοδο αὐτή, ἀφοῦ ὁ Καισαροπαπισμὸς σὲ ὅλο του τὸ μεγαλεῖο παρελαύνει καταπιεστικός. Βέβαια ἡ δυσχερὴς θέσις στὴν ὁποία εἶχε βρεθεῖ γιὰ ἀρκετὲς φορὲς ἡ Αὐτοκρατορία, ἔδωσε τὴν εὐκαιρία στοὺς πάπες τῆς Ρώμης νὰ ἐκμεταλλευθοῦν τὴν περίσταση καὶ ἀνοικτὰ χωρὶς κανέναν ἐνδοιασμὸ νὰ ἀπαιτήσουν τὴν πλήρη ἀναγνώριση τοῦ Πρωτείου καὶ τὴν ὑποταγὴ τῆς Ἀνατολικῆς Ἐκκλησίας. Τὸ ἂν δὲν ἐπετεύχθη αὐτὸ ὀφείλεται στὴ σθεναρὴ στάση ποὺ προέβαλαν οἱ θαρραλέοι πατριάρχες ποὺ ἐμπνέονταν ἀπὸ τὸ πνεῦμα τῶν Πατέρων.

Στὸ δεύτερο μέρος ποὺ ὁ συγγραφέας τὸ ἐπιγράφει: «*Ἡ ἐποποιΐα τῆς Ἑλληνικῆς Ἐκκλησίας*» σκιαγραφεῖ κατὰ τὸν πλέον εὔγλωττο τρόπο τὰ διατρέξαντα (πρόσωπα καὶ γεγονότα), ποὺ ἄφησαν χαραγμένα πράγματι καὶ ἀνεξίτηλα τὰ ἴχνη τους στὸ πέρασμα τοῦ χρόνου, πρὸς θρίαμβο τῆς Ὀρθοδοξίας. Οἱ πατριάρχες Ἰγνάτιος καὶ Φώτιος, ποὺ ὁριοθετοῦν τὶς μετέπειτα ἐξελίξεις καὶ ἀπὸ πολλοὺς θεωροῦνται ἡ πέτρα τοῦ σκανδάλου, χαρακτηρίζονται πρόσωπα• μὲ ἰδιαίτερα προσόντα, ποὺ ἡ ἀκτινοβολία τους στάθηκε σταθμὸς στοὺς δύσκολους ἐκείνους καιρούς.

Οἱ ἀντιδράσεις τῆς Δυτικῆς Ἐκκλησίας στὸ πρόσωπο τοῦ Πάπα Νικολάου καὶ τῶν ἄλλων Παπῶν δὲν ἦταν τίποτε ἄλλο, παρὰ ἡ ἀναζήτηση τοῦ μέσου μὲ τὸ ὁποῖο θὰ μποροῦσε νὰ διοχετεύσει τὶς ἀξιώσεις της πρὸς τὴν Ἀνατολικὴ Ἐκκλησία. Ἡ ρήξη Φωτίου καὶ Νικολάου καὶ ἡ σύγκρουση Μιχαὴλ Κηρουλαρίου μὲ τὸ Λέοντα Θ΄ καὶ οἱ Σύνοδοι ποὺ ἐπακολούθησαν, ἀπέδειξαν κατὰ τρόπο σαφῆ καὶ κατηγορηματικό, ποῖα ἦταν τὰ πραγματικὰ *αἴτια* τῆς ἀντιπαραθέσεως Ἑλλήνων καὶ Λατίνων.

Τὸ Παπικὸ Πρωτεῖο, οἱ Ἑλληνικὲς Ἐπαρχίες τῆς Κάτω Ἰταλίας, ὁ Οὐνιτισμὸς καὶ τὸ filioque, τὰ θέματα τῆς Βουλγαρίας κ.ἄ., ἐστιάζουν τὴν προσοχὴ τοῦ συγγραφέα, ὁ ὁποῖος μὲ ἰδιαίτερη ἔμφαση ἑρμηνεύει τὶς μεθοδεύσεις γιὰ τὴν ἐπιβολή τους καὶ τὴν ὑποταγὴ τῶν Ἑλλήνων στοὺς Λατίνους καὶ τοὺς Φράγκους. Τὰ ἱστορικὰ δεδομένα τῆς ἐποχῆς δὲν παρελαύνουν στὶς σελίδες του ἔργου χωρὶς τὴ βασανιστικὴ ἑρμηνεία καὶ τὶς εὔστοχες παρατηρήσεις τοῦ συγγραφέα, οἱ ὁποῖες μποροῦν νὰ σταθοῦν ὡς κριτήρια σωτηρίας γιὰ τὸ Ἔθνός, τὴν Ἐκκλησία καὶ τὴν ἐκκλησιαστικὴ καὶ πολιτιστικὴ κληρονομιά μας. Οἱ ἐπιστολὲς τοῦ Πατριάρχου Φωτίου καὶ οἱ ἐπιστολὲς τοῦ Πάπα Ἰωάννου Η΄ κατὰ τὸν πλέον ἐναργῆ τρόπο ἑρμηνεύουν καὶ διαμηνύουν τὸ πνεῦμα καὶ τὶς διαθέσεις τῶν δύο Ἐκκλησιῶν.

Κλείνοντας τὸ κεφάλαιο αὐτὸ ὁ Σεβασμιώτατος θεώρησε σκόπιμο νὰ μᾶς παρουσιάσει μιά «Σύντομη ἀναδρομή στὴν ἱστορικὴ ἐξέλιξη τοῦ filioque», γεγονὸς ποὺ δίνει τὴν εὐχέρεια στὸν ἀναγνώστη νὰ παρακολουθήσει, ἀλλὰ καὶ νὰ προσεγγίσει μόνος του ἑρμηνεύοντας τὰ γεγονότα, ὅπως αὐτὰ διαμορφώθηκαν στοὺς κόλπους τῆς Παπικῆς Ἐκκλησίας.

«Ἡ ὁριστικὴ ρῆξις Ρώμης-Κωνσταντινουπόλεως» ἐξετάζεται στὸ τρίτο μέρος τοῦ βιβλίου, ὅπου μὲ πρωταγωνιστὴ πλέον τὸ Μιχαὴλ Κηρουλάριο (1043-1059) καὶ τὸν Πάπα Λέοντα Θ΄ (1049-1050) παίζεται ἡ τελευταία καὶ ἀποφασιστικὴ πρᾶξις τῆς ὁριστικῆς ρήξεως τῶν δύο Ἐκκλησιῶν ποὺ ἐπισφραγίζεται μὲ τὴ Σύνοδο τῆς Κωνσταντινουπόλεως τοῦ 1054. Καὶ ἐδῶ ὁ Σεβασμιώτατος τοποθετεῖ τὰ πράγματα στὴ σωστή τους θέση ἑρμηνεύοντας τὰ γεγονότα σφαιρικὰ καὶ ἀντικρούοντας τοὺς ἀβάσιμους ἰσχυρισμοὺς τοῦ Πάπα Λέοντος Θ΄ ποὺ μὲ τὶς ἀπαντητικές του ἐπιστολὲς θέλει νὰ ἐπιρρίψει εὐθύνες στὴν Ἀνατολικὴ Ἐκκλησία. Ἐδῶ, ὅπως συμβαίνει καὶ σὲ πολλὰ ἄλλα μέρη τοῦ βιβλίου του, ὁ συγγραφέας παραθέτει διακεκριμένα ὀνόματα Ρωμαιοκαθολικῶν συγγραφέων ποὺ σήμερα ἐξετάζουν τὴν περίοδο αὐτὴ μὲ διαφορετικὸ πνεῦμα καὶ ἐπικρίνουν ἔμμεσα τὴ στάση τῆς Δυτικῆς Ἐκκλησίας.

Στὰ δύο μέρη ποὺ ἀκολουθοῦν σκιαγραφεῖται ἡ ἱστορικὴ πραγματικότητα καὶ κορυφώνεται ἡ ἀγωνία τοῦ Ἑλληνισμοῦ καὶ τὸ Δρᾶμα τῆς Ἑλληνικῆς Ἐκκλησίας, ὅπως αὐτὴ διαμορφώθηκε καὶ στοὺς μετέπειτα χρόνους. Μεταφέρουμε ἐδῶ τοὺς στοχασμοὺς τοῦ συγγραφέα, ὡς μιὰ παγερὴ ἱστορικὴ πραγματικότητα: «Οἱ Ἕλληνες, ἀπαλλαγέντες ἀπὸ τοὺς φοβεροὺς σταυροφόρους καὶ τοὺς Ἐνετούς, ὑπετάγησαν στοὺς Τούρκους. Ἡ Ἑλληνικὴ Ἐκκλησία, μετὰ τοὺς ἐκλατινισθέντες Ἕλληνες, γνώρισε δυστυχῶς καὶ τοὺς ἐξισλαμισθέντες καὶ τοὺς συνεργασθέντες μὲ τοὺς Τούρκους, γι' αὐτὸ καὶ κράτησαν τόσα χρόνια τὸν Ἑλληνισμὸ ὑπὸ τὸ σκῆπτρο τους. Ἡ πολυχρόνια ὅμως τουρκικὴ σκλαβιὰ ὀφείλεται πρῶτα στὴν ἐξασθένησι τῶν Ἑλλήνων ἀπὸ τοὺς Λατίνους. Ἀκόμη πρέπει νὰ σημειωθεῖ ἡ καταλήστευσις τοῦ μεγαλείου τοῦ Ἑλληνισμοῦ σὲ ἀρχαιότατα ἔργα τέχνης, κώδικες, χειρόγραφα, συγγράμματα κλπ., ποὺ ἄρχισε ἀπὸ τοὺς Λατίνους καὶ συνεχίσθηκε ἀπὸ τοὺς Φράγκους κατὰ τὸ διάστημα τῆς τουρκικῆς τυραννίας. Γιὰ ὅλα αὐτὰ ἔχουν γραφῆ ἀρκετά. Ἀλλὰ ὅλες αὐτὲς οἱ συμφορὲς δὲν ἔχουν ἐπαρκῶς διδάξει τοὺς Ἕλληνες, γι' αὐτὸ καὶ σήμερα βαρβαρίζουν καὶ λατινίζουν καὶ ξενίζουν ἢ εὐρωπαΐζουν δουλικῶς. Ἔτσι μᾶς δίδουν μαθήματα οἱ ἁπλοϊκοὶ ἄνθρωποι, ὅπως συνέβαινε στὸ παρελθὸν μὲ τοὺς ἁπλοὺς κληρικούς, στοὺς ὁποίους πολλοὶ ξένοι ἀποδίδουν τὴν ἀνατροπὴ ἐπισήμων συμφωνιῶν μὲ τοὺς Λατίνους, χωρὶς νὰ γνωρίζουν τὸ ἰδιαίτερο ἐθνικὸ καὶ ἐκκλησιαστικὸ αἴσθημα τοῦ ἁπλοῦ ἑλληνικοῦ λαοῦ. Δὲν εὑρίσκουν ἱκανοποίησι στὸ θησαυρὸ ποὺ κατέχουν «ἐν ὀστρακίνοις σκεύεσιν» καὶ γι' αὐτὸ ἀναζητοῦν ἀλλοῦ τροφὴ καὶ προστασία, σὰν ἐκείνη ποὺ βρῆκαν οἱ Ἰσίδωροι, οἱ Κυδώνηδες, οἱ Βησαρίωνες κλπ. Μὲ ἀναλογία, τί ἔχασαν τελικὰ οἱ Ἕλληνες μὲ τὴν ἀποκήρυξι τῶν ἀποφάσεων τῶν ψευδοσυνόδων τῆς Λυῶνος καὶ τῆς Φλωρεντίας, καὶ τί θὰ κέρδιζαν ἐὰν ἡ ἕνωσις μὲ τὴ Ρώμη εἶχε ἐπικρατήσει; Θὰ ἔπιπτον στὰ χέρια τῶν Λατίνων γιὰ νὰ μὴ μπορέσουν ποτὲ νὰ ἐπανακτήσουν τὴν ὀντότητά τους ὡς Ἔθνος καὶ ὡς Ἐκκλησία». (σ. 437 τοῦ ἐπιλόγου).

Τὸ τέταρτο μέρος εἶναι ἀφιερωμένο κυρίως στὶς Σταυροφορίες (Α-Δ) ὅπου ὁ συγγραφέας ἐπισημαίνει τὸ βαθύτερο νόημά τους καὶ τὶς σφετεριστικὲς διαθέσεις τῶν Φράγκων καὶ τῶν ἄλλων γερμανικῶν φυλῶν ποὺ μὲ τὸ πρόσχημα τῆς ἀπελευθερώσεως τῶν Ἁγίων Τόπων ἤθελαν νὰ ὑποδουλώσουν τὸν Ἑλληνισμὸ καὶ τὴν Ὀρθόδοξη Ἐκκλησία. Ἡ κατάληψη της Κωνσταντινουπόλεως ἀπὸ τοὺς σταυροφόρους τῆς Δ΄ Σταυροφορίας τὸ 1204 φανερώνει «τὸ ἀδυσώπητο μῖσος τῶν Ρωμαίων κατὰ τῶν Ἑλλήνων, μὲ τὶς ληστεῖες καὶ τὶς διώξεις καὶ τοὺς ἐκβιασμοὺς ποὺ ἐπηκολούθησαν. Πολὺ ἐπιγραμματικὰ παρατηρεῖ ὁ μεταφραστὴς τοῦ ἔργου τοῦ W. MILLER «Ἡ Φραγκοκρατία στὴν Ἑλλάδα» (Ἀθήνα 1960) Ἄγγελος Φουριώτης ὅτι εἶναι ἔργο: «ἑνὸς ὕπουλου πάπα, ἑνὸς πολυμήχανου δόγη κι ἑνὸς φιλόδοξου μαρκήσιου. Τρεῖς ἄνθρωποι, ὁ καθένας μὲ διαφορετικοὺς διαλογισμούς, ἀλλὰ μὲ κοινὴ ἀρχή, κίνησαν τὰ πιὸ ἑτερόκλητα στίφη τῆς Εὐρώπης καὶ τ' ἀπόθεσαν στὴν Ἑλλάδα» (Εἰσαγωγὴ σ. 19). Ἡ ἀνάκτηση τῆς Κωνσταντινουπόλεως δυστυχῶς δὲ σταμάτησε τοὺς κινδύνους ποὺ ἀπειλοῦσαν τὴ Βυζαντινὴ αὐτοκρατορία. Συμφορὲς ἐπεσώρευσεν καὶ ἡ Σύνοδος τῆς Λυῶνος (1274), γνωστὴ ὡς Οἰκουμενικὴ Σύνοδος τῶν Λατίνων, ἀλλὰ καὶ ἡ στάσις τοῦ Μιχαὴλ Η΄ πρὸς τὸν πατριάρχη καὶ τοὺς ἄλλους ἐκκλησιαστικοὺς ἄρχοντες νὰ ὑπακούσουν στὴ πρόσκληση τοῦ Πάπα Γρηγορίου Ι΄ (1271-1278). Μὲ γενικὲς κρίσεις ὁ Σεβασμιώτατος γιὰ τὴν ἐκκλησιαστικὴ πολιτικὴ τοῦ Μιχαὴλ Η΄ τοῦ Παλαιολόγου κλείνει τὸ μέρος αὐτὸ τῆς μελέτης του, ἐπικρίνοντας τὴν ἐσφαλμένη πολιτικὴ τοῦ Αὐτοκράτορα, ἀλλὰ καὶ τῶν ἄλλων ποὺ νόμισαν ὅτι ἂν στραφοῦν πρὸς τὴ Δύση θὰ μποροῦσαν νὰ λύσουν τὰ πράγματα τῆς Ἀνατολῆς.

Τὸ πέμπτο καὶ τελευταῖο μέρος τῆς περισπούδαστης αὐτῆς μελέτης, καταλαμβάνει ἀκόμη καὶ σὲ ἔκταση τὶς περισσότερες σελίδες, μᾶς περιγράφει τὰ ἐπακολουθήσαντα τῆς Συνόδου τῆς Λυῶνος καὶ τὶς ἀπεγνωσμένες προσπάθειες τῶν διαδόχων τοῦ Μιχαὴλ Η΄, οἱ ὁποῖοι παλινδρομοῦντες μὲ τοὺς ἐσωτερικοὺς καὶ ἐξωτερικοὺς κινδύνους ποὺ ἀπειλοῦσαν τὸ κράτος καταφεύγουν γιὰ βοήθεια στὴ Δύση. Τὰ γεγονότα μαρτυροῦνται μὲ τὶς ἀλλεπάλληλες Συνόδους ποὺ ἀκολουθοῦν καὶ μὲ τὴ στάση τῶν Ἐκκλησιαστικῶν καὶ πολιτικῶν προσώπων καὶ τὶς ἐπιλογὲς ποὺ κατὰ καιροὺς ἀκολουθοῦν.

Πέραν ἀπὸ τὴν ἱστορικὴ πραγματικότητα, τὰ γεγονότα ἐξετάζονται μὲ κριτικὴ καὶ ἐπικριτικὴ διάθεση, μὲ γνώμονα τὴν ἐπισήμανση τῶν σφαλμάτων μας, μὲ σκοπὸ τὴν ἀνάνηψη τῆς αὐτοσυνειδησίας μας καὶ τὴν τόνωση τῆς ἀποφασιστικότητάς μας σὲ παρόμοια καὶ μελλοντικὰ σφάλματα. Ἡ αὐτοπεποίθησή μας ὡς Ἑλλήνων μὲ πολιτιστικὴ κληρονομιὰ τόσων αἰώνων καὶ μάλιστα μὲ τὸ βλέμμα τῆς Ὀρθοδοξίας καὶ τὴν ἐκκλησιαστικὴ τάξη, εἶναι δυνατόν, ὅπως γράφει στὴν εἰσαγωγή του, νὰ μᾶς προφυλάξει ἀπὸ μελλοντικὲς συμφορές. Γράφει λοιπόν: «Αὐτὴ ἡ αὐτοσυνειδησία, ἡ αὐτοπεποίθησις καὶ ἡ ἐκκλησιαστικὴ καὶ πολιτιστικὴ αὐτάρκεια τῶν Ἑλλήνων εἶναι βασικὲς προϋποθέσεις γιὰ νὰ συναντήσουμε μαζὶ μὲ τοὺς Σλάβους πάλι τοὺς Λατίνους καὶ τοὺς Φράγκους τῆς Εὐρώπης, μέσα σὲ κλῖμα ἀμοιβαίου σεβασμοῦ τῶν πνευματικῶν κατακτήσεων καὶ χωρὶς συμβιβασμοὺς σὲ βασικὰ θέματα τῆς ὑπάρξεώς μας, τὰ ὁποῖα στὸ παρελθὸν μᾶς ὡδήγησαν σὲ ἔχθρες καὶ συμφορές» (σσ. 25-26).

Ἡ προσεκτικὴ ἐπιλογὴ τῶν προσώπων καὶ τῶν ἐπιγραμματικῶν τους ἐκφράσεων ἡμετέρων καὶ ξένων πιστοποιεῖ πράγματι τὸ μέγεθος τῶν σφαλμάτων ποὺ διαπράχθηκαν κατὰ τὴν δύσκολη ἐκείνη περίοδο, σφαλμάτων ποὺ μποροῦσαν νὰ εἶχαν ἀποφευχθεῖ, ἂν ὑπῆρχε ἑνιαία καὶ συνεκτικὴ πολιτικὴ τῶν Ἐκκλησιαστικῶν καὶ Πολιτικῶν προσώπων. Εἰς μάτην ὁ στῦλος τῆς Ὀρθοδοξίας Μᾶρκος ὁ Εὐγενικὸς πάλεψε κατὰ τῶν ἀποφάσεων τῆς Συνόδου τῆς Φλωρεντίας. Ἤδη εἶχαν προηγηθεῖ τῆς Πίζας (1409), τῆς Κωνσταντίας (1414), τῆς Παβίας-Σιένης (1423-1424), τῆς Βασιλείας (1431-1437) καὶ μὲ κορύφωμα τὴ Σύνοδο Φερράρας-Φλωρεντίας (1438-1439), ποὺ περιγράφεται μὲ κάθε λεπτομέρεια. Τὰ ἀποσπάσματα ποὺ παρατίθενται ἀπὸ σύγχρονους καὶ μεταγενέστερους συγγραφεῖς ὑποβοηθοῦν στὴν καλύτερη κατανόηση τῶν ἱστορικῶν δεδομένων καὶ περιστάσεων τῆς ἐποχῆς. Ἐδῶ βλέπει κανείς, μὲ ποιὸ πνεῦμα καὶ ποιὰ νοοτροπία μᾶς ἀντιμετώπιζαν οἱ Ἐκκλησιαστικοὶ Ἄρχοντες τῆς Δύσης, ποὺ μοναδικός τους σκοπὸς ἦταν ἡ ὑποταγὴ τῆς Ἀνατολικῆς Ἐκκλησίας καὶ μόνο, ἀδιαφορώντας γιὰ ὁποιοδήποτε ἄλλο θέμα. Χαρακτηριστικὸ εἶναι αὐτὸ ποὺ ὁ Πετράρχης ἔγραφε: «οἱ Τοῦρκοι εἶναι ἐχθροί· οἱ Ἕλληνες ὅμως εἶναι σχισματικοὶ καὶ χειρότεροι ἀπὸ τοὺς ἐχθρούς» (σ. 298 τοῦ ἔργου).

Ἡ τραγωδία τῆς Ἑλληνικῆς Ἐκκλησίας εἶχε πράγματι συντελεσθεῖ, οἱ ἀλλεπάλληλες μαρτυρίες τοῦ Σίλβεστρου Συρόπουλου, Ι.Μ. Καρυοφύλλη, Α.Ν. Διαμαντοπούλου κ.ἄ. διαφωτίζουν πλήρως τὶς συνθῆκες ποὺ ἐπεκράτησαν καθ' ὅλη τὴ διάρκεια τῆς Συνόδου καὶ τὶς κακουχίες καὶ προπηλακίσεις ποὺ ἐδέχθηκαν οἱ Ὀρθόδοξοι ἀντιπρόσωποι γιὰ νὰ ὑπογράψουν τὰ πρακτικά. Πρὶν ἀπὸ τὰ ἐπακολουθήσαντα τῆς διακηρύξεως τῆς Ἑνώσεως, ὁ συγγραφέας ἀσχολεῖται μὲ τὸ φαινόμενο τῆς Οὐνίας, «σὰν συνέπεια τῆς ἀποτυχίας τῶν Λατίνων νὰ ὑποτάξουν ἐκκλησιαστικὰ τοὺς Ἕλληνες στὶς Συνόδους τῆς Λυῶνος καὶ τῆς Φλωρεντίας».

Ὁ ἐπίλογος τοῦ βιβλίου μεστὸς νοημάτων καὶ συμπερασμάτων ἐπισημαίνει πικρὲς ἀλήθειες ποὺ πράγματι πρέπει νὰ τύχουν ἰδιαίτερης προσοχῆς καὶ φροντίδας. Μεταξὺ τῶν ἄλλων διαβάζουμε: «Ἐφ' ὅσον δὲν καταργεῖται ἡ Οὐνία, ἡ Ἀνατολικὴ Ἐκκλησία θὰ εὑρίσκεται μέσα στὰ σχέδια τῆς ἀπορροφήσεώς της ἀπὸ τὴ Ρωμαϊκὴ Ἐκκλησία» (σ. 438), ἀλλοῦ: «Ζοῦμε στὸ τέλος τοῦ 20οῦ αἰῶνα καὶ ἔχουμε γύρω μας τὸ ἴδιο σκηνικὸ ποὺ εἶχε ὁ Ἑλληνισμὸς τὸ 1274 καὶ τὸ 1439, ὅταν ὁ αὐτοκράτορας καὶ ὁ Οἰκουμενικὸς Πατριάρχης ἦταν στὴ Σύνοδο τῆς Φλωρεντίας. Ἀπὸ τὴν Ἀνατολὴ οἱ φίλοι μας οἱ Τοῦρκοι μᾶς πιέζουν, ἀπὸ τὴ Δύσι ἡ Ρώμη μᾶς φλερτάρει, τοὺς Εὐρωπαίους τοὺς ἔχουμε πάλι ἀνάγκη καὶ μέσα σ' αὐτὴν τὴν ἀτμόσφαιρα ἀναζητοῦμε κάποια διέξοδο. Ποῦ εἶναι αὐτή; Ὅποιος τὴν ἀποκαλύψει, ἂς τὸ γράψη. Καὶ ὅμως ὁ Χριστιανισμὸς μέρα μὲ τὴ μέρα χάνει ἀπὸ τοὺς θησαυροὺς τῆς πίστεως, ἀποδεσμεύεται ἀπὸ τὴν παράδοσι, συσχηματίζεται πρὸς τὸν κόσμο, ἀποτιμᾶται, συρρικνώνεται καὶ ἀκόμη παραδίδεται στὶς εὔκολες λύσεις, ποὺ δὲν καλύπτονται ἀπὸ τὴν παράδοσι. Μέσα στὸ χριστιανικὸ αὐτὸ ἰδεολογικὸ οἰκοδόμημα δὲν ὑπάρχει ἀρκετὴ δύναμις νὰ σφυρηλατήση στὸν κόσμο τὴν πίστη στὶς αὐθεντικὲς ἀρχὲς τοῦ Χριστιανισμοῦ καὶ τοῦ πολιτισμοῦ, ποὺ μαζὶ καὶ οἱ δύο δημιούργησαν τὸν ἀνθρωπισμό». (σ. 440).

Ἡ πλούσια βιβλιογραφία ποὺ ἀναγράφεται στὶς σελίδες 453-477 καὶ αὐτὴ ποὺ ἀναφέρεται στὸ κύριο σῶμα τοῦ ἔργου, δίνουν πράγματι τὴ δυνατότητα καὶ στὸν πλέον ἀπαιτητικὸ ἀναγνώστη νὰ διαπιστώσει μόνος του τίς θέσεις τὶς ὁποῖες παίρνει ὁ Σεβασμιώτατος στὸ περισπούδαστο ἔργο του. Προφητικὸς πολλὲς φορὲς ἀνοίγει ἕνα καινούργιο κεφάλαιο στὶς σχέσεις τῶν Ἐκκλησιῶν, ἀλλὰ καὶ τῆς πατρίδος μας γενικώτερα μὲ τοὺς Δυτικοὺς ἑταίρους μας, σχέσεις οἱ ὁποῖες θὰ πρέπει νὰ στηρίζονται στὸν ἀμοιβαῖο σεβασμὸ καὶ τὴν ἀκεραιότητα τῶν παραδόσεών μας. Ἡ σύνοψις (CONCLUSION) τῶν σελίδων 443-452 στὴν ἀγγλικὴ γλῶσσα, νομίζω ὅτι θὰ δώσει τὴν εὐκαιρία καὶ σ' ἐκείνους ποὺ δέ γνωρίζουν τὴν ἑλληνικὴ γλῶσσα νὰ κατανοήσουν τὸ μέγεθος τῆς ἔρευνας καὶ τὴν ὀρθότητα τῶν ἀπόψεων.

Νικόλαος Λυκ. Φορόπουλος

Ο ΥΠΟΥΡΓΟΣ ΕΞΩΤΕΡΙΚΩΝ

Αθήνα, 27 Ιουλίου 1998

Σεβασμιότατε,

Με ιδιαίτερο ενδιαφέρον έλαβα το βιβλίο σας "Ελληνες και Λατίνοι".

Θα ήθελα να σας ομολογήσω ότι το πόνημά σας αποτελεί έναν πνευματικό και επιστημονικό θησαυρό που δεν απευθύνεται μόνο στο νού αλλά και στην καρδιά του αναγνώστη.

Η μακραίωνη πορεία του Ελληνισμού και της Ορθοδοξίας βρίσκουν έναν από τους καλλίτερους αναλυτές στο πρόσωπό σας.

Σεβασμιότατε, θα ήθελα να σας ευχαριστήσω και να σας συγχαρώ γιατί μέσα από το βιβλίο σας καθιστάμεθα όλοι πνευματικώς, θρησκευτικώς και εθνικώς πλουσιότεροι.

Με πολλή τιμή

Θεόδωρος Πάγκαλος

Σεβασμιότατο Αρχιεπίσκοπο
ΠΡ. Θυατείρων και Μ. Βρεταννίας
ΜΑΘΟΔΙΟ Γ. ΦΟΥΓΙΑ
Μητροπολίτη Πισιδίας
Αποστολική Διακονία
Ιασίου 1
115 21 Αθήνα

ΟΤΕ ΤΗΛΕΓΡΑΦΗΜΑ Α.Ε.

89
ΚΑΛΑΜΑΤΑΣ 8145 50 22 1329

ΣΕΒΑΣΜΙΩΤΑΤΟΝ
ΜΗΤΡΟΠΟΛΙΤΗΝ ΠΙΣΙΔΙΑΣ
ΚΥΡΙΟΝ ΜΕΘΟΔΙΟΝ
ΡΗΓΑ ΦΕΡΡΑΙΟΥ 9 ΧΑΛΑΝΔΡΙΟΝ ΑΤΤΙΚΗΣ

ΣΥΓΧΑΙΡΩ ΘΕΡΜΩΣ ΔΙΑ ΤΟ ΛΑΜΠΡΟΝ ΚΑΙ ΕΠΙΚΑΙΡΟΝ ΕΡΓΟΝ ΣΑΣ
''Η ΕΚΚΛΗΣΙΑΣΤΙΚΗ ΑΝΤΙΠΑΡΑΘΕΣΙΣ ΕΛΛΗΝΩΝ ΚΑΙ ΛΑΤΙΝΩΝ''
ΕΥΧΑΡΙΣΤΩ ΔΕ ΕΓΚΑΡΔΙΩΣ ΔΙΑ ΤΗΝ ΑΠΟΣΤΟΛΗΝ ΑΥΤΟΥ ΚΑΙ ΠΡΟΣ ΕΜΕ ΕΥΧΟΜΕΝΟΣ
ΣΥΝΕΧΙΣΙΝ ΤΗΣ ΠΟΛΥΤΟΜΟΥ ΚΑΙ ΠΟΛΥΤΙΜΟΥ ΕΠΙΣΤΗΜΟΝΙΚΗΣ ΘΕΟΛΟΓΙΚΗΣ
ΠΡΟΣΦΟΡΑΣ ΣΑΣ
+ Ο ΜΕΣΣΗΝΙΑΣ ΧΡΥΣΟΣΤΟΜΟΣ

COL 8145 9 ΑΝΤΙΠΑΡΑΘΕΙΣ ΕΛΛΗΝΩΝ ΚΑΙ ΛΑΤΙΝΩΝ
ΝΑΙ ΑΝΤΙΠΑΡΑΘΕΣΙΣ ΕΛΛΗΝΩΝ

89 T1/1720Φ
217144/2 HALD
252705. KALM

48. Σέ ἐκκλησιαστική ἐκδήλωση στό Αἴγιο. Ἀριστερά ὁ τότε Μητροπολίτης Δημητριάδος νῦν Μακαριώτατος Ἀρχιεπίσκοπος Ἀθηνῶν καί Πάσης Ἑλλάδος Χριστόδουλος καί δεξιά ὁ Μητροπολίτης Καλαβρύτων καί Αἰγιαλείας Ἀμβρόσιος.

BASIL Ph. PAPACHRISTIDIS
TRADEWINDS
190 VAUXHALL BRIDGE ROAD
LONDON SW1V 1DX
TEL. 071-828 9998

18 Ιανουαρίου 1991

ΒΦΠ/ες

Σεβασμιώτατο
Αρχιεπίσκοπο Πρ. Θυατείρων
κ.κ. Μεθόδιο
Ρήγα Φεραίου 9
Χαλάνδρι 152 32

Σεβασμιώτατο,

Σας γράφω λίγα λόγια γιά να σας ευχαριστήσω γιά την ευγενική σκέψη που είχατε να μου στείλετε το βιβλίο που γράψατε "Έλληνες και Λατίνοι".

Σπεύδω να σας εκφράσω τα θερμά μου συγχαρητήρια γι' αυτή την μελέτη η οποία φαίνεται πολύ ενδιαφέρουσα. Υποθέτω θα πρέπει να ήταν επίπονη.

Σας εύχομαι ένα ευτυχισμένο νέο έτος.

Με σεβασμό καί αγάπη
ασπάζομαι τη δεξιά σας

Bibliotheek
Theologische
Universiteit
VAN DE GEREFORMEERDE
KERKEN IN NEDERLAND

Bezoekadres: Groenestraat 160, Kampen, Telefoon 05202/15611
Postadres: Broederweg 15, Postbus 5026, 8260 GA Kampen (NL)

February 14, 1991

Archbishop Methodios Fouyas
9, Riga Ferraiou Str.
KHALANDRI, ATHENS

G R E E C E

Dear Archbishop,

Thank you very much for sending us one sample of your book:

The ecclesiastical diversification
of the Greeks and the Latins. -
Athene, 1990

We are very pleased to be in the possession for supplying our collection with this book.

With kindest regards,

Yours faithfully,

Mrs Betsy Havinga-Poortinga
Libr.Ass.

ΓΕΩΡΓΙΟΣ Ι. ΡΑΛΛΗΣ

Αθήνα, 14 Φεβρουαρίου 1991

Αρχιεπίσκοπο
κ. Μεθόδιο ΦΟΥΓΙΑ
Ρήγα Φερραίου 9
152 32 - ΧΑΛΑΝΔΡΙ

Σεβασμιώτατε,

Έλαβα το βιβλίο σας ΕΛΛΗΝΕΣ ΚΑΙ ΛΑΤΙΝΟΙ, που είχατε την καλωσύνη να μου στείλετε και για την αποστολή του θερμά σας ευχαριστώ.

Επιφυλάσσομαι να το μελετήσω με προσοχή γιατί το βρήκα πράγματι πολύ ενδιαφέρον.

Με πολύ φιλικά αισθήματα

ΓΡ/λβ

ΜΕΘΟΔΙΟΥ Γ. ΦΟΥΓΙΑ, Ἀρχιεπισκόπου πρ. Θυατείρων

ΕΛΛΗΝΕΣ ΚΑΙ ΛΑΤΙΝΟΙ

(Ἀθήνα 1990, «Ἑπτάλοφος» ΑΒΕΕ, σελ. 501)

Ενας φωτεινός καί φωτεισμένος Ἱεράρχης, ὁ Ἀρχιεπίσκοπος πρ. Θυατείρων καί Μεγ. Βρετανίας Μεθόδιος, συνεχίζει - παρ' ὅλες τίς ἀντιξοότητες - τό πολυσήμαντο θεολογικό καί ἱστορικό ἐπιστημονικό ἔργο του. Τό νέο σύγγραμμά του **«ΕΛΛΗΝΕΣ ΚΑΙ ΛΑΤΙΝΟΙ»** ἀναφέρεται στήν ἐκκλησιαστική ἀντιπαράθεση Ἑλλήνων καί Λατίνων, ἀπό τήν ἐποχή τοῦ Μεγ. Φωτίου μέχρι τή σύνοδο τῆς Φλωρεντίας (858 - 1439).

Τό νέο σύγγραμμα τοῦ Σεβασμιότατου πρ. Θυατείρων προλογίζει ὁ Μητροπολίτης Ἀττικῆς **Δωρόθεος**, ὁ ὁποῖος δέν παραλείπει νά τονίσει τήν τεράστια ἐρευνητική καί συγγραφική συμβολή τοῦ Ἀρχιεπισκόπου Μεθοδίου στή θεολογική καί ἱστορική ἐπιστήμη, τίς ὁποῖες διακόνησε μέ 57 «παράλληλα πρός μίαν ἀσυνήθη ποιμαντικήν δραστηριότητα...». Οἱ ἐργασίες αὐτές περιλαμβάνονται στούς 11 τόμους τῶν «Ἀπάντων» τοῦ Ἀρχιεπισκόπου πρ. Θυατείρων.

Ὁ Ἀρχιεπίσκοπος Μεθόδιος γεννήθηκε στήν Κορινθία τό 1925 καί ὑπηρέτησε ὡς γραμματέας τῆς Ι. Συνόδου τῆς Ἱεραρχίας τῆς Ἑλλάδος. Τό 1968 ἐκλέχτηκε **Μητροπολίτης Ἀξώμης** (Αἰθιοπίας) καί τό 1979 τοποθετήθηκε ὡς προκαθήμενος τῆς Ἀρχιεπισκοπῆς Θυατείρων καί Μεγ. Βρετανίας, ὅπου παρέμεινε μέχρι τό 1988. Στό σημεῖο αὐτό ἄς συγχωρηθεῖ μιά παρέκβαση: ἄν λάβουμε ὑπόψη τή λειψανδρία, πού μαστίζει τήν Ὀρθόδοξη Ἐκκλησία, ἀποτελεῖ **λάθος καί πολυτέλεια** νά παραμένουν ἐκτός ἐνεργοῦ δράσης ἐκκλησιαστικές προσωπικότητες τοῦ πνευματικοῦ καί ποιμαντικοῦ ἀναστήματος τοῦ πρ. Θυατείρων Μεθοδίου.

Τό νέο βιβλίο τοῦ Μεθοδίου Γ. Φούγια στηρίζεται σέ μιά πλουσιότατη καί συστηματική βιβλιογραφία, τήν ὁποία ὁ συγγραφέας χειρίζεται μέ **ἐπιστημονική ἄνεση** ἀλλά καί ὑπευθυνότητα. Αὐτή ἡ τεκμηρίωση τοῦ βιβλίου ἀποτελεῖ καί τό σημαντικότερο, ἴσως, πλεονέκτημά του, γιατί τό καθιστᾶ διαχρονική πηγή ἄντλησης γνώσεων καί ἐπιχειρημάτων, γιά ἕνα τμῆμα τῆς ἐθνικῆς ἱστορίας πού δέν ἔχει ἐρευνηθεῖ ὅπως καί ὅσο ἔπρεπε. Αὐτοί εἶναι - σέ συντομία - οἱ λόγοι πού ἀνάγουν τό σύγγραμμα τοῦ Μεθοδίου Γ. Φούγια στήν περιωπή μιᾶς ἐπιστημονικῆς ἐργασίας, μέ τεράστια ἐθνική σημασία.

Ἡ ἐθνική σημασία τοῦ βιβλίου αὐξάνεται γιατί ὁ συγγραφέας ἀναδεικνύει τήν ἀξία τῆς Ὀρθοδοξίας καί τοῦ Ἑλληνισμοῦ, χωρίς νά «προπαγανδίζει» τόν ἀπομονωτισμό καί τήν πολιτιστική ἐνδοστρέφεια. Ἰδιαίτερη ἀναφορά κάνει ὁ συγγραφέας στό θεόπνευστο ρόλο πού δύναται καί πρέπει νά διαδραματίσει τό Οἰκουμενικό Πατριαρχεῖο ὡς δύναμη «... πού θά συντηρήσει καί θά σώσει καί πάλι τήν Ἑλληνική Ἐκκλησία καί τήν ἑλληνική παιδεία στήν ἑνωμένη Εὐρώπη».

Ἄς ριψοκινδυνεύσουμε μιά πρόβλεψη: αὐτό τό χριστιανικό καί ἐθνικό ἔργο δέν θά ὑλοποιηθεῖ - στήν ἔκταση καί μέ τούς ρυθμούς πού πρέπει - ὅσο ζωντανές δυνάμεις τοῦ ἔθνους ὅπως οἱ νέοι καί οἱ γυναῖκες κρατοῦνται στό περιθώριο, καί «ἀπόστολοι», ὅπως ὁ Μεθόδιος Γ. Φούγιας, «ἀφήνονται» νά ἐφησυχάζουν καί δέν καλοῦνται νά συνδράμουν τή μεγάλη πανορθόδοξη καί πανεθνική προσπάθεια γία τή δημιουργία τῆς σύγχρονης ζώσας Ἐκκλησίας καί τήν οἰκοδόμηση τῆς Νέας Ἑλλάδας τοῦ 21ου αἰώνα.

Γιάννης Γ. Ζαφειρόπουλος
Δικηγόρος - πρ. Βουλευτής
νῦν Ὑφυπουργός Ἐξωτερικῶν

Τό Λιμάνι, 2 (1991). Πειραιᾶς.

ΤΡΑΠΕΖΑ ΤΗΣ ΕΛΛΑΔΟΣ

Ο ΕΠΙΤ. ΔΙΟΙΚΗΤΗΣ

Αθήνα, 15 Μαρτίου 1991

Αρχιεπίσκοπον
Πρώην Θυατείρων και
Μεγάλης Βρεταννίας
Κύριον Μεθόδιον
Ρήγα Φεραίου 9
Χαλάνδρι

Σεβασμιώτατε,

Σας ευχαριστώ θερμότατα για την προσφορά του συγγράματός σας.

Το ξεφύλλισα και διεπίστωσα ότι είναι πάρα πολύ ενδιαφέρον. Μόλις έχω την ευκαιρία θα ασχοληθώ περισσότερο με το πολύτιμο αυτό βιβλίο.

Με ιδιαίτερη τιμή,

Ξενοφών Ζολώτας

49. Στό Αἴγιο ὁ τ. βουλευτής Ἠλίας Μολεβίτης, ὁ νῦν Ὑπουργός Ἐξωτερικῶν Γιῶργος Παπανδρέου καί δεξιά ὁ ποιμενάρχης Ἀμβρόσιος.

GREEK ORTHODOX ARCHDIOCESE OF NORTH AND SOUTH AMERICA

ΕΛΛΗΝΙΚΗ ΟΡΘΟΔΟΞΟΣ ΑΡΧΙΕΠΙΣΚΟΠΗ ΒΟΡΕΙΟΥ ΚΑΙ ΝΟΤΙΟΥ ΑΜΕΡΙΚΗΣ

10 EAST 79th STREET, NEW YORK, N.Y. 10021 • TEL (212) 570-3500 • CABLE: ARCHGREEK, NEW YORK

19 Μαρτίου 1991

Σεβασμιώτατον Μητροπολίτην
Πισιδίας κ. Μεθόδιον
Είς Ἀθήνας

Σεβασμιώτατε Ἅγιε Ἀδελφέ,

Τό βιβλίον σας ὑπό τόν τίτλον "ΕΛΛΗΝΕΣ ΚΑΙ ΛΑΤΙΝΟΙ" ἔφθασεν είς χεῖράς μου δι'ὃ καί σπεύδω νά γνωρίσω πρός ὑμᾶς τήν λῆψίν του, ὡς καί τήν εὐγνωμοσύνην μου διά τήν φιλικήν ἀνάμνησιν.

Συγχαίρων θερμῶς εὔχομαι πᾶσαν ἀπό Θεοῦ ἔμπνευσιν είς συνέχισιν τοῦ πνευματικοῦ σας ἔργου καί διατελῶ,

Μετά τῆς ἐν Κυρίῳ ἀγάπης

Ο ΑΡΧΙΕΠΙΣΚΟΠΟΣ

Ο ΑΜΕΡΙΚΗΣ ΙΑΚΩΒΟΣ

ΑΙ,νκ

ΑΔΕΛΦΟΤΗΣ ΘΕΟΛΟΓΩΝ
Η «ΖΩΗ»
ΙΠΠΟΚΡΑΤΟΥΣ 189
114 72 ΑΘΗΝΑΙ

Ἀθῆναι 23/8/91

Σεβαστέ κι ἀγαπητέ ἅγιε Πισιδίας

Μέ πολλή καθυστέρηση, λόγω τῶν θερινῶν διακοπῶν κι πολλῶν ἀπασχολήσεων, ἔρχομαι νά σᾶς πληροφορήσω ὅτι ἔλαβον τόν Τόμον διά τόν Μ. Φώτιον κι νά σᾶς εὐχαριστήσω θερμά κι νά σᾶς συγχαρῶ διά τό ἀξιόλογο αὐτό τῆς συγγραφῆς.

Ἐλπίζω μέσα στό Σεπτέμβριο νά μπορέσω νά σᾶς ἐπισκεφθῶ κι νά τά ποῦμε διά ζώσης. — Ποιοί [illegible] σ' ἐπισκέφθηκαν; Δέν πραγματοποιήθηκε ἡ [illegible] ἐκδήλωσις; Τί λέει [illegible] Πισιδίας;

Μέ πολλή ἀγάπη κι σεβασμό
Ἀρχιμ. [illegible]

Ἀγαπητέ καί φίλτατε ἐν Χριστῷ ἀδελφέ κ. Μεθόδιε,

Δέν εὑρίσκω λόγους νά σᾶς εὐχαριστήσω διά τήν πάντοτε αὐθόρμητον ἀδελφικήν ἀποστολήν τῶν πολυτίμων συγγραμμάτων σας, ἐν οἷς τελευταίως καί τό "ΕΛΛΗΝΕΣ ΚΑΙ ΛΑΤΙΝΟΙ". Τό εὐχαριστῶ ἀφ' ἑαυτοῦ περιλαμβάνει ὅλας τάς ἐκδηλώσεις. Εὐχαριστῶ λοιπόν καί εὔχομαι ὁ Θεός νά σᾶς ἐνισχύῃ εἰς τήν συνέχισιν τοῦ ἔργου σας, νά διέλθητε ἐν ὑγείᾳ τάς ἁγίας ἡμέρας αὐτάς καί

ΚΑΛΗΝ ΑΝΑΣΤΑΣΙΝ.

Μετ' ἀδελφικῶν ἀσπασμῶν καί εἰλικρινοῦς ἀγάπης

Ἀλεξάνδρεια 5-3-1991 ὁ Πηλουσίου [illegible]

ΛΕΥΤΕΡΗΣ Ν. ΠΑΠΑΓΕΩΡΓΟΠΟΥΛΟΣ
ΔΙΚΗΓΟΡΟΣ ΣΤΟΝ ΑΡΕΙΟ ΠΑΓΟ
ΒΟΥΛΕΥΤΗΣ ΕΥΒΟΙΑΣ
ΓΡΑΦΕΙΟ: ΕΛ. ΒΕΝΙΖΕΛΟΥ 22 ΤΗΛ. 29666
ΟΙΚΙΑ : 25ΗΣ ΜΑΡΤΙΟΥ 19 ΤΗΛ. 21666
34100 ΧΑΛΚΙΔΑ

Χαλκίδα, 10-2-91

Σεβασμιώτατον
Αρχιεπίσκοπον πρ. Θυατείρων
Μεθόδιον Γ. Φούγιαν
Ρήγα Φεραιου 9
Χαλάνδρι
Αθήνα

Σεβασμιώτατε

Ελαβα το Βιβλίο σας "ΕΛΛΗΝΕΣ ΚΑΙ ΛΑΤΙΝΟΙ" πραγματικά επίκαιρο για το θέμα που αντιμετωπίζει και σίγουρα εντυπωσιακό για την επιστημονική του πληρότητα και την γλωσσική του αρτιότητα.

Τολμώ να πω ότι αφυπνίζει συνειδήσεις και εκθέτει τους ηγέτες της Ελληνικής Εκκλησίας για την σιωπή τους.

Πράγματι ήταν αυτό που έλειπε και μακάρι να αφυπνίσει αυτούς που πρέπει.

Με σεβασμό και αγάπη
Ο ανεψιός σας

Λ. Παπαγεωργόπουλος
Βουλευτης Ευβοιας

Phone 612-363-3514

HILL MONASTIC MANUSCRIPT LIBRARY

AN ARCHIVE OF MEDIEVAL AND RENAISSANCE HISTORICAL SOURCES

Bush Center

SAINT JOHN'S UNIVERSITY

Collegeville, Minnesota 56321

Date: 6 March 1991

To: Archbishop Methodios Fouyas
9, Riga Ferraiou Str.
Khalandri, Athens
GREECE

Hill Monastic Manuscript Library

Gratefully acknowledges receipt of your gifts to the Library

Description of Gifts: Book:

Fouyas, Methodios G., Archbishop.
The Ecclesiastical Diversification of the Greeks and the Latins from the Time of St. Photius to the Council of Florence, 858-1439. A Historical and Theological analysis of the various stages in the Development of the ecclesiastical relations of the Two Peoples. With a Preface by Metropolitan Dorotheos of Attica (Athens, 1990).
501p.

Acknowledged by,

Julian G. Plante, Ph.D.
Executive Director
Collections from Austria, Spain, Germany, Portugal, England
J. Jerome Hill Memorial Study Area, Malta Study Center
Ethiopian Manuscript Microfilm Library

16 Avenue Road
London NW8 6BP

14 Φεβρουαρίου 1991.

Σεβασμιώτατον
Αρχιεπίσκοπον Μεθόδιον,
εις Χαλάνδρι.

Σεβασμιώτατε & προσφιλέστατε 'Αρχιεπίσκοπέ μας

'Ακτίς χαράς, η ενθύμησή Σας, με την τιμητικήν αποστολήν του νέου έργου, που βγήκε από το σοφό νού Σας και τα θαυματουργά χέρια Σας.

Τα ωραιότερα βιβλία, σε βιβλιοθήκες όσων είχανε το προνόμιο να πάρουνε "δώρο" το συγγραφικό Σας έργο, σαν και μένα, είναι όσα Σείς έγράψατε!

Σας ευχαριστώ ανεξάλειπτα, που με συγκαταλέξατε σ'αυτό τον υψηλό κύκλο.

Η Μητέρα μου, η Ευγενία και τα κορίτσια μας, ελπίζομε κι'ευχόμεθα να είσθε καλά, Εσείς κι'όλοι Σας οι οικείοι, που θα τους αγαπούμε μαζί με Σας, για πάντα.

Μετά τις δυσκολίες μου, οι οποίες κοπάζουνε, αφήνοντας την υγεία μόνο, μα τίποτε άλλο πιά, δόξα τω Θεώ, προσπαθώ να ξανασυγκροτηθώ και πιθανόν, αλλ'ουχί βεβαίως, θα κατορθωθή κι'αυτό.

Η ανάμνηση κι'η συμβολή της ευεργετικής υποστηρίξεως από Σας θα παραμένει άσβυστη στο μυαλό και στην καρδιά μας.

'Εχετε την αγάπην όλων εμάς

'Ασπάζομαι στοργικά τή σεπτή δεξιά Σας

Διαμαντής

Εἶναι ὅπως ἀναφέρθηκε ὁ ἐξαίρετος ὁμογενής Διαμαντής Παντελή Πατέρας.

ΙΕΡΑ ΜΗΤΡΟΠΟΛΙΣ ΙΩΑΝΝΟΥΠΟΛΕΩΣ ΚΑΙ ΠΡΕΤΟΡΙΑΣ
GREEK ORTHODOX ARCHBISHOPRIC OF JOHANNESBURG AND PRETORIA

Τῷ Σεβασμιωτάτῳ Ἀρχιεπισκόπῳ πρ. Θυατείρων κ. ΜΕΘΟΔΙΩ,
ἀδελφῷ ἐν Κυρίῳ ἀγαπητῷ καί σεβαστῷ
ἀσπασμόν ἐν Κυρίῳ Χριστῷ Ἰησοῦ,

Εἰς Ἀθήνας.

Σεβασμιώτατε,

Μετά πολλῆς χαρᾶς ἔλαβον τό προφρόνως ἀποσταλέν μοι ὑπό τόν τίτλον " ΕΛΛΗΝΕΣ ΚΑΙ ΛΑΤΙΝΟΙ ", πόνημα τῆς ὑμετέρας ἀγαπητῆς μοι Σεβασμιότητος, ὅπερ καί μετά πολλῆς τῆς προσοχῆς καί τοῦ ἐνδιαφέροντος διεξῆλθον.

Καί ἐκφράζω διά ταύτης μου τῇ ὑμετέρᾳ ἀγάπῃ τάς θερμάς ἀδελφικάς μου εὐχαριστίας ἐπί τῇ ἀποστολῇ.

Ἐπί τούτοις εὐχόμενος ὅπως διέλθῃς τάς Ἁγίας καί Μεγάλας Ἡμέρας τῶν Παθῶν τοῦ Κυρίου καί Σωτῆρος ἡμῶν ἐν χαρᾷ καί ἀγαλλιάσει, διατελῶ μετ' ἀδελφικῶν ἀσπασμῶν καί πολλῆς ἐν Κυρίῳ ἀγάπης.

" Καλό Πάσχα ".

† Ὁ Ἰωαννουπόλεως καί Πρετορίας Παῦλος.

Ἐν Ἰωαννουπόλει, τῇ
12ῃ Μαρτίου, 1991.

14, Sixth Street, Lower Houghton, Johannesburg.
Telephone 880-2057

ΓΙΩΡΓΟΣ ΓΕΝΝΗΜΑΤΑΣ
ΒΟΥΛΕΥΤΗΣ Α ΑΘΗΝΑΣ
ΚΟΛΟΚΟΤΡΩΝΗ 15
10562 - ΑΘΗΝΑ

ΑΘΗΝΑ 15 - 3- 1991

ΠΡΟΣ: Σεβασμιώτατο
Αρχιεπίσκοπο ΠΡ.ΘΥΑΤΕΙΡΩΝ
& ΜΕΓΑΛΗΣ ΒΡΕΤΑΝΝΙΑΣ
ΜΕΘΟΔΙΟ
Ρήγα Φερραίου 9
Χαλάνδρι

Σεβασμιώτατε,

Ελαβα το βιβλίο σας με τίτλο "ΕΛΛΗΝΕΣ ΚΑΙ ΛΑΤΙΝΟΙ" και σας ευχαριστώ πολύ.

Δεν το έχω ακόμα μελετήσει σε βάθος.

Ξεφυλλίζοντας τις σελίδες του αισθάνθηκα μεγάλη συγκίνηση γιατί ακριβώς κρούει τον κώδωνα του κινδύνου για τον Ελληνισμό σε μιά περίοδο που πράγματι βρίσκεται σε κρίσι, όπως και εσείς πολύ σωστά επισημαίνετε στην εισαγωγή.

Πιστεύω ότι με το βιβλίο αυτό η προσφορά σας σε όλο τον Ελληνισμό είναι πολύ σημαντική.

Με σεβασμό

Γιώργος Γεννηματάς

ÄRKEBISKOPEN AV KARELEN
OCH HELA FINLAND

ΑΡΧΙΕΠΙΣΚΟΠΟΣ ΚΑΡΕΛΙΑΣ
ΚΑΙ ΠΑΣΗΣ ΦΙΛΛΑΝΔΙΑΣ

ARCHBISHOP OF KARELIA
AND ALL FINLAND

'Αριθμ. πρωτ. 264/91

Πρός τόν ΣΕβασμιώτατον τ.'Αρχιεπίσκοπον Θυατείρων καί
Μεγάλης Βρετανίας κ. Μεθόδιον,
Είς 'Αθήνας.

ΧΡΙΣΤΟΣ ΑΝΕΣΤΗ!

Σεβασμιώτατε καί άγαπηέ μοι έν Χριστῷ άδελφέ!

Πιστεύω, ὄτι ἤδη ἔχετε δεχθῆ τόν πασχάλιον χαιρετισμόν μου, άλλα διά τοῦ παρόντος θά ἤθελον ἵνα εὐχαριστήσω 'Υμᾶς θερμότατα διά τό νέον βιβλίον 'Υμῶν, τό ὁποῖον εὑρίσκω καί σπουδαῖον καί ἐνδιαφέρον.

Κατά τόν μῆνα Μάϊομ θά μείνω δύο τρεῖς ἡμέρας είς τάε 'Αθήνας μετά τήν ἐπίσημον ἐπίσκεψίν μου κατόπιν τῆς προσκλήσεως τῆς 'Εκκλησίας τῆς 'Ελλάδος. Προσωπικῶς θά ἤθελον νά Σᾶς ἴδω τότε, ἐάν δυνατόν καί ἐάν τοῦτο ἐπιτρέψη τό ἄλλον πρόγραμμά μου. Είς τάς 'Αθήνας θά Σᾶς τηλεφωνήσω.

Διατελῶ μετά σεβασμοῦ καί πολλῆς ἐν Χριστῷ ἀγάπης

† ὁ Φιλλανδίας Ἰωάννης

ὁ Φιλλανδίας 'Ιωάννης

τῇ 2ᾳ 'Απριλίου, 1991

Finlands ortodoxa kyrka
Karjalankatu 1, SF-70300 KUOPIO, Finland
tel. +358-71-122 611

'Ορθόδοξος 'Εκκλησία Φιλλανδίας
Karjalankatu 1, SF-70300 KUOPIO, Finland
τηλ. +358-71-122 611

Orthodox Church of Finland
Karjalankatu 1, SF-70300 KUOPIO, Finland
tel. +358-71-122 611

ΑΠΟΣΤΟΛΟΣ Ε. ΒΑΚΑΛΟΠΟΥΛΟΣ
Ομοτ. ΚΑΘΗΓΗΤΗΣ ΠΑΝΕΠΙΣΤΗΜΙΟΥ
ΟΔΟΣ ΑΡΙΣΤΟΤΕΛΟΥΣ 18
546 23 ΘΕΣΣΑΛΟΝΙΚΗ

Θεσσαλονίκη, 10-2-1991

Αγαπητέ μου σεβασμιώτατε Μεθόδιε,

Πρίν από λίγες μέρες [illegible] τοῦ [illegible] μου φοιτητή καί τώρα συνάδελφός μου Θανάσης Καραθανάσης τήν ωραία καί [illegible] έκδοση τοῦ βιβλίου σας «Έλληνες καί Λατίνοι» καί χάρηκα πολύ, ιδιαίτερα γιατί μοῦ θύμισε τήν παλιά μας γνωριμία καί φιλία στό Μόναχο, τό καλοκαίρι τοῦ 1952, διότι είχαμε τότε επαφές μέ συχνές συναντήσεις καί συζητήσεις. Από τότε βέβαια δέν έπαψα νά μαθαίνω καί για σᾶς από καιρό σέ καιρό καί νά παρακολουθῶ τή [illegible] άνοδό σας.

Τό έργο σας τό [illegible] αυτές τίς μέρες [illegible] — είμαι από τό 1974 συνταξιοῦχος καί έχω διαθέσιμο καιρό — καί διάβασα στίς [illegible] του γραμμές τά ενδιαφέροντα θέματα πού αναπτύσσετε. Εκτός από τήν πλούσια βιβλιογραφία πού χρησιμοποιεῖτε, τήν συστηματική προσφορά τῶν περιεχομένων, ιδίως μέ τήν ιδιαίτερα [illegible] τά μετά τό [illegible] Μέρος, δηλαδή μετά τό 1204, χάρηκα τήν ωραία εικονογράφηση, τούς εκτενεῖς χάρτες καί εικόνες καί γενικά τή μεγάλη συμβολή σας στήν [illegible] τῆς ελληνικῆς [illegible].

Καί τώρα τά θερμά μου συγχαρητήρια καί τίς ειλικρινεῖς ευχαριστίες μου. [illegible] τίς ευχές σας

Α. Βακαλόπουλος

Γιά τόν ἀείμνηστο τώρα καθηγητή Α. Βακαλόπουλο γράφω στά προλεγόμενα τοῦ τόμου τούτου.

Il Cardinale Carlo Maria Martini
Arcivescovo di Milano

desidera esprimere i suoi ringraziamenti più sentiti per il dono del volume "Elleni e Latini" ed il suo apprezzamento più vivo per l'importanza scientifica dell'opera.

Con un fraterno saluto, in unione di preghiere

+ Carlo Maria Card. Martini

28 luglio 1991

EXETER COLLEGE, OXFORD OX1 3DP Tel. (0865) 279600

20 March 91

Professor C. Mango should like to thank Archbishop Methodios for his learned book "Ἕλληνες καὶ Λατῖνοι" and looks forward to reading it.

ΣΤΕΡΓΙΟΣ Ν. ΣΑΚΚΟΣ Δρ. Θ.
ΚΑΘΗΓΗΤΗΣ ΠΑΝΕΠΙΣΤΗΜΙΟΥ
ΠΛΑΤΩΝΟΣ 11, ΤΗΛ. 286-906
ΘΕΣΣΑΛΟΝΙΚΗ 24-5-91

Σεβασμιώτατε,

Εὐχαριστῶ θερμά γιά τήν εὐχή σας, τήν τιμή καί τήν ἀγάπη σας. Δείγματα τῆς ἀγάπης σας δέχθηκα τό πάλαι στό Λονδῖνο καί δέν τά ξεχνῶ. —

Χάρηκα γιά τήν «κατά μικρόν» ἀποκατάστασί σας, ὅπως χάρηκα καί σᾶς συγχάρηκα καί γιά τήν ὑπομονητική ψυχραιμία καί ταπεινή σιγή, μέ τά ὁποῖα ἀντιμετωπίσατε τήν ... ἀδικία.

Μέ τήν εὐκαιρία τῶν δοκιμίων σας στέλνω καί τά νέα μου ἔργα. Μέ σεβασμό φιλῶ τό χέρι σας
Στέργιος

PROF. JOHN E. REXINE
Department of Classics
Colgate University
HAMILTON, NEW YORK
13346

February 26, 1991

The Most Reverend Archbishop Methodios Fouyas
9 Riga Ferraiou Street
Khalandri, Athens, Greece

Your Eminence:

It was very gracious of you to send me a copy of your most recent book entitled The Ecclesiastical Diversification of the Greeks and the Latins from the Time of St. Photius to the Council of Florence, 858-1439 (Athens, 1990). I have skimmed through the book already and know that it will be worth reading and that it will make a significant contribution to scholarship and the understanding of complex and important subjects. I also hope that I can review it in an appropriate journal.

I do hope you are in good health and high spirits.

With all best wishes for the Holy Lenten Season we are celebrating, I remain

Admiringly yours,

John E. Rexine

Dr. John E. Rexine
Charles A. Dana Professor
of the Classics
Departmental Chair

JER:ehd

Ἡ Ἐκκλησιαστικὴ ἀντιπαράθεσις Ἑλλήνων καὶ Λατίνων . . . 858-1439 [The Ecclesiastical Diversification of the Greeks and the Latins . . . 858-1439]. By Methodios G. Fouyas. Athens, 1990. Pp. 501. Paper.

This major volume should be of interest to scholars, historians, and theologians alike interested in the relations between the mediaeval Greek East and the Latin West. In addition to its intrinsic value as a scholarly historical and theological study of various stages in the relations between the two halves of mediaeval Christendom, it should appeal to modern ecumenists engaged in theological dialogues and inter-faith relations.

Furthermore the present book is more than a theological analysis and historical account of events that took place between the ninth and the fifteenth century of our era; it is an anatomy of the psyche of two related but also different people, who shared a common faith

50. Μέ τήν Α. Ἁγιότητα τόν Πάπα τῆς Ρώμης Ἰωάννη Παῦλο Β΄. Στή Ρώμη.

for nearly eight hundred years. As such it is a balanced and objective study, written in a serious and agonizing ecumenical spirit.

Following an illuminating introduction of some ten pages, the volume is divided into five parts and forty-two chapters. The first part reviews the place of the Christian Church in the two halves of the Roman Empire—the Greek East and the Latin West. The chapters "Two Worlds—One Church," "The Synodic System of the Church," and the "Pentarchy of the Patriarchs" are of particular interest to those in Christian dialogues. Differences between the two worlds of Christendom are traced back to the fifth century. The author discerns the need for a rediscovery of the Pentarchy in its apostolic significance and advocates the convocation of an ecumenical council between the Eastern Orthodox and the Roman Catholic Churches to resolve the dividing theological issues.

The issues of the period under discussion can be summarized in four: the papal claims for supremacy of authority (the Christian East always accorded primacy of honor to the Patriarch or Pope of the West); the theological problem of the *filioque* addition to the Nicaean-Constantinopolitan creed; the azyma (unleavened bread in the Eucharist); and the purgatorium.

Notwithstanding theological and ecclesiastical differences, one may add that some of the misunderstandings can be traced back to the attitudes of the Roman West toward the Greek East and vice-versa. From as early as the 2nd century B. C., the Roman West looked down upon the Greek East from a position of political power while the Greek East looked down upon the Latin West from a position of intellectual power. The Greeks never forgot Horatius' pronouncement "that captive Greece took its captor captive and introduced to the rustic Latins the arts." And the Latins never forgot Cato's and Cicero's acknowledgement that the Romans received much-too-much from the Greeks but that they were better than their benefactors.

The Christian Church, nurtured in the Greek and Roman world, inherited not only the thought-world but also the attitudes prevailing in the Roman Empire. This leads Dr. Fouyas to stress that the Greek Christian East cared more for the spiritual presence of the Church in the world, while the Latin Christian West concerned itself more with organizational structure, centralization of authority, even political power, especially after the collapse of Roman imperial rule following the conquest of the West by the barbarians. While the Christian East emphasized the importance of the Pentarchy and the Synodic system as the seat of supreme authority in the Church, the Christian West sought to establish an ecclesiastical monarchy. In Rome's attitude toward the East the author discerns principles of the inheritance from pagan Rome and the Roman Empire.

Throughout the book, the author points out similarities and dissimilarities between the two worlds of Christendom—in terms of theology, ecclesiastical polity, and political theory and practice. He is objective and critical of attitudes by both Greeks and Latins, Popes and Patriarchs. He quotes the sources extensively and reproduces letters and documents to illustrate various points of interpretation.

In brief, the present volume, the *magnum opus* of Dr. Fouyas' writings, is a well-researched and thought-out study of contemporary significance. As an interpretive thesis, it is bound to encounter opposite points of view. Some of the author's positions may be challenged by Western theologians. Nevertheless the author raises serious questions which will stimulate reconsiderations of theological stances in both camps and lead to dialogues. This in itself is no mean accomplishment.

Demetrios J. Constantelos
Stockton State College

Μέγας Φαράντος 'Αθήνα, Ι6.3.Ι99Ι

Δαμάρεως Ι39, Παγκράτι

ΙΙ6 32'Αθήνα

Σεβασμιώτατον'Αρχιεπίσκοπον

Κύριον Μεθόδιον

'Η εύγενής προσφορά τοῦ ἔργου Σας"Ελληνες καί Λατῖνοι μέ ἐτίμησε πολύ καί μοῦ ἔδωσε μεγάλη χαρά.'Ανέγνωσα μέ μεγάλο ἐνδιαφέρον τό σύγγραμμά Σας τοῦτο, τό ὁποῖον εἶναι ὄντως ἀξιολογώτατον. Τόσον ἡ ἐπιλογή τῶν παρατιθεμένων κειμένων, ὅσον καί ἡ ἀνάλυσις καί ἑρμηνεία αὐτῶν καί τῶν συναφῶν γεγονότων πρός τό ὑπό ἔρευνα θέμα Σας ἀποτελοῦν ὑψίστης σημασίας συμβολή στήν κατανόησι τοῦ "πνεύματος" τῶν'Ελλήνων καί τῶν Λατίνων, ὅπως ἐπίσης καί τῆς πορείας καί ἐξελίξεως τῶν μεταξύ των σχέσεων καί διαφορῶν.

Τό ἔργο Σας τοῦτο ἀποτελεῖ ἀναμφισβητήτως ἕνα σημαντικό σταθμό στήν ἔρευνα ἐπί τοῦ θέματος τούτου. Μέ θάρρος καί παρρησία, μέ πλουσία ἐμπειρία, γνῶσι καί ἀντικειμενικότητα ἑνός μεγάλου ἕλληνος ἱεράρχου ἐπιχειρεῖ βαθειές ἐπιστημονικές τομές καί κρίσεις, καί ἐπανατοποθετεῖ ἐπί νέων καί ὀρθῶν βάσεων τίς σχέσεις ὄχι μόνον μεταξύ'Ορθοδοξίας καί Ρωμαιοκαθολικισμοῦ ἀλλά καί τοῦ'Ελληνισμοῦ ἐν γένει πρός τήν Δύσιν.

'Η ἀνεκτίμητη δέ σημασία τοῦ ἔργου Σας ἔγκειται καί είς τοῦτο, ὅτι δηλ., μιλώντας γιά τό παρελθόν τῆς'Ορθοδοξίας καί τοῦ'Ελληνισμοῦ σέ ἀναφορά πρός τό λατινικό "πνεῦμα", δέν κάμνει ἁπλῶς "ἱστορία", ἀλλά διαγράφει μέ ἄσφαλτο κριτήριο τήν πορεία καί τίς προοπτικές, πού ἀκολουθεῖ καί πού πρέπει νά ἀκολουθήσει ὁ σύγχρονος ὀρθόδοξος'Ελληνισμός, προκειμένου νά διασώσει τήν ταυτότητά του καί νά συμβάλει θετικῶς στό διάλογο καί στήν πορεία τῶν λαῶν πρός τήν ἑνότητα. Νομίζω, ὅτι περιττεύει κάθε ὑμνολογία πρός τό ἔργο Σας, τό ὁποῖο ὁμιλεῖ ἀφ'ἑαυτοῦ· ὅμως θά ἔπρεπε νά τύχει εὐρυτέρας ἀποδοχῆς καί ἀναγνωρίσεως.

'Εκφράζων τά θερμά μου συγχαρητήρια καί εὐχόμενος ὑγείαν καί δύναμιν Θεοῦ διά τό περαιτέρω δημιουργικό ἔργο Σας, διατελῶ μέ βαθύτατο σεβασμό

Μέγας Φαράντος

ΒΙΒΛΙΟΚΡΙΣΙΑ

ΕΛΛΗΝΕΣ ΚΑΙ ΛΑΤΙΝΟΙ

Ἀρχιεπισκόπου πρ. Θυατείρων Μεθοδίου
Ἀθήνα 1990, σέλ. 500

Ἡ νέα ἰδιαιτέρως πολύτιμη ἐργασία τοῦ Ἀρχιεπισκόπου πρ. Θυατείρων κ. Μεθοδίου κάνει τήν ἐμφάνισή της ὄχι ἁπλῶς εἰς ἐπίκαιρον χρόνον ἀλλά ἀκριβῶς τήν πλέον κατάλληλη στιγμή. Ἡ οἰκονομική ἕνωση τῆς δυτικῆς Εὐρώπης ἔχει ἤδη συντελεσθεῖ (ΕΟΚ). Πολύ ἐλάχιστα ἀπομένουν γιά τήν ὁλοκλήρωσή της μέ τήν λειτουργία τῆς κοινῆς ἀγορᾶς τό 1992. Ἡ ἕνωσή της στούς λοιπούς τομεῖς τῆς κρατικῆς καί ἡμικρατικῆς δράσεως ἔχει ἐπίσης δρομολογηθεῖ καί προχωρήσει εἰς μεγάλο βάθος, ἡ δέ ὁλοκλήρωσή της σέ ὁρισμένους τομεῖς ἔχει συντελεσθεῖ ὁριστικά (π.χ. ἀτομικά δικαιώματα μέ ἀναγνώριση τῆς ἀτομικῆς προσφυγῆς καί ἀπό τήν Ἑλλάδα).

Εἰκάζεται ὅτι ἡ παροῦσα γενεά θά ἴδει τήν γέννηση τῶν Ἡνωμένων Πολιτειῶν τῆς Εὐρώπης. Τά ὑπάρχοντα σήμερα κράτη θά ἀποτελοῦν πλέον ὁμόσπονδα κρατίδια μέ ἁρμοδιότητες ρυθμίσεως τοπικῶν μόνο θεμάτων, ἐνῶ γιά τά λοιπά θά ἀποφασίζει ἡ ὁμοσπονδιακή κυβέρνηση ἤ ἡ ὁμοσπονδιακή βουλή καί θά ἐκδικάζει τό ὁμοσπονδιακό δικαστήριο.

Καί ἐνῶ ὅλα αὐτά τά κοσμογονικά συμβαίνουν γύρω μας, ὁ τομέας Ἐκκλησία, θρησκεία, πίστη ἔχει ὅλως παραδόξεως ἀγνοηθεῖ. Σκοπίμως ἤ ἀπό ἀμέλεια ἤ ἀδιαφορία; Ὅ,τι καί ἄν συμβαίνει, αὐτό εἶναι ἀδικαιολόγητο. Καί ἄν κάποιοι (κακόπιστοι ἴσως) ἰσχυρίζονται, ὅτι αὐτά δέν ἀφοροῦν τήν Ἑλλάδα, θά τούς ὑπενθυμίζαμε, ὅτι ἕνας τομέας τῆς ἐκκλησιαστικῆς δράσεως ἀφορᾶ τήν κοινωνική δραστηριότητα μέ στενή οἰκονομική συνάρτηση. Τά συγκλονιστικά λοιπόν αὐτά δεδομένα ὄφειλαν ὅλους νά μᾶς εὐαισθητοποιήσουν.

Ἐξ αὐτοῦ τοῦ γεγονότος ὁ Σεβασμιώτατος Ἀρχιεπίσκοπος κ. Μεθόδιος ὠθούμενος μᾶς παρουσιάζει τό πολύτιμο τοῦτο ἔργο του τήν κατάλληλη στιγμή. Ἡ πορεία τῆς Ἐκκλησίας στήν ἑνωμένη Εὐρώπη ἀποτελεῖ στήν πραγματικότητα πορεία πρός τήν δύση. Πρός τούς Λατίνους, πρός χῶρο δηλ. χριστιανικό μέν ἀλλά μή ὀρθόδοξο. Γιά τόν κόσμο αὐτό ξέρουμε τά πάντα. Ξέρουμε πόσο εἶναι τό ἐθνικό του εἰσόδημα, τό ἀκαθόριστο προϊόν του, ἡ βιομηχανική παραγωγή του, ὁ δείκτης καταναλώσεως καί ἕνα σωρό ἄλλες λεπτομέρειες, ἐκτός ἀπό τό σπουδαιότερο:

Πῶς λειτουργεῖ ἡ πίστη του καί πῶς σκέπτεται νά τήν ἀξιοποιήσει μέσα στήν ἑνωμένη Εὐρώπη. Ποία λοιπόν ἡ θέση τῆς Ὀρθοδόξου Ἐκκλησίας καί πῶς πρέπει νά δράσει ἐν προκειμένω; Γιά νά γνωρίσουμε λοιπόν τόν κόσμο αὐτόν σέ ὅλη του τήν ἱστορική πορεία, πρέπει νά φθάσουμε μέχρι τίς ρίζες του. Πρέπει νά ἐμβαθύνουμε στήν ἐξέλιξή του καί νά συνειδητοποιήσουμε ποῖες εἶναι οἱ ἀδυναμίες του, ποῖα τά εὐαίσθητα σημεῖα του καί πῶς μπορεῖ αὐτά νά βοηθήσουν τήν Ὀρθόδοξη Ἐκκλησία σέ μία πραγματική προσέγγιση ἐν ὄψει τῆς φύσεώς της ὡς Ἐκκλησίας κυριάρχου καί ἰσοτίμου στόν Εὐρωπαϊκό χῶρο.

Ἀντιλαμβάνεται λοιπόν κανείς πόσο σημαντική συμβολή ἀποτελεῖ τό ὡς ἄνω ἔργο τοῦ Σεβασμιωτάτου, ὅταν δίδει ὁλοκληρωμένη καί αὐθεντική εἰκόνα τῆς δυτικῆς Ἐκκλησίας. Πράγματι μόνο ἄν ἐμβαθύνουμε στίς ἐμβριθεῖς ἀναλύσεις του καί στήν ὑπ' αὐτοῦ παράθεση τῶν συγκλονιστικῶν ἱστορικῶν δεδομένων τῶν σχέσεων τῆς Ἀνατολικῆς μέ τήν Δυτική Ἐκκλησία, μποροῦμε νά κατανοήσουμε τήν φύση καί τόν χαρακτήρα τῆς Δυτικῆς Ἐκκλησίας καθώς καί τόν κόσμο πού τήν ἀποτελεῖ. Στό σπουδαῖο καί πολύτιμο αὐτό ἔργο ὁ ἀναγνώστης μπορεῖ νά γνωρίσει τίς διαφορές καί τίς ὁμοιότητες τῶν δύο Ἐκκλησιῶν καί κατ' ἐπέκταση τῶν Ἑλλήνων καί τῶν Λατίνων, τίς προσπάθειες διατηρήσεως τῆς ἑνότητος τῶν Ἐκκλησιῶν ἤ ἐπανενώσεις μετά τό σχίσμα κ.ο.κ.

Τά στοιχεῖα πού μᾶς δίδει ὁ Σεβασμιώτατος εἶναι ἐν προκειμένῳ συγκλονιστικά. Μικρό δεῖγμα ἀποτελοῦν τά ἀναφερόμενα στήν σελ. 165 ἐπ., ὅπου ὁμιλῶν περί τῆς ἱστορίας τοῦ Filioque ἀποδεικνύει ὅτι (κατ' ἀντίθεση πρός ὅ,τι πιστεύεται μέχρι σήμερα), ὑπῆρξαν πάπες πού ἀντέδρασαν στήν ἐπιβολή τῆς προσθήκης αὐτῆς στό Σύμβολο τῆς Πίστεως καί ἀκόμη καί μερικοί πού δέχθηκαν μέν τήν προσθήκη δέν ἔπραξαν ὅμως τοῦτο μέ τήν θέλησή τους... γι' αὐτό ἡ προσθήκη πρέπει νά μή θεωρηθεῖ ὡς σκόπιμη ἀλλαγή τῆς κοινῆς διδασκαλίας Ἀνατολῆς καί Δύσεως». Ἐπίσης μεθοδικά καί μέ ἐκπλήσσουσα σαφήνεια καί συνέπεια ὁ Σεβασμιώτατος εἶναι ἀπόλυτος καί κατηγορηματικός καί ἀποδυκνύει τοῦ λόγου του τό ἀληθές μέ ἐμπεριστατωμένα λογικά ἐπιχειρήματα μή ἐπιδεχόμενα ἀμφισβήτηση ἀπό κανέναν καλόπιστον, καθ' ὅσον οὐδόλως ὑποστηρίζει τήν ὑποχρέωση τῆς Ἀνατολικῆς Ἐκκλησίας νά ὑποχωρήσει ἤ νά ὑποστεῖ τῶν ἀρχῶν της.

Ὁμολογουμένως οἱ ἐν λόγῳ ἀπόψεις συγκλονίζουν καί ἀνταποκρίνονται ἐξάλλου ἀπολύτως στήν πραγματικότητα. Δυστυχῶς ὁ περιορισμένος χῶρος τοῦ παρόντος σημειώματος δέν ἐπιτρέπει τήν ἐκτενῆ ἀνάλυση τοῦ πολυτίμου τούτου ἔργου, πού ἀποτελεῖ τή συμβολή στήν πορεία τῆς Ὀρθοδοξίας στήν ἑνωμένη Εὐρώπη. Ὁμοίως πρέπει νά διαβεβαιώσουμε τόν ἀναγνώστη, ὅτι τό ἔργο αὐτό χαρακτηρίζεται ἀπό μίαν ἐκπλήσσουσα πληρότητα εἰς βάθος καί εἰς πλάτος τῶν θεμάτων πού ἀναπτύσσει κατά τρόπον συγκλονιστικόν κατά τρόπον μάλιστα πού νά πείθει καί τόν πιό δύσπιστον ἀναγνώστη. Οἱ ἀπόψεις τοῦ Σέβ. εἶναι καθαρά καί ἀνυποχώρητα ὀρθόδοξες χωρίς καμμία παρέκκλιση, πού ὅμως δέν σταματοῦν στήν ἁπλή διατύπωση (ἤ ἀναδιατύπωσή) τους.

Καταλήγουν σέ κριτικά συμπεράσματα, καθορίζουν στρατηγική δράσεως καί τέλος προτείνουν λύσεις ἀποδεκτές καί πρακτικές. Θά πρέπει ἐπίσης νά ἐπισημάνουμε τήν ἱκανότητα τοῦ Σεβ. εἰς ὁλοκληρωμένη, ἐμβριθῆ καί συνεπῆ ἱστορική ἔρευνα τῶν θεμάτων πού πραγματεύεται καί γενικά τήν ἀρτία ἐπιστημονική του συσκρότηση σέ ἐργασία ἐρευνητική καί κριτική. Ἡ ἐπεξεργασία τῶν θεμάτων του εἶναι ἐξαντλητική, οἱ δέ πηγές στίς ὁποῖες ἔχει προστρέξει φθάνουν σέ ἔκταση τεραστία καί ἐκπλήσσουσα, τό ὕφος δέ καί ἡ πληρότητα τῶν ἐννοιῶν αἰχμαλωτίζει τόν ἀναγνώστη ἀπό τήν πρώτη σελίδα ἕως τήν τελευταία.

Γενικά εἶναι πέρα πάσης ἀμφισβητήσεως, ὅτι διά τοῦ παρόντος ἔργου ἡ ἐκκλησιαστική φιλολογία ἐμπλουτίζεται μέ στοιχεῖο πολύτιμο καί ἀπολύτως ἀπαραίτητο καί μάλιστα τήν πιό κρίσιμη στιγμή τῆς ἱστορίας της, ἤτοι στό σημεῖο ἐκκινήσεως πρός ἔνταξη στήν ἑνωμένη Εὐρώπη πού συντομώτατα ὁλοκληρώνεται. Ἐν προκειμένῳ ἡ Ἐκκλησία μας δέν ἐνδείκνυται νά ἀδρανήσει, ἀλλά πρέπει νά καθορίζει τήν πορεία καί τήν στρατηγική της, διότι ὁ χρόνος τρέχει καί σέ καμμία περίπτωση δέν ἐνδείκνυται νά μείνουμε πίσω. Στόν τομέα δέ αὐτόν τήν πλέον πολύτιμη συμβολή ἀποτελεῖ ἀδιαμφισβητήτως τό παρόν ἔργο τοῦ Σεβασμιωτάτου Ἀρχιεπισκόπου Μεθοδίου.

Δρ ΓΕΩΡΓΙΟΣ ΚΡΙΠΠΑΣ

Εὐρωενωσιακόν Δελτίον, 1994. Τεῦχος 284, τόμ. 33.

IL PATRIARCA DI VENEZIA

Venezia, 6 agosto 1991

Eccellenza,

ho ricevuto il volume "The ecclesiastical diversification of the greeks and the latins" e La ringrazio di cuore.

Il Signore ci aiuti a camminare sulla strada dell'unità e Le doni grazia e consolazione.

+ Marco Cé, patr.

A Sua Eccellenza
Dr. METHODIOS FOUYAS
9, Riga Ferraiou Str.
GR-152 32 KHALANDRI
(Grecia)

ΑΔΕΛΦΟΤΗΣ ΘΕΟΛΟΓΩΝ
"Ο ΣΩΤΗΡ"
ὁδὸς Ἰσαύρων 42
ΑΘΗΝΑΙ (706)
Τηλ. 622-108

Ἐν Ἀθήναις τῇ 27ῃ Φεβρουαρίου 1991

Σεβασμιώτατον
Ἀρχιεπίσκοπον πρ.Θυατείρων
Κύριον κ. Μεθόδιον

ΕΝΤΑΥΘΑ

Σεβασμιώτατε,

Ἐγενόμεθα κάτοχοι τοῦ νέου ὀγκώδους ἔργου τῆς Ὑμετέρας Σεβασμιότητος "ΕΛΛΗΝΕΣ ΚΑΙ ΛΑΤΙΝΟΙ", τό ὁποῖον καί πάλιν ἐν ἀγάπῃ πολλῇ μᾶς ἀπεστείλατε, ἐκφράζομεν δέ διά τῆς παρούσης τάς θερμάς ἡμῶν εὐχαριστίας διά τήν πρόφρονα ἀποστολήν.

Ἐπίκαιρον τό ἔργον διά τήνἐποχήν μας,λόγῳ τῶν διεξαγομένων Διαλόγων καί τῶν κινδύνων πού διαγράφονται εἰς τόν ὁρίζοντα διά τήν'Ορθοδοξίαν καί τόν Ἑλληνισμόν.Εὐχόμεθα ἐκ ψυχῆς,ὅπως ὁ Κύριος εὐλογήσῃ τούς πολλούς κόπους τῆς Σεβασμιότητός Σας διά τήν συγγραφήν του καί ἀποδώσῃ καρπούς πολλούς ἐπ'ἀγαθῷ τῆς Ὀρθοδοξίας καί τοῦ Ἔθνους.

Ἐπί τούτοις,ἐκζητοῦμεν τάς εὐχάς τῆς Ὑμετέρας Σεβασμιότητος καί ἀσπαζόμεθα τήνδεξιάν Αὐτῆς

μετά βαθυτάτου σεβασμοῦ
Διά τήν Ἀδελφότητα Θεολόγων "Ὁ Σωτήρ"

Ἀρχιμ. Γεώργιος Δημόπουλος

ΕΛΛΗΝΕΣ ΚΑΙ ΛΑΤΙΝΟΙ

Ἡ ἐκκλησιαστική ἀντιπαράθεση τῶν δύο λαῶν

Σταθήκαμε μέ ἰδιαίτερο ἐνδιαφέρον στό «ψάξιμο» ἑνός νέου βιβλίου πού μᾶς ἦλθε πρόσφατα ἀπ' τήν Ἀθήνα. Τό φυλλομετρήσαμε μέ προσοχή κοιτάζοντας τά περιεχόμενά του ἀπ' τούς προλόγους μέχρι τούς ἐπιλόγους. Ἀκόμα ἐξετάσαμε τίς πηγές καί βοηθήματα, τίς σημειώσεις, τά εὑρετήρια, τούς χάρτες πού δημοσιεύονται. Μέ λίγα λόγια, «φάγαμε» τό βιβλίο, ὅπως θά λέγαμε στήν κοινή καθομιλουμένη γλώσσα.

Καί ὁμολογοῦμε ὅτι ἐντυπωσιασθήκαμε. Πρόκειται περί σπουδαίου βιβλίου. Ἔργου ὥριμου καί ὁλοκληρωμένου.

Μιλᾶμε ἀσφαλῶς γιά τήν ἱστορική καί θεολογική μελέτη τήν ἀναφερόμενη στίς ποικίλες φάσεις τῶν ἐκκλησιαστικῶν σχέσεων τῶν Ἑλλήνων καί Λατίνων πού συνέγραψε καί ἐξέδωσε ὁ Ἀρχιεπίσκοπος πρ. Θυατείρων δρ. Μεθόδιος Γ. Φούγιας.

Τό ἔργο εἶναι καρπός πολύχρονης καί βαθυστόχαστης μελέτης. Ἀνατέμνει δέ καί ἀνιχνεύει ἐξ ἁπαλῶν ὀνύχων ἕνα θέμα καυτό καί καίριο γιά τόν Ἑλληνισμό καί γιά τή μοίρα του μέσα στόν ἱστορικό χρόνο. Ἐξετάζει τήν κρίσιμη ἐποχή γιά τόν Βυζαντινό Ἑλληνισμό ἀπό τήν ἐποχή τοῦ Μεγάλου Φωτίου μέχρι τῆς Συνόδου τῆς Φλωρεντίας. Δηλ. ἀπό τό 858 ἕως τό 1439. Μιλάει γιά τίς συγκρούσεις μεταξύ Ρώμης καί Κωνσταντινούπολης. Γιά τήν ὁριστική ρήξη τῶν δύο Ἐκκλησιῶν. Μπαίνει σέ λεπτομέρειες - τεκμηριωμένες - γιά τίς συναντήσεις καί διαμάχες τῶν Καρδιναλίων μέ τούς Ἀρχιεπισκόπους. Ἀναλύει τούς χαρακτῆρες, τίς ἀντιδράσεις, τίς συμπάθειες καί τίς ἀντιπάθειές τους. Μιλάει γιά τίς Σταυροφορίες, τίς συνέπειές τους καί, τέλος, τήν τραγωδία τῆς Ἑλληνικῆς Ἐκκλησίας πού συμπαρέσυρε στὸν ὄλεθρο ὁλόκληρη τήν Αὐτοκρατορία καί τόν Βυζαντινό πολιτισμό.

Ὁ συγγραφέας, μέ τό βιβλίο του αὐτό, εἶναι σάν νά ὑψώνει κραυγή ἐναγώνια, φωνή πόνου καί ἀγανάκτησης ἐνάντια σ' ἐκείνη τήν παγερή ἀδιαφορία πού ἔδειξαν ἐκεῖνα τά χρόνια οἱ ἄνθρωποι τοῦ Βατικανοῦ ἀπέναντι στήν ἀπειλούμενη τότε Ἐκκλησία (- κράτος) τῆς Κωνσταντινούπολης. Ὁ ἀντίλαλος τῆς κραυγῆς (γιά τήν ἐποχή ἐκείνη) φτάνει στίς μέρες μας, ὅπου - ὕστερα ἀπό τόσους αἰῶνες - ἀκόμα ὁ μοιραῖος γιά τή φυλή καί τή θρησκεία μας ἴδιος ἐχθρός πιέζει ἀσφυκτικά τό Φανάρι καί τήν Κύπρο. Καί κατ' ἀντανάκλαση ὁλόκληρο τόν Ἑλληνισμό.

Κάπου ὑποβόσκει ἡ ὑποψία ὅτι ἐκείνη ἡ θεληματική ἀδιαφορία καί ὁ ὑποκριτισμός του τότε Πάπα καί τῶν ἰσχυρῶν ἀνθρώπων τοῦ Βατικανοῦ ἐπικρατεῖ καί τώρα, παρά τά «ἀδελφικά» φιλήματα καί τίς διακηρύξεις γιά τήν ἕνωση τῶν Ἐκκλησιῶν...

ΙΑΚ. ΓΙΑΚΟΥΜΑΤΟΣ*

* Ταχυδρόμος, Λονδῖνο, Μάϊος 1991.

ΒΙΒΛΙΟΚΡΙΣΙΑΙ

Μεθοδίου Γ. Φούγια, Ἀρχιεπισκόπου πρ. Θυατείρων, ΕΛΛΗΝΕΣ ΚΑΙ ΛΑΤΙΝΟΙ, Ἀθῆναι 1990, σσ. 502.

Ἕνα κατ' ἐξοχήν ἐπίκαιρο ἔργο, πού ἀσφαλῶς θά ἀφήσει ἐποχή στά θεολογικά, καί ὄχι μόνο, Γράμματα, πρόσφερε στό ἀναγνωστικό κοινό ὁ Σεβ. Ἀρχιεπίσκοπος πρ. Θυατείρων καί Μ. Βρεταννίας κ. Μεθόδιος Γ. Φούγιας. Ὁ πλήρης τίτλος τοῦ ὀγκώδους αὐτοῦ ἔργου εἶναι: «Ἡ ἐκκλησιαστική ἀντιπαράθεσις Ἑλλήνων καί Λατίνων ἀπό τῆς ἐποχῆς τοῦ Μεγάλου Φωτίου μέχρι τῆς Συνόδου τῆς Φλωρεντίας, 858-1439», ὁ δέ ὑπότιτλος: «Ἱστορική καί θεολογική Μελέτη ἀναφερομένη στίς ποικίλες φάσεις τῶν ἐκκλησιαστικῶν σχέσεων τῶν δύο λαῶν».

Ἡ θεολογική καί ἱστορική βαρύτητα τοῦ ἔργου ἐπισημαίνονται ἀπό τό σύντομο ἀλλά περιεκτικό καί εὔστοχο Πρόλογο τοῦ Σεβ. Μητροπολίτου Ἀττικῆς κ. Δωροθέου, ὁ ὁποῖος τό χαρακτηρίζει «πραγματική ἐκκλησιαστική καί ἐθνική κυψέλη ἐπικαίρως κατασκευασθεῖσα» (σ. 8), «πρός μείζονα ἐθνικήν, θεολογικήν καί ἐκκλησιαστικήν ὠφέλειαν» (σ. 9). Ὁ σ. ἐξ ἄλλου δίνει τό στίγμα τῆς σπουδαίας συγγραφῆς του μέ ὅσα ὑπογραμμίζει στήν Εἰσαγωγή (σσ. 17-26): Ὁ λόγος πού τόν ὁδήγησε νά καταπιαστεῖ μέ τό θέμα εἶναι «ἡ βαθειά κρίσις πού διέρχεται σήμερα ὁ Ἑλληνισμός καί κατά συνέπεια καί ἡ Ἐκκλησία του. Ἡ κρίσις αὐτή θυμίζει τίς περιπέτειες τοῦ Βυζαντίου ἀπό τό 12ο ὥς τό 15ο αἰώνα, ὅταν οἱ Ἕλληνες, κάθε φορά πού ἐμφανιζόταν κάποιος κίνδυνος στήν αὐτοκρατορία, εὕρισκαν πρόχειρη λύσι γιά βοήθεια στή Δύσι» (σ. 17).

Γιά νά καταφέρω -ὅπως ἐλπίζω- νά μεταφέρω ἀρτιότερα τό πνεῦμα τοῦ Σεβ. συγγραφέα, παραθέτω μερικά ἀποσπάσματα ἀπό τήν Εἰσαγωγή. Ἡ «πρόχειρη λύσι», γιά τήν ὁποία ἔγινε ἤδη λόγος, χρησιμοποιεῖται καί στίς ἡμέρες μας· «πρόχειρη καταφυγή μας εἶναι ἡ Εὐρώπη, ἡ ὁποία μαγειρεύει ὅλα τά συμφέροντά μας σύμφωνα μέ τά δικά της προγράμματα. Δέν μποροῦμε νά διαδραματίσουμε κανένα ρόλο, γιατί οὔτε μᾶς ἐρωτοῦν οὔτε μποροῦμε νά παρέμβουμε, ἐπειδή εἴμαστε ἀκατατόπιστοι καί ἀνίσχυροι. Μέ τέχνη προσπαθοῦν οἱ δυνάμεις τῆς Εὐρώπης νά ἐξευρωπαΐσουν τήν πρωτοευρωπαία Ἑλλάδα καί νά τήν εὐθυγραμμίσουν μέ τή ζωή τῶν εὐρωπαϊκῶν λαῶν στά ἤθη καί τά ἔθιμα, καί ἀκόμη καί στά ἐκκλησιαστικά θέματα στά ὁποία ἔχει βάλει τή σφραγίδα της ἡ Ρωμαϊκή Ἐκκλησία καί ὁ Προτεσταντισμός.. Σ' ἐκεῖνα πού ἀρνήθηκαν οἱ πατέρες μας νά ὑποταγοῦν, χάριν τῆς ἀλήθειας καί τῆς ἀξιοπρέπειάς μας, ἐμεῖς μέ κρυφό καί φανερό τρόπο παραδινόμαστε γιά νά κερδίσουμε μερικά ἀγαθά πού στήν πραγματικότητα εἶναι μέσα ἐξαγορᾶς καί ναρκωτικά ἀτονίας» (σσ. 17-18).

Ὁ σ. παρουσιάζει «τή συνεχῆ ἱστορική ὁδό πού ἀκολούθησε ἡ ἑλληνική πολιτεία καί κατ' ἀνάγκη καί ἡ Ἐκκλησία στό Βυζάντιο, ἀπό τό Μέγα

Φώτιο καί τό Μιχαήλ Κηρουλάριο ὥς τή σύνοδο τῆς Φλωρεντίας, μιά ὁδό ἀγώνων γιά ἀνεξαρτησία καί ἀξιοπρέπεια καί περαιτέρω μιά ὁδό καθόλου τιμητική γιά τόν Ἑλληνισμό καί φυσικά καί γιά τήν Ἐκκλησία μας. Πρόκειται περί ἐποποιΐας, δράματος καί τραγωδίας...» (σ. 18-19).

Οἱ ἱστορικές αὐτές διαπιστώσεις μᾶς βοηθοῦν «ν' ἀντιληφθοῦμε πώς ἀπό τούς ξένους δέν πρέπει νά περιμένουμε σωτηρία, ἐάν ἐμεῖς οἱ ἴδιοι ὡς Ἔθνος καί ὡς Ἐκκλησία δέν κρατήσουμε τήν ἐκκλησιαστική καί πολιτική κληρονομιά μας» (σ. 19).

Ὁ Σέβ. συγγραφέας χρησιμοποιεῖ μέ τρόπο ἐξαντλητικό ὅλες τίς πηγές καί τά ἀξιολογότερα βοηθήματα τῆς περιόδου, περί τῆς ὁποίας ἡ μελέτη. Δέν κάνει, ὅμως, ξηρή παράθεση στοιχείων. Γιατί, κατά τή ρήση τοῦ μεγάλου ἱστορικοῦ Σπυρ. Ζαμπέλιου, «ἱστορία δέν εἶναι ἡ ἀφήγηση γεγονότων, ἀλλά ἡ ἑρμηνεία τους». Τό ἴδιο κάνει καί ὁ Σεβ. πρ. Θυατείρων κ. Μεθόδιος. «Προσπαθῶ, γράφει, χωρίς πάθος, μέ τήν ἔρευνα καί τήν ἑρμηνεία τῶν ἐκκλησιαστικο-πολιτικῶν γεγονότων... νά παρουσιάσω τήν ὑφή τῶν ἱστορικῶν καί θεολογικῶν προβλημάτων πού ἔφεραν τούς Ἕλληνες καί τούς Λατίνους σέ ἐκκλησιαστική ἀντιπαράθεσι, μέ προφανῆ σκοπό νά συμβάλω, κατά τό δυνατόν, ὥστε νά μή ἐπαναληφθοῦν ἀπό τό ἕνα μέρος οἱ ἀτελεύτητες παγίδες καί ἀπό τό ἄλλο οἱ λιποταξίες, στίς ὁποῖες ἀπό τὴν ἐποχή τῶν Συνόδων τῆς Λυῶνος καί τῆς Φλωρεντίας «ἀναδείχθηκαν» πολλοί» (σ. 21).

Προσπαθώντας νά δώσει τήν ἑρμηνεία τῶν ὅσων συνέβησαν γράφει, μέν «μέ βάσι τά γεγονότα» ἀλλά τά ἑρμηνεύει «μέ τήν πεῖρα ἀπό τήν ἀρχιερατική (του) ζωή καί ἀπό τίς πολυχρόνιες καί πολύπλευρες διεκκλησιαστικές συναναστροφές του» (σ. 22).

Στή μελέτη ἐξετάζονται μέ πληρότητα καί οἱ τέσσερις «σταθμοί» τῆς ἐκκλησιαστικῆς ἀντιπαραθέσεως Ἑλλήνων καί Λατίνων: ἡ ρήξη Φωτίου καί Νικολάου, ἡ σύγκρουση Μιχαήλ Κηρουλαρίου καί Λέοντος Θ', οἱ σταυροφορίες μέ κατάληξη τή Σύνοδο τῆς Λυῶνος, καί ἡ Σύνοδος τῆς Φλωρεντίας. Συνοπτικά ἀναφέρει (σ. 22) ὅτι «Ὁ Φώτιος μέ τή μεγάλη μόρφωσί του, ἀντιμετώπισε τή λατινική ἀπειλή στή Βουλγαρία καί τήν Ἑλληνική Ἐκκλησία διπλωματικώτατα, ἐνῶ ὁ Μιχαήλ ὁ Κηρουλάριος, μέ ἀνυποχώρητο σθένος, ὑποστήριξε τά συμφέροντα τῶν Ἑλλήνων στήν Κάτω Ἰταλία. Ἡ Σύνοδος τῆς Λυῶνος φανέρωσε τά συμπτώματα τῆς κάμψεως τοῦ ἑλληνικοῦ μεγαλείου, μετά ἀπό τίς ἀπάνθρωπες σταυροφορίες, καί ἡ Σύνοδος τῆς Φλωρεντίας σφράγισε τήν ἀναπόφευκτη παρακμή του».

Ὁ σ. ἑστιάζει τήν προσοχή του καί στά κύρια αἴτια τῆς ἀντιπαραθέσεως Ἑλλήνων καί Λατίνων, ὅπως εἶναι τό παπικό Πρωτεῖο, οἱ ἑλληνικές ἐπαρχίες στήν Κάτω Ἰταλία, ὁ Οὐνιτισμός καί τό Filioque. Τά αἴτια αὐτά εἶχαν πάντοτε ὡς σκοπό «τόν ἐκλατινισμό τῆς Ἑλληνικῆς Ἐκκλησίας καί τήν ὑποταγή τῶν Ἑλλήνων στούς Λατίνους καί τούς Φράγκους» (σ. 23), ἐπέτυχαν δέ τήν ἀπώλεια τῆς πολιτικῆς ἀνεξαρτησίας τῶν Ἑλλήνων, τήν ἁρπαγή ἐκ μέρους τοῦ πάπα τῆς ἐξουσίας, πού ἀνήκει στό σύνολο τῆς Καθολικῆς Ἐκκλησίας, τὴν καταρράκωση τῆς ἀρχῆς τῆς πατριαρχικῆς Πενταερχίας καί ἐπέτεινε τίς συνέπειες τῆς πτώσεως τῆς ΚΠόλεως.

Ὁ Σεβ. πρ. Θυατείρων κ. Μεθόδιος, ὅπως σημειώθηκε ἤδη, δέν ἀρκεῖται στίς διαπιστώσεις καί στήν ἑρμηνεία τῶν γεγονότων. Στοχεύει στό νά τονίσει καί νά τονώσει τήν αὐτοσυνειδησία, τήν αὐτοπεποίθηση καί τήν ἐκκλησιαστική καί πολιτιστική αὐτάρκεια τῶν Ἑλλήνων, γιατί αὐτές εἶναι «βασικές προϋποθέσεις γιά νά συναντήσουμε μαζί μέ τούς Σλάβους πάλι τούς Λατίνους καί τούς Φράγκους τῆς Εὐρώπης, μέσα σέ κλίμα ἀμοιβαίου σεβασμοῦ τῶν πνευματικῶν κατακτήσεων καί χωρίς συμβιβασμούς σέ βασικά θέματα τῆς ὑπάρξεώς μας, τά ὁποία στό παρελθόν μᾶς ὡδήγησαν σέ ἔχθρες καί συμφορές» (σ. 26).

Καί τώρα, λίγα λόγια καί γιά τή δομή τοῦ ὀγκώδους ἔργου: Ἐκτός ἀπό τούς Προλόγους τοῦ Σεβ. Ἀττικῆς κ. Δωροθέου καί τοῦ συγγραφέα, τίς Συντομογραφίες καί τήν Εἰσαγωγή, ἀκολουθοῦν τά Πέντε Μέρη τῆς Μελέτης, μέ τούς τίτλους: Α' Ἡ Ἑλληνική Ἀνατολή καί ἡ Λατινική Δύσις (σσ. 27-92). Β' Ἡ ἐποποιία τῆς Ἑλληνικῆς Ἐκκλησίας (ἡ σύγκρουσις Ρώμης - Κωνσταντινουπόλεως, σσ. 93-175). Γ' Ἡ ὁριστική ρῆξις Ρώμης - Κωνσταντινουπόλεως (σσ. 177-260). Δ' Ἡ κάμψις τῶν Ἑλλήνων (τό δράμα τῆς Ἑλληνικῆς Ἐκκλησίας, σσ. 261-293). Ε' Ἡ τραγωδία τῆς Ἑλληνικῆς Ἐκκλησίας καί οἱ πρωταγωνιστές αὐτῆς (σσ. 295-430). Ἕπονται: Ἐπίλογος (σσ. 431-441) μεστός νοημάτων καί συμπερασμάτων, Conclusion (ἐπίλογος στήν ἀγγλική, σσ. 443-452), Πηγές καί βοηθήματα (σσ. 453-477), Εὑρετήριον ὀνομάτων (σσ. 479-491) καί συγγραφέων (σσ. 492-496), Περιεχόμενα καί πίνακες εἰκόνων, φωτογραφιῶν καί χαρτῶν, πού στολίζουν τό βιβλίο καί βοηθοῦν τόν ἀναγνώστη στήν κατανόηση ὡρισμένων γεγονότων.

Φρονῶ, ταπεινά, ὅτι τό ἔργο εἶναι χρήσιμο νά μελετηθεῖ ἀπό ὅλους τούς πνευματικούς -ἐκκλησιαστικούς καί πολιτικούς - οἰκονομικούς - ἡγέτες, οἱ ὁποῖοι διαχειρίζονται τήν ἐξουσία καί ἔχουν ἁρμοδιότητα νά λαμβάνουν ἀποφάσεις, εἴτε στό πεδίο τῶν Διεκκλησιαστικῶν σχέσεων, εἴτε στή σφαίρα τῆς πολιτικῆς καί οἰκονομικῆς συνεργασίας Ἑλλάδος - χωρῶν τῆς Εὐρωπαϊκῆς Κοινότητος. Ἔχουν πολλά νά συνειδητοποιήσουν, πολλά νά προλάβουν, πολλά νά διορθώσουν στήν πορεία τῆς Ἑλλάδος πρός τή λατινική Δύση, δηλαδή τήν Ρωαμιοκαθολική καί Προτεσταντική Ε.Ο.Κ.

ΕΥΑΓΓΕΛΟΣ Π. ΛΕΚΚΟΣ

Περιοδικό Ἐ**κκλησία**, 15 Νοεμβρίου - 1 Δεκ. 1991.

KURIA METROPOLITALNA
W KRAKOWIE

Kraków, August 6, 1991

Your Excellency:

His Eminence Cardinal Franciszek Macharski, Archbishop of Kraków, has received your book entitled: The Ecclesiastical Diversification of the Greeks and the Latins.

He wishes to express his gratitude for your kindness.

With profound respect, I am

Sincerely yours in Christ,

P. Andrzej Fryźlewicz

Rev. Andrzej Fryźlewicz
Secretary to the Cardinal

Prof. Dr. Methodios Fouyas
9, Riga Ferraiou Str.
GR - 152 32 Khalandri
Greece

Il Cardinale Arcivescovo di Bologna

Eccellenza Reverendissima,

con gesto di devoto omaggio, Ella ha voluto cortesemente inviarmi il volume, da Lei curato: "THE ECCLESIASTICAL DIVERSIFICATION OF THE GREEKS AND THE LATINS".

Desidero esprimerLe i sentimenti della mia sincera gratitudine, per questo dono veramente gradito.

Con l'occasione voglia accogliere l'espressione del mio distinto ossequio e il mio cordiale saluto in Cristo.

Bologna, 1 agosto 1991.

+ Giacomo Biffi

+ Giacomo Biffi
Cardinale Arcivescovo

Sua Ecc.za Rev.ma
Dr.Methodios Fouyas
9,Riga Ferraiou Str.
GR - 152 32 KHALANDRI
GREECE

«ΕΛΛΗΝΕΣ ΚΑΙ ΛΑΤΙΝΟΙ»

Τό τελευταῖο βιβλίο τοῦ Ἀρχιεπισκόπου Πρ. Θυατείρων καί Μεγ. Βρετανίας κ. Μεθοδίου

Σύντομη παρουσίαση ἀπό τόν κ. Δημ. Κούσιο Δρα
Πολιτικό Μηχανικό - Αν. Ὑπάλληλο ΕΟΚ

Οἱ Ἅγιες μέρες τοῦ Πάσχα καί ἡ ἔντονη ἐπίδραση ἀπό τό διάσπαρτο λατρευτικό μεγαλεῖο δικαιολογοῦν μιά ἀνάγκη γιά αὐτοέλεγχο καί περισυλλογή, μιά ἀναζήτηση λύσης στά αὐθυπαρξιακά προβλήματα πού κατά καιρούς μᾶς ἀπασχολοῦν ὅλους. Ἀναμφισβήτητα, κρατώντας κανείς ἕνα πόνημα πεντακοσίων σελίδων - ὅπως εἶναι τό τελευταῖο βιβλίο τοῦ Ἀρχιεπισκόπου Μεθοδίου - πιστεύει ὅτι μπορεῖ νά δίνει λύσεις σέ τέτοια προβλήματα.

Μ' αὐτές τίς σκέψεις ξεκίνησε ὁ γράφων τήν ἀνάγνωση τοῦ βιβλίου γιά ν' ἀφοσιωθεῖ ἀμέσως μετά στή λεπτομερειακή ἐξερεύνησή του, ἀποκομίζοντας ἔτσι γνώσεις, συμπεράσματα καί ἐμπειρίες πού δύσκολα μποροῦν νά ταξινομηθοῦν καί νά παρουσιαστοῦν στό σημερινό μας ἀναγνώστη.

Ἡ βαθειά κρίση πού διέρχεται σήμερα ὁ Ἑλληνισμός τῆς Ἑλλάδας, τῆς Εὐρώπης, τοῦ κόσμου ὁλόκληρου - καί κατά συνέπεια καί ἡ ἑλληνική Ἐκκλησία, εἶναι ὁ βασικός λόγος πού ὁδήγησε τόν κ. Μεθόδιο στή συγγραφή αὐτοῦ τοῦ ἔργου. Μέ τόν ἀπέριττο τίτλο «Ἕλληνες καί Λατίνοι» προσπαθεῖ χωρίς πάθος καί προκατάληψη ἀλλά μέ τήν ἔρευνα καί τήν ἑρμηνεία τῶν ἐκκλησιαστικο-πολιτικῶν γεγονότων νά παρουσιάσει τήν ὑφή τῶν ἱστορικῶν καί θεολογικῶν προβλημάτων, ἀπό τούς πρώτους αἰῶνες τοῦ Χριστιανισμοῦ μέχρι σήμερα, πού ἔφεραν τούς Ἕλληνες καί τούς Λατίνους, σέ ἐκκλησιαστική ἀντιπαράθεση. Παραδέχεται εἰλικρινά ὁ ἴδιος ὅτι δέν ἔχει πρόθεση νά γράψει ἱστορία - τό ἐπιτυγχάνει ὅμως θαυμάσια - ἀλλά νά ἐντοπίσει τά αἴτια μιᾶς μακρόχρονης (καί ὁριστικῆς;) κρίσης στίς ἐκκλησιαστικές σχέσεις Ἑλλήνων καί Λατίνων πού ἀναμφίβολα ἀποβλέπουν στόν «ἐκλατινισμό» τῆς ἑλληνικῆς Ἐκκλησίας, ἄν ὄχι καί στήν ὑποταγή της στούς Φραγκο - Λατίνους.

Ἡ ὅλη προσπάθεια τοῦ κ. Μεθοδίου μπορεῖ νά ἰσχυριστεῖ κανείς ὅτι περιστρέφεται στήν ἑρμηνεία των, γνωστῶν βέβαια στούς εἰδήμονες, γεγονότων τά ὁποία ἄν καί ἔχουν ἐκκλησιαστικό χαρακτήρα εἶναι μιά συνεχής ἀντιπαραβολή τῶν δύο λαῶν. Εἶναι μιά προσπάθεια πού ἔχει σκοπό νά ἀποφευχθεῖ τυχόν ἐπανάληψή τους τόσο στίς ἀτελεύτητες παγίδες ὅσο καί στίς λιποταξίες πού ὁδήγησαν βασιλιάδες ἀρχιερεῖς καί λόγιους ἀπό τό «ὀρθόδοξο σέ χριστιανικό μέν ἀλλά λατινικό στρατόπεδο».

Εἶναι ἐπιγραμματικά λιτός ὁ εἰσαγωγικός τίτλος «Δύο κόσμοι - Μία Ἐκκλησία» ἀλλά εἶναι ἐντυπωσιακά πλούσια ἡ ἔρευνα καί ἐπιχειρηματολογία πού ἐπικαλεῖται ὁ συγγραφέας μέ τήν εὐρεία Παιδεία του, ἀπό τόν Ἀριστοτέλη μέχρι τόν Πατριάρχη Γρηγόριο, γιά νά θεμελιώσει τίς ἀναντίρρητα αἰσιόδοξες γιά τό μέλλον τῆς ἑλληνικῆς Ἐκκλησίας πεποιθήσεις του.

Πόση δύναμη, ἐθνική πίστη καί πατριωτισμό δέν κρύβει ἡ σκέψη του ὅτι «... οἱ Ἕλληνες ξεκίνησαν ἀπό τή φιλοσοφία καί στάθμευσαν στή Θεολογία, ἐνῶ οἱ Λατίνοι ἄρχισαν ἀπό τή Θεολογία καί φιλοσοφοῦν...».

Σέ ὅλη τή μετέπειτα ἀνάλυση τοῦ ἔργου του ὁ κ. Μεθόδιος εἶναι ἔκδηλο ὅτι θεωρεῖ τήν Ἐκκλησία ὡς βασικό παράγοντα στή ζωή τῶν προηγμένων λαῶν καί ὡς ἰδιαίτερο συντελεστή στήν περιφρούρηση τῶν ἐθνικῶν, ἠθικῶν καί πνευματικῶν συμφερόντων τοῦ Ἑλληνισμοῦ. Δέν τάσσεται μονόπλευρα ὑπέρ ἀλλά ἐπισημαίνει λάθη καί ἀναγνωρίζει ἀδυναμίες. Κυρίως ὅμως παραθέτει στοιχεῖα. Ἔτσι μεταξύ ἄλλων:

- Ἀναλύει τίς τέσσερεις (τίς ὁποῖες, ὅπως σημειώνει ὁ συγγραφέας, ὁ Πατριάρχης Φώτιος, ἀνέβασε σέ πέντε καί ὁ Μιχαήλ Κηρουλάριος σέ εἴκοσι τρεῖς) βασικές διαφορές Ἑλλήνων καί Λατίνων, δηλαδή τό «Φιλιόκβε», τά ἄζυμα, τό καθαρτήριο πύρ καί τό Πρωτεῖο τοῦ Πάπα.
- Ἐρευνᾶ τά αἴτια ἀλλά καί κυρίως κρίνει τά ἀποτελέσματα τῶν Σταυροφοριῶν (1095-1204).
- Ἐπιτελεῖ ἀξιοσημείωτη ἀναδρομή στήν ἱστορική ἐξέλιξη τῆς Κωνσταντινούπολης.
- Παρουσιάζει τά κύρια σημεῖα ἀλλά καί τά συμπεράσματα τῶν ἑκάστοτε Συνόδων.
- Περιγράφει τό φαινόμενο τοῦ «Οὐνιτισμοῦ», τό ὁποῖο παραδέχεται ὅτι ἀποτελεῖ τήν ἰσχυρότερη ἔκφραση τῆς ἐκκλησιαστικῆς ἀντιπαραβολῆς Ἑλλήνων καί Λατίνων καί κατ' ἐπέκτασιν τῆς Ὀρθόδοξης καί Ρωμαιοκαθολικῆς Ἐκκλησίας.

Σ' αὐτή τή μακρόχρονη ἀναδρομή τῶν ἱστορικῶν στοιχείων εἶναι φανερό πώς οἱ Ἕλληνες ξεπέρασαν τούς φοβερούς Σταυροφόρους καί τούς Ἑνετούς, βρέθηκαν ἐξασθενημένοι ἀπό τή συνεχῆ ἀντιπαράθεση μέ τούς Λατίνους καί ὑπετάγησαν μακρόχρονα στούς Τούρκους ὁπότε καί συνεχίστηκε ἡ καταλήστευση τοῦ Ἑλληνικοῦ Μεγαλείου ἀπό τούς Φράνκους. Μέ πόση πικρία διαπιστώνει ὁ κ. Μεθόδιος ὅτι ὅλες αὐτές οἱ συμφορές δέν ἔχουν ἐπαρκῶς διδάξει τούς Ἕλληνες, γι' αὐτό ἀκόμη καί σήμερα «βαρβαρίζουν, καί λατινίζουν, καί ξενίζουν ἤ εὐρωπαΐζουν δουλικῶς». Ἔτσι ὁ Ἑλληνισμός καί φυσικά καί ὁ ἑλληνικός Χριστιανισμός, μέρα μέ τή μέρα χάνει ἀπό τούς θησαυρούς τῆς πίστης, ἀποδεσμεύεται ἀπό τήν παράδοση, συσχηματίζεται πρός τόν κόσμο, ἀποτιμᾶται, συρρικνώνεται καί ἀκόμα παραδίδεται σέ εὔκολες λύσεις, πού ἐπιπλέον μειώνουν τό ὅποιο αἴσθημα τοῦ Φιλελληνισμοῦ.

Ἄς μή ξεχνᾶμε ὅτι ὁ Φιλελληνισμός τῆς Εὐρώπης ἀποτελοῦσε στήν ἀρχή τοῦ περασμένου αἰώνα, τήν πρώτη ἔμπρακτη ἐκδήλωση τῆς Εὐρωπαϊκῆς Ἰδέας καί τῆς Εὐρωπαϊκῆς Ἑνότητας. Ἡ ἑλληνική συμβολή στήν υἱοθέτηση καί οἰκοδόμηση τῆς Εὐρωπαϊκῆς Ἑνότητας «φυλορρόησε» ἐνδεχομένως ἀπό πολλές σύγχρονες ἀδυναμίες, ἀλλά πολύ εὔστοχα ὁ συγγραφέας σημειώνει ὅτι οἱ Ἕλληνες ὑπῆρξαν πάντα - καί ἐξακολουθοῦν νά εἶναι - «παπόφιλοι» ἀλλά ὄχι «παπόδουλοι».

Στή σύγχρονη ἀπειλή τῆς ἔνταξης τῆς μουσουλμανικῆς Τουρκίας στή Χριστιανική Εὐρώπη εἶναι ἀναγκαία, ἐπιτακτική καί ὁπωσδήποτε ἐφικτή, μιά προσέγγιση Ἑλλήνων, Λατίνων, Φράγκων καί Σλάβων, ὥστε ὅλοι μαζί νά προσφέρουν στό σημερινό Χριστιανικό Εὐρωπαϊκό κόσμο τήν ἐλπίδα, τήν εἰρήνη, τήν εὐημερία. Ὁ Ἀρχιεπίσκοπος Μεθόδιος στό ἐπίπονο σύγγραμμά του δείχνει νά τό πιστεύει καί ἐμεῖς μέ τή σειρά μας, συμπαραστάτες του πλέον, ἁπλά καί εἰλικρινά τοῦ εὐχόμαστε νά τό πετύχει.

ΔΗΜΗΤΡΙΟΣ ΚΟΥΣΙΟΣ

Εὐρωπαρατηρητής, Βρυξέλλες Ἀπρ. 1991

ΒΙΒΛΙΟΠΑΡΟΥΣΙΑ
ΕΛΛΗΝΕΣ ΚΑΙ ΛΑΤΙΝΟΙ
Μεθοδίου Γ. Φούγια
Ἀρχιεπισκόπου Πρ. Θυατείρων

Πρίν λίγες μέρες ἔλαβα τό βιβλίο μέ τόν πιό πάνω τίτλο, δῶρο τοῦ συγγραφέα.

Στίς πεντακόσιες (500) σελίδες του, μέ τήν πλούσια βιβλιογραφία, ἐκθέτει ὅλα τά γεγονότα, πού συντελέσανε στό σχίσμα τῶν ἐκκλησιῶν, σύμφωνα μέ τίς ἱστορικές πηγές πού μέ ἐπιμέλεια καί προσοχή σχολιάζει.

Τό βιβλίο δέν ἀφορᾶ μόνο τούς θεολόγους καί τούς ἱστορικούς, ἀλλά ὅλους τούς χριστιανούς τῆς ὀρθόδοξης ἀνατολῆς. Σήμερα, ἐν ὄψει τῆς Εὐρωπαϊκῆς ἕνωσης, γίνεται τό βιβλίο αὐτό ἰδιαίτερα ἐπίκαιρο καί χρήσιμο. Στίς σελίδες τοῦ βιβλίου ὁ κάθε στοχαστικὸς ἀναγνώστης θά διδαχθεῖ ἀρκετά γιά τά αἴτια πού προκάλεσαν τό χωρισμό τῶν ἐκκλησιῶν καί θ' ἀποκτήσει τίς γνώσεις πού θά τοῦ ἐπιτρέψουν, νά κρίνει μέ βάσιμα στοιχεῖα τή συμπεριφορά τῆς χριστιανικῆς Δύσης ποτισμένης μέ τήν ἰδέα τῆς θρησκευτικῆς ὑπεροχῆς (παπικό προβάδισμα) καί τῆς κοσμικῆς ἐξουσίας.

Μέ μεγάλη ἄνεση καί ἀκρίβεια μᾶς μεταφέρει στό κλίμα τῆς ἐποχῆς κι ἔτσι μόνο μποροῦμε ν' ἀντιληφθοῦμε τήν οὐσία τῶν πραγμάτων, ἐντάσσοντάς τα στά ἱστορικά πλαίσια τῆς ἐποχῆς του.

Ὁ λόγος τοῦ συγγραφέα δομημένος στέρεα, ρίχνει στά γεγονότα ἄπλετο φῶς. Ἡ προσπάθειά του μέ ἀντικειμενική κριτική νά δώσει τά ἱστορικά γεγονότα στόν ἀμύητο ἀναγνώστη, ἔτσι ὥστε νά γίνει κατανοητό, μέσα σέ ποιά ἠθική καί πολιτική συγκυρία διαμορφώθηκαν οἱ αἰτίες τοῦ σχίσματος, ἀπόλυτα ἐπιτυχημένη.

Ὑπάρχουν μερικές συναρτήσεις γεγονότων πού μέ ἱστορική νομοτέλεια ἐπαναλαμβάνονται σέ μικρότερες ἤ μεγαλύτερες χρονικές περιόδους καί μέ μικρές μόνο ἐπιφανειακές ἀλλαγές.

Τό βιβλίο εἶναι ἕνα ἀπόκτημα τῆς Χριστιανικῆς ἀνατολῆς, πού γιά νά ἀποδώσει καρπούς θά πρέπει νά μεταφραστεῖ τουλάχιστο στίς τρεῖς πιό συνηθισμένες εὐρωπαϊκές γλῶσσες καί νά μπεῖ στίς βιβλιοθῆκες ὅλων τῶν εὐρωπαϊκῶν Πανεπιστημίων καί Κοινοβουλίων. Γιά τήν Ἑλλάδα εἶναι δῶρο ἐξ οὐρανοῦ, τώρα πού πασχίζει μέ τίς μικρές της δυνάμεις νά συνυπάρξει μέ τούς εὐρωπαϊκούς κολοσσούς.

Τώρα εἶναι ἡ ὥρα πού πρέπει νά βγοῦμε ἀπ' τή ραστώνη μας, νά μελετήσουμε, νά μάθουμε σωστά τήν ἱστορία μας, τήν ἰδεολογικοπολιτική καί τή θρησκευτική ταυτότητά μας.

Ἔτσι θωρακσιμένοι ἠθικά καί πνευματικά δέν θά πᾶμε «ξυπόλυτοι στ' ἀγκάθια» ὅπως φοβᾶται ὁ Ἀττικῆς Δωρόθεος πού προλογίζει τό βιβλίο.

Ὁ συγγραφέας, σεμνός ἱεράρχης, ἔχει ἐπιτελέσει ἕναν πνευματικό ἆθλο. Μακάρι νά βρεθοῦν κι ἄλλοι ταγοί τοῦ ἰδεολογικοῦ καί κοινωνικοῦ μας γίγνεσθαι νά γράψουν ἀνάλογα βιβλία στό χῶρο τους, βασισμένα σέ ἀδιάβλητα ἱστορικά ντοκουμέντα, ἔτσι ὥστε νά πλουτιστεῖ ἡ ἑλληνική πνευματική φαρέτρα καί ὁ ἠθικός ὁπλισμός τοῦ ἕλληνα, γιά νά βαδίσει σωστά στόν καινούργιο δρόμο τῆς ἑνωμένης Εὐρώπης.

Σεβαστή Χαβιάρα - Καραχάλιου
Διδάκτωρ ὀφθαλμίατρος
Πρόεδρος Ἱδρύματος
Κορινθιακῶν Μελετῶν

Πορεία, 1991.

Μιά ἀδέσμευτη φωνή

Ὁ Σεβ. Μητροπολίτης Πισιδίας κ. Μεθόδιος εἰς συνέντευξίν του διά τήν παροῦσαν ἐκκλησιαστικήν κρίσιν εἰσηγήθη **νηφαλιότητα** καί χρῆσιν τῆς ἐκκλησιαστικῆς **οἰκονομίας,** διά νά ἐξέλθη ἡ Ἐκκλησία μας ἀπό τό ἀδιέξοδον. Ἐπειδή οἱ σκέψεις τοῦ ἁγίου Πισιδίας τυγχάνουν κοινῆς ἀποδοχῆς, αναδημοσιεύομεν ἐδῶ μικρόν σχόλιον, ἐπειδή πρέπει οἱ προτάσεις του νά ἐπανεξεταστοῦν. Τό σχόλιον ἐδημοσιεύθη εἰς τήν ἐφημερίδα «ΑΥΡΙΑΝΗ» τήν Πέμπτη 19 Αὐγούστου 1993, εἰς τό ὁποῖον μεταξύ ἄλλων τονίζονται καί τά ἑξῆς:

«ΔΥΟ κυριακάτικες ἐκδόσεις τῶν ἐφημερίδων «Ἐλεύθερος Τύπος» καί «Ἀπογευματινή» τῆς 15 Αὐγούστου, ἀσχολήθηκαν μέ τό πρόσωπο ἑνός ἄξιου ἱερωμένου, πού ἀποτελεῖ ὑπόδειγμα στόν ἐκκλησιαστικό χῶρο τῆς Ὀρθόδοξης Ἐκκλησίας μας.

Ἡ πρώτη ἐφημερίδα φιλοξένησε βαρυσήμαντη συνέντευξη τοῦ πρώην ἀρχιεπισκόπου Θυατείρων καί Μεγάλης Βρετανίας κ. Μεθόδιου Φούγια, ὁ ὁποῖος εἶπε πάρα πολύ ἀξιόλογα πράγματα γιά τή διαμάχη στήν ἑλληνική Ἐκκλησία, τονίζοντας ὅτι «στόν... ἐμφύλιο δέν ὑπάρχουν νικητές καί νικημένοι».

Ἡ δεύτερη ἐφημερίδα «Ἀπογευματινή», στό ἐγκυκλοπαιδικό ἔνθετό της γιά τούς πρωταγωνιστές τῆς Ἑλλάδας τοῦ 20οῦ αἰώνα, ἀφιερώνει τρεῖς ὁλόκληρες σελίδες γιά τήν προσωπικότητα καί τό ἔργο, ἐπιστημονικό, ἐκκλησιαστικό, κοινωνικό τοῦ Μεθόδιου, φιλοξενώντας ἀπόψεις διεθνῶς ἀναγνωρισμένων προσωπικοτήτων γιά τό Μεθόδιο Φούγια, στόν ὁποῖο ἀφιερώθηκε τό 1985 ὁλόκληρος τόμος «Ἀξώμη - Θυάτειρα».

Δέν εἶναι φυσικά δυνατόν στό μικρό αὐτόν χῶρο νά ἀναπτυχθεῖ ἡ πολυσχιδής προσωπικότητα τοῦ τέως ἀρχιεπισκόπου. Ἐγώ, ἐδῶ θά ἀναφέρω ἁπλά κάτι πού δέν τονίστηκε οὔτε ἀπό τόν ἴδιο, ἀλλά καί οὔτε εἶδε τό φῶς τῆς εὐρείας δημοσιότητας. Ὁ Μεθόδιος Φούγιας εἶναι ὁ μοναδικός ἱεράρχης, πού παύθηκε τηλεγραφικά ἀπό τόν ἀρχιεπισκοπικό του θρόνο στή Μεγάλη Βρετανία, μέ ἀναπολόγητη ἀπόφαση τοῦ Πατριάρχη Δημητρίου καί χωρίς νά κληθεῖ σέ ἀπολογία....»

Ὀρθ. Τύπος 3.10.1993

ΙΕΡΑ ΑΡΧΙΕΠΙΣΚΟΠΗ ΑΥΣΤΡΑΛΙΑΣ
GREEK ORTHODOX ARCHDIOCESE OF AUSTRALIA

242 CLEVELAND ST., REDFERN, SYDNEY, N.S.W. 2016, AUSTRALIA. • PHONE: (02) 698-5066 • FAX No. (02) 698-5368

Sydney 6-3-91

[illegible]

[illegible]

DISTRICT OFFICES:

VICTORIA—TASMANIA
221 Dorcas Street,
South Melbourne, Victoria, 3205
Tel: (03) 696-2488 Fax: (03) 696-3583

SOUTH AUSTRALIA — N. TERRITORY
533 Anzac H'way,
Glenelg, S.A. 5045
Telephone: (08) 295-3866

QUEENSLAND — NEW GUINEA
P.O. Box 620
South Brisbane QLD. 4101
Telephone: (07) 397-4786

WEST AUSTRALIA
3 Conto Ave.,
Dianella W.A. 6062
Tel. (09) 276-4500

Bodleian Library
UNIVERSITY OF OXFORD

Please reply to Foreign Accessions
Department of Printed Books

ajp

Dr Methodios Fouyas
9, Riga Ferraiou str.
152 32 KHALANDRI
Greece

4 September 1992

Dear Dr Fouyas,

Through your kindness over the years, we have been able to build up a very good collection of your publications. I don't think we hav a copy of your 1990 work on Greeks and Latins, unless it is published in Greek and we have not been able to identify it.

Please would you send us full bibliographical details of this book so that we can be sure we do not already have it. At the same time we would be very grateful for a complete list of your publications if this is available, so that we can order any that we lack. We will, of course pay for the cost of anything we order, including postage.

Hoping to hear from you in due course,

Yours sincerely

Amanda Peters

Amanda Peters
Assistant Librarian

Bodleian Library
Broad Street, Oxford OX1 3BG
Telephone OXFORD (0865) 277000
Telex 83656 Fax (0865) 277182

DR. HANS HERMANN GROËR
Erzbischof von Wien

ROTENTURMSTRASSE 2
A-1010 WIEN
TEL. 51 5 52

Wien, am 23. Juli 1991

Hochgeschätzter Herr Erzbischof,

größte Überraschung bereitet mir Ihre so kostbare Gabe, die Widmung der von Ihnen verfaßten Kirchengeschichte "Griechen und Lateiner". Der Kirchengeschichte seit vielen Jahrzehnten außerordentlich interessiert zugetan, habe ich schon viel über "Photius und danach" gelesen, studiert – und bedauern müssen.

Umso erfreulicher ist mir Ihre so liebenswürdige Aufmerksamkeit. Ich hatte im Gymnasium einen hervorragenden Griechischunterricht, weshalb es mir leicht fällt, den griechischen Urtext Ihres Werkes zu lesen. Nochmals herzlichen Dank!

Hier in Wien verbindet die Häupter der griechisch-orthodoxen Christen und der römisch-lateinischen Katholiken eine nicht nur höflich gute, sondern zutiefst freundschaftliche, gesegnete Beziehung. Es wäre wunderschön, könnten Sie, Exzellenz, einmal hierherkommen und mein Gast sein, zumindest in einer Begegnung mit Metropoliten Tsiter, seinem Koadjutor Staikos und mir die eine, heilige, katholische und apostolische Kirche liebend suchen – über leider so manche Grenzen, Hindernisse und Unterschiede hinweg.

in Christus ergebener

+ Hans H. Card. Groër

Sr. Exzellenz
dem hochwürdigsten Herrn
Erzbischof Dr. Methodios Fouyas

9, Riga Ferraiou Str.
Khalandri
GR-152 32 Athen

ΥΠΟΥΡΓΕΙΟ ΕΘΝΙΚΗΣ ΑΜΥΝΑΣ
ΥΠΟΥΡΓΟΣ

Αθήνα 20 Φεβρουαρίου 1991

Σεβασμιώτατο
Αρχιεπίσκοπο Πρ. Θυατείρων
κ.κ. Μεθόδιο
Ρήγα Φεραίου 9
152 33 - ΧΑΛΑΝΔΡΙ

Σεβασμιώτατε,

Έλαβα το βιβλίο σας "Έλληνες και Λατίνοι" το οποίο είχατε την ευγενή καλοσύνη να μου στείλετε και σας ευχαριστώ πολύ.

Δεχθείτε, Σεβασμιώτατε, τα πιό θερμά μου συγχαρητήρια για την τόσο αξιόλογη προσφορά σας προς την Ορθοδοξία και την διατήρηση της πολιτισμικής μας ταυτότητος, προσφορά η οποία αποκτά ιδιαίτερη σημασία ενόψει της πολιτικής ενώσεως της Ευρώπης.

Με ιδιαίτερα αισθήματα

ΙΩΑΝΝΗΣ Μ. ΒΑΡΒΙΤΣΙΩΤΗΣ

Ἀρχιεπισκόπου... ΜΕΘΟΔΙΟΥ (ΦΟΥΓΙΑ), Ἡ ἐκκλησιαστικὴ ἀντιπαράθεσις Ἑλλήνων καὶ Λατίνων ἀπὸ τῆς ἐποχῆς τοῦ μεγάλου Φωτίου μέχρι τῆς συνόδου τῆς Φλωρεντίας, 858-1439. Ἀθῆναι (Επτάλοφος Α.Β.Ε.Ε.) 1990. Σελ. 501.

Nei confronti di libri come questo è necessario, anche se doloroso, essere chiari.

L'intento reale è quello di una (facile) propaganda; le citazioni a conferma potrebbero essere innumerevoli. Tra l'altro colpisce (anche se non sorprende) la virulenza manifestata contro le chiese cosiddette 'uniate' e la supposta politica vaticana (odierna) (p. 450).

Non resta che prendere atto del clima ancora ben attestato in certi ambienti, come questo (lussuoso) libro prova. Come ciò si concili con la — pur ufficialmente non contraddetta — volontà di dialogo, non sempre traspare.

Ma il punto più delicato del libro, e della ideologia soggiacente, è da individuare nell'identificazione della Chiesa ortodossa (e, quindi, 'della' Chiesa *tout court*) con l'*ethnos greco* come tale, (pp. 446-447). Eppure, l'Apostolo già spiegava che in Cristo non c'è più né giudeo né greco (Rm 10,12)... senza parlare dell'autenticità *cristiana* di una tale adesione al cristianesimo. È chiaro che si tratta qui — e merita tutto il rispetto — di un problema d'identità profonda di un popolo che sta vivendo un'evoluzione rapida e impegnativa; ma da questo a farne 'il' problema della 'vera' Chiesa (così a p. 452, in finale) il passo non è ovvio, neppure per molti greci.

In conclusione: opere come questa, frutto di zelo degno di miglior causa, non danno alcun aiuto ad un progresso della verità e dell'amore; quale che sia l'intenzione di chi scrive (certamente retta, da un punto di vista soggettivo), lasciano il tempo che trovano, quando non fanno danni.

M. Paparozzi

ΑΡΙΣΤΟΤΕΛΕΙΟ ΠΑΝΕΠΙΣΤΗΜΙΟ
ΘΕΟΛΟΓΙΚΗ ΣΧΟΛΗ
ΑΝ. ΚΑΘΗΓΗΤΗΣ : ΑΘ. Ε. ΚΑΡΑΘΑΝΑΣΗΣ

Θεσσαλονίκη 10 Μαρτίου 1991

Σεβασμιώτατε,

Ἐλάβομεν ἐσχάτως, φροντίδι τῆς Ε. Δ. Λιάλιου, τὸ περισπούδαστον σύγγραμμά Σας ΕΛΛΗΝΕΣ ΚΑΙ ΛΑΤΙΝΟΙ, χρήσιμον ἅμα καὶ διδακτικόν, κατὰ τὰς ἡμέρας μας, καὶ διὰ τὸν ἐπιστήμονα, ἀλλὰ καὶ διὰ πάντα ἀνήσυχον Ρωμηόν. Ὡς καθηγητὴς τῆς Ἱστορίας τοῦ Ἑλληνισμοῦ ἡ μετριότης μου χρησιμοποιεῖ συχνὰ τὸ βιβλίον αὐτό, περιέχον τόσας πικρὰς ἀληθείας καὶ ἀκόμη, πιστότερον, πικρότερα διδάγματα. Ἡ ἀξία τοῦ συγγράμματός Σας εἶναι δὲ μεγαλυτέρα, καθ' ὅσον προέρχεται ἐξ ἀνδρὸς διακεκριμένου ἐκκλησιαστικοῦ, ὡς ἡ Ὑμετέρα Σεβασμιότης, καὶ πεῖραν ἔχοντος τῶν Φράγκων, διότι φρονῶ ὅτι τὰ θέματα θεωροῦνται διαφορετικῶς (ἐνίοτε δὲ μέχρι παρεξηγήσεως καὶ ἀγνοίας) ὑπὸ τῆς θύραθεν καλουμένης ἱστοριογραφίας. Σᾶς εὐχαριστῶ, ἅπαξ ἔτι, διὰ τὴν πνευματικὴν εὐψυχίαν ἣν ἀπολαμβάνομεν ἐκ τοῦ ἔργου Σας αὐτοῦ καὶ κατασπαζόμενος τὴν δεξιάν Σας διατελοῦμεν

ὑμέτερος

Α. Καραθ.

Ὑστερόγραφον. Φροντίδι μου ἐδόθη ἀντίτυπον τοῦ αὐτοῦ ἔργου εἰς τὸν κ. Α. Βακαλόπουλον, παλαιόν μου καθηγητὴν καὶ σεβαστὸν φίλον, ὅστις καὶ κατασυγκινήθη ἐκ τῆς φιλικῆς προσφορᾶς Σας. Idem

ΠΑΝΑΓΙΩΤΗΣ ΣΙΜΩΤΑΣ
ΚΑΘΗΓΗΤΗΣ ΠΑΝΕΠΙΣΤΗΜΙΟΥ
Σκουφᾶ 11
Πλατ. Κολωνακίου
106 73 'Αθῆναι

'Εν 'Αθήναις τῇ 15ῃ Μαρτίου 1991

Σεβασμιώτατον Δρα
'Αρχιεπίσκοπον π.Θυατείρων
καί Μεγάλης Βρεταννίας
Κύριον Μ ε θ ό δ ι ο ν
Χαλάνδριον 'Αττικῆς

Σεβασμιώτατε,

Ἔλαβον μετά πολλῆς χαρᾶς τό περισπούδαστον σύγγραμμάα Σας "'Η ἐκκλησιαστική ἀντιπαράθεσις 'Ελλήνων καί Λατίνων ἀπό τῆς ἐποχῆς τοῦ Μεγάλου Φωτίου μέχρι τῆς Συνόδου τῆς Φλωρεντίας, 858-1439", καί σπεύδω νά Σᾶς εὐχαριστήσω θερμότατα διά τήν πρόφρονα ἀποστολήν τούτου.

'Εκ τῶν ὅσων μέχρι τοῦδε ἀνέγνωσα εἰς τό ὀγκωδέστατον αὐτό ἔργον Σας,διεπίστωσα ὅτι παρουσιάζετε παραστατικῶς τούς ὀτηρούς ἀλλά καί εὐκλεεῖς ἀγῶνας,τούς ὁποίους διεξήγαγον ἡ κατά 'Ανατολάς 'Εκκλησία καί ὁ 'Ελληνισμός κατά τῶν ὑπεναντίων καί ὅτι σχολιάζετε λίαν ἐπιτυχῶς τά γεγονότα τῆς ἐποχῆς περί τήν ὁποίαν ἀσχολεῖσθε.

Σᾶς συγχαίρω διά τόν σεβασμόν καί τήν ἀφοσίωσίν Σας πρός τήν 'Εκκλησίαν Κωνσταντινουπόλεως,ἀλλά καί διά τήν ἀντικειμενικότητα καί τήν παρρησίαν Σας. 'Εκφράζω δέ τόν θαυμασμόν μου καί διά τήν τόλμην τήν ὁποίαν ἐκδηλώνετε,ἰδίως εἰςτά σημεῖα ἐκεῖνα, εἰς τά ὁποῖα προβαίνετε εἰς θλιβεράς διαπιστώσεις διά τόν καθ' ὅλου καί τόν καθ' ἡμᾶς Χριστιανισμόν.

Εὔχηθῆτε,Σεβασμιώτατε,ὅπως μή ἐπαναληφθοῦν λάθη τοῦ παρελθόντος,καί δυνηθῇ ἡ 'Εκκλησία μας νά συμβάλῃ εἰς τήν διατήρησιν τῶν ἐκκλησιαστικῶν καί πολιτιστικῶν μας παραδόσεων.

'Επί δέ τούτοις διατελῶ πάντοτε

Μετά σεβασμοῦ,τιμῆς καί ἀγάπης

Παναγιώτης Σιμωτᾶς

Ἀντώνιος-Αἰμίλιος Ν. Ταχιάος
Καθηγητὴς Πανεπιστημίου
Ἔδισον 6
54640 Θεσσαλονίκη

30 Ἀπριλίου 1991

Σεβασμιώτατε Ἅγιε Πισιδίας, Χριστὸς ἀνέστη!

Πλῆθος ἀσχολιῶν καὶ ταξιδίων δὲν μοῦ ἔδωσαν τὸν χρόνον, ὥστε ἐγκαίρως νὰ σᾶς εὐχαριστήσω διὰ τὴν ἀποστολὴν τοῦ περισπουδάστου ἔργου σας «Ἡ ἐκκλησιαστικὴ ἀντιπαράθεσις Ἑλλήνων καὶ Λατίνων». Ἐν τῷ μεταξὺ ἐπληροφορήθην λίαν εὐχαρίστως καὶ τὴν εἰς Μητροπολίτην Πισιδίας ἀνάδειξίν σας, διὰ τὴν ὁποίαν, παρακαλῶ, νὰ δεχθῆτε τὰ ἐγκάρδια συγχαρητήριά μου. Τοιουτοτρόπως ἡ δραστηρία προσφορά σας τίθεται καὶ πάλιν εἰς τὴν ὑπηρεσίαν τῆς Μεγάλης τοῦ Χριστοῦ Ἐκκλησίας.

Λυποῦμαι διότι δὲν κατώρθωσα νὰ ἀνταποκριθῶ εἰς τὴν εὐγενῆ πρόσκλησίν σας νὰ συγγράψω ἄρθρον διὰ τὸν Μέγαν Φώτιον. Πιστεύσατε ὅτι ὡς πρόεδρος δύο ἐπιστημονικῶν ἱδρυμάτων εἶμαι λίαν ἐμπερίστατος.

Καὶ πάλιν εὐχαριστῶ καὶ συγχαίρω θερμότατα.

Μετὰ βαθέος σεβασμοῦ

Ταχιάος

Ἔδισον 6, Θεσσαλονίκη 363

18.4.91

† Ο ΜΗΤΡΟΠΟΛΙΤΗΣ ΔΗΜΗΤΡΙΑΔΟΣ
ΧΡΙΣΤΟΔΟΥΛΟΣ

Χριστὸς Ἀνέστη.

Σεβασμιώτατε καὶ ἀγαπητὲ ἐν Χριστῷ
Ἀδελφὲ Μητροπολῖτα Πισιδίας κ. Μεθόδιε,

Σᾶς εὐχαριστῶ θερμῶς γιὰ τὴν φιλόφρονα καὶ εὐγενικὴ προσφορά τοῦ νέου καρποῦ τῆς συγγραφικῆς σας, τοῦ τόμου "Ἕλληνες καὶ Λατῖνοι". Τὸ βιβλίο σας αὐτό, ἕνας ὕμνος πρὸς τὴν ὀρθόδοξη ἀνατολικὴ συνοδικότητα, προκαλεῖ δυνατότερες αὐτοσυνειδησίας καὶ τονίζει, μὲ ἐνάργεια, τὰ χαρακτηριστικὰ γνωρίσματα τῆς Ἐκκλησίας μας, τὴν προσφορά της καὶ τὴ σχέση της πρὸς τὴ παπική δύση, ἐνῶ τὰ συμπεράσματά σας συνιστοῦν σαφῆ ὑπογράμμιση τῆς γνησιότητος τῆς παραδόσεώς μας. Σᾶς συγχαίρω ἀδελφικῶς καὶ εὔχομαι, μὲ τὴν ἀγάπη τοῦ Ἀναστάντος Κυρίου μας, νὰ ἔχετε δύναμιν παρὰ Θεοῦ καὶ ἐνίσχυσιν πρὸς συνέχισιν τῆς προσφορᾶς σας εἰς τὴν Ἐκκλησίαν.

Μετ' ἀγάπης
[signature]

(313) 293-5310

ΕΘΝΙΚΟΝ ΒΗΜΑ

(313) 294-7335

National Greek Tribune

32618 Bunert Dr.

"Michigan's Oldest Greek Bi-Weekly Newspaper"
Established 1920
ADVERTISING

Warren, MI 48093

JAMES LAGOS
Publisher & Editor-in-Chief

Γουώρρεν Μίσιγκαν 30 Απριλίου 1991

Σεβασμιώτατε Μητροπολίτη
κ.κ. Μεθόδιο Πισιδίας

Λυπούμαι πού καθυστερημένα σάς απαντώ, είς τήν χαρμόσυνον επιστολή σας, διότι απουσίαζα μέ τήν κυρία μου Μαρία είς τήν Φλώριδα, τό Ταρπον Σπρίνγν. Επειτα μεσολάβησε καί χρονικόν διάστημα νά εξασφαλίσω τό Βιβλίον τής Αρχιεπισκοπής από τήν Νέα Υόρκη, πού σάς στέλλω εσωκλείστως.

Είς αυτό θά βρήτε πολλά ενδιαφέροντα ονόματα, εφημερίδων, οργανώσεων, Επισκόπων, κοινοτήτων, ιεραρχών καί λοιπά.

Διά τά νέα καθήκοντα, επειτα από τήν σχετική δοκιμασία σας, ώς Μητροπολίτης Πισιδίας, μετά τής κυρίας μου σάς εκφράζομεν τά θερμότερα συγχαρητήριά μας, ευχόμενοι ολόθερμα νά βρεθή κάποια ευκαιρία δι'ανώτερα καθήκοντα Αρχιεπισκόπου , μέ υγείαν, χαράν καί θεάρεστον ικανοποίηση.

Διά νέα μας, σάς πληροφορούμεν, ότι ολοταχώς αφελληνιζόμεθα. Σέ πολλές εκκλησίες, ήλειτουργία γίνεται κατά τό ήμισυ Ελληνικά καί Αγγλικά, σ'άλλες μιά φορά τόν μήνα Αγγλικά καί σ'άλλες όλα Αγγλικά. Επειτα από πενήντα χρόνια, δέν νομίζομεν νά υπάρχουν Ελληνικές Ορθόδοξες εκκλησίες, παρά μόνον Αμερικανικές. Τίποτε δέν μπορεί νά αλλάξει τήν κατάσταση, διότι οί Μικτοί γάμοι έχουν φθάσει στά 90 τοίς εκατόν καί οί ομιλούντες τήν Ελληνική γλώσσα διαρκώς λιγοστεύουν. Τά διαζύγια καί αυτά πολλαπλασιάζονται.

Διά τό μεγαλειώδες σύγγραμμά σας "Ελληνες καί Λατίνοι, σάς συγχαίρομεν εγκαρδίως, διότι ή Χάρις τού Κυρίου, σάς εμπνέει βαθυστόχαστα μέ αξιέπαινα αποτελέσματα.

Σάς παρακαλώ τελικώς, όπως έχω τήνα απάντηση διά τήν λήψι τού βιβλίου.

Μέ τίς θερμότερες ευχές μέ τήν σύζυγό μου Μαρία

Διατελώ

Μετά τού προσήκοντος σεβασμού

Ο Διευθυντής

Αδαμάντιος Αθ. Λαγόπουλος

Ἕνα νέο ὀγκῶδες περισπούδαστον σύγγραμμα τοῦ Ἀρχιεπισκόπου Μεθοδίου πρ. Θυατείρων καί Μ. Βρεττανίας

Δέν ἀποκρύπτομεν ὅτι μέ συγκίνηση ἐλάβαμεν τό νέον ὀγκῶδες σύγγραμα ἀπό τήν Ἀθήνα τοῦ Ἀρχιεπισκόπου Μεθοδίου πού σήμερα θεωρεῖται ἐκ τῶν κορυφαίων ἱεραρχῶν τῆς Ὀρθοδοξίας.

Παρ' ὅλην τήν καθυστέρηση τοῦ ταχυδρομείου - ἐλαβομεν τό νέον σύγγραμμα τοῦ ὀτρητοῦ ἐργάτου τῆς Ὀρθοδοξίας πρίν λίγες μέρες - μᾶς πλημμύρισε μέ χαρά ἡ νέα ἐπικοινωνία πού μᾶς ἔφερε τό σύγγραμα τοῦτο, μέ τόν Ἀρχιεπίσκοπο Μεθόδιο πρ. Θυατείρων καί Μεγάλης Βρετανίας.

Μᾶς ἔβαλε ὅμως σέ σκέψεις καί διερωτώμεθα πώς εἶναι δυνατόν ἕνας κορυφαῖος ἱεράρχης μέ τόσην πνευματικήν ἀκτινοβολίαν μέ συγγραφήν 57 τόμων νά βρίσκεται στό περιθώριο τῆς δράσης; Καί μᾶς θυμίζει τήν περίπτωσή του ἐκείνην τοῦ Ἁγίου Νεκταρίου.

Ὁμολογοῦμεν ὅτι εἴχαμεν ἀπελπισθεῖ μέ τήν σιωπήν τοῦ Μεγάλου αὐτοῦ Ἱεράρχου. Γι' αὐτό μᾶς πλημμύρισε χαρά ὅταν ἐλάβομεν τόν ὀγκώδη τόμον μέ τίτλον «ΕΛΛΗΝΕΣ ΚΑΙ ΛΑΤΙΝΟΙ».

Ἕνα σύγγραμα πού πρέπει νά διαβάσουν ὅλοι οἱ ἀσχολούμενοι μέ τά προβλήματα τῆς Ὀρθοδοξίας καί τῆς ἑνώσεως. Κανείς δέν ἔχει ἀντίρρηση γιά μιά ἕνωση τῶν Ἐκκλησιῶν. Ἐφόσον αὐτή εἶναι ἡ ἐπιθυμία τοῦ Κυρίου Ἡμῶν Ἰησοῦ Χριστοῦ. Ἀλλά νά μή ἀπαρνηθῶμεν τίς ἀρχές μας ὡς ὀρθόδοξοι.

Ἐμεῖς βέβαια δέ μποροῦμεν νά κρίνωμεν τό σύγγραμα ἀπό θεολογικῆς ἀπόψεως. Ὅμως δημοσιεύομεν τόν πρόλογον τοῦ βιβλίου πού γράφει ὁ Μητροπολίτης Ἀττικῆς κ. Δωρόθεος Γιανναρόπουλος.

Ἀπό τόν πρόλογο αὐτό πολλά συμπεράσματα καί σκέψεις μπορεῖ νά ἐξαγάγει ὁ ἀναγνώστης.

Ὁ Ἀρχιεπίσκοπος Μεθόδιος πρ. Θυατείρων καί Μ. Βρεττανίας μέ τήν ἔκδοσι αὐτή τήν ὁποίαν ἔχομεν ἀνά χείρας πλουτίζει τήν βιβλιοθήκην τῆς Ὀρθόδοξης Ἐκκλησίας μέ ἕνα σύγγραμα πού εἶναι θησαυρός καί τιμᾶ τόν ἴδιο ἀλλά καί τήν Ὀρθόδοξη Ἐκκλησία τοῦ Ἁγίου Μάρκου ἐκ τῶν κόλπων τῆς ὁποίας προέρχεται.

Σωκράτης ΠΑΤΕΡΑΣ

Ἐφημερίδα «**Φῶς** τοῦ Καΐρου», 6 Ἀπριλίου 1991

ΥΦΥΠΟΥΡΓΟΣ
ΕΘΝΙΚΗΣ ΠΑΙΔΕΙΑΣ ΚΑΙ ΘΡΗΣΚΕΥΜΑΤΩΝ

Αθήνα 21 - 2 - 1991

Σεβασμιώτατον
Αρχιεπίσκοπον Μεθόδιον
Ρ.Φερραίου 9
Χαλάνδρι

Σεβασμιώτατε,

Ευχαριστώ πολύ για το βιβλίο σας "ΕΛΛΗΝΕΣ και ΛΑΤΙΝΟΙ"

Το περιεχόμενο αυτού του βιβλίου αποτελεί την θετικότερη μέχρι τώρα παρέμβαση σε ένα θέμα που αποτελεί και πρέπει να αποτελεί αντικείμενο συνεχούς μελέτης και ενδιαφέροντος.

Πάντα υπήρχε μιά περίπλοκη σχέση μεταξύ των δύο Εκκλησιών και σήμερα η ιστορική ανάλυση της σχέσης αυτής είναι τελείως απαραίτητη μιάς και η Ορθόδοξη Εκκλησία έρχεται να παίξει τον ρόλο της στα πλαίσια της Ευρωπαϊκής Ενοποίσης.

Η ανάλυση αυτή γίνεται ακόμη πιό σημαντική με τις εξελίξεις στο χώρο της Ανατολικής Ευρώπης όπου έρχονται πάλι "αντιμέτωπες" οι δύο εκκλησίες.

Η πληρότητα της ανάλυσης της Εκκλησιαστικής αντιπαράθεσης Ελλήνων και Λατίνων μου δίνει την βεβαιότητα ότι το σύγγραμμά σας θα βοηθήσει τα μέγιστα την πολιτική ηγεσία και τους διπλωμάτες μας στην καλύτερη ιστορική θεώρηση των σχέσεών μας με τους λαούς της Ευρώπης.

Βρίσκομαι σε αταξία με τον αδελφό σας γιατί δεν έχω καταφέρει να επικοινωνήσω μαζί του. Πάντως έλαβα το μήνυμά του, πριν φύγω για την Κωνσταντινούπολη και έπραξα τα δέοντα.

Εύχομαι ο Θεός να σας δίνει υγεία, μακροημέρευση και διαυγές πνεύμα για το καλό της Ορθόδοξης Εκκλησίας και του ' Εθνους μας.

Με βαθύτατο σεβασμό

ΚΑΛΛΙΟΠΗ Α. ΜΠΟΥΡΔΑΡΑ

Methodios G. Fouyas, *L'opposition ecclésiastique entre Grecs et Latins, de l'époque de Photius le Grand au concile de Florence (858-1439). Étude historique et théologique des diverses phases des relations ecclésiastiques entre les deux peuples* [en grec]. Athènes, sans éd., 1990. 501 p. 25 × 18,5.

Dans cette longue étude, l'archevêque Méthodios retrace, d'un point de vue orthodoxe, l'histoire de quatre crises majeures dans les relations, à la fois nationales et ecclésiastiques, entre l'Occident latin et l'Orient grec. Les deux premières crises sont celles que l'on appelait, du côté catholique, les schismes de Photius (869-880) et de Michel Cérulaire (1054). Selon l'auteur, ces patriarches de Constantinople ne firent que défendre l'indépendance de leur Église, le premier contre l'ingérence des missionnaires francs en Bulgarie, le second contre la latinisation des Orthodoxes de l'Italie du Sud par les Normands. Les deux autres crises sont inaugurées par les Croisades et elles culminent lors des conciles de Lyon (1274) et de Florence (1439). Du point de vue orthodoxe, ces conciles, que les Catholiques disent d'union, furent, au contraire, la tragédie de l'Église grecque, car les empereurs byzantins et les évêques qui leur étaient dociles sacrifièrent alors la tradition de l'Orthodoxie, dans l'espoir utopique de sauver la nation.

Mgr Méthodios appuie son exposé sur les historiens classiques de l'histoire byzantine et il reproduit des documents intéressants, entre autres des lettres de patriarches et de papes. Il défend la thèse du caractère foncièrement hellénique du christianisme, selon laquelle la foi des premiers chrétiens aurait assimilé l'héritage démocratique de la Grèce profane pour développer un idéal de liberté et de synodalité ecclésiales. L'Église latine elle-même aurait participé de cet hellénisme chrétien, jusqu'à ce qu'au milieu du IVe siècle la papauté reprenne la vieille politique romaine de domination, pour la traduire par la suite sous forme de latinisation et d'uniatisme. Ce genre de présentation contrastée de l'histoire est aujourd'hui fréquent dans l'Orthodoxie grecque. Dans le cas présent, l'auteur veut surtout tirer du passé un avertissement pour ses compatriotes: au moment où l'union européenne menace de faire perdre à la Grèce son identité nationale et ecclésiale, il ne faut pas renouveler les erreurs des anciens latinisants mais, au contraire, réaffirmer les valeurs de l'hellénisme chrétien. Ainsi, espère Mgr Méthodios, «avec notre participation à l'Europe unie, nous 'déseuropéaniserons' et même nous 'orthodoxiserons' l'Europe!» (p. 56).

A. de Halleux

Μεθοδίου Γ. Φούγια, *Ἕλληνες καὶ Λατῖνοι (Ἡ ἐκκλησιαστικὴ ἀντιπαράθεσις Ἑλλήνων καὶ Λατίνων ἀπὸ τῆς ἐποχῆς τοῦ Μεγάλου Φωτίου μέχρι τῆς συνόδου τῆς Φλωρεντίας 858-1439)*. Σχ. 8ον, Ἀθῆναι, 1990, σσ. 501.

Ἔργον ἀξιόλογον ἀπὸ ἱστορικῆς, θεολογικῆς καὶ ἐθνικῆς ἀπόψεως, καθ' ἡμᾶς δὲ βαρυσήμαντον κυρίως ἕνεκα τῶν τελικῶν συμπερασμάτων του, ἀφορώντων εἰς τὸ παρελθόν, τὸ παρὸν καὶ τὸ μέλλον τοῦ Γένους τῶν Ἑλλήνων, ἅτινα διατυποῦνται κατὰ τρόπον εὐθύν, σύντομον, ἐπιτυχῆ, ἐπιγραμματικόν, γενναῖον καὶ ἄνευ περιστροφῶν.

Τὸν συγγραφέα διακρίνει, ἐκτὸς ἄλλων, ἐξαίρετος διεισδυτικὴ ἱκανότης εἰς τὰς μυχίας σκέψεις, τὰ συναισθήματα, ἐνίοτε μικτὰ ἢ καὶ ἀντιφατικά, καὶ τὰ βαθύτερα κίνητρα ἢ ἐλατήρια τῶν προσωπικοτήτων τῆς ἱστορουμένης περιόδου. Ἐντεῦθεν ἡ ἀντικειμενικότης καί, κατὰ κανόνα, ἡ δικαιοσύνη του ἔναντι πάντων καὶ τῶν ἀντιπάλων ἀκόμη. Οὕτω δὲν διστάζει νὰ ἐπαινῇ καὶ νὰ ἀναγνωρίζῃ ὄχι μόνον τὰς ἀγαθὰς προθέσεις ἀλλὰ καὶ τὴν θετικὴν συμβολὴν εἰς τὴν ἐξακρίβωσιν τῆς ἱστορικῆς ἀληθείας καὶ Καθολικῶν συγγραφέων, ὡς π.χ. ὁ Τσέχος F. Dvornik, (*The Photian Schism* κ.ἄ., σσ. 12,18), ἀλλὰ καὶ ὁ Ῥωμαιοκαθολικὸς Ἕλλην Π. Γρηγορίου (*Σχέσεις Καθολικῶν καὶ Ὀρθοδόξων*, σσ. 44,46 κ.ἀ.).

Εἰς ἀφελεῖς ἢ ἀνοήτους καὶ ἐν γένει ἀναξίους καὶ κατωτέρους τῶν περιστάσεων αὐτοκράτορας, ὡς Κωνσταντῖνος Θ΄ ὁ Μονομάχος (1042-1055) ἢ ὁ Μανουὴλ Β΄ (1391-1425) οὐδὲν ἀνευρίσκει ἐλαφρυντικόν. Ἀλλὰ κατανοεῖ ἐν μέρει τὸν προτελευταῖον τῶν Παλαιολόγων Ἰωάννην Η΄ (1425-1448), ὁ ὁποῖος ἐπεδίωκε μὲν ἐπίσης διὰ τοὺς γνωστοὺς λόγους τὴν Ἕνωσιν τῶν Ἐκκλησιῶν, ἐπροστάτευσεν ὅμως τὸν κορυφαῖον τῶν Ἀνθενωτικῶν Μᾶρκον Εὐγενικόν, ἵνα μὴ περιέλθῃ εἰς χεῖρας τῶν ἐχθρῶν του (σσ. 426, 429).

Ἄξιον ἰδιαιτέρας προσοχῆς εἶναι τὸ ἐγκώμιον, ὅπερ διὰ βραχέων πλέκει εἰς τὸν Καρδινάλιον Ἰουλιανὸν Καισαρίνην (Giuliano Cesarini), ἐκ τῶν κορυφαίων ἐκπροσώπων τῶν Λατίνων ἐν τῇ Συνόδῳ τῆς Φλωρεντίας, λαμπρὸν πράγματι ἄνθρωπον καὶ φιλέλληνα, πεσόντα μετὰ τοῦ Λαδισλάου ὑπὲρ τῶν Ἑλλήνων εἰς ἡλικίαν 45 ἐτῶν τῷ 1444 μ.Χ. κατὰ τὴν μάχην ἐν Βάρνῃ. Πληροφορεῖ ὅτι οὗτος ἀπὸ πάμπτωχον προερχόμενος, οἰκογένειαν καὶ ὅλως ἄνευ προστατῶν κατὰ τὴν νεότητά του διατελῶν ἐσπούδαζεν, ἐνῷ παραλλήλως ἐπεδίδετο εἰς χειρωνακτικὰς ἐργασίας πρὸς τὸ ζῆν. Κυρίως παρατηρεῖ τὰ ἑξῆς ὄντως ἐπιγραμματικά· «Ὁ Καισαρίνι ἦταν γιὰ τοὺς Λατίνους ὅ,τι ἦταν γιὰ τοὺς Ἕλληνες ὁ Βησσαρίων. Ὅσο ὅμως κι ἂν ἀγαποῦσε τοὺς Ἕλληνες, δὲν μιμήθηκε τὸ Βησσαρίωνα. Ἔπραξε κάτι ἀνώτερο ἀπ' αὐτόν. Θυσιάστηκε ὑπὲρ τῶν Ἑλλήνων· κι' αὐτὸ πρέπει νὰ τὸ διδαχθοῦν οἱ

Περιοδικό **Παρνασσός**, Λ΄ (1991), σελ. 407-409.

νεώτεροι Ἕλληνες, ἀφοῦ ἐμεῖς οἱ παλαιότεροι δὲν μάθαμε στὰ σχολεῖα μας αὐτὸ τὸ γεγονός».

Ἂς ρίψωμεν ἓν βλέμμα εἰς τὰ τελικά του συμπεράσματα. Ταῦτα διαπνέει ἀγωνιστικότης μὲν καὶ πίστις εἰς τὴν δύναμιν τῆς Ὀρθοδοξίας, ἡ ὁποία οὔτε ὑπέκυψεν οὔτε πιθανώτατα θὰ ὑποταγῇ ποτὲ εἰς τὴν Ῥώμην, καὶ εἰς τὴν ἀποστολὴν τοῦ Ἑλληνικοῦ Ἔθνους· ἀλλὰ καὶ θλῖψις, πικρία, σχεδὸν ὀργὴ διὰ τὴν μοῖραν τοῦ τελευταίου τούτου, ἡ ὁποία θὰ ἠδύνατο νὰ εἶναι ἀσυγκρίτως καλυτέρα, ἂν αἱ ἀτυχίαι του ἦσαν ὀλιγώτεραι ἢ περιέπιπτε εἰς ὀλιγώτερα λάθη ἐν τῷ παρελθόντι. Ἐνῷ σήμερον κατήντησεν ἄνευ σχεδίου ἢ προγράμματος, οἱονεὶ παραπαῖον καὶ ἀνερμάτιστον, νὰ ἀπευθύνεται, ὅπως καὶ κατὰ τὰς περιόδους τῶν Συνόδων τῆς Λυῶνος καὶ τῆς Φλωρεντίας, ζητοῦν βοήθειαν (οἰκονομικὴν καὶ λοιπὴν) καὶ σωτηρίαν πάλιν ἀκριβῶς πρὸς ἐκείνους, οἵτινες ὑπὲρ πάντα ἄλλον συνετέλεσαν εἰς τὴν συντριβὴν καὶ τὴν ταπείνωσίν του, δηλοῦν μάλιστα διὰ τῶν ἐκπροσώπων του, ὅτι «ἀνήκομεν πλέον καὶ ἡμεῖς εἰς τὴν Δύσιν»! Ἰδοὺ μία περικοπή: «Μπορεῖ ἡ Ρώμη νὰ καυχᾶται γιὰ ὅ,τι ἔχει, ἀλλὰ τὸ γεγονὸς ὅτι δὲν ἔχει τὴν Ἀκρόπολι σημαίνει ὅτι στηρίζεται στὸ ἕνα πόδι, στὸ Καπιτώλιο μόνον· τὸ ἄλλο πόδι, ὁ Παρθενώνας, στηρίζει τὴν Ἑλληνικὴ Ἐκκλησία».

Θέτει καὶ ἐρωτήματα, εἰς τὰ ὁποῖα ἀπαντᾷ ἀμέσως ὁ ἴδιος· «Ποῖα εἶναι τὰ πραγματικὰ σχέδια τοῦ Βατικανοῦ γιὰ τὴν Ἀνατολὴ καὶ γιὰ τὴν Ἑλληνικὴ Ἐκκλησία; Φυσικὰ θὰ ἔπρεπε κανεὶς νὰ ἐρωτήσῃ ποῖα εἶναι τὰ σχέδια τῆς Ἑλληνικῆς Ἐκκλησίας πρὸς τὴ Ρώμη καὶ πρὸς τὴν Εὐρώπη. Δὲν χρειάζεται ὅμως νὰ ἐρωτήσῃ κανένας. Ἀπαντῶ ὅτι ἐμεῖς δυστυχῶς δὲν ἔχουμε σχέδια, ἐφ' ὅσον μᾶς βοηθεῖ (συντηρεῖ) ἡ Εὐρώπη, ὅπως συντηροῦσε ὁ Πάπας ὁλόκληρο αὐτοκράτορα καὶ ὁλόκληρο Οἰκουμενικὸ Πατριάρχη καὶ ἄλλους 700 συνοδοὺς στὴ Φερράρα - Φλωρεντία. Ἁπλῶς κουρασμένοι καὶ μουδιασμένοι διάγομεν... Ποῖα εἶναι τὰ σχέδια τῆς Ρώμης ἔναντι τῆς Ἀνατολῆς; Τίποτε δὲν ἔχει ἀλλάξει, ἐκτὸς ἀπὸ τὴ μέθοδο καὶ ἀπὸ τὴ γλῶσσα» (σ. 438). Ταῦτα ἀσφαλῶς λέγονται ὑπὸ τοῦ συγγραφέως κυρίως ἀπὸ θρησκευτικῆς καὶ ἐκκλησιαστικῆς ἀπόψεως. Δυστυχῶς ὅμως ἰσχύουν γενικῶς.

Ἡμεῖς ἐπικροτοῦμεν καὶ ὑπερθεματίζομεν. Ἀλλ' ἂς ἐπιτραπῇ νὰ προβῶμεν ἐνταῦθα εἰς μίαν μόνον παρατήρησιν. Ὁ συγγραφεὺς οὐδαμοῦ κατακρίνει τὸν Βασίλειον Α', ὅστις ἅμα τῇ ἀναρρήσει του ἔσπευσεν εἰς ἄρσιν τοῦ σχίσματος διὰ τῆς ἀμέσου ἐπαναφορᾶς τοῦ Ἰγνατίου. Τοὐναντίον γενικῶς συνάγεται, ὅτι ἐγκρίνεται ἡ τακτική του, ὅπως καὶ ἡ τῶν διαδόχων του, δι' ἧς ἀπεφεύχθη τὸ σχίσμα καθ' ὅλην τὴν διάρκειαν τῆς ἐνδόξου Μακεδονικῆς δυναστείας, παρ' ὅλας τὰς αἰτίας καὶ τὰς ἀφορμάς, ἃς παρεῖχον ἀδιαλείπτως οἱ ἐν τῇ Δύσει. Τοῦτο ἔπρεπεν ἴσως νὰ τονισθῇ περισσότερον (σαφέστερον). Τὸ ὁριστικὸν σχίσμα ἐπῆλθεν, ἀφοῦ ἐξέλιπεν ἡ σειρὰ τῶν λαμπρῶν αὐτοκρατόρων καὶ ἐνῷ οἱ Μεσαιωνικοὶ Ἕλληνες συνῃσθάνοντο ἀκόμη τὴν δύναμιν τῆς προηγηθείσης μεγάλης ἀκμῆς.

Ὁ Κωνστ. Ἄμαντος καὶ ἄλλοι παρετήρησαν, ὅτι ἀφοῦ οἱ τελευταῖοι τῶν αὐτοκρατόρων ἐπεδίωξαν τόσον ἐπιμόνως τὴν ἄρσιν τοῦ σχίσματος, προτιμότερον ἦτο τοῦτο νὰ εἶχεν ἀποφευχθῇ ἐξ ἀρχῆς. Πῶς ὅμως τοῦτο θὰ ἦτο δυνατόν, ἀφοῦ ἡ συμπεριφορὰ καὶ αἱ ἀξιώσεις τῶν Δυτικῶν ἦσαν ὅλως ἀπαράδεκτοι;

Ὅμως οἱ Ἕλληνες θὰ ἠδύναντο, διατηροῦντες εἰς τὸ ἀκέραιον τὰς ἀπόψεις των ἀλλὰ καὶ τὴν ψυχραιμίαν των, νὰ ἀντικρούσουν ἀνυποχωρήτως καὶ σθεναρῶς μὲν ἀλλὰ καὶ μετὰ συνέσεως καὶ ψυχραιμίας τὰς ὄντως αὐθάδεις ἀπαιτήσεις τῶν Λατίνων ἀποφεύγοντες ἐπιμελῶς νὰ παρασυρθῶσιν εἰς ὕβρεις, εἰς ἀναθέματα καὶ ἀφορισμοὺς καὶ μάλιστα οὐ μόνον κατὰ τῶν προσωπικῶς ὑπαιτίων ἀλλὰ κατὰ τοῦ συνόλου τῆς Δυτικῆς Χριστιανοσύνης, ρίπτοντες οὕτως ἔλαιον εἰς τὴν πυρὰν καὶ συντελοῦντες καὶ οἱ ἴδιοι εἰς τὴν ὄξυνσιν, διὰ τῆς ὁποίας τὸ ἀμοιβαῖον μῖσος καθίστατο, βαθύ, ἀδιάλλακτον καὶ τὸ κυριώτερον· μετεδίδετο πλέον ἑκατέρωθεν γοργῶς ἐκ τῆς ἡγεσίας πρὸς ὅλον τὸν λαόν. Οὕτω διεκόπτετο διὰ παντὸς ἡ κοινωνία τῶν δύο μεγάλων Χριστιανικῶν Ἐκκλησιῶν καὶ τὸ χάσμα ἀπέβη ἀγεφύρωτον.

Καὶ ταῦτα καθ' ὃν χρόνον ἀκριβῶς πρὸς τὴν ἀντίθετον κατεύθυνσιν τοῦ ὁρίζοντος παρέμενε πάντοτε ἀνοικτὸν τὸ ἕτερον μέτωπον τῆς Ἀσίας ἢ τῆς Ἀνατολῆς, τῆς ὁποίας ἡ διὰ τοῦ Προφήτου Μωάμεθ ἀπάντησις πρὸς τὸν Μέγαν Ἀλέξανδρον ἀρξαμένη διὰ τῶν Ἀράβων ἐπέπρωτο νὰ ὁλοκληρωθῇ διὰ τῶν Τούρκων, ἀφοῦ ὅμως ἐν τῷ μεταξὺ ἡ Λατινικὴ Δύσις συνετέλεσε τὰ μέγιστα εἰς τοῦτο κυρίως διὰ τῆς Δ' Σταυροφορίας καὶ τῆς Α' Ἁλώσεως.

*

Υ.Γ. Ὁ διαπρεπὴς συγγραφεὺς τοῦ ὡς ἄνω ἔργου σεβασμιώτατος Ἀρχιεπίσκοπος Πισιδίας, πρώην Θυατείρων καὶ Μεγάλης Βρεττανίας, κ. Μεθόδιος Γ. Φούγιας, ὅστις ἔν τισιν ἐνθυμίζει ἡμῖν τὴν περίπτωσιν τοῦ Ἰουλιανοῦ Καισαρίνη, διετέλεσε πρὸ πεντήκοντα καὶ πλέον ἐτῶν, ἀπὸ τοῦ 1938 καὶ ἐφεξῆς, μαθητὴς ἡμῶν ἐν τῷ Γυμνασίῳ τῆς ὡραιοτάτης Ἀρκαδικῆς πόλεως Λεβιδίου. Ἡ ἀνάδειξίς του καὶ ἡ ἐπιστημονικὴ καὶ ἐθνικὴ δρᾶσίς του τιμᾷ τοὺς παλαιοὺς διδασκάλους του.

ΓΡΗΓΟΡΙΟΣ Ι. ΟΙΚΟΝΟΜΑΚΟΣ
Δρ. Φιλοσοφίας

51. Ὁ σεβαστός Καθηγητής μου Γρηγόριος Οἰκονομάκος δεξιά συνομιλώντας μέ τόν καθηγητή Ὀρέστη Λουρίδη.

Υπόδειγμα άξιου ιερωμένου

ΔΥΟ κυριακάτικες εκδόσεις των εφημερίδων «Ελεύθερος Τύπος» και «Απογευματινή» της 15 Αυγούστου, ασχολήθηκαν με το πρόσωπο ενός άξιου ιερωμένου, που αποτελεί υπόδειγμα στον εκκλησιαστικό χώρο της Ορθόδοξης Εκκλησίας μας.

Η πρώτη εφημερίδα φιλοξένησε βαρυσήμαντη συνέντευξη του πρώην αρχιεπισκόπου Θυατείρων και Μεγάλης Βρετανίας κ. Μεθοδίου Φούγια, ο οποίος είπε πάρα πολύ αξιόλογα πράγματα για τη διαμάχη στην ελληνική Εκκλησία, τονίζοντας ότι «στον... εμφύλιο δεν υπάρχουν νικητές και νικημένοι».

Η δεύτερη εφημερίδα «Απογευματινή», στο εγκυκλοπεδικό ένθετό της για τους πρωταγωνιστές της Ελλάδας του 20ου αιώνα, αφιερώνει τρεις ολόκληρες σελίδες για την προσωπικότητα και το έργο, επιστημονικό, εκκλησιαστικό, κοινωνικό του Μεθοδίου, φιλοξενώντας απόψεις διεθνώς αναγνωρισμένων προσωπικοτήτων για τον Μεθόδιο Φούγια, στον οποίο αφιερώθηκε το 1985 ολόκληρος τόμος «Αξώμη - Θυάτειρα», με συνεργάτες αρχιεπισκόπους, καρδινάλιους, καθηγητές Πανεπιστημίων, που εκφράστηκαν κολακευτικότατα για τον διακεκριμένο ορθόδοξο ιεράρχη μας.

Δεν είναι φυσικά δυνατόν στο μικρο αυτόν χώρο να αναπτυχθεί η πολυσχιδής προσωπικότητα του τέως αρχιεπισκόπου, του διδάκτορα Θεολογίας και Φιλοσοφίας, του συγγραφέα πολλών δεκάδων βιβλίων, του γλωσσομαθέστατου ανθρώπου, του πιο μορφωμένου σύγχρονου ιεράρχη μας, του φιλάνθρωπου και του ακούραστου πνευματικού ταγού της Ορθοδοξίας.

Εγώ, εδώ θα αναφέρω απλά κάτι που δεν τονίστηκε ούτε από τον ίδιο, αλλά και ούτε είδε το φως της ευρείας δημοσιότητας. Ο Μεθόδιος Φούγιας είναι ο μοναδικός ιεράρχης που παύθηκε τηλεγραφικά από τον αρχιεπισκοπικό του θρόνο στη Μεγάλη Βρετανία, με αναιτιολόγητη απόφαση του Πατριάρχη Δημητρίου και χωρίς να κληθεί σε απολογία. Και όμως, δέχτηκε την άδικη ποινή του, χωρίς διαμαρτυρίες, σε αντίθεση με όσα σχετικά βλέπουμε σήμερα να συμβαίνουν στον εκκλησιαστικό χώρο.

Αλλά, φυσικά, ο Μεθόδιος δεν είναι ούτε ιερωνυμικός δεσπότης, να σηκώσει αντάρτικο, ούτε και ιερωμένος με το πείσμα της συνοδικής πλευράς του Σεραφείμ.

Κι αυτό γιατί είναι μια προσωπικότητα με διεθνή εκκλησιαστική εμβέλεια και ένας εκπληκτικά μορφωμένος άνθρωπος, που δεν θα μπορούσε να φτάσει ποτέ στο θλιβερό επίπεδο των γνωστών δεσποτάδων του συμφέροντος.

ΑΥΡΙΑΝΗ Πέμπτη 19 Αυγούστου 1993

PONTIFICIUM CONSILIUM
PRO
DIALOGO INTER RELIGIONES
00120 CITTÀ DEL VATICANO

Vaticano, 17 Oct 1991

Prot. N.

Your Excellency,

Please accept my deep gratitude for your kindness in sending me those two books.

With the expression of my religious esteem, I remain,

Fraternally Yours in Christ,

Francis Card. Arinze

FRANCIS CARDINAL ARINZE

Adresse Postale - Postal Address
00120 CITTÀ DEL VATICANO
Tel. 698.4321 - 698.3648

Bureaux - Office
VIA DELL'ERBA, 1 - 00193 ROMA

00136 Roma - Via Proba Petronia 83

Roma, 20 Settembre 1991

Eccellenza Rev.ma,

ho ricevuto in gradito omaggio il volume "The Ecclesiastical Diversification of the Greeks and the Latins from the Time of Florence, 858 - 1439" compilato dall'Eccellenza Vostra Rev.ma e ringrazio sentitamente.

Mi appresto a leggerlo con interesse, perchè ritengo sia un contributo sulla via dell'unione.

Per questo unisco ancora le mie preghiere. Con animo grato La ossequi vivamente

dell.E.V. Rev. dev.
Pietro card. Palazzini

Archbischop Methodios Fouyas
Aechbischop of Thyateira and
Great Britain
9.RIGA FERRAIOU STR.
KHALANDRI, 152 32 ATHENS (GRECIA)

ΧΡΥΣΑΝΘΟΣ Ι. ΔΗΜΗΤΡΙΑΔΗΣ
Τ. ΒΟΥΛΕΥΤΗΣ ΕΥΡΩΠΑΪΚΟΥ ΚΟΙΝΟΒΟΥΛΙΟΥ

Παλλάδος 1. Γλυφάδα 16674 Αθήναι 27 Φεβρουαρίου 1991

Σεβασμιώτατε,

Σας ευχαριστώ θερμότατα για την καλωσύνη σας να μου στείλετε το βιβλίο σας "Έλληνες και Λατίνοι".

Επιτρέψατέ μου να σας συγχαρώ για το εξαίρετο αυτό έργο σας το οποίο θεωρώ ύψιστης εθνικής σημασίας εις μίαν εποχήν που ο ελληνισμός και ο ελληνοχριστιανικός πολιτισμός τεμαχίζονται από το σύγχρονον κύμα.

Το Εθνικόν Κόμμα του οποίου έχω την τιμήν να ηγούμαι, έχοντας επισημάνει τους κινδύνους που το σύγχρονο "ευρωπαϊκό πνεύμα" εγκυμονεί για τον ελληνισμό υποστηρίζει την άποψιν όπως η Ευρωπαϊκή ιδέα αναπτυχθεί προς την κατεύθυνσιν μιας "Ευρώπης των πατρίδων" που θα παρέχει στους λαούς της την δυνατότητα να διατηρήσουν την ιδιαιτερότητά τους.

Με εξαιρετική τιμή,

Χρ. Δημητριάδης

ΙΕΡΑ ΜΗΤΡΟΠΟΛΙΣ
ΘΗΡΑΣ, ΑΜΟΡΓΟΥ & ΝΗΣΩΝ
847 00 ΘΗΡΑ

Ἀριθ. πρωτ. .... Ἐν Θήρᾳ τῇ 25.2.1991

Σεβασμιώτατε,

Εὐχαριστῶ θερμότατα γιά τήν εὐγενική προσφορά τοῦ νέου ἀξιολόγου τόμου σας «Ἕλληνες καί Λατίνοι». Ὅλα ὅσα ἔχετε γράψει μέχρι σήμερα — καί μέ τήν χάρι τοῦ Θεοῦ εἶναι τόσα πολλά — εἶναι θαυμάσια, καί χρήσιμα, ἀπαραίτητα ὅπλα γιά κάθε ἕναν πού τόν ἐνδιαφέρει ἡ Πίστις, ἡ Ἐκκλησία, ἡ ἀλήθεια. Τό βιβλίο σας ὅμως, αὐτό πού μόλις προχθές ἦλθε στά χέρια μου εἶναι κάτι ἄλλο. Θά βοηθήσει τήν Ἐκκλησία μας πολύ στήν ἀντιμετώπιση τῶν προβλημάτων τῆς ἐποχῆς μας. Σέ μᾶς δέ

πού στήν περιφέρειά μας ἔχουμε καί Λατί-
νους ἡ προσφορά σας ἔχει ἔτι περισσότερη ἀ-
ξία. Εἶμαι [illegible].

Ἔχω ἀρχίσει τήν μελέτη τοῦ βιβλίου σας.
Νά σᾶς συγχαρῶ γι' αὐτό, δέν τό κάνω. Τό
θεωρῶ λίγο. Ἕνα μπορῶ, αὐτό καί κάνω.
Εὔχομαι ὁ Κύριος νά σᾶς μακροημερεύσῃ
μέ πολλή ὑγεία καί δύναμη πνεύματος
πολλή πρός συνέχιση τῆς προσφορᾶς σας
στήν Ἁγία μας Ἐκκλησία.

Σᾶς εὐχαριστῶ καί πάλι θερμά.

Μέ ἀγάπη ἐν Χριστῷ
Ἐλαχίστη ἐν ἀδελφαῖς
ἡ [illegible]

ΑΔΕΛΦΟΤΗΣ ΘΕΟΛΟΓΩΝ
Η «ΖΩΗ»
ΙΠΠΟΚΡΑΤΟΥΣ 189
114 72 ΑΘΗΝΑΙ

Ἀθῆναι 28/3/91

Ἀγαπητὲ καὶ σεβαστὲ ἅγιε πρ. Θυατείρων

Ἔλαβα τὸ νέον σας βιβλίον: «Ἕλληνες καὶ Λατῖνοι» καὶ σᾶς εὐχαριστῶ.

Κι ἐξ αὐτοῦ τοῦ ἔργου σας, μὲ μιὰ πρόχειρη ματιά, φαίνεται καθαρὰ ἡ μεγάλη σας ἐμβρίθεια στὰ θέματα ποὺ πραγματεύεσθε. Θερμὰ συγχαρητήρια καὶ περιμένομε τὸ περὶ Μ. Φωτίου. — Τί γίνεσθε; Γιατί ἀπόψη ἀπαιτητικός; Οἱ μεγάλοι καὶ τρανοί [illegible] ἐξακολουθοῦν νὰ εἶναι μετριοί;! Εὐχόμαστε ταχεῖα ἀποκατάσταση τῆς ἀδικίας. — Σᾶς ἄλλαξαν τὸν τίτλο; γιατί Πισιδίας;!

Καλὸ Πάσχα καὶ ζητοῦμε τὶς εὐχές σας. —

Μὲ ἀδελφικὴ ἀγάπη καὶ σεβασμό [illegible]

52. Μέ τόν ἀείμνηστο Ἐθνάρχη Μακάριο στήν Ἀδδίς Ἀμπέμπα.

La présente étude analyse la différentiation et la particularité des deux mondes, grec et latin, et par suite leur approche différente de l'Eglise et de la Théologie. La recherche se situe dans une période bien précise, à savoir depuis le Patriarche de Constantinople Photius, jusqu'au Concile de Florence (858-1439).

Mais son étude s'étend aussi jusqu'aux temps modernes. Pour lui, toute collaboration de l'Eglise orthodoxe avec les Latins et les Protestants, est une catastrophe. Le Métropolite soutient que rien n'est changé depuis le Concile de Florence jusqu'aujourd'hui, dans l'attitude de Rome et de l'Europe, envers l'Eglise orthodoxe. Rome et le Pape ont réussi à soumettre à leurs plans le Patriarche et les évêques orthodoxes présents à Florence, tandis qu'aujourd'hui, par la méthode de l'uniatisme, le Pape opère la conversion de l'Orthodoxie à Rome. Selon le Métropolite, Rome comprend l'union des Eglises sur le modèle de l'uniatisme.

Le livre a en somme été écrit dans une perspective, notamment apologétique, mais surtout de mise en garde à l'Orthodoxie grecque actuelle, vis à vis du «danger» de l'oecuménisme et de l'européanisation du monde grec.

D.S. *

ΧΡΗΣΤΟΣ Α. ΣΑΡΤΖΕΤΑΚΗΣ

Χολαργός, 11 Μαρτίου 1991.

Σεβασμιώτατε,

Ἡ σύζυγός μου καί ἐγώ σᾶς εὐχαριστοῦμεν θερμῶς διά τήν ἀποστολήν τοῦ νέου βιβλίου σας " "Ελληνες καί Λατίνοι".

Εὖγε σας διά τήν λαμπράν, πλήρως τεκμηριωμένην, ἐξόχως ἐθνωφελῆ καί κρισίμου ἐπικαιρότητος σύνθεσιν.

Μέ φιλικούς χαιρετισμούς

ΕΛΕΥΘ. ΒΕΝΙΖΕΛΟΥ 91, ΤΗΛ.
ΧΟΛΑΡΓΟΣ ΑΤΤΙΚΗΣ

---

* **Le Lien**, Reuve du Patriarcat Grec-Melkite Catholic, 56 (1991), σέλ. 73.

SOCIETY FOR MACEDONIAN STUDIES
4, VASSILISSIS SOPHIAS AVENUE
THESSALONIKI, GREECE

OFFICE OF THE PRESIDENT

Σεβασμιώτατε,

Ευχαριστώ θερμώς [illegible] Σεβασμιότητά σας διά την [illegible] του έργου σας "Έλληνες και Λατίνοι". [illegible] εις την [illegible] διότι [illegible]. Χαίρω διά την [illegible] του έργου σας και διά την συνεχή [illegible] σας [illegible]!

Ευχαριστώ και πάλιν
διατελώ της Σεβασμιότητός της
[illegible]

[illegible signature]

Κ. ΒΑΒΟΥΣΚΟΣ

ΑΡΙΣΤΟΤΕΛΕΙΟ
ΠΑΝΕΠΙΣΤΗΜΙΟ ΘΕΣΣΑΛΟΝΙΚΗΣ
ΘΕΟΛΟΓΙΚΗ ΣΧΟΛΗ
ΤΜΗΜΑ ΘΕΟΛΟΓΙΑΣ
ΤΟΜΕΑΣ ΕΚΚΛ. ΙΣΤΟΡΙΑΣ, ΧΡΙΣΤ. ΓΡΑΜΜΑΤΕΙΑΣ,
ΑΡΧΑΙΟΛΟΓΙΑΣ & ΤΕΧΝΗΣ
ΚΑΘΗΓΗΤΗΣ: ΒΑΣ. Σ. ΨΕΥΤΟΓΚΑΣ

2.4.1991

Σεβασμιώτατε,

Σας ευχαριστώ θερμότατα για την καλωσύνη που είχατε να μου στείλετε το περισπούδαστο έργο σας «Έλληνες καὶ Λατίνοι», Ἀθῆναι 1990. Σας συγχαίρω γιά τις γραμμές-θέσεις-θεολογικές και την ευρύτητα πνεύματος που το διακρίνουν. Εύχομαι ο Θεός να σας χαρίζει υγείαν και δύναμη να συνεχίσετε τη θεολογική σας προσφορά στην Εκκλησία και τήν επιστήμη της θεολογίας.

Μαζί με τίς πασχάλιες ευχές μου δεχθήτε, σεβασμιώτατε, ως αντίδωρο μερικά ανάτυπα εργασιών μου.

Με βαθύτατο σεβασμό
κατασπάζομαι τη δεξιά σας

ΒΑΣ. ΨΕΥΤΟΓΚΑΣ / [signature]

ΠΑΡΟΥΣΙΑΣΗ ΒΙΒΛΙΩΝ

Ἀριστείδη Δουλαβέρα,
Δρα Φιλοσοφίας,
Μεθοδίου Γ. Φούγια, **Ἕλληνες καί Λατῖνοι,**
Ἀθῆναι 1990, σέλ. 501.

Μέ τόν τίτλο «Ἕλληνες καί Λατῖνοι» κυκλοφόρησε σέ βιβλιοδετημένο καλαίσθητο τόμο τό νέο βιβλίο τοῦ Σεβασμιωτάτου Ἀρχιεπισκόπου πρώην Θυατείρων καί νῦν Μητροπολίτου Πισιδίας κ. Μεθοδίου Φούγια.

Πρόκειται γιά μιά πολυσέλιδη ἱστορική καί θεολογική μελέτη μέ πρόλογο τοῦ Μητροπολίτου Ἀττικῆς Δωροθέου, πού ἀναφέρεται στήν ἐκκλησιαστική ἀντιπαράθεση Ἑλλήνων καί Λατίνων ἀπό τήν ἐποχή τοῦ Μεγάλου Φωτίου μέχρι τή Σύνοδο τῆς Φλωρεντίας, 858 - 1439, ἀλλά ἀποκτᾶ στίς μέρες μας ξεχωριστή ἐπικαιρότητα γιά τό ἔθνος μας καί τήν ὀρθοδοξία, καθώς ἀνατέμνει τό παρελθόν γιά νά φωτίζει τό παρόν καί τό μέλλον τῆς ἱστορικῆς μας πορείας ὡς Ἑλλήνων καί ὀρθοδόξων.

Στήν εἰσαγωγή του (σσ. 17-26) ὁ συγγραφέας ἐξηγεῖ τό λόγο πού τόν ὁδήγησε στήν συγκεκριμένη συγγραφή καί ὡς τέτοιο θεωρεῖ τή βαθιά κρίση πού διέρχεται σήμερα ὁ Ἑλληνισμός καί κατά συνέπεια καί ἡ Ἐκκλησία του. Ἀναφέρει χαρακτηριστικά τά ἑξῆς: «Ἡ κρίσις αὐτή μοῦ θυμίζει τίς περιπέτειες τοῦ Βυζαντίου ἀπό τόν 12ο ὡς τόν 15ο αἰώνα, ὅταν οἱ Ἕλληνες κάθε φορά πού ἐμφανιζόταν κάποιος κίνδυνος στήν αὐτοκρατορία, εὕρισκαν πρόχειρη λύση γιά βοήθεια στή Δύση. Αὐτή ἡ οὐτοπία παρέσυρε τήν πολιτική ἡγεσία καί πολλές φορές καί τήν ἐκκλησιαστική, σέ χιμαιρικές ἐλπίδες, οἱ ὁποῖες, μαζί μέ τόν ἐξευτελισμό, συνέβαλαν καί στήν ἀπώλεια τῆς ἴδιας τῆς αὐτοπεποιθήσεώς των...», σ. 17. Συνεχίζοντας ὁ συγγραφέας παρατηρεῖ ὅτι «στίς μέρες μας γίνεται τό ἴδιο. Πρόχειρη καταφυγή μας εἶναι ἡ Εὐρώπη, ἡ ὁποία μαγειρεύει ὅλα τά συμφέροντά μας σύμφωνα μέ τά δικά της προγράμματα. Δέν μποροῦμε νά διαδραματίσουμε κανένα ρόλο, γιατί οὔτε μᾶς ἐρωτοῦν οὔτε μποροῦμε νά παρέμβουμε, ἐπειδή εἴμαστε ἀκατατόπιστοι καί ἀνίσχυροι...», σ. 18.

Ὁ συγγραφέας, ὡστόσο, δέ σκοπεύει νά ἀπολογηθεῖ γιά λογαριασμό τῶν ἡμετέρων καί νά ἐπικρίνει τούς Λατίνους, ἀλλά νά ἐπισημάνει καί τά δικά μας λάθη καί τήν ὑπεροψία τῶν Ρωμαιοκαθολικῶν, σ. 26. Οὔτε πάλι ἀντιμάχεται τή συνεργασία μέ τούς λοιπούς Εὐρωπαίους στό ὄνομα τῆς πολιτιστικῆς καί ἐκκλησιαστικῆς αὐτοσυντήρησης τῶν Ἑλλήνων. Ἀλλά πιστεύει πώς ἡ συνεργασία αὐτή πρέπει νά λειτουργήσει μέσα σέ κλίμα ἀμοιβαίου σεβασμοῦ τῶν πνευματικῶν κατακτήσεων καί χωρίς συμβιβασμούς σέ βασικά θέματα τῆς ὑπάρξεώς μας, πού στό παρελθόν μᾶς ὁδήγησαν σέ ἔχθρες καί συμφορές (σ. 25).

Στό πρῶτο μέρος τοῦ βιβλίου, μέ τίτλο: «Ἡ Ἑλληνική Ἀνατολή καί ἡ Λατινική Δύσις», (σσ. 31-92), ὁ συγγραφέας ἀναφέρεται στούς δύο κόσμους - ἀνατολικό καί δυτικό - ἀλλά τή μιά Ἐκκλησία, στήν ἑλληνικότητα τῆς ἀρχαίας ἐκκλησίας τῆς Ρώμης, στούς Ἕλληνες καί Λατίνους, στόν ἐκχριστιανισμό τῆς Ρωμαϊκῆς Αὐτοκρατορίας καί στόν Ἑλληνισμό, στό συνοδικό σύστημα τῆς Ἐκκλησίας, στά Σχίσματα τῆς Καθολικῆς Ἐκκλησίας, στήν Πενταρχία τῶν Πατριαρχῶν καί στό Ρόλο τῶν Βυζαντινῶν αὐτοκρατόρων στά ἐκκλησιαστικά ζητήματα.

Στό δεύτερο μέρος, μέ τίτλο: «Ἡ ἐποποιΐα τῆς Ἑλληνικῆς Ἐκκλησίας» σ. 95-175, γίνεται λόγος γιά τούς Πατριάρχες Ἰγνάτιο καί Φώτιο, τήν ἔνταση στίς σχέσεις τῶν Ἐκκλησιῶν Κων/λεως - Ρώμης, τίς Συνόδους 867, 868/70 τῆς Κων/λεως, τίς σχέσεις Φωτίου καί Πάπα Ἰωάννου Η' (872-882), τίς ἐπιστολές τοῦ Φωτίου, τίς ἐπιστολές τοῦ Πάπα Ἰωάννου Η' καί τήν ἱστορική ἐξέλιξη τοῦ Filioque.

Στό τρίτο μέρος, μέ τίτλο: «Ἡ ὁριστική ρῆξις Ρώμης - Κωνσταντινουπόλεως», σσ. 179-260, παρουσιάζεται ἡ περίοδος ἀπό τόν Μ. Φώτιο μέχρι τόν Μιχαήλ Κηρουλάριο, ὁ Μιχαήλ Κηρουλάριος, ὁ Λέων Θ', ἡ διαμάχη Κων/λεως - Ρώμης γιά τίς ἑλληνικές ἐπαρχίες τῆς Ν. Ἰταλίας, ὁ Ἀντιοχείας Πέτρος καί ὁ Ἀχρίδος Λέων, ἡ διαφορά Κηρουλαρίου - Λέοντα Θ' καί οἱ ἐπιστολές πού ἀντηλλάγησαν, καί τέλος ἡ «ἀπόφασις» ἤ «σημείωμα» τῆς Συνόδου τοῦ 1054 στήν Κων/λη.

Στό τέταρτο μέρος μέ τίτλο: «Ἡ κάμψις τῶν Ἑλλήνων», σσ. 263-293, ἐξ' ἱστοροῦνται οἱ σταυροφορίες, ἡ Δ' σταυροφορία, οἱ συνέπειες τῶν σταυροφοριῶν γιά τήν Ἐκκλησία τῶν Ἑλλήνων καί τῶν Λατίνων, ἡ ἀνάκτηση τῆς Κων/λεως ἀπό τούς Ἕλληνες καί οἱ κίνδυνοι ἀπό τή Δύση.

Στό πέμπτο μέρος, μέ τίτλο: «Ἡ τραγωδία τῆς Ἑλληνικῆς Ἐκκλησίας καί οἱ πρωταγωνιστές αὐτῆς», σ. 297-430, ὁ συγγραφέας ἀναφέρεται στά γεγονότα ἀπό τή Σύνοδο τῆς Λυῶνος μέχρι τή Σύνοδο τῆς Κωνσταντίας, καί στίς Συνόδους Παβίας - Σιένης (1423-1424), Βασιλείας (1431-37) καί Φερράρας - Φλωρεντίας.

Ἀκολουθοῦν ὁ ἐπίλογος στά Ἑλληνικά καί Ἀγγλικά, ὅπου ὁ συγγραφέας συνοψίζει τά βασικότερα σημεῖα τῆς ἐργασίας του, ἡ πλούσια βιβλιογραφία (ἑλληνική καί ξενόγλωσση) καί τά εὑρετήρια (ὀνομάτων καί συγγραφέων). Στό βιβλίο ὑπάρχουν ἐπίσης 11 χάρτες πού βοηθοῦν τήν ἱστορική ξενάγηση τοῦ ἀναγνώστη καί 19 φωτογραφίες.

Ὁ συγγραφέας ἀναφέρει στή σελ. 23 ὅτι βασική του ἐπιδίωξη δέν εἶναι νά γράψει ἱστορία, ὅπως ἔχουν γράψει ἄλλοι, ἀλλά νά ἐντοπίσει τά αἴτια τῆς μακροχρόνιας κρίσης στίς ἐκκλησιαστικές σχέσεις Ἑλλήνων - Λατίνων, πού εἶχαν πάντοτε ὡς σκοπό τόν ἐκλατινισμό τῆς Ἑλληνικῆς Ἐκκλησίας καί τήν ὑποταγή τῶν Ἑλλήνων στούς Λατίνους καί Φράγκους.

Ἀπό τήν ἄποψη αὐτή τό ἔργο αὐτό τοῦ Σεβασμιωτάτου κ. Μεθοδίου

Φούγια βλέπει τό φῶς τῆς δημοσιότητας σέ μιά δύσκολη ἐθνική καί θρησκευτική καμπή, πού ἔχει νά κάνει μέ τήν ἔνταξη τῆς Ἑλλάδος στήν ἑνωμένη Εὐρώπη. Πῶς ὁδεύει ἡ Ἑλλάς πρός αὐτήν; Μέ ποιά ἐφόδια; Τήν τραγική μας θέση δίνει ὁ συγγραφέας μέ ἀνάγλυφο τρόπο: «Ἀπό τήν ἀνατολή οἱ φίλοι μας οἱ Τοῦρκοι μᾶς πιέζουν, ἀπό τή Δύσι ἡ Ρώμη μᾶς φλερτάρει, τούς Εὐρωπαίους τούς ἔχουμε πάλι ἀνάγκη καί μέσα σ' αὐτήν τήν ἀτμόσφαιρα, ἀναζητοῦμε κάποια διέξοδο...» σ. 440. Παρά ταῦτα ὁ Σεβασμιώτατος κάνει ἀπαισιόδοξες διαπιστώσεις γιά τούς σημερινούς Ἕλληνες «τούς ὁποίους οἱ συμφορές δέν ἔχουν διδάξει ἐπαρκῶς, γι' αὐτό καί σήμερα βομβαρδίζουν καί λατινίζουν καί ξενίζουν ἤ εὐρωπαΐζουν δουλικῶς». (σ. 437).

Μέσα σ' αὐτήν τήν κατάσταση ὁ συγγραφέας ἀγωνιᾶ γιά τόν Χριστιανισμό «πού μέρα μέ τή μέρα χάνει ἀπό τούς θησαυρούς τῆς πίστεως, ἀποδεσμεύεται· ἀπό τήν παράδοσι, συσχηματίζεται πρός τόν κόσμο, ἀποτιμᾶται, συρρικνώνεται καί ἀκόμα παραδίδεται στίς εὔκολες λύσεις, πού δέν καλύπτονται ἀπό τήν παράδοση...» σ. 440.

Ὅπως εὔκολα θά διαπιστώσει ὁ προσεκτικός ἀναγνώστης, τό βιβλίο αὐτό εἶναι μιά εἰλικρινής ἐθνική καί θρησκευτική φωνή, ἕτοιμη νά ἀφυπνίσει τή συνείδηση τῶν σημερινῶν Ἑλλήνων, σέ μιά δύσκολη καμπή τῆς Ἱστορίας τους. Κάποτε οἱ Ἕλληνες νίκησαν τό ἀγροῖκο Λάτιο. Μήπως τώρα κινδυνεύουν νά ἁλωθοῦν μέσα στήν Εὐρώπη τῶν λαῶν, νά μεταβληθοῦν σέ μιά ἁπλή ἐπαρχία, ὅπου ἄλλοι θά ἀποφασίζουν γιά τή μοίρα τους, τή σκέψη τους, τήν πίστη τους;

Μέ τό βιβλίο του ὁ Σεβασμιώτατος δείχνει τίς παγίδες, ἀποκαλύπτει τά ψεύδη, ἐπισημαίνει τούς κινδύνους καί καλεῖ σέ ἐθνική καί θρησκευτική ἐγρήγορση καί συστράτευση, γιά μιά σωστή θέση στόν Εὐρωπαϊκό χῶρο, θέση ὅπου ἡ Εὐρώπη θά σεβαστεῖ ἐκεῖνα μέ τά ὁποία ἡ Ἑλλάδα τήν ἔχει προικίσει.

Ἄν θά ἔπρεπε νά κλείσω μέ τό βαθύτερο μήνυμα ἀπό τό ἐξαιρετικό αὐτό ἔργο τοῦ Σεβασμιωτάτου, θά στεκόμουν στά παρακάτω λόγια του:

«Σήμερα, πού μέ εὐκολία μας ἕλκουν ἀπό τή μύτη διάφοροι σχηματισμοί, εἶναι καιρός ν' ἀντιληφθοῦμε πώς ἀπό τούς ξένους δέν πρέπει νά περιμένουμε σωτηρία, ἐάν ἐμεῖς οἱ ἴδιοι ὡς Ἔθνος «ἤ ὡς Ἐκκλησία δέν κρατήσουμε τήν ἐκκλησιαστική καί πολιτιστική κληρονομιά μας» σ. 19.

Δελτίον Κορινθιακῶν Μελετῶν. Τεῦχος, 6 (1991) σελ. 77-79

Book Reviews

Archbishop Methodios Fouyas, Ἡ Ἐκκλησιαστικὴ Ἀντιπαράθεσις Ἑλλήνων καὶ Λατίνων ἀπὸ τῆς Ἐποχῆς τοῦ Μεγάλου Φωτίου μέχρι τῆς Συνόδου τῆς Φλωρεντίας, 858-1439: Ἱστορικὴ καὶ Θεολογικὴ Μελέτη Ἀναφερομένη στὶς Ποικίλες Φάσεις τῶν Ἐκκλησιαστικῶν Σχέσεων τῶν Δύο Λαῶν. *(The Ecclesiastical Diversification of the Greeks and the Latins from the Time of St. Photius to the Council of Florence, 858-1439: A Historical and Theological Analysis of the Various Stages in the Development of the Ecclesiastical Relations of the Two Peoples.)* With a Preface by Metropolitan Dorotheos of Attica. Athens: 9 Riga Ferraiou, Khalandri, 1990. Pp. 550. Hardcover. No price indicated.

The former Archbishop of Great Britain and Thyateira is by all counts one of the most productive of Greek Orthodox scholars in the world today. His scholarly productivity (already over fifty-seven items) is, indeed, amazing in view of the pastoral and ad ministrative assignments which he has carried out in the past in Greece, in Egypt, in Ethiopia, and in Great Britain. Most recently, he was unanimously elected Metropolitan of Pisidia by the Holy Synod of the Ecumenical Patriarchate of Constantinople and will no doubt continue to be an active churchman and scholar.

In his latest book, Archbishop Methodios brings to bear his considerable first-hand experience as a churchman and a historian and theologian on the problem of the reunion of the two churches, namely, the Roman Catholic and the Greek Orthodox, but his aim is to study the special features of the Greeks and the Latins to understand what the historical and theological reasons were that led to the separate views of Church and State. He, in fact, is concerned to show that the two peoples operated in two different worlds that grew further and further apart. As the Patriarch advanced to the position of becoming freer and freer from the State in the East, in the West the Pope assumed more and more power even over the State.

Πατερική-Βυζαντινή ἐπιθεώρησις, Vol. 10 (1991), σελ. 71-75.

The five basic parts of this fully documented work that shows admirable command of primary sources *and* both Eastern and Western scholarship are entitled "The Greek East and the Latin West"; "The Epic of the Greek Church: The Clash of Rome and Constantinople"; "The Definite Split Between Rome and Constantinople"; "The Weakening of the Greeks: The Drama of the Greek Church"; and "The Tragedy of the Greek Church and Its Protagonists." The book contains a solid introduction, an epilogue (in Greek and English), thirty illustrations, a valuable bibliography, indices of names in Greek (primary and secondary) and in English.

His Eminence early notes that (1) for the East the sacred character of the Synods of the Church endures to the present, while in the West it has changed, more so in the case of the Protestants and less so in the case of the Roman Catholic Church; (2) the synodical self-consciousness of the Church in the East remains ecumenical, while in the West it developed into an essentially papal authoritarianism; (3) in the East the synodical indicates economic and accommodating Christian liberty, while in the West it became a strictly legislative authority; (4) although in the East the Apostolic Synod was the model of ecclesiastical synod, in the West models were adopted from the social, political, and legal life of men; (5) in the East there prevailed a broader synodic policy, while in the West it was subordinated to the principle of Roman primacy, which was confirmed by the Church as *Consensus Ecclesiae* and not as *Consensus Divinum* (*sic*); (6) the Orthodox Church remains officially committed to a firm policy of adherence to the preservation of basic principles of theology and of the Church expressed in Tradition, derived from the Apostolic Tradition and the Ecumenical Synods of the undivided Church, while the Roman Church finds itself in a certain degree of disarray because of dogmas proclaimed in the past that seem to have no general significance in the present; (7) an encouraging sign is Rome's inclination toward the synodal tradition; (8) there is need for an ecumenical synod with the agreement of both Orthodox and Roman Catholics to deal with the regularization and common recognition of common synods by East and West; (9) such a regularization is needed to promote a common Christian spiritual direction of the highest order in the modern civilized world; (10) this would necessitate distinguishing between essentials and non-essentials in the synods and anachronistic decrees that have hurt ecclesiastical unity; and (11) the Council of Ferrara-Florence as the last common synod of Greeks and Latins needs to be completed, not on the basis of forced but on the basis of free and open proceedings, guided by the Holy Spirit now, as 550 years have passed since the Council of Florence (1439), a synod that humiliated the Eastern Church with the degrading of the Patriarchal office and the inauguration of the Uniate policy which remains the thorniest problem currently disturbing the relations betwwen East and West.

These conclusions (or should we call them more properly recommendations) reinforce Archbishop Methodios's observation that the East saw solutions in the synods, while the West developed a centralized papal establishment that insisted on the primacy of the Pope. The four principal subjects of controversy between the Greeks and the Latins were (1) the *filioque*; (2) the use of unleavened bread (*azyma*); (3) the question of purgatory; and (4) of papal primacy. The Patriarch Photios raised the number to five and the Patriarch Michael Keroularios to twenty-three. The East remained firm in its advocacy and support of the principle of pentarchy of the Patriarchs. The Crusades, which His Eminence rightly stresses for their historical and religious impact, were as much a factor as anything else, for solidifying the rift between East and West, extending in a brutal way the papal claim for universal jurisdiction, a subjection that entailed ethnic subordination as well as the spiritual leadership of the papacy. Archbishop Fouyas insists that the Greeks were superior to the Latins theologically and so the popes were not anxious to engage in theological debate but in pursuing the issue of papal primacy.

As the Empire declined, the role of the Church increased, particularly that of the Ecumenical Patriarch. The Emperor's claim as God's representative on earth gradually lost its power and was replaced by the Ecumenical Patriarch. The Synod of Ferrara-Florence, the author recalls forcefully, marks the end of the conjunction between Empire and Church and the emergence of a new form of the Greek Church in the person of the Ecumenical Patriarch of Gennadius Scholarius.

His Eminence also makes the point that the Byzantine Empire was built on the assumption that it was the legitimate successor to the Roman Empire and that the West (with its center at Rome) was an integral part of the same, essentially Greek, world. He also claims that the Greek adoption of Christianity was related to opposition to Roman subjugation and consequently the Church took on a Hellenic Christian character by which it expressed the ethnic and spiritual strength of the Greeks against Roman hegemony. Additionally, that even the Church of Rome was Greek in character until the time of Leo the Great (440-461), who effectively began the process of separation between East and West by battling for the primacy of the Roman Pope anl thus founded the Latin Church of Rome.

The concentration on Photios, the greatest of the Byzantine patriarchs (858-867, 877-886) is certainly justified by the sharp differentiation between two ecclesiastical theories and a great Pope, Nicholas I (858-867). Photios could not bring his own work to fruition because of the emergence of a great imperial dynasty, that of the Macedonians, whose reign is considered the Golden Age of the Byzantine Empire (867-1057).

The clash of the Thrones of Constantinople and Rome in the so-called Schism in 1054 was dominated by the Patriarch Michael Keroularios (1049-1059) and Pope Leo (1049-1054) as well as that of Cardinal Humbert and Leo, Archbishop of Bulgaria. The impact of the Crusades upon the relations between the two churches was enormous and the story of the Synods of Constance, Pavia, Basel, and Florence is the story of the failure to reach real reunion and genuine accord. The Fall of Constantinople and the subsequent four centuries of Ottoman occupation assured the permanent separation of East and West, confirming the dismal failure of the Byzantine policy of reliance on the West and Western indiffirence to the plight of the Christian East, if it would not accept papal primacy but also demonstrating the weakness of the East politically and militarily.

His Eminence is not optimistic about the future. His historical study, for him, seems to confirm the continuation of a policy and mentality deeply rooted in the historical past:

> The basic aim of the Roman Church has been the union of all the Churches under the leadership of her Pope and under whatever scheme. Uniatism has proved fruitful only in appearance, but from now on is going to be a double-edged sword which will be fatal from both sides... The methods are many and the fears are great, especially because of the inability of the East and above all of the Greek Church to project itself in a coordinated way as an ecclesiastical, or social, or ethical or ethnic power (p. 451).

His Eminence sees a similarity in the contemporary scene to the scene of Hellenism in 1274 and 1439. The Turks in the East are pressing hard, Rome in the West is flirting with the Orthodox, and Europe is again being asked to help, but what is the correct course of action to be pursued to avoid repeating the errors of the past? Archbishop Methodios is pessimistic when he declares unequivocally at the very end of his massive study:

> Confronted with this European scene, which entails the bankruptcy of Protestantism, the Orthodox Church ought to have restored the bankrupt Church by using the basic truth that Christ is the revelation of God which many Christians even officially deny today. Instead of this she is dragged along by Latins and Protestants because she cannot produce her own word and thesis to be the leader of either of them . . . Now is the *Kairos* of the Ecumenical Patriarchate (p. 452).

Archbishop Methodios's book concludes with a challenge that will need to be heeded by the ecclesiarchs of the Orthodox Church. In the meantime, the reader will be able to examine His Eminence's magnificent review of the key historical and theological events and personalities whose past actions have led to the present predicament and ask whether there are any obvious or not so obvious solutions to the present impasse.

JOHN E. REXINE

Colgate University

53. Ὁ Διάδοχος τοῦ Αὐτοκρατορικοῦ θρόνου τῆς Αἰθιοπίας Ἀσφά Οὐεσέν παρίσταται στήν ἐθνική ἑορτή μας τῆς 25ης Μαρτίου 1821 καί στή φωτογραφία ἀναγιγνώσκει τό Μήμυμά του πρός τήν Ἑλληνική Κοινότητα.

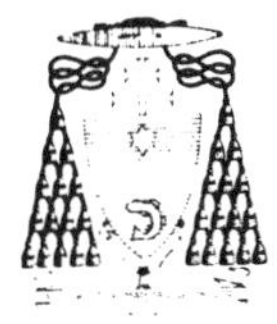

Malines, July 19, 1991.

Archbishop Methodius
9, Riga Ferraiou str.
Khalandri

152 32 ATHENES

GREECE

Dear Archbishop,

Your impressive study "The ecclesiastical diversification of the Greeks and the Latins from the time of S. Photius to the Council of Florence, 858-1439" reached me safely.

I am most grateful for this historical and theological study and I hope that it will help to restore visible unity in the Church.

With my best wishes, I remain,

Yours fraternally in Christ,

+ Godfried Cardinal DANNEELS,
Archbishop of Malines-Brussels.

Wollemarkt 15, B-2800 Mechelen - Tel. (015) 21 65 01 - Fax. (015) 20 94 85

Malines, February 25, 1993.

His Eminence Metropolitan
Methodios of Pisidia
9, Riga Ferraiou street
Khalandri

G - 152 32 ATHENS

GREECE

Your Eminence,

Thank you very much for your new volume of the Review, assembling a series of important papers on Patriarch Photius.

With my gratitude and with my best wishes for your further studies, I remain

Yours fraternally in Christ,

+ Godfried Cardinal DANNEELS,
Archbishop of Malines-Brussels.

Wollemarkt 15 – B-2800 Mechelen – ☎ (015) 21 65 01 – Fax (015) 20 94 85

«Ἕλληνες καί Λατῖνοι» σέ δεύτερη ἔκδοση

«Ἕλληνες καί Λατῖνοι» εἶναι ὁ τίτλος μιᾶς ἐμπνευσμένης ἐργασίας τοῦ Ἀρχιεπισκόπου πρ. Θυατείρων καί Μεγάλης Βρετανίας - μητροπολίτου Πισιδίας **Μεθοδίου Γ. Φούγια** πού κυκλοφορεῖ τίς μέρες αὐτές σέ ἕνα ἐπιμελημένο τόμο μέ τήν φροντίδα τῆς Ἀποστολικῆς Διακονίας, σέ δεύτερη ἔκδοση.

Τό βιβλίο πραγματεύεται τήν Ἐκκλησιαστική Ἀντιπαράθεση Ἑλλήνων καί Λατίνων ἀπό τῆς ἐποχῆς τοῦ Μεγάλου Φώτιου μέχρι τῆς Συνόδου τῆς Φλωρεντίας.

Πρόκειται γιά μιά ἐκτενῆ καί ἐμπεριστατωμένη ἱστορική καί θεολογική μελέτη πού ἀναφέρεται στίς ποικίλες φάσεις τῶν ἐκκλησιαστικῶν σχέσεων τῶν δύο λαῶν.

Ἡ ἔκδοση κυκλοφορεῖ μέ πρόλογο τοῦ μητροπολίτου Ἀττικῆς Δωρόθεου: Τό ἔργο ἔχει ξεχωριστή σημασία γιά κάθε Ἕλληνα ἀφοῦ στήν πραγματικότητα πέραν τῆς ὑπεράσπισης θέσεων σχετιζομένων μέ ζητήματα λατρείας ἐπεκτείνεται καί λειτουργεῖ ὡς μαρτυρία Ἑλληνισμοῦ καί ὡς στοιχεῖο καθοριστικό γιά τήν ἀνάλυση τῆς πορείας τοῦ ἀνθρώπινου πνεύματος.

Ἀνάμεσα στά περιεχόμενα περιλαμβάνονται θέματα ὅπως «Ἡ Ἑλληνική Ἀνατολή καί ἡ Λατινική Δύσις», «Ἡ ἐποποιΐα τῆς Ἑλληνικῆς Ἐκκλησίας», «Ἡ ὁριστική ρῆξις Ρώμης - Κωνσταντινουπόλεως», «Ἡ κάμψις τῶν Ἑλλήνων».

Ὅμως σημαντικές εἶναι καί οἱ ἐπιμέρους ἀναφορές ὅπως τά κεφάλαια «Δύο κόσμοι - Μία ἐκκλησία», «Ἡ ἑλληνικότητα τῆς Ἀρχαίας Ἐκκλησίας τῆς Ρώμης», «Ὁ ρόλος τῶν Βυζαντινῶν Αὐτοκρατόρων στά ἐκκλησιαστικά ζητήματα» οἱ Σύνοδοι, οἱ Σταυροφορίες καί ὁ ρόλος τους, Ὁ Οὐνιτισμός, τό ἔργο τοῦ Πλήθωνος καί τῶν μαθητῶν του στή Φλωρεντία κ.λπ. ἀναφορές σέ πρόσωπα καί γεγονότα πού καθόρισαν τήν πορεία του ὅλου ζητήματος.

Ἐφημερίδα **Ἀπογευματινή** 14 Φεβρ. 1995

Τοπικά & Διεθνῆ

ΜΠΡΟΣΤΑ ΣΤΗΝ ΕΥΡΩΠΑΪΚΗ ΠΡΟΚΛΗΣΗ

Ἕλληνες καί Λατῖνοι

ΜΕΛΕΤΗΜΑ ΤΟΥ ΠΡΩΗΝ ΘΥΑΤΕΙΡΩΝ

Στή σειρά τῶν συγγραμμάτων τοῦ πρώην Θυατείρων Ἀρχιεπισκόπου Μεθοδίου Γ. Φούγια προστίθεται τώρα ἕνας ὀγκώδης τόμος μέ τόν τίτλον «Ἕλληνες καί Λατῖνοι» πού ἀποκτᾷ ἰδιαίτερη ἐπικαιρότητα γιατί ἀσχολεῖται μέ τό φλέγον θέμα καί τῆς διατήρησης τῶν Ἑλληνικῶν καί ὀρθοδόξων ἰδιαιτεροτήτων, ἐν ὄψει τῶν ἑνοποιητικῶν διαδικασιῶν πού σημειώνονται στό χῶρο τῆς ΕΟΚ.

Χαρακτηριστικά ὁ Μητροπολίτης Ἀττικῆς Δωρόθεος Γιανναρόπουλος σέ προλογικό του σημείωμα ἐπισημαίνει ὅτι ἡ ΕΟΚ «θέτει ἐνώπιον ἡμῶν πολλά κοινωνικά, πολιτιστικά, ἐθνικά καί ἐκκλησιαστικά προβλήματα» καί παρατηρεῖ τά ἑξῆς:

«Ἐπειδή εἰς τήν ἱστορίαν ὑπῆρξαν καί πολιτικοί καί ἐκκλησιαστικοί ταγοί οἱ ὁποῖοι, οὐχί ἐξ ἐλλείψεως πατριωτισμοῦ, ἀλλά ἐκ κακοῦ ὑπολογισμοῦ ἐστράφησαν πρός τήν Δύσιν, ζημιώσαντες καί τό Ἔθνος καί τήν Ἐκκλησίαν, διερωτώμεθα περί τοῦ ἀποτελέσματος τῆς σημερινῆς πρός τήν Δύσιν πορείας».

Στή συνέχεια ἀναφέρει:

«Πῶς θά ἀνθέξει ἡ Ἑλληνική γλώσσα καί ἡ Ἑλληνική Ἐκκλησία, ἐάν δέν ἐξασφαλισθεῖ εὐθύς ἐξ ἀρχῆς, ὁ σεβασμός τῶν εὐρωπαϊκῶν ἑταίρων ἡμῶν πρός τήν Ἑλληνικήν παράδοσιν. Τό γεγονός ὅτι ἀκούομεν ἀπό τοῦδε μερικά συνθήματα τά ὁποία ἀνατρέπουν τά ἤθη καί τά ἔθιμα ἡμῶν, ἀλλά καί ἀλλοιώνουν καί αὐτήν ἀκόμη τήν ἐθνική καί ἐκκλησιαστικήν ἡμῶν ταυτότητα, δέον νά μᾶς ἀνησυχεῖ ἡ συμμετοχή τοῦ Ἑλληνικοῦ Ἔθνους εἰς τήν Εὐρωπαϊκήν ἕνωσιν ἄνευ διασφαλίσεως τῶν Ἑλληνικῶν ἀξιῶν, αἱ ὁποῖαι δέν ἐξαγοράζονται ἀπό τά ἄφθονα χρήματα, τά ὁποία εἰσρέουν εἰς τούς Ἕλληνας τῆς Ἐπαρχίας, οὔτε ἀπό τά ἀμέτρητα ἀγαθά τά ὁποία ἀπό τοῦδε ἤρξατο ὁ Ἑλληνικός λαός νά ἀπολαμβάνει καί πέραν τούτων ὅπου ἀπό τοῦ ἔτους 1992 ὀνειρεύεται νά ἀποκτήσει.

Αὐτά εἶναι τά προβλήματα ἅτινα, ἐκτός ἀπό τά σύμφυτα αὐτοῖς θεολογικά, ἐξετάζει ὁ Ἀρχιεπίσκοπος Μεθόδιος εἰς τόν παρόντα ἱστορικόν αὐτοῦ τόμον».

Ἐφημερίς: «Φιλελεύθερος» Λευκωσία 22. Μαρτίου 1991

ΙΑ′

Στροφή πρός τήν ἕνωσιν μέ τούς Orientals, Ἀθῆναι, 1991, σελ. 346

ΣΤΡΟΦΗ ΠΡΟΣ ΤΗΝ ΕΝΩΣΙΝ ΜΕ ΤΟΥΣ ORIENTALS

Ἐκκλησιαστικὲς καὶ Θεολογικὲς ἐπαφὲς μεταξὺ τῶν δύο Οἰκογενειῶν τῆς Ἀνατολικῆς Ὀρθοδόξου Ἐκκλησίας, ἤτοι τῆς Ὀρθοδόξου Καθολικῆς Ἐκκλησίας καὶ τῶν Oriental Orthodox Churches

ὑπὸ

Μητροπολίτου Πισιδίας Μεθοδίου

Ἀνάτυπο ἀπό τό Περιοδικό
Texts and Studies
Vol. VIII-X
1989–1991

Στροφὴ πρὸς τὴν Ἕνωσιν μὲ τοὺς Orientals. Ἀθῆναι, (1991), σελ. 348.

Παρουσίασι στὴν Ἐφημερίδα *Ὀρθόδοξος Τύπος*, 4 Σεπ. 1992 καὶ Ν.Λ. Φορόπουλο στὸ περιοδικὸ *Ἐκλησία*, 1-15 Σεπ. 1992. «...Ἐπιστέγασμα τῶν διεκκλησιαστικῶν μελετῶν τοῦ Σεβασμιωτάτου ἀποτελεῖ ἡ μελέτη αὐτή... χωρὶς νὰ προβοῦμε σὲ κριτικὴ ἐνημέρωση τῶν ὅσων ὁ συγγραφέας ἱστορικὰ παρουσιάζει, ἐπισημαίνουμε ἐκεῖνα ποὺ ὁ ἴδιος παρουσιάζει στὶς σελίδες 214-216 γιὰ τὴν παραποίηση τῶν γεγονότων καὶ τὴν προσοχὴ ποὺ πρέπει νὰ ἐπιδεικνύεται ἀπὸ ἐκείνους ποὺ ἀντιπροσωπεύουν τὸ διάλογο μεταξὺ τῶν ἀρχεγόνων Ἐκκλησιῶν...». Ὁ πολιὸς δημοσιογράφος Σωκράτης Πατέρας στὴν Ἐφημερίδα *Φῶς* τοῦ Καΐρου τῆς 15ης Μαρτίου 1992 σὲ ὁλοσέλιδη σελίδα παρουσιάζοντας τὴ μελέτη τονίζει: «...Θαυμάζομεν τὸν Σεβασμιώτατον Μεθόδιον, τὸν ὁποῖον δὲν ἔκαμψαν οἱ γνωστὲς ἀντιξοότητες τῆς ζωῆς ποὺ ἀντιμετώπισε καὶ οὐδὲ ἐπὶ στιγμὴν ἀναχαίτισαν τὴν ἀποφασιστικότητά του, νὰ συνεχίσει τὸ συγγραφικό του ἔργο μὲ τὸν ἴδιο ἐνθουσιασμό, καὶ μὲ τὸν ἴδιο παλμό, μὲ τὴν ἴδια πίστη ὅπως καὶ στὸ παρελθόν, γιὰ νὰ διαλάμψει ἡ ἀλήθεια ἀπὸ τὴν Ὀρθοδοξία. Ὁ Μητροπολίτης Πισιδίας καθ' ὁμολογίαν ὅλων τῶν Ὀρθοδόξων ἁρμοδίων θεολόγων εἶναι ὁ μόνος ὁ ὁποῖος κατώρθωσε νὰ συγγράψει τόσα ἐπιστημονικὰ θεολογικὰ συγγράμματα σὲ τόσο βραχὺ χρονικὸ διάστημα. Τὰ φιλοσοφικὰ συγγράμματα τοῦ ὀτρηροῦ τούτου ἐργάτη τῆς Ἐκκλησίας κατέχουν σήμερα μιὰ ξεχωριστὴ θέση στὴ φιλοσοφία τῆς Ὀρθοδοξίας... Τὸ ὅλο σύγγραμα θὰ κοσμήσει καὶ θὰ πλουτίσει τὶς παγκόσμιες ὀρθόδοξες καὶ ξένες βιβλιοθῆκες».

54. Στά Ἑλληνικά Σχολεῖα τῆς Ἀδδίς Ἀμπέμπας μέ τόν ἀείμνηστο Ἀρχιεπίσκοπο Κύπρου Μακάριο.

† Ο ΜΗΤΡΟΠΟΛΙΤΗΣ ΠΕΡΓΑΜΟΥ
ΙΩΑΝΝΗΣ

Κηφισιά, 29 IX 1994

Σεβασμιώτατε Ἅγιε Πισιδίας,

Εὐχαριστῶ διά τήν εὐγενικήν ἀποστολήν καί προσφοράν τῆς μελέτης σας «Στροφή πρός τήν ἕνωσιν μέ τούς Orientals».

Ἡ πρότασις, τήν ὁποίαν διατυπώνετε εἰς τήν σελίδα 275 τῆς μελέτης σας αὐτῆς, ὡς πρός τόν τρόπον ἀποκαταστάσεως τῆς ἑνότητος καί κοινωνίας μας μέ τάς ἐν λόγῳ Ἐκκλησίας, παρουσιάζει ὄντως πολύ ἐνδιαφέρον καί σημαντικά πλεονεκτήματα ἐν συγκρίσει πρός ἄλλας προτεινομένας λύσεις. Ἐλπίζω ὅτι ἡ Ἐκκλησία θά λάβῃ σοβαρῶς ὑπ' ὄψιν τήν πρότασίν σας αὐτήν.

Σᾶς εὐχαριστῶ καί πάλιν,

Μέ σεβασμόν καί ἀγάπην ἐν Κυρίῳ,

† ὁ Περγάμου Ἰωάννης.

ΙΒ′

Τό Ἑλληνικό Ὑπόβαθρο τοῦ Χριστιανισμοῦ
Ἔκδοσις τῆς Ἀποστολικῆς Διακονίας
τῆς Ἐκκλησίας τῆς Ἑλλάδος,
Ἀθῆναι, 1991, σελ. 346

ΤΟ ΕΛΛΗΝΙΚΟ ΥΠΟΒΑΘΡΟ ΤΟΥ ΧΡΙΣΤΙΑΝΙΣΜΟΥ

ΜΕΘΟΔΙΟΥ Γ. ΦΟΥΓΙΑ
Μητροπολίτου Πισιδίας

ΤΟ ΕΛΛΗΝΙΚΟ ΥΠΟΒΑΘΡΟ ΤΟΥ ΧΡΙΣΤΙΑΝΙΣΜΟΥ

TELEPHONE: 01-262 9212

22 ABBEY LODGE
PARK ROAD
LONDON N.W.8

4/δεκ/'91

[illegible] Μεθόδιε, ΧΑΙΡΕ

Ένα μεγάλο ΕΥΧΑΡΙΣΤΩ για τη [illegible]

[illegible]

ΛΕΥΤΕΡΗΣ Ν. ΠΑΠΑΓΕΩΡΓΟΠΟΥΛΟΣ
ΔΙΚΗΓΟΡΟΣ ΣΤΟΝ ΑΡΕΙΟ ΠΑΓΟ
ΒΟΥΛΕΥΤΗΣ ΕΥΒΟΙΑΣ
ΓΡΑΦΕΙΟ: ΕΛ. ΒΕΝΙΖΕΛΟΥ 22 ΤΗΛ. 29666
ΟΙΚΙΑ : 25ΗΣ ΜΑΡΤΙΟΥ 19 ΤΗΛ. 21666
34100 ΧΑΛΚΙΔΑ

Χαλκίδα, 22/II/93

Σεβασμιώτατον
Μητροπολίτην Πισιδίας
κ. Μεθοδιου Φούγιαν
Ρήγα Φεραίου 9
ΑΘΗΝΑ

Σεβασμιώτατε,

Σας ευχαριστώ θερμά για την αφιέρωση του καινούριου βιβλίου σας "Το Ελληνικό Υπόβαθρο του Χριστιανισμού", έργο που αποτελεί πραγματική προσφορά στον Ελληνικσμό και την Ορθοδοξία.

Πραγματικά θαυμάζω την μεγάλη συγγραφική παραγωγή σας και την ποιότητα των έργων σας που είναι αποτέλεσμα της πλατειάς θεολογικής και Φιλοσοφικής σας μόρφωσης.

Η δική μου διαδρομή, είναι δρομολογημένη σε άγονη γραμμή. Προσπαθούμε να συνέλθουμε από την αναπάντεχη (ως προς την έκταση μόνο) εκλογική ήττα και να δημιουργήσουμε ουσιαστικά το νέο, το σύγχρονο στην παράταξή μας. Δουλειά αναμφισβήτητα δύσκολη αλλά σίγουρα πιο ενδιαφέρουσα, μια και παύσαμε να ασχολούμεθα με την διαχείρηση της όποιας ψευδαίσθησης εξουσίας, αλλά αυτά θα τα συζητήσουμε σε πρώτη ευκαιρία από κοντά.

Έχετε τους θερμούς χαιρετισμούς των γονέων μου και τής οικογένειας μου.

Με σεβασμό και Αγάπη

Λ. Παπαγεωργόπουλος
Βουλευτής Εύβοιας

ΑΔΕΛΦΟΤΗΣ ΘΕΟΛΟΓΩΝ
«Ο ΣΩΤΗΡ»
ΙΣΑΥΡΩΝ 42
114 72 ΑΘΗΝΑΙ
Τηλ. 36.22.108

'Εν 'Αθήναις τῇ 15/11/93

Σεβασμιώτατον

Μητροπολίτην Πισιδίας

Κύριον κ. Μ ε θ ό δ ι ο ν

Ρήγα Φερραίου 9

152 32 ΧΑΛΑΝΔΡΙΟΝ

Σεβασμιώτατε,

"Ελαβον καί τό νέον σας ἔργον "Τό 'Ελληνικό ὑπόβαθρο τοῦ Χριστιανισμοῦ", τό ὁποῖον εἴχατε καί πάλιν τήν καλωσύνην νά μοῦ ἀποστείλετε καί εὐγνωμόνως εὐχαριστῶ τήν Σεβασμιότητά Σας.

Τό θέμα τοῦ ἔργου κατ' ἐξοχήν ἐπίκαιρον, σήμερον πού ποικιλοτρόπως ἀμφισβητεῖται ἡ προσφορά τοῦ 'Ελληνισμοῦ εἰς τήν ἱστορίαν καί τόν πολιτισμόν. "Οπως ἐπίσης καί διά τήν ἀλήθειαν ὅτι ἄνευ τοῦ Χριστιανισμοῦ ὁ πολιτισμός τῆς ἀνθρωπότητος δέν ἠμπορεῖ νά εἶναι πράγματι πολιτισμός, μέ τήν ἀληθῆ τοῦ ὅρου ἔννοιαν.

Εὐχαριστῶν καί πάλιν τήν 'Υμετέραν Σεβασμιότητα διά τήν ἀγάπην Αὐτῆς πρός τήν 'Αδελφότητα ἡμῶν, ὑποβάλλω τά προσκυνήματα τῶν πατέρων καί ἀδελφῶνκαί ἐκζητῶ τάς εὐχάς Σας, ἀσπαζόμενος ταπεινῶς τήν δεξιάν Σας,

Μετά βαθυτάτου σεβασμοῦ

Αρχιμ. Λεωνίδας Σωτηρόπουλος

Ἕνα νέον Ἐπιστημονικό Σύγγραμμα - Μεθόδιου Φούγια
Μητροπολίτου Πισιδίας

ΤΟ ΕΛΛΗΝΙΚΟ ΥΠΟΒΑΘΡΟ ΤΟΥ ΧΡΙΣΤΙΑΝΙΣΜΟΥ

Μέ ἰδιαίτερη συγκίνηση ἀλλά καί ὑπερηφάνεια ἐλάβομεν τό νέον σύγγραμμα τοῦ Μητροπολίτου Πισιδίας Μεθοδίου πρώην Ἀρχιεπισκόπου Μ. Βρεταννίας ὑπό τόν τίτλον «ΤΟ ΕΛΛΗΝΙΚΟ ΥΠΟΒΑΘΡΟ ΤΟΥ ΧΡΙΣΤΙΑΝΙΣΜΟΥ».

Γιά τόν Ἱεράρχη Μεθόδιον ἐγράψαμεν ἐπανειλημμένως καί κυρίως ὁσάκις μέ ἀγάπη μᾶς ἔστειλε καί μᾶς ἀφιέρωνε ἕνα σύγγραμμά του. Ἀκούραστος στήν συγγραφήν χριστιανικῶν μελετῶν, εἶναι ἴσως ἕνας ἀπό τούς μοναδικούς Ἀρχιερεῖς πού ἔχει ἀφιερώσει τή ζωή του γιά τήν εἰς βάθος ἐξέτασιν τοῦ Χριστιανισμοῦ καί κυρίως τῆς Οἰκουμενικότητος τῆς Ὀρθοδοξίας.

Δέν εἴμεθα ἔμπειροι οὔτε κάν Θεολόγοι διά νά κρίνωμεν ἕνα τόσο περισπούδαστον ἔργον. Ἀναμφίβολα θά προσθέσει ἀκόμα ἕνα σύγγραμμα καί θά πλουτίσει μέ τό βιβλίον του αὐτό ὅλες τίς βιβλιοθῆκες του κόσμου.

Ὁ Μητροπολίτης Μεθόδιος εἶναι μιά ἀνεγνωρισμένη παγκόσμια ἀξία. Εἶναι ὁ ἀνεξάντλητος ἐρευνητής, ἐπεξηγηματής, εἶναι μιά ζωντανή ἐγκυκλοπαίδεια πού ὅ,τι γράφει τό ἀντλεῖ ἀπό τίς παρακαταθῆκες τῶν πλουσίων γνώσεών του ὅλων τῶν χριστιανικῶν θεμάτων πού ἀπασχολοῦν τόν κόσμον μέ προτεραιότητα τήν οἰκουμενικότητα τῆς Ὀρθοδοξίας γιά τίς ἀρχές τῆς ὁποίας ἀγωνίζεται καί θυσιάζει πολύτιμον καιρόν ἀπό τήν ζωή του.

Ὁ Μεθόδιος ἐδῶ καί χρόνια ἀφιέρωσε τήν ζωή του στήν συγγραφήν ἔργων ἀπό τά ὁποία λάμπει τό Οἰκουμενικό πνεῦμα της Ὀρθοδοξίας συνδυαζόμενον μέ τόν ἀρχαῖον ἑλληνικό πολιτισμόν.

Δέν κάμνομεν προβολήν τοῦ Μητροπολίτου Μεθοδίου, Ἄλλωστε δέν εἶχε ἀνάγκην τοιαύτης προβολῆς. Αὐτό καθ' ἑαυτό τό συγγραφικό του ἔργον τόν προβάλλει σάν ἕνα καταξιωμένο ἀρχιερέα, σοφόν, μέ εὐρεῖαν μόρφωσιν, μέ χαρακτήρα πού συναντᾶται στούς ἀκέραιους ἐκπροσώπους τοῦ Χριστοῦ. Στούς τιμίους, στούς εἰλικρινεῖς, στούς σεμνούς, στούς πράους, τούς ἀνιδιοτελεῖς.

Ἄλλωστε ἀπό αὐτά τά ἔργα του τόν χαρακτηρίζομεν καί τοῦ ἀφιερώνομεν ὅσα γράφομεν σέ μιά 100ετή ἀποδημική ἐφημερίδα, ἡ ὁποία γνωρίζει νά ἐκτιμᾶ τούς ἄξιους ἀνθρώπους, τούς ἀνθρώπους πού ἔχουν βαθειά ριζωμένη στή ψυχή τους τά διδάγματα τοῦ Χριστοῦ καί τήν ἀγάπη τοῦ Κυρίου ἀπό τά ὁποία ἐμπνέεται καί τά ὁποία γράφει ὡς ἐλάχιστην προσφοράν στούς πιστούς καί κυρίως γιά τήν γενεά τῶν Ἀποδήμων Ἑλλήνων.

Διά νά σχηματίσουν μιάν ἰδέαν τοῦ ἐκ. 315 σελίδων ἔργου του «Τό Ἑλληνικό Ὑπόβαθρον τοῦ Χριστιανισμοῦ» δημοσιεύομεν τόν πρόλογο τοῦ Μητροπολίτου Πισιδίας Μεθοδίου πού εἶναι ἀρκετά σαφής καί πού ἔχει ὡς ἑξῆς:....

Σωκρ. ΠΑΤΕΡΑΣ

Ἐφημερίδα **Φῶς** Καΐρου, 1993.

GREEK ORTHODOX ARCHDIOCESE OF NORTH AND SOUTH AMERICA
UNDER THE SPIRITUAL JURISDICTION OF THE ECUMENICAL PATRIARCHATE
ΕΛΛΗΝΙΚΗ ΟΡΘΟΔΟΞΟΣ ΑΡΧΙΕΠΙΣΚΟΠΗ ΒΟΡΕΙΟΥ ΚΑΙ ΝΟΤΙΟΥ ΑΜΕΡΙΚΗΣ

27 Μαΐου 1994

Πρός τόν
Σεβασμ. Μητροπολίτην
Πισιδίας κ.κ. Μεθόδιον
Ρήγα Φερραίου 9
152 32 Χαλάνδρι
'Ελλάς.

Σεβασμιώτατε καί ἐν Χριστῷ Ἅγιε ἀδελφέ,

"Χριστός 'Ανέστη"

Μέ τό λαμπροφόρο Πασχάλιο τοῦτο σάλπισμα, σᾶς γράφω γιά νά σᾶς εὐχαριστήσω γιά τήν ἀποστολήν τῶν δύο συγγραμμάτων σας, "ΤΟ ΕΛΛΗΝΙΚΟ ΥΠΟΒΑΘΡΟ ΤΟΥ ΧΡΙΣΤΙΑΝΙΣΜΟΥ" καί "ΕΚΚΛΗΣΙΑ ΚΑΙ ΘΕΟΛΟΓΙΑ", 'Εκκλησιαστική καί Θεολογική 'Επετηρίς, τόμος ΙΒ', 'Αθῆναι 1993.

Σᾶς συγχαίρω γιά τήν ἀδιάκοπη καί ἀκούραστη συγγραφική γονιμότητά σας, διότι κάθε σύγγραμμά σας, εἶναι καί μία τέλεια καί ἀνεπανάληπτη ἐπιστημονική πανδαισία. Τά συγγράμματά σας πλουτίζουν τήν βιβλιοθήκη τῆς 'Αρχιεπισκοπῆς μας, διότι κατέχουν περίωπτη ἐπιστημονική θέση.

ἐν Χριστῷ 'Αναστάντι,
ὁ ἐν Χριστῷ ἀδελφός σας
Ο ΑΡΧΙΕΠΙΣΚΟΠΟΣ

[signature]

Ο ΑΜΕΡΙΚΗΣ ΙΑΚΩΒΟΣ

ΑΙ:πθτ

10 EAST 79TH STREET, NEW YORK 10021 • TEL: (212) 570-3500 • FAX: (212) 861-2183

«ΤΟ ΕΛΛΗΝΙΚΟ ΥΠΟΒΑΘΡΟ ΤΟΥ ΧΡΙΣΤΙΑΝΙΣΜΟΥ»

Αὐτός εἶναι ὁ τίτλος τοῦ τελευταίου συγγράμματος τοῦ Σεβασμιωτάτου ἀρχιεπισκόπου κ. Μεθόδιου Φούγια πού, μετά τό ἀξεπέραστο ἔργο του **«Ἕλληνες καί Λατῖνοι»** - πού πρόσφατα παρουσιάσαμε - ἀσχολεῖται τώρα διεξοδικά μ' ἕνα τόσο πολυσυζητημένο θέμα, πού δέν παύει ὅμως νά εἶναι καί σήμερα ἐπιτακτικά ἐπίκαιρο. Εἶναι ἕνα ἔργο πού γράφτηκε γιά νά μελετηθεῖ καί ἀπό τή νέα γενιά τοῦ Ἀπόδημου Ἑλληνισμοῦ μέ τήν πρόθεση «... ν' ἀποτελέσει ἕνα κίνητρο ἀφύπνισης ὅλων τῶν Ἑλλήνων γιά τά ἐθνικά καί ἐκκλησιαστικά προβλήματά τους, ἀλλά καί σάν μιά ἀκόμη ὑπόμνηση σ' ὁλόκληρο τόν Θρησκευόμενο Κόσμο γιά τήν ὀφειλή τους πρός τόν περιφρονούμενο σήμερα Ἑλληνικό Πολιτισμό...».

Δέν εἶναι μόνο ὁ Ἑλληνικός πολιτικός, ἐκκλησιαστικός, πνευματικός καί κοινωνικός κόσμος πού ἔχει σέ μεγάλο βαθμό ὑποβαθμίσει τό ρόλο του στά ἐσωτερικά καί ἐξωτερικά θέματα. Εἶναι καί οἱ «ξένοι διαχειριστές τῶν διεθνῶν προβλημάτων» πού λησμονοῦν σήμερα τὶ ὀφείλουν στούς Ἕλληνες, παραποιώντας καί περιθωριοποιώντας κάθε τί Ἑλληνικό, γλώσσα, παιδεία, πατρίδα... «...Ἡ ταπείνωση πού ὑφιστάμεθα σήμερα στό θέμα τῶν Σκοπίων εἶναι τό πιό πρόσφατο παράδειγμα...» σημειώνει ὁ ἀρχιεπίσκοπος κ. Μεθόδιος, γιά νά μήν ἐπαναλάβουμε τό Βορειο-Ἠπειρωτικό, τό Κυπριακό, κ.ἄ., συμπληρώνουμε ἐμεῖς.

Εἶναι ὀλέθριο ὅτι ἡ διεθνής κοινή γνώμη παραμένει ἀσυγκίνητη ἀπό τήν ὅποια Ἑλληνική διπλωματία, δέν ἀντιμετωπίζει καμμία διαμαρτυρία, κανένα σχόλιο, καμμία κριτική ἀπό Ἀκαδημίες, Πανεπιστήμια, Ἀρχαιολογικές Σχολές, Ἱστορικά Ἰνστιτοῦτα, κ.λπ., γιά μιά ἐνέργεια πού ἰσοδυναμεῖ «...μέ τό σχίσιμο τῶν ἱστορικῶν καί ἀρχαιολογικῶν μελετημάτων τους».

Ἀξίζει λοιπόν νά σταθοῦμε μέ σεβασμό σ' αὐτή τή συγγραφική φωνή τοῦ ἀρχιεπισκόπου κ. Μεθ. Φούγια, πού ἀποδεικνύει ὅτι ὁ Ἑλληνισμός εἶναι τό ὑπόβαθρο ὄχι μόνο τῆς Ὀρθοδοξίας - τήν ὁποία οἱ Ἕλληνες μέ μοναδικό φανατισμό ὑπερασπίζονται - ἀλλά καί ὁλόκληρου τοῦ Χριστιανικοῦ Κόσμου. Ὅ,τι μᾶς παραδόθηκε ἀπό τόν Χριστιανισμό, μᾶς παραδόθηκε ἀπό ἑλληνικά κείμενα. Πρίν γραφοῦν τά Εὐαγγέλια καί οἱ Ἐπιστολές τῶν Ἀποστόλων δέν ἔχουμε ἄλλα αὐθεντικά χριστιανικά μνημεῖα. Καί αὐτά γράφτηκαν στήν ἑλληνική γλώσσα, στή γλώσσα πού εἶχε τή δυνατότητα νά ἐκφράσει καί νά μεταλαμπαδεύσει τίς ἀξεπέραστες ἠθικές ἀξίες τοῦ Χριστιανισμοῦ.

Σέ μιά πιό γενική θεώρηση, διαπιστώνουμε ἀκόμη ὅτι, παρά τό γεγονός ὅτι «...διανύουν ἐπί αἰῶνες διαφορετικούς δρόμους συναντῶνται σήμερα σέ κοινό ἔδαφος...» - τίς ἀδιάφθορες ἠθικές ἀξίες πού πρωτοδίδαξε ὁ κλασσικός ἑλληνισμός -. ὁ Χριστιανισμός, ὁ Ἰουδαϊσμός, ὁ Μωαμεθανισμός, «... μέ ἁμαξηλάτες τούς Ἕλληνες κλασσικούς, δηλ. τόν Πλάτωνα, τόν Ἀριστοτέλη, κ.ἄ...». Γιατί εἶναι ἀναμφισβήτητο ὅτι ὁ κυριώτερος ἀντιπρόσωπος τῶν Ἰουδαίων πνευματικῶν ἀνδρῶν εἶναι ὁ Φίλων ὁ Ἰουδαῖος (25 π.Χ. - 40 μ.Χ.), πού ἀνέλαβε νά ἐναρμονίσει τήν Ἰουδαϊκή διδασκαλία μέ τήν Πλατωνική καί Στωϊκή φιλοσοφία. Ἀκόμη ὁ Πλάτων, ὁ Ἀριστοτέλης καί ὁ Πλωτίνος εἶναι μέρος τῆς ἰσλαμικῆς παράδοσης κατά τόν ἴδιο τρόπο πού θεωρεῖται ὁ Ἀβραάμ προφήτης τοῦ Ἰσλάμ...

Τί εἰσέπραξε ἀλήθεια ὁ Ἑλληνισμός σ' ὁλόκληρη τήν περιόδο τῆς ἱστορίας;

Πάντα λιγότερα ἀπ' ὅσα ἔδωσε. Καί τό παράξενο εἶναι ὅτι οἱ Ἕλληνες ἔδιναν πάντα περισσότερα, χωρίς νά τό γνωρίζουν, χωρίς νά τό ἀποτιμοῦν σ' ἀντάλλαγμα. Ἡ ἱστορία ὀνόμασε βέβαια «κοσμοϊστορικό» τόν ἑλληνικό λαό, γιατί μόνο ἐκεῖνος ἀνέδειξε τή μεγαλύτερη ἀξία ἐπί τῆς γῆς, «τό πνεῦμα». «...Καί ἡ συνέπεια τοῦ Ἑλληνικοῦ πνεύματος μέσα στόν χριστιανισμό εἶναι ἡ θέση τοῦ Ἑλληνισμοῦ στήν Εὐρώπη..».

Καί ὅ,τι συνθέτει τή σημερινή Εὐρωπαϊκή πραγματικότητα - διαπιστώνει ὁ ἐπίσης μεγάλος Ἕλληνας φιλόσοφος Θεοδωρακόπουλος - «... εἶναι τό Ἑλληνικό, τό Ρωμαϊκό καί τό Χριστιανικό πνεῦμα. Αὐτά τά τρία πνεύματα συγχωνεύθηκαν καί ἀπετέλεσαν τήν οὐσία τοῦ Εὐρωπαϊκοῦ πολιτισμοῦ». Πέρα ὅμως ἀπό τήν Εὐρώπη δέν εἶναι ὑπερβολή νά ἰσχυρισθεῖ κανείς ὅτι σήμερα γίνεται ἕνας διπλός ἐξελληνισμός τῆς ἀνθρωπότητας. Ὁ ἕνας εἶναι ὁ πολιτικός, τό πολιτικό ἰδεῶδες τῆς «ἐλευθερίας» καί ὁ ἄλλος «ἡ ἑλληνική φιλοσοφία» ἡ ὁποία... ἐξελληνίζει.

Ἀναμφισβήτητα ὑπάρχει στίς μέρες μας μία τάση νά ἰσοπεδωθοῦν τά πάντα, οἱ πολιτισμοί, οἱ λαοί, καί τά ἄτομα ἀκόμη. Ἡ ἱστορία ὅμως δέν γνωρίζει τίποτε ἀπ' αὐτήν τήν ἰσοπέδωση. Ἡ ἱστορία, διακρίνει, χαρακτηρίζει, ζυγίζει καί ἀξιολογεῖ. Ἄς τό προσέξουν οἱ Εὐρωπαῖοι μας ἑταῖροι.

τοῦ ΔΗΜ. ΚΟΥΣΙΟΥ

Εὐρωπαρατηρητής, Βρυξέλλες. Φέβρ. 1994.

Βιβλίο - μαρτυρία τοῦ Μεθόδιου Γ. Φούγια

Οἱ περιούσιοι λαοί τῆς Βίβλου καί τῆς Καινῆς Διαθήκης, Ἑβραῖοι καί Ἕλληνες, βρίσκουν τήν κοινή ἱστορική τους πορεία, σέ μία ἐποχή διαστρεβλώσεων καί πολώσεων, μέσα ἀπό ἕνα βιβλίο - μαρτυρία πορείας στούς αἰῶνες, τοῦ **Μεθόδιου Γ. Φούγια**, Μητροπολίτη Πισιδίας, πρώην Ἀρχιεπισκόπου Θυατείρων καί Μεγάλης Βρετανίας, μέ τίτλο «Ἑλληνισμός καί Ἰουδαϊσμός» (ἱστορικοί σταθμοί στίς σχέσεις Ἑλλήνων καί Ἰουδαίων), πού κυκλοφορεῖ ἀπό τίς ἐκδόσεις Λιβάνη.

«Καί οἱ δύο αὐτές φυλές -σημειώνεται στό ὀπισθόφυλλο ἀπό κείμενο τοῦ **Οὐΐνστον Τσόρτσιλ** - περισσότερο ἀπό ὁποιαδήποτε ἄλλη, ἄφησαν βαθιά τά ἴχνη τους ἐπάνω στόν κόσμο. Παρ' ὅλους τούς ἀδιάκοπους κινδύνους καί τά μαρτύρια πού ὑφίσταντο στά χέρια ξένων εἰσβολέων καί οἱ δύο ἔδειξαν μία ἱκανότητα ἐπιβίωσης πού μπορεῖ νά συγκριθεῖ μόνο μέ τή δύναμή τους γιά αἰώνιους ἀγῶνες, διχόνοιες καί ἐσωτερικές διαμάχες. Οἱ χιλιετίες δέν ἄλλαξαν τίποτε στόν χαρακτήρα τους καί δέν μείωσαν καθόλου οὔτε τίς δοκιμασίες τους, οὔτε τή ζωτικότητά τους. Ἐπέζησαν παρόλη τήν ἐχθρότητα τοῦ κόσμου ἀπέναντί τους, παρόλο τό κακό πού προξένησαν καί οἱ δύο στόν ἑαυτό τους καί ἡ καθεμία τους, ἀπό πολύ διαφορετικές ἀπόψεις, μᾶς ἄφησε τήν κληρονομιά τῆς ἰδιοφυίας καί τῆς σοφίας της. Δέν ὑπάρχουν ἄλλες πόλεις πού νά ἔχουν παίξει τό ρόλο τῶν Ἀθηνῶν καί τῆς Ἱερουσαλήμ. Τό μήνυμα πού μᾶς μετέδωσαν στή θρησκεία, τή φιλοσοφία καί τήν Τέχνη, εἶναι ἕνας φάρος στήν πίστη καί τή σύγχρονη πνευματική καλλιέργεια...».

Τό βιβλίο ἐξηγεῖ ὅλα αὐτά, ἀποκαθιστᾶ τήν ἱστορική ἀλήθεια, ἀναλύει τό πώς οἱ Ἕλληνες ἀποδέχθηκαν τούς Ἑβραίους καί τούς ἀντιμετώπισαν μέ τρόπο φιλικό καί γεμάτο γνήσια ἀγάπη στίς σχέσεις τους.

Ἀπογευματινή, 11 Ἀπριλ. 1995

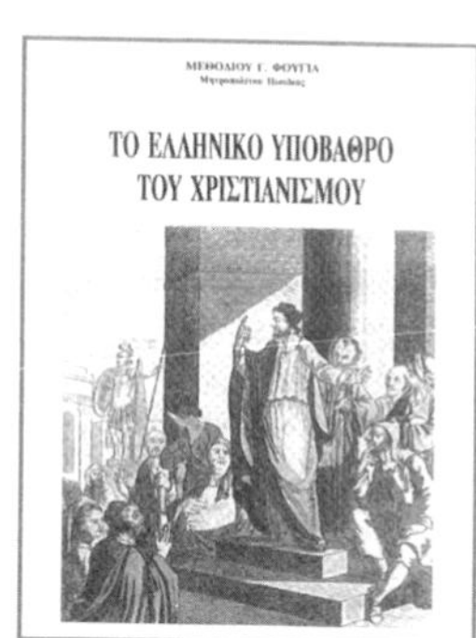

Τό νέο βιβλίο τοῦ Μητροπολίτου Πισιδίας, πρώην ἀρχιεπισκόπου Θυατείρων καί Μεγάλης Βρεταννίας, Μεθοδίου Γ. Φούγια, «Τό Ἑλληνικό Ὑπόβαθρο τοῦ Χριστιανισμοῦ».

Στό βιβλίο ἐπισημαίνονται ἐπίσης, «τόσο οἱ ἐλλείψεις τῶν Ἑλλήνων ὅσο καί ὁ φθόνος τῶν διαστρεβλωτῶν τῆς Ἱστορίας», τό ὅλο δέ ἔργο ἀποτελεῖ χρήσιμο «ἐργαλεῖο» γιά ἐκείνους πού καταγίνονται μέ τίς δυνατότητες τῆς Ἑλληνικῆς Ἐκκλησίας νά συμβάλλει στήν κατανόηση τῶν ἑλληνικῶν θέσεων στή σημερινή Εὐρώπη. Στά βιβλιοπωλεῖα τῆς Ἀποστολικῆς Διακονίας, Δραγατσανίου 2, πλ. Κλαυθμῶνος καί Ἰασίου 1. Σέλ. 316.

Εὐρωενωσιακόν Δελτίον Διοικήσεως Ἐπιχειρήσεων, τόμ. 33ος (1994) Σ. 129/959

ΕΛΛΗΝΙΚΗ ΔΗΜΟΚΡΑΤΙΑ
ΥΠΟΥΡΓΕΙΟ ΕΘΝΙΚΗΣ ΠΑΙΔΕΙΑΣ & ΘΡΗΣΚΕΥΜΑΤΩΝ
ΚΕΝΤΡΙΚΟ ΙΣΡΑΗΛΙΤΙΚΟ ΣΥΜΒΟΥΛΙΟ ΣΥΝΤΟΝΙΣΜΟΥ ΚΑΙ ΓΝΩΜΑΤΕΥΣΕΩΣ
Ν.Π.Δ.Δ. (Ν.Δ. 301/1969)

ΣΟΥΡΜΕΛΗ 2
104 39 ΑΘΗΝΑ

Πληροφορίες:
Τηλέφωνο: 88 39 951-3
Τέλεξ : 22 51 10
Τηλεγρ. Δ/νση: "ΚΕΝΙΣΡΑΗΛ" ΑΘΗΝΑ
Τέλεφαξ : (1) 8 2 3 4 4 8 8

ΘΕΜΑ:

Αθήνα 25 Νοεμβρίου 1993

Αριθ. Πρωτ. 767

ΠΡΟΣ τον
Σεβασμιώτατο
Αρχιεπίσκοπο κ. Μεθόδιο Φούγια
Ρήγα Φερραίου 9
152 32 ΧΑΛΑΝΔΡΙ

Σεβασμιώτατε,

Σας ευχαριστούμε για την από 20 Νοεμβρίου 1993 επιστολή σας. Με ευχαρίστηση να Σας αποστέλλουμε τα τεύχη του περιοδικού μας.

Λάβαμε το αντίτυπο του βιβλίου "Το Ελληνικό υπόβαθρο του Χριστιανισμού", το οποίο είχατε την καλωσύνη να μας αποστείλετε και το οποίο είχαμε ήδη προμηθευθεί.

Θα παρακαλούσαμε να είχαμε την άδειά Σας για να αναδημοσιεύσουμε - με αναφορά φυσικά στην πηγή - σε προσεχές τεύχος των "Χρονικών", αποσπάσματα απ΄αυτή την πολύτιμη μελέτη Σας .

Με βαθύτατη εκτίμηση

Ο Πρόεδρος — Ο Γεν. Γραμματεύς

Νισήμ Μαΐς — Μωϋσής Κωνσταντίνης

† Ο ΜΗΤΡΟΠΟΛΙΤΗΣ ΒΡΕΣΘΕΝΗΣ
ΔΗΜΗΤΡΙΟΣ

16 Φεβρουαρίου 1994

Σεβασμιώτατον
Μητροπολίτην Πισιδίας
Κύριον Μεθόδιον
Ρ. Φεραίου 9
Χαλάνδρι 15232

Σεβασμιώτατε καί ἀγαπητέ μου Ἅγιε Πισιδίας,

Θερμότατα εὐχαριστῶ καί συγχαίρω γιά τό βιβλίο σας *Τό Ἑλληνικό Ὑπόβαθρο τοῦ Χριστιανισμοῦ*, τό ὁποῖο εἴχατε τήν καλωσύνη νά μοῦ στείλετε καί τό ὁποῖο μόλις ἔλαβα. Θά τό μελετήσω μέ προσοχή μέ πρώτη εὐκαιρία.

Εὔχομαι πάντοτε καρποφόρο συγγραφική δράση πρός διάδοση τοῦ φωτός τοῦ Εὐαγγελίου τοῖς ἐγγύς καί τοῖς μακράν εἰς δόξαν Θεοῦ.

Μέ ἀγάπη καί τιμή ἐν Κυρίῳ
Ἀδελφός ἐν Αὐτῷ

ὁ Βρεσθένης Δημήτριος

†ὁ Μητροπολίτης Βρεσθένης Δημήτριος *

* Εἶναι ὁ νῦν Ἀρχιεπίσκοπος Ἀμερικῆς

† Ο ΜΗΤΡΟΠΟΛΙΤΗΣ ΠΕΙΡΑΙΩΣ
ΚΑΛΛΙΝΙΚΟΣ

'Εν Πειραιεῖ τῇ 12η Νοεμβρίου 1993

Σεβασμιώτατον
Μητροπολίτην Πισιδίας
Κύριον Κύριον Μ Ε Θ Ο Δ Ι Ο Ν
Ρήγα Φεραίου 9
15232 ΧΑΛΑΝΔΡΙ

'Αγαπητέ μου Ἅγιε Πισιδίας,

Σᾶς εὐχαριστῶ θερμότατα διά τήν εὐγενῆ ἀποστολήν τοῦ βιβλίου σας " ΤΟ ΕΛΛΗΝΙΚΟ ΥΠΟΒΑΘΡΟ ΤΟΥ ΧΡΙΣΤΙΑΝΙΣΜΟΥ ".

Συγχαίρων ἀδελφικῶς, εὔχομαι πᾶσαν παρά Κυρίου ἐνίσχυσιν καί δύναμιν εἰς τό πλούσιο συγγραφικό ἔργο σας.

Εἶσθε χαλκέντερος. Εὔχομαι γρήγορα νά τεθεῖτε πάλιν ἐπί τήν λυχνίαν.-

Μετά πολλῆς τῆς ἀδελφικῆς ἀγάπης

† ὁ Πειραιῶς Καλλίνικος

\+ Ο ΑΡΧΙΕΠΙΣΚΟΠΟΣ ΚΥΠΡΟΥ
ΧΡΥΣΟΣΤΟΜΟΣ

Τῷ Σεβασμιωτάτῳ Μητροπολίτῃ Πισιδίας, ἀγαπητῷ ἀδελφῷ, κυρίῳ Μεθοδίῳ, ἀσπασμόν ἅγιον ἐν Χριστῷ.

Ἐν συγκινήσει βαθείᾳ ἐδεξάμεθα τάς ἐπί τῇ ὀνομαστικῇ ἡμῶν ἑορτῇ συγχαρητηρίους προσρήσεις καί εὐχάς τῆς Ὑμετέρας ἀγαπητῆς Σεβασμιότητος.

Θερμῶς εὐχαριστοῦντες ἐπ' αὐταῖς, ἀντευχόμεθα ὁλοψύχως τῇ Ὑμετέρᾳ φίλῃ Σεβασμιότητι ὑγίειαν ἀκλόνητον καί Ἀρχιερατείαν μακράν καί ἐν πᾶσι καρποφόρον.

Εὐχαριστοῦμεν πολύ τῇ Ὑμετέρᾳ Σεβασμιότητι καί διά τήν ἀποστολήν τοῦ νέου περισπουδάστου συγγράμματος Αὐτῆς "Τό ἑλληνικό ὑπόβαθρο τοῦ Χριστιανισμοῦ", συγχαίροντες ἅμα ἐγκαρδίως καί εὐχόμενοι Αὐτῇ τά δέοντα.

Μετά πολλῆς τῆς ἐν Κυρίῳ ἀγάπης

ὁ Κύπρου Χρυσόστομος

Ἐν τῇ Ἱ. Ἀρχιεπισκοπῇ Κύπρου,
τῇ 13ῃ Νοεμβρίου 1993.

ΜΕΘΟΔΙΟΥ Γ. ΦΟΥΓΙΑ

ΤΟ ΕΛΛΗΝΙΚΟ ΥΠΟΒΑΘΡΟ ΤΟΥ ΧΡΙΣΤΙΑΝΙΣΜΟΥ

Εκδόσεις Αποστ. Διακονίας της Εκκλ. της Ελλάδος

Από την Αποστολική Διακονία της Εκκλησίας της Ελλάδος, μας εστάλη το βιβλίο του Μητροπολίτου Πισιδίας κ. Μεθοδίου Φούγια «Το Ελληνικό Υπόβαθρο του Χριστιανισμού».

Ο τόμος περιέχει το πρώτο μέρος με δυο παραρτήματα: 1- Ελληνισμός, Ιουδαϊσμός και Μωαμεθανισμός, και 2- Η αρχαία Χριστιανική Υμνογραφία και ο Ελληνισμός. Είναι αφιερωμένο στη Μακεδονία και όχι τύποις. « Η μελέτη αυτή γράφτηκε με την πρόθεσι να αποτελέση ένα κίνητρο αφυπνίσεως των Ελλήνων για τα εθνικά και εκκλησιαστηκά προβλήματά τους, αλλά και ως μία ακόμη υπόμνησι στο χριστιανικό κόσμο για την οφειλή τους προς τον περιφρονούμενο σήμερα Ελληνικό πολιτισμό, ιδιαίτερα τα Ελληνικά θέματα...» λέει στην εισαγωγή του ο εγνωσμένης αξίας συγγραφέας.

Ο πρόλογος είναι επίσης κατατοπιστικός, γι' αυτό θεωρούμε χρήσιμο να σας μεταφέρουμε μέρος του: «Στο πρώτο τούτο μέρος της, επί του παγκοίνως γνωστού θέματος, μελέτης μου, περί του Ελληνικού υποβάθρου του Χριστιανισμού, αναφέρομαι σε γνωστό και πολυσυζητημένο, βέβαια, θέμα που δεν παύει και στις μέρες μας να είναι επίκαιρο και να προβάλλη επιτακτικό. Πρόκειται περί της μεγάλης προσφοράς των προγόνων μας, μεγάλων ανδρών της ανθρωπότητας, Χριστιανών διδασκάλων και Πατέρων, στην κατανόησι, εξάπλωσι και καθιέρωσι της Οικουμενικής Χριστιανικής Εκκλησίας, ως θρησκευτικής ιδεολογίας και ως λυτρωτικής δυνάμεως του ανθρώπου. Και οι μεν Ελληνες Πατέρες ήταν εύκολο και φυσικό να επωφεληθούν από την Ελληνική σοφία, αλλ' η Θεία Πρόνοια προέβλεψε και εξασφάλισε τους άλλους αγωγούς για να συνδέση αυτή με τους Λατίνους, τους Σύρους και τους λοιπούς μεγάλους ηγέτες άλλων εθνών της Εκκλησίας και θεράποντες της Θεολογίας, για να καταστούν κοινά σε όλους τα στηρίγματα της πίστεως. Και αυτοί οι σωτηριώδεις παράγοντες είχαν προπαρασκευασθή κατά θεία παραχώρησι από την αστείρευτη Ελληνική Παιδεία.

Ο Χριστιανισμός υπήρξε αποφασιστικός παράγοντας στην ιστορία μεγίστου μέρους της πολιτισμένης ανθρωπότητας και εκείνο που επισημαίνω στη μελέτη μου αυτή είναι ακριβώς η συνεισφορά του Ελληνικού Πολιτισμού στη διαμόρφωσι του Χριστιανικού Μηνύματος στην ουσία, αλλά ιδιαίτερα στη στρατολογία των μεγάλων ηγετών του.

Επειδή το έργο μου τούτο γράφεται με ευρύτερη προοπτική, να μελετηθή και από τη νέα γενεά του Αποδήμου Ελληνισμού, αντλώ ως επί το πλείστον από ξένους επιστήμονες, που δεν διστάζουν ν' αναγνωρίσουν το μεγάλο προνόμιο του Ελληνισμού στην κατοχύρωσι των Χριστιανικών αληθειών, αλλά είναι δύσκολο να καταστή σ' αυτή τη γενεά προσιτό το υλικό τούτο...»

Οι ενδιαφερόμενοι μπορούν να πληροφορηθούν το που θα βρουν το βιβλίο, από το τηλέφωνο της Αποστ. Διακονίας 7228008.

«Ε»

Ἐφημερίδα Ἑπτάλοφος, Μάρτιος 1994.

Του Μητροπολίτη Πισιδίας Μεθόδιου Φούγια

«ΤΟ ΕΛΛΗΝΙΚΟ ΥΠΟΒΑΘΡΟ ΤΟΥ ΧΡΙΣΤΙΑΝΙΣΜΟΥ»

Βιβλίο - ἀφιέρωση στή Μακεδονία

Βιβλίο - ἀφιέρωση στή Μακεδονία τό νέο του βιβλίο μέ τίτλο «Τό ἑλληνικό ὑπόβαθρο τοῦ Χριστιανισμοῦ», ἀφιερώνει στή Μακεδονία ὁ Μητροπολίτης Πισιδίας καί τέως ἀρχιεπίσκοπος Μεγάλης Βρετανίας, σεβασμιότατος Μεθόδιος Γ. Φούγιας.

Πρόκειται γιά μιά ἰδιαίτερα ἀξιόλογη, ὅσο καί ἐπίκαιρη πνευματική προσφορά στόν Ἑλληνισμό καί τήν Ὀρθοδοξία, πού ἀποτελοῦν τά θεμέλια τοῦ ἔθνους μας.

Ὁ συγγραφέας, πού εἶναι σήμερα ὁ πιό πνευματικός καί μορφωμένος ἱεράρχης τῆς ὀρθόδοξης χριστιανικῆς Ἐκκλησίας, μέ μεγάλο ἀριθμό ἐπιστημονικῶν, φιλοσοφικῶν καί ἐκκλησιαστικῶν βιβλίων, διευρύνει τίς διαστάσεις τοῦ μοναδικοῦ καί ἐκπληκτικοῦ «δίδυμου», δηλαδή Ἑλληνισμοῦ καί Ὀρθοδοξίας, στοχεύοντας ἐπιτυχῶς, μέ τό νέο του αὐτό πνευματικό πόνημα νά κάνει κατανοητά τά ἐθνικά καί πνευματικά μας προβλήματα, ὅπως ἔχουν διαμορφωθεῖ μέ τίς γνωστές σημερινές ἐξελίξεις.

Τήν ἀξία αὐτοῦ τοῦ βιβλίου, πού οἱ ἀπόψεις τοῦ συγγραφέα θεμελιώνονται μέ σχετικές παραπομπές, πηγές καί βιβλιογραφικές ἀναφορές, τήν κατανόησε, πολύ σωστά ἡ Ἐκκλησία τῆς Ἑλλάδας καί διά τῆς Ἀποστολικῆς Διακονίας της ἀνέλαβε τήν ἔκδοσή του.

Ὁ ἀξιόλογος αὐτός τόμος 315 σελίδων, περιλαμβάνει ἐκτός ἀπό τό κύριο θέμα του, δύο παραρτήματα γιά τόν Ἑλληνισμό, Ἰουδαϊσμό, Μωαμεθανισμό καί τήν ἀρχαία Χριστιανική Ὑμνογραφία καί τόν Ἑλληνισμό, ὅπως ἐπίσης πρόλογο στά ἀγγλικά, ἀναλυτική εἰσαγωγή, γενικό εὑρετήριο, καθώς καί 30 ἐνδιαφέρουσες εἰκόνες. Ὁ κωδικός του ἀριθμός εἶναι ISBN 960 - 315 - 110 - 6 καί διατίθεται ἀπό τήν Ἀποστολική Διακονία (Ἰασίου 1 - Ἀθήνα 115 31) καί τή Μονή Πετράκη.

Τό βιβλίο εἶναι τό πρῶτο μέρος, δεδομένου ὅτι, ὅπως ἀφήνεται νά ἐννοηθεῖ, θά κυκλοφορήσει καί δεύτερος σχετικός τόμος. Γιά τό βιβλίο τοῦ σεβ. ἱεράρχη Μεθοδίου Φούγια, γράφτηκαν ἤδη ἐπαινετικές κριτικές σέ πολλά ἔντυπα, ἐδῶ καί στό ἐξωτερικό, ἐνῶ ἐκφράστηκαν ἐπώνυμες εὐμενεῖς κρίσεις, ὅπως τῶν κ.κ. Γιάννη Μαρίνου, Ἀθανάσιου Κανελλόπουλου, Ἀντ. Σπηλιόπουλου κ.ἄ. Μερικοί ἀπό τούς σχετικούς τίτλους τῶν δημοσιευμάτων ἦσαν: Θεμέλιο ὁ Ἑλληνισμός, φωνή ἐλπίδας γιά τόν Ἑλληνισμό, Εὐρωπαῖοι γνωρίστε τήν Ἑλλάδα, τό ὑπόβαθρο τοῦ Χριστιανισμοῦ, Ἐκκλησία καί Ἑλληνισμός.

Ἄξιος θερμῶν συγχαρητηρίων καί πάλι ὁ Μεθόδιος Φούγιας, ὁ ἐμπνευσμένος αὐτός κληρικός, πού ἄν καί ἀδικήθηκε κάποτε, ἐντελῶς ἄδικα, ἀπό τήν παλιότερη «διοίκηση τοῦ Φαναριοῦ», συνέχιζε ἐντελῶς ἀγόγγυστα καί συνεχίζει νά προσφέρει πνευματικά γιά τό καλό τῆς Ἐκκλησίας, τῆς Ὀρθοδοξίας καί τοῦ Ἑλληνισμοῦ, διότι εἶναι ἕνα πραγματικό πνευματικό διαμάντι ἀνάμεσα στούς ἱεράρχες μας.

ΜΑΝΟΣ ΧΑΡΗΣ

ΙΕΡΑ ΜΗΤΡΟΠΟΛΙΣ ΚΩΟΥ

Αύξ. αριθμ. } Πρωτ. 111 / Διεκπ.

Εν Κω τη 5 Μαρτίου 1994

Σεβασμιώτατον Μητροπολίτην
Πισιδίας κ. Μεθόδιον

Εἰς Ἀθήνας

Εὐχαριστῶ θερμῶς διά τό εὐγενῶς μοι ἀποσταλέν περισπούδαστον νέον ὑμέτερον βιβλίον "Τό Ἑλληνικό Ὑπόβαθρο τοῦ Χριστιανισμοῦ, προϊόν μακρᾶς καί λιπαρᾶς μελέτης καί κριτικῆς".

Τά 32 κεφάλαια του ἀποτελοῦν διά πάντα μελετητήν ἀξιόλογον πηγήν γνώσεων, ἀπό τήν ὁποίαν δύναται νά ἀντλῇ διά νά καταπολεμῇ ἀφ'ἑνός τούς πολεμίους τῆς τε Ὀρθοδόξου Ἐκκλησίας καί τῆς Ἑλλάδος καί ἀφ'ἑτέρου διά νά ὑπερασπίζεται τά δίκαια ἀμφοτέρων.

Συγχαίρων τήν Ὑμετέραν ἀγαπητήν Σεβασμιότητα διακρινομένην διά τόν συγγραφικόν πλοῦτον, εὔχομαι ὅπως ὁ πυκνός κάλαμος Ὑμῶν προσφέρῃ καί ἑτέρας πνευματικάς ἐργασίας αἱ ὁποῖαι καταξιώνουν Ὑμᾶς εἰς τόν κόσμον τῶν συγχρόνων δοκίμων συγγραφέων καί ἐπιστημόνων.

Ἐπί δέ τούτοις διατελοῦμεν μετά πολλῆς ἐν Κυρίῳ ἀγάπης

Ο ΜΗΤΡΟΠΟΛΙΤΗΣ

[signature]

† Ο ΚΩΟΥ ΑΙΜΙΛΙΑΝΟΣ

Μεθοδίου Γ. Φούγια, Μητροπολίτου Πισιδίας, **ΤΟ ΕΛΛΗΝΙΚΟ ΥΠΟΒΑΘΡΟ ΤΟΥ ΧΡΙΣΤΙΑΝΙΣΜΟΥ,** Μέρος Πρῶτο μετά δύο παραρτημάτων, Ἔκδοση τῆς Ἀποστολικῆς Διακονίας τῆς Ἐκκλησίας τῆς Ἑλλάδος, χ.χ., σσ. 315.

Ἡ πολυμέρεια καί ἡ φιλοσοφική διάθεση τοῦ συγγραφέως μᾶς χαρίζουν καί αὐτές τίς σελίδες τοῦ βιβλίου[1], πού γιά μιά ἀκόμη φορά ἀπεικονίζουν τό μέγεθος τῆς προσφορᾶς τοῦ Ἑλληνισμοῦ πρός τόν Χριστιανισμό καί τήν ἀνθρωπότητα γενικώτερα. Ὁ Σεβασμιώτατος Πισιδίας, δόκιμος ἐπιστήμων μέ διεθνῆ προβολή, γνώστης τῆς ἑλληνικῆς καί ξένης βιβλιογραφίας, ἐπιχειρεῖ νά ἐπισημάνει γιά μιά ἀκόμη φορά τή συνεισφορά τοῦ Ἑλληνικοῦ Πολιτισμοῦ καί τή φιλοσοφική διδασκαλία τοῦ Χριστιανικοῦ Μηνύματος, ὡς τή μόνη ἀλήθεια πού πρέπει νὰ δεσπόζει. Μοναδική Κληρονομιά γιά μᾶς σήμερα, μᾶς καθιστοῦν ὑπόχρεους σεβασμοῦ καί διατηρήσεως τῶν θεσμῶν ἐκείνων, πού προβάλλουν καί ἔξω ἀπό τόν χῶρο τόν ἰδικό μας καί διαλαλοῦν τή μοναδικότητά μας.

Ἡ συνάντηση τῆς ἑλληνικῆς φιλοσοφίας μέ τό κήρυγμα τῆς Χριστιανικῆς Θρησκείας, σφυρηλάτησε τήν Ὀρθόδοξη πίστη μας καί ἐνδυνάμωσε τήν Πατερική διδασκαλία ὡς τή μόνη ἀσφαλῆ ἔκφραση τῶν ὑψηλῶν ἐννοιῶν τοῦ Χριστιανισμοῦ. Τίς ἀλήθειες αὐτές ἐπεξεργάζεται μέ ἐπιτυχία ὁ συγγραφέας στό πρῶτο μέρος τοῦ βιβλίου του, δίνοντας τό στίγμα τῆς ἐπικαιρότητας μετά ἀπό τά ζοφερά νέφη πού ἐμφανίζονται ἐναντίον μας ἀπό ἐχθρούς καί φίλους. Ἀρκεῖ μιά γρήγορη ματιά νά μεταπείσει καί τόν πλέον ἄπιστο γιά τίς ἀλήθειες αὐτές, πού ὄχι μόνο τώρα ἀλλά καί ἀνέκαθεν ἦταν ὁ ἀποφασιστικός παράγων πού ποδηγετοῦσε τήν ἀνθρωπότητα. Ἕνας κοσμοϊστορικός λαός, ὅπως ἀποκαλεῖ τόν Ἑλληνικό, ὁ φιλόσοφος καί διδάσκαλος Ἰωάννης Θεοδωρακόπουλος, διαφέντεψε τήν ἀνθρωπότητα ποδηγετώντας πνευματικά. Χαρακτηριστικά γράφει: «Ὁ Ἑλληνισμός καθ' ὅλη τήν περίοδο τῆς ἱστορίας του ἔλαβε λιγώτερα ἀπ' ὅσα ἔδωσε». Μέ αὐτό τό πνεῦμα κινούμενος ὁ Σεβασμιώτατος ὁριοθέτησε τήν προσφορά του καί πάλι πρός τήν Ἐκκλησία καί τόν Ἑλληνισμό, προσφέροντας, ὅπως γράφει (σ. 13), τή βοήθεια πρός τή νέα γενιά τοῦ Ἀπόδημου Ἑλληνισμοῦ.

Ὁ συγγραφέας ξεκινώντας ἀπό τά δεδομένα τῆς σήμερον, ἐπισημαίνει ὡς ὤφειλε, τίς ἀδυναμίες τῶν Νεοελλήνων νά διατηρήσουν πολλές φορές τά ἰδεώδη τους. Ἡ ἀδιαφορία πού παρατηρεῖται στούς ἄρχοντες καί ἀρχομένους στή σύγχρονη Ἑλλάδα προβληματίζει τούς πάντες καί μόνο μερικές φωνές διαμαρτυρίας ἀκούγονται στόν ἡμερήσιο Τύπο, οἱ ὁποῖες ὅμως δέν εἶναι ἀρκετές νά ταράξουν τά λιμνάζοντα νερά. Τό ἐκπαιδευτικό μας σύστημα πάσχει ἀπό τίς πρόχειρες καί ἐσπευσμένες ἀλλαγές. Ἡ γλώσσα μας συρρικνώνεται ἐπικίνδυνα καί τὸ λεξιλόγιο κυρίως τῶν νέων ἀνθρώπων περιορίζεται στό ἐλάχιστο. Τούς θησαυρούς τῆς ἀρχαίας γραμματείας, ἡμετέρας καί θύραθεν, ἀπεμπολήσαμε. Τή χριστιανική μας πίστη νοθεύσαμε, ἀπό τίς συγκινήσεις τῆς λατρευτικῆς ζωῆς τῆς Ἐκκλησίας ἀπομακρυνθήκαμε. Γιά μᾶς σήμερα Θεός μας εἶναι ὁ εὐδαιμονισμός, πού δεσπόζει σέ ὅλες τίς ἐκδηλώσεις τῆς ζωῆς μας. Στήν

Εἰσαγωγή του ὁ Σεβ. κ. Μεθόδιος μᾶς ἐπισημαίνει, μέ τόν καλύτερο τρόπο, τίς ἀρνητικές πράγματι θέσεις πού παρατηροῦνται σήμερα εἰς ὅλους τούς τομεῖς, παρουσιάζοντας τίς ἐποικοδομητικές θέσεις πού κατά καιρούς πῆραν ὁρισμένοι. Ἰδιαίτερη μνεία κάνει γιά τόν ἀείμνηστο διδάσκαλό μας Ἰωάννη Θεοδωρακόπουλο, πού μέ τίς τελευταῖες ὑποθῆκες του στάθηκε προφητικός σέ πολλά. Τό ἔργο τῆς Θεία Ἀποκαλύψεως καί ὁ Χριστιανικός λόγος μέ τή βοήθεια τῆς ἀρχαίας φιλοσοφίας ἀναπτέρωνε ἄλλοτε τούς νέους, προσανατολίζοντάς τους σέ ἀσφαλές λιμάνι. Οἱ στόχοι τους ἦταν ἐγγύηση γιά τό μέλλον τό δικό τους καί τό μέλλον τῆς πατρίδας. Σήμερα, πού οἱ σειρῆνες τῆς Κίρκης εὔκολα τούς παρασύρουν, δύσκολα βρίσκουν τό δρόμο γιά τήν ἐπιστροφή τους στήν Ἰθάκη.

Ἡ ἀναδρομή στό παρελθόν μέ ἀφετηρία τήν προπαρασκευή τοῦ Κόσμου γιά νά δεχθεῖ τίς ἀλήθειες τοῦ Χριστιανισμοῦ, μέ πρωτεύοντα ρόλο τήν ἑλληνική φιλοσοφική σκέψη καί τόν ἑλληνικό λόγο, θεμελιώνει τίς κύριες ἀρχές τῶν σκέψεων τοῦ συγγραφέως. Τά μεγάλα Ἑλληνιστικά κέντρα τῶν Ἀθηνῶν, τῆς Ἀλεξανδρείας καί τῆς Ἀντιοχείας προβάλλονται ὡς οἱ φάροι ἐκεῖνοι πού μεταλαμπαδεύουν τήν ἑλληνική φιλοσοφία καί γνώση καί δημιουργοῦν τίς προϋποθέσεις τῆς συρροῆς τῶν νέων τοῦ τότε γνωστοῦ κόσμου. Βέβαια οἱ Σχολές τῆς Ἀλεξανδρείας καί Ἀντιοχείας ὑπῆρξαν φυτώρια τῆς Θεολογικῆς σκέψης καί Ἐπιστήμης πού δίδαξαν ἀντίστοιχα μεγάλοι θεολόγοι καί διδάσκαλοι: Κλήμης, Ὠριγένης, Διονύσιος, Πιέριος, Ἀθανάσιος, Δίδυμος ὁ Τυφλός, Κύριλλος, Λουκιανός ὁ Σαμοσατέας, Διόδωρος ὁ Ταρσοῦ, Λιβάνιος κ.ἄ. Ἔτσι προβάλλεται ἀναμφισβήτητα ὁ Ἑλληνικός χαρακτήρας τῆς Ἀρχαίας Ἐκκλησίας καί σπουδαῖοι Ἐκκλησιαστικοί Πατέρες ἀναδεικνύονται προστάτες τῶν Ἑλληνικῶν Γραμμάτων, ὅπως ὁ Μέγας Βασίλειος κ.ἄ. Μέχρι τοῦ Τερτυλλιανοῦ, πού πρῶτος ἔγραψε στή λατινική γλώσσα ταυτοχρόνως μέ τήν Ἑλληνική καί οἱ ἄλλοι Πατέρες τῆς Ρωμαϊκῆς Ἐκκλησίας, ἀλλά καί αὐτή ἡ Ρωμαϊκή Ἐκκλησία ἐπισήμως χρησιμοποιοῦσε τήν ἑλληνική γλώσσα.

Ἡ Πλατωνική φιλοσοφία, θεραπαινίδα τῆς Χριστιανικῆς πίστεως καί Θεολογίας, ἐνισχύει ἀποτελεσματικά τή διαμόρφωση τῆς Πατερικῆς Θεολογίας, ἡ ὁποία καί ἀποτελεῖ τήν ὑγιά Παράδοση τῆς Ἐκκλησίας μας. Ὁ Νεοπλατωνισμός δέν εἶναι τίποτε ἄλλο, παρά οἱ φιλοσοφικές ἰδέες τοῦ Πλάτωνα, ἐπενδυμένες μέ τίς ἀνάγκες καί τίς τάσεις τῆς ἐποχῆς καί ὁ ὁποῖος ὡς φιλοσοφικό ρεῦμα ἐμφανίστηκε ὡς ἀντίδραση κατά τοῦ Χριστιανισμοῦ. Ἡ ἀνάπτυξη τοῦ Νεοπλατωνισμοῦ ἀνήκει στόν Πλωτίνο, ὁ ὁποῖος καί συστηματοποίησε τή διδασκαλία του. Πέραν τούτου ὁ Πλάτων, ὁ Ἀριστοτέλης καί ὁ Πλωτίνος εἶναι οἱ τρεῖς αὐθεντίες τῆς ἑλληνικῆς φιλοσοφίας ποῦ παρέμειναν στό Χριστιανισμό καί βοήθησαν ἀποτελεσματικά στήν ἀνάπτυξη τῆς Χριστιανικῆς Θεολογίας. Γιά τή δημιουργία αὐτοῦ τοῦ εὐφόρου κλίματος σημαντικά καί συστηματικά συνέβαλε ἡ Ἑλληνική γλώσσα, ἡ ὁποία, ὡς γνωστόν, εἶναι καί ἡ γλώσσα τοῦ Εὐαγγελίου.

Ἡ πληθώρα τῶν θεμάτων πού ἀναπτύσσονται στίς σελίδες τοῦ βιβλίου καλύπτουν σχεδόν ὅλο τό φάσμα τῶν γνώσεων ἐκείνων πού πράγματι χρειάζεται ὁ ἀναγνώστης - μελετητής γιά νά προσεγγίσει τά ἱστορικά δεδομένα καί νά μπορέσει νά ἑρμηνεύσει τά γεγονότα τοῦ σήμερα. Ἡ συνύπαρξη τοῦ Ἑλληνικοῦ Πολιτισμοῦ καί τοῦ Χριστιανισμοῦ, ὑπῆρξε ἡ ἀποκορύφωση τῆς χάριτος τοῦ Κυρίου, ὅταν εἶπε τό περίφημο ἐκεῖνο «Ἐλήλυθεν ἡ ὥρα ἵνα δοξασθῇ ὁ υἱός τοῦ ἀνθρώπου» (Ἰωάννου ΙΒ′ 23) μετά τήν τήν ἐπιθυμία τῶν Ἑλλήνων ἐκείνων προσκυνητῶν νά τόν ἰδοῦν. Τό Εὐαγγέλιο προσκάλεσε ὅλα τά ἔθνη, ἀλλά οἱ Ἕλληνες, ὅπως παρατηρεῖ καί ὁ Χάρνακ, ἦσαν οἱ primi inter pares. Τό γεγονός ὅτι καί σήμερα χωρίς κανένα ἐνδοιασμό τονίζεται ἀπό πολλούς ξένους σοφούς ἡ ἀξία τῆς ἑλληνικῆς κληρονομιᾶς γιά τήν ἀνθρωπότητα, εἶναι παρήγορο. Ὁ συγγραφέας μέ ἁπλοχεριά μᾶς παραθέτει γνῶμες παλαιοτέρων καί συγχρόνων ξένων διανοητῶν, οἱ ὁποῖοι ἐπιγραμματικά ἐπισημαίνουν τό γεγονός καί μακαρίζουν γιά τήν εὔνοια πού δέχθηκε ἡ ἀνθρωπότητα.

Χωρίς νά εἶναι δυνατόν νά παρακολουθήσουμε τήν ἀνάπτυξη ὅλων τῶν ἐπί μέρους θεμάτων, σταματῶ γιά λίγο στό «Προτεσταντισμός καί Ἑλληνισμός» γιά νά ἐπισημάνω τήν ἐπίδραση πού ἄσκησε ἐπί τοῦ Προτεσταντισμοῦ τό Ἑλληνικό πνεῦμα καί ἰδιαίτερα στούς κορυφαίους μεταρρυθμιστές Λούθηρο, Καλβίνο καί Μελάγχθονα. Ὁ Μελάγχθων ἀναγνώριζε τούς Ἕλληνες Πατέρες ὡς αὐθεντικούς ἑρμηνευτές τῆς Καινῆς Διαθήκης καί ἐγγύτερα πρός τίς πηγές τοῦ Χριστιανισμοῦ. Ὁ δέ Καλβῖνος ἐκτός ἀπό τόν Ἰωάννη τό Χρυσόστομο, Πλάτωνα, Ἀριστοτέλη, Θεμίστιο, Κικέρωνα, Ὠριγένη καί Αὐγουστίνο ἐπωφελεῖτο καί ἀπό τούς Στωϊκούς φιλοσόφους. Μεγάλο σεβασμό γιά τούς Ἕλληνες Πατέρες καί τήν ἀρχαία ἑλληνική γραμματεία καί φιλοσοφία, ἔδειχνε ὁ μεγάλος ἀνθρωπιστής Ἔρασμος (1469-1536). Ἀνεπανάληπτη παραμένει ἡ παράγραφος ἐκείνη τοῦ ἔργου του «Ἐγχειρίδιο τοῦ Χριστιανοῦ Στρατιώτη» (1504) πού γράφει: «Παρακαλῶ τούς συκοφάντες μου νά καταλάβουν πώς ἀφιέρωσα τά νειάτα μου μελετώντας μέ πάθος τ' ἀρχαῖα γράμματα καί μέ πολλά ξενύχτια μπόρεσα ν' ἀποχτήσω μιά μέτρια γνώση τῆς λατινικῆς καί τῆς ἑλληνικῆς γλώσσας, ὄχι γιατί ἀναζητοῦσα κάποια μάταιη δόξα ἤ γιά νά εὐφράνω μ' ἀσήμαντες χαρές τό πνεῦμα μου, ἀλλά γιά νά ὀμορφήνω τό ναό τοῦ Κυρίου, πού τόν ντροπιάζουν ἡ ἀμάθεια καί ἡ βαρβαρότητα· γιά νά στολίσω μέ πλούτη παραγνωρισμένα καί νά παρακινήσω τίς γενναῖες διάνοιες ν' ἀγαπήσουν τίς ἅγιες Γραφές» (**Μωρίας Ἐγκώμιον**, Ἠριδανός 1970, σ. 9).

Ἡ πορεία τοῦ Ἑλληνισμοῦ καί τῆς Ὀρθόδοξης Ἐκκλησίας καθόλου πρέπει νά εἶναι πιό δυναμική, γιατί πολλά εἶναι σήμερα τά ἐμπόδια πού προβάλλει. Τό δρόμο χαράσσει μέ ὑπευθυνότητα ὁ Σεβασμιώτατος Πισιδίας κ. Μεθόδιος μέ τό περισπούδαστο ἔργο του.

ΝΙΚΟΛΑΟΣ ΛΥΚ. ΦΟΡΟΠΟΥΛΟΣ

Περιοδικό Ἐ**κκλησία**, 15 Νοεμβρίου 1994.

1. Ἀναφέρω τίς κριτικές πού ἔχω ὑπ' ὄψη μου: **Κούλας Σπηλιοπούλου**, Διαμαρτυρία γιά τήν κατάρρευση τῶν Ἑλληνοχριστιανικῶν Ἰδεωδῶν... στά **Νέα** τοῦ Λονδίνου 24 Φεβρουαρίου 1994, σ. 7, **Δημ. Κούσιου**, Τό ἑλληνικό ὑπόβαθρο τοῦ Χριστιανισμοῦ, **Εὐρωπαρατηρητής** Βρυξελλῶν, Φεβρουάριος 1994, σ. 11, **Φῶς** Καΐρου 21/11/1993 σελ. 4 κ.ἄ.

DR. HANS HERMANN GROËR
Erzbischof von Wien

ROTENTURMSTRASSE 2
A-1010 WIEN
TEL. 51 5 52

17th of October 1991

Most reverend Archbishop Methodios,

many obligations held me off returning my thanks immediately for your kind present – the book you have sent me. At the present my time is very exactly organized, but if my time–table "admits me some spare–time" I will devote myself to your gift with great pleasure.

With my kindest regards and best benedictions

Yours sincerely, in Christo
+ Hans H. Card. Groër

Most reverend
Archbishop Methodios Fouyas

9, Riga Ferraiou Str.
Khalandri
15232 Athens
Greece

John A. Hadjipateras
22, Abbey Lodge,
Park Road,
London, NW8 7RJ

London: 13.12.1993

Σεβασμιώτατον Μητροπολίτην Πισιδίας
κ.κ. Μεθόδιον, Αθήνας

Σεβασμιώτατε, [illegible] και
Άγιε Θυατείρων, Μεθόδιε,

[illegible]

[illegible]

[illegible]

Το [illegible]

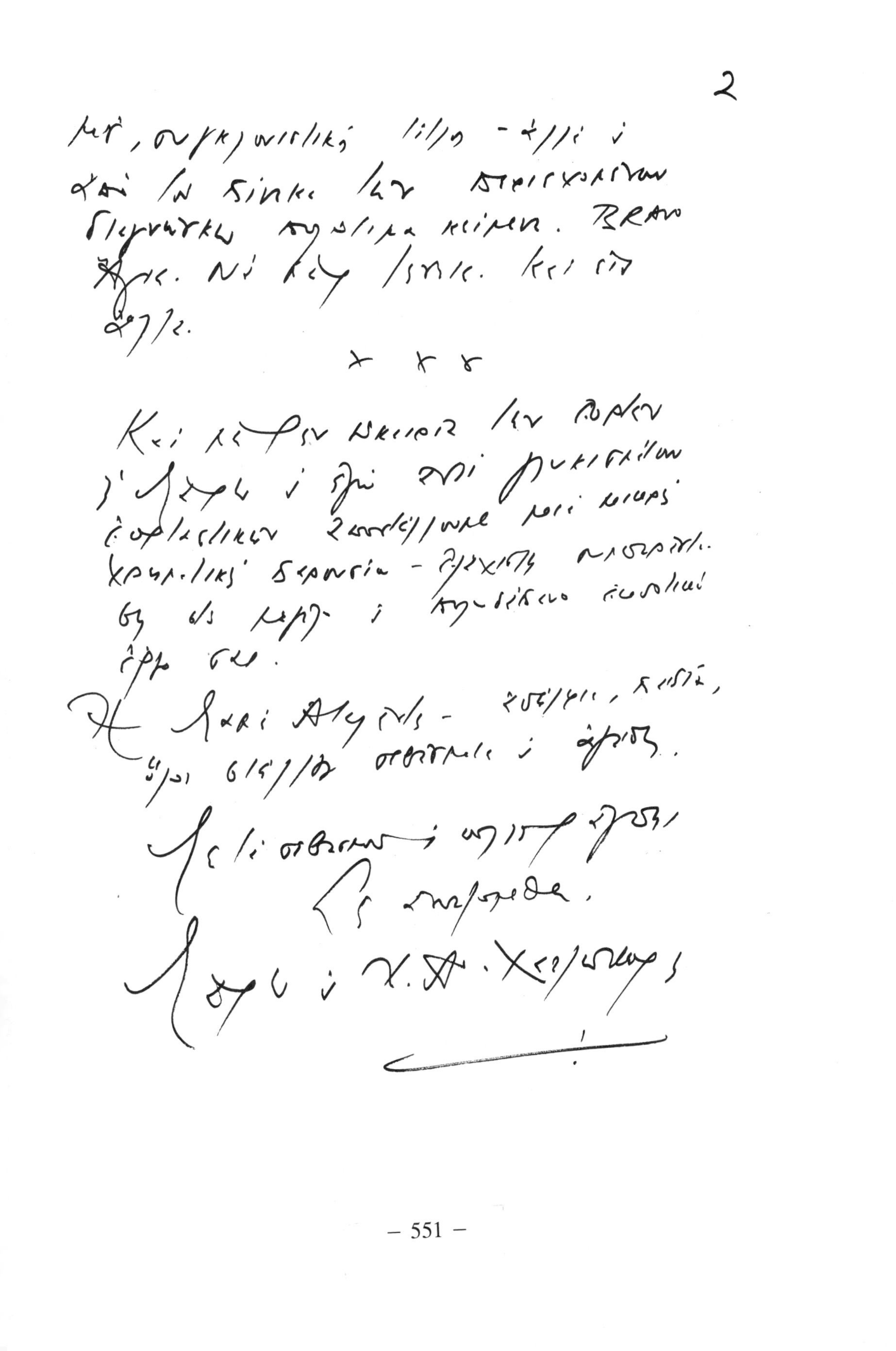

2

[illegible]

× × ×

[illegible]

[illegible]

JOHN AD. HADJIPATERAS 16. 6. 1994

Πολύ σεβαστέ και πολύ αγαπητέ μου
Άγιε Αρχ. Θυατείρων και Πισιδίας
κ.κ. Μεθόδιε,

Χαίρετε και αγαλλιάσθε.

Την [illegible] [illegible] και τον [illegible] ευχαριστώ και [illegible] για το μεγάλο και [illegible] και για τη καινή τη Νέα [illegible] [illegible].

Εύχομαι και το νέο σύγγραμμα "Το Ελληνικό υπόβαθρο του Χριστιανισμού". [illegible] το θέμα.

Πολύ ευχαριστούμε για τη συμπαράσταση στις [illegible] [illegible] [illegible] και [illegible] [illegible].

Περιμένουμε και [illegible] Νέα Υόρκη και [illegible] για να χαρούμε την

[illegible]

[illegible] Baltic Exchange. [illegible]

[illegible] κ.λ.π. [illegible]

[illegible]

[illegible]

[illegible]

Χ. Αλ. [illegible]

Χριστιανισμός καί Ἑλληνισμός

Εἶναι εὐχάριστον τό γεγονός, ὅτι ἔτυχε εὐφήμου διά τοῦ τύπου προβολῆς τό ὑπό τῆς «Ἀποστολικῆς Διακονίας τῆς Ἐκκλησίας τῆς Ἑλλάδος» ἐκδοθέν καί εὐρύτατα κυκλοφορῆσαν βιβλίον τοῦ Σεβ. Μητροπολίτου Πισιδίας κ. Μεθοδίου Γ. Φούγια ὑπό τόν τίτλον «τό ἑλληνικό ὑπόβαθρο τοῦ χριστιανισμοῦ (Μέρος πρῶτο)» (σχ. 8ον, σσ. 316).

Τό ἔργον αὐτό εἶναι πολυτιμότατον, διότι μετά καταπλησσούσης ἐνημερότητος ἔχει συγκεντρώσει ἐκ τῆς ἑλληνικῆς καί ξένης βιβλιογραφίας εὔγλωτον ὑλικόν, διά τοῦ Ἑλληνισμοῦ πρός μορφοποίησιν τοῦ ἐξ ἀποκαλύψεως θείου περιεχομένου τοῦ χριστιανικοῦ μηνύματος καί πρός ἀνάπτυξιν τῶν ἐν τῷ κόσμῳ συναρτήσεων τῆς θεανθρωπίνης ἐκκλησιαστικῆς ζωῆς τόσον ἐν τῇ Ἀνατολῇ, ὅσον καί ἐν τῇ Δύσει. Ὁ στοχαστικός ἀναγνώστης τοῦ βιβλίου ὁδηγεῖται εἰς τό συμπέρασμα, ὅτι ἡ Θεία Πρόνοια ἐχρησιμοποίησε τόν καθ' ὅλου Ἑλληνισμόν ὡς τό κύριον ὄχημα τοῦ ἀνακαινίζοντος τόν κόσμον Χριστιανισμοῦ καί ὅτι αἱ ἐπί μέρους εἰδολογικαί κατηγορίαι τῆς σκέψεως, αἱ ποικίλαι διατυπώσεις τοῦ «σπερματικοῦ λόγου» καί τά ὑγιᾶ στοιχεῖα τῆς ἑλληνικῆς πολιτιστικῆς παραδόσεως ὑπῆρξαν τά κύρια ἀνθρώπινα «ὀστράκινα σκεύη», τά ὁποῖα μετέφεραν τόν οὐράνιον «θησαυρόν» (Β' Κορ. δ', 7) τῶν θείων ἀληθειῶν τοῦ χριστιανισμοῦ. Οὕτως «ὁ Θεός ὁ εἰπών ἐκ σκότους φῶς λάμψαι ...ἔλαμψεν ἐν ταῖς καρδίαις ἡμῶν πρός φωτισμόν τῆς γνώσεως τῆς δόξης τοῦ Θεοῦ ἐν προσώπῳ Ἰησοῦ Χριστοῦ» (αὐτ., στ. 6).

Ὅθεν τό περί οὗ ὁ λόγος ἀξιολογώτατον ἔργον τοῦ Σεβ. Μητροπολίτου Πισιδίας κ. Μεθοδίου, -ὅπερ περιέχει καί δύο εὐσύνοπτα παραρτήματα περί τῶν σχέσεων ἀφ' ἑνός τοῦ Ἑλληνισμοῦ, τοῦ Ἰουδαϊσμοῦ καί τοῦ Μωαμεθανισμοῦ καί ἀφ' ἑτέρου τῆς ἀρχαίας Χριστιανικῆς Ὑμνογραφίας καί τοῦ Ἑλληνισμοῦ-, συμβάλλεται τά μέγιστα τόσον εἰς τήν ἀναζωπύρησιν τῆς αὐτοσυνειδησίας τοῦ Ἑλληνισμοῦ, ὅσον καί εἰς τήν ὑπόμνησιν τῆς πρός τόν Ὀρθόδοξον Ἑλληνισμόν ὀφειλῆς ὁλοκλήρου τοῦ πεπολιτισμένου κόσμου, ἥτις ὡς μή ὤφελε, σήμερον παρουσιάζεται ὅτι ἔχει λησμονηθῇ ὑπό τῶν οὐχί φιλικῶς διακειμένων πρός τήν Ἑλλάδα. Τήν ὀφειλήν ταύτην ὑπέμνησε καί ὁ Σεπτός Οἰκουμενικός Πατριάρχης κ. Βαρθολομαῖος κατά τήν πρόσφατον βαρυσήμαντον ἱστορικήν ὁμιλίαν του ἐν τῷ Εὐρωπαϊκῷ Κοινοβουλίῳ τήν ὁποίαν θά δημοσιεύσωμεν εἰς τό ἑπόμενον τεῦχος.

Περιοδικό **Ἐκκλησία**, 1-15 Μαΐου 1994, σελ. 300.

ΜΕΓΑΣ Λ. ΦΑΡΑΝΤΟΣ
ΚΑΘΗΓΗΤΗΣ ΠΑΝΕΠΙΣΤΗΜΙΟΥ
ΔΑΜΑΡΕΩΣ 139 - ΠΑΓΚΡΑΤΙ
116 32 ΑΘΗΝΑΙ - ΤΗΛ. 70.10.091

'Αθῆναι, 12.12.1993

Σεβαστὲ Ἀρχιεπίσκοπε κύριε Μεθόδιε,

Διά τῆς παρούσης ἐκφράζω θερμάς εὐχαριστίας διά τήν εὐγενῆ χειρονομίαν ἀποστολῆς τῆς προσφάτως ἐκδοθείσης ἐργασίας Σας: "Τό 'Ελληνικό ὑπόβαθρο τοῦ Χριστιανισμοῦ", τήν ὁποίαν, λόγῳ τοῦ ἐνδιαφέροντος αὐτῆς, διεξῆλθον, καίτοι ἐν σχετικῇ συντομίᾳ, ἐλλείψει χρόνου. Ἡ ἐργασία Σας εἶναι, ὁμολογουμένως, μεστή ἰδεῶν καί νοημάτων καί πλουσιωτάτη εἰς περιεχόμενον, μέ σπουδαίας ἐπί τοῦ θέματος 'Ελληνισμός-Χριστιανισμός ἀπόψεις αὐθεντικῶν διανοουμένων, γραμμένη μέ ἐνθουσιασμόν, ἀλλά καί σπουδαίαν κριτικήν ἀντιπαράθεσιν, καθώς καί αὐτοκριτικήν, ἐκφράζουσα, μέ ἁδράς καί βαθείας τομάς, προσωπικάς πεποιθήσεις καί κρίσεις, ἀλλά καί δραματισμούς ἑνός "Ελληνος, 'Ορθοδόξου, πνευματικοῦ 'Ηγέτου.

Αὔτη ἀποτελεῖ, ὄντως, σπουδαίαν συμβολήν, ἀλλά καί σταθμόν πρός περαιτέρω προβληματισμόν περί τό μέγιστον τοῦτο, εἰς σπουδαιότητα, θέμα τῶν σχέσεων καί τῶν ἀλληλο-επιδράσεων μεταξύ 'Ελληνισμοῦ καί Χριστιανισμοῦ, ἀλλά καί τῶν εὐεργετικῶν ἐπιπτώσεων αὐτῶν ἐπί τοῦ πολιτισμοῦ καί τῆς ζωῆς ὄχι μόνον τῆς Εὐρώπης, ἀλλά καί συνόλου τῆς ἀνθρωπότητος.

Τούς σημερινούς "Ελληνας δέν θά πρέπει νά ἀφήσει ἀδιαφόρους ἡ ἀναδυομένη ἐκ τῶν γραμμῶν τοῦ Βιβλίου Σας προφητική φωνή, ὡς ἔλεγχος καί διαμαρτυρία διά τήν, παρατηρουμένην εὐρέως, ἀδιαφορίαν καί ἀπο-στροφήν ἐκ τοῦ θησαυροῦ τούτου τῆς πατρογονικῆς 'Ελληνο-Χριστιανικῆς κληρονομίας, ἀλλά καί ὡς παραίνεσις πρός τόν Λαόν τοῦ Θεοῦ νά "ἔλθει εἰς ἑαυτόν", διά νά δυνηθεῖ νά ἀνταποκριθεῖ εἰς τήν ἱστορικήν του, θείαν, ἀποστολήν, ἐν μέσῳ μάλιστα τῶν χαλεπῶν καιρῶν, τούς ὁποίους διερχόμεθα. Τά ὑφιστάμενα κενά, ἀπορίαι τινες, ἐρωτήματα κλπ., τά ὁποῖα εἶναι φυσικόν νά ὑπάρχουν, ἕνεκα τῆς εὐρύτητος τοῦ θέματος, οὐδόλως παραβλάπτουν τήν ἀξίαν τῆς ἐργασίας.

Ἐπὶ τούτοις, εὐχόμενος ἀπό καρδίας, ἐπί ταῖς ἁγίαις ἑορταῖς τῶν Χριστουγέννων, ἔτη πολλά, εὐλογημένα, ἐν ὑγείᾳ καί εἰρήνῃ Χριστοῦ, διατελῶ

μέ σεβασμόν

Μέγας Φαράντος

ΝΕΕΣ ΕΚΔΟΣΕΙΣ:

ΘΕΜΕΛΙΟ Ο ΕΛΛΗΝΙΣΜΟΣ

Ἐκυκλοφόρησε τό νέο βιβλίο τοῦ Μητροπολίτη Πισιδίας, πρώην Ἀρχιεπισκόπου Θυατείρων καί Μεγάλης Βρεταννίας, Μεθοδίου Γ. Φούγια «Τό Ἑλληνικό Ὑπόβαθρο τοῦ Χριστιανισμοῦ». Ὁ συγγραφέας μέ πολύχρονες σπουδές στήν Ἑλλάδα καί τό ἐξωτερικό καί πλούσιο συγγραφικό ἔργο, προσφέρει ἕνα πόνημα πού στοχεύει νά εὐρύνει τίς διαστάσεις καί τῆς Ὀρθοδοξίας καί τοῦ Ἑλληνισμοῦ σήμερα, ὄχι γιά νά ἐντυπωσιάσει ἀλλά γιά νά ὑποδείξει μέ σαφήνεια, μέ παραπομπές στίς πηγές καί παραδείγματα πώς οὔτε ὁ Ἑλληνισμός οὔτε ἡ Ὀρθοδοξία μποροῦν νά δράσουν ἐπωφελῶς στήν Εὐρώπη, ἐάν δέν ἀναγνωριστεῖ ὁ καθοριστικός ρόλος τοῦ πρώτου στήν ἑδραίωση τῆς δεύτερης καί στήν ἐπέκταση τοῦ Χριστιανισμοῦ. Εἶναι ὁ Ἑλληνισμός πού ἑνώνει ὅλη τήν Εὐρώπη, σύμφωνα μέ τό συγγραφέα, εἴτε ἐκφράζεται ὡς Ὀρθοδοξία εἴτε ὡς Ρωμαιοκαθολικισμός ἤ Προτεσταντισμός, ἐνῶ μέ στοιχεῖα ἱστορικά καί ἔγκυρα ὁ Σεβ. κ. Μεθόδιος ἐπεκτείνει τήν ἑνοποιό δύναμη τοῦ Ἑλληνισμοῦ καί στόν Ἰουδαϊσμό καί τό Μωαμεθανισμό. Στό βιβλίο ἐπισημαίνονται ἐπίσης, «τόσο οἱ ἐλλείψεις τῶν Ἑλλήνων ὅσο καί ὁ φθόνος τῶν διαστρεβλωτῶν τῆς Ἱστορίας», τό ὅλο δέ ἔργο ἀποτελεῖ χρήσιμο «ἐργαλεῖο» γιά ἐκείνους πού καταγίνονται μέ τίς δυνατότητες τῆς Ἑλληνικῆς Ἐκκλησίας νά συμβάλλει στήν κατανόηση τῶν ἑλληνικῶν θέσεων στή σημερινή Εὐρώπη.

71/999

Ἐφημερίδα, Ἡ **Καθημερινή.**

ΑΚΑΔΗΜΙΑ ΕΠΙΧΕΙΡΗΣΗ ΠΑΙΔΕΙΑ

ΒΙΒΛΙΟ
παρουσίαση

Ἐκκλησία καί Ἑλληνισμός

ΜΕΘΟΔΙΟΣ ΦΟΥΓΙΑΣ. Μητροπολίτης Πισιδίας. Τό ἑλληνικό ὑπόβαθρο τοῦ Χριστιανισμοῦ. Ἀθήνα, ἐκδόσεις Ἀποστολικῆς Διακονίας τῆς Ἐκκλησίας τῆς Ἑλλάδος, 1993. Σελ. 315.

Μέ τό νέο του βιβλίο ὁ συγγραφέας κάνει πολλές αἰχμές στά ἐκκλησιαστικά, ἐθνικά καί πνευματικά μας προβλήματα σέ σχέση μέ τίς σημερινές ἐξελίξεις.

Αὐτό σίγουρα τό πρόσεξε ἡ Ἐκκλησία τῆς Ἑλλάδας καί ἀνέλαβε τήν ἔκδοσή του, γιατί εἶναι ἐπίκαιρο θέμα. Ἐπικαίρως, ἐξεταζόμενο ἀπό πολύπειρο, πολυταξιδευμένο ἱεράρχη. Οἱ διαστάσεις τοῦ βιβλίου αὐτοῦ, πού εἶναι τό πρῶτο μέρος ἑνός, ὅπως ἀφήνει ὁ συγγραφέας νά ἐννοηθεῖ, πιό ριζοσπαστικοῦ βήματος γιά τά θέματα πού ἀντιμετωπίζει ὁ Ἑλληνισμός καί ἡ Ἐκκλησία τοῦ σήμερα εἶναι πολύ μεγάλες καί τό πιό ἐνδιαφέρον εἶναι πώς ὁ σεβ. συγγραφέας ἐπικαλεῖται ξένες πηγές. Δέν πρόκειται περί σωβινιστικῶν ἀπόψεων, ἀφοῦ ἄλλωστε οἱ πηγές τοῦ σεβ. εἶναι ἀξιόπιστες καί ξένες. Δέν πρόκειται λοιπόν περί πατρολατρίας, ἀλλά περί ὑπομνήσεων, γιά τίς ὁποῖες ὁ σεβ. ἔλαβε ὑπόψη δημοσιεύματα στόν ἑλληνικό Τύπο, ἀπό διαπρεπεῖς πνευματικούς ἄνδρες πού δέν ζοῦν καί πού ἀκόμη δροῦν ὅπως εἶναι ὁ Γιάννης Μαρίνος, ὁ Ἀθανάσιος Κανελλόπουλος κ.ἄ. Ὁ σεβ. Μεθόδιος δέν περιορίζει τή συνεισφορά τοῦ ἑλληνικοῦ πνεύματος στό Χριστιανισμό μόνον, ἀλλά σέ δύο παραρτήματα ἐπεκτείνει τήν ἐπιρροή τῆς ἑλληνικῆς σκέψεως στόν Ἰουδαϊσμό καί τόν Ἰσλαμισμό. Τό βιβλίο πωλεῖται στά βιβλιοπωλεῖα τῆς Ἀπ. Διακονίας στήν πλατεία Κλαυθμῶνος καί στή Μονή Πετράκη.

Ἀντώνης Σπηλιόπουλος

Ἐφημερίδα **ΤΑ ΝΕΑ**, 1 Νοεμβ. 1993

«Θεμέλιο ὁ Ἑλληνισμός»

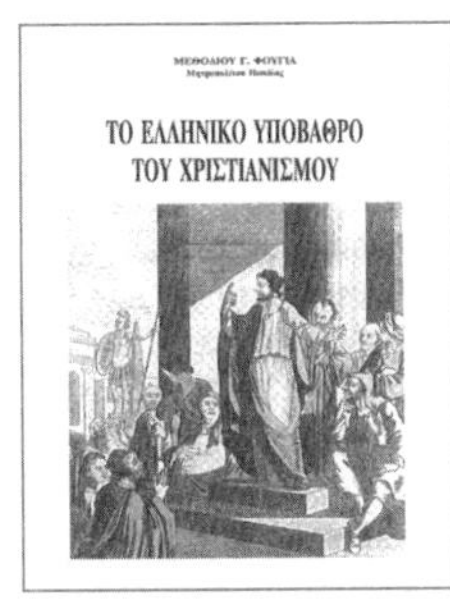

Τό νέο βιβλίο τοῦ Μητροπολίτη Πισιδίας, πρώην ἀρχιεπισκόπου Θυατείρων καί Μεγάλης Βρετανίας, Μεθοδίου Γ. Φούγια, «Τό Ἑλληνικό Ὑπόβαθρο τοῦ Χριστιανισμοῦ», φιλοξενοῦν σήμερα τά «Ἀνθρώπινα». Ὁ συγγραφέας μέ πολύχρονες σπουδές στήν Ἑλλάδα καί τό ἐξωτερικό καὶ πλούσιο συγγραφικό ἔργο, προσφέρει ἕνα πόνημα πού στοχεύει νά εὐρύνει τίς διαστάσεις καί τῆς Ὀρθοδοξίας καί τοῦ Ἑλληνισμοῦ σήμερα, ὄχι γιά νά ἐντυπωσιάσει ἀλλά γιά νά ὑποδείξει μέ σαφήνεια, μέ παραπομπές στίς πηγές καί παραδείγματα πώς οὔτε ὁ Ἑλληνισμός οὔτε ἡ Ὀρθοδοξία μποροῦν νά δράσουν ἐπωφελῶς στήν Εὐρώπη, ἐάν δέν ἀναγνωριστεῖ ὁ καθοριστικός ρόλος τοῦ πρώτου στήν ἑδραίωση τῆς δεύτερης καί στήν ἐπέκταση τοῦ Χριστιανισμοῦ.

Εἶναι ὁ Ἑλληνισμός πού ἑνώνει ὅλη τήν Εὐρώπη, σύμφωνα μέ τό συγγραφέα, εἴτε ἐκφράζεται ὡς Ὀρθοδοξία εἴτε ὡς Ρωμαιοκαθολικισμός ἤ Προτεσταντισμός, ἐνῶ μέ στοιχεῖα ἱστορικά καί ἔγκυρα ὁ σεβ. κ. Μεθόδιος ἐπεκτείνει τήν ἑνοποιό δύναμη τοῦ Ἑλληνισμοῦ καί στόν Ἰουδαϊσμό καί τό Μωαμεθανισμό. Στό βιβλίο ἐπισημαίνονται ἐπίσης, «τόσο οἱ ἐλλείψεις τῶν Ἑλλήνων ὅσο καί ὁ φθόνος τῶν διαστρεβλωτῶν τῆς Ἱστορίας», τό ὅλο δέ ἔργο ἀποτελεῖ χρήσιμο «ἐργαλεῖο» γιά ἐκείνους πού καταγίνονται μέ τίς δυνατότητες τῆς Ἑλληνικῆς Ἐκκλησίας νά συμβάλει στήν κατανόηση τῶν ἑλληνικῶν θέσεων στή σημερινή Εὐρώπη. Στά βιβλιοπωλεῖα τῆς Ἀποστολικῆς Διακονίας, Δραγατσανίου 2 - πλ. Κλαυθμῶνος καί Ἰασίου 1. Σελ. 316

Ἐλευθεροτυπία τετάρτη 3 Νοεμβρίου, 1993.

«Τό ὑπόβαθρο τοῦ Χριστιανισμοῦ»

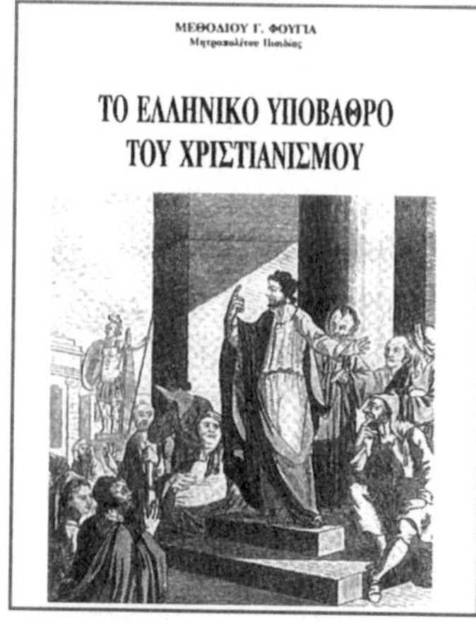

ΤΟ ΕΛΛΗΝΙΚΟ ὑπόβαθρο τοῦ Χριστιανισμοῦ εἶναι τό νέο ἔργο τοῦ μητροπολίτη Πισιδίας κ. Μεθοδίου, τοῦ γνωστοῦ πολυγραφότατου ἱεράρχου.

Στό ἔργο του αὐτό ὁ μητροπολίτης Πισιδίας ἀναφέρεται στό θέμα τῆς προσφορᾶς τῶν προγόνων μας, μεγάλων ἀνδρῶν τῆς ἀνθρωπότητας, χριστιανῶν διδασκάλων καί Πατέρων, στήν κατανόηση, ἐξάπλωση καί καθιέρωση τῆς Οἰκουμενικῆς Χριστιανικῆς Ἐκκλησίας.

Καί οἱ μέν Ἕλληνες Πατέρες ἦταν εὔκολο καί φυσικό νά ἐπωφεληθοῦν ἀπό τήν ἑλληνική σοφία, ἀλλά ἡ Θεία Πρόνοια προέβλεψε καί ἐξασφάλισε καί ἄλλους ἀγωγούς γιά νά συνδέσει τή θρησκεία μας μέ τούς Λατίνους Πατέρες καί τούς ἡγέτες βαρβάρων, ἕως τότε, ἐθνῶν.

Ὁ Χριστιανισμός ὑπῆρξε ἀποφασιστικός παράγοντας στήν ἱστορία μεγίστου μέρους τῆς πολιτισμένης ἀνθρωπότητος κι ἐκεῖνο πού ἐπισημαίνει στή μελέτη του ὁ μητροπολίτης Πισιδίας κ. Μεθόδιος εἶναι ἀκριβῶς ἡ συνεισφορά τοῦ ἑλληνικοῦ πολιτισμοῦ στή διαμόρφωση τοῦ χριστιανικοῦ μηνύματος.

Ὅπως σημειώνει ὁ συγγραφέας, φιλοδοξεῖ τό βιβλίο του νά διαβαστεῖ ἀπό τή νέα γενιά τῶν ἀποδήμων Ἑλλήνων, γι' αὐτό καί ἀντλεῖ τά περισσότερα στοιχεῖα πού ἀναφέρει ἀπό ξένους ἐπιστήμονες.

Ὅλοι αὐτοί οἱ ἐπιστήμονες ἀναγνωρίζουν τό μεγάλο προνόμιο τοῦ Ἑλληνισμοῦ στήν κατοχύρωση καί διάδοση τῶν χριστιανικῶν ἀληθειῶν.

Ο ΕΛΛΗΝΙΣΜΟΣ στήν ἀναμέτρησή του μέ τήν ὑπόλοιπη Εὐρώπη, σέ μιά πρώτη ἐκτίμηση, ὅπως ὑλικῶς κυρίως καί «τεχνολογικῶς» ὑστερεῖ σημαντικότατα, δίνει τήν ἐντύπωση ὅτι δέν ἔχει τήν ἱκανότητα νά ἐπηρεάσει τίς γενικότερες ἀλλαγές, πού οἱ συνθῆκες τοῦ σύγχρονου ὑλικοῦ, κυρίως, πολιτισμοῦ τῆς οἰκονομίας καί αὐτῆς τῆς λεγόμενης «καταναλωτικῆς κοινωνίας» ἔχουν ἐπιφέρει στόν πλανήτη μας.

Ὅμως ἡ ζωντανή πάντα ἑλληνική γλώσσα μας, ἀνεξάρτητη πάντα ἀπό ὁποιαδήποτε ἀναμέτρηση καί μητέρα τοῦ ἀρχαίου πνεύματος καί ἡ χριστιανική Ὀρθοδοξία μας διατηροῦν, ἔστω καί κάπως δυσκολοεμφάνιστη, τή δύναμή τους.

Ἐφημερίδα **Τύπος τῆς Κυριακῆς**, 1-2 Ἰανουαρίου 1994.

† Ο ΜΗΤΡΟΠΟΛΙΤΗΣ ΔΗΜΗΤΡΙΑΔΟΣ
ΧΡΙΣΤΟΔΟΥΛΟΣ

8.11.93

Ἀγαπητέ μου,

Σέ εὐχαριστῶ γιά τήν τιμητική [illegible] προσφορά τοῦ βιβλίου σου "Τό ἑλληνικό ὑπόβαθρο τοῦ Χριστιανισμοῦ" καθώς καί γιά τήν συγκινητική ἀναφορά σου στό πρόσωπο καί τίς ἰδέες μου. Εἶσαι ἀκούραστος ἐργάτης. Προσεύχομαι νά σοῦ χαρίζει ὁ Θεός δυνά-

Κ. ΚΑΡΤΑΛΗ 227, 382 21 ΒΟΛΟΣ
• ΤΗΛ.: (0421) 47502, 47508 • TELEX: 282385 IMDI GR • TELEFAX: (0421) 47405

μεις καί ὑγεία, ὥστε νά συνεχίζετε τό συγγραφικό σας ἔργο, διά τοῦ ὁποίου [illegible].

Μέ ἀγάπη

Α. Γ. ΤΣΟΠΑΝΑΚΗΣ
ΠΑΛΑΙΑ ΣΥΜΜΑΧΙΚΗ ΟΔΟΣ 101
555 35 - ΠΥΛΑΙΑ
ΤΗΛ. 301.791 - ΘΕΣΣΑΛΟΝΙΚΗ

Πυλαία - Θεσ/νίκης 10-1-94

Σεβασμιώτατε κ. Μεθόδιε

Σας εύχομαι χαρούμενο τον καινούργιο χρόνο και σας ευχαριστώ πολύ πού είχατε την καλοσύνη να μου στείλετε ένα νέο δείγμα της ανεξάντλητης δημιουργικότητάς σας «Τό Ελληνικό υπόβαθρο του Χριστιανισμού», μέ τις πολλές πληροφορίες από την πατερική παράδοση και τις νεώτερες αρχαιολογικές. Σας ευχαριστώ και για την αναφορά σας στο μικρό μελέτημά μου.

Σας χαιρετώ μέ αγάπη και εκτίμηση
Α. Γ. Τσοπανάκης

./.

Υ.Γ. Πώς σας ξέφυγε το Pendestal στην σ. 4;
(σωστό στον πίνακα περιεχομένων)

Α. Γ. Τ.

Μεθοδίου Γ. Φούγια, Μητροπολίτου Πισιδίας: **"ΤΟ ΕΛΛΗΝΙΚΟ ΥΠΟΒΑΘΡΟ ΤΟΥ ΧΡΙΣΤΙΑΝΙΣΜΟΥ"** (Ἐκδ. Ἀποστολ. Διακονίας τῆς Ἑλλάδος).

Ὁ συγγραφέας μεταξύ ἄλλων ἀναφέρεται καί στά ἑξῆς θέματα: Προχριστιανικός Ἑλληνισμός. Μέγας Ἀλέξανδρος - Ἡ συνειδητοποίησις τῆς Παγκοσμιότητος τοῦ Ἑλληνισμοῦ - Ἡ Ἑλληνική παιδεία σύνδεσμος φυλῶν καί λαῶν - Ὁ Ἀπόστολος Παῦλος καί ὁ Ἑλληνικός κλασσικισμός - Χριστιανισμός καί Πλατωνισμός στήν Ἀλεξάνδρεια - Ἡ ἀναγνώρισις τῆς συμβολῆς τοῦ Ἑλληνικοῦ πολιτισμοῦ στή διαμόρφωσι τῆς Χριστιανικῆς Θεολογίας - Ὁ Ἑλληνικός χαρακτήρας τῆς Ἀρχαίας Ἐκκλησίας. Τό Ἑλληνικό πνευματικό ὑπόβαθρο τῶν Καππαδοκιῶν πατέρων κ.λπ.

Ἐντελῶς εἰδικό ἐνδιαφέρον παρουσιάζει, κατά τήν γνώμη μας, τό κεφάλαιο: Η ΕΛΛΗΝΙΚΗ ΓΛΩΣΣΑ ΣΤΗ ΔΙΑΚΟΝΙΑ ΤΗΣ ΕΚΚΛΗΣΙΑΣ. Ἀπό τό κεφάλαιο αὐτό παραθέτουμε ἀποσπασματικά κάποιες θέσεις τοῦ συγγραφέα: "Δεν ὑπάρχει χρονική περίοδος ἤ τοπική ἐκκλησιαστικη δρᾶσις, στήν ὁποία νά μή ἐξαίρεται ἀπό τούς μελετητάς τῆς Ἱστορίας τοῦ Χριστιανισμοῦ ὁ βασικός ρόλος τοῦ Ἑλληνικοῦ πνεύματος ἤ ἡ χρησιμότητα τῆς Ἑλληνικῆς γλώσσας στήν ἔκθεσι καί διατύπωσι τοῦ μηνύματος τοῦ Κυρίου... ἐπισημαίνουν τόν καθοριστικό ρόλο τῆς Ἑλληνικῆς γλώσσας". "Ἡ γλῶσσα τῶν Πατέρων ἦταν μόνον ἡ Ἑλληνική... ὁ πλοῦτος τῶν λέξεων καί ἡ εὐελιξία της, τήν ἔκαναν κατάλληλο ὄργανο γιά τήν ἔκθεση τῶν πλουσίων χριστιανικῶν ἰδεῶν". "Ὁ καθηγητής Χρήστου συμπερασματικά λέγει τά ἑξῆς: Οὕτω λοιπόν ὁ ἀρχαϊκός χριστιανισμός γλωσσικῶς ἦτο ἑλληνικός".

Βιβλιοπαρουσίαση, ἔτος 8ο, τομ. Δ' (1997), σ. 140.

«Εὐρωπαῖοι, γνωρίστε τήν Ἑλλάδα!»

«ΤΩΡΑ, μέ τήν Εὐρωπαϊκή Ἕνωση, εἶναι ἡ στιγμή πού, ἀπευθείας ἀπό τούς Ἕλληνες, οἱ εὐρωπαϊκοί λαοί μποροῦν νά γνωρίσουν τό ἑλληνικό Πνεῦμα, σέ ἀποκατάσταση αὐτοῦ πού, στρεβλά, μέσω τῶν Ρωμαίων, διδάχθηκαν ὡς ἑλληνική κουλτούρα».

Αὐτό τονίζει μιλώντας στό «Ἔθνος τῆς Κυριακῆς», γιά τό νέο του βιβλίο μέ τίτλο «Τό Ἑλληνικό ὑπόβαθρο τοῦ Χριστιανισμοῦ», ὁ Μητροπολίτης Πισιδίας, πρώην Ἀρχιεπίσκοπος Θυατείρων - Μεγάλης Βρετανίας Μεθόδιος Φούγιας.

Ὁ συγγραφέας προαναγγέλει μάλιστα ὅτι ἡ πρότασή του αὐτῆ γίνεται συγκεκριμένη καί ἀναλυτική γιά τό «τί δέον γενέσθαι» σέ ἄλλο βιβλίο του, πού ἤδη ἑτοιμάζεται. Μέ πειστικό, σύγχρονο λόγο, στά ἐνδιαφέροντα σχόλιά του, ὁ σεβασμιότατος Μεθόδιος παραθέτει καὶ μαρτυρίες κυρίως ἀλλοεθνῶν συγγραφέων γιά νά τεκμηριώσει τίς διαπιστώσεις του, ὅτι ὁ καιρός περνᾶ, οἱ εὐκαιρίες χάνονται καί ἡ δραστική πρόσβασή μας στήν οὐσία τῆς προγραμματιζόμενης εὐρωπαϊκής ἑνότητας ἐκφράζεται μόνο σέ τομεῖς οἰκονομικούς.

Δέν ἀξιοποιοῦμε «θησαυρούς» ἀναφέρει χαρακτηριστικά, ὅπως εἶναι οἱ ὑποθῆκες τῶν σοφῶν προγόνων μας προχριστιανικῶν καί μεταχριστιανικῶν, προσαρμοσμένες στή σύγχρονη ζωή μας. Ἀκόμα καί τά ἐθνικά μας θέματα, ὅπως π.χ. ἡ ἑλληνικότητα τῆς Μακεδονίας, περιλαμβάνονται στή μελέτη τοῦ πολυγραφότατου συγγραφέα σεβ. Μεθόδιου γιά νά τονιστεῖ ὅτι καί ἡ Ἐκκλησία δίνει σοβαρά ἱστορικά ἐπιχειρήματα στήν ὑποστήριξη ἐθνικῶν δικαίων.

Ἀρχίζοντας ἀπό τόν προχριστιανικό ἑλληνισμό μέ ἀναφορές στόν Μ. Ἀλέξανδρο, στίς 315 σελίδες τοῦ βιβλίου του, μέ πολλές σπάνιες εἰκόνες ἀπό γκραβοῦρες, ἀναλύει καί τά κεφάλαια:

- Συνειδητοποίηση τῆς παγκοσμιότητας τοῦ ἑλληνισμοῦ.
- Ἡ Ἑλληνική Παιδεία σύνδεσμος φυλῶν καί λαῶν.
- Ἑλληνική Ἐκκλησία καί Ἐνωμένη Εὐρώπη κ.α.

Ἐφημερίδα **Ἔθνος**, 21 Νοεμβρίου 1993

Φωνή ἐλπίδας γιά τόν Ἑλληνισμό

Στούς χαλεποῦς καιρούς πού ζοῦμε, ἀκούγονται φωνές πού κρατοῦν ἄσβεστη τήν ἐλπίδα καί ὑψηλό τό φρόνημα τοῦ πολλαχόθεν βαλλόμενου Ἑλληνισμοῦ.

Ἐνταγμένος συνειδητά στούς στρατιῶτες πού ὑπηρετοῦν τά ἑλληνικά ἰδεώδη ὁ μητροπολίτης Πισιδίας καί τέως ἀρχιεπίσκοπος Μεγάλης Βρετανίας Μεθόδιος Φούγιας παρουσιάζει στό βιβλίο του **«Τό ἑλληνικό ὑπόβαθρο τοῦ χριστιανισμοῦ»** τήν ἀπάντηση τῆς σύγχρονης Ἐκκλησίας «στό φαινόμενο τοῦ νεποτισμοῦ, τοῦ καιροσκοπισμοῦ καί τῆς ἐλλείψεως κοινωνικῆς ἀλληλεγγύης καί ἐθνικῆς συναινέσεως», ἐνῶ τονίζει καί τήν προδρομική γιά τόν χριστιανισμό διάσταση τῆς ἐκπολιτιστικῆς προσπάθειας τοῦ Μεγάλου Ἀλεξάνδρου.

Ἀντιλαμβανόμενος πλήρως τά νέα δεδομένα καί τίς νέες ἀνάγκες τῆς σύγχρονης εὐρωπαϊκής πραγματικότητας ὁ μητροπολίτης Μεθόδιος δέν παραλείπει νά ἐξετάσει καί τή θέση τῆς Ἑλληνικῆς Ἐκκλησίας στήν Ἑνωμένη Εὐρώπη, ἐνῶ θίγει καί τό ζωτικῆς σημασίας θέμα τῆς σχέσεως Ἑλληνισμοῦ καί Μωαμεθανισμοῦ.

Ἐμπνευσμένη προσπάθεια ἀπό ἕναν ἱερωμένο πού ἔχει ὑπηρετήσει τόν Ἑλληνισμό καί τήν Ὀρθοδοξία στήν Ἀφρική καί στήν Εὐρώπη καί τοῦ ὁποίου τό κριτικό πνεῦμα καί ἡ διδασκαλία ἀποτελοῦν πηγή καθοδήγησης γιά τούς νέους, ἀνήσυχους ἀνθρώπους τῆς ἐποχῆς μας.

ΙΩΝ, στήν Ἐφημερίδα **Ἀπογευματινή,** 22 Δεκεμβρίου 1993.

ΜΕΘΟΔΙΟΥ ΦΟΥΓΙΑ, *Ἐπιστολαί Μελετίου Πηγᾶ Πάπα καί Πατριάρχου Ἀλεξανδρείας, 1590-1601*. Ἐκδιδόμεναι ἐκ τοῦ ὑπ' ἀριθ. 296 χειρογράφου τῆς Βιβλιοθήκης τοῦ Πατριαρχείου Ἀλεξανδρείας. Ἀθῆναι 1998, σελ. 375, σχ. 8ο Μ.

Ὁ Μελέτιος Πηγᾶς ὑπῆρξε, ὡς γνωστόν, μιά ἀπό τίς πιό ἐνδιαφέρουσες προσωπικότητες τοῦ Νέου Ἑλληνισμοῦ καί ταυτόχρονα ἕνας μεγάλος ἐκκλησιαστικός ἄνδρας. Τά ἀξιώματά του ὡς Πατριάρχη Ἀλεξανδρείας καί τοποτηρητῆ τοῦ Οἰκουμενικοῦ Θρόνου, καθώς καί ἡ καθόλου ἐκκλησιαστική του δράση σ' ὅλες τίς Ὀρθόδοξες Ἐκκλησίες τόν ἀνέδειξαν σέ κορυφαῖο ἄνδρα τῆς μεταβυζαντινῆς περιόδου. Οἱ γνώσεις μας ὅμως γιά τόν Πηγᾶ ἦταν ἐλλειπεῖς καί τοῦτο γιατί μέχρι τώρα δέν εἶχαν ἐκδοθεῖ οἱ ἐπιστολές του, οἱ ὁποῖες ἀποκαλύπτουν λεπτομέρειες τῆς ζωῆς του, καίτοι

δέν ἦταν λίγοι οἱ ἐπιστήμονες πού εἶχαν επισημανει τή σχετική ἀνάγκη. Τό ἔργο αὐτό ἀνέλαβε ὁ πολυγραφότατος Σεβ. Μητροπολίτης Πισιδίας κ. Μεθόδιος Φούγιας, ὁ ὁποῖος προχώρησε στήν ἔκδοση μέ βάση τό 296 χειρόγραφο τοῦ Πατριαρχείου Ἀλεξανδρείας. Οἱ ἐπιστολές του φανερώνουν τή σπουδαιότητα τῶν κρίσεών του, τῶν ἀποφάσεών του καί τῆς δράσης του ἐπί πολλῶν θεολογικῶν καί γενικότερα ἐκκλησιαστικῶν ζητημάτων, καθώς καί τούς ἀγῶνες πρός ὑπεράσπιση τῆς Ὀρθοδοξίας ἀπό τή δραστηριότητα τῶν Ἐκκλησιῶν τῆς Δύσεως. Ὁ Μελέτιος Πηγᾶς εἶναι μιμητής τοῦ Παύλου καί τῶν μεγάλων Πατέρων τῆς Ἐκκλησίας καί ἡ ἔκδοση τῶν ἐπιστολῶν του φωτίζει τή ζωή του καί τήν ἐποχή πού ἔζησε.

Γ.Θ. Πρίντζιπας, **Ἐκκλησιαστική Ἀλήθεια** 16.9.1998.

55. Μέ τόν ἀείμνηστο Ἐθνάρχη Μακάριο, τό Προεδρεῖο τῆς Ἑλληνικῆς Κοινότητας Ἀδδίς Ἀμπέμπα καί τό μεγάλο εὐεργέτη τῆς Κοινότητας Ἀλέξανδρο Γανωτάκη.

ΘΡΗΣΚΕΙΑ ΚΑΙ ΚΟΙΝΩΝΙΑ

ΤΟ ΝΕΟ ΒΙΒΛΙΟ ΤΟΥ ΣΕΒΑΣΜΙΩΤΑΤΟΥ ΜΕΘΟΔΙΟΥ ΦΟΥΓΙΑ

Διαμαρτυρία γιά τήν κατάρρευση τῶν Ἑλληνοχριστιανικῶν Ἰδεωδῶν

ΕΝΑ ΚΙΝΗΤΡΟ ΑΦΥΠΝΙΣΕΩΣ ΤΩΝ ΕΛΛΗΝΩΝ ΓΙΑ ΤΑ ΕΘΝΙΚΑ ΚΑΙ ΕΚΚΛΗΣΙΑΣΤΙΚΑ ΠΡΟΒΛΗΜΑΤΑ ΤΟΥΣ

Ὁ τ. Ἀρχιεπίσκοπος Θυατείρων καί Μ. Βρετανίας Μεθόδιος. Ἡ Παροικία δέν ξεχνᾶ τόν μεγάλο καί προικισμένο Ἱεράρχη, τή ρητορεία του, τόν ἀνθρωπισμό του καί τό τεράστιο ἐκκλησιαστικό καί κοινοτικό ἔργο του ἐπετέλεσε στήν 10ετία της ἐδῶ διακονίας του.

ΣΕ ΜΙΑ ἐποχή πού ὁ σημερινός Ἑλληνισμός βάλλεται πολλαχόθεν σέ σημεῖο τέτοιο ὥστε νά ὑφίσταται φοβερή κατάπτωση καί ταπείνωση, προβάλλουν ἐξαίρετες φυσιογνωμίες, γενναῖοι στρατιῶτες, οἱ ὁποῖοι δέν φείδονται οὐδεμίας θυσίας προκειμένου νά ὑπερασπισθοῦν τά Ἑλληνοχριστιανικά μας Ἰδεώδη καί γενικά τά δικαιώματα τοῦ Ἑλληνισμοῦ στό σύγχρονο κόσμο.

Μιά ἔντονη φωνή διαμαρτυρίας ἀποτελεῖ τό συγγραφικό ἔργο μέ τίτλο **«Τό ἑλληνικό ὑπόβαθρο τοῦ Χριστιανισμοῦ»** τοῦ Μητροπολίτου Πισιδίας καί τέως Ἀρχιεπισκόπου Θυατείρων καί Μεγάλης Βρετανίας, **Μεθοδίου Φούγια**.

Ἡ ἐμπνευσμένη αὐτή προσπάθεια τοῦ Μητροπολίτου Μεθοδίου ἀποτελεῖ ἕνα κίνητρο ἀφυπνίσεως τῶν Ἑλλήνων γιά τά ἐθνικά καί ἐκκλησιαστικά προβλήματά τους, ἀλλά καί μιά ὑπόμνηση στό Χριστιανικό κόσμο γιά τήν ὀφειλή τους πρός τόν περιφρονημένο σήμερα Ἑλληνικό Πολιτισμό, ἰδιαίτερα τά Ἑλληνικά θέματα.

Διά τήν ἐπίτευξη τοῦ σκοποῦ του καί τήν ὁλοκλήρωση τῆς μελέτης του ἀντλεῖ, ὡς ἐπί τό πλεῖστον, ἀπό ξένους ἐπιστήμονες, οἱ ὁποῖοι κατά τήν γνώμη του δέν διστάζουν ν' ἀναγνωρίσουν τό μεγάλο προνόμιο τοῦ Ἑλληνισμοῦ στήν κατοχύρωση τῶν χριστιανικῶν ἀληθειῶν, τῆς Ἐκκλησίας καί τῆς Θεολογίας καί ὅπως γράφει ὁ Werner Jaeger, ἡ ἑλληνική αὐτή μεγαλοφυία θά διαρκέσει, πιθανόν, ὅσο ζῆ ὁ ἀνθρώπινος πολιτισμός.

Καί συνεχίζει: **«Ἐάν ἐξετάσουμε προσεκτικότερα τά στοιχεῖα τῆς Ἑλληνικῆς Ἐθνότητος, θά διαπιστώσουμε πώς μέχρι σήμερα, καίτοι**

ὑφίσταται ἑλληνική κρατική ἑνότητα τά σύνορα τοῦ Ἑλληνικοῦ Ἔθνους ἐπεκτείνονται πέρα ἀπό τά σύνορα τοῦ κράτους, ὄχι μόνο φυλετικά ἀλλά κυρίως πολιτιστικά, κι αὐτό ἔχει μεγάλη σημασία γιά τόν Ἑλληνισμό καί ἰδιαίτερα γιά τήν Ἑλληνική Ἐκκλησία».

Ἐκφράζει τήν ἀνησυχία του καί τήν λύπη του καί τόν ἐνοχλεῖ ἀφάνταστα τό γεγονός ὅτι ἐνῶ ὁ Ἑλληνικός πολιτισμός ἀποτελεῖ τήν ζύμη τοῦ σημερινοῦ πολιτισμοῦ, ἐμεῖς οἱ Ἕλληνες δέν μπορέσαμε ποτέ νά δημιουργήσουμε βάσεις ἀπόρθητες τῆς ὑπάρξεώς μας.

Μ. Ἀλέξανδρος

Στό κεφάλαιο τοῦ βιβλίου του «Προχριστιανικός Ἑλληνισμός» τονίζει τό μεγαλειῶδες ἔργο τοῦ Μεγάλου Ἀλεξάνδρου πού ἐπιτεύθηκε μέ τρόπο πού θυμίζει τούς ἱεραπόστολους.

Ρήτορας

Τό ὕφος τῆς γραφῆς του εἶναι γεμάτο ἀπό μιά ἐξαιρετική ρητορεία καί χαρακτηρίζεται ἀπό μιά πλούσια ἐγκράτεια σκέψεων.

Σκέψεις καί διαπιστώσεις πού ἔχουν σάν ἀπώτερο σκοπό τήν ὑπόμνηση τῶν Ἑλλήνων ἀλλά καί ὅλων τῶν Χριστιανῶν ὅτι ἡ Ἀποκάλυψη τοῦ Θεοῦ στό Πρόσωπο τοῦ Κυρίου ἡμῶν Ἰησοῦ Χριστοῦ καρποφόρησε στά πλούσια καί εὔφορα πεδία τοῦ Ἑλληνικοῦ Πνεύματος.

Ἀναλυτικότερα ἐπεξηγεῖ γράφοντας ὅτι: «Ἡ Χριστιανική πίστις καί ἡ διδασκαλία τῆς πρακτικῆς ζωῆς τοῦ Χριστιανικοῦ κόσμου ἔχει ἕνα προηγούμενο πού προῆλθε ἀπό τούς Ἕλληνες κι αὐτό εἶναι ἡ ἔλλογος Θεολογία. Αὐτό εἶναι μιά πραγματικότητα πού δέν ἀλλάζει, ἀνεξάρτητα ἄν τή δεχθοῦμε ἤ τήν ἀπορρίψουμε. Γιατί δέν εἶναι μιά ἔξαρση ἤ ἐπανάσταση ἰδεολογική, ἀλλά μιά προϊοῦσα προπαιδεία πού ὅταν πῆρε σάρκα καί ὀστά μέ τήν Ἀποκάλυψη τοῦ Θεοῦ στό Θεῖο Πρόσωπο τοῦ Κυρίου, ἐτέθη πάλι στή διακονία τῆς ἀποστολῆς».

Καί τοῦτο διότι ἡ πολιτική τοῦ Μεγάλου Ἀλεξάνδρου πού ἀνεξάρτητα ἀπό τήν ἠθική σημασία της, ὑπῆρξε πρόδρομος τῆς χριστιανοσύνης διότι πρίν λεχθεῖ τό πολύ γνωστό σέ μᾶς «οὐκ ἐνί δοῦλος ἤ ἐλεύθερος», προηγήθηκε ὁ Μεγάλος Ἀλέξανδρος ὁ ὁποῖος πρῶτος περιόρισε τίς φυλετικές διακρίσεις καί κατέστησε ὁλόκληρη τήν οἰκουμένη στόχο ἐκπολιτισμοῦ ἀπό τόν Ἑλληνικό κόσμο καί ἔγινε μέ αὐτό τόν τρόπο ὁ φορέας μιᾶς μοναδικῆς ἀκτινοβολίας στήν Παγκόσμια Ἱστορία. Τό γεγονός αὐτό θεωρεῖται ἕνα ἀνεπανάληπτο ἱστορικὸ φαινόμενο, ἕνας λαός, ὁ ἑλληνικός, νά γίνει δημιουργός τοῦ πολιτισμοῦ ὅλου τοῦ κόσμου.

Ὅσον ἀφορᾶ τήν Ἑλληνική φιλοσοφία καί τό ρόλο πού διεδραμάτισε στήν ἑδραίωση τοῦ Χριστιανισμοῦ τήν χαρακτηρίζει σάν «μονάρχισσα» ὁλόκληρης τῆς εὐρωπαϊκῆς φιλοσοφίας.

«Ἡ Χριστιανική Ἐκκλησία βρῆκε στόν Πυθαγόρα τήν ἔννοια τοῦ

ἑνός καί μόνου Θεοῦ, τοῦ ποιητοῦ τοῦ κόσμου, τῆς ἀρχικῆς καί ἀπολύτου μονάδος· στόν Ἀναξαγόρα τόν Νοῦν· στόν Πλάτωνα τό ἄκρο ἀγαθό καί τό πρῶτο κινοῦν στόν Ἀριστοτέλη».

«Οἱ Πατέρες τῆς Ἐκκλησίας μας, ἀναφέρει ὁ ἐμπνευσμένος ἱεράρχης, ἄντλησαν ἀπό τήν Ἑλληνική φιλοσοφία καί πόσο ἐκτίμησαν τήν Ἑλληνική Πνευματική κληρονομιά. Ὅλοι οἱ Πατέρες ἦταν οἰκεῖοι τοῦ Πλάτωνος».

Ἐξηγεῖ τήν μεγάλη διαφορά μεταξύ Πλατωνισμοῦ καί Νεοπλατωνισμοῦ, τήν σχέση Ἑλλήνων καί Λατίνων Πατέρων, ἑρμηνεύει τήν Θεολογία τοῦ Ἁγίου Θωμᾶ Ἀκινάτη καί κάνει μιά σύντομη ἀναφορά στούς Θεμελιωτές τῆς Χριστιανικῆς φιλοσοφίας, Κλήμη καί Ὠριγένη.

Προσπαθεῖ νά ἐξισοροπήσει τή σύζευξη τοῦ Χριστιανισμοῦ καί τοῦ Ἑλληνισμοῦ ἀποφεύγοντος τήν ὑπερέξαρση πού κατά τήν γνώμη του ἐγκυμονεῖ τόν θρησκευτικό φανατισμό καί τή διαμάχη.

Προκειμένου νά διευρκινήσει τήν ἐπίδραση τῶν Ἑλληνικῶν πνευματικῶν ἀξιῶν ἐπί τοῦ Προτεσταντισμοῦ κάνει μνεία στούς τρεῖς κορυφαίους μεταρρυθμιστές Λούθηρο, Καλβίνο καί Μελάγχων.

Εὐρωπαϊκή Ἕνωση

Βλέπει τήν Ἑνωμένη Εὐρώπη σάν «μέσο κερδοσκοπίας» ἀφοῦ κατά τή γνώμη του ἡ Ἑνωμένη Εὐρώπη δέν εἶναι ἰδεώδης, εἶναι μιά ἕνωση χωρίς ἀνθρωπισμό καί φυσικά χωρίς χριστιανισμό· οὔτε ἄλλωστε οἱ Μεγάλοι Εὐρωπαϊκοί λαοί προτίθενται νά διασώσουν τόν εὐρωπαϊκό πολιτισμό ἀλλά γιά νά διασφαλίσουν τόν ὑλικό πλοῦτο καί νά μποῦν στό διεθνῆ ὁρίζοντα πολιτικῶς.

Στό τέλος τοῦ βιβλίου του δέν παραλείπει νά θίξει καί τό καυτό θέμα τῆς σχέσεως Ἑλληνισμοῦ καί Μωαμεθανισμοῦ ἐπισημαίνοντας ὅτι Χριστιανισμός, Ἰουδαϊσμός καί Μουσουλμανισμός συναντῶνται σέ κοινό ἔδαφος, ἐνῶ ἔχουν διανύσει ἐπί αἰῶνες διαφορετικούς δρόμους.

Ἀγαπητός στήν Παροικία

Αὐτή εἶναι σέ γενικές γραμμές μιά σύντομη σύνοψη τοῦ βιβλίου τοῦ Μητροπολίτου Μεθοδίου, ὁ ὁποῖος εἶναι ἕνας βαθύς μελετητής καί στοχαστής σέ ὅτι ἀφορᾶ τήν Ὀρθοδοξία καί τόν Ἑλληνισμό, καί εἶναι ὄντως λυπηρό τό γεγονός πώς ἕνας μεγάλος καί λαμπρός ἱεράρχης προικισμένος μέ τόσα χαρίσματα νά παραμένει ἀκόμα ἐκτός ἕδρας.

Ὁ ἴδιος ὑπηρέτησε γιά ἀρκετά χρόνια τήν ἐδῶ Ὁμογένεια ὡς Ἀρχιεπίσκοπος Θυατείρων καί ἄφησε ἐποχή διότι ἦταν πράγματι ὁ μοναδικός ἱεράρχης πού πρωτοστάτησε καί συνέβαλε στήν ἵδρυση καί ὀργάνωση τόσων πολλῶν Ἑλληνοχριστιανικῶν Κοινοτήτων (στή Βρετανία καί Ἀφική). Ἕνα ἔργο πού δύσκολα, δυστυχῶς, βρίσκει συνεχιστές.

Κούλα Σπηλιοπούλου

Ἐφημερίδα τοῦ Λονδίνου **τά Νέα** 24 Φεβρουαρίου 1994.

ΕΛΛΗΝΙΚΗ ΔΗΜΟΚΡΑΤΙΑ

ΙΕΡΑ ΜΗΤΡΟΠΟΛΙΣ ΚΑΛΑΒΡΥΤΩΝ & ΑΙΓΙΑΛΕΙΑΣ

ΡΩΜΑΝΙΩΛΗ, 43 — 25100 ΑΙΓΙΟΝ — ΤΗΛ. 0691 - 21776. 21.777 FAX: 21.634

Αριθ. πρωτ. 784

Εν Αιγίω, τη 25η Νοεμβρίου 1993

ΕΓΚΥΚΛΙΟΝ ΣΗΜΕΙΩΜΑ

Πρός
τούς Αἰδεσιμωτάτους 'Εφημερίους
τῆς καθ' ἡμᾶς `Ιερᾶς Μητροπόλεως

Διά τοῦ παρόντος γνωρίζομεν ὅτι ὑπό τῶν ἐκδόσεων τῆς 'Αποστολικῆς Διακονίας ἐξεδόθη καί κυκλοφορεῖ τό βιβλίο τοῦ Σεβασμιωτάτου Πισιδίας (Οἰκουμενικοῦ Πατριαρχείου) κ.Μεθοδίου Φούγια μέ τίτλον "Τό `Ελληνικό ὑπόβαθρο τοῦ Χριστιανισμοῦ".`Η μελέτη αὐτή ἀποτελεῖ κίνητρον ἀφυπνίσεως τῶν `Ελλήνων διά τά 'Εθνικά καί 'Εκκλησιαστικά προβλήματα, περιλαμβάνει δέ καί δύο παραρτήματα εἰς τά ὁποῖα ἐξετάζονται οἱ σχέσεις `Ελληνισμοῦ, 'Ιουδαϊσμοῦ καί Μωαμεθανισμοῦ καθώς καί ἡ σχέσις `Ελληνισμοῦ καί Χριστιανικῆς ὑμνογραφίας.

'Εκτιμῶντες, ὅθεν τήν ὠφελιμότητα τῆς ὡς ἄνω μελέτης, προτρεπόμεθα πατρικῶς, ὅπως ἐφ' ὅσον ἐπιθυμεῖτε δύνασθε νά προμηθευθῆτε ταύτην διά τήν προσωπικήν σας βιβλιοθήκην εἴτε τοῦ `Ιεροῦ Ναοῦ ἀπευθυνόμενοι ἀπ' εὐθείας πρός τήν 'Αποστολικήν Διακονίαν τῆς 'Εκκλησίας τῆς `Ελλάδος, 'Ιω.Γενναδίου 14 τηλ.01/7246784.

`Η τιμή ἑκάστου βιβλίου ἀνέρχεται εἰς τό ποσόν τῶν χιλίων τετρακοσίων (1.400) δραχμῶν.

Μετ' εὐχῶν πατρικῶν

Ο ΜΗΤΡΟΠΟΛΙΤΗΣ

+ Ο ΚΑΛΑΒΡΥΤΩΝ ΚΑΙ ΑΙΓΙΑΛΕΙΑΣ ΑΜΒΡΟΣΙΟΣ

ΚΟΙΝΟΠΟΙΗΣΙΣ:

1) 'Αποστολικήν Διακονίαν τῆς 'Εκκλησίας τῆς `Ελλάδος
'Ιω.Γενναδίου, 4
115 21 ΑΘΗΝΑΣ

2) Σεβασμιώτατον Μητροπολίτην
Πισιδίας κ.κ.Μεθόδιον Φούγιαν
Ρήγα Φεραίου, 9
152 32 ΧΑΛΑΝΔΡΙ ΑΤΤΙΚΗΣ

4TH FLOOR,
3, LONDON WALL BUILDINGS,
LONDON WALL,
LONDON, EC2M 5RL.
01-588 3711.

29.4.9I

Σεβασμιωτατον Μητροπολιτην Πισιδιας Μεθοδιον,
9 Ρηγα Φερραιου
Χαλανδριον I5232
Αθηναι-Ελλας

Σεβασμιωτατε,

Ελαβα την τελευταιν σας επιστολην και εχαρηκα να ακουσω οτι εξελεγητε Μητροπολιτης Πισιδιας. Παρακαλω δεχθητε τα συγχαρητηρια μου.

Λογω απουσιας μου στο εξωτερικο δεν ειχα την ευκαιριαν να απαντησω στην προηγουμενην επιστολην σας της I5ης Φεβρουαριου I99I. Ως εκ τουτου παρακαλω δεχθητε την εσωκλειστον επιταγην των $400.- σχετικα με τα καινουργια βιβλια σας.

Μετα τιμης

Τρύφων Κέδρος
Τρυφων Κέδρος

COMMERCIAL BANK OF THE NEAR EAST PLC

REGISTERED NO. 185070 ENGLAND
REGISTERED OFFICE
BANKSIDE HOUSE
107-112 LEADENHALL STREET
LONDON EC3A 4AE

TELEGRAMS:
ESTNEARACO LONDON TELEX

CABLES:
ESTNEARACO LONDON-EC3

TELEPHONE: 01-283 4041
AND 01-621 1080
TELEX 885944 & 8811406
FAX: 01-929 1162

Σεβασμιώτατε,

Εὐχαριστῶ γιά τό γράμμα σας καί ἐχάρηκα πολύ πού εἶστε καλά.

Οἱ κ. κ. υἱοί Ἀνδρεάδη μέ παρεκάλεσαν νά σᾶς εὐχαριστήσω γιά τά αἰσθήματα πού τρέφατε γιά τόν ἀείμνηστο πατέρα τους καί κατ' ἐπέκτασιν καί γι' αὐτούς καί νά σᾶς εὐχηθῶ ὑγείαν καί κάθε καλό.

Τό ζήτημα πού ἀναφέρατε στό γράμμα σας ἐτακτοποιήθη. Σᾶς εἶπα καί πρίν, μᾶς λείπετε. Σᾶς εὔχομαι καλήν ὑγείαν καί κάθε καλό.

Μέ βαθύ σεβασμό

Π. Παυλόπουλος

ΙΓ′

Τό Ἑλληνικό Ὑπόβαθρο τοῦ Ἰσλαμισμοῦ

Ἀθήνα, 1994, σελ. 267.

ΤΟ ΕΛΛΗΝΙΚΟ ΥΠΟΒΑΘΡΟ ΤΟΥ ΙΣΛΑΜΙΣΜΟΥ

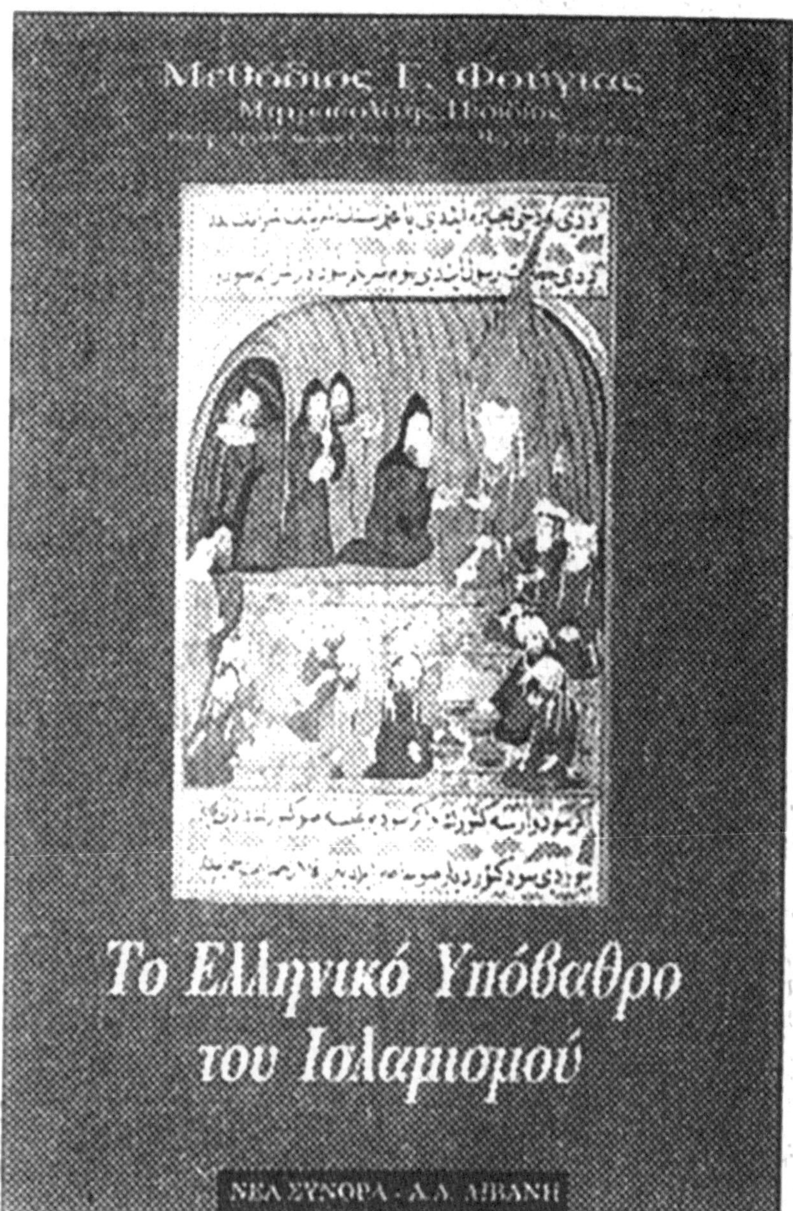

```
NNNN
^T

^G 217206,,+
ZCZC LOC00180284
ΑΘΗΝΑ/155 26/23 04/05/2001 1254

ΣΕΒΑΣΜΙΩΤΑΤΟΝ ΑΡΧΙΕΠΙΣΚΟΠΟΝ ΚΟΝ ΜΕΘΟΔΙΟΝ
ΡΗΓΑ ΦΕΡΑΙΟΥ 9
ΑΘΗΝΑ 15232          ((( R-0284/01 )))

ΣΑΣ ΕΥΧΑΡΙΣΤΩ ΘΕΡΜΟΤΑΤΑ ΓΙΑ ΤΗΝ ΤΙΜΙΤΙΚΗ ΑΠΟΣΤΟΛΗ ΤΟΥ ΝΕΟΥ
ΠΕΡΙΣΠΟΥΔΑΣΤΟΥ ΕΡΓΟΥ ΣΑΣ.
     ΑΘΑΝΑΣΙΟΣ ΑΡΒΑΝΙΤΗΣ

COL 9 15232  0284 01

LOC 00180284 1254
```

Métropolite Méthodios G. FOUYAS, *Το Ελληνικό Υπόβαθρο του Ισλαμισμού* (*The Hellenic Pedestal of Islam*), Athènes, "Nea Synora", 1994, 267 pages.

– *Ελληνισμός και Ιουδαϊσμός* (*Hellenism and Judaism*). Ιστορικοί σταθμοί στις σχέσεις Ελλήνων και Ιουδαίων, Athènes, "Nea Synora", 1995, 239 pages.

Le métropolite Méthodios G. Fouyas, métropolite de Pisidie et ancien archevêque de Thyatire et de Grande-Bretagne, offre aux lecteurs cultivés de langue grecque, auxquels ils seront très utiles, deux ouvrages consacrés respectivement au "soubassement hellénique" de l'islam et aux rapports entre hellénisme et judaïsme. Dans ces deux livres, qui peuvent donner le goût d'approfondir les immenses sujets qu'ils abordent, quelques pages finales donnent en grec et en anglais, sur deux colonnes parallèles, la conclusion de l'auteur.

Le premier ouvrage, pourvu de quelques fines illustrations, comprend trois parties : les présupposés historiques de la pénétration de la civilisation hellénique dans l'islam, cette pénétration elle-même, et les philosophes musulmans hellénisants. Surtout au temps des Abbassides, dans cette "Athènes de l'Orient" que fut Baghdad, il y eut "présence de la lumière hellénique" dans ce que Gustave E. von Grunebaum appela "les nuits arabes". Dans sa conclusion, le métropolite de Pisidie, déplorant que la majorité de ses compatriotes grecs ignorent les relations historiques entre le monde islamique et la civilisation des Hellènes en matière de philosophie, de science et de technologie, ne craint pas d'écrire : "Les Arabes d'abord et les Musulmans ensuite ont compris que la seule source dont ils pouvaient attendre la satisfaction de leur désir d'élévation spirituelle était la civilisation des Hellènes" (p. 233).

Le deuxième ouvrage a pour sous-titre : "Étapes historiques dans les relations entre Hellènes et Juifs". Outre une introduction et un appendice, il compte vingt-trois petits chapitres dont voici les titres : La provenance de la race juive et le christianisme, – Facteurs qui ont concouru à l'expansion universelle du judaïsme, – La Diaspora juive, – L'hellénisation des Juifs d'Alexandrie, – Hellènes et Juifs à Antioche, – Tarse, ville hebléno-juive, – Antioche de Pisidie et ses habitants, – Les Juifs dans les villes d'Asie mineure, – L'hellénisation des Hébreux, – La langue et la culture grecques en Palestine, – Sources auxquelles les Juifs ont puisé la science hellénique, – Les Juifs hellénistes, – La traduction de l'Ancien Testament en langue grecque, – La lettre d'Aristée, – Les livres des Maccabées et la persécution des Juifs, – La philosophie politique hellénistique et juive, – La philosophie juive, Philon et Josippe, – Indications spéciales sur l'œuvre de Josippe, – Judaïsme et Néo-platonisme, – Hellénisme et Judaïsme à Byzance et en Grèce, – Reconnaissance par les Israéliens des services rendus par les Grecs pour sauver les Juifs victimes des Nazis, – Le point de vue des Juifs grecs, – L'antisémitisme existe en Grèce. Dans sa conclusion bilingue, l'auteur souligne que si des individus ou des groupes, en Grèce, ont prôné la haine et la persécution de la religion juive, ils n'ont jamais été soutenus par des thèses théologiques scientifiques. Les Hellènes, insiste-t-il, n'ont jamais nourri de sentiments antisémites comme l'ont fait les autres nations européennes, "y compris l'Église romaine" (p. 218); Ils n'ont pris aucune part au Synode antisémite du Latran en 1215, ni déclaré, comme Karl Barth, qu'ils ne voulaient pas de synagogues, et "contrairement aux autres Églises chrétiennes d'Europe, ils ont entouré d'un soin fraternel les Juifs persécutés de la seconde guerre mondiale". Aussi espèrent-ils qu'"Israël respectera et protègera les droits des Hellènes en Terre Sainte" (p. 219).

Dans ses deux ouvrages le métropolite Méthodios manifeste une grande fierté nationale et fait généralement preuve d'un esprit ouvert et sympathique à l'égard de l'islam et du judaïsme.

P. Ternant

ΜΑΡΤΙΟΣ 2000 Ανατολή

«Ταξινομήσατέ τον ως ημπορείτε...»

Αξιότιμε κύριε Διευθυντά,

Στέλνω στην εφημερίδα σας μερικά αποσπάσματα από το περίφημο βιβλίο του Μητροπολίτου Πεισιδίας κ. Φούγια πρώην Αρχιεπίσκοπο Θυατείρων και Μ. Βρετανίας, το οποίο και συστήνω θερμά στους Κωνσταντινουπολίτες συμπατριώτες μου. **"ΤΟ ΕΛΛΗΝΙΚΟ ΥΠΟΒΑΘΡΟ ΤΟΥ ΙΣΛΑΜΙΣΜΟΥ".**

Οι Άραβες Μουσλουμάνοι αντελήφθησαν ότι η μόνη πηγή για να ικανοποιήσουν την επιθυμία τους για πνευματική ανύψωση, ήταν ο πολιτισμός των Ελλήνων. Οι πρώτοι χαλίφηδες της Δαμασκού και ιδιαίτερα της Βαγδάτης φρόντισαν για τη μετάφραση των Ελληνικών επιστημονικών και φιλοσοφικών κειμένων στην αραβική γλώσσα. Οι Σύριοι Νεστοριανοί μετέφρασαν γι' αυτούς στην Αραβική γλώσσα, χειρόγραφα του Αριστοτέλη, του Πλάτωνα και άλλων σοφών αντρών του κλασικού πολιτισμού.

Το περίεργον είναι ότι σπουδαίοι Άραβες φιλόσοφοι όπως ο Avicenna, ο μεγάλος σοφός Farabi, ο οποίος μελέτησε τον Αριστοτέλη και στην εποχή του θα ήταν αν ζούσε ο καλύτερος του μαθητής, καθώς και ο Averroes γίγας του Αριστοτελισμού, μεταβίβασαν αυτή τη μεγάλη κληρονομιά στην Δυτική Ευρώπη όταν έφθασαν εις την Ισπανία!

Στη Βαγδάτη ιδρύθηκε "Ακαδημία" και η Βαγδάτη υπήρξε η "Αθήνα της Ελλάδος".

Νίκησαν δύο μεγάλες αυτοκρατορίες, το Βυζάντιο και τους Πέρσες διότι οι μακροχρόνιοι πόλεμοι μεταξύ τους, τους είχαν εξαντλήσει.

Δεν θα έφθανε μία ολόκληρη εφημερίδα για να συνεχίσω να περιγράφω όσα διάβασα. Αλλά στην σελίδα 119 γράφει τα ακόλουθα:

«Ιδού πως χαρακτηρίζεται ο Έλληνας σε διαγωνισμό χαρακτηρισμού διαφόρων λαών το 1939:

"Προ του δικαστηρίου της αδέκαστου ιστορίας ο Έλλην απεκαλύφθη ανέκαθεν κατώτερος των περιστάσεων, καίτοι από απόψεως διανοητικής κατείχε πάντοτε τα πρωτεία.

Ο Έλλην είναι ευφυέστατος αλλά και αισθηματίας, δραστήριος αλλά και αμέθοδος, φιλότιμος, αλλά και πλήρης προλήψεων, θερμόαιμος, ανυπόμονος, αλλά και πολεμιστής. Έκτισε τον Παρθενώνα και μεθυσθείς εκ της αίγλης του άφησε βραδύτερον να γίνει στόχος οβίδων. Ανέδειξε τον Σωκράτη για να τον δηλητηριάσει.

Εθαύμασε τον Θεμιστοκλέα για να τον αποπέμψει. Υπηρέτησε τον Αριστοτέλη για να τον καταδιώξει. Έκτισε το Βυζάντιο για να το εκτουρκίσει. Έφερε το '21 για να το διακυβεύσει. Δημιούργησε το 1909 για να το λησμονήσει.

Κόπτεται τη μια στιγμή για την αλήθεια και την άλλη μισεί τον αρνούμενο να υπηρετήσει το ψεύδος.

Παράδοξον πλάσμα, ατίθασον, περίεργον, ημίκαλον, ημίκακον, ασταθές, αβέβαιον διαθέσεως, εγωπαθές και σοφόμωρον ο Έλλην. Οικτίρατε τον, θαυμάσατέ τον αν θέλετε, ταξινομήσατέ τον ως ημπορείτε..."

Σε εκπομπές των καναλιών, όταν ακούω επώνυμους και μη, να λέγουν ότι τώρα που μπήκαμε στην Ευρώπη αισθάνονται Ευρωπαίοι, λυπάμαι και επαναστατώ για την πνευματική παρακμή του γένους μας.

Εμείς γίναμε Ευρωπαίοι;;;;;;

Ή η Ευρώπη προσέγγισε την Ελλάδα;;;;;!!!!!!!

Σας ευχαριστώ εκ των προτέρων,
Μετά τιμής
ΑΔΑΜΑΝΤΙΑ ΠΙΤΤΑΚΗ - MARSEGAGLIA

'Εφημερίδα **'Ανατολή**, Μάρτιος 2000.

Ὁ πανταχοῦ παρών Ἑλληνισμός

ΕΙΝΑΙ δυό μελέτες τῶν ὁποίων μπορεῖ νά γίνει ἀναγνώστης τους ὁ καθένας μας, καί, ἀκόμα, ὁ λίγο ἤ καθόλου πιστός χριστιανός - ὁ τελευταῖος, παραμερίζοντας τή συμβολή τῆς Θείας Πρόνοιας, πού ἐπικαλεῖται ὁ συγγραφέας, γιά τήν ἑλληνικότητα του χριστιανισμοῦ. Ὡς πρός το «μπόλιασμα» του ἰσλαμισμοῦ ἀπό τόν ἑλληνισμό, ἐδῶ πιστοί καί ἄπιστοι ὑποχρεώνονται νά ἀποδεχτοῦν τήν ἀλήθεια του, ἀπό τῆ δυναμική τῶν ἐνδείξεων καί ἀποδείξεων πού παρατίθενται στό βιβλίο.

Πρόθεση τοῦ συγγραφέα μέ τήν πρώτη του μελέτη, εἶναι «νά ἀποτελέσει ἕνα κίνητρο ἀφυπνίσεως τῶν Ἑλλήνων γιά τά ἐθνικά καί ἐκκλησιαστικά προβλήματά τους, ἀλλά καί ὡς μιά ἀκόμη ὑπόμνηση στό χριστιανικό κόσμο γιά τήν ὀφειλή του πρός τόν περιφρονούμενο σήμερα ἑλληνικό πολιτισμό».

Ἔτσι καί ἐξετάζονται - μέ πολλή γνώση καί μεθοδικά - ὅλα ἐκεῖνα τά ἱστορικά γεγονότα πού συνέδεσαν τόν ἑλληνισμό μέ τό χριστιανισμό. Ἡ ἐξάπλωση του ἑλληνισμοῦ στόν τότε γνωστό κόσμο μέ τίς ἐκστρατεῖες καί τίς κατακτήσεις του Μ. Ἀλεξάνδρου, καί ἡ παρουσίαση τῶν μεγάλων ἑλληνιζόντων φιλοσόφων τοῦ ἰσλαμισμοῦ.

Γενική παρουσίαση καί γιά τά δύο αὐτά βιβλία τοῦ κ. Μεθοδίου: Ἔχει κατορθώσει ὁ συγγραφέας τήν πλούσια γνώση του γιά τά θέματα αὐτά νά τή στοιχίσει ἁρμονικά, νά τή σχολιάσει καίρια καί νά ἐξαγάγει τό «ζουμί» πού εἶναι τό ἀναμφισβήτητο μπόλιασμα ἀπό τόν ἑλληνισμό καί τοῦ χριστιανισμοῦ καί τοῦ ἰσλαμισμοῦ.

Ὅμως καί κάτι ἀκόμη. Καί βέβαια εἶναι ἀλήθεια ὅτι ὁ ἑλληνισμός ἔδωσε πάρα πολλά στήν ἀνθρωπότητα, ἀλλά φύλακας αὐτῶν τῶν προσφορῶν πώς θά μποροῦσε νά εἶναι; Ὅ,τι δωρίζεται, ἀκολουθεῖ τή δική του πορεία, μέ τό συγκρητισμό πού ὑφίσταται ἀπό τόν τρόπο ζωῆς καί σκέψης τοῦ δωρολήπτη - ἄς μήν αἰτιώμαστε λοιπόν κατηγορηματικά τούς Ἕλληνες ὅλων τῶν ἐποχῶν γιά ἀβελτηρία ὡς πρός αὐτή τή φύλαξη...

Μελέτες: «Τό ἑλληνικό ὑπόβαθρο τοῦ χριστιανισμοῦ», «Τό ἑλληνικό ὑπόβαθρο τοῦ ἰσλαμισμοῦ».
Συγγραφέας: Μεθόδιος Γ. Φούγιας (Μητροπολίτης Πισιδίας, πρώην Ἀρχιεπίσκοπος Θυατείρων καί Μ. Βρετανίας)
Ἐκδότης: Της πρώτης μελέτης ἡ Ἀποστολική Διακονία τῆς Ἐκκλησίας τῆς Ἑλλάδος, καί τῆς δεύτερης τά «Νέα Σύνορα» - Α.Α. Λιβάνη
Σελ.: 315 καί 267 ἀντίστοιχα (σχ. 14Χ21 ἐκ.)

Κριτική τοῦ Κ.Ι. Τσαούση στήν Ἐφημερίδα **Ἔθνος**.

+ Ο ΑΡΧΙΕΠΙΣΚΟΠΟΣ ΚΥΠΡΟΥ
ΧΡΥΣΟΣΤΟΜΟΣ

Τῷ Σεβασμιωτάτῳ Μητροπολίτῃ Πισιδίας, ἀγαπητῷ ἀδελφῷ, κυρίῳ Μεθοδίῳ, ἀσπασμόν ἅγιον ἐν Χριστῷ τεχθέντι.

Εὐχαριστοῦντες θερμῶς τῇ Ὑμετέρᾳ ἀγαπητῇ Σεβασμιότητι διά τάς ἑορτίους προσρήσεις καί εὐχάς Αὐτῆς, ἀντευχόμεθα ὁλοψύχως ὅπως ὁ τεχθείς ἡμῖν Σωτήρ περιέπῃ μέν Αὐτήν ἐν ὑγιείᾳ καί καταξιοῖ ἐφ' ὅτι πλεῖστα ἔτη ἑορτάζειν τήν γηθόσυνον ἑορτήν τῶν Χριστουγέννων, πλουσίας δ' ἐπικαταπέμπῃ τάς εὐλογίας Αὐτοῦ καί τάς δωρεάς ἐπ' Αὐτήν, προσεπιβραβεύων ἅμ' Αὐτῇ εἰρηνικόν καί φορόν παντός ἀγαθοῦ τόν ὑποφώσκοντα νέον σωτήριον ἐνιαυτόν μεθ' ὅτι πλείστων μετ' αὐτόν.

Ἐκφράζομεν πολλάς εὐχαριστίας καί διά τήν ἀποστολήν τοῦ νέου ἀξιολόγου πονήματος τῆς Ὑμετέρας περισπουδάστου Σεβασμιότητος ὑπό τόν τίτλον "Τό Ἑλληνικό ὑπόβαθρο τοῦ Ἰσλαμισμοῦ", καθώς καί τοῦ δεκάτου τρίτου τόμου τῶν Θεολογικῶν καί Ἱστορικῶν Μελετῶν Αὐτῆς. Συγχαίροντες δ' ἀπό καρδίας διά τήν ἔκδοσιν τῶν βιβλίων τούτων, εὐχόμεθα πλουσίαν τήν παρά Θεοῦ ἐνίσχυσιν ἐν τῷ συγγραφικῷ καί τῷ ἄλλῳ ἔργῳ τῆς Ὑμετέρας φίλης Σεβασμιότητος.

Μετά τῆς ἐν Χριστῷ τεχθέντι ἀγάπης

Ἐν τῇ Ἱ. Ἀρχιεπισκοπῇ Κύπρου,
Χριστούγεννα 1994.

Τό ἑλληνικό στοιχεῖο στόν ἀραβικό κόσμο

ΜΕΘΟΔΙΟΣ Γ. ΦΟΥΓΙΑΣ ***«Τό ἑλληνικό ὑπόβαθρο τοῦ Ἰσλαμισμοῦ».*** *Ἐκδόσεις «Νέα Σύνορα», Α.Α. Λιβάνη, Ἀθήνα, 1994. Σέλ. 267.*

Μέ ἕνα ἐπίκαιρο νέο βιβλίο του, πού προστίθεται στήν ἑλληνική βιβλιογραφία, ὁ Σεβασμιώτατος Μητροπολίτης Μεθόδιος Φούγιας ἐξάπτει τό ἐνδιαφέρον τοῦ ἀναγνώστη ὅσον ἀφορᾶ τή σχέση τοῦ Ἰσλάμ μέ τήν Ἑλληνική Σκέψη. Στό βιβλίο του αὐτό, ὁ συγγραφέας φέρνει στήν ἐπιφάνεια τήν ἔκταση τῆς διάδοσης τῶν ἑλληνικῶν ἐπιστημῶν καί τῆς ἑλληνικῆς σοφίας στόν ἀραβικό κόσμο καί γενικότερα στό Ἰσλάμ, γιά τό ὁποῖο τόσος λόγος γίνεται σήμερα.

Ὁ κ. Μεθόδιος ἔνιωσε τήν ἀνάγκη νά δώσει τό μήνυμα τῆς βαθιᾶς καί εὐρύτατης οἰκειοποίησης, ἀπό τόν Ἰσλαμισμό, τῶν ἑλληνικῶν ἐπιστημῶν, ἰατρικῆς, μαθηματικῶν, ἀστρονομίας, γεωγραφίας καί φιλοσοφίας καί ἀκόμη τήν ἵδρυση ἀπό τούς χαλίφες Ἀκαδημιῶν καλλιέργειας τῶν ἑλληνικῶν γραμμάτων, στή Βαγδάτη, καί ἀνάδειξης μαικήνων τοῦ ἑλληνικοῦ πολιτισμοῦ.

Στό βιβλίο αὐτοπαρουσιάζονται ἀκόμα οἱ ἑλληνίζοντες μεγάλοι ἰσλαμιστές φιλόσοφοι. Πλούσια τεκμηριωμένο, μέ τήν προθεωρία του καί τά συμπεράσματά του τό βιβλίο αὐτό θά ἱκανοποιήσει τόν ἀναγνώστη ἐπιστήμονα καί πολύ περισσότερο τόν φιλομαθῆ.

Ἀντώνης Σπηλιόπουλος

Ἐφημερίδα **τά Νέα**, 29 Μαρτίου 1995

† Ο ΠΑΠΑΣ ΚΑΙ ΠΑΤΡΙΑΡΧΗΣ

ΑΛΕΞΑΝΔΡΕΙΑΣ ΚΑΙ ΠΑΣΗΣ ΑΦΡΙΚΗΣ

ΠΑΡΘΕΝΙΟΣ Γ'.

Αλεξάνδρεια,
Χριστούγεννα, 94

[illegible]

ΚΡΙΤΙΚΟΝ ΚΑΙ ΒΙΒΛΙΟΓΡΑΦΙΚΟΝ ΔΕΛΤΙΟΝ

Μεθοδίου Γ. Φούγια, Μητροπολίτου Πισιδίας, πρώην Ἀρχιεπισκόπου Θυατείρων καὶ Μ. Βρετανίας, *Τὸ ἑλληνικὸ ὑπόβαθρο τοῦ Ἰσλαμισμοῦ*, ἔκδ. ὀργανισμοῦ Λιβάνη «Νέα Σύνορα», Ἀθήνα 1994, σχ. 20Χ14 ἑκ., σσ. 268.

Τὸ ἔργον τοῦτο, ὅπερ ὑπὸ τοῦ συγγραφέως ἀφιεροῦται εἰς τὸν Σεβ. Μητροπολίτην Φθιώτιδος κ. Δαμασκηνόν, εἶναι λίαν ἐπίκαιρον ἀφ' ἑνὸς διότι τόσον ὑπὸ τοῦ Σεπτοῦ Οἰκουμενικοῦ Πατριαρχείου, ὅσον καὶ ὑπὸ τῆς Χριστιανικῆς Δύσεως προωθεῖται ὁ λελογισμένος διάλογος Χριστιανισμοῦ καὶ Ἰσλαμισμοῦ, καὶ ἀφ' ἑτέρου διότι οἱ ἀνήκοντες εἰς τὸ Ἰσλάμ, παρουσιάζοντες εἴτε τάσεις ἐξευρωπαϊσμοῦ, εἴτε τάσεις ἀπολύτου Fondamentalismus, εὑρίσκονται εἰς τὸ ἐπίκεντρον τοῦ παγκοσμίου ἐνδιαφέροντος.

Τὸ βιβλίον τοῦ Σεβ. Πισιδίας εἶναι πολυδιάστατον καί, χρησιμοποιοῦν τὴν ἱστορικὴν γενετικὴν μέθοδον, ἀναφέρεται πρὸ πάντων τόσον εἰς τὴν ἀφετηρίαν καὶ τὴν δημιουργίαν τοῦ ἰσλαμικοῦ πολιτισμοῦ, ὅσον καὶ εἰς τὴν ἐξάπλωσιν αὐτοῦ ἀπὸ τῶν Ἰνδιῶν μέχρι τῆς Ἱσπανίας. Διὰ τῆς γλαφυρᾶς ἐκθέσεως τοῦ σ. ὁ ἀναγνώστης ἐνημερώνεται διὰ τὰ γενεσιουργὰ αἴτια τοῦ δυναμισμοῦ τῶν πρώην Βεδουΐνων τῆς ἀγόνου Ἀραβίας, οἱ ὁποῖοι συνεκρότησαν πανίσχυρον στρατόν, ἐνίκησαν ἐμπειροπολέμους ἱστορικὰς αὐτοκρατορίας, κατέκτησαν ὑλικῶς καὶ πνευματικῶς τὰς ἀκμαζούσας περιοχὰς τῆς Ἐγγὺς καὶ Μέσης Ἀνατολῆς, ἀπέκτησαν τὰς πηγὰς τῆς ἑλληνικῆς φιλοσοφίας καὶ τῶν ἑλληνικῶν θετικῶν ἐπιστημῶν, ἀνέδειξαν μαικήνας καὶ προστάτας τῆς πνευματικῆς κληρονομίας τοῦ ἀρχαίου Ἑλληνισμοῦ καὶ ἵδρυσαν κέντρα καλλιεργείας ἑλληνοκεντρικοῦ πολιτισμοῦ, ἐστρατολόγησαν νεστοριανοὺς καὶ μονοφυσίτας χριστιανοὺς καὶ ἑβραίους, διὰ νὰ μεταφράσουν εἰς τὴν ἀραβικὴν τὰ ἔργα τῶν Ἑλλήνων καὶ νὰ συντελέσουν εἰς τὴν ἀνάδειξιν ἐπιφανῶν μουσουλμάνων ἑλληνιζόντων φιλοσόφων, δι' ὧν μετεδόθησαν ἀπὸ τῆς Ἱσπανίας καὶ εἰς τὴν Εὐρώπην ὁ Ἀριστοτελισμὸς καὶ πολλὰ στοιχεῖα τῆς ἀρχαίας ἑλληνικῆς σοφίας.

Τὸ ἔργον τοῦ σ. μετὰ τὴν Προθεωρίαν, τὸν Πρόλογον καὶ τὴν Εἰσαγωγὴν (σσ. 13-44), παρουσιάζει, εἰς τὸ Α΄ Μέρος (σσ. 45-114), τὰς ἱστορικὰς προϋποθέσεις τῆς διεισδύσεως τοῦ Ἑλληνικοῦ Πολιτισμοῦ εἰς τὸ Ἰσλάμ, τῆς ἀφυπνίσεως τῶν Ἀράβων καὶ τῆς ὑπ' αὐτῶν κατακτήσεως τῶν Ἑλλήνων. Τὸ Β΄ Μέρος (σσ. 115-162), ἐξετάζον τὴν διείσδυσιν τοῦ Ἑλληνικοῦ Πολιτισμοῦ εἰς τὸν Ἰσλαμικὸν Κόσμον, ἀναφέρεται ἰδιαιτέρως εἰς τοὺς Νεστοριανοὺς καὶ Ἰακωβίτας μεταφραστὰς τῶν ἑλληνικῶν ἔργων, οἵτινες συνεκρότουν ὁλοκλήρους σχολάς, ὡς καὶ εἰς τὴν ἐπισήμανσιν τῶν πηγῶν τῆς

Περιοδικό **Θεολογία**, τόμ. 66 (1995), σελ. 362-364.

Ἰσλαμικῆς Φιλοσοφίας. Τὸ Γ΄ Μέρος (σσ. 163-230) ἀφ᾿ ἑνὸς προβάλλει τοὺς μεγάλους ἑλληνίζοντας φιλοσόφους τοῦ Ἰσλαμισμοῦ (Al-Kindi, Al-Fârâbi, Avicenna, Al-Ghazâli, Averroes, Al-Râzi, Al-Bîrûni, Ibn al-Hytham) καὶ ἀφ᾿ ἑτέρου ἀναφέρεται εἰς τὴν σχέσιν τοῦ Δυτικοῦ Ἰσλαμισμοῦ καὶ τοῦ Ἑλληνισμοῦ, εἰς τὸν Σουφισμόν, εἰς τὸν Νεοπλατωνισμόν, εἰς τὸν Μυστικισμόν, εἰς τὰς συναρτήσεις τῆς Μουσουλμανικῆς Θεολογίας καὶ τῆς Ἑλληνικῆς Φιλοσοφίας, εἰς τὴν παρουσίαν τοῦ ἑλληνικοῦ φωτὸς εἰς τὰς *«Ἀραβικὰς Νύκτας»* καὶ εἰς τὴν Βαγδάτην ὡς τὰς Ἀθήνας τῆς Ἀνατολῆς, ἔνθα, ὡς σημειοῖ ὁ Σεβ. σ., *«ἑλληνικὴ ἰατρική, ἑλληνικὰ μαθηματικά, ἑλληνικὴ λογοτεχνία, φιλοσοφία, ὀπτική, φαρμακολογία, γεωμετρία, ἀστρονομία, γεωγραφία, μουσική, ἀκόμη καὶ θεολογία ἀποτέλεσαν τὶς βαθειὲς ρίζες στὴν ἐξέλιξη τοῦ ἰσλαμικοῦ πολιτισμοῦ. Ἡ ἀναγέννηση τοῦ ἑλληνικοῦ πολιτισμοῦ στὴ Βαγδάτη προηγήθηκε χρονικά, ἀλλὰ καὶ σὲ ἔκταση ἀπὸ τὴν ἀναγέννησή του στὴ Φλωρεντία»* (σ. 227).

Τὸ ἔργον, τὸ ὁποῖον περιέχει καὶ 26 πίνακας καὶ χάρτας, κατακλείεται διὰ Συμπερασμάτων εἰς ἀγγλικὴν καὶ ἑλληνικὴν γλῶσσαν (σσ. 231-242), διὰ Παραρτήματος (σσ. 243-248), παρουσιάζοντος κατ᾿ ἀλφαβητικὴν σειρὰν τοὺς κυριωτέρους Ἕλληνας σοφούς, εἰς τοὺς ὁποίους στηρίζονται ὁ ἀραβικὸς πολιτισμὸς καὶ ἡ ἰσλαμικὴ φιλοσοφία, καὶ τέλος δι᾿ Εὑρετηρίου (σσ. 249-268).

Τὸ περὶ οὗ ὁ λόγος ἔργον ἀναδεικνύει τὴν γνωστὴν ἐκ τοῦ ὅλου συγγραφικοῦ ἔργου αὐτοῦ εὐρύτητα τῶν ὁριζόντων τοῦ Σεβ. Πισιδίας, τὴν ὀξύτητα καὶ ρωμαλεότητα τοῦ κριτικοῦ του στοχασμοῦ, τὴν καταπληκτικὴν ἐπιστημονικὴν ἐνημέρωσίν του εἰς τὴν ἑλληνικὴν καὶ ξένην βιβλιογραφίαν καὶ τὰς διονυχιστικὰς παρατηρήσεις καὶ ἐπισημάνσεις του εἰς ἀναριθμήτους ὑποσημειώσεις, διαφωτιζούσας πλῆθος συναρτήσεων τῶν ὑπ᾿ αὐτοῦ ἐξιστορουμένων. Διὰ στόματος κορυφαίων ἐπιστημόνων ὅλου τοῦ κόσμου καὶ διὰ τῆς ἰδικῆς του εὐφυοῦς ἱστορικογενετικῆς συνδέσεως πλήθους περιστατικῶν, γεγονότων καὶ λησμονουμένων ἢ παραθεωρουμένων ἀληθειῶν, ὁ σ. ἐξυμνεῖ τὴν ἐξελληνιστικὴν ἐπικοινωνίαν τοῦ Ἰσλὰμ μετὰ τοῦ Ἑλληνισμοῦ καὶ τολμᾷ νὰ διατυπώσῃ μετὰ μελαγχολίας σκέψεις, αἵτινες ἀποτελοῦν ἀφυπνιστικὴν πρόκλησιν οὐ μόνον διὰ τοὺς *«φονταμενταλιστὰς»* ἐκπροσώπους τοῦ Ἰσλάμ, ἀλλὰ καὶ διὰ τοὺς σημερινοὺς ὀρθοδόξους Ἕλληνας καὶ θὰ ἠδύναντο νὰ δημιουργήσουν διάλογον ἢ ἀντίλογον, τοῦθ᾿ ὅπερ ἀποδεικνύει καὶ τὴν ἰδιαιτέραν ἀξίαν τοῦ ἔργου. Χαρακτηριστικῶς ἤδη ἐν τῷ Προλόγῳ ὁ σ. καλεῖ εἰς τὸν διάλογον αὐτόν, ὅταν τονίζῃ: *«Ἀπὸ τὴν ὁλοκλήρωση τῶν ἐρευνῶν μου σχημάτισα, γιὰ μιὰ ἀκόμη φορά, τὴν ἀπογοητευτική μου ἐντύπωση πῶς οἱ Ἕλληνες εἶναι δημιουργοὶ ἀλλὰ ὄχι φύλακες τῶν ἐπιτευγμάτων τους. Εἶναι λοιπὸν μέσα στὸ πρόγραμμα τῆς Θείας Πρόνοιας νὰ σκορπίζουν ἀφειδῶς τ᾿ ἀγαθά τους, ἀθέλητα ἢ ἠθελημένα, ἔμμεσα ἢ ἄμεσα. Εὑρίσκεται στὸ προαιώνιο σχέδιο τοῦ*

Δημιουργοῦ νὰ γίνονται ὄργανα γιὰ ἄλλους λαοὺς τοῦ ὀρθοῦ Προσανατολισμοῦ...

»Τοὺς ἰσλαμιστὲς ὑπηρέτησαν οἱ νεστοριανοὶ καὶ οἱ μονοφυσίτες, οἱ ὁποῖοι μετέφρασαν τὰ ἑλληνικὰ κείμενα γι' αὐτοὺς ἤ τοὺς ἄνοιξαν τὰ μάτια. Πόσο χρήσιμοι φάνηκαν ὄντως οἱ ἀδελφοί μας αὐτοὶ χριστιανοὶ σ' ἐμᾶς καὶ στὸ Ἰσλὰμ καὶ πόσο ἄστοχα καὶ ἄστοργα πολιτεύθηκε ὡς πρὸς αὐτοὺς ἡ Βυζαντινὴ Αὐτοκρατορία; Καὶ πόσο ἀδιάφορα συμπεριφερόμαστε πρὸς τοὺς λεγόμενους μονοφυσίτες ἀκόμη σήμερα; ... Πόσα μικρολάθη ὁδηγοῦν πράγματι σὲ κοσμογονικὲς ἐξελίξεις!» (σσ. 17-18).

Αἱ σκέψεις αὗται θὰ ἠδύναντο νὰ προκαλέσουν γονίμους συζητήσεις, εἰς τὰς ὁποίας θὰ ἦτο ἀναμφιβόλως λίαν θετικὴ καὶ ἡ συμμετοχὴ τοῦ Σεβ. Μητροπολίτου Πισιδίας κ. Μεθοδίου, ἐὰν οὗτος, ὅπως εὐχόμεθα, εὕρισκε τὸν χρόνον νὰ ἀξιοποιήσῃ τὸ τεράστιον ὑλικὸν τῆς ἀκαταπονήτου ἐρεύνης του οὐ μόνον ἱστορικογενετικῶς, ἀλλὰ καὶ διὰ συστηματικῆς καθ' ὕλην συνθέσεως. Αὐτὸ ἰσχύει οὐ μόνον διὰ τὸ ὡς ἄνω ἔργον, ἀλλὰ καὶ διὰ πάντα τὰ παλαιότερα καὶ νεώτερα δημοσιεύματα αὐτοῦ, τὰ ὁποῖα περιέχουν καταπληκτικὸν πλοῦτον ἱστορικοφιλολογικοῦ ὑλικοῦ, ὅπερ θὰ ὑπεβοήθει τὴν συστηματικὴν διαπραγμάτευσιν αὐτοῦ, ὡς καὶ τοὺς σχετικοὺς διαλόγους.

ΕΥΑΓΓΕΛΟΣ Δ. ΘΕΟΔΩΡΟΥ

56. Στήν Αἰθιοπία μέ Ὀλυμπιονίκη Αἰθίοπα

Μεθοδίου Γ. Φούγια, Το Ελληνικό υπόβαθρο του Ισλαμισμού, Εκδ. Νέα Σύνολα - Α.Α. Λιβάνη, Αθήνα 1994, σσ. 267

Το 1993 κυκλοφόρησε το βιβλίο του Σεβ. Μητροπολίτου Πισιδίας -πρώην Αρχιεπισκόπου Θυατείρων κ. Μεθοδίου Φούγια, με τίτλο: "Το Ελληνικό υπόβαθρο του Χριστιανισμού", όπου επισημαινόταν η συνεισφορά του Ελληνικού πολιτισμού στη διαμόρφωση του Χριστιανικού Μηνύματος.

Ο Ελληνισμός όμως δεν υπηρέτησε μόνο το Χριστιανισμό. Υπήρξε, εκτός των άλλων, υπόβαθρο και του Ισλαμικού πολιτισμού. Αυτό ακριβώς το θέμα μελετά ο Σεβ. Πισιδίας στο νέο του βιβλίο, με θέμα: "Το Ελληνικό υπόβαθρο του Ισλαμισμού". Σκοπός του συγγραφέα είναι να μας παρουσιάζει την τεράστια επίδραση που άσκησε η ελληνική παράδοση στον Ισλαμικό πολιτισμό. Ερχεται, λοιπόν, να φωτίσει ένα χώρο, ο οποίος δεν έχει μελετηθεί από την Ελληνική Γραμματεία, αφού ό,τι έχει γραφεί "είναι περιληπτικό και αναφέρεται στη θρησκεία και στις άλλες όψεις της Ιστορίας, και μάλιστα με τρόπο ανεπαρκή για ένα τόσο σοβαρό θέμα".

Αναφερόμενος στην προσφορά του ελληνικού πνεύματος στον Αραβικό κόσμο ο συγγραφέας, γράφει τα εξής χαρακτηριστικά:

"*Θα ήταν καυχησιολογία και πατριδοκαπηλεία αν, με όσα γράφω στη μελέτη μου αυτή, προσπαθούσα ν'αποδείξω στους φίλους μας αραβικούς και λοιπούς ισλαμικούς λαούς τι οφείλουν στους Πατέρες μας. Αλλωστε, δεν το κρίνω απαραίτητο. Αυτό το διακηρύσσουν οι ίδιοι, οι οποίοι εισόρμησαν με όλη τους τη δύναμη στην ελληνική παιδεία και άντλησαν επί αιώνες από την ακένωτο αυτή πηγή. Την τίμησαν, την αναγνώρισαν, τη συντήρησαν, την προήγαγαν και προπάντων είναι ευγνώμονες προς αυτήν. Μόνο εμείς οι Ελληνες αντιπαρήλθαμε αυτή τη φιλοφροσύνη από ένα λαό που είχε πολλές πολιτικές αντιθέσεις με τους Ελληνες, αλλά τους αναγνώρισε την αξία τους, την οποία οικειοποιήθηκε με το σπαθί του (σσ. 18-19).*

Το βιβλίο αποτελείται από τον πρόλογο. την εισαγωγή. τρία μέρη. τα συμπεράσμα-

57. *Μέ τόν μεγάλο φίλο καί χορηγό τῆς ἐκδόσεως τοῦ Abba Saluma καθ. Στρατῆ Ἀνδρεάδη στήν Ἀδδίς Ἀμπέμπα.*

τα, το παράρτημα και το ευρετήριο.

Στον πρόλογο και στην εισαγωγή (σσ. 17-41) ο συγγραφέας παρουσιάζει τις βασικές σκέψεις του για το θέμα και εκθέτει τους λόγους που τον οδήγησαν στη συγγραφή αυτής της μελέτης.

Στο πρώτο μέρος (σσ. 45-82) εξετάζονται οι ιστορικές προϋποθέσεις της διείσδυσης του Ελληνικού πολιτισμού στο Ισλάμ.

Στο δεύτερο μέρος (σσ. 117 -138) αναλύεται η διείσδυση του Ελληνικού πολιτισμού στον Ισλαμικό κόσμο.

Στο τρίτο μέρος (σσ. 165-222) παρουσιάζονται οι Ελληνίζοντες Ισλαμιστές φιλόσοφοι.

Ακολουθούν τα συμπεράσματα στα Ελληνικά και στα Αγγλικά και το παράρτημα, με θέμα: "Οι κυριότεροι Ελληνες σοφοί στους οποίους στηρίζεται ο αραβικός πολιτισμός και η Ισλαμική φιλοσοφία". Στο τέλος υπάρχει πλούσιο ευρετήριο. Το βιβλίο διανθίζουν σπάνιες φωτογραφίες και κατατοπιστικοί χάρτες.

Η μελέτη αυτή, εκτός του ότι ενημερώνει με πολύ ουσιαστικά στοιχεία για ένα θέμα άγνωστο εν πολλοίς, εκτός του ότι αποκαλύπτει τη συνεισφορά του ελληνικού πνεύματος στον Ισλαμικό κόσμο, δείχνει συγχρόνως και την οφειλή αυτού του κόσμου στην ελληνική σκέψη, πράγμα που πρέπει να προσεχθεί ιδιαίτερα. Το Υπουργείο Πολιτισμού ή Εξωτερικών θα παρέπει να προχωρήσει στη μετάφραση του βιβλίου αυτού στις ισλαμικές γλώσσες και να το προωθήσει ευρύτατα. Σήμερα, που πολλά ακούονται για τα "ισλαμικά τόξα", το βιβλίο αυτό μπορεί να αποτελέσει γέφυρα επικοινωνίας και φιλίας ανάμεσα στους Ελληνες και στους μουσουλμανικούς λαούς και να διαλύσει την εχθρότητα ή την καχυποψία αιώνων, υπηρετώντας την ειρήνη και τα πραγματικά συμφέροντα των λαών.

ΑΡΙΣΤΕΙΔΗΣ Ν. ΔΟΥΛΑΒΕΡΑΣ, Δρ. Φ.

Δελτίο Κέντρου Κορινθιακῶν Μελετῶν.

58. Μέ τόν Καρθαγένης Παρθένιο μετέπειτα Πατριάρχη Ἀλεξανδρείας καί τόν τότε Ἀττικῆς Νικόδημο στό σχολεῖο τῆς Ἑλλ. Κοινότητος Ἀδδίς Ἀμπέμπας.

«Τὰ διεθνῆ γεγονότα τῶν τελευταίων χρόνων ἔχουν φέρει τοὺς Ἕλληνες μπροστὰ σὲ δεδομένα ποὺ στὴ μέχρι τοῦδε μακαριότητά τους θεωροῦσαν ἀπίθανα νὰ συμβοῦν. Ἔτσι, ἡ ἀντιμετώπισή τους μὲ βεβιασμένες καὶ ὄψιμες κινήσεις δὲν ἀπέδωσε παρὰ τὸν παρατεταμένο σαρκασμὸ τῶν Εὐρωπαίων ἑταίρων. Ἀναφέρομαι, φυσικά, στὴν ἔξαρση τοῦ Ἰσλαμισμοῦ καὶ τὶς κοινωνικές του συνέπειες, ὅπως καὶ στὴ διαμόρφωση ἐθνικῶν συνειδήσεων μὲ ἄξονα τὴ θρησκευτικὴ διαφορά, μὲ ἀποτέλεσμα νὰ γίνονται ἀναφορὲς σὲ ἰσλαμικὸ τόξο κλπ. Ὡστόσο, στὴν Ἑλλάδα, οἱ ἰσλαμικὲς σπουδὲς ἀλλὰ καὶ οἱ συναφεῖς ἀραβικές, ἐνῶ θὰ ἔπρεπε νὰ γνωρίζουν τὴ μεγαλύτερη ἄνθηση, ὑπῆρξαν ἀνύπαρκτες. Ἡ παρουσίαση ἑνὸς βιβλίου μὲ τέτοιο ἀντικείμενο εἶναι ἐκ προοιμίου, ἑπομένως, εὐπρόσδεκτη, πόσο μᾶλλον ὅταν πρόκειται γιὰ μιὰ τεκμηριωμένη μελέτη πάνω στὴ θρησκειολογία. Τὴ γνωριμία μὲ τὸ Ἰσλὰμ καὶ τὸ φιλοσοφικο-ἰδεολογικό του ὑπόβαθρο προτείνει τὸ μελέτημα τοῦ Μητροπολίτη Πισιδίας καὶ πρώην Ἀρχιεπισκόπου Θυατείρων καὶ Μεγάλης Βρεταννίας Μεθοδίου Γ. ΦΟΥΓΙΑ. Μὲ τὴν ἰδιαιτερότητα πὼς τὸν μελετητὴ ἐνδιαφέρει, ὅπως τὸ ὑποδηλώνει καὶ ὁ τίτλος τοῦ βιβλίου, Τὸ ἑλληνικὸ ὑπόβαθρο τοῦ Ἰσλαμισμοῦ, ἀντικείμενο ποὺ τὸν ὁδηγεῖ στὴ διερεύνηση τῶν προϋποθέσεων τῆς ἐξάπλωσης τοῦ Ἰσλαμισμοῦ μὲ τὸ συναφές, ἀλλὰ ὄχι καὶ αὐτονόητο ἐρώτημα, τοῦ κατὰ πόσον ἡ ἑλληνικὴ ὀλιγωρία (τότε ὅπως καὶ τώρα) συνέβαλε στὴν αἰφνίδια ἔφοδο τῶν Ἀράβων. Ταυτόχρονα, διαπιστώνοντας πὼς οἱ μουσουλμάνοι θεωρητικοὶ καὶ κυρίως ἐκεῖνοι τῆς Ἱσπανίας μετέφρασαν μὲ μεγάλη προσοχὴ καὶ ἀφομοίωσαν τοὺς Ἕλληνες κλασσικοὺς σὲ βαθμὸ ποὺ κάποια ἀρχαῖα κείμενα νὰ ἔχουν διασωθεῖ ἀπὸ μόνες αὐτὲς τὶς μεταφράσεις, ἀναρωτιέται τί ἦταν ἐκεῖνο ποὺ ἔστρεψε τούς Ἄραβες σοφοὺς νὰ μεταφράσουν τὰ κείμενα αὐτά, διευκολυνόμενοι καὶ ἀπὸ τοὺς χριστιανοὺς τῶν περιοχῶν ποὺ κατέκτησαν. Μέσα σ' αὐτὸ τὸ πλαίσιο ἐρευνῶνται ἀναλυτικὰ οἱ ἱστορικὲς προϋποθέσεις τῆς διείσδυσης τοῦ Ἑλληνικοῦ Πολιτισμοῦ στὸ Ἰσλὰμ καὶ στὸν Ἰσλαμικὸ κόσμο, ὅσο καὶ οἱ ἑλληνίζοντες Ἰσλαμιστὲς φιλόσοφοι, ὥστε νὰ γίνουν γνωστὲς οἱ ἐπιδράσεις του καὶ οἱ ἴδιοι οἱ Ἄραβες δὲν ἀμφισβητοῦν πὼς δέχτηκαν ἀπὸ τὸν ἀρχαιοελληνικὸ πολιτισμό. Ἕνα βιβλίο ποὺ ἀποβλέπει σὲ μιὰ ἀποκατάσταση τῶν σχέσεων μεταξὺ ἑλληνικοῦ καὶ ἀραβικοῦ κόσμου, ἀναδεικνύοντας τὰ σημεῖα τομῆς ἀλλὰ καὶ ὀφειλῶν τοῦ ἑνὸς πολιτισμοῦ στὸν ἄλλο, ποὺ παραμένουν αἰῶνες ἀναξιοποίητα. Ἀπὸ τὶς ἐκδόσεις *Νέα Σύνορα - Α.Α. Λιβάνη*, Ἀθήνα 1994».
Νέα Κοινωνιολογία, 21 Β' περίοδος, 9ος χρόνος Ἀθήνα, 1996. Ἄλλες κρίσεις δημοσιεύθηκαν: P. Termant, στὸ *Proche Orient Chrétien,* Tome 95 (1995), σελ. 310-311 Α.Γ.Κ. Σαββίδης, Στὸ Περιοδικὸ *Βιβλιοφιλία*, τχ. 72 (1996), σελ. 18-19 καὶ τοῦ ἰδίου στὸ Περιοδικὸ *Νέα Ἑστία,* Τόμος 137ος, Ἀθῆναι (1995) σελ. 262-263. Περιοδικὸ *Χρονικὰ* τοῦ Κεντρικοῦ Ἰσραηλιτικοῦ Συμβουλίου, ΙΘ' (1996), σελ. 20. Γ. Μπολανάκης, *Τὰ Ἐκπαιδευτικά*, τ. 37-38 (1995), σελ. 288. Π. Ἀθανασιάδης, Περιοδικό ΕΛΝΑΒΙ, Δεκ. 1994. τ. 252, σελ. 14.

ΑΔΕΛΦΟΤΗΣ ΘΕΟΛΟΓΩΝ
«Ο ΣΩΤΗΡ»
ΙΣΑΥΡΩΝ 42
114 72 ΑΘΗΝΑΙ
Τηλ. 36.22.108

'Εν 'Αθήναις τῇ 16/12/94

Σεβασμιώτατον
Μητροπολίτην Πισιδίας
Κύριον κ. Μεθόδιον
Ρήγα Φερραίου 9
152 32 ΧΑΛΑΝΔΡΙΟΝ

Σεβασμιώτατε,

Εὐγνωμόνως ἀπεδέχθημεν τάς ἑορτίους εὐχάς τῆς 'Υμετέρας Σεβασμιότητος, μετά τῶν δύο νέων ἔργων Σας "Τό 'Ελληνικό ὑπόβαθρο τοῦ 'Ισλαμισμοῦ" καί τόν 13ον τόμον τῶν "Θεολογικῶν καί 'Ιστορικῶν Μελετῶν" Σας.

Δι'ἅπαντα ἐκφράζομεν θερμάς εὐχαριστίας πρός τήν Σεβασμιότητά Σας, ὡς καί διά τήν πολλήν Σας ἀγάπην πρός τήν 'Αδελφότητα ἡμῶν.

'Επιτρέψατε νά εὐχηθῶμεν ὅπως ὁ σαρκωθείς ὑπέρ ἡμῶν Κύριος χαρίζηται 'Υμῖν ἔτη μακρά, ἐν καρποφόρῳ διακονίᾳ εἰς τήν 'Αγίαν Του 'Εκκλησίαν, τάς δέ ἡμέρας τοῦ 'Αγίου Δωδεκαημέρου ἐν χαρᾷ καί εὐφροσύνῃ.

'Εκζητοῦντες τάς εὐχάς τῆς Σεβασμιότητος 'Υμῶν, ἀσπαζόμεθα τήν δεξιάν Σας καί διατελοῦμεν

μετά βαθυτάτου σεβασμοῦ
Διά τήν 'Αδελφότητα Θεολόγων "ὁ Σωτήρ"

Ἀρχιμ. Λεωνίδας Διαμαντόπουλος

ΤΗΛΕΓΡΑΦΗΜΑ Α.Ε.

* ✠
217144/2 HALD
* 252705.KALM GR

* ΛΟΚ 3

* ΚΑΛΑΜΑΤΑΣ 126 65/58 11/1 0900

35 I 11 09.

* ΣΕΒΑΣΜΙΩΤΑΤΟΝ
* ΜΗΤΡΟΠΟΛΙΤΗΝ ΠΙΣΙΔΙΑΣ
* ΚΥΡΙΟΝ ΜΕΘΟΔΙΟΝ
* ΡΗΓΑ ΦΕΡΑΙΟΥ 9
* ΧΑΛΑΝΔΡΙ

* ΕΥΧΟΜΑΙ ΥΜΙΝ ΠΑΝ ΑΓΑΘΟΝ ΕΠΙ ΤΩ ΝΕΩ ΕΤΕΙ ΚΑΙ ΕΚΦΡΑΖΩ ΤΑ ΕΓΚΑΡΔΙΑ
* ΣΥΓΧΑΡΗΤΗΡΙΑ ΜΟΥ ΚΑΙ ΤΑΣ ΕΥΧΑΡΙΣΤΙΑΣ ΜΟΥ ΔΙΑ ΤΟ ΠΡΩΤΟΤΥΠΟΝ
* ΚΑΙ ΛΙΑΝ ΑΞΙΟΛΟΓΟΝ ΕΡΓΟΝ ΥΜΩΝ ΥΠΟ ΤΟΝ ΤΙΤΛΟΝ ΤΟ ΕΛΛΗΝΙΚΟ
* ΥΠΟΒΑΘΡΟ ΤΟΥ ΙΣΛΑΜΙΣΜΟΥ ΠΡΟΣΤΕΘΕΝ ΕΙΣ ΤΑ ΠΟΛΛΑ ΚΑΙ ΠΟΛΥΤΙΜΑ
* ΣΥΓΓΡΑΜΜΑΤΑ ΤΗΣ ΥΜΕΤΕΡΑΣΑΓΑΠΗΤΗΣ ΜΟΙ ΣΕΒΑΣΜΙΟΤΗΤΟΣ
* + Ο ΜΕΣΣΗΝΙΑΣ ΧΥΕΕΕ ΧΡΥΣΟΣΤΟΜΟΣ

ΟΤΕ ΤΗΛΕΓΡΑΦΗΜΑ Α.Ε.

59. Σέ σχολική συγκέντρωση στά Ἐκπαιδευτήρια τῆς Ἑλληνικῆς Κοινότητος Ἀδδίς Ἀμπέμπας.

Τό Ἑλληνικό Ὑπόβαθρο τοῦ Ἰσλαμισμοῦ

τοῦ Στέφανου Ἐλμάζη

Πληθαίνουν τελευταία στίς μέρες μας οἱ φωνές γιά τήν ἀναγκαιότητα τῆς εἰρηνικῆς συνύπαρξης τῶν δύο προαιώνιων «ἐχθρῶν», Χριστιανῶν καί Μουσουλμάνων. Τό ζήτημα ἔχει τεθεῖ ἀπό καιρό.

Εἶναι γνωστό καί ἀπολύτως παραδεκτό πλέον ὅτι «ἡ χρησιμοποίηση τῆς θρησκείας γιά τήν ἐξυπηρέτηση ἄλλων καί ὁπωσδήποτε ξένων πρός τήν πνευματική της ἀποστολή σκοπιμοτήτων, πού ἐνισχύεται ἀπό τήν ἐνδιάθετη τάση τῶν θρησκειῶν νά διεκδικοῦν μιά ὑπεροχότερη σχέση πρός τή λυτρωτική ἀλήθεια, ὁδηγεῖ σέ θρησκευτικό φανατισμό καί ἐκτρέπεται σέ φαινόμενα θρησκευτικῆς μισαλλοδοξίας. Τό φαινόμενο αὐτό παραμορφώνει τόν πνευματικό χαρακτήρα τῆς ἀποστολῆς τῆς θρησκείας καί τροφοδοτεῖ μέ θρησκευτικό φανατισμό τίς ἀναπόφευκτες τριβές ἤ ἀντιθέσεις τῶν γειτονικῶν λαῶν ἤ κοινωνικῶν ὁμάδων».

Εἶναι εὐτύχημα ὅτι τό πνεῦμα αὐτό τῆς θέασης τῶν φαινομένων θρησκευτικοῦ φανατισμοῦ, ὅπως διατυπώνεται μέ τά πιό πάνω λόγια ἀπό τόν Μητροπολίτη Ἑλβετίας κ. Δαμασκηνό σέ πρόσφατη συνέντευξή του στόν Οἰκονομικό Ταχυδρόμο, διακατέχει σήμερα πολλούς ἐρευνητές, λαϊκούς καί κληρικούς. Καί ἀκριβῶς μιά τέτοια θέαση γεννάει τό κίνητρο γιά τήν ἔρευνα ὕπαρξης κάποιων στοιχείων σέ κάθε ἐπίπεδο πού θά μποροῦσαν νά ἐνισχύσουν τήν εἰρήνη ἀνάμεσα σέ λαούς διαφορετικῶν θρησκειῶν καί τό σεβασμό τῆς θρησκευτικῆς ἐλευθερίας.

Δέν εἶναι τυχαῖο λοιπόν ὅτι πολλές μελέτες, ἄρθρα καί βιβλία ἔρχονται στό προσκήνιο τελευταία «φωτίζοντας» ἀκριβῶς ἄγνωστες ἤ καί παραμελημένες πτυχές τῆς φιλοσοφίας καί τῆς θρησκείας τοῦ Ἰσλάμ, πού σαφῶς σχετίζονται πολυδιάστατα μέ τόν Ἑλληνισμό.

Μιά τέτοια περίπτωση συνιστά τό πολύ ἐνδιαφέρον καί ἀξιόλογο βιβλίο τοῦ Μητροπολίτη Πισιδίας - πρώην ἀρχιεπισκόπου Θυατείρων καί Μ. Βρετανίας - κ. Μεθοδίου Φούγια, ὁ ὁποῖος γιά τούς λόγους πού τόν ὁδήγησαν στήν συγγραφή τοῦ βιβλίου ἀναφέρει.

«Τό Ἰσλάμ, τό ὁποῖο περιλαμβάνει περίπου τό ἕνα πέμπτο τοῦ πληθυσμοῦ τοῦ κόσμου, ἔχει γιά πολλούς λόγους μεγάλη σημασία γιά τόν ἑλληνισμό. Μερικοί ἔχουν τή γνώμη ὅτι τό Ἰσλάμ ἀποτελεῖ τή μεγαλύτερη ἀπειλή γιά τή Δύση. Ποιοί εἶναι, λοιπόν, πραγματικά οἱ δεσμοί οἱ ὁποῖοι συνδέουν τό μεγάλο τοῦτο σῶμα μέ τόν ἑλληνισμό; Τό Ἰσλάμ εἶναι ἕναν πρόβλημα γιά τούς συμπατριῶτες μου, παρ' ὅλο πού αὐτό ἔχει στενή ἱστορική καί θεολογική σχέση μέ τόν Ἰουδαϊσμό καί τόν Χριστιανισμό. Ποιές εἶναι οἱ συνέπειες τοῦ γεγονότος ὅτι στίς πολιτιστικές καί ἱστορικές σχέσεις ἡ Ἰσλαμική φιλοσοφία, ἡ ἐπιστήμη καί ἡ τεχνολογία συνδέονται μέ μιά κληρονομιά ἡ ὁποία προέρχεται ἀπό τήν ἑλληνική ἐπιστήμη καί σκέψη; Στούς πολλούς Δυτικούς καί ἰδιαίτερα στήν πλειοψηφία τῶν συμπατριωτῶν μου, ἡ ἰσλαμική συγγένεια μέ τόν ἀρχαῖο πολιτισμό μᾶς εἶναι ἄγνωστη, καί εἶναι αὐτός ὁ λόγος πού μέ ἔκανε νά προσπαθήσω σ' αὐτή τή μικρή πραγματεία ν' ἀναφερθῶ στήν ταυτότητα καί τά ἐπιτεύγματα τῶν Ἀράβων καί τῶν ἰσλαμιστῶν κατ' ἐπέκταση καί στίς σχέσεις τους πρός τόν ἑλληνισμό».

Σέ κάποιο ἄλλο σημεῖο ὁ συγγραφέας τονίζει: «προκειμένου νά προσανατολιστοῦμε σήμερα (ὡς Ἔθνος) πρέπει νά ἐνημερωθοῦμε πολύ καλύτερα γιά τίς ἀκατάλυτες σχέσεις μας μέ μεγάλους λαούς τῆς γῆς». Ἡ ρήση αὐτή εἶναι γνωστή καί ἀπόλυτα παραδεκτή σέ ὅλους ἐμᾶς. Προκειμένου νά γνωρίσεις τό συνομιλητή σου, τό συνεργάτη σου, τόν ἀντίπαλο τέλος - τέλος, πρέπει νά τόν μελετήσεις. Καί φυσικά ἐφόσον ἐνδιαφέρεσαι γιά μιά φιλική καί εἰρηνική συνύπαρξη μαζί του (ποιός ἄραγε μπορεῖ νά τό ἀρνηθεῖ αὐτό;) νά βρεῖς τά κοινὰ στοιχεῖα πού ἀποτελοῦν τίς «γέφυρες» τῆς συνεργασίας καί συνύπαρξης. Καί ἀπ' ὅ,τι φαίνεται οἱ σχέσεις τῶν Ἑλλήνων μέ τό Ἰσλάμ καί σημαντικές εἶναι καί πολυεπίπεδες καί βαθειά ριζωμένες στήν Ἱστορία. Ἡ ξένη βιβλιογραφία ἀπαριθμεῖ ἑκατοντάδες τόμους γιὰ τήν ἑλληνικότητα τοῦ θρησκευτικοῦ καί φιλοσοφικοῦ ὑποβάθρου τοῦ Ἰσλάμ. Ὁ κ. Φούγιας, ἁπλά, ὅπως καί ὁ ἴδιος ἐπισημαίνει, συγκεντρώνει, μελετᾶ καί τεκμηριώνει τό ὑπάρχον ὑλικό: Ἀριστοτέλης καί Πλάτωνας, οἱ γεννήτορες τῆς φιλοσοφίας τοῦ Ἰσλάμ. Πράγματα γνωστά στούς ξένους μελετητές, ἀλλά ἄγνωστα στήν πλειοψηφία τῶν συμπατριωτῶν μας, παρατίθενται στό βιβλίο του: Ἡ βαθύτατη ἐπίδραση τοῦ νεοπλατωνισμοῦ στό Ἰσλάμ, ἡ καταλυτική ἐπιρροή τῆς Ἀριστοτέλειας σκέψης πού ἔγινε ἡ προπαιδεία τῆς Ἰσλαμικῆς θεολογίας καί τῆς νομικῆς ἐπιστήμης καί ἰδιαίτερα ἡ σημαντική ἐπίδραση τῆς θεωρίας του ἀσκητικοῦ χριστιανισμοῦ πού δημιούργησε τήν ἰσχυρή τάση γνωστή μέ τό ὄνομα Σοφισμός (σήμερα Σουφισμός, Σούφι), ἡ ὁποία εὐθύνεται γιά τήν ἐμφάνιση τοῦ μυστικισμοῦ στό Ἰσλάμ, εἶναι μερικά ἀπό τά βασικά θέματα τῆς μελέτης τοῦ κ. Φούγια.

Θεματοφύλακες λοιπόν καί συνεχιστές τῆς ἀρχαίας ἑλληνικῆς σκέψης, οἱ διάδοχοι τοῦ Μωάμεθ δημιούργησαν τό λαμπρό αὐτό οἰκοδόμημα πού βασίζεται ἀποκλειστικά σχεδόν στόν Ἑλληνισμό.

Παρ' ὅλο λοιπόν τό μέγεθος τῆς διαχρονικῆς καί πολυεπίπεδης αὐτῆς σχέσης «ἡ ἑλληνική βιβλιογραφία παρουσιάζει ἐν προκειμένῳ μεγίστη πενιχρότητα». Καί αὐτό παρά τό γεγονός ὅτι ἐπί μία καί πλέον χιλιετία ἀπό τήν ἐμφάνιση τοῦ Ἰσλάμ μέχρι σήμερα «ὁ Ἑλληνισμός βρίσκεται σέ ἀδιάλειπτο καί πολύ στενή ἐπαφή μέ τούς ὀπαδούς τῆς θρησκείας αὐτῆς».

Θά μποροῦσε ν' ἀναρωτηθεῖ κανείς: Γιατί αὐτή ἡ ἄγνοια; Γιατί αὐτή ἡ ἀδιαφορία; Ἴσως ἐπειδή «ὁ πολύς κόσμος τονίζει ὅτι δέν ἔχει ἀνάγκη νά μάθει κάτι γιά τόν Μωαμεθανισμό ἐφόσον πιστεύει ὅτι τά γνωρίζει ὅλα» ἐξηγεῖ ὁ πολυγράφος ἀραβιστής καί θεολόγος Εὐγένιος Μιχαηλίδης. Ἴσως ἐξαιτίας τῆς ἀδιαφορίας γιά τούς ἀλλόθρησκους πού κληρονομήσαμε ἀπό τούς βυζαντινούς μας προγόνους, σημειώνει ὁ κ. Φούγιας. Ἴσως ἐξαιτίας μιᾶς παράξενης ἐμμονῆς γιά τή θρησκευτική καί φυλετική μας «καθαρότητα» καί σπουδαιότητα, συμπληρώνουμε ἐμεῖς. Μία σπουδαιότητα πού οὕτως ἤ ἄλλως ὡς Ἕλληνες ἔχουμε ἀπαραγράπτω δικαιώματι, μόνο πού μέ ἐγωισμό καί ματαιοδοξία ἀνέκαθεν προβάλαμε.

Καί τώρα; Σέ μιά κρίσιμη καμπή τῆς ἱστορίας μας, ὑπάρχουν περιθώρια;

Κρατᾶμε γιά τόν ἑαυτό μας τήν αἰσιοδοξία, ἄς προβληματιστοῦμε ὅμως σοβαρά ἀπό τήν ἄποψη τοῦ σεβασμιότατου:

«Οἱ Ἕλληνες Χριστιανοί δέν ἔπραξαν τίποτε γιά νά προσεγγίσουν τούς μουσουλμάνους πνευματικούς ἀνθρώπους. Τώρα εἶναι πολύ ἀργά. Διαφορετική πρέπει νά εἶναι ἡ ἐπικοινωνία μέ τούς μουσουλμάνους, ἐάν κι αὐτή εἶναι ἐφικτή».

Περιοδικό Ἀ**νιχνεύσεις**, τεῦχος 8 (1995), σελ. 42-43.

ΟΡΘΟΔΟΞΙΑ καί ΕΛΛΗΝΙΣΜΟΣ

Του Γ.Ν. ΠΑΠΑΘΑΝΑΣΟΠΟΥΛΟΥ

Ἰσλάμ καί Ἕλληνες σοφοί

Ἕνα πρωτότυπο ἔργο ἀπό τό μητροπολίτη Πισιδίας Μεθόδιο

Ο ΠΡΩΗΝ Ἀρχιεπίσκοπος Θυατείρων καί Μεγάλης Βρετανίας καί νύν μητροπολίτης Πισιδίας Μεθόδιος, μετά τό πρόσφατο δημοσιευμένο ἔργο του **«Τό ἑλληνικό ὑπόβαθρο τοῦ Χριστιανισμοῦ»** προχώρησε σέ μία μελέτη μέ τόν τίτλο **«Τό ἑλληνικό ὑπόβαθρο τοῦ Ἰσλαμισμοῦ»** στήν ὁποία ἐξετάζει ἕνα ἐνδιαφέρον κεφάλαιο τῆς πολύπλευρης σχέσης τῶν Ἑλλήνων μέ τόν Ἰσλαμισμό καί ἰδιαίτερα μέ τούς Ἄραβες.

ΣΤΟ βιβλίο τοῦτο πού ἐκδίδεται ἀπό τόν ἐκδοτικό οἶκο «Νέα Σύνορα», ὁ συγγραφέας βασιζόμενος πάντα σέ αὐθεντικές πηγές ἐξετάζει τό θέμα του ἀπ' ὅλες τίς πλευρές. Γιατί νικήθηκε καί παραδόθηκε στούς Ἄραβες ὁ ἑλληνικός καί ὁ ἑλληνιστικός κόσμος τῆς Μέσης καί τῆς Ἐγγύς Ἀνατολῆς; Ποιά ἡ κατάσταση τῶν Ἑλλήνων κατά τόν ἕβδομο αἰώνα καί γιατί μέσα σέ λίγα χρόνια παραδόθηκε αὐτός ὑλικά καί πνευματικά στούς τέως Βεδουίνους τῆς Ἀραβίας.

Ποιά ἦταν τά κίνητρα καί τά μέσα τῶν Ἀράβων πού κατατρόπωσαν τίς ὀργανωμένες αὐτοκρατορίες τῶν Βυζαντινῶν καί των Περσῶν καί τά ὁποία κατέστησαν αὐτούς ἱκανούς νά προχωρήσουν μέσα σέ λίγα χρόνια καί νά κατακτήσουν τήν Αἴγυπτο, τή Βόρειο Ἀφρική καί τήν Ἱσπανία.

ΚΑΤΑΚΤΗΤΕΣ

Γιατί οἱ χριστιανοί τῶν περιοχῶν αὐτῶν παραδόθηκαν χωρίς ἀντίσταση στούς Ἄραβες καί μολονότι ἀποκομμένοι καί καταδικασμένοι ἀπό τήν ἑλληνική Ἐκκλησία κράτησαν τήν ἑλληνική Παιδεία τήν ὁποία μετέδωσαν στούς Ἄραβες κατακτητές;

Πῶς οἱ Ἄραβες ἐστράφησαν πρός τίς ἑλληνικές πηγές τῆς σοφίας καί πῶς πέτυχαν τή μετάφραση τῶν κλασικῶν ἔργων τῶν Ἑλλήνων στήν ἀραβική; Ποιοί ὑπῆρξαν οἱ πρῶτοι μαικῆνες Ἄραβες φιλόσοφοι καί Χάλιφες, οἱ ὁποῖοι ἵδρυσαν στή Βαγδάτη τά πνευματικά ἱδρύματα μεταφράσεων καί καλλιέργειας τῶν ἑλληνικῶν ἔργων φιλοσοφίας, ἰατρικῆς, ἀστρονομίας, γεωμετρίας, γεωγραφίας, μηχανικῆς, μαθηματικῶν κ.ἄ.

Ἀκολουθεῖ ἡ ἐπισήμανση τῶν ἑλληνιζόντων Ἀράβων καί μή ἰσλαμιστῶν φιλοσόφων **Ἀλ - Κίντι, Ἀλ - Φαραμπί, Ἀλ. - Κατάλι, Ἀβισένα, Ἀβερόη, Ἀλ. - Ραζί** κ.ἄ., οἱ ὁποῖοι ἔδωσαν στόν Ἰσλαμισμό τήν πνευματική ἀκτινοβολία.

Τό ἔργο τοῦτο τοῦ σεβασμιοτάτου Μεθοδίου, πρωτότυπο καί πρωτοποριακό ἀνοίγει ἕνα ἐνδιαφέρον κεφάλαιο τῆς πολιτιστικῆς μας ἱστορίας καί φέρει τό Ἰσλάμ ἐγγύτερα πρός τόν Ἑλληνισμό ἐμφανίζοντας τήν Ἑλλάδα νά προεκτείνεται μέχρι σήμερα ὄχι μόνο πρός τήν Εὐρώπη καί τό Δυτικό κόσμο, ἀλλά καί πρός τήν Ἀνατολή καί μάλιστα πρός τούς λαούς τοῦ Ἰσλάμ, οἱ ὁποῖοι ἀποτελοῦν τό ἕνα πέμπτο τοῦ πληθυσμοῦ τοῦ κόσμου.

Ὁ ἀναγνώστης τοῦ ἔργου τούτου μένει κατάπληκτος ἀπό τή σημασία πού δίνουν ξένοι ἐπιστήμονες στή μετάβαση τῆς ἑλληνικῆς σοφίας στό Ἰσλάμ καί ἀκόμη στή λατρεία πού ἔτρεφαν οἱ μεγάλοι ἰσλαμιστές φιλόσοφοι καί Χάλιφες πρός τόν Ἀριστοτέλη, τόν Πλάτωνα, τόν Πλωτίνο, τόν Εὐκλείδη, τόν Πτολεμαῖο καί τούς ἄλλους ἀθάνατους Ἕλληνες σοφούς.

Εἶναι βέβαιο ὅτι τό ἔργο τοῦτο τοῦ σεβασμιότατου Μεθοδίου θά ἑλκύσει τό ἐνδιαφέρον τοῦ σημερινοῦ ἑλληνικοῦ κόσμου νά ἐνδιατρίψει καί προχωρήσει στή μελέτη τῶν κεφαλαίων τοῦ ἔργου πρός περαιτέρω ἔρευνα καί μελέτη τούτων.

Ἡ μελέτη αὐτή ἐνδιαφέρει ἄμεσα ὅλους τούς Ἕλληνες πού βλέπουν τήν παρουσία τοῦ Ἰσλαμισμοῦ τόσο κοντά τους.

Η ΟΦΕΙΛΗ

Ἀπό τό ἄλλο μέρος οἱ ἴδιοι οἱ ἰσλαμιστές, ἄν διαβάσουν στή γλώσσα τους μεταφρασμένο τοῦτο, θά ἐρεθιστοῦν ἀναμιμνησκόμενοι τήν ὀφειλή καί τήν ἀγάπη τῶν προγόνων τους πρός κάθε τί τό ἑλληνικό.

Ὁ συγγραφέας τῆς μελέτης αὐτῆς δέν ἐξετάζει τίς σχέσεις τοῦ Ἰσλάμ πρός τόν Χριστιανισμό, κάτι πού κατά τήν κρίση του ἀνήκει στό πεδίο τῶν θρησκευτικῶν ἐρευνῶν.

Ὁ μητροπολίτης Μεθόδιος ἔχει ἐκδώσει μέχρι σήμερα περισσότερους ἀπό 60 τόμους, πού ἀποτελοῦν τά συγγράμματά του καί τίς ἐκδόσεις τῶν περιοδικῶν του. Εἶναι διδάκτωρ τῆς Φιλοσοφίας τοῦ Πανεπιστημίου τοῦ Ἐδιμβούργου καί τοῦ Πανεπιστημίου τοῦ Μάντσεστερ. Τό ὄνομά του συγκαταλέγεται μεταξύ τῶν 5.000 προσωπικοτήτων τοῦ κόσμου ἀπό τό ἀμερικανικό Ἰνστιτοῦτο Βιογραφικῶν.

Τίς σχέσεις τῶν Ἑλλήνων μέ τόν Ἰσλαμισμό καί ἰδιαίτερα μέ τούς Ἄραβες ἐξετάζει στό «Ἑλληνικό ὑπόβαθρο τοῦ Ἰσλαμισμοῦ» ὁ μητροπολίτης Μεθόδιος.

Ἕνα νέον σύγγραμμα τοῦ Μητροπολίτου Πισιδίας Μεθοδίου

ΤΟ ΕΛΛΗΝΙΚΟ ΥΠΟΒΑΘΡΟ ΤΟΥ ΙΣΛΑΜΙΣΜΟΥ

Ομολογούμεν ότι μας εξέπληξε το νέον σύγγραμμα της Α.Σ. του Μητροπολίτου Πισιδία κ. Μεθοδίου Φούγια τό ὁποῖον ἐξεδόθη ὑπό τόν ἀνωτέρω τίτλον:

«Ἀκούραστος στή συγγραφή ἔργων ὁ Σεπτός αὐτός Ἱεράρχης τῆς Ὀρθοδοξίας μας κατέπληξε μέ τό νέο του ἔργον «Τό Ἑλληνικόν ὑπόβαθρον τοῦ Ἰσλαμισμοῦ. Ταυτόχρονα μᾶς ἐνθουσίασε γιά τό βαθυστόχαστο νόημά του καί κυρίως γιά τά λάθη τά ὁποία ἀποδίδει στήν Ὀρθοδοξίαν τά λάθη πού διεπράχθησαν ἀνά τούς αἰώνας στό χῶρο τῆς Μέσης Ἀνατολῆς.

Ὁμολογοῦμεν ὅτι δέν εἴμεθα σέ θέση νά κρίνωμεν τό σύγγραμμα αὐτό διότι δέν ἔχομεν ἐμβαθύνει στό θέμα τοῦ Ἰσλαμισμοῦ. Θεωρήσαμεν φρόνιμον νά δημοσιεύσωμεν τόν πρόλογον τοῦ ἐμβριθοῦς καί ἀκαταπονήτου Ἱεράρχου Μεθοδίου ἀπό τό ὁποῖο ὁ ἀναγνώστης θά ἐξαγάγει τά συμπεράσματα.

Μερικοί εἰδικοί σέ παρόμοια θέματα ἕλληνες δημοσιογράφοι ἀσχολήθηκαν ἐκτενῶς μέ τό νέον αὐτό σύγγραμμα τοῦ Μητροπολίτου Πισιδίας καί τίς γνῶμες τους κατεχώρησαν στόν Ἑλληνικόν Τύπον.

Ὁπωσδήποτε συγχαίρομεν τόν Μητροπολίτην Μεθόδιον διά τό νέον σύγγραμμά του τό ὁποῖον, εἴμεθα βέβαιοι θά πλουτίσει τίς παγκόσμιες βιβλιοθῆκες τόσω μᾶλλον πού σπανίζουν τέτοιες μελέτες στό κόσμο.

Κατωτέρω δημοσιεύομεν ὅσα προλογίζει ὁ Μητροπολίτης Πισιδίας Μεθόδιος στό περισπούδαστον βιβλίον του:

Ἐφημερίδα **Φῶς** Καΐρου, 20 Ἀπρ. 1995.

GREEK ORTHODOX ARCHDIOCESE OF NORTH AND SOUTH AMERICA
UNDER THE SPIRITUAL JURISDICTION OF THE ECUMENICAL PATRIARCHATE
ΕΛΛΗΝΙΚΗ ΟΡΘΟΔΟΞΟΣ ΑΡΧΙΕΠΙΣΚΟΠΗ ΒΟΡΕΙΟΥ ΚΑΙ ΝΟΤΙΟΥ ΑΜΕΡΙΚΗΣ

30 Μαρτίου 1995

Σεβασμ. Μητροπολίτην
Πισιδίας κ.κ. Μεθόδιον
Ρήγα Φερραίου 9
Χαλάνδρι - 152.32 'Αθῆναι
'Ελλάς.

Σεβασμιώτατε Ἅγιε ἐν Χριστῷ ἀδελφέ,

Σᾶς εὐχαριστῶ θερμῶς διά τήν, πρός ἐμπλουτισμόν τῆς Βιβλιοθήκης τῆς 'Ιερᾶς ἡμῶν 'Αρχιεπισκοπῆς, ἀποστολήν τῶν περισπουδάστων συγγραμμάτων σας "ΤΟ ΕΛΛΗΝΙΚΟ ΥΠΟΒΑΘΡΟ ΤΟΥ ΙΣΛΑΜΙΣΜΟΥ" καί "ΘΕΟΛΟΓΙΚΑΙ ΜΕΛΕΤΑΙ - ΣΥΛΛΟΓΗ ΔΗΜΟΣΙΕΥΜΑΤΩΝ."

Εὐχόμενος δέ ὅπως καί σεῖς διέλθετε τό ὑπόλοιπον τῆς Μεγάλης Τεσσαρακοστῆς μέ κάθε πνευματική ἀνάταση, γιά νά ὑποδεχθοῦμε τήν Λαμπροφόρο 'Ανάσταση τοῦ Κυρίου μας πανέτοιμοι, μέ ὑγεία καί χαρά, διατελῶ,

Μετά πολλῆς ἐν Χριστῷ ἀδελφικῆς ἀγάπης

Ο ΑΡΧΙΕΠΙΣΚΟΠΟΣ

Ο ΑΜΕΡΙΚΗΣ ΙΑΚΩΒΟΣ

ΑΙ:πθτ

10 EAST 79TH STREET, NEW YORK 10021 • TEL: (212) 570-3500 • FAX: (212) 861-2183

Μεθόδιος Γ. Φούγιας

ΤΟ ΕΛΛΗΝΙΚΟ ΥΠΟΒΑΘΡΟ ΤΟΥ ΙΣΛΑΜΙΣΜΟΥ

Εκδόσεις Νέα Σύνορα, Αθήνα 1994, σελ. 249.

Ο σεβασμιότατος μητροπολίτης Πισιδίας του Οικουμενικού Πατριαρχείου, πρώην αρχιεπίσκοπος Θυατείρων και Μεγάλης Βρετανίας, Μεθόδιος γεννήθηκε το 1925 στα Καλύβια Φενεού Κορινθίας και σπούδασε θεολογία στο πανεπιστήμιο της Αθήνας. 'Εκανε μεταπτυχιακές σπουδές στα πανεπιστήμια Μάντσεστερ, Εδιβούργου και στην Ελληνική Ορθόδοξο Θεολογική Σχολή της Βοστόνης. Χειροτονήθηκε διάκονος το 1947 και πρεσβύτερος τρία χρόνια αργότερα. Υπηρέτησε ως ιερέας και καθηγητής σε διάφορες ελληνικές κοινότητες της Ευρώπης και της Αφρικής. Εκλέχτηκε το 1979 από τη Σύνοδο του Πατριαρχείου της Αλεξάνδρειας μητροπολίτης Αξώμης (Αιθιοπίας) και το 1988 αρχιεπίσκοπος Θυατείρων και Μεγάλης Βρετανίας. Διετέλεσε πρόεδρος Διορθοδόξων Επιτροπών για διάλογο με τους Αγγλικανούς και τους εκπροσώπους των Αρχαίων Ανατολικών Εκκλησιών. Την πλούσια εκδοτική και συγγραφική του δραστηριότητα διακρίνουμε στους τόμους των σειρών: «Abba Salama» και «Εκκλησία και Θεολογία», σε διάφορες μελέτες και άρθρα, και στο παραπάνω βιβλίο: Το ελληνικό υπόβαθρο του ισλαμισμού. Το τελευταίο αποτελεί καρπό μελέτης άγνωστων έως τώρα πηγών του ισλαμισμού και πολύχρονων ερευνών. Ο μητροπολίτης δείχνει σ' αυτό την πολυμάθειά του και την επιστημονική του κατάρτιση με την πλήρη τεκμηρίωση των γεγονότων. Το περιεχόμενο του βιβλίου είναι χωρισμένο σε τρία μέρη. Στο πρώτο πραγματεύεται τις ιστορικές προϋποθέσεις της διείσδυσης του ελληνικού πολιτισμού στο Ισλάμ, με επί μέρους κεφάλαια, τα εξής: Προλεγόμενα, Αναλογία συμπτωμάτων στην προϊσλαμική ελληνική κοινωνία και στη σημερινή, Ο χριστιανισμός στην προϊσλαμική Αραβία, Η προϊσλαμική Αραβία και ο εκεί Ελληνισμός, Το Ισλάμ, Από το Μωάμεθ στον Ισλαμισμό, Η αφύπνιση των Αράβων, Οι 'Αραβες κατακτούν τους 'Ελληνες γεωγραφικά και πνευματικά.

Στο δεύτερο μέρος, που επιγράφεται Η διείσδυση του ελληνικού πολιτισμού στον ισλαμικό κόσμο», τα επί μέρους κεφάλαια είναι: Οι μεσάζοντες, Οι μεταφραστές, Νεστοριανοί και Ιακωβίτες, Ισλάμ και Φιλοσοφία, Οι πηγές της ισλαμικής φιλοσοφίας.

Στο τρίτο μέρος που επιγράφεται «Οι ελληνίζοντες ισλαμιστές φιλόσοφοι», υπάρχουν τα επί μέρους κεφάλαια: Η προέλευση της ισλαμικής φιλοσοφίας, Η ισλαμική φιλοσοφία και ο ελληνικός πολιτισμός, Οι μεγάλοι ελληνίζοντες φιλόσοφοι του ισλαμισμού, Ο δυτικός ισλαμισμός και ο ελληνισμός, Σουφισμός - Νεοπλατωνισμός, Μυστικισμός, Μουσουλμανική θεολογία και ελληνική φιλοσοφία, Η παρουσία του ελληνικού φωτός στις αραβικές νύχτες και Βαγδάτη, Η Αθήνα της Ανατολής.

Το έργο, που συνοδεύεται με μια πλούσια βιβλιογραφία, είναι χρήσιμο για τους θεολόγους, για τους μελετητές των σχέσεων Χριστιανισμού - Ισλάμ, για τους διπλωμάτες που διορίζονται στα αραβικά κράτη και οφείλουν να γνωρίζουν την πνευματική ιστορία των Αράβων, και, τέλος, για όσους ασχολούνται με τη φιλοσοφία (δασκάλους και φοιτητές).

Η μελέτη του βιβλίου: Δίδει σημαντικά στοιχεία για τη δράση των Ελλήνων στον αραβικό κόσμο. Εξηγεί τους λόγους που έχασαν οι 'Ελληνες τις ελληνιστικές περιοχές της Αιγύπτου και της Παλαιστίνης. Προσφέρει μαθήματα στους σημερινούς 'Ελληνες για το πώς θα αποφύγουν παρόμοια σφάλματα σε άλλες περιοχές. τέλος, βοηθά την ιστορική έρευνα για τις σχέσεις του Ισλάμ με τον Ελληνισμό από την εμφάνισή του έως σήμερα.

ΓΙΑΝΝΗΣ ΜΠΟΛΑΝΑΚΗΣ

Περιοδικό «**Τά ἐκπαιδευτικά**» ἔκδ. ἐκπαιδευτικός Σύνδεσμος

32 Hocroft Road, London NW2 2BP Tel: 071-435 5678

18/4/94

Σεβασμιώτατε,

Σας γράφω δύο λόγια για να σας ευχαριστήσω για το ωραίο σας βιβλίο, που είχατε την καλοσύνη να μου στείλετε. Δεν πρόφθασα να το διαβάσω γιατί τώρα έχω εδώ τον Γιώργο τον γιό μου, την νύφη μου και τον έγγονό μου, και είμαι πολύ απησχολημένη. Η νύφη μου περιμένει το δεύτερο παιδάκι της έως αρχάς Μαΐου. Εδώ όλοι η παροικία είναι καλά και σας σκέπτονται πάντα με αγάπη.

Σας παρακαλώ γράψετέ μου εάν σας χρειαστώ κάτι να σας το στείλω.

Με εκτίμηση

Χρυσάνθη Πατέρα.

Χαιρετισμούς από την Μητέρα μου Αλαγάντη —

Ἡ Κυρία Χρυσάνθη Πατέρα. Πρόεδρος τοῦ Greek Orthodox Charity Organization, εἶναι ἐπίλεκτο μέλος τῆς ὁμογένειας στό Λονδῖνο.

Γράφει
ο Π. Αθανασιάδης

ΤΟ ΕΛΛΗΝΙΚΟ ΥΠΟΒΑΘΡΟ ΤΟΥ ΙΣΛΑΜΙΣΜΟΥ

Αποκλειστική συνέντευξη με τον Μητροπολίτη Πισιδίας, κκ.Μεθόδιο Φούγια

"Το Ελληνικό υπόβαθρο του Ισλαμισμού" είναι ο τίτλος ενός βιβλίου που χωρίς τυμπανοκρουσίες έκανε την εμφανισή του στις προθήκες τών βιβλιοπωλείων. Συγγραφέας του ένας πολυγραφότατος ιεράρχης τυπικός εκπρόσωπος του οικουμενικού Ελληνισμού. Ο **Μητροπολίτης Πισιδίας κ. Μεθόδιος Φούγιας**, πρώην αρχιεπίσκοπος Θυατείρων και Μεγάλης Βρετανίας με μακρά ιεραποστολική δράση. Το βιβλίο έκπληξη, ανοίγει ορίζοντες οχι μόνο θρησκευτικούς, αλλά και ιστορικούς και φιλοσοφικούς για τον Ελληνισμό, πού έδωσε τα Φώτα σε όλες τις μεγάλες κοσμοθεωρίες και στήριξε όλους τους μεγάλους πολιτισμούς. Παράλληλα η μελέτη αυτού του θέματος, μπορεί να υποβοηθήσει στην άσκηση εξωτερικής πολιτικής και στην ενδυνάμωση των φιλικών σχέσεων λαών, με διαφορετικές θρησκείες. Η **"ΕΛΝΑΒΙ"** έχοντας υπόψη ότι τέτοια βιβλία δεν πρέπει να μένουν στα στενά ράφια των βιβλιοθηκών πανεπιστημίων και ελάχιστων μελετητών, συνάντησε τον Μητροπολίτη Πισιδίας και είχε μαζί του μια ενδιαφέρουσα συνομιλία για το Ελληνικό υπόβαθρο του Ισλαμισμού.

- Πόσο κοντά στα πράγματα είναι ο τίτλος του βιβλίου, **"Το Ελληνικό Υπόβαθρο του Ισλαμισμού"**;

- Στα περιεχόμενα του βιβλίου υπάρχουν πολλές διαπιστώσεις ότι ο ελληνικός πολιτισμός υπήρξε το βάθρο της οικοδομής της Ισλαμικής δυνάμεως. Γιατί δεν ήταν αρκετό να καταληφθούν υλικά μόνο οι Ελληνικές περιοχές από τους Άραβες, έπρεπε να δημιουργηθεί μια πνευματική υποδομή. Τούτο κατέστη επιτακτικό καθήκον για την ηγεσία του Αραβικού και στη συνέχεια του Ισλαμικού κόσμου. Ο Αραβικός επεκτατισμός είχε ανάγκη απο πνευματικά στηρίγματα και αυτά τα απέκτησε κατακτώντας στρατιωτικά και πνευματικά τον ελληνιστικό κόσμο. Δηλαδή δεν απορροφησε μόνο τα υλικά αγαθά, αλλά και τα πνευματικά. Όλες τις επιστήμες οι οποίες πήγαζαν απο τους Ελληνες σοφούς, οι οποίοι τελικά χρησιμιποιήθηκαν ως δάσκαλοι αυτών.

- Αυτό το βιβλίο αποτελεί μια καλή καταγραφή ιστορικών γεγονότων και διαπιστώσεων. Μπορεί όμως να αποτελέσει εγχειρίδιο άσκησης διπλωματίας και πώς;

- Το βιβλίο μου αυτό φέρει στην επικαιρότητα τις πνευματικές σχέσεις των Ελλήνων και των Ισλαμιστών. Αμφιβάλλω αν σήμερα τόσο οι ημέτεροι όσο και οι Μουσουλμάνοι γνωρίζουν τί οφείλουν στους Έλληνες αναφορικά προς το ξεκίνημα και στην συνέχεια στην εξέλιξη της επιστημονικής εξάρσεως. Φυσικά χρειάζεται κάποια ιδιαίτερη επισήμανση του γεγονότος τούτου εκ μέρους μας πρός τους ηγέτες του Ισλαμικού κόσμου. Είναι φανερή η αποστολή στον τομέα αυτό του βιβλίου μου, τοσούτο μάλλον αφού οι πηγές μου είναι αυθεντικές.

- Έχουμε συνδέσει τον Ισλαμισμό με εκρήξεις φανατισμού και με την συρρίκνωση του Ελληνισμού απο τα ελληνιστικά μέρη.

- Δεν γνωρίζω αν οι φανατισμοί των Ισλαμιστών, έξω απο την Τουρκία στρέφονται κατά των Ελλήνων. Εκείνο που γνωρίζω είναι ότι μέσα στις Ισλαμικές χώρες, εκτός της Αραβίας -και σ'αυτή οι πολίτες Έλληνες είναι ευπρόσδεκτοι- για εκατονταετίες οι ελληνικές παροικίες, ζούσαν ελέυθερες και διατηρούσαν ναούς και σχολεία. Αλλ' ουδέποτε επιχειρήθηκε πνευματικός διάλογος μεταξύ Ελλήνων και Μουσουλμάνων. Αλλο πράγμα είναι ο διάλογος μεταξυ Ελλήνων και Μουσουλμάνων και άλλο πράγμα μεταξυ Χριστιανών και Μουσουλμάνων.

- Από την μελέτη του θέματος σε ποιό συμπέρασμα έχετε καταλήξει;

- Το συμπέρασμά μου είναι μακροσκελές και δημοσιεύεται ελληνιστί και αγγλιστί στο τέλος του βιβλίου. Αφού όμως η ισλαμική συγγένεια με τον Αρχαίο πολιτισμό μας είναι άγνωστη στην πλειοψηφία των συμπατριωτών μας, αντιλαμβάνεσθε ότι το Ισλάμ είναι ένα πρόβλημα για μας, το οποίο πρέπει να λυθεί γιατί έχουμε να κάνουμε με το ένα πέμπτο του κόσμου.

- Μετά το θάνατο του κομμουνισμού, αποτελεί το Ισλάμ την μεγαλύτερη απειλή κατά της Δύσης;

- Κατά τη γνώμη πιο ειδικών από εμέ, η άποψη αυτή στηρίζεται στη μακρά ιστορία της αμοιβαίας δυσπιστίας και αντιπροσωπεύει μια μεγάλη απλοποίηση. Στη μελέτη αυτή του θέματος τούτου, προβάλει μιά εικόνα του Ισλάμ, που δεν είναι ούτε μονολιθική, αλλά πάντως διάφορη και ιδιάζουσα, η οποία αποτελεί μελέτη, ιδίως απο αυτούς που απασχολούνται με την εξωτερική πολιτική.

- Πόσο ορατό είναι σήμερα το Ελληνικό Υπόβαθρο του Ισλαμισμού;

- Φυσικά είναι αόρατο. Πρέπει να γίνουν ανασκαφές για να αποκαλυφθεί αυτό που έγραψε ο Carra de Vaux, ότι "οι Άραβες είναι πρώτα απ'όλα μαθητές των Ελλήνων. Οι επιστήμες τους είναι η συνέχεια της ελληνικής επιστήμης, που διατηρεί, καλλιεργεί (σ'αυτούς) και ως ένα σημείο αναπτύσσεται και τελειοποιείται. Αλλά για να ζωντανέψει η ελληνοισλαμική πνευματική σχέση πρέπει να μελετηθούν όλες οι πηγές μου για την συγγραφή αυτού του βιβλίου μου και δεν είναι εύκολο να καταγραφούν εδώ. Τούτο μόνο λέγω ότι μεταξυ των Ισλαμιστών αναδείχθηκαν μαικήνες της ελληνικής σοφίας λάτρεις του ελληνικού πνεύματος, πάτρωνες της καλλιέργειας της ελληνικής επιστήμης, και ιδρυτές κέντρων ελληνικής σκέψεως. Περιττό να αναφερθώ στους πολλούς Ελληνίζοντες Ισλαμιστές φιλοσόφους παγκοσμίου κύρους.

Ο ΠΟΛΙΤΙΚΟΣ ΜΗΝΑΣ

Περιοδικό ΕΛΝΑΒΙ, Έλληνική Ναυτική Βιομηχανία, Δεκέμβριος 1994, τεῦχος 252.

ΤΟ ΕΛΛΗΝΙΚΟ ΥΠΟΒΑΘΡΟ
ΤΟΥ ΙΣΛΑΜΙΣΜΟΥ

Μεθοδίου Γ. Φούγια
Μητροπολίτου Πισιδίας

ΤΟ ΕΛΛΗΝΙΚΟ ΥΠΟΒΑΘΡΟ ΤΟΥ ΙΣΛΑΜΙΣΜΟΥ

Υπήρχε ένα σοβαρότατο έλλειμα γνώσης στους Νεοέλληνες για την ιστορία, τη φιλοσοφία, την τέχνη, τις πηγές και τις επιδράσεις του Ισλαμισμού. Έως ότου έφτασε η πνευματική ώρα να συμπληρωθεί επιτέλους το κενό αυτό και με ένα πραγματικά σπουδαίο, επίκαιρο και ολοκληρωμένο στο είδος του βιβλίο από τις τολμηρές εκδόσεις "Νέα Σύνορα" Α.Λ. Λιβάνη.

Και πρόκειται για συγγραφική και εκδοτική τόλμη, επειδή άλλοτε κοντόφθαλμες αντιλήψεις εμπόδιζαν να μιλάει κανείς για θρησκείες, για Ελληνισμό, για Ορθοδοξία, για μαρτυρίες και έρευνες αυτογνωσίας και σοφίας γύρω από θέματα ιστορίας, ακτινοβολίας και εθνικής περηφάνειας των Ελλήνων.

Το καινούργιο βιβλίο του πολυγραφότατου Μητροπολίτου Πισιδίας, είναι πράγματι μία διείσδυση αναλυτική στις πολύπλευρες διαστάσεις του Ισλαμισμού. Γιατί ο συγγραφέας κατέχει απόλυτα το θέμα του. Και με το γλαφυρό, εύληπτο και λογοτεχνικό τρόπο γραφής του προσφέρει μια μοναδική ιστορική, επιστημονική και γενικότερα θρησκευτική ανάπτυξη, ώστε να το εξαντλεί! Αλλά και μας βεβαιώνει, με αδιάσειστα στοιχεία και πλούσια βιβλιογραφία για την ύπαρξη του οικουμενικού πνεύματος του Ελληνισμού, σε όλο το μεγαλείο του, ως διδασκαλία ως ουμανισμό, ως φιλοσοφία, ως θεμελιωμένη παράδοση πολιτισμού.

"Πρώτα οι Άραβες και αργότερα οι μουσουλμάνοι αντιλήφθηκαν ότι η μόνη πηγή από την οποία ανέμεναν να ικανοποιήσει την επιθυμία τους για πνευματική ανύψωση ήταν ο πολιτισμός των Ελλήνων. Ευθύς ως εξήλθαν από την Αραβία άρχισαν να προσοικειώνονται τις πηγές της ελληνικής μάθησης και τα μέσα μετάφρασης αυτής στην αραβική γλώσσα".

Παρόμοια βιβλία, όπως "Το ελληνικό υπόβαθρο του Ισλαμισμού", δεν είναι μόνο μία κατάθεση μόχθου πνευματικού, ιστορικής δικαίωσης του καθόλου Ελληνισμού και προσφορά ανυπολόγιστης γνώσης. Αλλά και μια αποφασιστική συμβολή γνωριμίας των λαών της Ανατολής από τη Δύση, όσον αφορά τις θρησκευτικές και πολιτισμικές δομές. Φέρνουν πιο κοντά τους ανθρώπους. Και τους διευκολύνουν, οπωσδήποτε, στις επικοινωνιακές και φιλικές σχέσεις τους. Πράγμα που βοηθάει ασφαλώς στην παγκόσμια κατανόηση και ειρήνη. Και νομίζω, μάλιστα, ότι αυτός είναι και ο πιό βασικός λόγος που διαπραγματεύθηκε ο συγγραφέας το γιγάντιο αυτό και εξαιρετικά επίκαιρο και πολυδιάστατο θέμα.

Περιοδικὸ ἡ **Ὀρθοδοξία**, Ἰούλιος 1995.

Οι... ρίζες τοῦ Ἰσλάμ

*Τοῦ Γιώργου Δράγα**

Διαβιβάζουμε συνεχῶς στόν τύπο περί τῶν διαφόρων κινήσεων τῶν μουσουλμάνων καί περί τῶν διαμορφούμενων τόξων τά ὁποία εὑρίσκονται κοντά στά σύνορα τῆς Ἑλλάδας καί διερωτώμεθα: Δέν ὑπάρχει ἄραγε καμιά βαθύτερη, ἐκτός ἀπό τίς πολεμικές τοῦ παρελθόντος, σχέση αὐτῶν μέ τόν Ἑλληνισμό;

Στό ἐρώτημα αὐτό ἔρχεται ἐπικαίρως ν' ἀπαντήσει στό βιβλίο τοῦ σεβασμιότατου Μεθοδίου Φούγια καί μάλιστα μέ τήν ἔνδειξη ὅτι τό Ἰσλάμ ἔχει **ὑπόβαθρο τόν Ἑλληνισμό**.

Ὁ συγγραφέας δέν ἐρευνᾷ τό θέμα ἀπό θρησκευτικῆς ἀπόψεως, κάτι πού ἴσως ἔχει γίνει ἀπό θεολόγους, ἀλλά ἀπό ἱστορικῆς καί πολιτικῆς καί καθαρῶς ἐξω-θρησκευτικῆς ἀπόψεως.

Εἶναι ὄντως ἐπίκαιρο τό θέμα καί ἄκρως κατατοπιστικό γιά τό σκοπό πού γράφτηκε. Γιατί πολλοί λίγοι γνωρίζουμε πώς μέσα σέ λίγα χρόνια μετά τό θάνατο τοῦ Μωάμεθ, οἱ πρώην βεδουῖνοι τῆς Ἀραβίας κατόρθωσαν νά νικήσουν μεγάλες καί ἱστορικές αὐτοκρατορίες τῶν Περσῶν καί τῶν Βυζαντινῶν καί νά δημιουργήσουν μετά αὐτοκρατορία ἀπό τίς Ἰνδίες μέχρι καί τήν Ἰσπανία.

Ὁ συγγραφέας τοῦ ἔργου τούτου κάνει, καταρχήν μιά ἀναλογική συσχέτιση τῶν συμερινῶν κονωνικο-πολιτικῶν δεδομένων μέ τήν παρακμή καί τή διασπορά πού ἐπικρατοῦσε στή Βυζαντινή Αὐτοκρατορία κατά τόν ἕβδομο αἰώνα, ἡ ὁποία ἐπέτρεψε στούς Ἄραβες νά κυριεύσουν τούς πανάρχαιους ἑλληνικούς χώρους τῆς Ἐγγύς καί Μέσης Ἀνατολῆς καί νά οἰκειοποιηθοῦν μέ τόν ἀποτελεσματικότερο τρόπο τήν ἑλληνική κληρονομιά, ἐπάνω στήν ὁποία ἔστησαν τήν πολιτικοθρησκευτική ρομφαία. Μαζί μέ αὐτό προσεταιρίστηκαν τούς ἀποκομμένους ἀπό τήν ἑλληνική Ἐκκλησία νεστοριανούς καί μονοφυσίτες, οἱ ὁποῖοι μαζί μέ τούς Ἑβραίους ἔθεσαν τούς ἑαυτούς τους στήν ὑπηρεσία τῶν Ἀράβων καί τούς τροφοδότησαν μέ τήν ἑλληνική σοφία, τήν ὁποία παρ' ὅλη τήν ἀπομόνωσή τους ἀπό τούς Ἕλληνες διατηροῦσαν σέ ὑψηλό βαθμό.

Ὁ σεβασμιότατος συγγραφέας τοῦ ἔργου τούτου μέ βάση τίς ἄφθονες πηγές του ἐρευνᾷ τίς διαχρονικές πνευματικές σχέσεις τῶν Ἀράβων πρός τούς Ἕλληνες καί στή συνέχεια παρουσιάζει τήν ἀκόρεστη δίψα τῶν χαλιφῶν τῆς Δαμασκοῦ, τῆς Βαγδάτης, τῆς Αἰγύπτου καί τῆς Κόρδοβας ν' ἀποκτήσουν τά ἔργα τῶν Ἑλλήνων κλασσικῶν.

Ἀναδείχθηκαν μαικῆνες καί λάτρεις τῆς ἑλληνικῆς παιδείας καί τῶν ἑλληνικῶν ἐπιστημῶν, τῆς φιλοσοφίας, τῆς θεολογίας, τῆς ἰατρικῆς, τῶν μαθηματικῶν, τῆς ἀστρονομίας, τῆς γεωγραφίας, τῶν μηχανικῶν καί τῶν ἄλλων ἐπιστημονικῶν ἐπιδόσεων τῶν Ἑλλήνων σοφῶν, τούς ὁποίους σέ μερικές περιπτώσεις ὑπερέβησαν. Δημιουργήθηκαν στήν Βαγδάτη κέντρα σοφίας καί μεταφραστῶν τῶν Ἑλλήνων, ὥστε ὁ σεβ. συγγραφέας ν' ἀποκαλεῖ τή Βαγδάτη **Ἀθήνα τῆς Ἀνατολῆς**.

Μετά τό ἱστορικό μέρος καί τό διαδικαστικό τῶν μεταφραστῶν τῶν ἑλληνικῶν ἐπιστημονικῶν ἔργων στήν ἀραβική, ὁ συγγραφέας διαπραγματεύεται στό τρίτο μέρος ἕνα θέμα σχεδόν ἄγνωστο στό εὐρύ ἑλληνικό κοινό. Πρόκεται περί τῆς διαπραγματεύσεως τοῦ θέματος τῶν ἑλληνιζόντων ἰσλαμιστῶν φιλοσόφων, οἱ ὁποῖοι δέν εἶναι πλέον Ἄραβες ἀλλά Πέρσες, Τοῦρκοι καί ἄλλοι, ὅπως ὁ Ἀβερόης πού γεννήθηκε στήν Κόρδοβα τῆς Ἱσπανίας...

Μολονότι, καταρχήν, δύσκολα ν' ἀναγνωριστοῦν καί νά ἐκφραστοῦν τά ὀνόματα τῶν μεγάλων χαλιφῶν τῶν ἰσλαμιστῶν φιλοσόφων, τῶν συγγραφέων καί μεταφραστῶν Περσῶν, Σύρων καί Ἑβραίων ἀλλά καί πολλῶν διακεκριμένων ἀνδρῶν στή μετάδοση τῆς ἑλληνικῆς παραδόσεως στό Ἰσλάμ, τό ὑπόψη ἔργο μέ προσοχή καί μέ τήν πλαισίωσή του μέ χάρτες καί εἰκόνες καθίσταται εὐχάριστο ἀνάγνωσμα καί χρήσιμο σέ κάθε Ἕλληνα πού θέλει νά μάθει τόν ἰσλαμικό δρόμο μέσα στίς ἑλληνικές ἐξάρσεις τοῦ πνεύματος καί τῶν θετικῶν ἐπιστημῶν.

Τό δρόμο ἑνός κόσμου πού ἀποτελεῖ τό ἕνα πέμπτο τοῦ πληθυσμοῦ τῆς Γῆς. Τό βιβλίο τοῦτο εἶναι συμπλήρωμα τῶν ἄλλων δύο συναφῶν μελετῶν τοῦ σεβ. Μεθοδίου, δηλαδή τῶν **Ἑλλήνων καί Λατίνων** καί τοῦ **Ἑλληνικοῦ ὑπόβαθρου τοῦ Χριστιανισμοῦ**.

* Ο Γεώργιος Δράγας εἶναι
Καθηγητής Πανεπιστημίου
τοῦ Ντάραμ στή Μ. Βρεταννία

Τύπος τῆς Κυριακῆς, 4 Δεκεμβρίου 1994

Τό «Ἑλληνικό ὑπόβαθρο τοῦ Ἰσλαμισμοῦ»

Δέν μᾶς συνηθίζουν σέ τέτοιους εὐχάριστους αἰφνιδιασμούς οἱ ἱεράρχες καί μάλιστα ὅταν πρόκειται γιά ἄλλα θρησκευτικά δόγματα.

ΤΟ ΕΛΛΗΝΙΚΟ ΥΠΟΒΑΘΡΟ ΤΟΥ ΙΣΛΑΜΙΣΜΟΥ

Ἐν μέσῳ κινδύνων ὑπαρκτῶν ἤ μή ἀπό μουσουλμανικά τόξα, κραυγῶν γιά μισελληνισμό καί ἑλληνική μοναξιά ἀνάμεσα σ' Ἀνατολή καί Δύση, φωνές νηφάλιες, ἐλεύθερες, γνωστικές, εἶναι ἀποκαλυπτικές.

Ὁ Μεθόδιος Γ. Φούγιας, μητροπολίτης Πισιδίας, πρ. ἀρχιεπίσκοπος Θυατείρων - Μ. Βρετανίας, τολμᾷ τήν ἀναζήτηση τοῦ στίγματος τοῦ Ἑλληνισμοῦ καί τοῦ ρόλου τοῦ Χριστιανισμοῦ, ἀπροκατάληπτα μέσα ἀπό τίς συμπληγάδες τῆς «παράδοσης». Στή μελέτη του γιά «τό ἑλληνικό ὑπόβαθρο τοῦ Ἰσλαμισμοῦ» ἀσχολεῖται μέ τόν Ἀνατολικό Ἑλληνισμό σέ ἀντιδιαστολή μέ τόν Ἑλληνισμό τῆς Ἀνατολῆς. Ἀπό τήν προϊσλαμική ἐποχή ὡς τή μουσουλμανική πνευματική ἀνάπτυξη καί αὐτοκρατορία καλύπτει ἐμπεριστατωμένα τά κενά τῆς ἑλληνικῆς γραμματείας γύρω ἀπό τή γένεση καί ἐξέλιξη τῆς ἰσλαμικῆς πνευματικῆς ζωῆς καί τίς ἐπιρροές της. Πραγματεύεται τή μετεωρική, ἐκτεταμένη καί μόνιμη ἐπέκταση τοῦ Ἰσλάμ σέ βάρος ὀργανωμένων, ἀναπτυγμένων πνευματικά καί οἰκονομικά αὐτοκρατοριῶν. Τούς λόγους τῆς στροφῆς τοῦ Ἰσλάμ στήν πνευματική κληρονομιά τῶν Ἑλλήνων, ἔθνος μέ τό ὁποῖο ἦταν σέ συνεχῆ στρατιωτική σύγκρουση. Στοιχειοθετεῖ, ὡς μεγάλο οἰκοδόμημα τοῦ Ἀνατολικοῦ Ἑλληνισμοῦ τήν ἐπί 8 αἰῶνες ἰσλαμική σύνδεση μαζί του, μέ τήν ἐκπληκτική ἀποκάλυψη γιά τήν ἀραβική ὑποδοχή, υἱοθεσία καί ἀφομοίωση τοῦ Ἀριστοτελισμοῦ.

Γιά τόν ἀνυποψίαστο εἶναι μελέτη - δοκιμασία ἀντοχῆς στόν ἐθισμό ψευδεπιγράφων. Χωρίς πατριδοκαπηλεῖες, παραμερίζονται σχήματα, καταγωγές. Φωτίζονται «μικρολάθη» πού μᾶς συρρίκνωσαν ἀπό τά ἑλληνιστικά ὅρια, πρίν τό ὀθωμανικό μας ξεκλήρισμα. Εἶναι ἡ ἀντίπερα ὄχθη τῆς ἀναγνωρισμένης πνευματικῆς γενεαλογίας τῶν Δυτικῶν πρός τήν κλασική Ἑλλάδα. Ὁ δρόμος πρός τή Βαγδάτη, τή Φλωρεντία τῆς ἑλληνικῆς Ἀναγέννησης, ὅταν ἦταν ἡ Ἀθήνα τῆς Ἀνατολῆς. Κυκλοφορεῖ ἀπό τίς ἐκδόσεις Νέα Σύνορα - Α.Α. Λιβάνη (1994) σέ 267 σελ. μέ πληθώρα πηγῶν, σπάνιες εἰκόνες καί παραστατικούς χάρτες.

Γ. ΚΟΡΚ.

Ἐλευθεροτυπία, 22 Δεκ. 1994.

60. Ἀριστερά ὁ Μακαριώτατος Ἀρχιεπίσκοπος Ἀθηνῶν καί Πάσης Ἑλλάδος Χριστόδουλος, τότε Μητροπολίτης Δημητριάδος, ὁ Σεβ. Μητροπολίτης Πατρῶν Νικόδημος, ὁ γράφων καί ὁ Σεβ. Μητροπολίτης Καλαβρύτων καί Αἰγιαλείας Ἀμβρόσιος σέ εἰδική τελετή στό Αἴγιο.

ΙΔ′

Ἑλληνισμός καί Ἰουδαϊσμός. Ἱστορικοί Σταθμοί στίς σχέσεις τῶν δύο λαῶν. Ἀθήνα, Β′ ἔκδ. 1995, σελ. 239.

ΕΛΛΗΝΙΣΜΟΣ ΚΑΙ ΙΟΥΔΑΪΣΜΟΣ

ΜΕΘΟΔΙΟΣ Γ. ΦΟΥΓΙΑΣ

ΕΛΛΗΝΙΣΜΟΣ
και
ΙΟΥΔΑΪΣΜΟΣ

Ιστορικοί σταθμοί στις σχέσεις
Ελλήνων και Ιουδαίων

ΝΕΑ ΣΥΝΟΡΑ - Α.Α. ΛΙΒΑΝΗ

Οἱ σχέσεις Ἑλλήνων καί Ἰουδαίων

Τήν ἀμοιβαία πνευματική καί πολιτιστική σχέση Ἑλλήνων καί Ἰουδαίων ἀνιχνεύει στό πόνημά του «Ἑλληνισμός καί Ἰουδαϊσμός» ὁ μητροπολίτης Πισιδίας Μεθόδιος Γ. Φούγιας. Μέ ἐνδελεχῆ καί ἀντικειμενικό τρόπο προσεγγίζει τό δύσκολο γιά τούς κληρικούς αὐτό θέμα, γιατί πώς δύναται τις «νά διαφωνήσει μέ τίς περί Ἰουδαίων ἀπόψεις τῶν Μεγάλων Πατέρων τῆς Ἐκκλησίας, τοῦ Ἁγίου Ἰωάννου τοῦ Χρυσοστόμου καί τοῦ Ἁγίου Κυρίλλου Ἀλεξανδρείας;».

Ἡ προσέγγιση τοῦ μητροπολίτη εἶναι εἰλικρινής· φλέγεται ἀπό τήν ἐπιθυμία νά ἀναδείξει τά προτερήματα καί τά ἐλαττώματα τῶν δύο λαῶν. Σημειώνει στόν πρόλογό του: «Σήμερα οἱ δύο αὐτοί λαοί ἔχουν πολλά κοινά συμφέροντα πρός ἀλλήλους καί πρός τόν ἀραβικό κόσμο, ἀλλά καί πρός τόν εὐρωπαϊκό καί τόν ἀμερικανικό, ὅπου διαβιοῦν ἑκατομμύρια Ἕλληνες καί Ἰουδαῖοι». Πρός ἐπίρρωσιν τῶν ἰσχυρισμῶν του ἤ γιά νά δείξει τήν οἰκουμενικότητα αὐτῶν, ἐπικαλεῖται τή ρήση τοῦ Οὐΐνστον Τσόρτσιλ: «Ἕλληνες καί Ἰουδαῖοι, περισσότερο ἀπό ὁποιοδήποτε ἄλλο λαό, ἄφησαν βαθιά τά ἴχνη τους ἐπάνω στόν κόσμο. Παρ' ὅλους τούς κινδύνους καί τά μαρτύρια πού ὑφίσταντο στά χέρια τῶν ξένων εἰσβολέων, καί οἱ δύο ἐπέδειξαν μιά ἱκανότητα ἐπιβίωσης πού μπορεῖ νά συγκριθεῖ μόνο μὲ τή δύναμή τους γιά αἰώνιους ἀγῶνες, διχόνοιες καί ἐσωτερικές διαμάχες»..

Ὁ συγγραφέας θεωρεῖ καθοριστική γιά τίς σχέσεις τῶν δύο λαῶν τήν ἑλληνιστική περίοδο, τότε πού ὁ Μέγας Ἀλέξανδρος καί οἱ διάδοχοί του ἀνέσυραν ἀπό τήν ἀπομόνωση τόν ἰουδαϊκό λαό παρέχοντάς του μάλιστα ἴσα δικαιώματα μέ τούς Ἕλληνες. Ἐκτενής εἶναι ἡ ἀναφορά του στή στάση τῆς Ἐκκλησίας καί τοῦ ἑλληνικοῦ κράτους ἀπέναντι στούς Ἑβραίους ὅταν τούς κατεδίωκαν οἱ ναζιστικές ὀρδές. Ὁ κ. Μεθόδιος μέ τό σύγγραμμά του αὐτό συμπληρώνει ἕναν κύκλο διατριβῶν του μέ πρώτη τήν ὑπό τόν τίτλο «Ἕλληνες καί Λατῖνοι». Ἀκολούθησαν: «Τό Ἑλληνικό Ὑπόβαθρο τοῦ Χριστιανισμοῦ», καί «Τό Ἑλληνικό Ὑπόβαθρο τοῦ Ἰσλαμισμοῦ».

Προκύπτει ὡς αὐτονόητο ὅτι οἱ μελέτες αὐτές διανοίγουν νέους δρόμους καί προοπτικές φιλικῆς συνεργασίας μέ λαούς μέ τούς ὁποίους ὁ Ἑλληνισμός ἔχει μεγάλη πνευματική σχέση. Ἡ πληθύς τῶν πηγῶν καί ἡ τεκμηρίωση τῶν γραφομένων καθιστοῦν τό ἔργο ἐπιστημονικὸ σύγγραμμα μέ ἐξέχουσα θέση στήν ἱστορία τῶν λαῶν καί τῶν σχέσεών τους.

Ἐλευθεροτυπία, 4 Ἀπριλίου 1995

Ἑλληνισμός καί Ἰουδαϊσμός

Ἱστορικοί σταθμοί στίς σχέσεις Ἑλλήνων καί Ἰουδαίων

(Δεύτερη ἔκδοση, Ἀθήνα 1995)

ΜΕΘΟΔΙΟΥ Γ. ΦΟΥΓΙΑ: Μητροπολίτου Πισιδίας, πρώην Ἀρχιεπίσκοπο Θυατείρων καί Μεγάλης Βρετανίας:

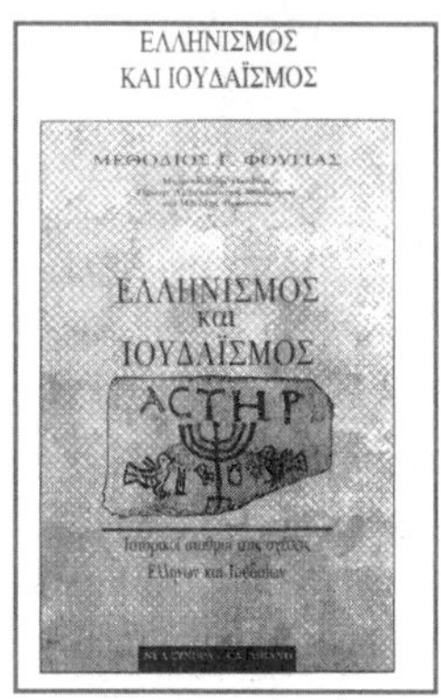

Ὁ συγγραφέας τοῦ ὡς ἄνω ἔργου, Σεβασμιώτατος Μητροπολίτης Πισιδίας κ. Μεθόδιος, πλήν τῆς ἀξιολόγου ἐκκλησιαστικῆς, κοινωνικῆς καί ἐθνικῆς δράσεώς του, παρουσιάζει καί εὐρείαν συγγραφικήν τοιαύτην καλύπτουσαν πλείστους ὅσους τομεῖς τῆς θεολογικῆς ἐπιστήμης. Ἀποδεικνύεται δέ ἐπί πλέον, ὅτι ἔχει ἐγκύψει συστηματικῶς σχεδόν καί εἰς τόν Ἰουδαϊσμόν, καθ' ἑαυτόν ἀλλά καί ὡς πρός τάς σχέσεις του πρός τόν Χριστιανισμόν καί τόν Μουσουλμανισμόν, ἤδη ἀπό μακροῦ χρόνου, καθ' ὅν διατέλει Μητροπολίτης Ἀξώμης (ἑδρεύων ἐν Ἀντίς Ἀμπέμπα) καί ἐν συνεχεία Ἀρχιεπίσκοπος Θυατείρων καί Μεγάλης Βρετανίας (ἑδρεύων ἐν Λονδίνῳ). Πράγματι, ἔχει δημοσιεύσει ἐντυπωσιακῆς ἐκτάσεως σχετικά συγγράμματα, ἐκ τῶν ὁποίων τουλάχιστον ἕν, δίτομον, ὑπό τόν τίτλον «Ὁ Χριστιανισμός καί ὁ Ἰουδαϊσμός ἐν Αἰθιοπία, Νουβία καί Μερόη» (1979-1982), ἔχει μέγα ἐνδιαφέρον, λόγῳ καί τῶν ἀνιστορουμένων ἐν Αἰθιοπία παραδόξων θρύλων, ὅσον ἀφορᾶ εἰς τήν ἐγκατάστασιν καί τήν ποικίλην αὐτόθι δράσιν τῶν Ἰουδαίων καί εἰς τάς - πιθανολογουμένας θά ἔλεγον - φυλετικάς σχέσεις τῶν Αἰθιόπων πρός τούς σημιτικούς λαούς.

Εἰς τό ὑπό παρουσίασιν σύγγραμμα, τό ὁποῖον ἐκυκλοφορήθη εἰς δευτέραν ἤδη ἔκδοσιν ἐντός μικροῦ χρονικοῦ διαστήματος, ὁ Σεβασμιώτατος συγγραφεύς παρουσιάζει τάς πνευματικάς καί πολιτιστικάς σχέσεις Ἑλλήνων καί Ἰουδαίων διαχρονικῶς, βασιζόμενος ἐν πολλοῖς ἐπί ἐγκύρων πηγῶν. Οὕτω μετά ἀπό ἕνα κατατοπιστικόν Πρόλογον (σελ. 13-15) καί μίαν ἐμπεριστατωμένην Εἰσαγωγήν (σελ. 17 - 27), παραθέτει τό κύριον μέρος τῆς ἐργασίας του, τό ὁποῖον διαιρεῖ εἰς εἰκοσιτρία, βραχείας ἐκτάσεως, κεφάλαια. Ἐν αὐτῷ ἀναφέρεται, μεταξύ τῶν ἄλλων, εἰς τήν προέλευσιν τῆς ἰουδαϊκῆς φυλῆς (σελ. 29-39) καί εἰς τούς παράγοντας τούς συμβαλόντας εἰς τήν παγκόσμιον ἀκτινοβολίαν τοῦ Ἰουδαϊσμοῦ (σελ. 40 - 43). Ἐν συνεχεία ὁμιλεῖ περί τῆς Ἰουδαϊκῆς Διασπορᾶς (σελ. 44 - 56) καί τοῦ ἐξελληνισμοῦ τῶν Ἰουδαίων τῆς Ἀλεξανδρείας (σελ. 57 - 63). Περαιτέρω ἀσχολεῖται μέ τούς Ἑλληνιστάς Ἰουδαίους (σελ. 98 - 104), μέ τήν μετάφρασιν τῶν Ἑβδομήκοντα (Ο') (σελ. 105 - 113) καί μέ τήν ἑλληνιστικήν καί ἰουδαϊστικήν πολιτικήν φιλοσοφίαν (σελ. 130 - 155). Μετά ταῦτα διερευνᾶ καί τάς σχέσεις Ἰουδαϊσμοῦ καί Νεοπλατωνισμοῦ (σελ. 156 - 163) καί ἐκείνας μεταξύ Ἑλληνισμοῦ καί Ἰουδαϊσμοῦ εἰς τό Βυζάντιον καί τήν Ἑλλάδα (σελ. 164 - 195). Δι' αὐτῶν καί δι' ἄλλων τινῶν παρεμβαλλομένων θεμάτων, εἰδικωτέρας ὁπωσδήποτε φύσεως, ἐξαντλεῖται τό ἐπιστημονικόν μέρος τῆς ἐργασίας τοῦ Σεβασμιωτάτου, ὁ ὁποῖος ἀσχολεῖται περαιτέρω καί μέ σύγχρονα ἱστορικά γεγονότα, ἀφορῶντα εἰς Ἰουδαίους καί Ἕλληνας. Χρησιμοποιῶν δέ ἐπίσημα ἔγγραφα, ἀποδεικνύει ὅτι ἀναγνωρίζεται ὑπό τῶν Ἰσραηλιτῶν ἡ συμβολή τῶν Ἑλλήνων πρός διάσωσίν των ἀπό τό ἀντιεβραϊκόν μένος τοῦ γερμανικόυ ἐθνικοσοσιαλισμοῦ (σελ. 196 - 200), καί ὅτι δέν παρατηρεῖται ἀντισημιτισμός ἐν Ἑλλάδι (σελ. 203 - 205). Ἐν τέλει ὁ Σεβ. κ. Μεθόδιος παραθέτει μικρόν Παράρτημα, διά τοῦ ὁποίου ἐπανέρχεται, τρόπον τινά, εἰς τήν ἐπισημονικήν ἔρευνάν του, ὑποστηρίζων μίαν πρό πολλοῦ διατυπωθεῖσαν διεθνῶς θεολογικήν ἄποψιν, περί ἱδρύσεως τῆς Ἐκκλησίας τῶν Ἱεροσολύμων καί τῆς Ἀντιοχείας ἐκ μέρους καί τῶν Ἑλληνιστῶν Ἰουδαίων (σελ. 206 - 210). Κατακλείς τοῦ ὅλου συγγράμματος εἶναι ἕν ἀξιοπρόσεκτον Συμπέρασμα, παρατιθέμενον εἰς δεκατέσσαρα δίστηλα (ἀγγλιστί καί ἑλληνιστί) (σελ. 211 - 224) καί ἐν χρησιμώτατον Γενικόν εὑρετήριον, ὀνομάτων καί θεμάτων (σελ. 225 - 239).

Διά τῆς παρούσης, ἐπιβλητικῆς καί εἰς ἐμφάνισιν, ἐργασίας του, ὁ Σέβ. κ. Μεθόδιος ἀποδεικνύεται κάτοχος πλούτου εἰδικῶν γνώσεων, ἀκατάβλητος ἐρευνητής καί πληθωρικός συγγραφεύς, χρησιμοποιῶν πλουσιώτατον ἱστορικόν καί ἐπιστημονικόν ἐν γένει ὑλικόν, τό ὁποῖον ἐπεξεργάζεται ἐπιμελῶς καί ἐπιτυχῶς, μή παραλείπων νά μνημονεύη ἑκάστοτε καί τάς πηγάς ἐκ τῶν ὁποίων ἤντλησε τοῦτο. Καί πρέπει νά ὑπογραμμισθεῖ ἐνταῦθα, ὅτι τά ἀποτελέσματα τῆς ἐρεύνης του ταύτης φέρουν καί τήν προσωπικήν του σφραγίδα. Φανερώνουν δέ εἰς πλείστας περιπτώσεις καί τήν ἐπιδεξιότητα αὐτοῦ νά διαφεύγει εὐφυῶς τόν κίνδυνον νά εὑρεθεῖ ἐν μέσω ἀλληλοσυγκρουομένων ἐπιστημονικῶν θεωριῶν· ἀλλά καί ὅταν ἀναποφεύκτως ριφθεῖ εἰς τάς Συμπληγάδας, διέρχεται ἐκεῖθεν θαρραλέως καί ἐξέρχεται σχεδόν ἄφθαρτος. Τό τοιοῦτον, ὅμως, δέν παρατηρεῖται εἰς ὅλα τά καίρια σημεῖα τοῦ ὀγκώδους συγγράμματός του.

Ἐξάλλου, εἰς τινας περιπτώσεις συσσωρεύει ὁ Σεβασμιώτατος ποικίλον ὑλικόν ἀπό ξενόγλωσσα συγγράμματα, παραθέτων μάλιστα αὐτολεξεί ἐξ αὐτῶν καί σχετικά ἀποσπάσματα, πολλάκις δέ καί ἕν πρωτοτύπω καί ἐν μεταφράσει, χωρίς ἰδιαίτερον λόγον (βλ. π.χ. ἐν σελ. 37, 99 - 100, 121, 124 - 125, 127, 134, 222 κ.ἄ.). Τοῦτο, βεβαίως, συνηθίζεται καί εἶναι ἐπιτρεπτόν εἰς ἀναμείκτους, κυρίως, καί ὄχι τόσον εἰς ἀμιγῶς ἐπιστημονικάς, ἐργασίας, προσιδιάζουν μᾶλλον εἰς τόν χῶρον τῆς δημοσιογραφίας. Ὅσον δέ ἀφορᾶ εἰς τήν γλῶσσαν τοῦ βιβλίου, αὕτη εἶναι γλαφυρά καί αὐτόχρημα ἀπολαυστική· ξενίζουν, ὅμως, ὁρισμέναι ἐκφράσεις του σ., ἀσυνήθεις εἰς ἐπιστημονικά συγγράμματα (βλ. π.χ. ἐν σελ. 40, 80, 121, κ.ἄ.). Ἐν σελ. μάλιστα 80 ἀπαντᾶ καί ἡ φράσις «μετά φωνῶν καί λαμπάδων» ἴσως ἐκ τυπογραφικοῦ ἀβλεπτήματος, τό ὁποῖον, ὅμως, παραδόξως, ἐπαναλαμβάνεται πανομοιοτύπως καί ἐν σελ. 121.

Γενικῶς, πάντως ὁ Σεβασμιώτατος ἀποδεικνύει ὅτι διαθέτει ἐπαρκῆ ἄνεσιν εἰς τόν χειρισμόν τῆς γραφίδος καί ἱκανότητα δαψιλοῦς χρησιμοποιήσεως τῆς διεθνοῦς βιβλιογραφίας καί ὅτι, χάρις εἰς τάς ἰσχυράς πνευματικάς του δυνάμεις, ἀφομοιώνει εὐχερῶς τό ἐρευνητικὸν καί ξένον ὑλικόν, τό ὁποῖον δέν δυσκολεύεται νά δαμάζῃ, διά νά τό χρησιμοποιῇ πρός σύνθεσιν σοβαρῶν ἐργασιῶν, ἐξ ὧν νά συνάγωνται ἐν συνεχεία καί πρωτότυπα συμπεράσματα. Πέραν δέ τούτων ἔχει μεγίστην ἀξίαν ἡ ἔκδηλος ἐπιθυμία αὐτοῦ νά ἐγκύπτῃ εἰς σπουδαία καί εὐαίσθητα ἐκκλησιαστικά καί ἐθνικά θέματα, διά νά συμβάλλῃ κατ' ἀκολουθίαν καί ὁ ἴδιος εἰς τήν, διά τοῦ διεξαγομένου σήμερον διαθρησκειακοῦ διαλόγου, προσέγγισιν καί σύνδεσιν τῶν Ἑλλήνων μετά τῶν Ἰουδαίων, ὡς ἐπίσης καί μετά τῶν μουσουλμάνων. Ὅθεν, θά ἦτο εὐχῆς ἔργον καί ἐνδεδειγμένον νά τύχῃ τῆς δεούσης προσοχῆς τό λίαν ἐνδιαφέρον συμπέρασμα τοῦ παρουσιασθέντος περισπουδάστου συγγράμματός του, περί τῆς ἀνάγκης συμφιλιώσεως τοῦ Χριστιανισμοῦ μέ τόν Ἰουδαϊσμόν (σελ. 211 ἑξ.) Ὡσαύτως ἐνδείκνυται νά γίνῃ φιλοφρόνως ἀποδεκτή καί ἡ προσωπική του σ. ἄποψις, καθ' ἥν ὁ γεωγραφικός χῶρος τῶν ἑστιῶν τῶν Ἑλλήνων, τῶν Ἰουδαίων καί τῶν μουσουλμάνων, ἀλλά καί ἡ ἀμοιβαία πνευματική καί πολιτιστική σχέσις αὐτῶν ἐπιβάλλουν σύμπνοιαν, ἀλληλεγγύην καί ἀγάπην πρός ἀλλήλους (βλ. καί σελ. 19). Ἡ ὑπό τοῦ διακεκριμένου δέ τούτου Ἱεράρχου κατοχή καιρίων καί ὑψίστης σημασίας ἐκκλησιαστικῶν θέσεων κατά τό παρελθόν, ἐγγυᾶται, ἀσφαλῶς, περί τοῦ ὅτι δύναται οὗτος νά προσφέρῃ πολλά εἰσέτι καί εἰς νέους σημαντικούς τομεῖς.

Καθ. Παν. Σιμωτάς

['Από τό περιοδικό **Θεολογία**,
Δεκέμβριος 1998]
σελ. 868 - 870

ΕΛΛΗΝΙΣΜΟΣ ΚΑΙ ΙΟΥΔΑΪΣΜΟΣ

Ιστορικοί σταθμοί στις σχέσεις Ελλήνων και Ιουδαίων

Του ΜΕΘΟΔΙΟΥ Γ. ΦΟΥΓΙΑ, *Μητροπολίτη Πισιδίας, πρώην Αρχιεπισκόπου Θυατείρων και Μ. Βρετανίας.*
Εκδόσεις Νέα Σύνορα - Α.Α. Λιβάνη. Αθήνα 1995.

Το καινούργιο βιβλίο του Μητροπολίτη ΜΕΘΟΔΙΟΥ Γ. ΦΟΥΓΙΑ με τον τίτλο "Ελληνισμός και Ιουδαϊσμός" είναι μια μελέτη σε βάθος των δύο αυτών βασικών για την ανθρωπότητα "πηγών" πολιτισμού, του ελληνικού και του ιουδαϊκού. Με υπότιτλο "Ιστορικοί σταθμοί στις σχέσεις Ελλήνων και Ιουδαίων" ο συγγραφέας αναλύει τα της προελεύσεως της ιουδαϊκής φυλής, της διασποράς της, του εξελληνισμού της στους Αλεξανδρινούς χρόνους και μετέπειτα, της εν γένει φιλοσοφίας της και της εξέλιξής της διά μέσου του Βυζαντίου μέχρι των ημερών μας, οπότε πραγματοποιήθηκε ύστερα από πολέμους, διωγμούς και εκατόμβες θυμάτων, το όνειρο αιώνων του κάθε Εβραίου, να δημιουργηθεί δηλαδή το κράτος του Ισραήλ στην Παλαιστίνη.

Αλλά το πλέον σημαντικό στο βιβλίο του Μ.Φ. είναι οι παραπομπές και οι σημειώσεις που καλύπτουν το μεγαλύτερο μέρος του. Οι παραπομπές αυτές είναι πηγές και κυψέλες γνώσεων και χρήσιμων πληροφοριών ειδικής και γενικής φύσεως. Έτσι δίκαια μπορούμε να πούμε ότι το βιβλίο είναι χρήσιμο τόσο στους ειδήμονες μελετητές, αλλά συνάμα είναι ωφέλιμο και σ' όλους τους άλλους εμάς που χάριν μορφώσεως ή από περιέργεια θα θέλαμε να μάθουμε κάτι παραπάνω για την εβραϊκή φυλή, με τους γόνους της οποίας συμβιούμε τόσο στενά εδώ στο Λονδίνο όπου, ως γνωστό, ανθεί ισχυρή παροικία τους.

Στο πίσω εξώφυλλο του βιβλίου ο συγγραφέας πολύ έξυπνα έχει τυπώσει μέρος από αυτά που έχει γράψει ο Ουίνστον Τσόρτσιλ για τις δύο φυλές. Είναι χαρακτηριστικά. Να τι γράφει ο μεγάλος Βρετανός πολιτικός: Οι Έλληνες είναι, μαζί με τους Εβραίους, η φυλή εκείνη του κόσμου με τη μεγαλύτερη κλίση προς την πολιτική. Όσο απελπιστική και αν είναι η θέση τους, όσο σοβαρός ο κίνδυνος που διατρέχει η χώρα τους, παραμένουν πάντοτε διηρημένοι σε πολλά κόμματα, με πολυάριθμους ηγέτες που αγωνίζονται με πάθος μεταξύ τους...".

Προφητικά λόγια. Λες και γράφτηκαν σήμερα!

Ένα μεγάλο μπράβο αξίζει στον χαλκέντερο ιεράρχη που απ' το Χαλάνδρι της Αττικής, όπου είναι εγκατεστημένος, συνεχίζει - με μύριους κόπους και τρόπους - το συγγραφικό/εκδοτικό του έργο. Η προσφορά του γίνεται ακόμα πιο πολύτιμη σήμερα που βλέπουμε οι τριβές στις ανώτατες κλίμακες του κλήρου μας να βρίσκονται σε όξυνση ή που βιούμε την άλλη θλιβερή πραγματικότητα. Το ότι δηλ. λιγοστεύουν επικίνδυνα οι φωτισμένοι ιεράρχες που διαθέτουν μόρφωση, ικανότητες και αίγλη που απαιτούν οι σύγχρονες εποχές.

ΙΑΚ. Γ.

* * *

Ταχυδρόμος, Λονδίνου.

ΜΟΡΦΩΤΙΚΟΣ ΣΥΛΛΟΓΟΣ
ΑΓΡΟΤΙΚΗΣ ΝΕΟΛΑΙΑΣ
ΚΑΣΤΑΝΕΩΝ
"Ο ΑΓΙΟΣ ΚΟΣΜΑΣ Ο ΑΙΤΩΛΟΣ"

Καστανιές 4-4- 1995
Αριθ.Πρωτ. —

Ταχ. Δ/νση : 680 08 Καστανιές Έβρου
Πληροφορίες:
Τηλ. 0552 85085/~~85078~~ FAX: 0552 85448

ΠΡΟΣ: Σεβασμιώτατον
Μητροπολίτην Πισιδίας
κ.κ.ΜΕΘΟΔΙΟΝ
Ρήγα Φερραίου 9
152 32 Αθήναι

ΘΕΜΑ: "Έκφραση ευχαριστιών".

ΣΧΕΤΙΚΑ:

Σεβασμιώτατε,

Με ιδιαίτερη χαρά και συγκίνηση λάβαμε το βιβλίο με τον τίτλο "ΕΛΛΗΝΙΣΜΟΣ και ΙΟΥΔΑΙΣΜΟΣ",που μόλις εξεδόθη μάς έστειλε η αγάπη Σας.

Θερμότατες είναι οι ευχαριστίες του Δ.Σ. του Συλλόγου μας προς το σεπτόν πρόσωπόν Σας για την ενέργειάν Σας αυτή,που δεικνύει το αμέριστο ενδιαφέρον Σας για το ταπεινό έργο,το οποίο αγωνιζόμαστε να επιτελέσουμε στην εσχατιά της Πατρίδος μας.

Κοντά σ'αυτό οφείλουμε να εξάρουμε και την μεγάλη αξία και σπουδαιότητα του ανωτέρω έργου Σας,που εκδοθέν φωτίζει σκοτεινές και,πολλές φορές,παρεξηγημένες πλευρές των σχέσεων του λαού μας με το γένος των Εβραίων.

Το έργο Σας αυτό μαζί με τα όσα μέχρι τώρα έχετε εκδώσει πιστεύουμε πως Σάς καταξιώνουν και Σάς καταδεικνύουν ως ένα εκ των πρωτοκορυφαίων λογίων κληρικών της Εκκλησίας μας,που στις ημέρες μας,τόσο έχει ανάγκη η Πατρίδα μας.

Ελπίζουμε πως σύντομα θα έχουμε την χαρά να δούμε εκδιδόμενο και νέο βιβλίο σας απαράμιλλο των μέχρι τώρα εκδοθέντων.

Πιστεύουμε δε ότι πάντα θα Σας έχουμε συμπαραστάτη μας σε κάθε καλό μας έργο για την πνευματική ανάπτυξη της Ακριτικής περιοχής μας.

Ευχόμενοι Καλό Πάσχα και Καλή Ανάσταση,διατελούμε

με τιμή
Για το Δ.Σ.

ΜΟΡΦΩΤΙΚΟΣ ΣΥΛΛΟΓΟΣ ΑΓΡΟΤΙΚΗΣ ΝΕΟΛΑΙΑΣ ΚΑΣΤΑΝΕΩΝ
ΕΤΟΣ ΙΔΡΥΣΕΩΣ 196[illegible]

[illegible]ος Γ.Σουργουτσίδης
Πρόεδρος

ΕΛΛΗΝΙΣΜΟΣ ΚΑΙ ΙΟΥΔΑΪΣΜΟΣ

Ἱστορικοί Σταθμοί στίς σχέσεις Ἑλλήνων καί Ἰουδαίων.

(Τοῦ Μεθοδίου Γ. ΦΟΥΓΙΑ Μητροπολίτου Πισιδίας καί Πρώην Ἀρχιεπισκόπου Θυατείρων καί Μεγάλης Βρεττανίας).

Δέν ἀποκρύπτομεν. Μᾶς καταπλήσσει ἡ συγγραφική παραγωγή τοῦ Σεβασμιωτάτου Μητροπολίτου Πισιδίας κ. Μεθόδιου Φούγια ἀκαταπόνητη πνευματική διάνοια. Πρωτοφανής θά λέγαμε στήν ἐποχή μας. Μόλις πρό ὀλίγων μηνῶν ἐπεράτωσε ἕνα ἱστορικό σύγγραμμα **«τό Ἑλληνικό Ὑπόβαθρον τοῦ Χριστιανισμοῦ καί τό Ἑλληνικό Ὑπόβαθρο τοῦ Ἰσλαμισμοῦ».**

Ἰδού καί μιά ἄλλη βαθυστόχαστη μελέτη του: «Ἑλληνισμός καί Ἰουδαϊσμός» πού καταρρίπτει ὅλα τά ρεκόρ συγγραφικῆς ἐπιτυχίας.

Ὅλα αὐτά τά ἔργα τά ὁποία ἐμπλούτισαν τίς παγκόσμιες βιβλιοθῆκες κατατάσσουν τόν ὀτρηρόν Μητροπολίτην στήν πρώτη γραμμήν τῶν διάσημων θρησκευτικῶν καί ἱστορικῶν συγγραφέων.

Ὁ Μητροπολίτης Μεθόδιος ἴσως εἶναι ἀπό τούς μοναδικούς συγγραφεῖς πού ἐνεβάθυνε στή φιλοσοφία τῶν θρησκειῶν, τίς ἀνέλυσε, τίς παραλλήλισε καί ἔβγαλε συμπεράσματα πού καταπλήσσουν τούς ἁρμόδιους καί ἀναγνωρίζουν ὅτι πράγματι ὁ Σέβ. Μεθόδιος εἶναι μιά διάνοια πού ξεχωρίζει καί κατατάσσεται πρῶτος ἐκ τῶν πρώτων στή συγγραφή ἔργων μεγάλης ἀξίας σέ ὅλο τό βάθος καί τό μῆκος.

Καί ἐπειδή στό πρόλογο τοῦ ἀνά χεῖρας ἔργου του δίδει ἐξηγήσεις πού κατατοπίζουν τόν ἀναγνώστη θά μᾶς ἐπιτρέψει ὁ ἐκλεκτός Ἱεράρχης τῆς Ὀρθοδοξίας νά τοῦ δημοσιεύσωμεν (τό πρόλογο) ἐξ ὁλοκλήρου καί νά συστήσωμεν στόν ἀναγνώστη τοῦ παρόντος πονήματος νά προσπαθήσει νά τό ἀποκτήσει ἀπό τόν ἐκδοτικό Ὀργανισμό Λιβάνη «Νέα Σύνορα».

Νά εἶναι βέβαιος ὅτι θά πλουτίσει τίς γνώσεις γύρω ἀπό τό ἀναχείρας ἐμβριθές ἔργον τοῦ Μητροπολίτου Πισιδίας Μεθοδίου.

ΠΑΤ.

Ἐφημερίδα **Φῶς** τοῦ Καίρου 11 Ὀκτωβρίου 1995

ΑΔΕΛΦΟΤΗΣ ΘΕΟΛΟΓΩΝ
«Ο ΣΩΤΗΡ»
ΙΣΑΥΡΩΝ 42
114 72 ΑΘΗΝΑΙ
Τηλ. 36.22.108

Ἐν Ἀθήναις τῇ 31/3/95

Σεβασμιώτατον
Μητροπολίτην Πισιδίας
Κύριον κ. Μεθόδιον
Ρήγα Φερραίου 9
152 32 ΧΑΛΑΝΔΡΙΟΝ

Σεβασμιώτατε,

Ἐλάβομεν καί τό νέον Σας ἔργον "Ἑλληνισμός καί Ἰουδαϊσμός" καί εὐχαριστοῦμεν πολύ διά τήν πρόφρονα ἀποστολήν του καί διά τάς εὐχάς τῆς Ὑμετέρας Σεβασμιότητος.

Ταπεινῶς εὐχόμεθα πλουσίαν καί καρποφόρον τήν συνέχειαν τοῦ συγγραφικοῦ Σας ἔργου καί ἐν κατανύξει, εἰρήνῃ καί χαρᾷ τάς ἁγίας ἡμέρας τῶν Παθῶν καί τῆς λαμπροφόρου Ἀναστάσεως τοῦ Κυρίου ἡμῶν.

Ἐπί τούτοις, ἐκζητοῦμεν τάς εὐχάς τῆς Ὑμετέρας Σεβασμιότητος καί ἀσπαζόμεθα τήν δεξιάν Σας

μετά βαθυτάτου σεβασμοῦ
Διά τήν Ἀδελφότητα Θεολόγων "ὁ Σωτήρ"

Ἀρχιμ. Λεωνίδας Βεσμαλτάνης

ΕΛΛΗΝΙΣΜΟΣ ΚΑΙ ΙΟΥΔΑΪΣΜΟΣ

Τοῦ Μητροπολίτου Πισιδίας κ. ΜΕΘΟΔΙΟΥ Γ. ΦΟΥΓΙΑ

Ἡ ἰουδαϊκή φιλοσοφία ἔχει τήν ἀφετηρία της στήν ἰουδαϊκή διασπορά τοῦ ἑλληνιστικοῦ κόσμου. Ὁ κυριότερος ἀντιπρόσωπος τῶν Ἰουδαίων πνευματικῶν ἀνδρῶν ἦταν ὁ Φίλων ὁ Ἰουδαῖος (ca 25 π.Χ. - ca 40 μ.Χ.), ὁ ὁποῖος σέ μία σειρά ἔργων, κυρίως ὑπομνημάτων σέ βιβλικά θέματα, ἀνέλαβε νά ἐναρμονίσει τήν Ἰουδαϊκή διδασκαλία μέ τήν Πλατωνική καί τήν Στωϊκή Φιλοσοφία.

Ὁ H.A. Wolfson θεωρεῖ τόν Φίλωνα ἱδρυτή τῆς θρησκευτικῆς φιλοσοφίας στόν Ἰουδαϊσμό, τόν Χριστιανισμό καί τό Ἰσλάμ. Τά ἔργα τοῦ Harry Austryn Wolfson περί Φίλωνος, περί τῆς φιλοσοφίας τοῦ Kalam (Κορανίου) καί περί τῆς φιλοσοφίας τῶν Πατέρων τῆς Ἐκκλησίας, ἀποτελοῦν μία γιγαντιαία προσπάθεια γιά τήν ἀνεύρεση τῶν κοινῶν σημείων Ἰουδαϊσμοῦ, Χριστιανισμοῦ καί Ἰσλάμ στό φιλοσοφικό χῶρο. Καί στά τρία αὐτά ἔργα ὁ Wolfson δίδει προτεραιότητα στόν ἀνθρώπινο παράγοντα καί προσπαθεῖ νά ἑρμηνεύσει τή σχέση τῆς θρησκείας μέ τή σκέψη μέ ὀρθολογιστικό τρόπο. Αὐτό εἶναι τό μειονέκτημα γιά ἕναν πιστό στήν ὑπερφυσική ἀποκάλυψη, ἀλλά διαφορετικά σκέπτεται ὁ μεγάλος αὐτός συγγραφέας. Ὁ πλοῦτος τῶν ἰδεῶν καί ἡ ἐντυπωσιακή γνώση καί χρήση τῶν πηγῶν καθιστοῦν τά ὀγκώδη αὐτά πολύτιμα συγγράμματα χρησιμότατα γιά τή σπουδή τοῦ ρόλου πού διαδραμάτισε ἡ ἑλληνική φιλοσοφία στήν ἀνάπτυξη τῶν τριῶν μεγάλων μονοθεϊστικῶν θρησκειῶν[1].

The history of Christian Philosophy, γράφει ὁ καθηγητής H. Chadwick, begins not with a christian but with a Jew, Philo of Alexandria, elder contemporary of St. Paul.. Philo is fully Hellenized, presenting a very Greek face to the World. Hebrew he knew imperfectly if at all... The Jewish language and Culture (μετά τή σύγκρουση τῶν Ἰουδαίων καί τοῦ Ἑλληνισμοῦ ἐπί τῆς ἐποχῆς τῶν Μακκαβαίων) became Greek through and through, and well - to - do Jewish parents (like Philo's) provided their sons with a liberal education under Greek - tutors[2]. (Ὁ Φίλων ὑποθέτει πώς καί ὁ Μωυσῆς εἶχε Ἕλληνες παιδαγωγούς).

Ὁ Φίλων προϋποθέτει πώς οἱ ἑλληνικές σοφίες ὀφείλονται στήν Πεντάτευχο. Ἐν πάση περιπτώσει ἐξυπονοεῖ πώς ὑπάρχει ἕνας Θεός, ὁ ὁποῖος, ἄμεσα ἤ ἔμμεσα εἶναι ἡ πηγή τοῦ Μωσαϊκοῦ Νόμου καί τῶν ἀληθειῶν τῆς Ἑλληνικῆς Φιλοσοφίας. For the human mind is akin to God, bing made in the image of the Divine Logos or Reason, and therefore has some capacity for the reception and discovery of truth about realites beyond time and space. It is in the focus upon the trancendent world that religion and the best Greek philosophy coincide. Accordingly Philo's interest lies in Greek theology and ethics[3].

Μολονότι ὁ Saadia Ben Joseph (882 - 942) θεωρεῖται ὁ πατέρας τῆς Μεσαιωνικῆς Ἰουδαϊκῆς φιλοσοφίας, δύο ἄλλοι Ἰουδαῖοι φιλόσοφοι ἔχουν ἰδιαίτερη σημασία γιατί ἐπέδρασαν ἐπί τῆς Σχολαστικῆς Χριστιανικῆς φιλοσοφίας. Πρόκειται γιά τόν Salomon Ibn Gabirol (ca 1022 - ca 1051 ἤ ca 1070) καί τόν Moses Maimonides (1135 - 1204).

Ὁ Saadia ἀσχολεῖται περισσότερο μέ ἁγιογραφικά προβλήματα παρά μέ φιλοσοφικά συστήματα. Τό ἔργο του Kitab al - Amanat wa - al - 'tiqada, Sefer ha - Emunot we - ha - De 'ot, δηλ. Book of Doctrines and Beliefs, εἶναι τό πρῶτο μεγάλο μεσαιωνικό φιλοσοφικό ἔργο γραμμένο ἀπό Ἰουδαῖο. Γιά τήν ἐπιτυχία του στό ἔργο αὐτό ὁ Saadia ἀντλεῖ ἐλεύθερα ἀπό τίς πλατωνικές, ἀριστοτελικές, στωικές καί νεοπλατωνικές διδασκαλίες[4]. Στόν Salomon Ibn Gabirol ἤ Avicebron (ἔτσι ἀποκαλεῖται ἀπό τούς Λατίνους Σχολαστικούς, οἱ ὁποῖοι ἐνόμιζαν πώς ἦταν Ἄραβας)[5] παραπέμπουν οἱ Σχολαστικοί Albertus Magnus, Βοναβεντούρας, Θωμᾶς Ἀκινάτης καί ὁ Duns Scotus. Οἱ Φραγκισκανοί ἀποδέχονταν τή διδασκαλία τοῦ Gabirol, ἐνῶ οἱ Δομινικανοί τήν ἀπέρριπταν. Ὁ Gabirol ἦταν ὁ σπουδαιότερος Ἰουδαῖος Νεοπλατωνιστής τοῦ Μεσαίωνα.

Τέλος, προκειμένου περί τῶν Ἰουδαίων φιλοσόφων τοῦ Μεσαίωνα, πλησιάζουμε τόν πιό διακεκριμένο, τόν Moses Maimonides πού γεννήθηκε στήν Κόρδοβα καί ἀπέθανε στό Κάιρο[6].

Ὁ Maimonides, ἦταν Ἀριστοτελικός καί ἔθεσε τήν Ἰουδαϊκή φιλοσοφία ἐπάνω σέ μία στερεή Ἀριστοτελική βάση. Μολονότι θεωροῦσε τόν ἑαυτόν του συνεχιστῆ τῶν Μουσουλμάνων Ἀριστοτελικῶν, προσαρμόζοντας τή διδασκαλία τους στίς ἀπόψεις του, διαφέρει ἀπ' αὐτούς στά ἔργα πού δημιούργησε.

Ὁ Maimonides ὑπῆρξε ὁ μεγαλύτερος τῶν Ἰουδαίων νομικῶν ἐπιστημόνων ὅλων τῶν καιρῶν ἀλλά καί ὡς ἰατρός ἀπέκτησε μεγάλη φήμη. In fine, Moses Maimonides, made a better business of reconciling Greek philosophy with Jewish orthodoxy than Avicebron (Solomon Ibn Gabirol) had made of it, and it is noteworthy that the influence of the Aristotelian system is more in evidence in the former's philosophy than in the latters[7].

«Ἐξόχως, ὁ Μωυσῆς Μαϊμωνίδης ἐπέτυχε νά συμφιλιώσει τήν ἑλληνική φιλοσοφία μέ τήν Ἰουδαϊκή Ὀρθοδοξία περισσότερο ἀπ' ὅτι ὁ Avicebron (Solomon Ibn Gabirol), καί εἶναι ἀξιοσημείωτο ὅτι ἡ ἐπίδραση τοῦ ἀριστοτελικοῦ συστήματος εἶναι πιό ἐμφανής στή φιλοσοφία τοῦ πρώτου ἤ τοῦ τελευταίου».

Ὁ Maimonides ἀπέθανε στίς 13 Δεκεμβρίου 1204 καί ἐτάφη στήν Τιβεριάδα. Ἐλέχθη: «Ἀπό τόν Μωυσῆ (τόν Προφήτη) μέχρι τόν Μωυσῆ (Ben Maimon) δέν ἀναφάνηκε ἄλλος ὅμοιος πρός αὐτόν».

[Ὁ Μητροπολίτης Πισιδίας κ. Μ. Φούγιας ἔχει διατελέσει Ἀρχιεπίσκοπος τῆς Μεγάλης Βρετανίας (1979 - 1988), Μητροπολίτης τῆς Ὀρθοδόξου

Ἐκκλησίας τῆς Αἰθιοπίας κ.ἄ. Στήν περίοδο τῆς γερμανικῆς κατοχῆς ὁ πατέρας του φιλοξένησε στά Καλύβια τοῦ Φενεοῦ τῆς Κορινθίας τρεῖς Ἑβραίους: Τόν Σωτήρη Σιαπέρα καί τόν Παῦλο Ἀμαρίδη μέ τό γιό του.

Τό ἄρθρο πού δημοσιεύεται εἶναι ἀπόσπασμα ἀπό τό τελευταῖο βιβλίο του «Τό ἑλληνικό ὑπόβαθρο τοῦ Χριστιανισμοῦ». (Ἐκδόσεις Ἀποστολικῆς Διακονίας τῆς Ἐκκλησίας τῆς Ἑλλάδος), σέλ. 273 - 276].

Παραπομπές

1. H. A. Wolfson, Philo, Foundations of Religious Philosophy in Judaism, Christianity and Islam. Tom. 1 - 2. Harbard Univ. Press (1948) καί τοῦ ἰδίου, The Philosophy of the Church Fathers, Faith, Trinity, Incarnation. 3nd. Ἐκδ. Harvard Univ. Press (1976). Πρβλ. H. Chadwick, Philo and the beginnings of Christian Thought, στό The Cambridge History of Later Greek and Early Medieval Philosophy, ἐνθ' ἄν., σελ. 135 - 157.

2. Chadwick, ἔνθ' ἄν., σελ. 137.

«Ἡ ἱστορία τῆς χριστιανικῆς φιλοσοφίας, ἀρχίζει ὄχι μέ ἕνα Χριστιανό,ἀλλά μέ ἕναν Ἰουδαῖο, τό Φίλωνα τῆς Ἀλεξανδρείας, σύγχρονο, ἀλλά πρεσβύτερο τοῦ Ἀπ. Παύλου. Ὁ Φίλων εἶναι πλήρως ἐξελληνισμένος, παρουσιάζοντας ἕνα τέλειο ἑλληνικό πρόσωπο στόν κόσμο. Ἐγνώριζε ὀλίγα ἤ καθόλου Ἑβραϊκά.... Ἡ Ἑβραϊκή γλώσσα καί ὁ Ἑβραϊκός πολιτισμός (μετά τή σύγκρουση τῶν Ἰουδαίων καί τοῦ Ἑλληνισμοῦ ἐπί τῆς ἐποχῆς τῶν Μακκαβαίων) ἐξελληνίσθησαν βαθμιαίως, καί εὔποροι Ἰουδαῖοι γονεῖς (ὅπως οἱ γονεῖς τοῦ Φίλωνος) ἐξασφάλιζαν γιά τά τέκνα τους φιλελεύθερη μόρφωση ἀπό Ἕλληνες ἐκπαιδευτές». Γενικά, γιά τίς ἰδιαίτερες σχέσεις τοῦ Ἰουδαϊσμοῦ μέ τόν Ἑλληνισμό βλ. τό δίτομο καί σύγχρονο ἔργο τοῦ Martin Hengel, Judaism and Hellenism. Studies in their Encounter in Palestine during the Early Hellenistic Period. Vol. One, Text. Vol. Two, Notes and Bibliography. Second revised and enlarged edition. London, 1974.

3. Chadwick, ἔνθ. ἄν., σελ. 139.

«Γιατί ὁ ἀνθρώπινος νούς εἶναι συγγενής πρός τόν Θεό, δημιουργηθείς κατ' εἰκόνα τοῦ Θείου Λόγου καί συνεπῶς ἔχει κάποια ἱκανότητα γιά τήν ὑποδοχή καί ἀνακάληψη τῆς ἀλήθειας περί τῶν πραγματικοτήτων πέραν χρόνου καί χώρου. Εἶναι ἐπάνω στήν ἑστία τοῦ ὑπερφυσικοῦ κόσμου ὅτι συμπίπτει ἡ θρησκεία καί ἡ καλλίστη ἑλληνική φιλοσοφία. Συνεπῶς τό ἐνδιαφέρον του Φίλωνος βρισκόταν στήν Ἑλληνική Θεολογία καί στήν Ἠθική».

4. Arthur Hyman καί James J. Walsh, Philosophy in the Middle Ages. The Christian, Islamic, and Jewish Tratidions. New York (1967), σελ. 331 - 334.

5. Copleston, A History of Philosophy, London (1951), Vol. 1, σελ. 201 - 203 καί A. Hyman καί J.J. Walsh, ἔνθ. ἄν. σελ. 347 - 349.

6. Copleston, ἔνθ' ἄν., σελ. 203 - 204. A. Hyman καί J.J. Walsh, ἔνθ. ἄν. σελ. 359 - 363.

7. Copleston, ἔνθ' ἄν., σελ. 204.

ΕΛΛΗΝΙΚΗ ΔΗΜΟΚΡΑΤΙΑ

ΚΕΝΤΡΙΚΟ ΙΣΡΑΗΛΙΤΙΚΟ ΣΥΜΒΟΥΛΙΟ ΣΥΝΤΟΝΙΣΜΟΥ & ΓΝΩΜΑΤΕΥΣΕΩΣ

ΝΟΜΙΚΟ ΠΡΟΣΩΠΟ ΔΗΜΟΣΙΟΥ ΔΙΚΑΙΟΥ (Ν.Δ. 301/1969)

ΓΡΑΦΕΙΟ ΠΡΟΕΔΡΟΥ

ΓΡΑΦΕΙΑ: ΣΟΥΡΜΕΛΗ 2
104 39 ΑΘΗΝΑ

ΤΗΛΕΓΡ. ΔΙΕΥΘ. "ΚΕΝΙΣΡΑΗΛ" - ΑΘΗΝΑ
ΤΗΛΕΦ. 883.9951-3
TELEX: 225110
TELEFAX: (1) 8234488

Αριθ. Πρωτ. 369

Προς τον
Σεβασμιώτατο
Μητροπολίτη Πισιδίας
Κύριο Κύριο Μεθόδιο Φούγια
Ρήγα Φεραίου 9
152 32 ΧΑΛΑΝΔΡΙ

12 Απριλίου 1995

Σεβασμιώτατε,

Σας ευχαριστώ για την ιδιαίτερη τιμή που μου κάνατε να μου στείλετε το νέο σας ερευνητικό έργο με τίτλο "Ελληνισμός και Ιουδαϊσμός".

Διαβάζοντάς το, μου δόθηκε η ευκαιρία, για μία ακόμη φορά, να εκτιμήσω τις αγαθοποιές σας προθέσεις για τη συνεργασία μεταξύ των θρησκειών, προθέσεις τις οποίες υπηρετείτε με όλο το βάρος των επιστημονικών σας γνώσεων και της θεολογικής σας εγκυρότητας.

Πιστεύω ότι το συγκεκριμένο σας πόνημα θα αποτελέσει βασικό εγχειρίδιο στη σχετική βιβλιογραφία.

Με βαθιά εκτίμηση

Νισήμ Μαΐς

wsb/fou

Μεθοδίου Γ. Φούγια, Μητροπολίτου Πισιδίας πρώην Ἀρχιεπισκόπου Θυατείρων καὶ Μεγάλης Βρετανίας, *Ἑλληνισμὸς καὶ Ἰουδαϊσμός - Ἱστορικοὶ σταθμοὶ στὶς σχέσεις Ἑλλήνων καὶ Ἰουδαίων*, «Νέα Σύνορα» Α. Α. Λιβάνη, Ἀθήνα 1995, σσ. 240, σχ. 20,5Χ14 ἐκ.

Ἐνῷ εἰς ξένας εὐρωπαϊκὰς γλώσσας ὑπάρχουν ἀναρίθμητα ἔργα, ἀναφερόμενα εἰς τὰς σχέσεις Ἰουδαϊσμοῦ καὶ Ἑλληνισμοῦ, ἀντιθέτως εἰς τὴν ἑλληνικὴν δὲν ὑπῆρχε μέχρι τοῦδε κατὰ τὰς τελευταίας δεκαετίας παρόμοιον ἔργον, τὸ ὁποῖον θὰ ἐξήταζε τὰς πνευματικὰς καὶ πολιτιστικὰς σχέσεις Ἑλλήνων καὶ Ἰουδαίων δι' ἀξιοποιήσεως τῆς πλουσιωτάτης σχετικῆς διεθνοῦς βιβλιογραφίας. Τὸ κενὸν τοῦτο καλύπτεται οὐσιωδῶς ὑπὸ τοῦ ὡς ἄνω ἔργου τοῦ Σεβ. Μητροπολίτου Πισιδίας καὶ πρώην Ἀρχιεπισκόπου Θυατείρων καὶ Μ. Βρετανίας κ. Μεθοδίου.

Ἐν τῷ ἔργῳ τούτῳ, μετὰ τὸν Πρόλογον καὶ τὴν Εἰσαγωγήν, διερευνῶνται ἡ προέλευσις τῆς ἰουδαϊκῆς φυλῆς (σσ. 29 ἑξ.)· οἱ παράγοντες, οἱ ὁποῖοι συνεβάλοντο εἰς τὴν παγκόσμιον ἀκτινοβολίαν τοῦ Ἰουδαϊσμοῦ (σσ. 40 ἑξ.)· ἡ ἰουδαϊκὴ διασπορὰ (σσ. 44 ἑξ.)· ὁ ἐξελληνισμὸς τῶν Ἰουδαίων τῆς Ἀλεξανδρείας (σσ. 57 ἑξ.)· ἡ σχέσις Ἑλλήνων καὶ Ἰουδαίων ἐν Ἀντιοχείᾳ (σσ. 64 ἑξ.)· ὁ ἑλληνοϊουδαϊκὸς χαρακτὴρ τῆς Ταρσοῦ (σσ. 68 ἑξ.)· ἡ διάρθρωσις τοῦ πληθυσμοῦ τῆς Ἀντιοχείας τῆς Πισιδίας (σσ. 73 ἑξ.)· ἡ παρουσία τῶν Ἰουδαίων εἰς τὰς πόλεις τῆς Μικρᾶς Ἀσίας (σσ. 75 ἑξ.)· ὁ ἐξελληνισμὸς τῶν Ἑβραίων (σσ. 79 ἑξ.)· ἡ διάδοσις τῆς ἑλληνικῆς γλώσσης καὶ τῆς ἑλληνικῆς παιδείας εἰς τὴν Παλαιστίνην (σσ. 86 ἑξ.)· αἱ πηγαί, ἐκ τῶν ὁποίων οἱ Ἰουδαῖοι ἤντλησαν τοὺς θησαυροὺς τῆς ἑλληνικῆς ἐπιστήμης (σσ. 93 ἑξ.)· οἱ Ἑλληνισταὶ Ἰουδαῖοι (σσ. 98 ἑξ.)· ἡ μετάφρασις τῆς Π.Δ. εἰς τὴν ἑλληνικὴν γλῶσσαν (σσ. 105 ἑξ.)· «ἡ ἐπιστολὴ τοῦ Ἀριστέα» (σσ. 114 ἑξ.)· τὰ βιβλία τῶν Μακκαβαίων καὶ ὁ ἐν αὐτοῖς ἐξιστορούμενος διωγμὸς τῶν Ἰουδαίων (σσ. 126 ἑξ.)· ἡ ἑλληνιστικὴ καὶ ἰουδαϊκὴ πολιτικὴ φιλοσοφία (σσ. 130 ἑξ.)· ἡ ἰουδαϊκὴ φιλοσοφία καὶ εἰδικώτερον τὸ ἔργον τοῦ Φίλωνος καὶ τοῦ Ἰωσήπου (σσ. 137 ἑξ.)· ἡ σχέσις Ἰουδαϊσμοῦ καὶ Νεοπλατωνισμοῦ (σσ. 156 ἑξ.)· αἱ ἐν Βυζαντίῳ καὶ ἐν Ἑλλάδι γνῶμαι περὶ τῶν συναρτήσεων Ἑλληνισμοῦ καὶ Ἰουδαϊσμοῦ (σσ. 164 ἑξ.)· ἡ ὑπὸ τῶν Ἰσραηλιτῶν ἀναγνώρισις τῆς συμβολῆς τῶν Ἑλλήνων εἰς τὴν διάσωσιν τῶν Ἑβραίων ἐκ τῶν χειρῶν τῶν Ναζί (σσ. 196 ἑξ.)· τὸ ἑλληνικὸν «φρόνημα τῶν Ἑλλήνων Ἰουδαίων» (σσ. 201 ἑξ.) καὶ τὸ ὅτι ἐν Ἑλλάδι δὲν ὑπάρχει ἀντισημιτισμός.

Ἐν Παραρτήματι ὁ σ. προβάλλει τὴν συμβολὴν τῶν ἑλληνογλώσσων ἑλληνιστῶν Ἰουδαίων εἰς τὴν ἵδρυσιν καὶ ἀνάπτυξιν τῶν Ἐκκλησιῶν Ἱεροσολύμων καὶ Ἀντιοχείας (σσ. 206 ἑξ.).

Λίαν ἐνδιαφέρον εἶναι τὸ ἐκτενὲς συμπέρασμα τοῦ βιβλίου (σ. 211 ἑξ.), τὸ ὁποῖον παρουσιάζεται τόσον εἰς ἀγγλικήν, ὅσον καὶ εἰς ἑλληνικὴν γλῶσσαν. Ἐν τῷ Συμπεράσματι τούτῳ, ἐκτὸς τῶν ἄλλων, τονίζονται τὰ ἑξῆς: «*Ἡ Χριστιανικὴ Ἐκκλησία ἱδρύθηκε ἀπὸ Ἰουδαίους καὶ παραδόθηκε στοὺς Ἕλληνες, οἱ ὁποῖοι μὲ τὴ σειρά τους τὴν παρέδωσαν στὴν οἰκουμένη. Τόσον οἱ Ἀπόστολοι τοῦ Κυρίου, ὅσον καὶ οἱ πρῶτοι Χριστιανοὶ ἦσαν Ἰουδαῖοι ἢ ἑλληνίζοντες Ἰουδαῖοι ἤ, ὅπως εἶναι γνωστοί, ἑλληνιστὲς Ἰουδαῖοι, μὲ πρῶτο τὸν Μεγάλο Ἀπόστολο Παῦλο...*» (σσ. 212-213). Ἐν τῷ αὐτῷ Συμπεράσματι τονίζεται ὅτι οἱ Ἕλληνες καὶ οἱ Ἰουδαῖοι εἶχον πάντοτε ἀγαθὰς σχέσεις καὶ ὅτι «*οἱ Ἕλληνες δὲν ἔχουν καμιὰ εὐθύνη γιὰ τὸν ἀντισημιτισμὸ ποὺ διετρανώθη στὴ Σύνοδο τοῦ Λατερανοῦ τὸ 1215, οὔτε γιὰ τὸν ἀντιεβραϊσμὸ τοῦ Ἐθνικοσοσιαλισμοῦ... Ἡ Ἑλληνικὴ Ἐκκλησία συμπεριφέρθηκε πρὸς τοὺς καταδιωκομένους Ἑβραίους, διαρκοῦντος τοῦ Β΄ Παγκοσμίου Πολέμου, ὅπως καὶ στὸ παρελθόν, ἀδελφικὰ καὶ προστατευτικά... Ὁ Ἑλληνισμός, χωρὶς νὰ παραβλέπει τὸ πρόβλημα τῆς θρησκευτικῆς διαφορᾶς του μὲ τοὺς Ἑβραίους, δύναται νὰ προχωρήσει πέρα ἀπὸ τὰ θρησκευτικὰ προβλήματα καὶ νὰ βοηθήσει μὲ τὶς γέφυρες ποὺ ἔχει δημιουργήσει μὲ τοὺς Ἑβραίους ἀποτελεσματικώτερα στὴν προσέγγιση Χριστιανῶν καὶ Ἑβραίων*» (σσ. 219-220).

Τὸ περὶ οὗ ὁ λόγος ἔργον τοῦ Σεβ. Μητροπολίτου Πισιδίας κ. Μεθοδίου, εἰς τὴν μελέτην λεπτομερειῶν τοῦ ὁποίου συντελεῖ τὰ μέγιστα τὸ Γενικὸν Εὑρετήριον αὐτοῦ (σσ. 225-240), ἐκ νέου οὐ μόνον προβάλλει τὴν εὐρύτητα τῆς σκέψεως καὶ τὴν εὐστροφίαν τοῦ κριτικοῦ στοχασμοῦ τοῦ συγγραφέως, ἀλλὰ καὶ τὴν ἀξιοθαύμαστον εὐκινησίαν αὐτοῦ εἰς τοὺς χώρους τῆς σχετικῆς ξένης καὶ ἑλληνικῆς βιβλιογραφίας. Ἐκ τῆς τελευταίας ταύτης ἐπόψεως τὸ ἔργον, ὡς καὶ ἄλλα παρόμοια ἐξ ἐπόψεως εἰδολογικῆς ἔργα αὐτοῦ (πρβλ. τὰ ἔργα: «*Ἕλληνες καὶ Λατῖνοι*», «*Τὸ ἑλληνικὸ ὑπόβαθρο τοῦ Ἰσλαμισμοῦ*» *κ.ἄ.)*, εἶναι ἀληθῶς μνημειῶδες, διότι παρουσιάζει τὴν βιβλιογραφίαν ταύτην συγκεντρωμένην κατὰ τρόπον ἐξασφαλίζοντα καὶ τὴν ὑπὸ τῶν μελετητῶν τοῦ μέλλοντος χρῆσιν αὐτῆς. Ὁ σ. δὲν παραθέτει ἁπλῶς τὴν βιβλιογραφαν ταύτην, ἀλλὰ καὶ τὴν χρησιμοποιεῖ εἰς πλάτος καὶ βάθος κατὰ τρόπον διονυχιστικόν, κριτικὸν καὶ ὑποβηθοῦντα τὴν ἱστορικογενετικὴν σύνδεσιν τῶν ἱστορικῶν γεγονότων. Αἱ ἐκτενεῖς ὑποσημειώσεις τοῦ βιβλίου δημιουργοῦν σημαντικὰς προοπτικὰς διὰ περαιτέρω ἱστορικὰς μελέτας καὶ διὰ τὴν ὑπερακοντίζουσαν τὰ ἱστορικὰ πλαίσια συστηματικὴν εἰς ὀργανικὰς ὁλότητας κατάταξιν ἐν τῷ μέλλοντι ἀφ' ἑνὸς τοῦ πηγαίου ὑλικοῦ καὶ ἀφ' ἑτέρου τῶν συμπερασμάτων τόσον ἐξ ἰδίου στοχασμοῦ, ὅσον καὶ ἐκ τῆς κριτικῆς ἀξιολογήσεως τῆς σκέψεως ἄλλων παλαιοτέρων καὶ νεωτέρων συγγραφέων.

Ἡ συστηματοποίησις αὕτη, ὡς σαφῶς ἐπισημαίνει ὁ σ. ἐν τῷ «*Συμπεράσματι*», θὰ ὑποβοηθήσῃ τόσον τὸν διάλογον καὶ τὴν προσέγγισιν Χριστιανῶν καὶ Ἰουδαίων, ὅσον καὶ τὸν ἀντίστοιχον προσανατολισμὸν τῆς διεθνοῦς Πολιτικῆς, ἐντὸς τῶν πλαισίων τῆς ὁποίας αἱ ἑλληνικαὶ πρωτοβουλίαι δὲν πρέπει νὰ «*προληφθοῦν*» (σ. 220), ἀλλὰ νὰ προηγηθοῦν κατὰ πρωτοπορειακὸν τρόπον.

Αἱ πρωτοβουλίαι αὗται θὰ ἔχουν τὴ δικαίωσιν αὐτῶν εἰς τὸ γεγονός, ὅτι –κατὰ τὴν ἀξίαν ἰδιαιτέρας προσοχῆς ἐπισήμανσιν τοῦ Winston Churchill, τὴν ὁποίαν ὁ Σεβ. σ. παραθέτει τόσον πρὸ τοῦ Προλόγου, ὅσον καὶ ἐπὶ τοῦ ἐξωφύλλου,– *«δὲν ὑπάρχουν δύο ἄλλες πόλεις ποὺ νὰ ἔχουν παίξει τὸ ρόλο τῶν Ἀθηνῶν καὶ τῆς Ἱερουσαλήμ. Τὸ μήνυμα, ποὺ μᾶς μετέδωσαν στὴ Θρησκεία, στὴ Φιλοσοφία καὶ στὴν Τέχνη, εἶναι φάρος στὴν πίστη καὶ στὴν σύγχρονη πνευματικὴ καλλιέργεια... Ἐξακολουθοῦν ν' ἀποτελοῦν πάντοτε στὸν κόσμο τοῦ σήμερα ζωντανὲς καὶ ὅλο σφρίγος ἑνότητες καὶ δυνάμεις, ποὺ μάχονται μὲ ἀσίγαστη ὁρμή»*.

ΕΥΑΓΓΕΛΟΣ Δ. ΘΕΟΔΩΡΟΥ

Μεθοδίου Γ. Φούγια, Μητροπολίτου Πισιδίας, πρώην Ἀρχιεπισκόπου Θυατείρων καὶ Μεγάλης Βρετανίας, *Ἡ Ἑλληνιστικὴ Ἰουδαϊκὴ Παράδοση*, «Νέα Σύνορα» Α. Α. Λιβάνη, Ἀθήνα 1995, σσ. 240, σχ. 20,5Χ14 ἑκ.

Τὸ νέον τοῦτο ἔργον τοῦ πολυγραφωτάτου Σεβ. Μητροπολίτου Πισιδίας κ. Μεθοδίου, ὅπερ ἀποτελεῖ προφανῶς συμπλήρωσιν καὶ ὁλοκλήρωσιν τοῦ ἐν τῇ προηγουμένῃ βιβλιοκρισίᾳ παρουσιαζομένου ἔργου *«Ἑλληνισμὸς καὶ Ἰουδαϊσμός»*, ἀναφέρεται εἰδικώτερον εἰς τὴν Ἑλληνιστικὴν Ἰουδαϊκὴν Παράδοσιν καὶ περιέχει τὰ ἑξῆς:

Μετὰ τὰ Προλεγόμενα καὶ τὴν Εἰσαγωγήν, παρουσιάζονται ὁ Μ. Ἀλέξανδρος ὡς ἐμπνευστὴς τῆς Ἑλληνιστικῆς περιόδου (σσ. 41 ἑξ.)· ἡ πνευματικὴ ζωὴ τῶν Ἰουδαίων κατὰ τὴν ἐποχὴν ταύτην (σσ. 55 ἑξ.)· αἱ ἄμεσοι ἐπιδράσεις τῆς ἑλληνικῆς σκέψεως εἰς τὰ βιβλία τῆς Π.Δ. (σσ. 85 ἑξ.)· ἡ ὑπὸ τῶν Ἰουδαίων υἱοθεσία ἑλληνικῶν ὅρων καὶ λέξεων (σσ. 93 ἑξ.)· ἡ ἑλληνικὴ γλῶσσα ἐν Ἰουδαίᾳ καὶ Ἀλεξανδρείᾳ (σσ. 95 ἑξ.)· ἡ ἐπικράτησις τῆς *«κοινῆς»* γλώσσης (σσ. 105 ἑξ.)· ἡ ἀνάπτυξις τῆς ἀλληγορικῆς ἑρμηνευτικῆς μεθόδου (σσ. 110 ἑξ.)· τὸ Ταλμοὺδ ἐν σχέσει πρὸς τὴν ραβινικὴν βιβλικὴν ἐξήγησιν καὶ τὴν ἑλληνιστικὴν ρητορικὴν μέθοδον (σσ. 113 ἑξ.)· ἡ ἑλληνιστικὴ ἰουδαϊκὴ γραμματεία (σσ. 124 ἑξ.)· τὰ κατὰ τὴν ἑλληνιστικὴν περίοδον γραφέντα βιβλία τῆς Π.Δ. καὶ τῆς ἰουδαϊκῆς γραμματείας, ὡς καὶ περικοπαὶ τοῦ Φίλωνος καὶ τοῦ Ἰωσήπου περὶ τῆς μεταφράσεως τῶν Ο' (σσ. 132 ἑξ.)· περικοπαὶ τοῦ Ἰωσήπου καὶ τοῦ Μ. Φωτίου περὶ τοῦ Ἰούστου τῆς Τιβεριάδος (σσ. 139 ἑξ.)· ἡ ἑλληνιστικὴ ἰουδαϊκὴ γραμματεία τῆς Ἀλεξανδρείας (Δημήτριος, Ἀριστόβουλος, Εὐπόλεμος, Ἑκαταῖος, Ἰάσων ὁ Κυρηναῖος, Κλεόδημος ἢ Μάλχος, Ἕρμιππος Καλλιμαχίου, Ψευδώνυμος Ἀριστέας) (σσ. 141 ἑξ.)· ἡ ἑλληνικὴ παιδεία τοῦ Φίλωνος καὶ τοῦ Ἰωσήπου (σσ. 184 ἑξ.)· τὰ συμπεράσματα τοῦ Martin Hengel περὶ τοῦ Ἑλληνιστικοῦ Ἰουδαϊσμοῦ (σσ. 199 ἑξ.)· τὸ ζήτημα περὶ τοῦ ἐὰν ὑπάρχῃ ἀντισημιτισμὸς κατὰ τὴν ἑλληνιστικὴν ἐποχὴν (σσ. 209 ἑξ.) καὶ τὰ περὶ Σαδδουκαίων (σσ. 214 ἑξ.). Ἐν τοῖς Ἐπιλεγομένοις ὁ σ. εἰς ἑλληνικὴν καὶ ἀγγλικὴν γλῶσσαν συνοψίζει τὰ πορίσματα τῆς ἐρεύνης του καὶ καταλήγει ὡς ἑξῆς: *«Αὐτὸ τὸ ὁποῖο ἐπιδιώκω στὸ ἔργο τοῦτο ἦταν νὰ δώσω μιὰ εἰκόνα ἑνὸς πολιτισμοῦ ποὺ δημιουργήθηκε ἀπὸ τὴ συνάντηση Ἑλλήνων καὶ Ἰουδαίων, τὸν ὁποῖο μὲ τὴ σύνθεσή του αὐτὴ ὑποδέχθηκε ὁ ἑλληνικὸς καὶ ὅλος ὁ Χριστανισμός... Ἀπὸ τὴν ἑλληνιστικὴ ἐποχὴ προκύπτει αὐτὸ στὸ ὁποῖο καταλήγει ὁ Christoph Schäublin καὶ εἶναι ὅτι Rome und Jerusalem brauchten Athen, δηλαδή, ἡ Ρώμη καὶ ἡ Ἰερουσαλὴμ χρειάζονταν τὴν Ἀθήνα...».*

Ὁ σκοπὸς τοῦ περὶ οὗ ὁ λόγος ἔργου εἶναι ἡ κάλυψις κενῶν τινων, τὰ ὁποῖα δημιουργοῦνται ἐκ τοῦ γεγονότος, ὅτι —ὡς λέγει ὁ σ. ἐν τῇ Εἰσαγωγῇ - *«γιὰ διάφορους λόγους στὴν Ἑλλάδα δὲν ἔχει τονισθεῖ ἡ ἐπίδραση τῆς ἑλληνικῆς σκέψης σὲ μερικὰ βιβλία τῆς Παλαιᾶς Διαθήκης, οὔτε ἡ συγγραφὴ ἐπίσης ἄλλων στὴν ἑλληνικὴ γλῶσσα. Ἀκόμα δὲν ἔχει ἀρκούντως ἐπισημανθεῖ ἡ ἐπίδραση γενικότερα τῆς ἑλληνικῆς σοφίας καὶ τῆς ἑλληνικῆς γλώσσας στὸν ἑβραϊκὸ λαὸ»* (σ. 20). Τῷ ὄντι, ἡ ἐρευνητικὴ ἐργασία τοῦ Σεβ. Μητροπολίτου Πισιδίας κ. Μεθοδίου καθιστᾷ φανερὰν τὴν συμβολὴν τοῦ Μ. Ἀλεξάνδρου εἰς τὴν ἑνοποίησιν τοῦ κόσμου διὰ τῆς ἑλληνικῆς γλώσσης καὶ τοῦ ἑλληνικοῦ πολιτισμοῦ καὶ εἰς τὴν δημιουργίαν τῆς ἑλληνιστικῆς περιόδου, ἡ ὁποία συνεβάλετο τὰ μέγιστα εἰς τὴν ἱστορικὴν μετεξέλιξιν τῆς ἐθνικῆς καὶ πνευματικῆς ζωῆς τῶν Ἑβραίων.

Καὶ ἐν τῷ ἔργῳ τούτῳ τοῦ ἀκαταπονήτου Σεβ. Πισιδίας εἶναι ἔκδηλοι ἡ ἀξιοθαύμαστος εὐκινησία αὐτοῦ εἰς τοὺς χώρους τῆς σχετικῆς ἑλληνικῆς καὶ διεθνοῦς Βιβλιογραφίας, ἡ εὐρύτης τῆς σκέψεως καὶ τῶν πνευματικῶν ὁριζόντων του, ἡ ὀξύτης καὶ τόλμη τοῦ κριτικοῦ στοχασμοῦ του, ἡ διαλεκτικὴ ἱκανότης του καὶ ἡ ὑπ' αὐτοῦ ἐπισήμανσις τῶν διασυνδέσεων καὶ τῆς ἐντελεχείας τοῦ ἱστορικοῦ καὶ πολιτιστικοῦ γίγνεσθαι.

Αἱ ἀναγκαῖαι, συνδετικοῦ χαρακτῆρος, ἐπαναλήψεις εἰς τὰ δύο συνεχόμενα, ἀλληλοσυμπληρούμενα καὶ ἀλληλοπεριχωρούμενα ἔργα τοῦ Σεβ. Μητροπολίτου ἀποτελοῦν οἱονεὶ τὸν μίτον τῆς Ἀριάδνης, ὅστις καθοδηγεῖ ἡμᾶς εἰς τὸν λαβύρινθον τῆς μνημονευθείσης Βιβλιογραφίας, διὰ νὰ ἀντικρύσωμεν τὴν ἱστορικὴν ἀλήθειαν, ἡ ὁποία ἐπιγραμματικῶς παρουσιάζεται ἐπὶ τοῦ ἐξωφύλλου τοῦ δευτέρου ἐκ τῶν ὡς ἄνω παρουσιαζομένων δύο βιβλίων: *«Ἕνα μικρὸ καὶ ἀπομονωμένο ἔθνος, μονοθεϊστικὸ ἀλλὰ ἐσωστρεφές, μὲ τὴν υἱοθεσία τῆς ἑλληνικῆς γλώσσας καὶ τοῦ ἑλληνικοῦ πολιτισμοῦ διευρύνει τὴ διασπορά του καὶ τὴν πνευματικὴ κληρονομιά του καὶ καθίσταται παγκόσμια θρησκευτικὴ ἀφετηρία... Ἡ ἱστορία καὶ οἱ ἀρετὲς τῶν Ἑβραίων προβαλλονται μὲ τὴ συγγραφὴ θρησκευτικῶν, ἱστορικῶν, ἀπολογητικῶν καὶ φιλοσοφικῶν ἔργων στὴν ἑλληνικὴ γλῶσσα...».*

Ἂς ἐπιτραπῇ νὰ προσθέσωμεν ὅτι τὸ κατ' ἐνδελεχῆ καὶ κριτικὸν τρόπον προσφερόμενον ὑπὸ τοῦ συγγραφέως ἱστορικοφιλολογικὸν ὑλικὸν δύναται καὶ πρέπει νὰ χρησιμεύσῃ ὡς ἐφαλτήριον διὰ τὴν περαιτέρω συστηματικὴν καὶ συγκριτικήν, καθ' ὕλην ἢ κατὰ περιεχόμενον, ἐξέτασιν τῶν συστοίχων, ἀντιστοίχων, ὁμολόγων, ὁμογενῶν καὶ ὁμοιογενῶν σημείων τῆς θεολογικῆς, σωτηριολογικῆς, κοσμοθεωρητικῆς, βιοθεωρητικῆς καὶ λοιπῆς διδασκαλίας τοῦ Ἑλληνισμοῦ, τοῦ Ἰουδαϊσμοῦ καὶ τοῦ Χριστιανισμοῦ. Μία τοιαύτη ἐξέτασις θὰ ὑποβοηθήσῃ σημαντικῶς τὸν διαθρησκειακὸν διάλογον καὶ θὰ συντελέσῃ ἀφ' ἑνὸς εἰς τὸ νὰ εἶναι ἐπιτυχὴς ἡ σαφὴς ὁριοθέτησις τόσον τῶν κοινῶν σημείων, ὅσον καὶ τῶν διαφορῶν τῶν σχετικῶν παραδόσεων καὶ ἀφ' ἑτέρου εἰς τὸ νὰ προβληθῇ ἡ εἰδοποιὸς διαφορὰ καὶ ὑπεροχὴ τῆς ἐν Χριστῷ Θείας Ἀποκαλύψεως, τὴν ὁποίαν εἶχεν ὑπ' ὄψιν του ὁ ἰουδαῖος Ἀπ. Παῦλος, ὅταν ἐκήρυττε *«Χριστὸν Ἐσταυρωμένον, Ἰουδαίοις μὲν σκάνδαλον, Ἕλλησι δὲ μωρίαν» (Α' Κορ.* α', 23) καὶ ὅτι *«θεμέλιον ἄλλον οὐδεὶς δύναται θεῖναι παρὰ τὸν κείμενον, ὅς ἐστιν Ἰησοῦς Χριστός» (Α' Κορ.* γ', 11).

ΕΥΑΓΓΕΛΟΣ Δ. ΘΕΟΔΩΡΟΥ

Ο ΜΗΤΡΟΠΟΛΙΤΗΣ ΠΑΤΡΩΝ

ΝΙΚΟΔΗΜΟΣ

Ἀγαπητέ μου Δεσπότη,

Ὁ Κύριος νά εὐλογῇ τόν ὀξυγράφον κάλαμόν σας.

Εὐχαριστῶ διά τήν λῆψιν καί τοῦ νέου πονήματός σας «Ἑλληνισμός καί Ἰουδαϊσμός». Καί σᾶς εὔχομαι, κατά τό εὐαγγελικόν, ὡς «γραμματεύς μαθητευθείς εἰς τήν βασιλείαν τῶν οὐρανῶν (νά εἶσθε) ὅμοιος ἀνθρώπῳ οἰκοδεσπότῃ, ὅστις ἐκβάλλει ἐκ τοῦ θησαυροῦ αὐτοῦ καινά καί παλαιά» (Ματθ. 13.52)

Καλόν Πάσχα.
Μέ πολλήν ἐν Χῷ Ἀναστάντι ἀγάπην

† ὁ Π. Νικόδ.
7-4-'95

Ἑλληνισμός καί Ἰουδαϊσμός

Τούς ἱστορικούς σταθμούς ἀνάμεσα σέ δύο λαούς μέ πολλά κοινά σημεῖα, τούς Ἕλληνες καί τούς Ἑβραίους, ἐξετάζει ἡ ἱστορική καί φιλοσοφική μελέτη τοῦ Μεθοδίου Γ. Φούγια «Ἑλληνισμός καί Ἰουδαϊσμός» (εκδ. «Νέα Σύνορα») που μόλις κυκλοφόρησε. Ο συγγραφέας εἶναι ἐν ἐνεργείᾳ Μητροπολίτης Πισιδίας τοῦ Οἰκουμενικοῦ Πατριαρχείου, πρώην Ἀρχιεπίσκοπος Θυατείρων καί Μεγάλης Βρετανίας, μέ μεγάλη κοινωφελή, πνευματική καί συγγραφική δράση καί στήν προκειμένη μελέτη ἐξετάζει διεισδυτικά τή συνύπαρξη καί ἀλληλεπίδραση Ἑλλήνων καί Ἑβραίων ἀπό τήν ἀρχαιότητα ἕως σήμερα στήν εὐρύτερη περιοχή τῆς Ἀνατολικῆς Μεσογείου.

Ἐφημερίδα, Ἡ **Καθημερινή**, 30 Μαρτίου 1995.

ΚΕΝΤΡΙΚΟ ΙΣΡΑΗΛΙΤΙΚΟ ΣΥΜΒΟΥΛΙΟ ΕΛΛΑΔΟΣ

ΓΡΑΦΕΙΑ: ΣΟΥΡΜΕΛΗ 2
104 39 ΑΘΗΝΑ

ΤΗΛΕΓΡ. ΔΙΕΥΘ. "ΚΕΝΙΣΡΑΗΛ" - ΑΘΗΝΑ
ΤΗΛΕΦ. 883-9951-3
TELEX: 225110
TELEFAX: (01) 8234488

Αριθ. Πρωτ. 316

Σεβασμιώτατο
Μητροπολίτη Πισιδίας
Κύριο Κύριο Μεθόδιο Φούγια
Ρ. Φεραίου 9
152 32 - Χαλάνδρι

6 Απριλίου, 1995

Σεβασμιώτατε,

Σας ευχαριστώ θερμά για την αποστολή του τιμητικού αντιτύπου του βιβλίου σας «Ελληνισμός και Ιουδαϊσμός».

Το βιβλίο σας κερδίζει από την αρχή το ενδιαφέρον του αναγνώστη και το διατηρεί αμείωτο ως την τελευταία σελίδα.

Πρόκειται για εργασία επιστημονικά δομημένη που βασίζεται στην αξιοποίηση σχετικών βιβλιογραφικών πηγών και σε πλούσιο και αποκαλυπτικό αρχειακό υλικό.

Είναι πραγματικά μία σημαντική εργασία ουσιαστικής συνεισφοράς στην πληρέστερη μελέτη της τεράστιας και μοναδικής συμβολής των δύο αυτών λαών στην ιστορία της ανθρωπότητος.

Μετά Σεβασμού

Ο Γεν. Γραμματέας

Μωϋσής Κωνσταντίνης

Μια πρόσφατη συμβολή στις ελληνοϊουδαϊκές σχέσεις

Μεθόδιος Γ. Φούγιας (μητροπολ. Πισιδίας), **Ελληνισμός και Ιουδαϊσμός: ιστορικοί σταθμοί στις σχέσεις Ελλήνων και Ιουδαίων**, Αθήνα, Νέα Σύνορα- Λιβάνης, 1995, σσ. 239.

Ένα χρόνο μετά τη συλλογή μελετών του περί του ελληνικού υποβάθρου του "Ισλαμισμού" (βλ. σχετικά στη **Νέα Εστία**, τόμ. 137/1623, 15-2-1995, σ. 262), ο πολυγραφότατος συγγρ. (κυριότερα βιβλία του: **Ιστορία... Έκκλησίας Κορίνθου**, 1968, **Χριστιανισμός και Ιουδαϊσμός εν Αιθιοπία, Νουβία και Μερόπη**, Α'-Β', 1979-82, **Έλληνες και Λατίνοι**, 1990, **Εισαγωγή εις τον Μέγαν Φώτιον**, 1990), σε σειρά κεφαλαίων με διαχρονική εξέταση των ελληνοϊουδαϊκών επαφών και σχέσεων (χωρίς όμως, πάντοτε, εσωτερική συνοχή μεταξύ τους) προωθεί το μήνυμα της ανάγκης για την επιβίωση των δύο ιστορικών λαών, Ελλήνων και Εβραίων. Τα είκοσι τρία κεφάλαια του έργου: Η προέλευση της ιουδαϊκής φυλής και ο Χριστιανισμός - Παράγοντες που συνέβαλαν στην παγκόσμια ακτινοβολία του Ιουδαϊσμού- Η Ιουδαϊκή Διασπορά - Ο εξελληνισμός των Ιουδαίων της Αλεξανδρείας - Έλληνες και οι Ιουδαίοι στην Αντιόχεια - Ταρσός, η ελληνοϊουδαϊκή πόλη - Η Αντιόχεια της Πισιδίας και οι κάτοικοί της - Οι Ιουδαίοι στις πόλεις της Μικράς Ασίας - Ο εξελληνισμός των Εβραίων - Η ελληνική γλώσσα και η ελληνική παιδεία στην Παλαιστίνη - Οι πηγές από τις οποίες άντλησαν οι Ιουδαίοι της ελληνικής επιστήμης - Οι ελληνιστές Ιουδαίοι - Η μετάφραση της Παλαιάς Διαθήκης στην ελληνική γλώσσα - Η επιστολή του Αριστέα - Τα βιβλία των Μακκαβαίων και ο διωγμός των Ιουδαίων - Ελληνιστική και ιουδαϊκή πολιτική φιλοσοφία - Η ιουδαϊκή φιλοσοφία: Φίλων και Ιώσηπος - Περί του έργου του Ιώσηπου ειδικότερα - Ιουδαϊσμός και Νεοπλατωνισμός - Ελληνισμός και Ιουδαϊσμός στο Βυζάντιο και την Ελλάδα - Αναγνώριση από τους Ισραηλίτες των υπηρεσιών των Ελλήνων για τη διάσωση των Εβραίων από τους ναζί - Το φρόνημα των Ελλήνων Ιουδαίων - Υπάρχει αντισημιτισμός στην Ελλάδα;

Το βιβλίο κλείνει με ειδικό παράρτημα (Ελληνιστές Ιουδαίοι και εξ εθνικών Έλληνες ιδρύουν τις Εκκλησίες Ιεροσολύμων και Αντιοχείας). Στα συμπεράσματα μεταξύ άλλων αναφέρεται ότι "εάν οι Ρωμαίοι δεν κατέστρεφαν την Ιερουσαλήμ το 70 π.Χ. και δεν ανάγκαζαν τους Ιουδαίους να διασπαρούν στον ελληνικό κόσμο, που τότε τελούσε υπό τους Ρωμαίους, ίσως η Ιερουσαλήμ να έμενε το κέντρο της Χριστιανικής Εκκλησίας, οπότε διαφορετική θα ήταν η οργάνωση και η επίδραση της Εκκλησίας στον κόσμο. Ίσως όλοι οι Ιουδαίοι να αποδέχονταν τη διδασκαλία του Κυρίου, όπως και οι πρώτοι Χριστιανοί Ιουδαίοι" (σ. 213). Και σ' άλλο σημείο: "Ο ελληνισμός... χωρίς να παραβλέπει το πρόβλημα της θρησκευτικής διαφοράς του με τους Εβραίους, δύναται να προχωρήσει πέρα από τα θρησκευτικά προβλήματα και να βοηθήσει με τις γέφυρες που έχει δημιουργήσει... στην προσέγγιση Χριστιανών και Εβραίων..." (σ. 220). . . . . . .

Ἀλέξης Γ.Κ. Σαββίδης

Βιβλιοφιλία, τχ 72. Ἀπρίλιος - Ἰούνιος 1996.

61. Στιγμιότυπο ἀπό τήν ἐνθρόνιση τοῦ Ἀρχιεπισκόπου Θυατείρων Μεθοδίου. Ἀριστερά ὁ Ἀρχιεπίσκοπος τοῦ Κατνέρμπουρυ καί δεξιά ὁ Καρδινάλιος τοῦ Westminster.

ΙΕ′

Ἡ Ἑλληνιστικὴ Ἰουδαϊκὴ Παράδοση,
Ἀθήνα 1995, σελ. 237.

Η ΕΛΛΗΝΙΣΤΙΚΗ ΙΟΥΔΑΪΚΗ ΠΑΡΑΔΟΣΗ

Μεθόδιος Γ. Φούγιας

Μητροπολίτης Πισιδίας

ΚΕΝΤΡΙΚΟ ΙΣΡΑΗΛΙΤΙΚΟ ΣΥΜΒΟΥΛΙΟ ΕΛΛΑΔΟΣ

ΓΡΑΦΕΙΑ: ΣΟΥΡΜΕΛΗ 2
104 39 ΑΘΗΝΑ

ΤΗΛΕΓΡ. ΔΙΕΥΘ. "ΚΕΝΙΣΡΑΗΛ" - ΑΘΗΝΑ
ΤΗΛΕΦ. 883-9951-3
TELEX: 225110
TELEFAX: (01) 8234488

Αριθ. Πρωτ. 991

10 Νοεμβρίου, 1995

Προς τον
Σεβασμιώτατο
Μητροπολίτη Πισιδίας
Κύριο Κύριο Μεθόδιο Φούγια
Ρήγα Φερραίου 9
152 32 - ΧΑΛΑΝΔΡΙ

Σεβασμιώτατε,

Επιστρέψας από ένα πολυήμερο ταξίδι βρήκα να με περιμένει το νέο σας βιβλίο, μια ομολογούμενη ευχάριστη έκπληξη για μένα.

Το σύγγραμμά σας, με τρόπο πραγματικά διεισδυτικό και διαφωτιστικό αναλύει μεθοδικά και αξιολογεί την επίδραση του Ελληνισμού επί του Ιουδαϊσμού.

Είναι αξιοσημείωτο ότι οι απόψεις και οι κριτικές σας εκτιμήσεις τεκμηριώνονται και θεμελιώνονται με πλούσιες σημειώσεις και παραπομπές.

Το βιβλίο αυτό είναι μια αποκαλυπτική προσέγγιση στους χώρους εκείνους όπου πλάθεται η θρησκευτική δημιουργία ως συνδετικός ιστός του Ελληνισμού με τον Ιουδαϊσμό, γιατί το θέμα της Ελληνιστικής εποχής είχε και έχει καθοριστική σημασία για τον Ιουδαϊσμό. Είναι πράγματι μια μνημειώδης εργασία, με την οποία θεμελιώνεται αδιάψευστα η τεκμηρίωση της ελληνιστικής ιουδαϊκής παράδοσης.

Με ιδιαίτερη τιμή και ευχαριστίες

Ο Γεν. Γραμματέας

Μωϋσής Κωνσταντίνης 3247927

ΓΕΝΙΚΟ ΕΠΙΤΕΛΕΙΟ ΕΘΝΙΚΗΣ ΑΜΥΝΑΣ
ΑΡΧΗΓΟΣ

Αθήνα, 4 Ιανουαρίου 1996

Μητροπολίτη Πισιδίας
κ. Μεθόδιο Γ.Φούγια
Ρήγα Φεραίου 9
152 32 ΧΑΛΑΝΔΡΙ

Σεβασμιώτατε

Ευχαριστώ θερμά για την τιμή να μου αφιερώσετε τα βιβλία Σας " Η ΕΛΛΗΝΙΣΤΙΚΗ ΙΟΥΔΑΪΚΗ ΠΑΡΑΔΟΣΗ" και "ΕΛΛΗΝΙΣΜΟΣ και ΙΟΥΔΑΪΣΜΟΣ".

Το σύνολο του σημαντικότατου έργου Σας, συγγραφικού και μη, υποδεικνύει το δρόμο προς την ειρηνική και αγαθή συνύπαρξη όλων των λαών, ανεξαρτήτως θρησκείας. Η πραγμάτωση αυτού του οράματος αποτελεί ανάγκη της εποχής μας, ως μόνη ελπίδα.

Ευλαβώς Σας εύχομαι για το 1996 υγεία και μακροημέρευση, ώστε να συνεχίσετε την μεγάλη προσφορά Σας προς τον άνθρωπο.

Ναύαρχος Χρήστος Λυμπέρης Π.Ν.

Μεθοδίου Γ. Φούγια, Μητροπολίτου Πισιδίας, πρώην Ἀρχιεπισκόπου Θυατείρων καὶ Μεγάλης Βρετανίας, *Ἡ Ἑλληνιστικὴ Ἰουδαϊκὴ Παράδοση*, «Νέα Σύνορα» Α. Α. Λιβάνη, Ἀθήνα 1995, σσ. 240, σχ. 20,5Χ14 ἐκ.

Τὸ νέον τοῦτο ἔργον τοῦ πολυγραφωτάτου Σεβ. Μητροπολίτου Πισιδίας κ. Μεθοδίου, ὅπερ ἀποτελεῖ προφανῶς συμπλήρωσιν καὶ ὁλοκλήρωσιν τοῦ ἐν τῇ προηγουμένῃ βιβλιοκρισίᾳ παρουσιαζομένου ἔργου *«Ἑλληνισμὸς καὶ Ἰουδαϊσμός»*, ἀναφέρεται εἰδικώτερον εἰς τὴν Ἑλληνιστικὴν Ἰουδαϊκὴν Παράδοσιν καὶ περιέχει τὰ ἑξῆς:

Μετὰ τὰ Προλεγόμενα καὶ τὴν Εἰσαγωγήν, παρουσιάζονται ὁ Μ. Ἀλέξανδρος ὡς ἐμπνευστὴς τῆς Ἑλληνιστικῆς περιόδου (σσ. 41 ἑξ.)· ἡ πνευματικὴ ζωὴ τῶν Ἰουδαίων κατὰ τὴν ἐποχὴν ταύτην (σσ. 55 ἑξ.)· αἱ ἄμεσοι ἐπιδράσεις τῆς ἑλληνικῆς σκέψεως εἰς τὰ βιβλία τῆς Π.Δ. (σσ. 85 ἑξ.)· ἡ ὑπὸ τῶν Ἰουδαίων υἱοθεσία ἑλληνικῶν ὅρων καὶ λέξεων (σσ. 93 ἑξ.)· ἡ ἑλληνικὴ γλῶσσα ἐν Ἰουδαίᾳ καὶ Ἀλεξανδρείᾳ (σσ. 95 ἑξ.)· ἡ ἐπικράτησις τῆς *«κοινῆς»* γλώσσης (σσ. 105 ἑξ.)· ἡ ἀνάπτυξις τῆς ἀλληγορικῆς ἑρμηνευτικῆς μεθόδου (σσ. 110 ἑξ.)· τὸ Ταλμοὺδ ἐν σχέσει πρὸς τὴν ραβινικὴν βιβλικὴν ἐξήγησιν καὶ τὴν ἑλληνιστικὴν ρητορικὴν μέθοδον (σσ. 113 ἑξ.)· ἡ ἑλληνιστικὴ ἰουδαϊκὴ γραμματεία (σσ. 124 ἑξ.)· τὰ κατὰ τὴν ἑλληνιστικὴν περίοδον γραφέντα βιβλία τῆς Π.Δ. καὶ τῆς ἰουδαϊκῆς γραμματείας, ὡς καὶ περικοπαὶ τοῦ Φίλωνος καὶ τοῦ Ἰωσήπου περὶ τῆς μεταφράσεως τῶν Ο' (σσ. 132 ἑξ.)· περικοπαὶ τοῦ Ἰωσήπου καὶ τοῦ Μ. Φωτίου περὶ τοῦ Ἰούστου τῆς Τιβεριάδος (σσ. 139 ἑξ.)· ἡ ἑλληνιστικὴ ἰουδαϊκὴ γραμματεία τῆς Ἀλεξανδρείας (Δημήτριος, Ἀριστόβουλος, Εὐπόλεμος, Ἑκαταῖος, Ἰάσων ὁ Κυρηναῖος, Κλεόδημος ἢ Μάλχος, Ἕρμιππος Καλλιμαχίου, Ψευδώνυμος Ἀριστέας) (σσ. 141 ἑξ.)· ἡ ἑλληνικὴ παιδεία τοῦ Φίλωνος καὶ τοῦ Ἰωσήπου (σσ. 184 ἑξ.)· τὰ συμπεράσματα τοῦ Martin Hengel περὶ τοῦ Ἑλληνιστικοῦ Ἰουδαϊσμοῦ (σσ. 199 ἑξ.)· τὸ ζήτημα περὶ τοῦ ἐὰν ὑπάρχῃ ἀντισημιτισμὸς κατὰ τὴν ἑλληνιστικὴν ἐποχὴν (σσ. 209 ἑξ.) καὶ τὰ περὶ Σαδδουκαίων (σσ. 214 ἑξ.). Ἐν τοῖς Ἐπιλεγομένοις ὁ σ. εἰς ἑλληνικὴν καὶ ἀγγλικὴν γλῶσσαν συνοψίζει τὰ πορίσματα τῆς ἐρεύνης του καὶ καταλήγει ὡς ἑξῆς: ***«Αὐτὸ τὸ ὁποῖο ἐπιδιώκω στὸ ἔργο τοῦτο ἦταν νὰ***

Περιοδικό **Θεολογία**, τομ. 66 (1995), σ. 835-837

δώσω μιὰ εἰκόνα ἑνὸς πολιτισμοῦ ποὺ δημιουργήθηκε ἀπὸ τὴ συνάντηση Ἑλλήνων καὶ Ἰουδαίων, τὸν ὁποῖο μὲ τὴ σύνθεσή του αὐτὴ ὑποδέχθηκε ὁ ἑλληνικὸς καὶ ὅλος ὁ Χριστανισμός... Ἀπὸ τὴν ἑλληνιστικὴ ἐποχὴ προκύπτει αὐτὸ στὸ ὁποῖο καταλήγει ὁ Christoph Schäublin καὶ εἶναι ὅτι Rome und Jerusalem brauchten Athen, δηλαδή, ἡ Ρώμη καὶ ἡ Ἱερουσαλὴμ χρειάζονταν τὴν Ἀθήνα...».

Ὁ σκοπὸς τοῦ περὶ οὗ ὁ λόγος ἔργου εἶναι ἡ κάλυψις κενῶν τινων, τὰ ὁποῖα δημιουργοῦνται ἐκ τοῦ γεγονότος, ὅτι —ὡς λέγει ὁ σ. ἐν τῇ Εἰσαγωγῇ - *«γιὰ διάφορους λόγους στὴν Ἑλλάδα δὲν ἔχει τονισθεῖ ἡ ἐπίδραση τῆς ἑλληνικῆς σκέψης σὲ μερικὰ βιβλία τῆς Παλαιᾶς Διαθήκης, οὔτε ἡ συγγραφὴ ἐπίσης ἄλλων στὴν ἑλληνικὴ γλῶσσα. Ἀκόμα δὲν ἔχει ἀρκούντως ἐπισημανθεῖ ἡ ἐπίδραση γενικότερα τῆς ἑλληνικῆς σοφίας καὶ τῆς ἑλληνικῆς γλώσσας στὸν ἑβραϊκὸ λαὸ»* (σ. 20). Τῷ ὄντι, ἡ ἐρευνητικὴ ἐργασία τοῦ Σεβ. Μητροπολίτου Πισιδίας κ. Μεθοδίου καθιστᾷ φανερὰν τὴν συμβολὴν τοῦ Μ. Ἀλεξάνδρου εἰς τὴν ἑνοποίησιν τοῦ κόσμου διὰ τῆς ἑλληνικῆς γλώσσης καὶ τοῦ ἑλληνικοῦ πολιτισμοῦ καὶ εἰς τὴν δημιουργίαν τῆς ἑλληνιστικῆς περιόδου, ἡ ὁποία συνεβάλετο τὰ μέγιστα εἰς τὴν ἱστορικὴν μετεξέλιξιν τῆς ἐθνικῆς καὶ πνευματικῆς ζωῆς τῶν Ἑβραίων.

Καὶ ἐν τῷ ἔργῳ τούτῳ τοῦ ἀκαταπονήτου Σεβ. Πισιδίας εἶναι ἔκδηλοι ἡ ἀξιοθαύμαστος εὐκινησία αὐτοῦ εἰς τοὺς χώρους τῆς σχετικῆς ἑλληνικῆς καὶ διεθνοῦς Βιβλιογραφίας, ἡ εὐρύτης τῆς σκέψεως καὶ τῶν πνευματικῶν ὁριζόντων του, ἡ ὀξύτης καὶ τόλμη τοῦ κριτικοῦ στοχασμοῦ του, ἡ διαλεκτικὴ ἱκανότης του καὶ ἡ ὑπ' αὐτοῦ ἐπισήμανσις τῶν διασυνδέσεων καὶ τῆς ἐντελεχείας τοῦ ἱστορικοῦ καὶ πολιτιστικοῦ γίγνεσθαι.

Αἱ ἀναγκαῖαι, συνδετικοῦ χαρακτῆρος, ἐπαναλήψεις εἰς τὰ δύο συνεχόμενα, ἀλληλοσυμπληρούμενα καὶ ἀλληλοπεριχωρούμενα ἔργα τοῦ Σεβ. Μητροπολίτου ἀποτελοῦν οἱονεὶ τὸν μίτον τῆς Ἀριάδνης, ὅστις καθοδηγεῖ ἡμᾶς εἰς τὸν λαβύρινθον τῆς μνημονευθείσης Βιβλιογραφίας, διὰ νὰ ἀντικρύσωμεν τὴν ἱστορικὴν ἀλήθειαν, ἡ ὁποία ἐπιγραμματικῶς παρουσιάζεται ἐπὶ τοῦ ἐξωφύλλου τοῦ δευτέρου ἐκ τῶν ὡς ἄνω παρουσιαζομένων δύο βιβλίων: *«Ἕνα μικρὸ καὶ ἀπομονωμένο ἔθνος, μονοθεϊστικὸ ἀλλὰ ἐσωστρεφές, μὲ τὴν υἱοθεσία τῆς ἑλληνικῆς γλώσσας καὶ τοῦ ἑλληνικοῦ πολιτισμοῦ διευρύνει τὴ διασπορά του καὶ τὴν πνευματικὴ κληρονομιά του καὶ καθίσταται παγκόσμια θρησκευτικὴ ἀφετηρία... Ἡ ἱστορία καὶ οἱ ἀρετὲς τῶν Ἑβραίων προβάλλονται μὲ τὴ συγγραφὴ θρησκευτικῶν, ἱστορικῶν, ἀπολογητικῶν καὶ φιλοσοφικῶν ἔργων στὴν ἑλληνικὴ γλῶσσα...».*

Ἂς ἐπιτραπῇ νὰ προσθέσωμεν ὅτι τὸ κατ' ἐνδελεχῆ καὶ κριτικὸν τρόπον προσφερόμενον ὑπὸ τοῦ συγγραφέως ἱστορικοφιλολογικὸν ὑλικὸν δύναται καὶ πρέπει νὰ χρησιμεύσῃ ὡς ἐφαλτήριον διὰ τὴν περαιτέρω συστηματικὴν καὶ συγκριτικήν, καθ' ὕλην ἢ κατὰ περιεχόμενον, ἐξέτασιν τῶν συστοίχων, ἀντιστοίχων, ὁμολόγων, ὁμογενῶν καὶ ὁμοιογενῶν σημείων τῆς θεολογικῆς, σωτηριολογικῆς, κοσμοθεωρητικῆς, βιοθεωρητικῆς καὶ λοιπῆς διδασκαλίας τοῦ Ἑλληνισμοῦ, τοῦ Ἰουδαϊσμοῦ καὶ τοῦ Χριστιανισμοῦ. Μία τοιαύτη ἐξέτασις θὰ ὑποβοηθήσῃ σημαντικῶς τὸν διαθρησκειακὸν διάλογον καὶ θὰ συντελέσῃ ἀφ' ἑνὸς εἰς τὸ νὰ εἶναι ἐπιτυχὴς ἡ σαφὴς ὁριοθέτησις τόσον τῶν κοινῶν σημείων, ὅσον καὶ τῶν διαφορῶν τῶν σχετικῶν παραδόσεων καὶ ἀφ' ἑτέρου εἰς τὸ νὰ προβληθῇ ἡ εἰδοποιὸς διαφορὰ καὶ ὑπεροχὴ τῆς ἐν Χριστῷ Θείας Ἀποκαλύψεως, τὴν ὁποίαν εἶχεν ὑπ' ὄψιν του ὁ ἰουδαῖος Ἀπ. Παῦλος, ὅταν ἐκήρυττε *«Χριστὸν Ἐσταυρωμένον, Ἰουδαίοις μὲν σκάνδαλον, Ἕλλησι δὲ μωρίαν» (Α' Κορ.* α', 23) καὶ ὅτι *«θεμέλιον ἄλλον οὐδεὶς δύναται θεῖναι παρὰ τὸν κείμενον, ὅς ἐστιν Ἰησοῦς Χριστός» (Α' Κορ.* γ', 11).

ΕΥΑΓΓΕΛΟΣ Δ. ΘΕΟΔΩΡΟΥ

ΙΕΡΑ ΜΗΤΡΟΠΟΛΙΣ ΠΑΤΡΩΝ
Τ. Θ. 2438
261 10 - ΠΑΤΡΑΙ

Ἐν Πάτραις τῇ 6 Νοεμβρίου 1995

Ἀριθ. Πρωτ.

Σεβασμιώτατε καί ἀγαπητέ ἐν Χῷ Ἀδελφέ,
ἅγιε Πισιδίας, Κύριε Μεθόδιε,
"Χαίρετε ἐν Κυρίῳ πάντοτε"

Μέ πολλήν χαράν, ὅπως πάντοτε, ἔλαβον καί τό νεότευκτον βιβλίον σας «Ἡ ἑλληνιστική Ἰουδαϊκή Παράδοσις», καρπόν καί τοῦτο τοῦ κόπου καί τῆς ἐπιστημοσύνης, μεθ' ὧν συνεχίζετε τήν προσφοράν σας εἰς τήν ἑλληνικήν ἐκκλησιαστικήν γραμματείαν καί τήν Θεολογίαν.

Εὔχομαι καί πάλιν πλουσίαν τήν ἄνωθεν ἐνίσχυσιν ἀπό τοῦ Πατρός τῶν φώτων, καί ἐπιχορήγησιν καί καρποφορίαν τῆς καλῆς ὑμῶν προσπαθείας, ἐπ' ἀγαθῷ καί εἰς δόξαν τῆς Ἐκκλησίας.

Ἀδελφικώτατα
† ὁ Πατρῶν Νικόδημος

ΑΔΕΛΦΟΤΗΣ ΘΕΟΛΟΓΩΝ
«Ο ΣΩΤΗΡ»
ΙΣΑΥΡΩΝ 42
114 72 ΑΘΗΝΑΙ
Τηλ. 36.22.108

Ἐν Ἀθήναις τῇ 6/11/95

Σεβασμιώτατον
Μητροπολίτην Πισιδίας
Κύριον κ. Μεθόδιον
Ρήγα Φεραίου 9
152 32 Χαλάνδριον

Σεβασμιώτατε,

Ἐλάβομεν καί τό νέον σας βιβλίον "Ἡ Ἑλληνιστική Ἰουδαϊκή Παράδοση", τό ὁποῖον εἴχετε τήν καλωσύνην νά ἀποστείλετε πρός τήν Ἀδελφότητά μας.

Εὐχαριστοῦμεν πολύ, διά τήν τιμητικήν προσφοράν καί τῆς νέας αὐτῆς ἐκδόσεώς Σας, ὅπως καί διά τήν πρός τήν Ἀδελφότητα ἡμῶν ἀγάπην Σας.

Εὐλαβῶς εὐχόμεθα, ὅπως ὁ Κύριος Σᾶς μακροημερεύῃ ἐν ὑγείᾳ καί δυνάμει καί εὐλογῇ πλουσίως τούς κόπους Σας, τόσον εἰς τόν ἐπιστημονικόν καί θεολογικόν τομέα, ὅσον καί εἰς τόν πνευματικόν καί οἰκοδομητικόν διά τήν ἐν Χριστῷ ὠφέλειαν τῶν Χριστιανῶν.

Ἐπί τούτοις, ἐκζητοῦντες τάς εὐχάς τῆς Ὑμετέρας Σεβασμιότητος καί ἀσπαζόμενοι τήν δεξιάν Σας, διατελοῦμεν

Μετά τῆς ἐν Κυρίῳ ἀγάπης
Διά τήν Ἀδελφότητα Θεολόγων "ὁ Σωτήρ"

Ἀρχιμ. Λεωνίδας Διαμαντόπουλος

Σεβασμιώτατε ἅγιε Ἀδελφέ,

Μετά πολλῆς χαρᾶς προάγομαι διά τῆς παρούσης ὅπως εὐχαριστήσω τήν ἀγάπην σας διά τήν πρόφρονα ἀποστολήν τοῦ καρποῦ τῶν πνευματικῶν ἐνασχολήσεών σας ὑπό τόν τίτλον " Ἡ Ἑλληνιστική Ἰουδαϊκή Παράδοση ", τό ὁποῖον καί μετά προσοχῆς διεξῆλθον.

Συγχαίρων διά τήν πνευματικήν προσφοράν ταύτην, εὔχομαι καί προσεύχομαι ὅπως ὁ Πανάγαθος Θεός κατευθύνῃ καί ἐνισχύῃ τήν ἀγάπην σας εἰς πᾶν ἔργον ἀγαθόν καί εὐάρεστον ἐπ' ἀγαθῷ τῆς Ὀρθοδόξου Ἐκκλησίας καί τῆς ἁγίας ἡμῶν Πίστεως.

Μετ' ἐγκαρδίων εὐχῶν

†ὁ Χαλκηδόνος Ἰωακείμ

+ὁ Χαλκηδόνος Ἰωακείμ

Χαλκηδών, 23.10.1995

Στά βάθη τῆς Παλαιστίνης

ΜΙΑ ἀπό τίς σημαντικές περιόδους τῆς ἰουδαϊκῆς ἱστορίας εἶναι αὐτή τῶν ἑλληνιστικῶν χρόνων (323 π.Χ. - 100 μ.Χ. περίπου). Τότε σημαντική μερίδα τῶν Ἑβραίων πού ζοῦν στήν Παλαιστίνη ἀλλά καί στή διασπορά, υἱοθετοῦν τήν ἑλληνική γλώσσα, κοινή τότε γιά ὅλη τήν Οἰκουμένη καί ἐγκολπώνονται τόν ἑλληνικό πολιτισμό. Τό γεγονός αὐτό τούς βοήθησε νά ξεφύγουν ἀπό τό περιθώριο τῆς παγκόσμιας ἱστορίας, νά ἀποτελέσουν μέρος της καί νά πετύχουν τή μεταξύ τους ἐπικοινωνία καί συνοχή. Κι αὐτό γιατί οἱ Ἑβραῖοι τῆς διασπορᾶς δέν γνώριζαν τήν Ἀραμαϊκή, ἐνῶ ἀντίθετα αὐτοί τῆς Παλαιστίνης στή μεγάλη τους πλειοψηφία μιλοῦσαν ἑλληνικά.

Γιά τήν περίοδο αὐτή, ὁ σεβ. μητροπολίτης Πισιδίας, πρ. Ἀρχιεπίσκοπος Θυατείων καί Μεγάλης Βρετανίας κ. Μεθόδιος Φούγιας ἔγραψε τό ἐνδιαφέρον βιβλίο **«Ἡ ἑλληνιστική ἰουδαϊκή παράδοση»** (ἐκδ. «Νέα Σύνορα» - Λιβάνη ΑΒΕ, Ἀθήνα 1995, σελ. 239). Πρόκειται γιά ἀξόπιστο ἐργαλεῖο πού βοηθάει νά ἀντιληφθεῖ ὁ ἀναγνώστης γιατί λ.χ. ἔγινε ἡ μετάφραση τῆς Παλαιάς Διαθήκης στά ἑλληνικά καί γιατί οἱ τόσες ἀναφορές γιά τούς Ἕλληνες στήν Καινή Διαθήκη. Σημειώνεται ἐξάλλου ὅτι εἶναι καί τό πρῶτο ἔργο στά ἑλληνικά πού ἀσχολεῖται μέ τόν τρόπο αὐτό γιά τήν ἐπίδραση τοῦ ἑλληνικοῦ πολιτισμοῦ στήν ἰουδαϊκή γραμματεία.

Ὁ **Τύπος τῆς Κυριακῆς** 21 Ἰαν. 1996.

ΠΑΓΚΟΣΜΙΑ ΝΕΑ

ΕΝΑ ΝΕΟ ΠΕΡΙΣΠΟΥΔΑΣΤΟΝ ΕΡΓΟΝ ΤΟΥ ΜΗΤΡΟΠΟΛΙΤΟΥ ΜΕΘΟΔΙΟΥ ΠΙΣΙΔΙΑΣ

Ἕνα νέο ἔργο ἐξέδωσε ὁ ὀτρηρός ἐργάτης τοῦ πνεύματος κ. Μεθόδιος Γ. Φούγιας Μητροπολίτης Πισιδίας καί πρώην Ἀρχιεπίσκοπος Θυατείρων καί Μεγάλης Βρεττανίας μέ τόν τίτλον **«ΕΛΛΗΝΙΣΤΙΚΗ ΙΟΥΔΑΪΚΗ ΠΑΡΑΔΟΣΗ»**.

Εἶναι γεγονός ὅτι, ὁ Συγγραφεύς τοῦ νέου αὐτοῦ ἔργου προκαλεῖ ἐνδιαφέρον ἀλλά καί ἐντύπωση τόσω μᾶλλον πού ἀναφέρεται σέ μιά περίοδο ἄγνωστη διά πολλούς.

Συγκεκριμένα ἀσχολεῖται μέ ἕνα θέμα πού μᾶς προβληματίζει ὁσάκις καταπιανώμεθα μέ ζητήματα πού ξεπερνοῦν τίς γνώσεις μας, καί πού μᾶλλον εἶναι τῆς ἁρμοδιότητος εἰδικῶν ἐπιστημῶν.

Δι᾽ αὐτό θά ἀρκεσθοῦμε στά «Προλεγόμενα» τοῦ Βιβλίου μέ τά ὁποία ὁ Μητροπολίτης Μεθόδιος μᾶς δίδει ἕνα ἀκόμα δεῖγμα τῆς συγγραφικῆς του ἱκανότητας καί τῶν γνώσεών του, πάνω σέ θέματα λίαν ἐνδιαφέροντα κυρίως γιά ἐκείνους πού ἀσχολοῦνται μέ τά φιλοσοφικά θέματα τῆς Θεολογίας.

Μέ τό ἀνα χείρας ἔργο του ὁ Μητροπολίτης Μεθόδιος διαφωτίζει, διδάσκει, πλουτίζει τίς γνώσεις τοῦ Μελετητοῦ.

Κατωτέρω Δημοσιεύουμε τά Προλεγόμενα πού προτάσει τοῦ ἔργου του ὁ ὀτρηρός Συγγραφεύς.

Μέ τήν κατωτέρω δημοσίευση ὁ ἀναγνώστης ἐνημερώνεται καί ὁμολογοῦμε ὅτι θαυμάζει τόν Μητροπολίτη Μεθόδιο διά τά ὅσα ἀναφέρει στό βιβλίο του.

Ἐφημερίδα **Φῶς** τοῦ Καΐρου 10 Ἰαν. 1996

*** Μεθοδίου Γ. Φούγια: «Ἡ Ἑλληνιστική Ἰουδαϊκή Παράδοση»** *(Ἐκδόσεις «Νέα Σύνορα» Α.Α. Λιβάνη, Ἀθήνα 1995)*

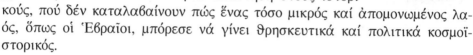

Ἡ μελέτη αὐή τοῦ Ἐπισκόπου Πισιδίας ἀφορᾶ τίς ἐπιδράσεις τοῦ Ἑλληνισμοῦ ἐπί τοῦ Ἰουδαϊσμοῦ, μελέτη πού θά φανεῖ χρησιμότατη στίς ἐποικοδομητικές σχέσεις ἀνάμεσα στούς λαούς τῆς Ἑλλάδος καί τοῦ Ἰσραήλ.

Αὐτή εἶναι ἡ ἄποψη τοῦ συγγραφέα, ὁ ὁποῖος ταυτόχρονα προσπαθεῖ νά δώσει μιά ἀπάντηση στούς ἱστορικούς, πού δέν καταλαβαίνουν πώς ἕνας τόσο μικρός καί ἀπομονωμένος λαός, ὅπως οἱ Ἑβραῖοι, μπόρεσε νά γίνει θρησκευτικά καί πολιτικά κοσμοϊστορικός.

Τό βιβλίο εἶναι συνέχεια τοῦ «Ἑλληνισμός καί Ἰουδαϊσμός» καί τά βοηθήματα καί οἱ πηγές εἶναι πλούσια, ὅσα σχεδόν καί στό προηγούμενο. Αὐτό ἀπό μόνο του πείθει γιά τό ἐμπεριστατωμένο τῆς μελέτης, καθώς καί ἡ πληρότητα τοῦ συγγραφέα, ἀπό ἐπιστημολογικῆς κυρίως ἀπόψεως.

Χρονικά τοῦ Κεντρικοῦ Ἰσραηλιτικοῦ Συμβουλίου Ἑλλάδος, Ἰαν. - Φεβρ. 1996, σελ. 18.

62. Μέ τόν 'Αντιπρόεδρο τῆς Ἑλληνικῆς Κυβέρνησης ἀείμνηστο Κ. Παπακωνσταντίνου, συμπολίτη μου καί πιό φωτεινό πολιτικό νοῦ τοῦ δεύτερου ἡμίσεως τοῦ 20οῦ αἰῶνα.

Μεθοδίου Γ. Φούγια, Η Ελληνική Ιουδαϊκή Παράδοση, εκδ. Νέα Σύνορα - Α.Α. Λιβάνη, Αθήνα 1995, σσ. 238.

Ένας λαός που ευνοήθηκε και ευεργετήθηκε από την ελληνική γλώσσα και τον ελληνικό πολιτισμό γενικότερα, ήταν και ο Εβραϊκός. Κατάφερε με τον τρόπο αυτό να εισέλθει στην παγκόσμια Ιστορία και να βγει από την απομόνωσή του, χάρη στις δυνατότητες που απέκτησε από τα δύο αυτά στοιχεία. Είναι ο λαός αυτός, που ωφελήθηκε περισσότερο απ' όλους τους λαούς, με τους οποίους συναντήθηκε ο Μ. Αλέξανδρος και οι διάδοχοί του.

Αυτές, λοιπόν, οι διαπιστώσεις και άλλα συναφή θέματα απασχολούν τον Σεβασμιώτατο κ. Μεθόδιο Γ. Φούγια, Μητροπολίτη Πισιδίας και πρώην Αρχιεπίσκοπο Θυατείρων και Μεγάλης Βρετανίας, στο νέο του βιβλίο "Η Ελληνική Ιουδαϊκή Παράδοση". Ο πολυγραφότατος ιεράρχης, με τη βαθιά θεολογική και ιστορική του κατάρτιση, με την άνεσή του να κινείται στη διεθνή βιβλιογραφία αλλά και με την οικουμενική όραση του κόσμου και των πραγμάτων που διαθέτει, φωτίζει ένα χώρο επιστημονικά δυσπρόσιτο και εξαιρετικά ενδιαφέροντα.

Το βιβλίο αυτό είναι, θα λέγαμε, φυσική συνέχεια του βιβλίου του "Ελληνισμός και Ιουδαϊσμός", Έκδ. Νέα Σύνορα - Α.Α. Λιβάνη, Αθήνα 1995, σσ. 239. Κοντά σ' αυτά, πρέπει να αναφέρουμε και δύο προηγούμενα βιβλία του "Το Ελληνικό υπόβαθρο του Χριστιανισμού" (1992) και "Το Ελληνικό υπόβαθρο του Ισλαμισμού". Και τα 4 αυτά βιβλία αποκαλύπτουν τη μεγάλη προσφορά του

Ελληνισμού στις θρησκείες και τους λαούς που άντλησαν από αυτόν: Χριστιανισμό, Μουσουλμανισμό, Ιουδαϊσμό. Εντούτοις, η προσφορά αυτή του Ελληνισμού αγνοείται ηθελημένα ή αθέλητα ή υποβαθμίζεται ή παρερμηνεύεται από αρκετούς. Για το λόγο αυτό, η παραπάνω σειρά των 4 βιβλίων είναι **μια μαρτυρία ιστορικής αλήθειας, ένας ύμνος στο ελληνικό πνεύμα και στην οικουμενική του διάσταση.**

"Η Ελληνιστική Ιουδαϊκή Παράδοση" αποτελείται από τις εξής ενότητες: Προλεγόμενα. Εισαγωγή. Πηγές. Ο Μέγας Αλέξανδρος εμπνευστής της Ελληνιστικής Περιόδου. Τα επιστημονικά επιτεύγματα της Ελληνιστικής Περιόδου που επηρέασαν τους Ιουδαίους. Η πνευματική ζωή των Ιουδαίων στην Ελληνιστική Εποχή. Άμεσες επιδράσεις σε βιβλία της Π.Δ. από την ελληνιστική σκέψη. Η υιοθεσία από τους Ιουδαίους ελληνικών όρων και λέξεων. Η ελληνική γλώσσα στην Ιουδαία. Η ελληνική γλώσσα στην Αλεξάνδρεια. Η επικράτηση της Κοινής. Περί της αλληγορικής μεθόδου. Το Ταλμούδ. Η ελληνιστική ιουδαϊκή γραμματεία. Βιβλία της Π.Δ. και της Ιουδαϊκής γραμματείας τα οποία εγράφησαν κατά την Ελληνιστική Περίοδο. Η Ελληνιστική Ιουδαϊκή Γραμματεία της Αλεξανδρείας. Η ελληνική παιδεία του Φίλωνος. Ο Ιώσηπος και η ελληνική παιδεία του. Ελληνιστικός Ιουδαϊσμός. Τα συμπεράσματα του Μ. Hengel. Υπήρξε αντισημιτισμός κατά την Ελληνιστική Εποχή; Οι Σαδουκαίοι. Επιλεγόμενα. Ευρετήριο.

Το νέο βιβλίο του Σεβασμιωτάτου Πισιδίας μάς δίνει πολύ ουσιαστικά στοιχεία για τον τρόπο αλλά και το βαθμό, που ο ελληνιστικός πολιτισμός επέδρασε στους Εβραίους, όχι βέβαια για να αλλάξει τη φυσιογνωμία τους, αλλά για να τους εφοδιάσει με τις δυνάμεις εκείνες, που τους ήσαν απαραίτητες για την πνευματική τους ζωή και για την παραπέρα ιστορική τους πορεία. Οι διαπιστώσεις του συγγραφέα είναι εξόχως ενδιαφέρουσες και δίνουν την ευκαιρία και τη δυνατότητα για μια καλύτερη προσέγγιση και αναθεώρηση αρκετών προκαταλήψεων και παρεξηγήσεων, που συνοδεύουν την ιστορική πορεία των δύο λαών. Ενδιαφέρουσα η διαπίστωση ότι η λέξη **"Ελληνισμός"** απαντά για πρώτη φορά στο Β' Μακκαβαίων (4,13), (σελ. 217).

Πέρα από την επιστημονική του αξία, το βιβλίο αυτό είναι μια σπουδαία συμβολή στην αλληλογνωριμία και στη φιλία των δύο λαών σήμερα και θα πρέπει να αξιοποιηθεί κατάλληλα από την εξωτερική μας πολιτική.

Αριστείδης Δουλαβέρας Δρ. Φ.

Δελτίο Ιδρύματος Κορινθιακών Μελετών τεύχος 19 (1996), σελ. 104-105.

Μεθοδίου Γ. Φούγια, Μητροπολίτου Πισιδίας, Πρώην Ἀρχιεπισκόπου Θυατείρων καί Μεγάλης Βρετανίας, **ΕΛΛΗΝΙΣΜΟΣ ΚΑΙ ΙΟΥΔΑΪΣΜΟΣ, ΙΣΤΟΡΙΚΟΙ ΣΤΑΘΜΟΙ ΣΤΙΣ ΣΧΕΣΕΙΣ ΕΛΛΗΝΩΝ ΚΑΙ ΙΟΥΔΑΙΩΝ**, Ἀθήνα 1995, σσ. 239. - **Η ΕΛΛΗΝΙΣΤΙΚΗ ΙΟΥΔΑΪΚΗ ΠΑΡΑΔΟΣΗ**, Ἀθήνα 1995, σσ. 238, ἐκδόσεις Α. Α. Λιβάνη

Ἡ ἀναζήτηση καί ἐξέταση μέσα στά πλαίσια τῆς ἱστορικῆς ἀλήθειας τῶν σχέσεων Ἑλληνισμοῦ καί Ἰουδαϊσμοῦ εἶναι ἐπιβεβλημένη. Ἀποτελεῖ δέ χρέος τῶν πνευματικῶν ἀνθρώπων νά διαφωτίσουν τά γεγονότα, ἀφοῦ οἱ δύο λαοί συνυπῆρξαν ἀπό τῆς ἀρχαίας προχριστιανικῆς ἐποχῆς, ἀλλά καί διετήρησαν τίς φυλετικές τους διαφορές. Ἡ θρησκευτική συγγένεια, πού διαμορφώθηκε μετά τήν ἐπικράτηση τοῦ Χριστιανισμοῦ καί ἡ πίστη τῶν χριστιανῶν πρός τήν Παλαιά Διαθήκη δέν ἐξομάλυναν τά πράγματα. Ἡ πείσμονα ἄρνηση τῶν Ἰουδαίων νά ἀποδεχθοῦν τήν ἐφαρμογή τῶν προφητειῶν στό πρόσωπο τοῦ Χριστοῦ, ὡς τοῦ ἀναμενομένου Μεσσία, μεγέθυνε τό χάσμα τῶν δύο λαῶν.

Πέραν τῶν θρησκευτικῶν πεποιθήσεων καί διαφορῶν οἱ ἱστορικοί σταθμοί στίς σχέσεις Ἑλλήνων καί Ἰουδαίων ὑπῆρξαν ἀποφασιστικοί, μάλιστα κατά τήν Ἑλληνιστική περίοδο, πού οἱ παράγοντες πού διαμορφώθηκαν εὐνόησαν τόν προσανατολισμό τῶν Ἑβραίων στήν περαιτέρω πορεία τους. Πολύ εὔστοχα ὁ συγγραφέας ἐπισημαίνει στόν πρόλογο τοῦ δευτέρου πονήματός του (σ. 17), τίς θέσεις τῶν δύο κορυφαίων ἱστορικῶν Ἰωσήπου καί Φίλωνα γιά τήν κοσμοϊστορικότητα τοῦ Ἑβραϊκοῦ λαοῦ, χάρη στήν ἑλληνική γλώσσα καί τόν ἑλληνικό πολιτισμό.

Ἡ ἐγκατάσταση τῶν Ἰουδαίων στή Χαναάν, γνωστή ἀργότερα ὡς Παλαιστίνη, δέν ἔχει νά παρουσιάσει κάτι τό ἰδιαίτερο ὡς πρός τή σχέση της μέ τό ἑλληνικό στοιχεῖο πρίν τό 330 π.Χ. Ἡ κατάληψη τῆς Παλαιστίνης ἀπό τόν Μέγα Ἀλέξανδρο καί τό ἀγκάλιασμα τοῦ λαοῦ αὐτοῦ, μετά ἀπό τά δύο ἀλλεπάλληλα χτυπήματα πού δέχθηκε, τῆς ὑποδουλώσεώς του τό 587 π.Χ. ἀπό τούς Βαβυλωνίους καί τό 538 π.Χ. ἀπό τούς Πέρσες, ἀπό τό ἑλληνικό στοιχεῖο ὑπῆρξε εὐεργετική. Ἡ διείσδυση τοῦ Ἑλληνικοῦ πολιτισμοῦ στήν Ἀνατολή, ἄλλαξε τελείως τό σκηνικοῦ τοῦ Ἰουδαϊκοῦ λαοῦ καί ἔθεσε τέρμα στήν ἀπομόνωση τῆς ἑβραϊκῆς φυλῆς (βλ. Ἑλληνισμός καί Ἰουδαϊσμός, σ. 40).

Τό πλησίασμα τῶν δύο λαῶν ἦταν ἀρκετό νά δρομολογήσει καινούργιους ὁρίζοντες πνευματικῆς ἀπελευθερώσεως τοῦ Ἰουδαϊκοῦ λαοῦ ἀπό τήν τυραννία τῆς παραδόσεως καί τῶν ἄλλων προκαταλήψεων πού μέχρι τότε βασάνιζαν τόν Ἑβραϊκό λαό. Ἡ ἀναζήτηση νέων παιδευτικῶν προτύπων στήν ἐκπαίδευση καί τήν τέχνη, προώθησε ἀρκετά τήν ἀπελευθέρωση τοῦ ἀτόμου, τό ὁποῖο ἐντάχθηκε ὁμαλά στό κοινωνικό γίγνεσθαι καί τίς κοινωνικές ἀνακατατάξεις. Στίς σελίδες τῶν βιβλίων τοῦ συγγραφέως μποροῦμε μέ κάθε ἄνεση νά παρακολουθήσουμε ὅλες τίς φάσεις καί παραμέτρους πού ἀκολούθησε ὁ Ἰουδαϊκός λαός, ἀποδεχόμενος ἤ μή τήν εὐεργετική γι' αὐτόν ἑλληνική κουλτούρα.

Ἡ Ἀλεξάνδρεια, ἡ Ἀντιόχεια, ἡ Ταρσός, ἡ Ἀντιόχεια τῆς Πισιδίας καί οἱ τόσες ἄλλες πόλεις τῆς Μικρᾶς Ἀσίας ἔχουν νά παρουσιάσουν, ὅ,τι μέχρι τότε εἶχε ἐπιτευχθεῖ. Ἡ ἑλληνικότητα τῶν Ἰουδαίων τῆς Ἀλεξανδρείας εἶναι πασίγνωστη, γιατί πέραν ἀπό τό νά συντηρήσουν τά ἐθνικά καί θρησκευτικά τους στοιχεῖα, ἡ ἑλληνική γλώσσα ἔπαιζε τόν πρωταρχικό ρόλο σέ ὅλες τίς ἐκδηλώσεις τους. Ἡ μετάφραση τῆς Παλαιᾶς Διαθήκης τῶν Ο' (ΟΒ') ἀποτελεῖ τό κορυφαῖο γεγονός. Ἡ συμφιλίωση Ἰουδαϊσμοῦ καί Ἑλληνισμοῦ, ὅπως τήν ἀντιλαμβανόταν ὁ Φίλων, ἄν καί παρέμεινε μέχρι τέλους τῆς ζωῆς του Ἰουδαῖος, βοήθησε σημαντικά στό πλησίασμα τῆς σκέψεως τῆς ἑλληνικῆς φιλοσοφίας. Ὁ νεοπλατωνισμός σίγουρα ἀνήκει στόν Πλωτίνο, ἀλλά ἡ ἀρχή του ἔγινε ἀπό τόν Φίλωνα, ὁ ὁποῖος ἐπλούτισε τό λόγο του μέ τό πλησίασμα τοῦ Πλάτωνα καί τῶν ἄλλων Ἑλλήνων φιλοσόφων.

Χωρίς νά εἶναι δυνατόν νά παρακολουθήσουμε τήν ἀνάπτυξη ὅλων τῶν ἐπί μέρους θεμάτων, ἐπισημαίνουμε ἐπιγραμματικά τήν ἀξία τῶν πονημάτων αὐτῶν, τά ὁποία διαφωτίζουν πλήρως τό θέμα καί ἐπί πλέον μυοῦν τόν ἀναγνώστη - μελετητή στήν πλούσια ξένη βιβλιογραφία.

ΝΙΚ. ΛΥΚ. ΦΟΡΟΠΟΥΛΟΣ

Περιοδικό Ἐκκλησία, 1-15 Ἀπριλίου 1996

ΒΙΒΛΙΟ
παρουσίαση

Ἡ ἱστορία καί ἡ ἑλληνική ἰουδαϊκή παράδοση

Μεθόδιος Γ. Φούγιας. Μητροπολίτης Πισιδίας, πρ. Ἀρχιεπίσκοπος Θυατείρων καί Μεγάλης Βρετανίας, Ἡ Ἑλληνιστική Ἰουδαϊκή Πάραδοση. Ἐκδόσεις «Νέα Σύνορα», Ἀθήνα 1995, σέλ. 238.

Μέχρι σήμερα οἱ ἱστορικοί διατείνονται πώς δέν μποροῦν νά ἐξηγήσουν τί εἶναι ἐκεῖνο τό ὁποῖο συνέβαλε ὥστε ἕνας μικρός, ἀπομονωμένος λαός, ὁ ἑβραϊκός, κατόρθωσε νά γίνει θρησκευτικά καί πολιτιστικά κοσμοϊστορικός. Σ' αὐτό τό ἐρώτημα ἐπιχειρεῖ νά δώσει ἀπάντηση ὁ συγγραφέας τοῦ ἀνωτέρω βιβλίου Σεβ. Μεθόδιος χρησιμοποιώντας πολλές καί αὐθεντικές πηγές. Ὁ Μέγας Ἀλέξανδρος ἐλευθέρωσε τούς Ἑβραίους ἀπό τήν περσική κυριαρχία καί παραχώρησε σ' αὐτούς ἴσα δικαιώματα μέ τούς Ἕλληνες. Ἀκολούθως οἱ διάδοχοί του, Πτολεμαῖοι καί Σελευκίδες, συνέχισαν νά περιβάλλουν τό ἰουδαϊκό στοιχεῖο μέ ἀγάπη καί στοργή. Μ' αὐτόν τόν τρόπο οἱ Ἰουδαῖοι υἱοθέτησαν τήν ἑλληνική γλώσσα καί τόν ἑλληνικό πολιτισμό. Ἔτσι ἐξῆλθαν ἔξω ἀπό τά στενά ὅρια τῆς μικρῆς πατρίδας τους καί κατέστησαν γνωστή τή θρησκευτική κληρονομιά τους. Μεγάλης σημασίας, ἄν ὄχι παγκόσμιας, εἶναι ἡ μετάφραση τῆς Παλαιᾶς Διαθήκης στήν ἑλληνική γλώσσα ἀπό τόν Πτολεμαῖο Φιλάδελφο καί τήν αὐλή του στόν Φάρο τῆς Ἀλεξάνδρειας. Ἡ μετάφραση συντήρησε τούς Ἑβραίους ἐθνικά καί θρησκευτικά, γιατί δέν ἐγνώριζαν οἱ πολυπληθεῖς Ἰουδαῖοι τῆς Αἰγύπτου τήν ἑβραϊκή. Ὄχι μόνο τοῦτο ἀλλά στήν ἑλληνική γλώσσα ἔγραψαν σπουδαῖοι Ἰουδαῖοι συγγραφεῖς καταστήσαντες γνωστές τίς ἀρετές τῶν Ἑβραίων, ἀλλά καί ἀσκήσαντες μεγάλην ἐπίδραση στήν Ἱστορία. Ὑπάρχουν βιβλία τῆς Παλαιᾶς Διαθήκης πού γράφηκαν πρωτοτύπως στήν ἑλληνική γλώσσα. Τό βιβλίο τοῦ κ. Μεθοδίου εἶναι πλούσιο, ἀλλά καί πρωτότυπο.

Ἀντώνης Σπηλιόπουλος

Ἐφημερίδα **Τά Νέα**, 21 Ὀκτ. 1995

ΜΕΘΟΔΙΟΥ Γ. ΦΟΥΓΙΑ

«Ἡ Ἑλληνιστική Ἰουδαϊκή Παράδοση»

Ἐκδόσεις «Νέα Σύνορα», Α.Α. Λιβάνη

Ἡ μελέτη αὐτή τοῦ ἐπισκόπου Πισιδίας ἀφορᾶ τίς ἐπιδράσεις τοῦ Ἑλληνισμοῦ ἐπί τοῦ Ἰουδαϊσμοῦ, μελέτη πού θά φανεῖ χρησιμότατη στίς ἐποικοδομητικές σχέσεις ἀνάμεσα στούς λαούς τῆς Ἑλλάδας καί τοῦ Ἰσραήλ.

Ἔτσι ἰσχυρίζεται ὁ συγγραφέας, προσπαθώντας ταυτόχρονα νά δώσει μιά ἀπάντηση στούς ἱστορικούς, πού δέν καταλαβαίνουν πώς ἕνας τόσο μικρός καί ἀπομονωμένος λαός, ὅπως οἱ Ἑβραῖοι, μπόρεσε νά γίνει θρησκευτικά καί πολιτικά κοσμοϊστορικός.

Τό βιβλίο εἶναι συνέχεια τοῦ «Ἑλληνισμός καί Ἰουδαϊσμός» καί τά βοηθήματα καί οἱ πηγές εἶναι πλούσια, ὅσα σχεδόν καί στό προηγούμενο. Αὐτό ἀπό μόνο του πείθει γιά τό ἐμπεριστατωμένο τῆς μελέτης, καθώς καί ἡ πληρότητα τοῦ συγγραφέα, ἀπό ἐπιστημολογικῆς κυρίως ἀπόψεως.

ΕΛΕΥΘΕΡΟΤΥΠΙΑ Παρασκευή 10 Νεομβρίου 1995

Μιά ματιά στά νέα βιβλία

Ἐπιμέλεια Σάμπυ Χαγουέλ

Η ΕΛΛΗΝΙΣΤΙΚΗ ΙΟΥΔΑΪΚΗ ΠΑΡΑΔΟΣΗ

Συγγραφέας: **Μεθόδιος Γ. Φούγιας**, Μητροπολίτης Πισιδίας Πρώην Ἀρχιεπίσκοπος Θυατείρων καί Μέγ. Βρετανίας, σελίδες 238 • Ἔκδοση: «Νέα Σύνορα» Α.Α. Λιβάνη.

Ἡ Ἑλληνιστική ἐποχή ὑπῆρξε περίοδος πολιτισμοῦ χωρίς σύνορα, κάτι πού ἐπιδιώκει νά ἐπιτύχει ἡ σημερινή ἀνθρωπότητα. Ἦταν ἡ πρώτη ἀχανής κοσμοπολίτικη κοινωνία μέ μιά γλώσσα, τήν ἑλληνική, ὅπως τήν ὁραματίστηκε ὁ Μέγας Ἀλέξανδρος. Γι' αὐτό ἡ περίοδος ἐκείνη πρέπει νά θεωρηθεῖ πρότυπο γιά τό σημερινό κόσμο. Ἀλλά ἡ περίοδος ἐκείνη ὑπῆρξε ἀποφασιστική καί γιά τήν ἱστορική μετεξέλιξη τῆς ἐθνικῆς καί πνευματικῆς ζωῆς τῶν Ἑβραίων. Ἕνα μικρό καί ἀπομονωμένο ἔθνος, μονοθεϊστικό ἀλλά ἐσωστρεφές, μέ τήν υἱοθεσία τῆς ἑλληνικῆς γλώσσας καί τοῦ ἑλληνικοῦ πολιτισμοῦ διευρύνει τή διασπορά του καί τήν πνευματική κληρονομιά καί καθίσταται παγκόσμια θρησκευτική ἀφετηρία. Ἡ ἑλληνική γλώσσα υἱοθετεῖται ἀπό Ἰουδαίους θρησκευτικούς καί ἱστορικούς συγγραφεῖς τῆς προχριστιανικῆς ἐποχῆς, ἐνῶ ὁ ἑλληνικός πολιτισμός ἐπιδρᾶ σ' ὅλες τίς ἐκδηλώσεις τῆς ζωῆς τῶν Ἑβραίων, τόσο τῆς διασπορᾶς, ὅσο καί τῆς Παλαιστίνης. Ἡ Ἱστορία καί οἱ ἀρετές τῶν Ἑβραίων προβάλλονται μέ τή συγγραφή θρησκευτικῶν, ἱστορικῶν, ἀπολογητικῶν καί φιλοσοφικῶν ἔργων στήν ἑλληνική γλώσσα. Τό ἐπίτευγμα αὐτό ὀφείλεται στή μετάδοση στήν Ἀνατολή ἀπό τόν Μέγα Ἀλέξανδρο καί τή συνοδεία του τῶν ἑλληνικῶν ἰδεωδῶν. Ἡ μετάφραση τῆς Παλαιᾶς Διαθήκης στήν ἑλληνική γλώσσα, τήν κοινή, ἀπέβη παγκόσμια πηγή θρησκευτικῶν μηνυμάτων.

Τό ἔργο τοῦτο, δέν πραγματοποιήθηκε μέ ἑβραϊκή πρωτοβουλία ἀλλά μέ ἑλληνική, πρός χάρη τῶν Ἑβραίων καί στή συνέχεια ἐπ' ὠφελεία ὁλόκληρου τοῦ χριστιανισμοῦ.

Τό παρόν ἔργο εἶναι συνέχεια τῆς μελέτης τοῦ ἴδιου συγγραφέα μέ τόν τίτλο «Ἑλληνισμός καί Ἰουδαϊσμός» πού κυκλοφόρησε ἀπό τίς ἴδιες ἐκδόσεις καί ἐρευνᾶ τίς ποικίλες ἐπιδράσεις τοῦ ἑλληνικοῦ πολιτισμοῦ στή ζωή τῶν Ἑβραίων.

Γεγονότα, ἐκδ. Δεκ. 1995

SECRETARIATUS
AD CHRISTIANORUM UNITATEM FOVENDAM

E Civitate Vaticana, die 12th Dec.,1987

PROT. N. 5465/87/b
(In responsione fiat mentio huius numeri)

Your Eminence,

The Pontifical Commission "Justice and Peace" has just published a book concerning the Day of Prayer for Peace (Assisi, October 27th, 1987).

You associated yourself with that important event in a very significant way as leader of the delegation of the Ecumenical Patriarchate at Assisi.

In expressing to you once again the deep gratitude of His Holiness Pope John Paul II for your participation on that Day we are enclosing the book published by the Commission "Justice and Peace" as a sign of thankfulness, in remembrance of that encounter of prayer and fraternal charity.

In these days as we approach the celebration of the Nativity of our Lord, please accept our heartfelt good wishes.

Fraternally yours,

Johannes Card. Willebrands

Johannes Cardinal Willebrands
President

His Eminence METHODIOS

Archbishop of Thyateira and Great Britain
Thyateira House
5, Craven Hill
LONDON W.2 (Great Britain)

ΙΣΤ′

Βήματα στήν Πορεία τῶν Νέων, Ἀθήνα, 1998.
Σελ. 255

ΒΗΜΑΤΑ
ΣΤΗΝ ΠΟΡΕΙΑ ΤΩΝ ΝΕΩΝ

Μεθόδιος Γ. Φούγιας

Βήματα
στην
Πορεία των Νέων

«ΝΕΑ ΣΥΝΟΡΑ» - Α. Α. ΛΙΒΑΝΗ

† Ο ΜΗΤΡΟΠΟΛΙΤΗΣ ΠΕΙΡΑΙΩΣ
ΚΑΛΛΙΝΙΚΟΣ

'Εν Πειραιεῖ τῆ 2Ιη 'Απριλίου Ι998

Σεβασμιώτατον
Μητροπολίτην Πισιδίας
Κύριον Κύριον Μ Ε Θ Ο Δ Ι Ο Ν
Ρήγα Φεραίου 9
Ι5232 ΧΑΛΑΝΔΡΙ -ΑΘΗΝΑΙ

Σ ε β α σ μ ι ώ τ α τ ε,

ΧΡΙΣΤΟΣ ΑΝΕΣΤΗ !

Σᾶς εὐχαριστῶ θερμότατα διά τήν εὐγενῆ ἀποστολήν τοῦ βιβλίου σας " ΒΗΜΑΤΑ ΣΤΗΝ ΠΟΡΕΙΑ ΤΩΝ ΝΕΩΝ " , ὡς καί διά τάς εὐχάς σας.

Συγχαίρων ἀδελφικῶς, εὔχομαι πᾶσαν παρά τοῦ 'Αναστάντος Λυτρωτοῦ μας ἐνίσχυσιν καί δύναμιν εἰς τό ἔργον σας.-

Μετ' ἀδελφικῆς ἀγάπης

† Ὁ Πειραιῶς Καλλίνικος

Η ΙΕΡΑ ΣΥΝΟΔΟΣ
ΤΗΣ ΕΚΚΛΗΣΙΑΣ ΤΗΣ ΕΛΛΑΔΟΣ

ΣΥΝΟΔΙΚΟΣ ΣΥΝΕΔΡΟΣ

Σεβασμιώτατε ἅγιε Πισιδίας,

Χριστός ἀνέστη!

Ἀειθαλής καί παραγωγικός, ἐδώσατε καί πάλιν τό „παρών" ἐξ τάς ἐκδόσεις, καί μᾶς ἐχαρίσατε τό νέον βιβλίον σας „Βήματα στήν πορεία τῶν νέων".

Εὐχαριστῶ διά τήν εὐγενῆ προσφοράν τοῦ βιβλίου καί ἀσπάζομαι ἐν ἀγάπῃ Χριστοῦ Ἀναστάντος.

† ὁ Πατρῶν Νικόδημος

4. 5. 1998

63. Στή Dire Dawa μπροστά στό Ἑλληνικό Σχολεῖο μέ τόν Ἕλληνα Δάσκαλο Κ. Κατραντζάκη ἀριστερά.

18.3.1993

[illegible handwritten letter]

JFD 117
LONDON
Nelson's Column
Photo: Fincom

ΕΥΧΑΡΙΣΤΙΑ [illegible]

Ο ΜΗΤΡΟΠΟΛΙΤΗΣ ΔΗΜΗΤΡΙΑΔΟΣ
ΧΡΙΣΤΟΔΟΥΛΟΣ

23.4.98

Σεβασμιώτατε, Χριστὸς Ἀνέστη!

[illegible handwritten text]

Κ. ΚΑΡΤΑΛΗ 227, 382 21 ΒΟΛΟΣ
• ΤΗΛ.: (0421) 47502, 47508 • TELEX: 282385 IMDI GR • TELEFAX: (0421) 47405

ΒΙΒΛΙΟΘΗΚΗ
ΜΟΡΦΩΤΙΚΟΥ ΣΥΛΛΟΓΟΥ ΑΓΡΟΤΙΚΗΣ ΝΕΟΛΑΙΑΣ ΚΑΣΤΑΝΕΩΝ
680 08 ΚΑΣΤΑΝΙΕΣ ΕΒΡΟΥ
ΤΗΛ.0552 85085

Καστανιές, 7-7 -1998

Σεβασμιώτατον Μητροπολίτην
Πισιδίας κ.Μεθόδιον
Ρήγα Φεραίου 9
15232 Χαλάνδρι

Σεβασμιώτατε,

Με μεγάλη μας χαρά λάβαμε το πολύτιμο βιβλίο Σας «Βήματα στην Πορεία των Νέων», που είχατε την ευγενή διάθεση αποστείλατε .

Σας ευχαριστούμε θερμά για την ευγενή Σας αυτή ενέργεια, που ενισχύει τις προσπάθειές μας για την πνευματική και πολιτιστική καλλιέργεια των κατοίκων και ιδιαίτερα των νέων της ακριτικής μας περιοχής.

Ευχόμαστε ολόψυχα κάθε Πνευματική και σωματική υγεία ,δημιουργικότητα και καρποφορία στο Έργο της Εκκλησίας μας.

Με τιμή
Για τη Βιβλιοθήκη

Κων/νος [illegible]ργουτσίδης
Υπεύθυνος

ΙΖ′

Ἐπίκαιρα Ἑλληνικά Θέματα, Ἀθήνα, 1977, σελ. 412.

ΕΠΙΚΑΙΡΑ
ΕΛΛΗΝΙΚΑ ΘΕΜΑΤΑ

Μεθόδιος Γ. Φούγιας

Μητροπολίτης Πισιδίας

Πρώην Αρχιεπίσκοπος Θυατείρων και Μεγάλης Βρεττανίας

ΕΠΙΚΑΙΡΑ
ΕΛΛΗΝΙΚΑ ΘΕΜΑΤΑ

Τομές – Θέσεις

«ΝΕΑ ΣΥΝΟΡΑ» – Α. Α. ΛΙΒΑΝΗ

῾Ιερώτατε Μητροπολῖτα Πισιδίας, ὑπέρτιμε καί ἔξαρχε Σίδης καί ᾽Ατταλείας, ἐν ῾Αγίῳ Πνεύματι ἀγαπητέ ἀδελφέ καί συλλειτουργέ τῆς ἡμῶν Μετριότητος κύριε Μεθόδιε, χάρις εἴη τῇ ὑμετέρᾳ ῾Ιερότητι καί εἰρήνη παρά Θεοῦ.

᾽Ασμένως ἐλάβομεν τά ὑπό τῆς ὑμετέρας ἀγαπητῆς ἡμῖν ῾Ιερότητος προφρόνως ἀποσταλέντα ἡμῖν πονήματα αὐτῆς ἐπιγραφόμενα "᾽Επιστολαί Μελετίου Πηγᾶ Πάπα καί Πατριάρχου ᾽Αλεξανδρείας 1590-1601", "᾽Εκκλησιαστική οἰκονομία καί Χριστολογική ὁρολογία" καί "Βήματα στήν πορεία τῶν νέων", ἅτινα καί μετ᾽ ἐνδιαφέροντος ἰδόντες ἀπεθησαυρίσαμεν ἐν τοῖς οἰκείοις τμήμασι τῆς καθ᾽ ἡμᾶς Πατριαρχικῆς Βιβλιοθήκης, πρός εὐρυτέραν ἀπ᾽ αὐτῶν ὠφέλειαν.

᾽Εκφράζοντες, διά τῶν μετά χεῖρας Πατριαρχικῶν ἡμῶν Γραμμάτων, τῇ ὑμετέρᾳ ῾Ιερότητι τάς θερμάς ἡμῶν εὐχαριστίας ἐπί τῇ ἀποστολῇ ἡμῖν τῆς τε ἐσχάτως ἀνατυπωθείσης ἐρευνητικῆς ὑμῶν ἐργασίας, προβαλλούσης τήν μορφήν καί τό ἔργον τοῦ σοφοῦ καί λογίου ἀνδρός Μελετίου Πατριάρχου ᾽Αλεξανδρείας, καί τῶν δύο ἑτέρων ἐπικαίρων μελετῶν αὐτῆς, καί συγχαίροντες ἀδελφικῶς ἐπί τῇ συνεχιζομένῃ συγγραφικῇ αὐτῆς δραστηριότητι, εὐχόμεθα αὐτῇ ὑγείαν καί δαψιλῆ τήν ἄνωθεν ἐνίσχυσιν ἐν τῇ ζωῇ καί ταῖς ἐπιστημονικαῖς ἐνασχολήσεσιν αὐτῆς, ἐπ᾽ ἀγαθῷ τῆς ᾽Εκκλησίας.

Εἴησαν παρά τοῦ Δεσπότου Χριστοῦ τά ἔτη τῆς ὑμετέρας ῾Ιερότητος ὅ,τι πλεῖστα, ὑγιεινά καί σωτήρια.

η' Αὐγούστου α'

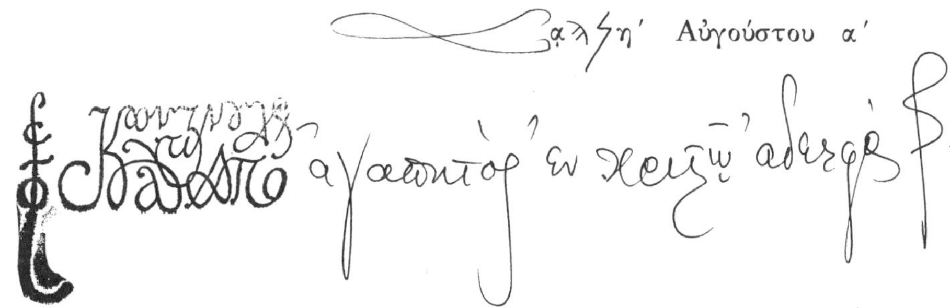

Ο ΠΡΟΕΔΡΟΣ ΤΗΣ ΔΗΜΟΚΡΑΤΙΑΣ

Αθήνα, 7 Νοεμβρίου 1997

Σεβασμιώτατε,

Σας ευχαριστώ πολύ για την προσφορά και αφιέρωση του βιβλίου σας << Επίκαιρα Ελληνικά Θέματα >>, το οποίο θα διαβάσω με ενδιαφέρον.

Σας εύχομαι υγεία και δύναμη.-

Με αγάπη

ΚΩΝΣΤΑΝΤΙΝΟΣ ΣΤΕΦΑΝΟΠΟΥΛΟΣ

Σεβασμιώτατο
Μητροπολίτη Πισιδίας
Κύριο Μεθόδιο Φούγια
Ρήγα Φεραίου 9
152 32 Χαλάνδρι

Γεώργιος Ι. Ράλλης

Αθήνα, 1 Δεκεμβρίου 1997

Σεβασμιώτατο
Μητροπολίτη Πισιδίας
(πρώην Αρχιεπίσκοπο Θυατείρων
και Μεγάλης Βρετανίας)
κ. Μεθόδιο Γ. Φούγια
Ρ. Φεραίου 9 - Χαλάνδρι
Τ.Κ. 152 32 ΕΝΤΑΥΘΑ

Σεβασμιώτατε,

Σας ευχαριστώ για το αντίτυπο του τελευταίου βιβλίου σας «ΕΠΙΚΑΙΡΑ ΘΕΜΑΤΑ, Τομές - Θέσεις», που είχατε την ευγενική καλοσύνη να μου στείλετε με τιμητική αφιέρωσή σας. Διάβασα το εμπεριστατωμένο και ενδιαφέρον περιεχόμενό του και χαίρω με τη διαπίστωση ότι για πολλά από τα θέματα που θίγετε οι απόψεις μου είναι ανάλογες με τις δικές σας, όπως άλλωστε προκύπτει και από την ενδεικτική αναφορά που κάνετε στο πρόσωπό μου στις σελίδες 40, 331 και 345. Φοβάμαι, όμως, Σεβασμιώτατε, ότι απευθυνόμαστε «εις ώτα μη ακουόντων», όπως είναι και ο τίτλος του προτελευταίου βιβλίου μου (1995).

Ας ελπίσουμε ότι κάποιοι θα ακούσουν κάποτε και θα προσέξουν τη φωνή της λογικής και της φρονήσεως, για το καλό της πατρίδας μας και της Ελληνικής Ορθοδοξίας.

ΓΡ/λβ

Ο ΥΠΟΥΡΓΟΣ ΕΞΩΤΕΡΙΚΩΝ

Αθήνα, 20 Νοεμβρίου 1997

Σεβασμιώτατε,

Με μεγάλη μου χαρά έλαβα το αξιόλογο βιβλίο σας "Επίκαιρα Ελληνικά Θέματα" το οποίο διάβασα με ιδιαίτερο ενδιαφέρον.

Η μελέτη αυτή επιχειρεί άξια μια πετυχημένη προσαρμογή της θρησκευτικής σκέψης πάνω στα κοινωνικά θέματα.

Με εκτίμηση,

Θεόδωρος Πάγκαλος

Σεβασμιώτατον
Μητροπολίτη Πισιδίας
κ. Μεθόδιο Γ. Φούγια
Ρήγα Φεραίου 9
152 32 Χαλάνδρι

Ο ΠΡΟΕΔΡΟΣ

ΤΗΣ ΒΟΥΛΗΣ ΤΩΝ ΕΛΛΗΝΩΝ

Αθήνα, 13 Ιανουαρίου 1998

Προς τον

Σεβ. Μητροπολίτη Πισιδίας

κ. Μεθόδιο Φούγια

Ρήγα Φεραίου 9

152 32 ΧΑΛΑΝΔΡΙ

Σεβασμιώτατε

Σας ευχαριστώ για την αποστολή του τελευταίου βιβλίου σας «ΕΠΙΚΑΙΡΑ ΕΛΛΗΝΙΚΑ ΘΕΜΑΤΑ, Τομές-Θέσεις» με τους προβληματισμούς, τις σκέψεις και προτάσεις σας για μια σειρά θέματα που απασχολούν την ελληνική κοινωνία και πολιτεία.

Σας εύχομαι για το νέο έτος, χρόνια πολλά, υγεία και μακροημέρευση.

Με ευχαριστίες

ΑΠΟΣΤΟΛΟΣ ΧΡ. ΚΑΚΛΑΜΑΝΗΣ

ΕΛΛΗΝΙΚΗ ΔΗΜΟΚΡΑΤΙΑ
ΠΟΛΙΤΙΚΟ ΓΡΑΦΕΙΟ ΠΡΩΘΥΠΟΥΡΓΟΥ

Αθήνα, 12 Νοεμβρίου 1997

Δρα Μεθόδιον Γ.Φούγια
Ρήγα Φεραίου 9
152 32 Χαλάνδρι

Αγαπητέ Δρα Φούγια,

Ο Πρωθυπουργός, κ. Κωνσταντίνος Σημίτης, έλαβε το βιβλίο σας *Επίκαιρα Ελληνικά Θέματα* και σας ευχαριστεί.

Με εκτίμηση

Μάνια Κωστοπούλου
Διευθύντρια
Γραφείου Δημοσίων Σχέσεων

Ο ΜΗΤΡΟΠΟΛΙΤΗΣ ΠΑΤΡΩΝ
ΝΙΚΟΔΗΜΟΣ

Σεβασμιώτατε καὶ ἀγαπητὲ ἐν Χριστῷ ἀδελφέ,

Ἐλήφθη τὸ νέον βιβλίον σας „Ἐπίκαιρα Ἑλληνικὰ Θέματα„ καὶ ἤρχισα νὰ τὸ μελετῶ. Εἶναι ἐνδιαφέρον, ὡς καὶ πάντα τὰ προηγηθέντα καὶ εὐγενῶς ἀποσταλέντα μοι δῶρα σας.

Εὐχαριστῶ θερμῶς. Καὶ εὔχομαι πᾶσαν δόσιν ἀγαθὴν παρὰ Κυρίου.

Μὲ πολλὴν ἀγάπην

ὁ Πατρῶν Νικόδημος

17-11-'97

ΣΤΕΛΙΟΣ ΠΑΠΑΘΕΜΕΛΗΣ

Σεβασμιώτατε Δέσποτα

Ὁ Θεὸς νὰ σᾶς ἔχῃ καλά.

Αἴσιον καὶ εὐτυχὲς τὸ Νέον Ἔτος.

Εὐχαριστίες καὶ συγχαρητήρια μὲ τὰ "Ἐπίκαιρα Ἑλληνικὰ Θέματα".

Εὔστοχη τομή, ἀγωνιστικὴ θέση.

Ὁ Θεὸς μαζί σας.

Στέλιος

ΑΡΙΣΤΟΤΕΛΟΥΣ 26, 546 23 ΘΕΣΣΑΛΟΝΙΚΗ, ΤΗΛ.: 031-268.333, 263.997, FAX: 031-262.830
ΦΙΛΕΛΛΗΝΩΝ - ΝΙΚΟΔΗΜΟΥ 2, 105 57 ΑΘΗΝΑ, ΤΗΛ.: 01-33.14.314

ΚΕΝΤΡΙΚΟ ΙΣΡΑΗΛΙΤΙΚΟ ΣΥΜΒΟΥΛΙΟ ΕΛΛΑΔΟΣ

ΓΡΑΦΕΙΑ : ΣΟΥΡΜΕΛΗ 2
104 39 ΑΘΗΝΑ

ΤΗΛΕΓΡ.ΔΙΕΥΘ. : "ΚΕΝΙΣΡΑΗΛ" ΑΘΗΝΑ
ΤΗΛΕΦΩΝΟ : 88.39.951-3
TELEX : 225110
TELEFAX : (01)82.34.488
E-MAIL : hhkis@netor.gr

Αριθ. Πρωτ. ....

Σεβασμιώτατο Μητροπολίτη Πισιδίας
κ.κ. Μεθόδιο Φούγια
Ρ. Φεραίου 9
15232 Χαλάνδρι

Αθήνα, 27 Νοεμβρίου 1997

Σεβασμιώτατε,

Σας ευχαριστώ θερμά για την αποστολή του έργου σας "Επίκαιρα Ελληνικά Θέματα".

Το βιβλίο σας αυτό που έχει ως αντικείμενο τη θεωρητική διερεύνηση όλων των θεμάτων που αποτελούν σήμερα πεδίο συζητήσεως στη χώρα μας, αποτελεί ένα πολύτιμο οδηγό για όλους τους Ελληνες, ιδιαίτερα σήμερα που τα γεγονότα φέρνουν στο προσκήνιο τον τεράστιο ρόλο που διαδραματίζουν στις διεθνείς σχέσεις παράγοντες όπως η θρησκεία και η εθνική ταυτότητα.

Σας συγχαίρω και σας ευχαριστώ.

Μωϋσής Κωνσταντίνης
Γενικός Γραμματέας

Οταν οι ιεράρχες μιλάνε για τα εθνικά μας θέματα και την κοινωνία...

Η ΕΝΑΣΧΟΛΗΣΗ ενός ιεράρχη με το διεθνές κύρος του μητροπολίτη Πισιδίας και τέως Αρχιεπισκόπου Μεγάλης Βρετανίας **Μεθόδιου Φούγια** με τα προβλήματα του Ελληνισμού –προβλήματα εθνικά, κοινωνικά, οικονομικά, ιστορικά και πολιτιστικά– φέρνει στη μνήμη την προσπάθεια παλαιοτέρων ιεραρχών που πέραν των θεολογικών και εκπαιδευτικής φύσης παρεμβάσεών τους, συμμετέχουν στο γίγνεσθαι της ελληνικής κοινωνίας προς όφελος της ιδίας, αλλά και της Εκκλησίας.

Ο γνωστός για το πλούσιο συγγραφικό - ελληνοκεντρικό έργο του, μητροπολίτης Πισιδίας **Μεθόδιος Φούγιας**, μέμφεται τις μεγάλες δυνάμεις ως έχουσες μεγάλο μερίδιο ευθύνης για τα προβλήματα του συγχρόνου ελληνισμού και ιδιαίτερα επικρίνει τις παρεμβάσεις τους εις βάρος των ελληνικών συμφερόντων.

Ο σεβασμιότατος **Φούγιας** υπερασπίζεται τη συμβολή της ελληνικής ιστορίας στη δημιουργία της ευρωπαϊκής ιστορίας και ασκεί αυστηρή κριτική στον **Ντιροζέλ** που υποβάθμισε προ καιρού τη συμβολή αυτή στο έργο του που προκάλεσε τη γενική κατακραυγή των Ελλήνων. Εκτός από το κεφάλαιο για τις σχέσεις Εκκλησίας και πολιτείας ιδιαίτερη σημασία έχουν τα κεφάλαια του βιβλίου του σεβασμιοτάτου **Φούγια** που αναφέρονται στο πώς μας αντιμετωπίζουν σήμερα οι ξένοι, στα μεγάλα εθνικά μας θέματα, και κυρίως στο Κυπριακό, στο Σκοπιανό, στον απόδημο Ελληνισμό και στη νεολαία. Είναι χαρακτηριστικό ότι στην αναφορά του για το Κυπριακό διατυπώνεται η πρόβλεψη για τριζωνική λύση, που είδε χθες το φως της δημοσιότητας.

Το βιβλίο αυτό (412 σελίδες) του **Μεθόδιου Φούγια** με τίτλο «Επίκαιρα ελληνικά θέματα» εκδόσεων «ΛΙΒΑΝΗ», είναι βέβαιο ότι θα ταράξει τα λιμνάζοντα ύδατα, ενώ θα ενισχύει το κύρος της Εκκλησίας στο λαό για την ευρύτητα του πνεύματος των ηγητόρων της και την εκ μέρους τους συνείδηση της ευθύνης και κοινωνικής αποστολής τους.

Ἀπογευματινή 15 Νοεμ. 1997.

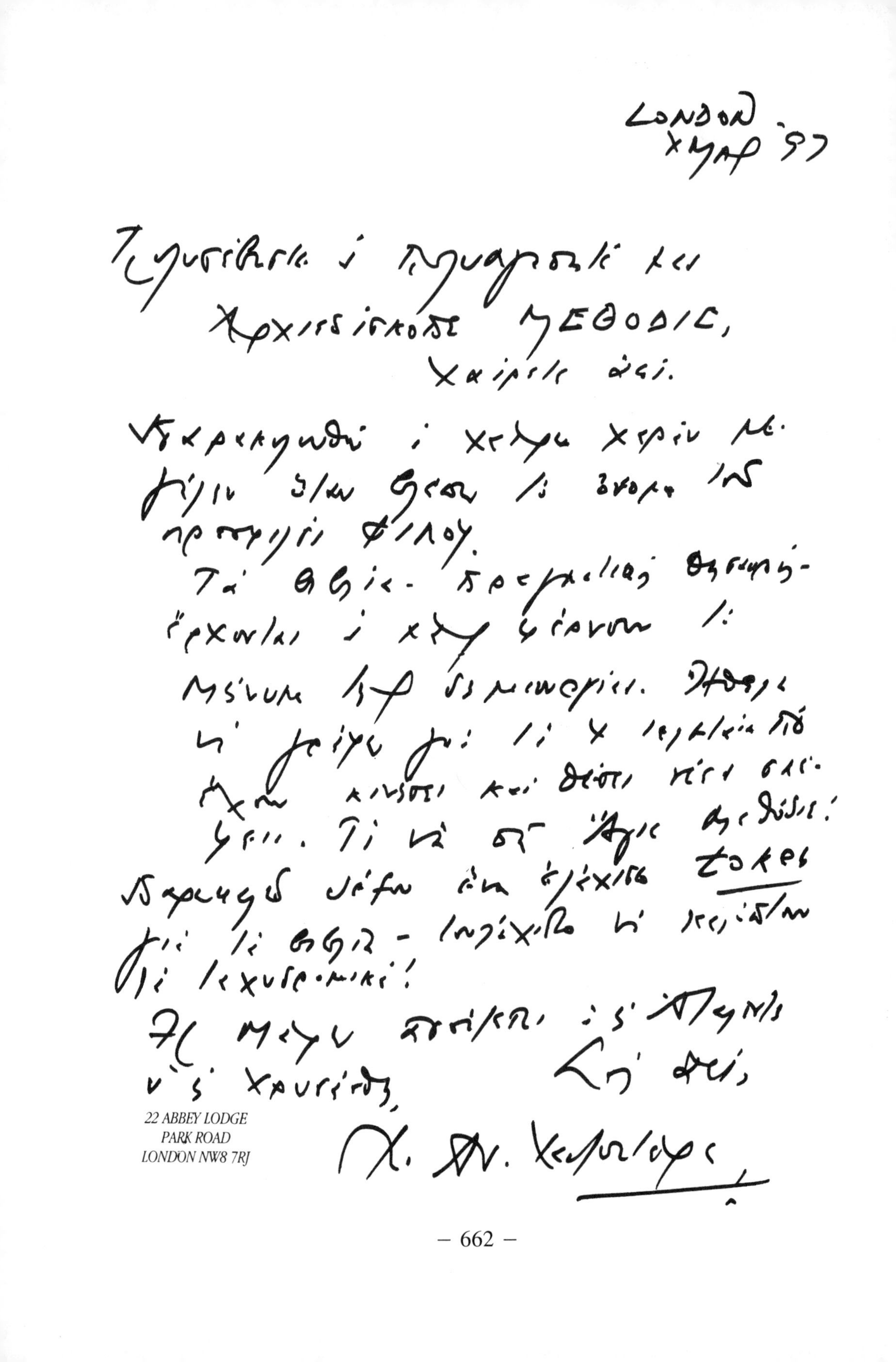

22 ABBEY LODGE
PARK ROAD
LONDON NW8 7RJ

✠ ὁ Πέργης Εὐάγγελος ✠

ΚΠ, ΠΧ, Μαΐου 30, 1999

Σεβασμιώτατε καί ἀγαπητέ μου
Ἅγιε Πισιδίας κ.κ. Μεθόδιε,

Καί οἱ δύο τόμοι Σας – ἐξαιρετικοί γιά
τήν ἐπεξεργασία(?) τῶν ἐχόντων(?) [illegible]
καί [illegible] ἀδελφοί μας στά
τά ἑλληνο-εὐρωπαϊκά – θέματα(?)
καί θά [illegible] πάλι "ἐπίκαιρα"
στή ζωή μας, ἐφόσον καί ἡ σύγχρο-
νη ἐξέλιξη τῶν γεγονότων τούς δι-
καιώνει. Προσωπικῶς, θά τούς χαί-
ρομαι γιά πολύ(?), μαζί ἐμπιστεύο-
μαι τόν συγγραφέα τους, τοῦ ὁποίου
οἱ σελίδες εἶναι καρπός προσωπικοῦ
βιώματος(?) καί κριτικῆς μαθήσεως(?). Εἶ-
ναι πολύτιμοι(?) στά χρονικά τοῦ ἑλλη-
νο-εὐρωπαϊκοῦ [illegible] –

Μ' εὐχές μου τιμῆς(?)

ὁ Πέργης Εὐάγγελος

Ἀθήνα 13 Ἰουλίου 1998

Σεβασμιότατε,

Διαβάζω τό βιβλίο Σας **«Ἐπίκαιρα Ἑλληνικά θέματα»** καί χαίρομαι γιά τίς σθεναρές θέσεις τίς ὁποῖες καί ὑπερασπίζετε. Ἄς ἐπιτρέπετε νά Σᾶς ἐκφράσω τά ὁλόψυχα συγχαρητήριά μου.

Εἶστε καί Σεῖς γνώστης γιά πολλά καί διάφορα, γιά τά ὁποῖα ἐπικρατεῖ διττή ἡ γνώμη, ὄχι μόνον ἀνάμεσα στούς Ξένους, ἀλλά καί ἀνάμεσα στούς Πανέλληνες καί σημαντικούς.

Αὐτό τόν καιρό, μέ τή συγγραφή ἑνός βιβλίου μου, ἀντιλογῶ μέ τόν Καθηγητή τοῦ Παν/μίου τῆς Σορβόνης, πού, κατά τήν ταπεινή μου ἄποψη, μᾶς «καθυβρίζει» σέ πολλά καί ἰδιαίτερα στή «νομολογία» τῆς Ἑλληνικῆς Γλώσσας μας. Παράλληλα ὅμως ἐρευνῶ καί συντάσσω γιά ἀργότερα βιβλίο μέ τίτλο «Γιατί μᾶς εἶπανε Ρωμαίους;» Μέ ἄξιο πρόσωπο τῆς Ἐκκλησίας καί τῶν Γραμμάτων μας, πού συζήτησα καί ζήτησα πληροφορίες, ἀλλά καί ἤθελα νά πλατύνω τίς ἀπόψεις μου, ἀποκόμισα, ἀπό μέρους του, παντελῶς διάφορες τίς τοποθετήσεις καί ἐπιχειρήματα ἀπό ὅσα ἐσεῖς ἐκθέτετε καί παραθέτετε στά σχετικά κεφάλαια καί τόπους - χωρία τοῦ βιβλίου Σας, γιά τό ἐπίμαχο θέμα.

Σᾶς ἀναζήτησα καί τηλεφωνικά. Ἐπειδή θά ἐπιθυμοῦσα μαζί Σας μιά ἀπευθείας προφορική ἐπικοινωνία καί, βέβαια ἀπό τή Σεβασμιότητά Σας, διαφώτιση, ὅσο γίνεται.

Γιά τοῦτο θά Σᾶς παρακαλοῦσα, ἄν καί λόγου Σας τό ἐπιτρέπετε καί ἄν εἶναι μπορετό, νά μέ δεχτεῖτε σέ μιά προσωπική συνάντηση, πού νά μοῦ ὁρίσετε, γιά νά βοηθηθῶ ὄχι στίς θέσεις μου ἤ στίς ἀπορίες μου, ἀλλά στά ἐπιχειρήματά μου γιά αὐτές, πού τυχαίνουν ὅμοιες μέ τίς δικές Σας τοποθετήσεις.

Σᾶς εὐχαριστῶ πολύ.
Μέ Σεβάσματα
Ἀγγελική Πανωφοροπούλου
Ἀγκύλης 17, 117 43
τηλ. 9241118

ΓΕΡΑΣΙΜΟΣ Κ. ΑΠΟΣΤΟΛΑΤΟΣ

Νίκης 50α - Τηλ.: 32 22 052
105 58 - Ἀθήνα

Σεβασμιώτατον
Μητροπολίτην Πισιδίας
κ. ΜΕΘΟΔΙΟΝ
Ρήγα Φερραίου 9
152 32 Χαλάνδρι

Αθήνα 12 Δεκεμβρίου 1997

Σεβασμιώτατε ,

Είχα την καλήν ευκαιρία να διεξέλθω με πολύ ενδιαφέρον το τελευταίο σας πόνημα " Επίκαιρα Ελληνικά Θέματα " που είχατε την καλωσύνη να μου στείλετε.

Η συλλογή και επεξεργασία τόσων διαφορετικών θεμάτων της Ελληνικής επικαιρότητας αποκαλύπτει τον βαθύ μελετητή και την ευρύτητα της σκέψεως του συγγραφέα .

Εντυπωσιάζει η επιλεκτική συλλεκτικότητα θεμάτων που θα είναι όχι μόνο πηγή γνώσεων και πληροφόρησης για τους ενδιαφερομένους , αλλά - όπως θα τα αξιοποιήσω και ο ίδιος - και αφετηρία νέων προβληματισμών .

Στο πολυγραφότατο πνευματικό έργο σας προσθέσατε έναν ακόμα σημαντικό κρίκο .

Σας ευχαριστώ θερμά γιατί με κανατε κοινωνό ενός τόσο ενδιαφέροντος βιβλίου .

Καλές Γιορτές

Με σεβασμό και τιμή

Γεράσιμος Αποστολάτος

ma/maria/sebasm20.doc

ΕΛΛΗΝΙΚΗ ΔΗΜΟΚΡΑΤΙΑ
ΥΠΟΥΡΓΕΙΟ ΕΞΩΤΕΡΙΚΩΝ
ΥΦΥΠΟΥΡΓΟΣ

Αθήνα, 26 Ιανουαρίου 1998

Σεβασμιώτατο Μητροπολίτη Πισιδίας
κ.κ. Μεθόδιο,
Ρήγα Φεραίου 9,
15232 Χαλάνδρι

Σεβασμιώτατε,

Σας ευχαριστώ θερμά για το ενδιαφέρον βιβλίο με τίτλο «Επίκαιρα Ελληνικά Θέματα» που είχατε την καλοσύνη να μου αποστείλετε.

Θεωρώ ότι η γνώση και η εμπειρία σας στα θέματα αυτά καθιστούν το βιβλίο πηγή σκέψης και έναυσμα για βαθύτερο προβληματισμό.

Γιάννος Κρανιδιώτης

ΑΜΒΡΟΣΙΟΣ

ΕΝ ΑΙΓΙΩ ΤΗ ....

18 ΔΕΚ. 1997

Σεβασμιώτατον Μητροπολίτην
Πισιδίας κ.κ.ΜΕΘΟΔΙΟΝ
Ρήγα Φερραίου, 9
152 32 ΧΑΛΑΝΔΡΙ ΑΤΤΙΚΗΣ

Σεβασμιώτατέ μου,

Μέ πραγματικήν χαράν ἐπικοινωνῶ σήμερον μαζί σας μέ τήν παροῦσαν κατ' ἀνάγκην σύντομον ἐπιστολήν μου, διά τῆς ὁποίας ἐπιθυμῶ νά σᾶς διαβεβαιώσω, ὅτι ἐγκαίρως ἔλαβον τό νεώτατον πνευματικόν Ὑμῶν πόνημα ὑπό τόν τίτλον "ΕΠΙΚΑΙΡΑ ΕΛΛΗΝΙΚΑ ΘΕΜΑΤΑ, ΤΟΜΕΣ-ΘΕΣΕΙΣ".

Ἀποτελεῖ δι' ἐμέ τιμήν, ἡ εὐγένεια καί ἡ καλωσύνη νά μοί συμπεριλάβητε εἰς τούς ἀποδέκτας τοῦ ἔργου, οὐ μήν ἀλλά καί ἐκδήλωσιν τῆς ἐν Χριστῷ ἀδελφικῆς ἀγάπης.

Ἐπιτρέψατέ μοι νά συγχαρῶ Ὑμᾶς διά τήν λίαν ἐνδιαφέρουσαν ἔκδοσιν, τήν ὁποίαν ἡ λιπαρά γνῶσις Ὑμῶν παραδίδει εἰς τήν σύγχρονον κοινωνίαν τῶν Νεοελλήνων πρός φωτισμόν καί προβληματισμόν, ἐπί συγχρόνων καί ἀπασχολούντων τήν φιλτάτην πατρίδα μας θεμάτων.

Παρακαλῶ νά δεχθῆτε τάς εὐχαριστίας μου διά τήν ἀγάπην Σας πρός τήν ἐλαχιστότητά μου. Ἐπιθυμίαν ἐπεθύμησα τοῦ ἰδεῖν ὑμᾶς.

Ἐπί δέ τούτοις, ἀσπαζόμενος Ὑμᾶς ἐν Κυρίῳ, διατελῶ

Μετά τῆς ἐν Αὐτῷ ἀγάπης

† ὁ Καλαβρύτων καί Αἰγιαλείας Ἀμβρόσιος

† Ο ΚΑΛΑΒΡΥΤΩΝ ΚΑΙ ΑΙΓΙΑΛΕΙΑΣ ΑΜΒΡΟΣΙΟΣ

Μεθοδίου Γ. Φούγια, Επίκαιρα Ελληνικά θέματα. Τομές - θέσεις. Εκδ. "Νέα Σύνορα" - Α.Α. Λιβάνη, Αθήνα, 1997, σελ. 412.

Με ενδιαφέροντα θέματα της ελληνικής επικαιρότητας κυκλοφόρησε από τις εκδόσεις "Νέα Σύνορα - Α.Α. Λιβάνη" το νέο βιβλίο του πολυγραφότατου Μητροπολίτη Πισιδίας και πρώην Αρχιεπισκόπου Θυατείρων και Μ. Βρετανίας κ. Μεθοδίου Γ. Φούγια, "Επίκαιρα Ελληνικά θέματα. Τομές - θέσεις".

Ωστόσο, δεν είναι μόνο αυτή η συγγραφική παραγωγή του τα τελευταία δύο χρόνια. Σημειώνω ακόμα και τα παρακάτω:

1. *Το πρόσωπο του Ιησού Χριστού στις αποφάσεις των οικουμενικών Συνόδων.* (Μετάφραση εκ της αναθεωρημένης εκδόσεως από τα Αγγλικά). Αποστολική Διακονία, Αθήνα 1997, σελ. 255.

2. *Επιστολαί ΜΕΛΕΤΙΟΥ ΠΗΓΑ, Πάπα και Πατριάρχου Αλεξάνδρειας,* (Ανατύπωση), Αθήναι 1998, σελ. 375.

3. *Εκκλησιαστική Οικονομία και Χριστολογική Ορολογία,* Αποστολική Διακονία, Αθήνα 1998, σελ. 337.

4. *Βήματα στην Πορεία των Νέων,* Εκδ. "Νέα Σύνορα - Α.Α. Λιβάνης", Αθήνα 1998, σελ. 255.

Περιορίζομαι, πάντως, εδώ να παρουσιάσω τα "Επίκαιρα Ελληνικά θέματα" και τα "Βήματα στην Πορεία των Νέων".

Στα "Επίκαιρα Ελληνικά θέματα", ο συγγραφέας ξεφεύγει από τα γνωστά θεολογικά του ενδιαφέροντα και καταπιάνεται με προβλήματα του καθημερινού βίου των Ελλήνων, που έχουν ιδιαίτερο ενδιαφέρον, λόγω και της ένταξής μας στην Ευρωπαϊκή Ένωση. Τέτοια θέματα είναι:

- Η Ελλάδα και η Δύση. α) Η "Ευρωπαϊκή Ιστορία της Ευρώπης" και η Ιστορία της Ελλάδος, β) Η είσοδος της Ελλάδος στην Ευρωπαϊκή Ένωση.
- Ο χριστιανισμός και ο αρχαιοελληνικός λόγος.
- Η Ελληνική Γλώσσα και η Ευρωπαϊκή Ένωση.
- Σύγχρονες απόψεις για τις σχέσεις της Δύσης με την Αρχαία Ελλάδα.
- Πώς μας βλέπουν οι ξένοι σήμερα.
- Ελλάς - Hellas, Greece - Γραικία, Ρωμηοσύνη - Ρωμηός.
- Περί της σημασίας της λέξεως Γραικύλος.
- Η σημασία του Αραβικού κόσμου για την Ελλάδα.
- Τα χρέη του Ελληνικού Δημοσίου.
- Το Κυπριακό.

Δελτίο Κορινθιακών Μελετών, τχ 15, 1999.

- Το Σκοπιανό.
- Το Ίδρυμα του Ελληνικού Πολιτισμού.
- Σχέσεις Εκκλησίας και Πολιτείας.
- Η πορεία της Εκκλησίας μας. Η Ορθοδοξία.
- Απόδημος Ελληνισμός.

Κάθε κεφάλαιο του βιβλίου είναι μια πλούσια κατάθεση γνώσεων, διαπιστώσεων, προβληματισμών και γόνιμων προτάσεων για μια καλύτερη αντιμετώπιση της Εθνικής μας πορείας. Οι θέσεις του συγγραφέα είναι τεκμηριωμένες, αφού παραθέτει πλήθος πηγών και είναι πολύπλευρα και επίκαιρα ενημερωμένος πάνω στα θέματα που παρουσιάζει. Πλούσιο, εξάλλου, εικαστικό υλικό (φωτογραφίες, εικόνες, χάρτες, ιστογράμματα κλπ.), διευκολύνουν τον αναγνώστη να κατανοήσει πληρέστερα το κείμενο. Εκείνο που πρέπει να τονίσω είναι ότι το γνωστικό αυτό υλικό είναι απαραίτητο σε όποιον θέλει να έχει μια σφαιρική, υπεύθυνη και ουσιαστική πληροφόρηση σε βασικά και άμεσα θέματα του ελληνικού γίγνεσθαι. Ιδιαίτερα ενδιαφέρει όσους διαχειρίζονται τις τύχες της πατρίδας μας, γιατί τους εφοδιάζει με αναγκαίες γνώσεις, ώστε να είναι επαρκείς συνομιλητές, τόσο στην Ελλάδα όσο και στο εξωτερικό.

Μεθοδίου Γ. Φούγια, Βήματα στην Πορεία των Νέων. Εκδ. "Νέα Σύνορα - Α.Α. Λιβάνης", Αθήνα 1998, σελ. 255.

Το βιβλίο "Βήματα στην πορεία των Νέων" του Σεβασμιωτάτου Μητροπολίτου Πισιδίας έχει, όπως προδίδει ο τίτλος του, ως κέντρο και ως σημείο αναφοράς του τους Νέους. Ως αφορμή για τη συγγραφή του λειτούργησαν, όπως αναφέρει ο συγγραφέας, η δημοσίευση μιας δημοσκόπησης για τις ιδέες της ελληνικής νεολαίας πάνω στα σύγχρονα κοινωνικά και εθνικά προβλήματα και η παγκόσμια Διάσκεψη για το περιβάλλον στο Κιότο της Ιαπωνίας.

Το βιβλίο αποτελείται από τρία μέρη. Στο πρώτο μέρος δεσπόζουν θέματα με άμεση αναφορά στους νέους, όπως: Η Εκκλησία μας και οι Νέοι. Νεολαία και Εργασία. Αποτελέσματα δημοσκόπησης. Οι νέοι στο Πολυτεχνείο. Οι νέοι, τα ΜΜΕ και ιδιαίτερα η τηλεόραση. Φιλελληνισμός, πρότυπο για τους νέους. Κινδυνεύει ο ελληνικός πολιτισμός σήμερα; Οι νέοι και τα ναρκωτικά. Νεολαία και κομματισμός.

Στο δεύτερο μέρος το κέντρο βάρους μετατοπίζεται στο περιβάλλον, με τα εξής θέματα: Οικολογία. Το περιβάλλον. Greenpeace - Ειρήνη στο Πράσινο (Ο ρόλος του εδάφους - Η θάλασσα - Η ατμόσφαιρα - Οι διεθνείς συμβάσεις). Η Διάσκεψη του Μόντρεαλ. Η Διάσκεψη του Ρίο ντε Τζανέιρο. Η Διάσκεψη του Κιότο. Η ερήμωση της ελληνικής υπαίθρου και το σχέδιο "Ιωάννης Καποδίστριας".

Στο τρίτο μέρος, τέλος, γίνεται λόγος για τους παλιννοστούντες Ελληνοπόντιους, τους τσιγγάνους, τα άτομα με ειδικές ανάγκες και τα παιδιά της επαιτείας.

Ακολουθούν το παράρτημα με τα Ιδρύματα ή φορείς πολιτικών ή οικονομικών σχέσεων, ο Επίλογος και το Ευρετήριο. Στο βιβλίο είναι διάσπαρτες 25 εικόνες με φωτογραφικό υλικό, πίνακες, ιστογράμματα, κλπ., που ενισχύουν και τεκμηριώνουν τις σκέψεις του συγγραφέα.

Και το βιβλίο αυτό του Σεβασμιωτάτου Πισιδίας δείχνει πόσο επίκαιρα ενημερωμένος αλλά και πόσο ευαίσθητος είναι σε θέματα νεολαίας, περιβάλλοντος, αλλά και στα προβλήματα που αντιμετωπίζουν ειδικές ομάδες συνανθρώπων μας.

Ο συγγραφέας παραπέμπει συχνά σε σχετικές έρευνες του Τύπου, αξιοποιεί με επιτυχία τα συμπεράσματά τους και ενιαιοποιεί τη διάσπαρτη πληροφόρηση που υπάρχει για κάθε θέμα που αναπτύσσει. Είναι, συνεπώς, το βιβλίο του πολύτιμη συμβολή στην προσέγγιση των προβλημάτων των νέων αλλά και του περιβάλλοντος και σίγουρα τα κέρδη για τον αναγνώστη πολλά.

† Ο ΜΗΤΡΟΠΟΛΙΤΗΣ ΔΗΜΗΤΡΙΑΔΟΣ

ΧΡΙΣΤΟΔΟΥΛΟΣ

6.11.97

Σεβασμιώτατε,

Σᾶς εὐχαριστῶ θερμῶς γιά τήν εὐγενική προσφορά τοῦ νέου πονήματός σας «Ἐπίκαιρα [illegible] Θέματα». Συγχαίρων [illegible], εὔχομαι καί εἰς ἄλλα πολλά!

[illegible]

Κ. ΚΑΡΤΑΛΗ 227, 382 21 ΒΟΛΟΣ

• ΤΗΛ.: (0421) 47502, 47508 • TELEX: 282385 IMDI GR • TELEFAX: (0421) 47405

June 23, 2001
4047 Hensley Circle
El Dorado Hills, CA 95762
U.S.A.

His Eminence Metropolitan Methodios
9 Riga Feraiou
Halandri 152 32
Athens, Greece

Your Eminence,

Only a few days ago the mails brought the three packages including your recent three books, and I have had time now to peruse rapidly their contents, the bibligraphies and some of the main points. All three subjects are of particular interest to me, and I have studied and collected sources, archives and books on all three subjects. It is my opinion that your book To Elleniko Ypovathro tou Islamismou develops the theme of the Hellenic elements which, alongside many others, played an important role in the enirchment of classical Islamic civilizaiton. It is a welcome addition to Greek bibliogrpahy as there is very little available to Greeks, in Greek, for this most important subject. The volume on Epikaira Ellenika Themata touches upon living issues which Greeks and Greece must face daily in a rapidly changing world. It is my opinion that the Greeks of the diaspora have "lost the train" because of their esostrephia, and much the same seems to have beset the Greeks of Greece. I find the structures of culture and community in Canada, Australia and the United states lacking in vision and historicity. They do not know who they are and who they are becoming. Their social and cultural view barely reaches beyond the petting internal concerns of the Greek communities.

Since the 'decommissioning' of oru Center I have turned increasingly to my long neglected original research, writing, and publication. I am still in demand for lectures so that occupies a good bit of my time as well. It is a welcome respite from administrating, organizing, and fund raising.

In closing I wish to thank you once more for these most welcome additions to my small but growing library.

All best wishes,

Speros Vryonis Jr

Speros Vryonis, JR

HELLENIC COLLEGE
HOLY CROSS GREEK ORTHODOX SCHOOL OF THEOLOGY

50 Goddard Avenue Brookline, MA 02146 Tel. (617) 731-3500

November 14, 1997

His Eminence
Metropolitan Methodios of Pisidia
9 Riga Ferraiou Str.
GR 151-32 Chalandri
GREECE

Your Eminence:

Your Archpastoral Blessing!

I wish to express my deep gratitude for Your generous donation to the Library of Your recent work entitled,

ΕΠΙΚΑΙΡΑ ΕΛΛΗΝΙΚΑ ΘΕΜΑΤΑ
ΤΟΜΕΣ–ΘΕΣΕΙΣ

This volume dedicated to Modern Greek studies will be a great asset to our collection. A book plate placed on the inside front cover will indicate that You are the donor. Thank You for keeping the Library in Your thoughts and we look forward to learning of Your future publications. Kissing Your right hand, I remain Your humble servant in Christ,

+Joachim

Rev. Dr. Joachim Cotsonis
Director of the Library

ΒΙΒΛΙΟ ΜΗΤΡΟΠΟΛΙΤΗ

Ὁ Μητροπολίτης Πισιδίας Μεθόδιος Γ. Φούγιας, πού τόν γνωρίσαμε ὅταν ἦταν ἀρχιεπίσκοπος Θυατείρων καί Μεγάλης Βρετανίας, ὅταν συγκάλεσε στό Λονδίνο διεθνῆ διάσκεψη γιά τά προβλήματα τῆς ἀποδήμου Ἑλληνίδας, εἶχε τήν καλοσύνη νά μᾶς στείλει τό τελευταῖο του βιβλίο «Ἐπίκαιρα Ἑλληνικά Θέματα», ἕνα τόμο 400 σελίδων, στόν ὁποῖο περιλαμβάνει μελέτες του, στηριγμένες καί τεκμηριωμένες ἀπό ἐκθέσεις, ἔγγραφα καί ἐπίσημα ντοκουμέντα καί ἄλλο ὑλικό πάνω σέ ζωτικῆς σημασίας θέματα πού ἀφοροῦν τόν ἑλληνισμό. Χαίρεται ἕνας νά βλέπει ἱεράρχες νά ἐνδιαφέρονται καί πέραν ἀπό τά καθαρῶς ἐκκλησιαστικά θέματα, νά ἐνδιαφέρονται καί γιά τά ἐθνικά καί κοινωνικά προβλήματα τῆς σύγχρονης ἐποχῆς, ἀποδεικνύοντας ἔτσι πώς δέν μένουν ξεκομμένοι ἀπό τίς καθημερινές ἔγνοιες τοῦ λαοῦ. Τό βιβλίο τοῦ Μητροπολίτη Μεθοδίου εἶναι ἐξαιρετικοῦ ἐνδιαφέροντος πόνημα.

Ὁ **Φιλελεύθερος τῆς Κυριακῆς** Λευκωσία 9 Νοεμ. 1997.

Ἐπανέρχεται στό προσκήνιο μέ βιβλίο γιά τόν Ἑλληνισμό

Μέ ἕνα πράγματι ἐξαιρετικά γραμμένο βιβλίο ἐπανῆλθε στό προσκήνιο τῆς δημοσιότητας ὁ πρώην Ἀρχιεπίσκοπος Μ. Βρετανίας μητροπολίτης Πισιδίας, Μεθόδιος (Φούγιας). Τό νέο βιβλίο «Ἐπίκαιρα Ἑλληνικά Θέματα», κυκλοφόρησε πρίν ἀπό λίγες ἡμέρες καί ἀπέσπασε τίς καλύτερες κριτικές, ἀπό γνωστούς καί ἔμπειρους συγγραφεῖς.

Τά θέματα μέ τά ὁποία καταπιάνεται ὁ Μητροπολίτης, εἶναι θέματα μέ ἀπόψεις καί θέσεις πού ἀποτελοῦν μιά γενικότερη τομή στή θεώρηση τῶν γεγονότων καί τῶν ἐξελίξεων, μέ κέντρο τό βαθύτερο νόημα τοῦ Ἑλληνισμοῦ. Ὁρισμένα ἀπό τά θέματα μέ τά ὁποία καταπιάνεται αὐτό τό βιβλίο, ἀφοροῦν τή σχέση τοῦ ἀρχαιοελληνικοῦ λόγου καί τοῦ χριστιανισμοῦ, τίς σχέσεις τῆς Δύσης μέ τήν Ἑλλάδα, τή σημασία τοῦ Ἀραβικοῦ Κόσμου γιά τήν Ἑλλάδα, τό Κυπριακό, γιά τό ὁποῖο φαίνεται ὅτι οἱ θέσεις του περί τριζωνικῆς λύσης ποὺ ἔχει διατυπώσει στό παρελθόν μᾶλλον θά ἐπαληθευθοῦν. Ἀναλύει δέ καταπληκτικά τόν ὅρο «Ἑλλάς - Γραικία - Ρωμιοσύνη».

Ἀξίζει νά σημειωθεῖ πώς, ὁ πολυγραφότατος κ. Μεθόδιος, διεκδικεῖ τόν ἀρχιεπισκοπικό θρόνο, μέ ἕνα μοναδικό τρόπο, δηλαδή, χωρίς νά προκαλεῖ καί κυρίως, χωρίς νά ἐμπλέκεται στήν ἀκατάσχετη διαδοχολογία πού κυριαρχεῖ τά τελευταία χρόνια στά ἑλληνικά Μ.Μ.Ε. Θά ἔλεγε κανείς ὅτι διεκδικεῖ τόν ἀρχιεπισκοπικό θρόνο μέ μιά καί μόνη πίστη. Πίστη στή Συνοδικότητα καί στή βαθιά ἐμπειρία πού ἔχει ἀποκτήσει ἀπό τίς θέσεις στίς ὁποῖες ἔχει θητεύσει κατά τή μακρόχρονη σταδιοδρομία του. Ὅσοι τόν γνωρίζουν καλά, ξέρουν ὅτι εἶναι ἕνας ἄνθρωπος μέ πολλές ἐνδιαφέρουσες ἀπόψεις.

Ἡ **Βραδυνή τῆς Κυριακῆς** 30 Νοεμβρίου 1997.

THE BRITISH LIBRARY
READER SERVICES AND COLLECTION DEVELOPMENT

Metropolitan Methodios
9, Riga Fereou Str.
Khalandri 152 32
Hellas
Greece

16 April 1998

Dear Metropolitan Methodios

On behalf of the British Library Board I have pleasure in thanking you for the gift mentioned below, which you have presented to the Library.

This is very much appreciated.

Epikaira hellenika themata
Fouyas, Methodios

Yours sincerely

THE BRITISH LIBRARY, ACQUISITIONS PROCESSING AND CATALOGUING
on behalf of

THE BRITISH LIBRARY, READER SERVICES AND COLLECTION DEVELOPMENT
96 EUSTON ROAD, LONDON NW1 2DB

DG2(b)

ΑΔΕΛΦΟΤΗΣ ΘΕΟΛΟΓΩΝ
«Ο ΣΩΤΗΡ»
ΙΣΑΥΡΩΝ 42
114 72 ΑΘΗΝΑΙ
Τηλ. 36.22.108

Ἐν Ἀθήναις τῇ 11ῃ Νοεμβρίου 1997

Σεβασμιώτατον
Μητροπολίτην Πισιδίας
Κύριον κ. Μεθόδιον
Ρήγα Φεραίου 9
15232 ΧΑΛΑΝΔΡΙ

Σεβασμιώτατε,

Ἐλάβομεν καί τό τελευταίως ἐκδοθέν βιβλίον Σας «Ἐπίκαιρα Ἑλληνικά Θέματα, Τομές - θέσεις» καί εὐχαριστοῦμεν διά τήν εὐγενῆ χειρονομίαν τῆς τιμητικῆς καί ἐν ἀγάπῃ ἀποστολῆς του.

Ἐχάρημεν πολύ καί δι' αὐτήν τήν καλαίσθητον καί ἐπιμελημένην ἔκδοσιν, ἡ ὁποία ἐπισταμένως ἀσχολεῖται μέ ζωτικά θέματα τοῦ Ἑλληνισμοῦ, ὅπως αὐτά παρουσιάζονται εἰς ἐποχήν, κατά τήν ὁποίαν αἱ σχέσεις τῆς Ἑλλάδος μέ τήν Δύσιν καί ἐπηρεασμούς πολλούς συνεπάγονται διά τό Ἔθνος μας, ἀλλά καί μίαν μεγάλην καί ἱστορικήν ἀποστολήν.

Ἐπιτρέψατέ μας, Σεβασμιώτατε, νά διατυπώσωμεν εὐλαβεῖς εὐχάς, ὅπως ὁ Ἅγιος Θεός ἐνισχύῃ τήν Ὑμετέραν Σεβασμιότητα μέ δυνάμεις πολλάς, διά νά συνεχίζῃ ἐπί ἔτη μακρά τούς ἀγῶνας της πρός ὑπεράσπισιν τῆς Ὀρθοδόξου Πίστεως καί τῆς Ἑλληνικῆς Πατρίδος μας.

Ἐπί τούτοις καί ἐκζητοῦντες τάς εὐχάς Σας ὑπέρ τῆς Ἀδελφότητός μας καί τοῦ ἔργου της, ἀσπαζόμεθα τήν δεξιάν Σας καί διατελοῦμεν

Μετά βαθυτάτου σεβασμοῦ
Διά τήν Ἀδελφότητα Θεολόγων «Ο ΣΩΤΗΡ»

Ἀρχιμ. Θεόδωρος Μπεράτης

Ἀρχιμ. Θεόδωρος Μπεράτης

Μεθοδίου Γ. Φούγια, Μητροπολίτου Πισιδίας, πρώην Ἀρχιεπισκόπου Θυατείρων καί Μέγ. Βρετανίας, **ΕΠΙΚΑΙΡΑ ΕΛΛΗΝΙΚΑ ΘΕΜΑΤΑ, Τομές - Θέσεις.** «Νέα Σύνορα» - Α.Α. Λιβάνη, Ἀθήνα 1997, σσ. 414.

Ἡ συγγραφική παραγωγή τοῦ Σεβ. Πισιδίας κ. Μεθοδίου εἶναι παγκοίνως γνωστή. Ἵδρυσε καί διηύθυνε τό περιοδικό Abba Salama (τόμοι 12), Textes and Studies (τόμοι 10), Ἐκκλησία καί Θεολογία (τόμοι 12), ἐπανεξέδωσε τό ἱστορικό περιοδικό «Ἐκκλησιαστικός Φάρος» (τόμοι 12). Συνέγραψε καί τύπωσε ἐπίσης: Ἱστορικές μελέτες (πολλές κυκλοφοροῦν ἤδη σέ β' ἔκδοση), πάμπολλα ἄρθρα, βιβλιοκρισίες, ἔργα γιά τίς σχέσεις τῶν Ἐκκλησιῶν, γιά τόν Ἑλληνισμό, τόν Ἰουδαϊσμό, τόν Ἰσλαμισμό, τούς Πατέρες τῆς Ἐκκλησίας κ.ἄ., ἐνῶ οἱ Θεολογικές καί Ἱστορικές Μελέτες συμπλήρωσαν ἤδη 13 ὀγκώδεις τόμους (1979-94).

Μέ τό νέο ἔργο του ὁ Σεβ. κ. Μεθόδιος ἐκδιπλώνει καί μία ἄλλη πτυχή τοῦ συγγραφικοῦ του ταλάντου, ἀφοῦ καταπιάνεται ἐπιτυχῶς μέ ἐπίκαιρα ἑλληνικά θέματα, τά ὁποία «δέν πρέπει νά παραβλέπονται ἀπό τούς ἐκκλησιαστικούς ἡγέτες». Ἀκολουθώντας, ὅπως σημειώνεται στό ὀπισθόφυλλο τοῦ βιβλίου, τό παράδειγμα «παλαιοτέρων Ἑλλήνων ἱεραρχῶν, πού δέν περιορίσθηκαν μόνο σέ θέματα τῆς Ἐκκλησίας, τῆς Θεολογίας καί τῆς Παιδείας», ὁ σ. στόν κομψό καί καλοτυπωμένο αὐτό τόμο διαπραγματεύεται 20 θέματα τῆς Ἐκκλησίας, τῆς Θεολογίας καί τῆς Παιδείας», - προβλήματα τοῦ καθημερινοῦ ἐθνικοῦ, κοινωνικοῦ, οἰκονομικοῦ, πολιτικοῦ καί πολιτιστικοῦ βίου τῶν Ἑλλήνων γιά νά διαπιστώσει, «μετά λόγου καί γνώσεως», ὅτι οἱ σημερινοί Ἕλληνες ἔχουν τά ἴδια προτερήματα καί τά ἴδια μειονεκτήματα ἤ ἐλαττώματα πού εἶχαν καί οἱ ἀρχαῖοι πρόγονοί μας (σ. 12).

Ὁ Μητροπολίτης Μεθόδιος στό ἔργο του δέν ἐκθέτει ἁπλῶς τά προβλήματα. Ἀναζητεῖ καί ἀπαντήσεις στά ἐρωτήματα, ἐξετάζοντας καί παραθέτοντας, κριτικάροντας καί ἀμφισβητώντας ἤ συμπληρώνοντας τίς ἀπόψεις σύγχρονων ἀναλυτῶν δημοσιογράφων, πολιτικῶν καί πνευματικῶν ἀνθρώπων. Ἔτσι, αὐτά πού γράφει «δέν ἐκπροσωποῦν ἁπλῶς θεωρητικές ἀντιλήψεις του, ἀλλά καί μιά βιωματική σχέση του πρός αὐτά» (σ. 13). Δέν ρίχνει, γιά τά προβλήματά μας, τίς εὐθύνες μόνο στούς ξένους, Εὐρωπαίους καί Ἀμερικάνους. Ἐπισημαίνει καί τά πολλά λάθη πού ἔχουν διαπραχθεῖ ἀπό ἐκείνους πού διαχειρίσθηκαν ἤ καί διαχειρίζονται ἀκόμη ζωτικά θέματα τοῦ Ἑλληνισμοῦ.

Τά θέματα - προβλήματα πού ἀπαρτίζουν τόν τόμο εἶναι κατά σειράν: *Ἡ Ἑλλάδα καί ἡ Δύση*, ὅπου ἐξετάζονται «ἡ Εὐρωπαϊκή Ἱστορία τῆς Εὐρώπης» τοῦ διαβόητου J.B. Duroselle, πού προκάλεσε τόσες ἀντιδράσεις σ' ἐμᾶς, σέ συνάρτηση μέ τήν Ἱστορία τῆς Ἑλλάδος· καί ἡ Εἴσοδος τῆς Ἑλλάδος στήν Εὐρωπαϊκή Ἕνωση. Τό κεφάλαιο πλουτίζεται μέ τρία Παραρτήματα (Χριστιανισμός καί Ἀρχαιοελληνικός Λόγος, Ἡ ἑλληνική

Γλώσσα καί ἡ Εὐρωπαϊκή Ἕνωση, Σύγχρονες ἀπόψεις γιά τίς σχέσεις τῆς Δύσης μέ τήν Ἑλλάδα). - Στό *Πῶς μᾶς βλέπουν οἱ ξένοι σήμερα*, διερευνᾶται μέ πληρότητα τό ἐρώτημα κατά πόσο ὑπάρχει ἀνθελληνικό πνεῦμα στούς ἀνατολικούς καί δυτικούς Εὐρωπαίους (μέ βάση τό συμφέρον τους καί τόν φιλελληνισμό τους) καί γιατί οἱ Ἕλληνες εἶναι στήν πλειονότητά τους «φιλευρωπαῖοι» ἐνῶ οἱ λοιποί Εὐρωπαῖοι εἶναι «ἀνθέλληνες». Ἀκολουθεῖ ἡ ἀνάλυση τῶν ὅρων *Ἑλλάς - Hellas, Greece - Γραικία, Ρωμηοσύνη - Ρωμηός* καί σέ Παράρτημα, Ἡ σημασία τῆς λέξεως *Γρακύλος*, καθώς καί τό κεφάλαιο *Ἡ σημασία τοῦ Ἀραβικοῦ κόσμου γιά τήν Ἑλλάδα*. Ἕνα ἄλλο σημαντικό θέμα - πρόβλημα βρίσκει τή θέση του στό ἔργο: *Τά χρέη τοῦ Ἑλληνικοῦ Δημοσίου*, ὅπου μέ ὀξύνεια «ἑνός ἁπλοῦ πολίτη» (σ. 125), ἄν καί ὅπως γράφει, περιορίζεται σέ ἐπιφανειακή ἔκθεση τῶν οἰκονομικῶν, ἐντούτοις περνάει ἔντεχνα ἀπόψεις πού προβληματίζουν ἐποικοδομητικά. Σειρά κατόπιν ἔχουν *τό Κυπριακό* καί *τό Σκοπιανό*. Στό πρῶτο ἐξετάζονται μέ διεισδυτικότητα γεγονότα καί συνέπειες ἀπό τήν ἐξέγερση τοῦ 1931 μέχρι τά γεγονότα τοῦ 1974 (τουρκική εἰσβολή καί κατοχή), καθώς καί τά κατά καιρούς «δόγματα» γιά τήν ἐπίλυσή του («ἐθνικό κέντρο», «ἡ Κύπρος ἀποφασίζει, ἡ Ἑλλάς συμπαρίσταται», «ἑνιαῖος ἀμυντικός χῶρος»). Στό δεύτερο, μετά τήν ἀνάλυση τοῦ ὅρου «Μακεδονία, ἐξετάζονται τά σχέσιν ἔχοντα μέ τήν *Ἐκκλησία στά Σκόπια*, πού αὐθαίρετα αὐτοανακηρύχθηκε σέ αὐτοκέφαλη (1967) καί ἀκολουθεῖ ἡ ἄποψη τοῦ σ. γιά τή λύση τοῦ προβλήματος (σσ. 255-275). Τό κεφάλαιο συμπληρώνεται μέ ἕνα κείμενο - ντοκουμέντο, πού ἐπιγράφεται «Ψήφισμα τοῦ Ἐπιστημονικοῦ Συμποσίου γιά τήν Πελαγονία καί τούς Ἕλληνες πoὺ διαμένουν στή «Δημοκρατία τῶν Σκοπίων» (σσ. 275-278).

Σειρά, κατόπιν, ἔχει τό *«Ἵδρυμα Ἑλληνικοῦ Πολιτισμοῦ»*, πού συστάθηκε στά 1992, μέ σκοπό «νά προβάλει τόν ἑλληνικό Πολιτισμό στίς ποικίλες ἐμφανίσεις του καί στήν ἱστορική διαδρομή του» μέ ἐκθέσεις σέ πρωτεύουσες ἄλλων χωρῶν, συναντήσεις εἰδικῶν, ἐκδόσεις κ.λπ. καί διασύνδεση καί ἐπαφή μέ πολιτιστικούς φορεῖς ἄλλων χωρῶν. Παρά τά φιλόδοξα σχέδια τό Ἵδρυμα, λέει ὁ συγγραφέας, «τελικά ἔφθασε σέ πλήρη ἀδράνεια ἤ μᾶλλον σέ κατάρρευση» (σ. 293) καί «διεθνῆ διασυρμό» (σ. 298), ἀφοῦ προικοδοτήθηκε γενναία ἀπό τήν Πολιτεία («συνολικά 5 δισ. δρχ. μαζί μέ τούς τόκους»...).

Οἱ *«Σχέσεις Ἐκκλησίας καί Πολιτείας»*, δέν ἦταν δυνατόν νά ἀπουσιάζουν ὄχι μόνο γιατί ἀποτελοῦν μόνιμο θέμα ἀντιπαραθέσεων, ἀλλά καί διότι ἔγιναν καί γίνονται συζητήσεις μέ ἀφορμή τή μελετώμενη ἀναθεώρηση τῶν ἄρθρων τοῦ Συντάγματος ἤ τόν «χωρισμό» τῶν δύο θεσμῶν. Τά ἴδια ἰσχύουν καί γιά τό ἄλλο μέγα θέμα τῆς *Πορείας τῆς Ἐκκλησίας* μας καί τῆς Ὀρθοδοξίας, καθώς καί τοῦ *Ἀπόδημου Ἑλληνισμοῦ*, τοῦ Συμβουλίου Ἀπόδημου Ἑλληνισμοῦ καί τοῦ *Μέλλοντος τῆς Ἑλληνικῆς Νεολαίας*.

Ἐκτός ἀπό τό πλῆθος τῶν πληροφοριῶν, τῶν στοιχείων, τῶν ἀπόψεων, τῶν κρίσεων κ.λπ., οἱ πλουσιώτατες Σημειώσεις σέ κάθε κεφάλαιο συμπληρώνουν, διευκρινίζουν καί ὁλοκληρώνουν ἐκεῖνα πού σκοπεύει νά μεταδώσει ὁ συγγρφέας, Σεβ. κ. Μεθόδιος. Καί τά ὁποῖα συνοψίζει στόν πυκνό Ἐπίλογό του (σσ. 395-402).

Τό Γενικό εὑρετήριο ὀνομάτων (σσ. 403-412) συμπληρώνει τό ἐνδιαφέρον αὐτό ἔργο, τό ὁποῖο πρόκειται - ὅπως πιστεύω - νά ἱκανοποιήσει κατά τόν ἀρτιότερο τρόπο καί τόν πιό ἀπαιτητικό ἀναγνώστη, πού ἐνδιαφέρεται γιά τά ἐπίκαιρα ἑλληνικά θέματα.

ΕΥΑΓΓΕΛΟΣ Π. ΛΕΚΚΟΣ
Πτυχ. Θεολογίας καί Νομικῆς

Περιοδικό Ἐ**Εκκλησία**, 15 Νοεμβρίου 1997.

ΕΠΙΚΑΙΡΗ ΠΑΡΕΜΒΑΣΗ ΤΟΥ ΜΕΘΟΔΙΟΥ ΦΟΥΓΙΑ

Μιά σημαντική παρέμβαση γιά τό σύνολο τῆς πολιτικῆς καί κοινωνικῆς ζωῆς τῆς χώρας μας ἀποτελεῖ τό τελευταῖο βιβλίο τοῦ μητροπολίτη Πισιδίας Μεθόδιου Φούγια, μέ τίτλο «Ἐπίκαιρα Ἑλληνικά Θέματα».

Σέ **ξεχωριστά κεφάλαια** πού ἀφοροῦν τήν εἰκόνα τῆς Ἑλλάδας στή Δύση, τήν οἰκονομία, τό Σκοπιανό καί τό Κυπριακό, τίς σχέσεις Ἐκκλησίας - Πολιτείας, τό Ἵδρυμα Ἑλληνικοῦ Πολιτισμοῦ καί τό Συμβούλιο Ἀπόδημου Ἑλληνισμοῦ, ὁ Μεθόδιος Φούγιας πραγματοποιεῖ μιά πραγματική τομή, ἀναδεικνύοντας ἕνα διαφορετικό ρόλο στόν ὁποῖο πρέπει νά ἀνταποκριθοῦν οἱ ἡγήτορες τῆς Ἐκκλησίας, σπάζοντας τά στενά ἐκκλησιαστικά πλαίσια, ὥστε νά ἀγκαλιάσουν τό σύνολο τῶν νέων προκλήσεων πού ἀντιμετωπίζουν ἡ Ὀρθοδοξία καί ὁ Ἑλληνισμός.

Χωρίς ἀναστολές, ὁ συγγραφέας διαπιστώνει ὅτι γιά ὅλα «τά προβλήματα πού ἀντιμετωπζίει σήμερα ὁ Ἑλληνισμός, μεγάλο μερίδιο εὐθύνης πρέπει νά ἀναζητηθεῖ στίς παρεμβάσεις κατά τῶν ἑλληνικῶν συμφερόντων ἀπό τήν ἀμερικανική ἤ τήν εὐρωπαϊκή πλευρά».

Στό τομέα τῆς οἰκονομίας, ἡ καταγγελία ὅτι «αὐτοί πού συνιστοῦν λιτότητα πρός ἐπιτυχία τῆς σύγκλισης, ζοῦν μέσα στή χλιδή» καί ἡ διαπίστωση ὅτι ἡ εἰσδοχή τῆς Ἑλλάδας στήν Ε.Ε. ἦταν «μᾶλλον ἔνδειξη φιλελληνικῶν αἰσθημάτων τῶν ἑταίρων», ὅταν προέρχονται ἀπό ἕναν ἱεράρχη, ἀποκτοῦν διαφορετική ἀξία.

Ἐφημερίδα **Ἔθνος**, 7 Ἰαν. 1998

ΒΙΒΛΙΟ παρουσίαση

Θεολογία, ἱστορία καί προβλήματα

ΜΕΘΟΔΙΟΣ Γ. ΦΟΥΓΙΑΣ. Μητροπολίτης Πισιδίας, πρώην Ἀρχιεπίσκοπος Θυατείρων καί Μεγάλης Βρετανίας. **Ἐπίκαιρα Ἑλληνικά Θέματα, Θέσεις - Τομές.** Ἀθήνα «Νέα Σύνορα» Ἐκδόσεις Λιβάνη, 1997. Σέλ. 412.

Ἰδιαίτερο ἐνδιαφέρον προκαλεῖ ἡ μελέτη τῶν σύγχρονων ἑλληνικῶν προβλημάτων ἀπό ἕναν Ἱεράρχη τῆς Ἐκκλησίας μας. Γιατί δέν ἀσχολεῖται μέ τή θεολογία καί τήν ἐκκλησιαστική ἱστορία μόνον, ἀλλά καί μέ ἄλλα ζωτικά, ἐπίκαιρα τοῦ ἑλληνικοῦ λαοῦ προβλήματα.

Τεκμηριωμένα, μέ ἀναφορές σέ σύγχρονους πολιτικούς καί συγγραφεῖς - δημοσιογράφους καί ἀναλυτές - προσεγγίζει ζωτικά θέματα τῆς ἑλληνικῆς ζωῆς. Ὁ προσανατολισμός της, τά συμφέροντά της, ἡ κληρονομιά της, ἡ πορεία της στό ἐσωτερικό καί τό ἐξωτερικό καί ἐν γένει οἱ εὐκολίες καί οἱ δυσκολίες της ἀναφύονται ἀπό τήν ἐκφραζόμενη σκέψη τοῦ σεβ. Μεθοδίου.

Ὁ κατάλογος τῶν ἀναλυομένων ἱστορικῶν καί πραγματικά προβλημάτων εἶναι μεγάλος καί κυριαρχοῦν ὅπως ἡ Ἑλλάδα καί ἡ Δύση, τό Κυπριακό, τό Σκοπιανό καί ὁ καπηλευόμενος πολιτισμός μας. Ἡ σκέψη καί ὁ προβληματισμός τοῦ Ἱεράρχη συγγραφέα, γνωστοῦ καί ἀπό τό ἀταλάντευτο ἱερατικό του πρόγραμμα, ἐκφράζεται στόν πρόλογο τοῦ ἔργου του, ἀλλά καί στήν εἰλικρίνειά του νά δηλώνει ὅτι οἱ σκέψεις καί οἱ παρατηρήσει του, τά συμπεράσματά του καί οἱ προβλέψεις του στηρίζονται στίς ἐπί μέρους μελέτες τῶν εἰδικῶν γιά κάθε θέμα. Δύσκολα θά συναντήσει ὁ σύγχρονος παρατηρητής τόση πολυμέρεια καί τόσο θερμό ἐνδιαφέρον γιά τά ἑλληνικά προβλήματά της σήμερον, ἀλλά καί ἐκφραζόμενα χωρίς ἰδιοτελεῖς σκέψεις.

Ἀντώνης Σπηλιόπουλος

Ἐφημερίδα **τά Νέα**.

ΒΙΒΛΙΟ

Σελίδες προβληματισμοῦ ἀπό τό μητροπολίτη Πισιδίας

ΑΝΑΖΗΤΩΝΤΑΣ ἀπαντήσεις στά κρίσιμα θέματα πού ἀπασχολοῦν τούς Ἕλληνες ὁ μητροπολίτης Πισιδίας, πρώην ἀρχιεπίσκοπος Θυατείρων καί Μεγάλης Βρετανίας, Μεθόδιος Γ. Φούγιας καταθέτει στή διάθεση τῶν ἀναγνωστῶν - μετά ἀπό πολύμοχθη προσπάθεια - τό νέο του βιβλίου **«Ἐπίκαιρα ἑλληνικά θέματα, τομές - θέσεις»**, πού κυκλοφορεῖ ἀπό τίς ἐκδόσεις «Λιβάνη».

Ἡ συγγραφή του ἀποδεικνύει, γιά μία ἀκόμη φορά, τό ἐνδιαφέρον τοῦ συγγραφέα, ἀλλά καί τῆς Ἐκκλησίας γιά τά προβλήματα πού ἀπασχολοῦν τήν κοινωνία μας.

Μετά ἀπό προσεκτική ταξινόμηση, κριτική ἀνάλυση, ἀντιπαράθεση προσωπικῶν θέσεων καί ἔγκυρη ἐπιχειρηματολογία, ὁ σεβασμιότατος Μεθόδιος Γ. Φούγιας διαπραγματεύεται θέματα, ὅπως:

Ἱστορία

Ἡ εὐρωπαϊκή ἱστορία καί ἡ ἱστορία τῆς Ἑλλάδας, ἡ Ἑλλάδα στήν Εὐρωπαϊκή Ἕνωση, ἡ ἄποψη τῶν ξένων γιά τούς σύγχρονους Ἕλληνες, ἡ ἑλληνικότητα τοῦ ἔθνους καί τῆς πατρίδας μας, τά οἰκονομικά μας προβλήματα, τό Κυπριακό, τό Σκοπιανό κ.ἄ.

Ὁ μητροπολίτης Πισιδίας δέν καταγράφει ἁπλῶς τά γεγονότα, ἐντρυφεῖ σέ αὐτά μέ τή ματιά τοῦ ἀνθρώπου πού δέν εἶναι ἁπλά παρατηρητής, ἀλλά βαθύς γνώστης καί μελετητής τῶν γεγονότων πού σφραγίζουν τό σημερινό πρόσωπο τῆς κοινωνίας μας.

Στόν πρόλογο τοῦ βιβλίου του ὁ σεβασμιότατος σημειώνει χαρακτηριστικά: «Ἴσως φανῶ προκλητικός μέ τήν παρατήρηση πού κάνω.

Ὅτι σέ ὅλα τά προβλήματα πού ἀντιμετωπίζει σήμερα ὁ Ἑλληνισμός μεγάλο μερίδιο εὐθύνης πρέπει νά ἀναζητήσουμε στίς παρεμβάσεις, κατά τῶν ἑλληνικῶν συμφερόντων, κατά τρόπο ἄμεσο ἤ ἔμμεσο, ἀπό τήν ἀμερικανική ἤ καί τήν εὐρωπαϊκή πλευρά. Ἔχει γίνει συνείδηση κάθε Ἕλληνα πολίτη ὅτι σ' ἕνα μεγάλο βαθμό τά ἐθνικά προβλήματα ὄχι μόνο δημιουργοῦνται, ἀλλά καί συντηροῦνται ἀπό τίς δυνάμεις αὐτές.

Λύσεις

Αὐτοί ἔχουν καί θέλουν νά ἐπιβάλουν τίς λύσεις τους μέ τίς ἰσορροπίες ἐκεῖνες στήν περιοχή πού ἐξυπηρετοῦν τά συμφέροντά τους.

Μετέρχονται μιά ρευστή πολιτική ἀπέναντι στή χώρα μας γιά νά ἐξαρτοῦν τίς ὅποιες ἐξελίξεις ἀπό τούς δικούς τους στόχους καί σχεδιασμούς».

Ἐλεύθερος τύπος 3 Ἰαν. 1998.

5-3-91

ΗΛΙΑΣ Ι. ΜΑΛΕΒΙΤΗΣ
Τ. ΒΟΥΛΕΥΤΗΣ ΑΧΑΪΑΣ

Σεβασμιώτατε,

Πήρα το βιβλίο Σας "ΕΛΛΗΝΕΣ ΚΑΙ ΛΑΤΙΝΟΙ" και Σας ευχαριστώ.

Δεχθήτε παρακαλώ τα θερμά μου συγχαρητήρια για την εθνική Σας προσπάθεια. Ο Ελληνισμός και η Ορθοδοξία σήμερα έχουν ανάγκη στήριξης και ενίσχυσης.

Εύχομαι το δικό Σας έργο να εύρη και άλλους μιμητές. — Επί ευκαιρία Σας στέλνω τις φωτογρ. από την εορτή της Ζ.Ν.

Με σεβασμό

[signature]

ΑΘΗΝΑ: ΧΑΡΗΤΟΣ 36
ΤΗΛ. 72 46 315 - 72 32 706

ΑΙΓΙΟΝ: ΜΗΤΡΟΠΟΛΕΩΣ 23
ΤΗΛ. (0691) 28 762 - 28 519

ΙΗ′

Τό Ἑλληνικό Ὑπόβαθρο τοῦ Εὐρωπαϊκοῦ Πολιτισμοῦ

Οἱ Ἑλληνικές ρίζες τῆς Εὐρώπης, Ἀθήνα, 1999

Σελ. 364.

ΤΟ ΕΛΛΗΝΙΚΟ ΥΠΟΒΑΘΡΟ ΤΟΥ ΕΥΡΩΠΑΪΚΟΥ ΠΟΛΙΤΙΣΜΟΥ

ΤΟ ΕΛΛΗΝΙΚΟ ΥΠΟΒΑΘΡΟ
ΤΟΥ ΕΥΡΩΠΑΪΚΟΥ ΠΟΛΙΤΙΣΜΟΥ

Οι Ελληνικές Ρίζες της Ευρώπης

«ΝΕΑ ΣΥΝΟΡΑ» – Α. Α. ΛΙΒΑΝΗ

Σέ μιά ἀπ' τίς πρό-πασχαλιάτικες ἐκδόσεις τῆς «Καθημερινῆς» τῶν Ἀθηνῶν (4 Ἀπριλίου 1999) διαβάζουμε σέ ἡμισέλιδη, καταχώρηση τοῦ ἐκδοτικοῦ οἴκου «Νέα Σύνορα» - Α.Α. Λιβάνη γιά τίς ἐπανεκδόσεις πού κάνει ὁ οἶκος μερικῶν ἀπ' τά βιβλία τοῦ Μητροπολίτου Μεθοδίου Φούγια.

Γράφει μεταξύ ἄλλων:

«Ὁ Μεθόδιος Φούγιας, πρ. Ἀρχιεπίσκοπος Θυατείρων καί Μέγ. Βρετανίας καί τώρα Μητροπολίτης Πισιδίας, εἶναι εὐρύτατα γνωστός γιά τό ποιμαντικό του ἔργο στήν Ἀφρική καί τή Μ. Βρετανία, ἀλλά καί τό πληθωρικό καί ἀξιόλογό του ἔργο κατά τήν τελευταία 45ετία. Ὁ μεγάλος ἀριθμός τῶν συγγραμμάτων καί τῶν περιοδικῶν ἐκδόσεών του ἔχει προκαλέσει τό θαυμασμό Ἑλλήνων καί ξένων, εἰδικῶν θεολόγων καί ἱστορικῶν τῆς Ἐκκλησίας. Καί δέν εἶναι λίγοι ἐκεῖνοι πού τόν κατατάσσουν στούς κορυφαίους ἐκκλησιαστικούς συγγραφεῖς τῆς ἐποχῆς μας».

Καί ἡ δημοσίευση συνεχίζει:

«Ὁ Ἐκδοτικός Ὀργανισμός Λιβάνη εὐτύχησε νά ἐκδόσει μερικά ἀπό τά ἔργα του, πού σημειώνουμε στή σελίδα αὐτή (ἕπονται σέ μικροφωτογραφίες ἐξώφυλλα βιβλίων του), ὁρισμένα ἀπό τά ὁποία ἐξαντλήθηκαν σέ σύντομο χρονικό διάστημα καί προβήκαμε σέ δεύτερη ἔκδοση γιά νά ἀντιμετωπίσουμε τή ζήτηση ἐνδιαφερομένων περί τά θέματα πού ἔχει διαπραγματευθεῖ ὁ Σεβασμιότατος κ. Μεθόδιος Φούγιας.

Οἱ βιβλιοκριτές τῶν ἔργων τοῦ Σεβασμιοτάτου ἔχουν ἐπισημάνει τή σπουδαιότητα αὐτῶν ὄχι μόνο ἀπό θεολογικῆς καί ἐκκλησιαστικῆς ἄποψης, ἀλλά καί ἀπό ἐθνικῆς. Γιατί ὁ συγγραφέας μέ τό γραπτό λόγο του συντελεῖ στήν ἀφύπνιση ἐθνικῶν δυνάμεων, οἱ ὁποῖες σήμερα εἶναι ἀπαραίτητες γιά τό ἑλληνικό γίγνεσθαι, ὅπως χρήσιμες ὑπῆρξαν γιά τό γίγνεσθαι τῶν λαῶν τῆς Εὐρώπης τῶν Ἀράβων καί τοῦ Ἰουδαϊκοῦ ἔθνους κατά τό παρελθόν. Τό χρέος αὐτό πού ἔχουμε ὅλοι ἀπέναντι στήν ἐκκλησιαστική καί ἐθνική μας παράδοση τό ὑπηρετεῖ μέ ἐπιτυχία ὁ Σεβασμιότατος κ. Μεθόδιος, μέ ἀταλάντευτη πίστη στή συνέχεια τοῦ Ἔθνους καί τῆς Ἐκκλησίας μας καί τήν ἀμείωτη προσφορά τους καί στό σύγχρονο κόσμο».

Αὐτά σημειώνονται στήν καταχώρηση Α.Α. Λιβάνη. Ἐμεῖς ἄς προσθέσουμε:

- Τί Χαλάνδρι (ὅπου μένει ὁ Σεβασμιότατος), τί Καύκασος. Ὁ Προμηθέας δεσμώτης (ἤ μή) πάντα θ' ἀγωνιᾶ. Καί θά στέλνει μηνύματα....

Ἐφημερίδα τοῦ Λονδίνου **Ταχυδρόμος** Μάϊος - Ἰούνιος 1999.

Τιμητική παρουσίασις τῶν βιβλίων τοῦ Σεβ. Μητροπολίτου Πισιδίας κ. Μεθοδίου

Τήν 15η Ἰουνίου 2000 στό χῶρο τοῦ καφέ τοῦ βιβλιοπωλείου ΕΥΡΙΠΙΔΗΣ ΣΤΗ ΣΤΟΑ (Χαλάνδρι) πραγματοποιήθηκε ἡ παρουσίασις τῶν βιβλίων τοῦ Σεβ. Μητροπολίτου Πισιδίας κ. Μεθοδίου Φούγια. Γιά τό βιβλίο **«Τό Ἑλληνικό Ὑπόβαθρο τοῦ Εὐρωπαϊκοῦ Πολιτισμοῦ»**, τό ὁποῖο μέ ἐκτενῆ Βιβλιοκρισίαν ἔχει παρουσιασθεῖ στό περιοδικό «Θεολογία» (τόμ. 70, τεῦχος 2-3/2000 τοῦ Καθηγητοῦ κ. Παν. Σιμωτά, σσ. 571-574), ὡμίλησεν ἡ Πρόεδρος τῆς «Πανελλήνιας Ἕνωσης Λογοτεχνῶν» κ. Ντίνα Βλάχου. Γιά τά ἔργα τοῦ Σεβασμιωτάτου, πού ἐκδόθηκαν ἀπό τήν «Ἀποστολική Διακονία τῆς Ἐκκλησίας τῆς Ἑλλάδος», ὡμίλησεν ὁ Διευθυντής Ἐκδόσεων αὐτῆς καί Ἀρχισυντάκτης τοῦ παρόντος περιοδικοῦ κ. Εὐάγγελος Λέκκος.

Εἰδικώτερον καί διεξοδικώτερον γιά τόν ἐξαίρετο καί ἀποκαλυπτικό γιά τίς σχέσεις Ἀνατολῆς καί Δύσεως ἔργο τοῦ Σέβ. Μητροπολίτου Πισιδίας **«Ἕλληνες καί Λατῖνοι»**, ἀλλά καί γιά τήν προσωπικότητα τοῦ πολυγραφωτάτου καί ρηξικελεύθου συγγραφέως ὡμίλησεν ἐκτενῶς ὁ Καθηγητής τοῦ Πανεπιστημίου Ἀθηνῶν κ. Μέγας Φαράντος, ὁ ὁποῖος ἐμελέτησεν καί ἀνέλυσεν ἐμβριθῶς σέ 14 σελίδες τό ἐκ 500 σελίδων ἀποτελούμενο πολυσύνθετον ἔργο τοῦ Σεβ. κ. Μεθοδίου, τό ὁποῖο γιά δεύτερη φορά ἐκδόθηκε ἀπό τήν «Ἀποστολική Διακονία».

Ἀπό τίς πολλές κρίσεις ἐγκωμιαστικές κρίσεις γιά τό ἔργο τοῦτο σημειώνουμε λ.χ. τίς τοῦ Δρος κ. Γρ. Οἰκονομάκου στό περιοδικό «Παρνασσός» (ΛΓ', 1991, σσ. 407-409), τοῦ Καθηγητοῦ κ. John E. Rexime (Golgate University) στήν Patristic - Byzantine Review (τόμ. 10, ἔτος 1991, Ν. Ὑόρκη, σσ. 71 - 75), τοῦ κ. Εὐαγγέλου Λέκκου στό περιοδικό «Ἐκκλησία» (1 Δεκ. 1991, σσ. 651-652), τοῦ νῦν ὑφυπουργοῦ Οἰκονομικῶν κ. Γιάννη Ζαφειροπούλου, τοῦ κ. Δ. Κούσιου στίς Βρυξέλλες, τοῦ Καθηγητοῦ κ. A. de Halleux στό Λουβαίν καί ἄλλων διανοουμένων στήν Ἑλλάδα καί στό ἐξωτερικό.

Στήν ἐκδήλωσι τῆς παρουσιάσεως τῶν βιβλίων τοῦ Σέβ. κ. Μεθοδίου παρέστησαν πολλοί ἐπίσημοι καί ἐκπρόσωποι τοῦ πνευματικοῦ κόσμου, ἐνῶ ἀρκετοί ἐξ ἐκείνων, οἱ ὁποῖοι δέν ἠδυνήθησαν νά παραστοῦν, ἀπέστειλαν ἐπιστολές (ὡς λ.χ. ὁ μνημονεύθείς ὑφυπουργός κ. Γιάννης Ζαφειρόπουλος). Μετά τήν ἐκδήλωσι ὁ θεολόγος καί δικηγόρος κ. Θ. Κοντοθανάσης στό «Ἀθήναιον» τοῦ Χαλανδρίου παρέθεσε δεῖπνον σέ πολλούς ἐκ τῶν παρευρεθέντων στήν ἐκδήλωσι.

Ε.Δ.Θ.

Περιοδικό **Ἐκκλησία,** Ἰούλιος, 2000, σέλ. 663.

ΓΕΝΙΚΗ ΓΡΑΜΜΑΤΕΙΑ ΤΟΥ ΥΠΟΥΡΓΙΚΟΥ ΣΥΜΒΟΥΛΙΟΥ

ΓΕΝΙΚΟΣ ΓΡΑΜΜΑΤΕΑΣ

30 Απριλίου '99

Μητροπολίτη
κ. Μεθόδιο Βούγια

Σεβασμιότατε,

Ευχαριστώ θερμότατα για την αποστολή του ιδιαίτερα ενδιαφέροντος βιβλίου σας «Το Ελληνικό Υπόβαθρο του Ευρωπαϊκού πολιτισμού. Οι ελληνικές ρίζες της Ευρώπης».

Ο Θεός να σας δίνει δύναμη για συνέχιση της πνευματικής σας προσφοράς.

Με ιδιαίτερη εκτίμηση

Σταμάτης Μουτζής

ΒΙΒΛΙΟ
παρουσίαση

Η συμβολή τῶν Ἑλλήνων

ΜΕΘΟΔΙΟΥ ΦΟΥΓΙΑ, Μητροπολίτου Πισιδίας **«Τό Ἑλληνικό Ὑπόβαθρο τοῦ Εὐρωπαϊκοῦ Πολιτισμοῦ. Οἱ Ἑλληνικές Ρίζες τῆς Εὐρώπης»**. «Νέα Σύνορα» Α.Α. Λιβάνη. Σέλ. 364, μέ εἰκόνες καί χάρτες, 1999.
Ὅπως καί στά προηγούμενα ἔργα τοῦ Μητροπολίτη Πισιδίας, πρώην Ἀρχιεπισκόπου Βρετανίας, ἔτσι καί σέ αὐτό γίνεται μία προσπάθεια ἀνάλυσης τῶν πολιτισμικῶν σχέσεων τῶν εὐρωπαϊκῶν λαῶν μέ τήν Ἑλλάδα τῆς Δύσης ἀλλά καί τῆς Ἀνατολῆς. Ὁ συγγραφέας, στηρίζεται σέ εὐρωπαϊκές μόνο πηγές. Ὁ κ. Μεθόδιος στό βιβλίο του ἐπιχειρεῖ νά ἑρμηνεύσει τά πολιτικά καί πολιτιστικά προβλήματα, πού προκύπτουν ἀπό τή στρατηγική τῶν μεγάλων δυνάμεων.

Ὁ συγγραφέας παραθέτει στοιχεῖα γιά τό πόσο οἱ Εὐρωπαῖοι σοφοί καί πολιτικοί συνέβαλαν στή σπουδή καί υἱοθέτηση ἐπιτευγμάτων τῶν Ἑλλήνων σέ ὅλους τούς τομεῖς τῆς σκέψης καί τῆς ζωῆς του ἀνθρώπου. Ἐνῶ διαπραγματεύεται φιλοσοφικά, πολιτικά, κοινωνικά, πολιτιστικά καί καλλιτεχνικά θέματα, πού ἔχουν ἑλληνική προέλευση καί τά ὁποία ὡς ἕνα βαθμό ἔχουν υἱοθετήσει. Ὁ κ. Φούγιας προσπαθεῖ νά στείλει μέσα ἀπό τίς σελίδες τοῦ βιβλίου τό μήνυμα: **«Ἡ Ἑλλάδα δέν ἀνήκει στήν Εὐρώπη, ἀλλά ἡ Εὐρώπη στήν Ἑλλάδα»**, σέ μία ἐποχή ἰδιαίτερα κρίσιμη γιά τήν εὐρύτερη περιοχή τῶν Βαλκανίων, ὅπως αὐτή ἔχει διαμορφωθεῖ.

Ὁ μητροπολίτης ἀποδεικνύει ὅτι ἀρκετοί ἄνθρωποι, κυρίως Ρωμαῖοι, ἔγιναν μεγάλοι ἀπόστολοι τοῦ ἑλληνικοῦ πνεύματος στήν Εὐρώπη καί παρουσιάζει μέσα ἀπό τίς σελίδες τοῦ βιβλίου πρόσωπα, τά ὁποῖα συνέβαλλαν στή μετάδοση τῶν πολιτιστικῶν ἀξιῶν στήν Εὐρώπη...

Πάνος Μπαΐλης

Ἐφημερίδα Τά **Νέα** 24 Μαΐου 1999.

Ο μητροπολίτης Μεθόδιος κατά τοῦ Χάντινγκτον

ΚΕΡΑΥΝΟΥΣ κατά τοῦ Ἀμερικανοῦ καθηγητή Χάντινγκτον, ὁ ὁποῖος ὑποστηρίζει ότι οἱ πόλεμοι τοῦ μέλλοντος θά εἶναι μεταξύ πολιτισμῶν, μεταξύ τοῦ εὐρωπαϊκοῦ καί τοῦ ἀνατολικοῦ πολιτισμοῦ (στόν ὁποῖο περιλαμβάνει τήν Ἑλλάδα ἐπειδή εἶναι ὀρθόδοξη), ἐξαπολύει ὁ μητροπολίτης Πισιδίας Μεθόδιος Φούγιας, μέ τό βιβλίο του **«Τό ἑλληνικό ὑπόβαθρο τοῦ εὐρωπαϊκοῦ πολιτισμοῦ»** (ἐκδόσεις «ΛΙΒΑΝΗ»). Ὁ μητροπολίτης Μεθόδιος Φούγιας καταγράφει τις σημαντικότερες ἀναφορές διανοουμένων τῆς

Δύσης γιά τόν ἑλληνικό πολιτισμό καί γιά τήν ὀφειλή τοῦ εὐρωπαϊκοῦ πολιτισμοῦ στήν Ἑλλάδα. Ἐνῶ χαρακτηρίζει τη θεωρία τοῦ Χάντινγκτον «αὐθαίρετη καί ἐσκεμμένη». «Συνηθίζουμε», λέει ὁ κ. Φούγιας, «νά ἐπαναλάβουμε, πολύ ὀρθά, τή διείσδυση τοῦ ἑλληνικοῦ πολιτισμοῦ στήν εὐρώπη, ἀλλά δέν τονίζουμε ότι στον ἐξελληνισμό τῆς Ρώμης προηγήθηκε ἡ ἑλληνιστική ἰουδαϊκή παράδοση, ἡ ὁποία συνέβαλε πολύ στή διεύρυνση τῆς ἀκτινοβολίας τοῦ ἑλληνικοῦ πολιτισμοῦ. Καί ἐπειδή ὁ ἑλληνισμός συνέβαλε ἀποφασιστικά στήν πνευματική ἀκτινοβολία καί τοῦ ἰσλαμισμοῦ, ἀδύνατοι μερικοί, ἤ σκόπιμα κινούμενοι, ἀντί νά διερευνήσουν τίς προεκτάσεις τοῦ ἑλληνικοῦ πολιτισμοῦ, κατατάσσουν την Ἑλλάδα πολιτιστικά στήν Ἀνατολή». Καί προσθέτει: «Συνηθίζεται νά χαρακτηρίζεται ἡ συμμετοχή τῆς Ἑλλάδας στήν ὑπογραφή Συνθηκῶν, ὅπως τοῦ Μάαστριχτ, ὡς πορεία αὐτῆς πρός τήν Εὐρώπη καί ἀλλοῦ ἡ Ἑλλάδα... ἡ ὁποία ὅμως ἦταν πάντοτε κομμάτι τῆς Εὐρώπης».

• Ὁ μητροπολίτης Μεθόδιος, ἀπόφοιτος τῆς θεολογικῆς Σχολῆς Παν. Ἀθηνῶν τό 1952, ἔκανε μεταπτυχιακές σπουδές στήν Ἀγγλία καί τίς Η.Π.Α. Ἀπέκτησε τρία διδακτορικά (Μάντσεστερ, Ἐδιμβοῦργο καί Βοστόνη). Διετέλεσε ἀρχιγραμματέας τοῦ Πατριαρχείου Ἀλεξανδρείας - 1954-56, τῆς Ἱερᾶς Συνόδου τῆς Ἐκκλησίας τῆς Ἑλλάδος - 1956-58, μητροπολίτης Αἰθιοπίας -1968-79, Ἀρχιεπίσκοπος Μεγάλης Βρετανίας - 1979-88, μέλος τῆς Διεθνοῦς Ἀκαδημίας Θρησκειολογικῶν Ἐπιστημῶν. Ἔχει συγγράψει 28 βιβλία, μέ ἐπίκεντρο τόν Ἑλληνισμό, τή διεθνή ἐπιρροή του καί τήν Ὀρθοδοξία. Ἔργο πού ἔχει προκαλέσει θαυμασμό γιά τή ποιότητα, τήν πληρότητα καί τή μαχητικότητά του.

Ἀπογευματινή, 9 Αὐγούστου, 1999.

Yale University

Divinity School Library
409 Prospect Street
New Haven, Connecticut 06511

Campus address:
141 SDQ
Telephone:
203 432-5290

May 19, 1999

Dr. Methodios Fouvas
9. Riga Feraiou Str.
GR-152 32 Khalandri
GREECE, Hellas

Dear Dr. Fouvas:

I gratefully acknowledge the receipt of the volume mentioned below and extend to you our sincere thanks.

Cordially yours,

Paul Stuehrenberg
Divinity Librarian

spb

The Hellenic Pedestal of European Civilization: The Hellenic Roots of Europe, 1999

ΟΡΘΟΔΟΞΟΣ ΑΚΑΔΗΜΙΑ ΚΡΗΤΗΣ
ΓΩΝΙΑ ΚΡΗΤΗΣ

Γωνιά, 14-5-1999

Προς
τον Σεβασμ. Μητροπολίτην Πισιδίας
κ. ΜΕΘΟΔΙΟΝ
Ρήγα Φερραίου 9
152 32 ΧΑΛΑΝΔΡΙ

Σεβασμιώτατε,

Επιβεβαιώνομε τη λήψη του δημοσιεύματός σας "ΤΟ ΕΛΛΗΝΙΚΟ ΥΠΟΒΑΘΡΟ ΤΟΥ ΕΥΡΩΠΑΪΚΟΥ ΠΟΛΙΤΙΣΜΟΥ. ΟΙ ΕΛΛΗΝΙΚΕΣ ΡΙΖΕΣ ΤΗΣ ΕΥΡΩΠΗΣ", που είχατε την ευγένεια να προσφέρετε προς εμπλουτισμό της Βιβλιοθήκης της Ορθοδόξου Ακαδημίας Κρήτης και σας γνωρίζομε πως έγινε η σχετική καταχώρηση στον τόμο εισερχομένων εντύπων, με αριθμό **13325**.

Σας ευχαριστούμε θερμά και ελπίζουμε πως δεν θα παύσετε να εκδηλώνετε και στο μέλλον τη συμπαράστασή σας στο έργο του Ιδρύματος.

Η μελέτη Σας, εμπεριστατωμένη, τεκμηριωμένη και βαθυστόχαστη, όπως είναι πάντοτε ο δικός Σας λόγος, έχει ιδιαίτερη επικαιρότητα σήμερα.

Ευσεβάστως ευχαριστώ και συγχαίρω θερμώς και πατρικά.

Με τιμή
Ο Γεν. Διευθυντής

Αλέξ. Παπαδερός

ΒΟΥΛΗ ΤΩΝ ΕΛΛΗΝΩΝ
Ο ΠΡΟΕΔΡΟΣ

Αθήνα, 22 Απριλίου 1999

Προς τον
Σεβ. Μητροπολίτη Πισιδίας
κ. Μεθόδιο Φούγια
Ρήγα Φεραίου 9
<u>**152 32 ΧΑΛΑΝΔΡΙ**</u>

Σεβασμιώτατε,
Χριστός Ανέστη!

Σας ευχαριστώ για την ευγενική χειρονομία να μου στείλετε το βιβλίο «ΤΟ ΕΛΛΗΝΙΚΟ ΥΠΟΒΑΘΡΟ ΤΟΥ ΕΥΡΩΠΑΪΚΟΥ ΠΟΛΙΤΙΣΜΟΥ. ΟΙ ΕΛΛΗΝΙΚΈΣ ΡΙΖΕΣ ΤΗΣ ΕΥΡΩΠΗΣ», με την δική σας κατάθεση για την παρουσία της Ελλάδος στο γίγνεσθαι της Ευρώπης από την αρχαία εποχή μέχρι και σήμερα.

Φιλικά

ΑΠΟΣΤΟΛΟΣ ΧΡ. ΚΑΚΛΑΜΑΝΗΣ

ΛΕΩΦ. ΒΑΣ. ΣΟΦΙΑΣ 2 - 100 21 ΑΘΗΝΑ - ΤΗΛ.: (01) 36.40.382, 32.28.646 - ΤΗΛΕΟΜΟΙΟΤΥΠΙΑ (FAX): (01) 32.32.913

Σεβασμιώτατον Μητροπολίτην Πισιδίας
κ. Μεθόδιον
Ρήγα Φεραίου 9
152 32 Χαλάνδρι

Σεβασμιώτατε Ἅγιε Ἀδελφέ,

Μετά τῆς Πασχαλίου χαρᾶς καί μέ τόν Ἀναστάσιμον χαιρετισμόν **"Χριστός Ἀνέστη!"** προάγομαι διά τῆς παρούσης, ὅπως ἐκ βαθέων ἐκφράσω τάς εὐχαριστίας μου πρός τήν ἀγαπητήν Σεβασμιότητα διά τήν ἀποστολήν τοῦ νέου ἔργου αὐτῆς μέ τίτλον **"Τό Ἑλληνικό ὑπόβαθρο τοῦ Εὐρωπαϊκοῦ Πολιτισμοῦ. Οἱ Ἑλληνικές ρίζες τῆς Εὐρώπης"**, ὡς καί διά τήν ἐκδήλωσιν τῶν εὐγενῶν αἰσθημάτων ἀγάπης σας πρός τό πρόσωπόν μου.

Τό νέο φιλοπόνημα σας μαρτυρεῖ διά μίαν ἀκόμη φοράν, ἀφ' ἑνός μέν τήν πλουσία συγγραφικήν σας προσφορά εἰς τήν ἐπιστήμην καί τό βιβλιόφιλο κοινό, ἀφ' ἑτέρου ἐκφράζει τάς ἀνησυχίας καί τούς προβληματισμούς σας διά μίαν Εὐρώπη ἡ ὁποία ὁδηγεῖται μέσα εἰς τήν τραγικότητα τῶν ἐχθροπαξιῶν καί τῆς φρίκης τοῦ πολέμου, πρός τήν ἑνοποίησιν λαῶν καί πολιτισμῶν ἐν ὄψει τῶν οἰκονομικῶν καί πολιτικῶν ὁραματισμῶν διά τήν νεάν χιλιετίαν.

Ἐκφράζω τά θερμά μου συγχαρητήρια καί εὔχομαι ἐκ βαθέων ἐνίσχυσιν εἰς τήν πνευματικήν ἀρχιερατικήν διακονίαν σας ἐν τῷ Ἀμπελῶνι τοῦ Κυρίου, ἐν ὑγιείᾳ, ἔτη πλεῖστα καί εὐφρόσυνα πρός δόξαν τῆς Ἁγιωτάτης ἡμῶν Ἐκκλησίας καί τοῦ Σεπτοῦ Οἰκουμενικοῦ ἡμῶν Θρόνου.

Ἐν Χαλκηδόνι, τῇ 14ῃ Μαΐου 1999.

Μετ' εὐχῶν καί πολλῆς ἀγάπης ἐν Χριστῷ Ἀναστάντι

† ὁ Χαλκηδόνος Ἰωακείμ

† Ὁ Χαλκηδόνος ΙΩΑΚΕΙΜ

Θεσσαλονίκη 24/4/1999

Σεβασμιώτατε,

Χριστός ἀνέστη!

Θαυμάζω τήν ἀκαταπόνητη ἐργατικότητά Σου καί τήν σοφία Σου. Ἐπιλέγεις θέματα σπουδαῖα καί τά διεξέρχεσαι μέ θαυμαστή γνώση τῶν πηγῶν καί τῆς βιβλιογραφίας καί ρίχνεις φῶς σέ καίρια προβλήματα.

Ἔλαβα μέ πολλή χαρά τό νέο βιβλίο τῆς Σεβασμιότητός Σου «*Τό ἑλληνικό ὑπόβαθρο τοῦ εὐρωπαϊκοῦ πολιτισμοῦ. Οἱ ἑλληνικές ρίζες τῆς Εὐρώπης*». Εὐχαριστῶ γιά τό πνευματικό δῶρο Σου καί γιά τήν τιμή πού μοῦ κάνεις τώρα καί πάντα νά μοῦ στέλνεις τά γεννήματα τῆς Σοφίας καί τῆς Ἀγάπης Σου. Θερμά συγχαρητήρια. Διάβασα σποραδικά ἀρκετές σελίδες καί τό χάρηκα. Θά τό μελετήσω ὑπό καλύτερες — μέ τήν εὐχή Σου — συνθῆκες, γιατί ἐδῶ καί δέκα ἡμέρες (δηλαδή ἀπόδά ἀπό τήν λήψι τοῦ βιβλίου) ταλαιπωροῦμαι μέ μιά ψύξη τοῦ προσώπου. Θά περάσει. Παλιώσαμε — δέν λέγω «γεράσαμε».

Εἶδες τί ἔπαθα μέ τόν Καλσίγιαννη. Τόν ἔψαχνα στή γῆ, δέν τόν εὕρισκα πουθενά. Κι ἔμαθα τή διεύθυνσή του τήν ἡμέρα πού πέθανε. Εἶδα τήν νεκρολογία του στήν «Ἐκκλησιαστική Ἀλήθεια». Στόν «Ὀρθόδοξο Κήρυκα» τοῦ Λονδίνου τοῦ μηνός Ἰανουαρίου—Φεβρουαρίου ~~ἀλλά~~ δέν εἶδα νά λέγει τίποτε. Ἴσως στό ἄλλο τεῦχος. Στήν νεκρολογία ἀφήνει ἕναν ὑπαινιγμό γιά τήν πικρία του πού ἔφυγε ἀπό τήν Ἁγία Σοφία («τά ἔθλιψε βαθιά τό γεγονός...»). Τήν γράφει ὁ διάκονος Λεόντιος Καφίκας — δέν τόν γνωρίζω. Λιγοστεύουμε οἱ «τοῦ προπαιδευτικοῦ».

Φιλῶ τό χέρι Σου, δέσποτά μου,
ἀγαπητέ φίλε καί «συμπροπαιδευτικέ».
Θερμές εὐχαριστίες καί πολλά τά ἔτη Σου.

Ι. Φουντούλης

64. Ὁ Ἀρχιεπίσκοπος Μεθόδιος συμπροεδρεύει σέ συνέδριο μέ ἀντιπροσώπους τῆς Ἀγγλικανικῆς Ἐκκλησίας.

Μεθοδίου Γ. Φούγια, Μητροπολίτου Πισιδίας, πρώην Ἀρχιεπισκόπου Θυατείρων καὶ Μεγάλης Βρετανίας, *Τὸ ἑλληνικὸ ὑπόβαθρο τοῦ εὐρωπαϊκοῦ πολιτισμοῦ. Οἱ ἑλληνικὲς ρίζες τῆς Εὐρώπης,* «Νέα Σύνορα», Ἐκδοτικὸς Ὀργανισμὸς Λιβάνη, Ἀθήνα 1999, σελ. 364.

Ὁ ὡς ἄνω διακεκριμένος Ἱεράρχης, τοῦ ὁποίου σημαντικὰ θεολογικὰ συγγράμματα ἔχουν παρουσιασθῆ κατὰ καιροὺς ἀπὸ τῶν στηλῶν τῆς *«Θεολογίας»,* ἀσχολεῖται ἀπὸ πολλῶν ἐτῶν καὶ μὲ γενικωτέρου ἐπιστημονικοῦ, ἀλλὰ καὶ ἐθνικοῦ ἐνδιαφέροντος θέματα. Δι' αὐτῶν ἐπιδιώκει οὗτος καὶ ἐπιτυγχάνει ἐν πολλοῖς νὰ ἀποδείξῃ, ὅτι ἡ παρουσία τῶν ἑλληνικῶν πολιτιστικῶν στοιχείων εἰς τὴν δημιουργίαν τῶν παραδόσεων διαφόρων λαῶν καὶ κυρίως ἐκείνων, οἱ ὁποῖοι ἔχουν ἔλθει εἰς οἱανδήποτε ἐπικοινωνίαν μὲ τὸν ἑλληνικὸν κόσμον, ὑπῆρξεν εὐεργετικὴ δι' αὐτούς. Πρὸς τὴν γραμμὴν καὶ τὴν κατεύθυνσιν ταύτην εἶναι προσανατολισμένον καὶ τὸ ὑπὸ παρουσίασιν ὀγκῶδες καὶ εὐπρόσδεκτον ἐπιστημονικὸν σύγγραμμα τοῦ Σεβασμιωτάτου κ. Μεθοδίου.

Εἰς ἕνα μακρὸν σχετικῶς Πρόλογον ὁ Σεβ. συγγραφεὺς ἀναφέρεται εἰς τὸ ὀξὺ πρόβλημα, τὸ ὁποῖον δημιουργεῖται μὲ τὰς γνωστὰς τάσεις καὶ προθέσεις Εὐρωπαίων τινῶν νὰ μειώσουν τοὺς πολιτιστικοὺς δεσμοὺς τῆς σημερινῆς Ἑλλάδος μετὰ τῆς Εὐρώπης καὶ παρουσιάζει συγγράμματα ξένων καὶ δὴ διαπρεπῶν ἐπιστημόνων, διὰ νὰ ἀναδείξῃ τὰ ἱστορικὰ γεγονότα, τὰ ὁποῖα διηύρυναν τοὺς ὁρίζοντας προελάσεως τοῦ ἑλληνικοῦ πολιτισμοῦ εἰς ὁλόκληρον τὴν γηραιὰν ἤπειρον (σελ. 17-22). Ἀκολουθοῦν τὰ Προεισαγωγικά, ὅπου ἐκτενέστατα (σελ. 23-46) παραθέτει ὁ Σεβ. σ. πολλὰς πληροφορίας, ὅσον ἀφορᾷ εἰς θέματα σχετιζόμενα πρὸς αὐτὸ τοῦτο τὸ κῦρος τῆς χώρας μας, ὅπως π.χ. τὰ τεκταινόμενα περὶ τὴν κατάργησιν τῆς ἑλληνικῆς γλώσσης ὡς ἐπισήμου εἰς τὴν Εὐρωπαϊκὴν Ἕνωσιν, μὲ ἀπώτερον σκοπὸν νὰ ἀντικατασταθῇ εἰς τὴν πατρίδα μας τὸ ἑλληνικὸν ἀλφάβητον διὰ τοῦ λατινικοῦ (σελ. 25).

Τὸ κύριον μέρος τοῦ βιβλίου ἀποτελεῖται ἀπὸ δεκαὲξ κεφάλαια, εἰς τὰ ὁποῖα ἀναπτύσσονται ἰσάριθμα θέματα, μᾶλλον ἀνόμοια μεταξύ των, ἀλλ' ὑπαγόμενα ὁπωσδήποτε εἰς τὸ γενικὸν πλαίσιον τοῦ ὅλου ἔργου, ἐν τῷ ὁποίῳ παρουσιάζεται μετὰ μεγίστης πειστικότητος· τὸ ἑλληνικὸν ὑπόβαθρον τοῦ εὐρωπαϊκοῦ πολιτισμοῦ. Ἡ ἀνάπτυξις τῶν θεμάτων τούτων γίνεται λίαν ἐπιτυχῶς, παρὰ τὴν ἐμφανῆ ἐξάρτησιν τοῦ συγγραφέως ἀπὸ ξένας πηγάς, ὡς συμβαίνει τοῦτο π.χ. εἰς τὸ 3ον κεφάλαιον, ὅπου στηρίζεται οὗτος εἰς τὸ περὶ τῆς ἑλληνιστικῆς φιλοσοφίας ἐνδιαφέρον καὶ ἐρευνητικὸν σύγγραμμα τοῦ διαπρεποῦς Καθηγητοῦ A. A. Long (βλ. σελ. 69-86). Οὕτω γίνεται, κατ' αὐτὸν τὸν τρόπον, λόγος περὶ θρησκείας καὶ φιλοσοφίας (σελ. 47-54), περὶ τῆς Μεγάλης Ἑλλάδος καὶ τῶν ἐν τῇ Δυτικῇ Εὐρώπῃ Ἑλλήνων (σελ. 55-68), περὶ τοῦ ἑλληνιστικοῦ πολιτισμοῦ ὡς κληρονομίας τῆς Εὐρώπης (σελ. 69-85), περὶ Ἑλλήνων καὶ Ρωμαίων (σελ. 87-134), περὶ τοῦ ἑλληνορωμαϊκοῦ πολιτισμοῦ εἰς τήν ἐν λόγῳ ἤπειρον (σελ. 135-147), περὶ Χριστιανισμοῦ καὶ Ἑλληνισμοῦ (σελ. 148-160), περὶ τοῦ ἑλληνικοῦ πολιτισμοῦ ἐν τῇ Ἀνατολικῇ Εὐρώπῃ (σελ. 161-186), περὶ τῆς ἐν Εὐρώπῃ ὀργανώσεως τῆς μαθήσεως καὶ περὶ τῶν ἑλληνικῶν ἐπιστημῶν (σελ. 187-194), περὶ τῆς ἐξελίξεως τῆς πολιτικῆς θεωρίας ἀπὸ τοὺς Ἕλληνας (σελ. 195-209), περὶ τῆς ὑπὸ τῶν Εὐρωπαίων υἱοθεσίας τῆς ἑλληνικῆς φιλοσοφίας (σελ. 210-241), περὶ τῆς συνεισφορᾶς τῆς Ἑλλάδος εἰς τὴν ἐπιστημονικὴν ἀνάπτυξιν τῆς Εὐρώπης (σελ. 242-255), περὶ τῶν τεχνῶν (σελ. 256-281), περὶ τῆς ποιήσεως, τοῦ δράματος καὶ τῆς ῥητορικῆς (σελ. 282-294), περὶ τῶν πρώτων ἐν τῇ Δύσει ἑλληνικῶν ἐκδόσεων (σελ. 295-303), περὶ τῶν ἑλληνικῶν γραμμάτων ἐν τῇ Εὐρώπῃ σήμερον (σελ. 304-314) καὶ τέλος περὶ φιλελληνισμοῦ καὶ πολιτισμοῦ (σελ. 315-326).

Τὸ ἐντυπωσιακὸν τοῦτο ἔργον κατακλείεται διὰ καταλλήλου Ἐπιλόγου (σελ. 327-333), ἐν τῷ ὁποίῳ, χρησιμοποιῶν εὐστόχως ὁ σ. ἀπόψεις τοῦ Albert Einstein κυρίως, καταδεικνύει ὅτι οἱ Εὐρωπαῖοι ὀφείλουν τὴν ἐπιστήμην ἀποκλειστικῶς εἰς τοὺς Ἕλληνας. Ὡς ἐπιστέγασμα δὲ τοῦ ὅλου συγγράμματος παρατίθενται καλλιτεχνικαὶ εἰκόνες, ἔργα διασήμων καλλιτεχνῶν, ὡς ὁ S. Raphael, ὁ J. - G. Soufflot, ὁ L. v. Klenze, ὁ K. F. Schinkel κ.ἄ., αἱ ὁποῖαι ἀποδεικνύουν τὴν κορύφωσιν τοῦ ἑλληνικοῦ πολιτισμοῦ καὶ τὴν σύζευξιν Ἑλληνισμοῦ καὶ Χριστιανισμοῦ καὶ παρουσιάζουν τὴν κυριαρχίαν τῶν ἑλληνικῶν ἐπιστημῶν εἰς τὸν εὐρωπαϊκὸν χῶρον (σελ. 334-348). Παρατίθενται, ὡσαύτως, Γενικὸν Εὑρετήριον (σελ. 349-357) καὶ Εὑρετήριον Συγχρόνων Συγγραφέων (σελ. 359-364), ἀμφότερα λίαν χρήσιμα. Ὡς διήκουσα δὲ ἔννοια τοῦ βιβλίου τοῦ Σεβασμιωτάτου θὰ ἠδύνατο ἀνέτως νὰ θεωρηθῇ ἡ πεποίθησις, ὅτι ἡ παρουσιαζομένη ὑπ' αὐτοῦ ἱστορία τῆς ἐν γένει εὐρωπαϊκῆς πνευματικῆς παραγωγῆς πηγάζει ἀπὸ τὴν ἑλληνικὴν κλασικὴν ἀρχαιότητα, τοῦθ' ὅπερ οὐδεὶς θὰ ἐδίσταζε νὰ ἀποδεχθῇ ὡς ἔγκυρον καὶ ἐπαρκῶς τεκμηριωμένον.

Εἰς ἓν μικρὸν Παράρτημα εἰς τὸ περὶ τῶν τεχνῶν κεφάλαιον, παρατιθέμενον ἐν σελ. 276-281 καὶ ἀναφερόμενον εἰς τὸ κορινθιακοῦ ρυθμοῦ κιονόκρανον, συζητεῖ ὁ Σεβασμιώτατος συγγραφεὺς τὸ ζήτημα τῆς προελεύσεως τοῦ κυρίου τούτου χαρακτηριστικοῦ τοῦ ἐν λόγῳ ρυθμοῦ, ἐλαυνόμενος, πιθανώτατα, καὶ ἐκ τῆς ἀγάπης του πρὸς τὴν ἰδιαιτέραν του πατρίδα, τὴν Κορινθίαν, ἐν τῇ ὁποίᾳ ἐνεπνεύσθησαν οἱ ἀπώτατοι πρόγονοί του τὸν περίφημον αὐτὸν ρυθμόν. Εἰς μίαν δὲ σχετικὴν σημείωσιν γράφει: «*Μοῦ ἐλέχθη ἀπὸ τὸν Δρα Παναγιώτη Φούγια, ὅτι τὸ κορινθιακὸ κιονόκρανο... ὀφείλεται σὲ ὅλως τυχαῖο γεγονός. Πρόκειται γιὰ τὴν εἰκόνα ποὺ παρουσίαζε ἕνα ἀναποδογυρισμένο καλάθι ποὺ ἀπὸ τὰ χείλη του, ποὺ βρίσκονταν στὸ ἔδαφος, ἀναδύθηκαν ἀγκάθια καὶ κάλυψαν τὴν ἐξωτερική του ἐπιφάνεια. Αὐτὴ τὴν εἰκόνα εἶδε ὁ καλλιτέχνης ἀπὸ τὴν ὁποία ἐντυπωσιάστηκε τόσο πολύ, ὥστε προχώρησε στὴν φιλοτέχνηση τοῦ κιονοκράνου τοῦ κορινθιακοῦ ρυθμοῦ*». Ἐπειδὴ εὗρον ἐνδιαφέρουσαν τὴν πληροφορίαν αὐτήν, προέβην εἰς μίαν πρόχειρον ἔρευναν καὶ διεπίστωσα ἀκόπως, ὅτι παρόμοιά τινα ἔχουν γράψει πρὸ πολλῶν ἐτῶν οἱ ἀρχαιολογικοὶ συντάκται τῶν Ἐγκυκλοπαιδειῶν. Ἑπομένως, αὐτὰ τὰ ὁποῖα ἐπληροφόρησε τὸν Σεβασμιώτατον ὁ Δρ. Φούγιας, ἔχουν μὲν ἐνδιαφέρον, ἀλλὰ δὲν εἶναι νέα.

Τὸ ἀξιόλογον βιβλίον τοῦ Σεβ. κ. Μεθοδίου δημιουργεῖ ἀρίστην ἐντύπωσιν εἰς καίρια αὐτοῦ σημεῖα, ὡς π.χ. ἐν σελ. 33, ὅπου τονίζει οὗτος ἐπιτυχῶς, ὅτι πρὸ τοῦ ἐξελληνισμοῦ τῆς Ρώμης προηγήθη ἡ ἑλληνιστικὴ ἰουδαϊκὴ παράδοσις, ἡ ὁποία συνέβαλε πολὺ εἰς τὴν πνευματικὴν ἀκτινοβολίαν τοῦ ἑλληνικοῦ πολιτισμοῦ, ἐν σελ. 58, ὅπου ἐμμέσως ὑποστηρίζει ὅτι εἶναι ἀμφισβητήσιμον τὸ ὅτι οἱ Ἕλληνες υἱοθέτησαν τὸ φοινικικὸν ἀλφάβητον, ἐν σελ. 159, ὅπου ὀρθῶς παρατηρεῖ, ὅτι εἰς τὴν διάδοσιν τοῦ Χριστιανισμοῦ σπουδαία ὑπῆρξεν ἡ συμβολὴ καὶ τοῦ ἑλληνο - ιουδαϊκοῦ πνεύματος, ἐν σελ. 160, ὅπου, ἐπίσης ὀρθῶς, θεωρεῖ ὅτι «*ἡ μετάφραση τῆς Παλαιᾶς Διαθήκης στὴν ἑλληνικὴ γλῶσσα*» (προφανῶς ἐννοεῖ ἐν προκειμένῳ τὴν μετάφρασιν τῶν Ἑβδομήκοντα [Ο΄], τὴν σπουδαιοτέραν πασῶν τῶν ἀρχαίων ἑλληνικῶν μεταφράσεων καὶ Βίβλον τῆς ἀρχεγόνου Ἐκκλησίας) «*ἔδωκε τὸ κῦρος στὴν Παλαιὰ Διαθήκη νὰ καθιερωθεῖ μία ἀπὸ τὶς πηγὲς τῆς Πίστεως*», ἐν σελ. 105, ὅπου χαίρει οὗτος καὶ σεμνύνεται καθιστῶν σχεδὸν κατάδηλον τὸν φιλελληνισμὸν τοῦ Κικέρωνος κ.λπ. Ἀναμφιβόλως, εἶναι ἄξιος συγχαρητηρίων ὁ Σεβασμιώτατος διὰ τὴν ἔντονον ἐκδήλωσιν τῆς ἐθνικῆς ὑπερηφανείας του ὡς Ἕλληνος, ἔστω καὶ ἂν εἴς τινας περιπτώσεις ἐμφανίζεται λίαν κατηγορηματικός, ἀπευθυνόμενος πρὸς τοὺς ἄλλους ὄχι ἁπλῶς εὐθαρσῶς ἀλλὰ μᾶλλον ἀξιωματικῶς, ἐνίοτε δὲ καὶ ἐπιτακτικῶς.

Δέον νὰ λεχθῇ, ἐπίσης, ὅτι ὁ Σεβ. σ. παραθέτει πολλάκις μακρότατα ἀποσπάσματα ἐκ διαφόρων συγγραμμάτων, ἐκτάσεως μιᾶς ὁλοκλήρου σελίδος. Εἴς τινα δὲ σημεῖα τοῦ βιβλίου του δίδει τὴν ἐντύπωσιν, ὅτι γράφει ἐν σπουδῇ καὶ ὅτι ἡ παράθεσις τοῦ χρησιμοποιουμένου ὑπ' αὐτοῦ πολυειδοῦς ὑλικοῦ, θὰ ἔχρῃζεν αὐστηροτέρου γλωσσικοῦ ἐλέγχου. Ἐὰν ὑπῆρχε τοιοῦτος ἔλεγχος, θὰ ἀπεφεύγετο, κατὰ πᾶσαν πιθανότητα, καὶ ἡ παρείσφρησις λέξεων - φράσεων ὄχι καὶ τόσον καταλλήλων δι' ἐπιστημονικὰ συγγράμματα, ὡς π.χ. ἐν σελ. 92 (*«τοῦ ἑλληνικοῦ μυαλοῦ»*), ἐν σελ. 246 (*«φιγουράρουν»*), ἐν σελ. 312 (*«κατεργάρηδες», «ταξιτζῆδες»*) κ.λπ., αἱ ὁποῖαι, πάντως, φανερώνουν τὸ ἁπλοῦν καὶ ἀνεπιτήδευτον ὕφος καὶ τὸν εἰλικρινῆ αὐθορμητισμὸν τοῦ Σεβ. κ. Μεθοδίου. Καὶ εἶναι μὲν ὑπὲρ αὐτοῦ ἡ καταφανὴς ἄνεσίς του εἰς τὴν διατύπωσιν τῶν διανοημάτων καὶ θέσεών του εἰς δημώδη γλῶσσαν καὶ δὴ φυσικήν, γλαφυρὰν καὶ ῥέουσαν, ἀλλ' ἡ χρῆσις τῆς δημοτικῆς δὲν πρέπει νὰ συνεπάγεται καὶ παραβάσεις τῶν βασικῶν κανόνων τῆς γραμματικῆς καὶ τοῦ συντακτικοῦ, αἱ ὁποῖαι παρατηροῦνται εἴς τινας περιπτώσεις, πέραν τῶν διαπιστουμένων ἐνταῦθα πολυαρίθμων ἀβλεπτημάτων, τυπογραφικῶν ἢ μή.

Ἂς ἐπιτραπῇ ἐπ' εὐκαιρίᾳ νὰ ἐκφράσω τὴν γνώμην, ὅτι δὲν θὰ ἦτο ἐνδεδειγμένον νὰ ἀναλίσκεται ὁ Σεβασμιώτατος σχεδὸν ἀποκλειστικῶς εἰς τὴν περαιτέρω αὔξησιν τοῦ ἀριθμοῦ τῶν διαφόρων ἐπιστημονικῶν συγγραμμάτων του. Ἐὰν προσέξῃ εἰς τὸ σημεῖον αὐτό, θὰ δυνηθῇ, νομίζω, ἀφ' ἑνὸς μὲν νὰ ἐξασφαλίσῃ περισσότερον ἐπιμεμελημένην συγγραφικὴν παραγωγὴν καὶ ὑψηλοῦ βαθμοῦ ἐπιτυχίαν, ἀφ' ἑτέρου δὲ νὰ ἐπιδοθῇ πληρέστερον καὶ εἰς προσιδιάζοντα εἰς αὐτὸν ἐκκλησιαστικὰ καθήκοντα, προσφέρων πολλὰ ἀκόμη εἰς τὴν ποιμαίνουσαν Ἐκκλησίαν, ὡς προσοντοῦχος θεολόγος καὶ ὑγιοῦς ἐκκλησιαστικοῦ φρονήματος Ἱεράρχης. Περὶ τῆς πλήρους ταύτης ἀξιοποιήσεώς του ἁρμοδία, βεβαίως, εἶναι ἡ Ἐκκλησία, διὰ τὴν ὁποίαν θὰ ἀπέβαινεν ἐπωφελὴς ἡ χρησιμοποίησίς του εἰς μείζονα ἐκκλησιαστικὰ καθήκοντα. Νομίζω δὲ ὅτι ἡ λαμπρὰ αὐτοῦ δραστηριότης εἰς ὑψηλὰς ἐκκλησιαστικὰς θέσεις εἰς τὸ ἐξωτερικόν, ἐγγυᾶται περὶ τούτου. Ἄλλως τε ἡ Μήτηρ Ἐκκλησία ἀξιοποιεῖ ὅλας τὰς θεολογικάς της δυνάμεις, καὶ δὲν ἀνακόπτει τὸ δημιουργικὸν ἔργον τῶν ἱκανῶν καὶ φιλοπόνων κληρικῶν της. Δὲν ἀμνημονεῖ δὲ καὶ τῶν ῥημάτων τοῦ Ἀρχιποίμενος Χριστοῦ, ὅστις, ἰδὼν κάποτε τοὺς ὄχλους *«ἐκλελυμένους καὶ ἐρριμμένους ὡς πρόβατα μὴ ἔχοντα ποιμένα»*, ἐξέφρασε τὴν θλῖψίν του διὰ τὸ ὅτι *«ὁ μὲν θερισμὸς πολύς, οἱ δὲ ἐργάται ὀλίγοι»* (*Ματθ.* 9, 36-37).

ΠΑΝ. ΣΙΜΩΤΑΣ

Θεολογία 70 (1999), σελ. 571-574

TEMPLE UNIVERSITY
A Commonwealth University

University Libraries

Philadelphia, Pennsylvania 19122

November 22, 1999

Metropolitan Methodios
9, Riga Feraiou Str.
Khalandri, 152 32 Athens
Greece

Dear Metropolitan Methodios:

Thank you for your recent gift to Temple University Libraries of your book, To Helleniko Hypovathro tou Europaiko Politismou: hoi Hellenikes Pizes tes Europes.

Your generous gift enables us to supplement our collections and provide better service for our students and faculty.

Sincerely,

Cornelia Tucker

Cornelia Tucker
Head, Acquisitions and Collections Department

CT:mca

Παρουσιάστηκε τό νέο βιβλίο τοῦ Μητροπολίτη Πισιδίας Μεθοδίου Φούγια

Τήν περασμένη ἑβδομάδα στό κεντρικό βιβλιοπωλεῖο Μαλλιάρης - Παιδεία ἔγινε ἡ ἐπίσημη παρουσίαση τοῦ τελευταίου βιβλίου τοῦ Μητροπολίτη Πισιδίας πρώην Ἀρχιεπίσκοπου Θυατείρων καί Μ. Βρετανίας, κ. Μεθοδίου Φούγια. Τό βιβλίο τιτλοφορεῖται «ΤΟ ΕΛΛΗΝΙΚΟ ΥΠΟΒΑΘΡΟ ΤΟΥ ΕΥΡΩΠΑΪΚΟΥ ΠΟΛΙΤΙΣΜΟΥ. ΟΙ ΕΛΛΗΝΙΚΕΣ ΡΙΖΕΣ ΤΗΣ ΕΥΡΩΠΗΣ» καί κυκλοφορεῖ ἀπό τίς ἐκδόσεις Νέα Σύνορα - Α.Α. Λιβάνη.

Τό συγγραφέα προλόγισαν οἱ κ.κ. Στέλιος Παπαθεμελής βουλευτής, τ. ὑπουργός καί Σωτήρης Κούβελας βουλευτής, τ. ὑπουργός.

Γιά τό θεολογικό του ἔργο μίλησε ὁ Δημήτριος Βακάρος Μέγ. Πρωτοπρεσβύτερος, Γεν. Ἀρχιερ. Ἐπίτροπος ΙΜΘ.

Ὁ Μητροπολίτης Μεθόδιος Φούγιας, γνωστός γιά τό συγγραφικό του ἔργο - τό ὁποῖο περιλαμβάνει περισσότερα ἀπό τριάντα βιβλία, πάμπολλα ἄρθρα, μελέτες καί βιβλιοκριτικές - ἐπιχειρεῖ, σ' αὐτό τό τελευταῖο του ἔργο νά καταδείξει μέ ἀδιαφιλονίκητα στοιχεῖα τήν εὐεργετική παρουσία τῶν ἑλληνικῶν πολιτιστικῶν στοιχείων στή δημιουργία τῶν παραδόσεων τῶν λαῶν πού ἦρθαν, κατά τήν ἱστορική τους διαδρομή, σέ ἐπικοινωνία μέ τόν ἑλληνικό κόσμο. Στήν ἐκδήλωση, παραβρέθηκαν, ἐκπρόσωποι τῶν πολιτικῶν καί θρησκευτικῶν ἀρχῶν τῆς πόλης μας, καθηγητές πανεπιστημίου καί πλῆθος κόσμου.

Τύπος ΘΕΣΣΑΛΟΝΙΚΗΣ 8 ΔΕΚ. 1999

65. Στή φωτογραφία ὁ κ. Σ. Παπαθεμελής ὁ κ. Σ. Κούβελας, ὁ Μ. Πρωτοπρεσβύτερος Δημήτριος Βακάριος καί ὁ συγγραφέας. Δεξιά στό ἄκρο ὁ ἐκδότης Ἀντώνιος Μαλιάρης ὀργανωτής τῆς ἐκδήλωσης.

ΑΔΕΛΦΟΤΗΣ ΘΕΟΛΟΓΩΝ
«Ο ΣΩΤΗΡ»
Τηλ. 36.22.108
ΙΣΑΥΡΩΝ 42
114 72 ΑΘΗΝΑΙ

Ἐν Ἀθήναις τῇ 22ᾳ Ἀπριλίου 1999

Σεβασμιώτατον
Μητροπολίτην Πισιδίας
πρ. Ἀρχ/πον Θυατείρων καί Μ. Βρετανίας
Κύριον κ. Μεθόδιον
Ρήγα Φεραίου 9
15232 ΧΑΛΑΝΔΡΙ

Σεβασμιώτατε,
ΧΡΙΣΤΟΣ ΑΝΕΣΤΗ!

Ἐλάβομεν καί τό τελευταίως ἐκδοθέν ὑπό τῶν ἐκδόσεων «Νέα Σύνορα» τοῦ Ἐκδοτικοῦ Ὀργανισμοῦ Λιβάνη ἔργον Σας «Τό Ἑλληνικό Ὑπόβαθρο τοῦ Εὐρωπαϊκοῦ Πολιτισμοῦ. Οἱ Ἑλληνικές ρίζες τῆς Εὐρώπης».

Εὐχαριστοῦμεν διά τήν εὐγενῆ χειρονομίαν τῆς ἀποστολῆς του καί χαίρομεν διά τήν ἀξιόλογον συμβολήν σας εἰς τήν κατανόησιν τῆς σημασίας τῆς ἑλληνικῆς συνεισφορᾶς εἰς τόν πολιτισμόν τῶν διαφόρων λαῶν τῆς Εὐρώπης.

Ἐπιτρέψατέ μας, Σεβασμιώτατε, νά ὑποβάλωμεν καί πάλιν εὐλαβεῖς εὐχάς, ὅπως ὁ «θανάτῳ τόν θάνατον πατήσας» Κύριος Ἰησοῦς Χριστός ἐνισχύῃ τάς δυνάμεις Σας, ὥστε ἐπί ἔτη πολλά νά συνεχίζετε τήν πλουσίαν προσφοράν Σας ἐπ' ἀγαθῷ τῆς Ἐκκλησίας καί τῆς Πατρίδος μας.

Ἐπί τούτοις, ἀσπαζόμεθα τήν δεξιάν Σας καί διατελοῦμεν

Μετά βαθυτάτου σεβασμοῦ
Διά τήν Ἀδελφότητα Θεολόγων «Ο ΣΩΤΗΡ»

Ἀρχιμ. Θεόδωρος Μπεράτης

Ἀρχιμ. Θεόδωρος Μπεράτης

FROM THE AMBASSADOR
Sir Michael Llewellyn Smith KCVO CMG

British Embassy
Athens

Ploutarchou 1
106 75 Athens
Tel: 727 2600
Fax: 727 2723

21 April 1999

Metropolitan Methodios
Riga Feraiou 9
Halandri
152 32 Athens

Σεβασμιώτατε,

I wanted to write before we leave to thank you so much for your book on the Greek roots of European civilisation.

It will be a happy reminder of our contacts over the last three years here in Athens, and I look forward very much to reading it.

Με μεγάλη εκτίμηση,

Michael Llewellyn Smith

M J Llewellyn Smith

L' Ambasciatore d' Italia

in Atene

Αθήνα, 28 Απριλίου 1999

Σεβασμιώτατο
Μητροπολίτη Πισίδας Μεθόδιο
Ρήγα Φερραίου, 9
152 32 Χαλάνδρι

Σεβασμιώτατε,

Σας ευχαριστώ θερμά για το ενδιαφέρον βιβλίο Σας " το ελληνικό υπόβαθρο του ευρωπαϊκού πολιτισμού. Οι ελληνικές ρίζες της Ευρώπης" που είχατε την καλωσύνη να μου στείλετε.

Με εκτίμηση.

Enrico Pietromarchi

Enrico Pietromarchi
Πρέσβυς της Ιταλίας

Ὁ Ἀρχιεπίσκοπος
πρ. Ἀμερικῆς Βορείου καί Νοτίου
Ἰάκωβος

28 Ἀπριλίου 1999

Ἀγαπητέ μου Μεθόδιε,

ΧΡΙΣΤΟΣ ΑΝΕΣΤΗ!

Τό φωνάξατε καί πάλι περίχαρης καί ὑπερήφανος μέ τήν πολύτιμη προσφορά σας: «Τό Ἑλληνικό ὑπόβαθρο τοῦ Εὐρωπαϊκοῦ πολιτισμοῦ».

Εὔχομαι καί πάλιν ἀπό καρδίας νά ἐμπνέεσθε καί γιά ἄλλους τέτοιους πνευματικούς ἑορτασμούς τῆς Μεγάλης Ἡμέρας, καί νά εἶσθε πάντα ἀκμαῖος καί ἀναστάσιμος γιά μεγάλες πνοές.

Μετά τῆς ἐν κυρίῳ ἀγάπης

† ὁ πρ. Ἀμερικῆς Ἰάκωβος

Σεβασμιώτατον
Μητροπολίτην Πισιδίας
Κύριον Μεθόδιον
Εἰς Ἀθήνας

ΓΕΝΙΚΟ ΠΡΟΞΕΝΕΙΟ ΤΗΣ ΕΛΛΑΔΟΣ
GENERALKONSULAT VON GRIECHENLAND
Grafenberger Allee 128 a · 40237 Düsseldorf
Telefon: 0211 – 68 78 50 0 · Fax: 0211 – 68 78 50 33

Ντύσσελντορφ, 16.12.1999

Σεβασμιώτατε,

Θα ήθελα να σας ευχαριστήσω ιδιαίτερα για την απονομή του έργου σας «Το Ελληνικό Υπόβαθρο του Ευρωπαϊκού Πολιτισμού. Οι Ελληνικές Ρίζες της Ευρώπης», και για την προσωπική αφιέρωση.

Χρόνια τώρα ο ερευνητής των Ευρωπαϊκών σπουδών και της Ευρωπαϊκής Ιστορίας, βλέπει την τεράστια προσπάθεια όλων, σχεδόν, των Ευρωπαϊκών ιστορικών, στρατευμένων ή μη, να παρουσιάσουν την δημιουργία της «Ευρώπης» ως περίπου αφ΄εαυτής, χωρίς ιστορική αναφορά, καταβολές ή συνέχεια.

Το βιβλίο σας έρχεται να καλύψει ένα μεγάλο κενό στην βιβλιογραφία αυτή, και να υπενθυμίσει ότι κανείς πλέον δεν δικαιούται να πει «δεν ξέρω», ή να αγνοεί ενσυνείδητα την Ιστορία.

Ευχή προσωπική μου είναι να το επιτρέψουν οι συνθήκες ώστε το βιβλίο σας να μεταφραστεί και σε᾽άλλες ευρωπαϊκές γλώσσες, να γίνει κτήμα των νεώτερων Ευρωπαίων ερευνητών.

Σεβασμιώτατε, εύχομαι ο Θεός να σας δίνει δύναμη.

Με σεβασμό και εκτίμηση

Ο Γενικός Πρόξενος

Κάρολος Γάδης

Σεβασμιώτατο κ. Μεθόδιο Γ. Φούγια
Μητροπολίτη Πισιδίας
πρώην Αρχιεπίσκοπο Θυατείρων και Μ. Βρετανίας

Embassy of the United States of America
Athens, Greece

OFFICE OF THE AMBASSADOR

12 Μαΐου 1999

Σεβασμιώτατε,

Σας ευχαριστώ θερμά για την ευγενική σας χειρονομία να μου στείλετε ένα αντίτυπο του έργου του Σεβασμιωτάτου Μητροπολίτου Πισιδίας Μεθοδίου Φούγια, "Το Ελληνικό Υπόβαθρο του Ευρωπαϊκού Πολιτισμού. Οι Ελληνικές Ρίζες της Ευρώπης". Είναι σύγγραμμα μεγάλου ενδιαφέροντος και ελπίζω να μπορέσω να το διαβάσω σύντομα.

Με την ευκαιρία αυτή Σεβασμιώτατε, παρακαλώ δεχθήτε τις καλύτερες ευχές μου για υγεία και μακροημέρευση και παν δώρημα τέλειον.

Με εκτίμηση,

Nicholas Burns

Ρ. Νίκολας Μπέρνς
Πρέσβης

Σεβασμιώτατο Μητροπολίτη Μεθόδιο
Ρ. Φεραίου 9
152 32 Χαλάνδρι

Μεθοδίου Γ. Φούγια: Μητροπολίτη Πισιδίας, πρώην Ἀρχιεπισκόπου Θυατείρων καί Μέγ. Βρετανίας: **Τό ἑλληνικό ὑπόβαθρο τοῦ εὐρωπαϊκοῦ πολιτισμοῦ. Οἱ ἑλληνικές ρίζες τῆς Εὐρώπης.** Ἐκδόσεις «Νέα Σύνορα», Ἀθήνα 1999, σσ. 364.

Οἱ ἑλληνικές ρίζες τοῦ εὐρωπαϊκοῦ πολιτισμοῦ εἶναι ἕνα θέμα κοινῆς παραδοχῆς καί γιά ὅσους ἀκόμη θέλουν νά ἀγνοοῦν τήν εὐρύτερη ἑλληνική συμβολή σ' αὐτόν. Ἡ ὑπεροψία μέ τήν ὁποία ὁρισμένοι δυτικότερα ἀπό ἐμᾶς ἀντιμετωπίζουν τή σημερινή ἑλληνική πραγματικότητα δέν εἶναι ἀρκετή γιά νά διαγράψει ἤ ἔστω νά ὑποβαθμίσει τίς ρίζες τοῦ πολιτισμοῦ τους.

Ἀλλά ἀκόμη καί αὐτοί οἱ κάποιοι συστηματικά ἀνθέλληνες δικαιοῦνται νά ξέρουν τίς πηγές καί τίς ρίζες. Καί δέν θά ἦταν ἄσκοπο νά ἐπικεντρώσουν τήν παιδεία τους σέ ὅ,τι εἶναι ἑλληνικό, ὥστε νά ἀφομοιώσουν ἐναργέστερα τά πρότυπα καί τά αὐθεντικά. Ἔτσι μόνο θά μποροῦν νά ἀπέχουν ἀπό τήν ἡμιμάθεια καί τή στρέβλωση.

Τό πλαίσιο αὐτό διατυπώνεται μέ τόλμη, σαφήνεια καί γνώση στό πρόσφατο βιβλίο τοῦ Σεβασμιωτάτου Πισιδίας καί πρώην Θυατείρων κ. Μεθοδίου Φούγια. Πρόκειται γιά μιά ἀδιαφιλονίκητη κατάθεση, μέ τήν ὁποία τίθεται ἡ τάξη στό ζήτημα τῶν πηγῶν τοῦ εὐρωπαϊκοῦ πολιτισμοῦ. Μέ τεκμηρίωση καί ὑπευθυνότητα, ἀλλά καί μέ τή χρήση λόγου κατανοητοῦ πού ἀπορροφᾶ τόν ἀναγνώστη.

Ἐξετάζεται λοιπόν ὁ ἄξονας θρησκείας καί φιλοσοφίας, πού καλύπτει κάθε πνευματική ἀναζήτηση. Ἡ ἔρευνα ἐπικεντρώνεται στούς βασικούς σταθμούς, ἀπό τούς ὁποίους διέρχεται ἡ πορεία τοῦ εὐρωπαϊκοῦ πνεύματος. Γιά νά καταλήξει στά σύγχρονα δεδομένα, ὁ συγγραφέας πραγματοποιεῖ ἐκκίνηση ἀπό τό βάθος τῶν αἰώνων, ὅταν ἑστίες πολιτισμοῦ στή μεσογειακή Εὐρώπη συγκροτήθηκαν μέ τήν ταυτόχρονη ἵδρυση ἑλληνικῶν πόλεων ἀπό τήν Ἰταλία μέχρι τήν Ἰσπανία. Καί ὁ συγγραφέας διαδοχικά παραθέτει τεκμήρια γιά τίς ἑλληνικές βάσεις τοῦ ρωμαϊκοῦ καί ἐν γένει τοῦ εὐρωπαϊκοῦ πολιτισμοῦ καί τή συνεχῆ ἀνανέωσή του μέ ἑλληνικές πηγές, ἐπισημαίνοντας τά χρονικά πλαίσια, τήν ποιότητα καί τήν ἔκταση.

Τό ἔργο δέν εἶναι ἀποκλειστικά ἱστορικό, καθώς διαπραγματεύεται ἀπόψεις πού δέν χρειάζεται νά εἶναι μονολιθικές ἤ δογματικές. Διευκολύνει τήν περαιτέρω συζήτηση, ἐνῶ θέτει τά θεμελιακά στηρίγματά της. Καταληκτικά ἐπιτυγχάνει νά καθορίσει τό μέγεθος τῆς ἑλληνικῆς συμβολῆς στόν εὐρωπαϊκό πολιτισμό σέ διάρκεια χρόνου, πείθοντας καί τούς πλέον δύσπιστους.

Ἐξάλλου τονίζεται στό κείμενο: «Οἱ Ἕλληνες ἑνώνουν ὁλόκληρη τήν Εὐρώπη ἀφοῦ μετέδωκαν τόν ἴδιο πολιτισμό καί στό ἄλλο μέρος τό ἀνατολικό. Εἶναι ὁ ἑλληνικός πολιτισμός ὁ ἀκατάλυτος δεσμός ὅλων τῶν Εὐρωπαίων μέ βραχίονες ἐπεκτεινόμενους πέραν τοῦ Ἀτλαντικοῦ, ἀφοῦ καί οἱ ΗΠΑ γιά τή συγκρότησή τους ὡς ἀνεξαρτήτου κράτους στίς ἑλληνικές ρίζες κατέφυγαν προκειμένου νά οἰκοδομήσουν τήν ὑπόστασή τους, καί τήν ἱστορία καί τή δημοκρατία τῆς Ἑλλάδας ἐπικαλέσθηκαν ὡς προθάλαμο εἰσόδου τους στήν ἱστορία τους, ὅταν κατάρτιζαν τό Σύνταγμά τους».

Ἀλλά τό ἐρώτημα πού προκύπτει ἀπό τήν ἀφομοίωση ἑνός τέτοιου ἔργου στόν ἀνώνυμο Ἕλληνα ἀναγνώστη, εἶναι: Μήπως αὐτό ὅλο τό πόνημα ἔπρεπε νά κυκλοφορήσει καί νά διαδοθεῖ παράλληλα καί ἔξω ἀπό τά ἑλλαδικά πλαίσια; Μήπως δηλαδή ἡ χρησιμότητά του πρέπει νά προωθηθεῖ δυτικά, ὥστε οἱ Εὐρωπαῖοι συμπολίτες μας νά ἐνημερωθοῦν διεξοδικότερα γιά τίς ρίζες τοῦ πολιτισμοῦ τους; Ὥστε, ὅπως σημειώνει καί ὁ ἀκάματος καί ἐμπνευσμένος συγγραφέας στόν πρόλογό του, νά ἐνημερωθοῦν καί νά διαφωτισθοῦν κατάλληλα οἱ Εὐρωπαῖοι ἱστορικοί καί πολιτικοί, προκειμένου «νά σέβονται τή συνεχῆ παρουσία τῆς Ἑλλάδος στό γίγνεσθαι τῆς Εὐρώπης ἀπό τήν ἀρχαία ἐποχή ὡς σήμερα, γιά νά μήν τολμοῦν οἱ διάφοροι τύποι τῆς πολιτικῆς τῆς παγκόσμιας στρατηγικῆς νά τήν προσκολλοῦν σέ ξένους γεωγραφικούς καί θρησκευτικούς ἤ πολιτικούς χώρους».

Καί ἐνῶ ὁ Σέβ. Πισιδίας καί πρώην Θυατείρων χειρίζεται μέ θαυμαστή ἱκανότητα τό ἐξαιρετικῆς σημασίας θέμα αὐτό, δέν τοῦ διαφεύγει τό βασικό αἴτιο σκέψης ὅσων εἶναι ἐπιφυλακτικοί ἀπέναντι στόν σύγχρονο Ἕλληνα καί τήν προσφορά του. Ἐκείνων δηλαδή πού προβάλλουν τό ἐρωτηματικό ἄν ἡ ἑλληνική συνέχεια εἶναι ἀδιάκοπη. Ἐνδεχομένως ἕνα τέτοιο ζήτημα νά ἀποτελεῖ ἀντικείμενο κάποιου ἄλλου ἔργου, πού ἴσως καί αὐτό νά πρέπει κάποτε μέ τήν ἴδια αὐθεντικότητα καί πειστικότητα νά παρουσιασθεῖ, ὥστε νά ἀρθοῦν οἱ ὅποιες ἀμφισβητήσεις καί νά διευκρινισθοῦν οἱ δεσμοί καί οἱ συνισταμένες τοῦ ἑλληνικοῦ ἱστοῦ.

Βέβαια ἄν χαρακτηρίζαμε τόν συγγραφέα ἑλληνοκεντρικό, θά κάναμε μιά συνειδητή ὑπεραπλούστευση τῆς γενικότερης προσφορᾶς του στά ἑλληνικά γράμματα. Δέν κοπιάζει γιά νά ἀποδείξει τό χρῶμα τοῦ εὐρωπαϊκοῦ πολιτισμοῦ, ἀλλά - ὅπως προκύπτει καί ἀπό τόν τίτλο τοῦ ἐν προκειμένου βιβλίου του - γιά νά ἐντοπίσει τό ὑπόβαθρο αὐτοῦ τοῦ πολιτισμοῦ. Καί πέραν ἀπό τό μέγεθος τῆς πνευματικῆς προσφορᾶς τοῦ ἐξαίρετου συγγραφέα, τό ἐρώτημα ἀπευθύνεται στή συγκροτημένη πολιτεία, ἄν εἶναι σέ θέση νά στέρξει γιά νά ἐνισχύσει τέτοια ἔργα. Ὄχι γιά νά παράσχει οἰκονομικά ὀφέλη, ἀλλά γιά νά διαδώσει αὐτά τά ἔργα. Ὑπό τήν ἀπαραίτητη προϋπόθεση ἄλλωστε, ὅτι τό σύγχρονο ἑλληνικό κράτος ἐννοεῖ τό θέμα σέ βάθος καί φυσικά ἔχει καθορίσει ἀνάλογη πολιτική.

Ὁπωσδήποτε τό **«Ἑλληνικό ὑπόβαθρο τοῦ εὐρωπαϊκοῦ πολιτισμοῦ»** εἶναι ἀναγκαῖο ὡς τάχιστα νά ὑπερκεράσει τά ἀντικειμενικά ἐμπόδια πού ἔχει μιά ἑλληνόγλωσση ἔκδοση καί νά κυκλοφορήσει μεταφρασμένο στίς βασικές εὐρωπαϊκές γλῶσσες. Πέραν τῆς αὐτογνωσίας μας, ὑπάρχει καί ἄλλος στόχος πού δέν πρέπει νά μείνει ἀνικανοποίητος καί ἀνοικονόμητος. Πρέπει νά προσεγγίσει τό περιεχόμενο τοῦ βιβλίου αὐτοῦ τόν κάθε σύγχρονο Εὐρωπαῖο, νά τόν προβληματίσει καί νά τόν πείσει...

Περιοδικό **Ἔρευνα**, Μάϊος 2000. Δημοσθένης Κούκουνας ἐκδότης τοῦ βιογραφικοῦ Λεξικοῦ Who's Who.

✠ ὁ Πέργης Εὐάγγελος ✠

ΚΠ, ΠΧ, Μαΐου 12, 1999

Σεβασμιώτατε καὶ λογιώτατε
Ἀγαπητέ μου ἀδελφέ, Ἅγιε Πισιδίας
Κύριε Μεθόδιε,

Τὶς ὀλίγες αὐτὲς λέξεις τὶς γράφω μὲ τὸ χέρι μου, γιατὶ θέλω νὰ σᾶς πῶ πόσο πολὺ μὲ εὐχαρίστησε καὶ μὲ βοήθησε τὸ πρόσφατο, τὸ βιβλίο σας μὲ τίτλο "Ἑλληνικὲς ρίζες τῆς Εὐρώπης". Πόση γνώσις, ἐνασχόλησις, ἀλλὰ καὶ παρακολούθηση τῆς ἱστορίας καὶ τῆς συγχρόνου ποιητικῆς ἢ φιλοσοφικῆς ρητορικῆς χρειάζονται γιὰ νὰ καταγράψει ἕνας ὁλοκληρωμένος συγγραφεὺς 333 σελίδες παρόμοιου περιεχομένου μὲ θέμα "τὸ ἑλληνικὸ ὑπόβαθρο τοῦ Εὐρωπαϊκοῦ πολιτισμοῦ"! Ἀπὸ καὶ μόνο σε-

μας, κυρίως σήμερα, θά έπρεπε
νά γραφεί, όταν σαπίζει ο S.
Huntington [illegible] τήν πραγ-
ματικότητα, [illegible] [illegible]
τό [illegible] [illegible] [illegible]
[illegible]!

Σᾶς συγχαίρω θερμότατα
[illegible] [illegible] τήν προσφορά
καί τήν επιτυχία [illegible]
τό έργο σας [illegible] [illegible]
[illegible] [illegible] έργα [illegible]
[illegible]. Αλλά καί σᾶς ευχαριστώ
πολύ.

Μέ αγάπη & ευγνώμοσύνη
[illegible]

Ἑλλάς καί εὐρωπαϊκός πολιτισμός

Ὁ Μεθόδιος Γ. Φούγιας, Μητροπολίτης Πισιδίας καί πρώην Ἀρχιεπίσκοπος Θυατείρων, εἶχε τήν καλοσύνη νά μᾶς στείλει ἕνα νέο του μελέτημα - βιβλίο μέ τόν τίτλο **«Τό ἑλληνικό ὑπόβαθρο τοῦ εὐρωπαϊκοῦ πολιτισμοῦ. Οἱ ἑλληνικές ρίζες τῆς Εὐρώπης»**. Ὁ συγγραφέας παραθέτει γνῶμες ἔγκυρων ἐπιστημόνων γιά τή συμβολή τῆς Ἑλλάδας, τοῦ πολιτισμοῦ καί τῆς γλώσσας του στή διαμόρφωση τοῦ εὐρωπαϊκοῦ πολιτισμοῦ, γιά νά ὑπογραμμίσει τήν ἀνάγκη νά τερματισθεῖ ἡ ὑποτίμηση (πού ὑπάρχει καί μεταξύ Ἑλλήνων) τῆς ἀξίας τοῦ ἑλληνικοῦ πνεύματος στή διαμόρφωση τοῦ εὐρωπαϊκοῦ πολιτισμοῦ, ὁ ὁποῖος ὁμολογουμένως, γιά κάθε σοβαρό μελετητή, χρεωστεῖ πολλά στήν Ἑλλάδα. Ὁ συγγραφέας πρόσθετα πρός τά δικά του ἀξιόλογα κείμενα τολμᾶ νά παραθέσει καί ἀντίθετες ἀπόψεις, τίς ὁποῖες μέ πειστικότητα ἀποκρούει καί ἀπορρίπτει. Τό βιβλίο περιέχει πληθώρα φωτογραφικοῦ ὑλικοῦ, πού ἐπιβεβαιώνει τήν τεράστια συμβολή τοῦ Ἑλληνισμοῦ, ἀπό ἀρχαιοτάτων χρόνων, στή διαμόρφωση τοῦ εὐρωπαϊκοῦ.

Χριστάκης Κατσαμπᾶς

Ἐφημερίδα **Φιλελεύθερος** Λευκωσία

66. Ὁ Ἑλληνικός Ναός τοῦ Ἁγίου Νικολάου στό Λίβερπουλ.

DUMBARTON OAKS — WASHINGTON, DC

Byzantine Library — *(202) 339–6980*

December 9, 1999

Dr. Methodios Fouyas
Metropolitan Methodios
9, Riga Feraiou Str.
GR 152 32 Khalandri
Athens, Hellas
Greece

Dear Dr. Fouyas:

Thank you for sending us your publication *To hellēniko hypovathro tou eurōpaikou politismou: hoi hellēnikes rizes tēs Eurōpēs* (1999).

We appreciate your gift to our Library.

Sincerely yours,

Irene Vaslef

Dr. Irene Vaslef
Librarian

1703 32nd Street, NW   Washington, DC 20007–2961

PARIS, le 16 JUILLET 1999

BIBLIOTHEQUE NATIONALE DE FRANCE
Direction de l'Imprimé et de l'Audiovisuel
L'Adjoint scientifique et technique

Dr Methodios FOUYAS
9, Riga Ferraiou Str.

152 32 Khalandri
GRECE

Référence: DON.9950983

Docteur

Vous avez bien voulu adresser à la Bibliothèque Nationale de France, à titre de don, l'envoi dont il est fait mention ci-dessous :

Fouyas, Methodios
To ellinikio ypovathro tou europaïkou politismou : oi ellinikes rizes tis Europis

qui sera conservé dans les collections de la Bibliothèque Nationale de France.

Je tiens à vous exprimer mes remerciements et vous prie d'agréer l'assurance de ma considération distinguée.

Pour le Directeur de l'Imprimé et de l'Audiovisuel
Pour L'Adjoint scientifique et technique

PONTIFICIO ISTITUTO
PER GLI STUDI ORIENTALI
PIAZZA S. MARIA MAGGIORE, 7
00185 ROMA

Roma, li 07.05.1999

His Excellency
Most Rev. METHODIOS FOUYAS
Archbishop Metropolitan
9, Riga Feraiou Str.
Khalandri
GR-152 32 ATHENS

Ho l'onore di comunicarLe che è pervenuta a questa Biblioteca la pubblicazione della S. V. gentilmente inviata, come appresso segnato.

Le rendo a nome della Biblioteca le dovute grazie, e distintamente La saluto.

P. François Gick, SJ
(Prefetto della Biblioteca)

- TO ELLENIKO UPOBATHRO TOU EUROPAIKOU POLITISMOU.
OI ELLENIKES RIZES TES EUROPES

SAINT ANDREW'S GREEK ORTHODOX CATHEDRAL TRUST

KENTISH TOWN ROAD, LONDON NW1 9QA TEL: 0171-485 6385 / 0171 485 0198 FAX: 0171-485 9972

Σεβασμιώτατον Μητροπολίτην
Πισιδίας κύριον Μεθόδιον,
Χαλάνδρι - Αθήνα.

Ἀγαπητέ μου Μεθόδιε,

Προσεύχομαι να υγιαίνεις !

Δεν είναι πολύς καιρός που έλαβα το τελευταίο σπουδαίον έργον Σου "το ελληνικό υπόβαθρο του Ευρωπαϊκού πολιτισμού . Οι έλληνικές ρίζες της Ευρώπης ", για το οποίον σ΄ευχαριστώ πολύ . Σ΄ευχαριστώ επίσης θερμά, διότι στην αφιέρωση, είχες την καλωσύνη να συμπεριλάβεις σ΄αυτό και το όνομά μου.

Διάβασα λοιπόν, με πολύ καλή διάθεση το έργον Σου, παρακινούμενος, όχι μόνο από την ιδέα ότι αυτό είναι προιόν του κόπου Σου και εκ καθήκοντος έπρεπε να το διαβάσω προσεκτικά , αλλά και γνωρίζοντας εκ πείρας ότι, πολλά θα είχα να πληροφορηθώ εξ αυτού .

Το παραπάνω βιβλίο είναι καλογραμμένο με ύφος ελκυστικό και απλό συγχρόνως, με γλώσσα ρέουσα και με ενδιαφέρον περιεχόμενο.Το αποδεικτικό υλικό για τη δομή του βιβλίου, είναι διαλεγμένο μετά προσοχής και επιμελείας από τα έργα αυτών τούτων των ευρωπαίων συγγραφέων και επιστημόνων, επί τω τέλει αποδείξεως με δικά τους γραπτά λόγια ,ότι ο Ευρωπαϊκός πολιτισμός έχει τις ρίζες του βαθειά χωμένες στη φιλοσοφία και τον πολιτισμό των ελλήνων .Η κατάθεση δικού τους αποδεικτικού υλικού καθιστά περισσότερον αξιόπιστο τον σκοπό, προς τον οποίον αποβλέπεις , ότι δηλαδή ο Ευρωπαϊκός πολιτισμός έχει κριπήδωμά του την ελληνική φιλοσοφία και τον πολιτισμό που βγήκε απ΄αυτήν.

Μ΄αυτό το κριτήριο μνημονεύονται στο βιβλίο Σου, μη έλληνες καταξιωμένες προσωπικότητες της τέχνης και της επιστήμης, οι οποίοι απερίφραστα ομολογούν, πως η βάση του Ευρωπαϊκού πολιτισμού είναι η ελληνική φιλοσοφία. Ο δε καθηγητής του cambridge Williams

προχωρεί ακόμα πιο πολύ γράφοντας ότι, " οι αρχαίοι έλληνες φιλόσοφοι, όχι μόνον πρωτοτύπησαν, αλλά οι φιλόσοφοι όλων των εποχών πρέπει να γυρίζουν πίσω στην αρχαία φιλοσοφία, για να προσδώσουν κύρος στο έργο τους ".
Ιδιαίτερη χαρά δοκίμασα διαβάζοντας το κεφάλαιο " έλληνες και Ρωμαίοι" διότι οι τελευταίοι ,καίτοι είχαν συνείδηση και εμπιστοσύνη στην στρατιωτική τους δύναμη και ισχύ, κατακτηταί όντες και κυρίαρχοι της ελληνικής γης,δεν αισθανόταν μειωμένοι, με το να δανεισθούν από τον υπόδουλο ελληνικό λαό, αυτό που εκείνοι εστερούντο . Την τέχνη και τη φιλοσοφία.

Εις εκδήλωση δε χάριτος και ευγνωμοσύνης προς τον περίφημον αυτόν λαόν, κάποιος Ρωμαίος αυτοκράτορας -διάβασα κάπου αλλού - τον τίμησε με την Ρωμαϊκή υπηκοότητα, απ΄αυτό ίσως το γεγονός και η προσωνυμία "Ρωμιοί". Τα δύσκολα εκείνα χρόνια, κάτω από τη κατοχή του σκληρού αυτού κράτους, για την απόκτησή της έπρεπε να είναι κανείς πολύ πλούσιος, για την απόκτησή της αγοράζοντάς την, όπως μας πληροφορούν οι πράξεις των Αποστόλων, κατά την σύλληψη του Αποστόλου Παύλου στα Ιεροσόλυμα, όπου ο Ρωμαίος εκατόνταρχος, ομολογεί ότι την είχε αγοράσει.

Καμάρωσα ακόμη τις φωτογραφίες των πνευματικών ιδρυμάτων, στο τέλος του βιβλίου Σου, που αυτές είναι ένα πραγματικό στολίδι του όλου έργου, διότι δείχνουν ανάγλυφα την αριστουργηματική τέχνη του ελληνικού πολιτισμού, που έφθασε στα πέρατα του τότε γνωστού κόσμου, διά της Ρώμης.
Διαβάζοντας το έργον Σου και ο πλέον κακόπιστος, πρέπει να ομολογήσει ότι, πλουτίζονται οι γνώσεις του και είναι σαν να κάθεται κάποιος πάλιν μαθητής στο θρανίο του Λυκείου.
Εξ αυτών βγαίνει αβίαστα το συμπέρασμα ότι είσαι , όχι μόνον ένας άριστος εκκλησιαστικός άνδρας με εκκλησιαστική συνείδηση αλλά και με λιπαρή γνώση της εκκλησιαστικής και πολιτικής ελληνικής ιστορίας .

Παρακαλῶ δέξου τά συγχαρητήριά μου καί ὁλόθερμη τήν εὐχήν μου ὅπως ὁ Ἀναστάς Κύριός μας εὐλογεῖ τά ἔργα Σου.
Σέ ἀσπάζομαι ἀδελφικά καί μέ πολλήν ἀγάπην.

† Ὁ Κυανέων Χρυσόστομος

+ Ο Κυανέων Χρυσόστομος .-

Λονδίνο 8 Μαίου 1999 .-

ΣΥΝΕΝΤΕΥΞΗ

ΜΗΤΡΟΠΟΛΙΤΗΣ ΠΙΣΙΔΙΑΣ ΜΕΘΟΔΙΟΣ ΦΟΥΓΙΑΣ

«Ἀπαράδεκτο ν' ἀρχίζει ἡ ἱστορία τῆς Εὐρώπης ἀπό τόν Καρλομάγνο»

Συνέντευξη: Γιάννης Γκροσδάνης

Στή φῶτο τοῦ βιβλίου τοῦ Μητροπολίτη Πισιδίας πρώην Ἀρχιεπισκόπου Θυατείρων καί Μεγάλης Βρετανίας Μεθοδίου Φούγια

Εἶναι κοινή ἡ διαπίστωση γιά ὅλους τούς ἐπιστήμονες πόσο σημαντικό ρόλο ἔπαιξε ἡ Ἑλλάδα στήν διαμόρφωση τοῦ εὐρωπαϊκοῦ πολιτισμοῦ μέχρι σήμερα. Τό θέμα αὐτό παρουσιάζει στό νέο του βιβλίο ὁ Μητροπολίτης Πισιδίας Μεθόδιος Φούγιας μέ τίτλο **«Τό ἑλληνικό ὑπόβαθρο τοῦ εὐρωπαϊκοῦ πολιτισμοῦ». «Οἱ ἑλληνικές ρίζες τῆς Εὐρώπης»** πού κυκλοφορεῖ ἀπό τίς ἐκδόσεις Νέα Σύνορα - Α.Α. Λιβάνη καί παρουσιάζεται σήμερα στίς 8 τό βράδυ στό βιβλιοπωλεῖο Μαλλιάρης - Παιδεία (Ἀριστοτέλους 9).

Τά συμπεράσματα τοῦ σεβασμιοτάτου συμπίπτουν μέ τά συμπεράσματα τόσο τῶν Ἑλλήνων ὅσο καί τῶν ξένων πού ἔχουν ἀσχοληθεῖ σοβαρά μέ τό θέμα τῆς ἑλληνικῆς συνεισφορᾶς στόν ἐκπολιτισμό τῶν εὐρωπαϊκῶν λαῶν. Τό σημεῖο στό ὁποῖο πρωτοτυπεῖ ὁ συγγραφέας εἶναι ὅτι τά συμπεράσματά του εἶναι βγαλμένα ἀπό μιά συγκριτική ἔρευνα κάνοντάς τα πειστικότατα.

Ὁ «Τύπος τῆς Θεσσαλονίκης» μίλησε μέ τόν σεβασμιότατο τόσο γιά τίς ρίζες τοῦ εὐρωπαϊκοῦ πολιτισμοῦ ὅσο καί γιά ἄλλα θέματα στήν συνέντευξη πού ἀκολουθεῖ.

Τό βιβλίο σας ἀπευθύνεται σέ κάποιο συγκεκριμένο κοινό;

Ἀπευθύνεται κατ' ἀρχήν σέ ὅλους τούς Εὐρωπαίους γιατί εἶναι ὑπόμνησις «πρός πάντας τοίς ὀφειλοίς». Τῶν Εὐρωπαίων πρός τό παρόν ἄν καί ὅλος ὁ πολιτισμένος κόσμος εἶναι ὀφειλέτης στήν ἑλληνική σκέψη. Ἀπευθύνεται βέβαια στούς ἀναγνῶστες πού γνωρίζουν τήν ἑλληνική γλώσσα διότι εἶναι στά ἑλληνικά γραμμένο. Ἀλλά ἔχει σταλεῖ καί σέ ἄλλους τόσο στήν Εὐρώπη ὅσο καί στήν Ἀμερική.

Νιώθετε ὅτι ἡ γλώσσα καί τό ὕφος τοῦ βιβλίου προσεγγίζει τόν ἁπλό ἀναγνώστη;

Πάρα πολύ διότι εἶναι γραμμένο σέ γλώσσα ἁπλή καί κατανοητή. Καί γι αὐτό τό σκοπό εἶναι γραμμένο μέ αὐτό τόν τρόπο.

Μέ ἀφορμή αὐτό τό βιβλίο θά ἤθελα νά σᾶς ρωτήσω γιά ἕνα θέμα πού ἔχει προκύψει πρόσφατα καί ἀφορᾶ τό θέμα πού ἀνέκυψε μέ τό Μουσεῖο τῆς Εὐρώπης. Ἐσεῖς ποιά θέση παίρνετε γιά τό συγκεκριμένο ζήτημα;

Νομίζω πώς εἶναι ἄξιοι περιφρόνησης αὐτοί πού συνέλαβαν μιά τέτοια ἰδέα γιατί εἶναι ἀβάσιμη, ἀστήρικτη καί δέν πρόκειται νά καρποφορήσει. Ἄν πρόκειται νά κτίσουν κάτι μερικοί ἐπηρεαζόμενοι ἀπό στρατηγικές καί ὄχι ἀπό γνώση, ἀπό ἐπιτελεῖα στρατηγικῶν καί ὄχι γνώσεων πού ἀποβλέπουν στήν ἐξασθένιση ὁρισμένων δυνάμεων μέ σκοπό νά κυριαρχήσουν οἱ δικές τους τάσεις ἤ ἡ δική τους πολιτική. Τά γράφω καί στήν εἰσαγωγή τοῦ βιβλίου μου, ἡ ὁποία ἀποτελεῖ τό ἔναυσμα τῆς ἐργασίας μου.

Σέ κάποιο σημεῖο ἀναφέρεται καί τή φράση «οὐδέν κακόν ἀμιγές καλοῦ». Σέ μιά τέτοια περίπτωση μπορεῖ νά ἰσχύσει κάτι τέτοιο;

Αὐτό ἀναφέρεται στό γεγονός ὅτι οἱ Ρωμαῖοι κατέκτησαν τήν Ἑλλάδα καί κατεκτήθησαν οἱ ἴδιοι πνευματικά ἀπό αὐτή. Καί αὐτό θέλω νά τονίσω: Κατεκτήθησαν μέ χαρά καί εὐχαριστημένοι μετέδωσαν αὐτό πού παρέδωσαν ἀπό τούς Ἕλληνες.

Ἐγώ θέλω νά ρωτήσω ἄν στήν περίπτωση τοῦ Μουσείου τῆς Εὐρώπης μπορεῖ νά ἰσχύσει αὐτή ἡ φράση;

Ἰσχύουν πολλά τά ὁποία δέν μποροῦν νά λεχθοῦν αὐτή τή στιγμή. Ἔχω τήν ἰδέα ὅτι οἱ Ἕλληνες ἐπιστήμονες θά τούς ἀποστομώσουν διότι εἶναι ἀβάσιμη ἡ ἀπόφασή τους καί ἱστορικά καί πνευματικά. Αὐτό πού ἰσχυρίζονται δηλαδή ὅτι ἡ ἱστορία τῆς Εὐρώπης ἀρχίζει ἀπό τόν Καρλομάγνο εἶναι ἀπαράδεκτο. Ἡ ἱστορία τῆς Εὐρώπης ἀρχίζει ἀπό τήν ἐποχή τῆς ἐγκαταστάσεως τῶν λαῶν αὐτῶν στήν Εὐρώπη. Τί συμβαίνει δηλαδή; Ἀναγνώρισαν οἱ Ἕλληνες τόν Καρλομάγνο; Οἱ Ἕλληνες εἶναι πρωτοευρωπαῖοι καί αὐτό τό γράφω κατ' ἐπανάληψη στό βιβλίο μου. Ἐπειδή βρέθηκαν μερικοί, οἱ ὁποῖοι γιά λόγους σκοπιμότητας ὅπως εἶναι ὁ Κόλ καί ὁ Πρόντι, οἱ ὁποῖοι δέν ἔφεραν ἀντιρρήσεις; Αὐτό εἶναι ἄλλο θέμα. Ἀλλά ἐάν ἦταν ἕνας Ἕλληνας ἐκεῖ, πεισματάρης, καί ἐπέμενε ἐπί τῶν ἱστορικῶν στοιχείων εἶμαι σίγουρος ὅτι θά τούς ἀναχαίτιζε καί θά τούς ἔκανε νά σκεφτοῦν πολύ καλά αὐτό τό ὁποῖο ἔκαναν.

Δηλαδή ἐσεῖς πιστεύετε ὅτι αὐτό ἔγινε βάσει συμφερόντων ἤ μήπως λόγω τῆς ἀδιαφορίας πού ἐπέδειξε ἡ πολιτεία; Γιατί πρέπει νά θυμίσουμε ὅτι δέν ὑπῆρξε κανένας ἐκπρόσωπος τοῦ ἑλληνικοῦ κράτους σέ αὐτό τό συμβούλιο.

Ἦταν ἕνας μόνο καί δέν μίλησε. Ἔπειτα πρόκειται περί Ἰδιωτικοῦ Μουσείου. Δέν ξέρουμε οὔτε ἄν θά γίνει. Διότι ἀπό ἑλληνικῆς ἀπόψεως ἔχω μπροστά μου 25 ἐφημερίδες οἱ ὁποῖες ἔγραψαν κατά τῆς ἀποφάσεως αὐτῆς καί ἀρκετοί ἐπιστήμονες δέν ἔχουν λάβει θέση. Δηλαδή ἡ ἐπίσημη ἑλληνική ἀπάντηση δέν ἔχει δοθεῖ ἀκόμα.

Πιστεύετε ὅτι ἡ Ἑλλάδα, δεδομένου ὅτι ἡ κα Παπαζώη ἀπαίτησε νά συμμετέχουμε σέ αὐτό τό Μουσεῖο, μπορεῖ νά ἀλλάξει αὐτή τήν κατάσταση;

Ἐξαρτᾶται πόσο πειστικός εἶναι ὁ λόγος μας.

Καί βέβαια νά ἔχουμε ὑπ' ὄψιν μας, τό γράφετε ἐξάλλου καί στό βιβλίο σας, ὅτι οἱ Εὐρωπαῖοι ἀναγνωρίζουν τόν πρωταγωνιστικό ρόλο τῆς Ἑλλάδας καί στήν ἱστορία τῆς Εὐρώπης.

Ὄχι μόνο τό ἀναγνωρίζουν, ὑποτάσσονται στόν ἑλληνικό λόγο. Ὅλοι οἱ μεγάλοι Εὐρωπαῖοι σοφοί ὑποστηρίζουν τήν ἄποψη ὅτι ἀντλοῦν ἀπό τούς Ἕλληνες. Θέλετε νά ἀναφερθοῦμε σέ εἰδικές περιπτώσεις; Πρέπει ὅμως νά σᾶς πῶ καί τοῦτο: Ὅτι δηλαδή ἐγώ ἑτοιμάζω καί ἄλλο ἔργο πού ἀναφέρομαι στήν παγκοσμιοποίηση τοῦ ἑλληνικοῦ πολιτισμοῦ. Διότι ἔχουμε διείσδυση τῆς ἑλληνικῆς γλώσσας σχεδόν σέ ὅλες τίς γλῶσσες τοῦ κόσμου μέχρι σήμερα. Πῶς εἶναι δυνατόν νά παραμερίζεται ἀπό μερικούς αὐτό;

Πιστεύετε ὅτι οἱ σύγχρονοι Ἕλληνες ἔχουν παραδειγματιστεῖ ἀπό τούς προγόνους τους;

Οἱ Ἕλληνες εἶναι Ἕλληνες καί ὅλοι εἶναι ἀφοσιωμένοι στήν ἱστορία μας ἀλλά ὄχι ἀρκετά ἐνημερωμένοι. Τήν ἑβδομάδα πού μᾶς πέρασε στήν ἐφημερίδα «Daily Telegraph» τοῦ Λονδίνου γράφτηκε ὅτι οἱ σημερινοί Ἕλληνες δέν ἔχουν καμιά σχέση μέ τούς ἀρχαίους. Ὑπάρχουν τέτοιοι πού λένε ἤ γράφουν τέτοια πράγματα ἀλλά οἱ Ἕλληνες εἶναι ἀφοσιωμένοι καί προσπαθοῦν νά γνωρίζουν ὅσα μποροῦν. Δέν νομίζω ὅτι ὑπάρχει Ἕλληνας πού νά μήν σέβεται καί νά μήν ἐκτιμᾶ τόν ἀρχαῖο ἑλληνικό πολιτισμό. Ἡ νεολαία σέ μεγαλύτερο βαθμό συναισθάνετε ἀπόλυτα τόν ἀρχαῖο μας πολιτισμό μέ τήν διαφορά ὅτι πρέπει νά ἐνισχυθεῖ ἡ ἐκπαιδευτική μόρφωση. Πρέπει νά μάθουν περισσότερη ἱστορία. Αὐτό συνέβαινε καί ὅταν ἤμουν ἐγώ μαθητής καί τό ἀναφέρω καί σέ ἀρκετά βιβλία μου.

Λίγο πρίν ἀπό τήν ἔλευση τῆς νέας χιλιετίας ποιά εἶναι ἡ θέση τῆς Ἑλλάδας στήν Εὐρώπη καί ποιά πρέπει οὐσιαστικά νά εἶναι;

Ἡ θέση τῆς Ἑλλάδας στήν Εὐρώπη εἶναι δεδομένη τόσο γεωπολιτικά, ὅσο καί πνευματικά. Τό πόσο ἐπηρεάζουν οἱ σύγχρονοι Ἕλληνες τούς Εὐρωπαίους εἶναι ἕνα ἄλλο θέμα πού δέν μοῦ ἐπιτρέπεται αὐτήν τήν στιγμή νά ἀναπτύξω. Νομίζω ὅτι χρειάζεται περισσότερη πειστικότητα ἀπό μέρους μας.

Ἦταν δύσκολο γιά τόν συγγραφέα τοῦ βιβλίου νά κάνει τήν ἔρευνά του καί νά παρουσιάσει τά ἐπιχειρήματά του ἀπέναντι στούς ἄλλους συγγραφεῖς τούς ὁποίους ἀναφέρει;

Ὑπάρχουν ὅμως καί στοιχεῖα πού πρέπει νά τά γράψω καί στό καινούργιο μου βιβλίο γιά τήν οἰκουμενικότητα τοῦ ἑλληνισμοῦ. Ὅπως ἀντιλαμβάνεστε ὑπάρχουν συγγραφεῖς πού ἀναφέρονται σέ μιά ἄποψη - πτυχή τῶν Ἑλλήνων τήν ὁποία ὀνομάζουν πανελληνισμό. Ὅλες αὐτές τίς ἀπόψεις θά τίς συμπεριλάβω στό νέο μου βιβλίο.

Σέ μιά ἐποχή πού τά γεγονότα ἐξελίσσονται μέ ταχύτατους ρυθμούς ἡ ἱστορία ποιό ρόλο παίζει;

Ἡ ἱστορία πάντοτε διαδραματίζει τό ρόλο ποῦ καθόρισε ὁ Εὐριπίδης: «Ὄλβιος ὅστις τῆς ἱστορίας ἔσχε μάθησιν».

Νιώθετε ὅτι αὐτό τό κομμάτι τῆς ἐπιστήμης μπορεῖ νά ἀπειληθεῖ ἀπό κάποιους;

Ἡ ἱστορία εἶναι μιά καί ἀληθινή. Ἀλλά οἱ ἱστορίες πού γράφουν μερικοί εἶναι ἱστορίες τῶν διαφόρων. Ἀλλιώτικη εἶναι ἡ ἱστορία τοῦ Παπαρρηγόπουλου ἤ τῆς Ἐκδοτικῆς ἤ τοῦ Κορδάτου καί τόσων ἄλλων. Ἀνάλογα μέ τήν ἀντίληψη τοῦ συγγραφέα καί τή διάθεσή του νά γράφει ἱστορία. Τό κύρος τό ἀποκτᾶ ὁ συγγραφέας ἀπό τήν ἐπιχειρηματολογία του, ἀπό τίς βιγνώσεις του καί ἀπό τίς θέσεις πού παίρνει. Μπορεῖ νά γράψει πολλά βιβλία καί νά μήν ἀξίζουν οὔτε μιά πεντάρα ἤ νά γράψει ἕνα φυλλάδιο καί νά μείνει στήν ἱστορία.

Πιστεύετε ὅτι ἡ ἱστορία μπορεῖ νά παραδειγματίσει τούς ἀνθρώπους καί τούς λαούς γενικότερα νά μήν προβοῦν σέ λάθη πού ἔκαναν στό παρελθόν;

Αὐτό ἐξαρτᾶται ἀπό τήν θέση πού ἔχει ὁ ἄνθρωπος γιατί ὁ ἴδιος νομίζει μπορεῖ νά γράψει ἱστορία μέ τό νά κάνει πολέμους. Ἐξαρτᾶται καί ἀπό τήν συνείδησή του καί τήν πνευματική του κατάσταση.

Ἡ ἱστορία μπορεῖ νά ἐπαναληφθεῖ;

Εἴτε τό θέλουμε εἴτε ὄχι.

Μοῦ ἔκανε ἐντύπωση αὐτό πού ἀναφέρατε ὅτι Ἀνατολική καί Δυτική Εὐρώπη ἀποτελοῦν δυό κόσμους ἀλλά μιά Ἐκκλησία. Πῶς συμβαίνει αὐτό;

Αὐτό πού ἀναφέρω καί στό ἄλλο μου ἔργο **«Ἕλληνες καί Λατῖνοι».** Εἶναι δύο κόσμοι μέ τήν ἔννοια ὁ ἑλληνικός καί ὁ ρωμαϊκός ἀλλά λέμε ὁ ἑλληνορωμαϊκός δηλαδή γίνονται ἕνα καί ἡ Ἐκκλησία, ὁ χριστιανισμός τοῦ ὁποίου ὑπόβαθρο εἶναι ὁ ἑλληνισμός πάλι καί αὐτός εἶναι ἕνα. Τώρα ἄν οἱ ἄνθρωποι διαφωνοῦν σέ μερικά στοιχεῖα ἤ δέν τό ἐπιτρέπουν τά συμφέροντά τους, κτλ. αὐτό δέν σημαίνει ὅτι δέν εἶναι ἕνα.

Στό βιβλίο σας κάνετε ἀκόμη λόγο γιά τήν θεωρία τοῦ Χάντιγκτον.

Αὐτή ἡ θεωρία εἶναι στρατηγική, εἶναι ὄργανο τό ὁποῖο καθορίζει τήν πολιτική τῆς Ἀμερικῆς. Δέν εἶναι ὁ μόνος, ὑπάρχουν καί ἄλλοι νεώτεροι στούς ὁποίους ἀνατρέχω γιά τό νέο μου βιβλίο. Ὑπάρχουν μεγαλύτερες καί περισσότερες ἐπιθέσεις ἐναντίον τῆς ἑλληνικῆς κυριαρχίας στόν πνευματικό κόσμο.

Αὐτή ἡ συγκεκριμένη θεωρία συζητήθηκε ἔντονα καί πρίν ἀπό λίγους μῆνες μέ ἀφορμή τόν πόλεμο στή Γιουγκοσλαβία.

Πρέπει νά σᾶς πῶ ὅτι ἔχω διαφορετικές ἀπόψεις γιά τό συγκεκριμένο θέμα τό ὁποῖο εἶναι πολιτικό καί δέν θέλω νά ἀναμειχθῶ.

Αὐτή ἡ θεωρία χωρίζει οὐσιαστικά τόν κόσμο σέ δύο στρατόπεδα, κάτι πού συνέβαινε παλιότερα. Πιστεύετε ὅτι μπορεῖ νά ἀπειλήσει καί τήν Ἑλλάδα;

Νομίζω ὅτι δέν μπορεῖ νά τό κατορθώσει παρ' ὅτι τό ἔχει στό νοῦ του. Δέν εἶναι εὔκολο γιά τόν Samuel Hantington καί τούς ὁμοίους του. Ἡ Ἑλλάδα εἶναι μέν ὀρθόδοξη ἀλλά κυριαρχεῖ στόν εὐρωπαϊκό κόσμο. Ὁ Θωμᾶς Τζέφερσον ἦθρε στή Γαλλία γιά νά συμβουλευτεῖ Γάλλους γιά τό σύνταγμα τῶν ΗΠΑ καί συνεδέθη μέ τόν Ἀδαμάντιο Κοραή καί αὐτός τοῦ ὑπέδειξε ὁρισμένα στοιχεῖα πού ἔπρεπε νά λάβει ὑπόψιν του. Θέλω νά πῶ μέ τοῦτο ὅτι μπορεῖ ὁ ὑλικός κόσμος νά μήν λαμβάνει ὑπ' ὄψην του τήν πνευματική κυριαρχία ἀλλά εἶναι δύσκολο νά ἐκτοπίσουν τήν ἑλληνική σκέψη. Χρειάζεται ὅμως καί κάποια δραστηριότητα ἀπό μέρους μας.

Δηλαδή ὑπάρχει κάποια ἀδράνεια;

Δέν εἶναι ἀδράνεια, εἶναι ἔλλειψη γνώσεως.

Παρ' ὅλο πού ὁ ἑλληνικός πολιτισμός ἔχει ἐπηρεάσει τόν δυτικό κόσμο σήμερα ἡ νεολαία ἀλλά καί γενικότερα ἡ ἑλληνική κοινωνία βομβαρδίστηκε ἀπό πρότυπα τοῦ δυτικοῦ τρόπου ζωῆς.

Αὐτό εἶναι ἀλήθεια ἀλλά θά σᾶς πῶ μόνο μιά λέξη πού κυριαρχεῖ σέ ὅλα αὐτά: Ἡ λέξη Τῆλε. Τηλεπικοινωνία, τηλεσκόπιο, τηλεόραση, κτλ. Εἶναι μιά ἑλληνική λέξη, ὁ βραχίονας πού ἑνώνει ὅλα αὐτά τά πράγματα.

Τελειώνοντας θά ἤθελα νά μοῦ πεῖτε δυό κουβέντες γιά τούς ἀνθρώπους πού θά προλογίσουν σήμερα τό βιβλίο σας στό βιβλιοπωλεῖο «Μαλλιάρης - Παιδεία». Γιά τόν πατέρα Βακάρο ἀλλά καί γιά τούς κ.κ. Παπαθεμελῆ καί Κούβελα.

Τόν πατέρα Βακάρο τόν βλέπω συνέχεια. Εἶναι ἕνα πάρα πολύ εὐφυές ἄτομο. Οἱ ἄλλοι δύο εἶναι πολύ ἀξιόλογα πρόσωπα τόσο ὁ κ. Κούβελας ὅσο καί ὁ κ. Παπαθεμελής. Συνδέομαι μαζί τους μέ μακροχρόνια φιλία καί ἔχω μεγάλη ἐκτίμηση στά πρόσωπά τους.

Σᾶς εὐχαριστῶ πολύ.

Σᾶς εὐχαριστῶ καί ἐγώ.

Τύπος ΘΕΣΣΑΛΟΝΙΚΗΣ 3 Δεκεμβρίου 1999

ΠΟΛΙΤΙΚΟ ΓΡΑΦΕΙΟ
ΒΟΥΛΕΥΤΗ ΕΥΒΟΙΑΣ ΝΕΑΣ ΔΗΜΟΚΡΑΤΙΑΣ
ΛΕΥΤΕΡΗ .Ν. ΠΑΠΑΓΕΩΡΓΟΠΟΥΛΟΥ
Βενιζέλου 22 - 34 100 Χαλκίδα
Τηλ. (0221) 76124 , 76758
F.A.X (0221) 76758
email papav@otenet.gr

ΧΑΛΚΙΔΑ Δευτέρα, 10 Μαΐου 1999

Προς
τον Σεβασμιώτατο
Κύριο Μεθόδιο .Γ. Φούγια
Μητροπολίτη Πισιδίας
πρώην Αρχιεπίσκοπο Θυατείρων &
Μεγάλης Βρετανίας

Σεβασμιώτατε,

σας ευχαριστώ θερμά για την αποστολή του καινούργιου βιβλίου σας « Το Ελληνικό υπόβαθρο του Ευρωπαϊκού Πολιτισμού. Οι Ελληνικές ρίζες της Ευρώπης».

Ευχαριστώ επίσης για την φιλόφρονα αφιέρωση και τις Πατρικές ευχές σε εμένα και την οικογένειά μου.

Το θέμα του βιβλίου είναι εξαιρετικού ενδιαφέροντος και η ποιότητα της συγγραφής δεδομένη , θα το πάρω μαζί μου για να το μελετήσω σε ένα οκταήμερο ταξίδι που θα κάνω σε λίγες ημέρες , ως μέλος Κοινοβουλευτικής Αποστολής στην Κορέα.

Από τους γονείς μου και την οικογένειά μου έχετε τους πιο θερμούς χαιρετισμούς.

Με σεβασμό και αγάπη

Λευτέρης .Ν. Παπαγεωργόπουλος
Βουλευτής Ευβοίας.

Έγγραφο-> Έγγραφο2

HELLENIC COLLEGE
HOLY CROSS GREEK ORTHODOX SCHOOL OF THEOLOGY

50 Goddard Avenue Brookline, MA 02146 Tel. (617) 731-3500

May 12, 1999

His Eminence
Metropolitan Methodios of Pisidia
9 Riga Ferraiou Str.
GR 151-32 Khalandri
GREECE

Your Eminence:

Your Archpastoral Blessing!

I wish to express my deep gratitude for Your generous donation to the Library of Your recent work entitled:

ΤΟ ΕΛΛΗΝΙΚΟ ΥΠΟΒΑΘΡΟ ΤΟΥ ΕΥΡΩΠΑΙΚΟΥ ΠΟΛΙΤΙΣΜΟΥ.
ΟΙ ΕΛΛΗΝΙΚΕΣ ΡΙΖΕΣ ΤΗΣ ΕΥΡΩΠΗΣ

This book will be informative and interesting to both faculty and students using the Library. A bookplate placed on the inside front cover will indicate that you are the donor.

Please continue to send us your publications.

Thank you for thinking of the Library.

Kissing Your right hand, I remain Your humble servant in Christ,

+Joachim

Very Rev. Dr. Joachim Cotsonis
Director of the Library

† Ο ΑΡΧΙΕΠΙΣΚΟΠΟΣ ΑΘΗΝΩΝ
ΚΑΙ ΠΑΣΗΣ ΕΛΛΑΔΟΣ
ΧΡΙΣΤΟΔΟΥΛΟΣ

Ἀριθμ. Πρωτ. ΕΞ 04427/2000 — Ἐν Ἀθήναις τῇ 15η Σεπτεμβρίου 2000

Πρός
Τόν Σεβασμιώτατον
Μητροπολίτην Πισιδίας
πρ. Ἀρχιεπίσκοπον Θυατείρων καί Μεγ. Βρετανίας
κ. Μεθόδιον
Ρήγα Φεραίου 9
152 32 ΧΑΛΑΝΔΡΙ

Σεβασμιώτατε καί ἀγαπητέ ἐν Χριστῷ ἀδελφέ,

Μέ ἰδιαίτερη χαρά ἔλαβα τό νέον σας πόνημα μέ τόν τίτλον " ΤΟ ΕΛΛΗΝΙΚΟ ΥΠΟΒΑΘΡΟ ΤΟΥ ΕΥΡΩΠΑΙΚΟΥ ΠΟΛΙΤΙΣΜΟΥ. ΟΙ ΕΛΛΗΝΙΚΕΣ ΡΙΖΕΣ ΤΗΣ ΕΥΡΩΠΗΣ " ἐμπλουτισμένο καί μέ ἀξιόλογες εἰκόνες, τό ὁποῖο εἴχατε τήν εὐγενῆ καλωσύνη νά μοῦ ἀποστείλετε καί σᾶς εὐχαριστῶ πολύ.

Σᾶς διακρίνει πάντοτε ὁ ὑγιής προβληματισμός, ὁ πνευματικός στοχασμός, ἡ ἐπιστημονική σας διείσδυση στίς πανανθρώπινες ἀξίες τοῦ Χριστιανισμοῦ καί τοῦ Ἑλληνισμοῦ. Ἡ πνευματική σας ἀγωνία γιά τήν ἐπικράτηση τῆς ἑλληνικῆς παιδείας καί τῶν ἑλληνικῶν γραμμάτων ἐν γένει ὡς καί τῆς ἑλληνικῆς πατερικῆς σοφίας στό εὐρωπαϊκό γίγνεσθαι, ἀποτελεῖ ἀγώνισμα καί κατόρθωμα λίαν θεάρεστον καί ἐπαινετικόν.

Τό θέμα πού λέγεται " οἰκοδόμηση τῆς Ἑνωμένης Εὐρώπης ", εἶναι ἕνα ζωτικότατο θέμα πού μ' ἀπασχολεῖ καί ἐμένα προσωπικά. Ἀκόμα ἡ Εὐρώπη κτίζεται. Ἀκόμα ἀναζητεῖ τά θεμέλιά της. Καί ἀκριβῶς ἐμεῖς οἱ Ἕλληνες καί δή οἱ Ὀρθόδοξοι Ἕλληνες, ὀφείλουμε νά παίξουμε ἀποφασιστικό καί οὐσιαστικό ρόλο στό μελλοντικό " εὐρωπαϊκό σπίτι ". Εἰδικότερα, ἡ Ὀρθόδοξη Ἐκκλησία τῆς Ἑλλάδος μ' ὅλον τόν πνευματικό της θησαυρό ἔχει βαρειά τήν εὐθύνη νά μήν ἀφήσει χαμένη τήν μεγάλη αὐτή εὐκαιρία.

Τό χρέος μας εἶναι μεγάλο. Νά ἑτοιμάζουμε " τήν ὁδόν τοῦ Κυρίου " καί στίς εὐρωπαϊκές κοινωνίες. Καί αὐτό τό χρέος μέ συνέχει καί μέ κάνει νά εἶμαι συνεχῶς " ἐν ἐγρηγόρσει ".

Σᾶς εὔχομαι ὁ Δομήτωρ Κύριος ἡμῶν Ἰησοῦς Χριστός νά σᾶς διατηρεῖ ἐν ὑγείᾳ ἐπί ἔτη πολλά καί εὐφρόσυνα καί νά σᾶς ἐνισχύει στά ὡραῖα ἔργα σας ἐπ' ἀγαθῷ τῆς Ἁγίας ἡμῶν Ὀρθοδόξου Ἐκκλησίας.

Μετ' εὐχῶν διαπύρων καί τῆς ἐν Χριστῷ Ἰησοῦ ἀγάπης

† ὁ Ἀθηνῶν Χριστόδουλος

67. Ἀπό τήν παρουσίαση τοῦ ἔργου **Τό Ἑλληνικό Ὑπόβαθρο τοῦ Εὐρωπαϊκοῦ Πολιτισμοῦ** στή Θεσσαλονίκη ἀπό τόν μεγάλο ἐκδότη Ἀντώνη Μαλλιάρη, τόν ἐκπρόσωπο τοῦ Παναγιωτάτου Μητροπολίτη Θεσσαλονίκης Παντελεήμονος Πρωτοπρ. Δημ. Βακάρο καί τούς διακεκριμένους Πολιτικούς πρ. Ὑπουργούς Στέλιο Παπαθεμελῆ καί Σωτήρη Κούβελα. Μεταξύ τῶν Διακεκριμένων ἀκροατῶν ὁ μεγάλος καθηγητής Κ. Βαβοῦσκος.

Μεθόδιος Γ. Φούγιας
Μητροπολίτης Πισιδίας
πρ. Ἀρχιεπίσκοπος Θυατείρων καὶ Μεγάλης Βρετανννίας

Ἐκκλησιαστικὴ Οἰκονομία καὶ Χριστολογικὴ Ὁρολογία

ΑΠΟΣΤΟΛΙΚΗ ΔΙΑΚΟΝΙΑ
Ἀθήνα, 1998, σελ. 337.

Στὴν πρώτη μελέτη του στὴν ἔκδοσι αὐτὴ ὁ σεβ. συγγραφεὺς τονίζει ὅτι στὴν Ὀρθόδοξη Ἐκκλησία δὲν ἔχει καθορισθεῖ οὔτε τί εἶναι «Οἰκονομία», οὔτε ποιό εἶναι τὸ περιεχόμενο αὐτῆς. Γι' αὐτὸ παρατηρεῖται ἀσυμφωνία, ὄχι μόνο μεταξὺ τῶν Πατέρων, ἀλλὰ καὶ μεταξὺ τῶν νεωτέρων συγγραφέων. «Ἀκρίβεια» καὶ «Οἰκονομία», γράφει, εἶναι δύο εἴδη κυβερνήσεως καὶ διορθώσεως, διὰ τῶν ὁποίων οἱ οἰκονόμοι τοῦ Πνεύματος κυβερνοῦν τὴ σωτηρία τῶν ψυχῶν. Ἐπαφίεται στὴ φρόνησι τῶν ἡγετῶν τῆς Ἐκκλησίας καὶ στὴν καθοδήγησι τοῦ Ἁγίου Πνεύματος νὰ γίνη ἢ ὄχι εὐρεία χρῆσις τῆς «Οἰκονομίας».

Στὴ δεύτερη μελέτη περὶ τῶν «Χριστολογικῶν Ὅρων» στὴν Ἐκκλησιαστικὴ Παράδοσι (Ἑλληνική, Λατινικὴ καὶ Ἀνατολική), ἐξετάζεται ἡ ποικιλία τῶν ἐννοιῶν ποὺ ἀποδίδονται στοὺς ὅρους αὐτοὺς ἀπὸ τοὺς μεγάλους Πατέρες. Τὴ μελέτη αὐτὴ τοῦ σεβ. Μεθοδίου, ἐκτιμᾶ καὶ ἐξαίρει σύγχρονος καθηγητὴς τῆς Δογματικῆς καὶ ἐξέχων ἱεράρχης, ὁ Γέρων Ἐφέσου Χρυσόστομος, σὲ προσφάτως ἐκδοθὲν ἔργο του.

– Ἡ Ὀρθόδοξος Ἐκκλησία, γράφει ὁ σεβ. Μεθόδιος, δὲν πρέπει νὰ μιμηθῆ τὸν Δυτικὸ Χριστιανισμό, ὁ ὁποῖος ἀπεμακρύνθη ἀπὸ τὴν κλασσικὴ Χριστιανικὴ Διδασκαλία κι ἔτσι ἔγινε πτωχότερος καὶ ἀνίκανος ν' ἀντιμετωπίση τὰ διλήμματα πρὸ τῶν ὁποίων συνεχῶς πειραματίζεται. Ἡ Ὀρθόδοξος Ἐκκλησία πρέπει μὲ τόλμη σταθερὰ νὰ δηλώνη τὴν ἐμμονή της στὴ διδασκαλία τῶν πνευματοφόρων Πατέρων της καὶ ἐκείνων ἀκόμη, οἱ ὁποῖοι συνεχίζουν μέχρι σήμερα τὴν ἀποστολικὴ καὶ πατερικὴ σκέψι.

Κ.Α. 99.09.075 ISBN 960-315-340-0

ΙΘ′

Ἡ Παγκόσμια Διάσταση τοῦ Ἑλληνικοῦ Πολιτισμοῦ Ἀθήνα, 2001. Σελ. 462.

Μεθόδιος Γ. Φούγιας

Μητροπολίτης Πισιδίας

πρώην Αρχιεπίσκοπος Θυατείρων και Μεγάλης Βρεττανίας

Η ΠΑΓΚΟΣΜΙΑ ΔΙΑΣΤΑΣΗ ΤΟΥ ΕΛΛΗΝΙΚΟΥ ΠΟΛΙΤΙΣΜΟΥ

«ΝΕΑ ΣΥΝΟΡΑ» - Α. Α. ΛΙΒΑΝΗ

بطريركية الروم الأرثوذكس بالاسكندرية وسائر أفريقيا

ΠΑΤΡΙΑΡΧΕΙΟΝ ΑΛΕΞΑΝΔΡΕΙΑΣ ΚΑΙ ΠΑΣΗΣ ΑΦΡΙΚΗΣ

GREEK ORTHODOX PATRIARCHATE OF ALEXANDRIA AND ALL AFRICA
http://www.greece.org/gopatalex, e-mail: goptalex@tecmina.com
Mailing Address: P.O.Box 2006, Alexandria - EGYPT
Tel: 00203-4868595, 00203-4844876, Fax:00203-4875684

Ἀριθμ. Πρωτ. 449

Τῷ Σεβασμιωτάτῳ
Μητροπολίτη Πισιδίας
κ. Μεθοδίῳ
Εἰς Ἀθήνας

Σεβασμιώτατε καί ἀγαπητέ ἐν Χριστῷ ἀδελφέ,

Μετ' πολλῆς χαρᾶς καί ἀγάπης ἐπιθυμοῦμεν, ἵνα ἐκφράσωμεν τάς θερμοτάτας καί ἐγκαρδίους ἡμῶν εὐχαριστίας, διά τήν ἀποστολήν τοῦ ὑμετέρου βιβλίου, ὑπό τόν τίτλον ""Η Παγκόσμια Διάσταση τοῦ Ἑλληνικοῦ Πολιτισμοῦ", ὅ καί διεξελθόντες, ἀπεθησαυρίσαμεν ἐν τῇ Πατριαρχικῇ Βιβλιοθήκῃ, δεόμενοι ἅμα ἀπό καρδίας, ὅπως ὁ Θεάνθρωπος ἡμῶν Λυτρωτής Ἰησοῦς Χριστός, χαρίζηται ὑμῖν ὑγιείαν ἀκλόνητον καί πᾶν ὅ,τι ἐφετόν.

Ἀγαπητός ἐν Χριστῷ ἀδελφός

† ὁ Ἀλεξανδρείας Πέτρος

Ἐν τῇ Μεγάλῃ Πόλει
τῆς Ἀλεξανδρείας,
τῇ 29η Μαΐου 2001

ПАТРИЈАРХ СРПСКИ

21. маја 2001. г.
Београд

Dr METHODIOS FOYAS,
9, Riga Ferraiou str.
GR - 152 32 KHALANDRI,
Greece

ПОШТОВАНИ ГОСПОДИНЕ FOYAS ,

Потврђујемо пријем Ваше књиге: "Η ΠΑΓΚΟΣΜΙΑ ΔΙΑ-ΣΤΑΣΗ ΤΟΥ ΕΛΛΗΝΙΚΟΥ ΠΟΛΙΤΙΣΜΟΥ", коју сте нам послали на дар.

Желимо Вам даљи успех у раду и свако добро од Господа.

ПАТРИЈАРХ СРПСКИ
+Павле

ܦܛܪܝܪܟܘܬܐ ܕܐܢܛܝܘܟܝܐ ܣܘܪܝܝܬܐ ܐܪܬܕܘܟܣܝܬܐ

SYRIAN ORTHODOX PATRIARCHATE
OF ANTIOCH & ALL THE EAST
BAB TOUMA , P.O. BOX 22260
DAMASCUS - SYRIA

باب توما – ص.ب ٢٢٢٦٠
دمشق – سوريا

No.EE203/01

May 30, 2001

His Eminence Dr. Methodios G. Fouyas
Metropolitan of Pisidia
9 Riga Feraiou Str
Khalandri 152 32
Athens, Greece

Your Eminence,

Greetings in our Lord Jesus Christ!

We are very happy to acknowledge the receipt of a copy of your book, "The World Wide Spreading of the Hellenic Civilization" which you sent to us. It shows your love and consideration for us. Thank you very much. We have Monks who have studied at Athens and are well versed in Greek. It will help them also to have a better understanding of the Hellenic Civilization and thereby to enhance understanding and cooperation between our Churches.

Once again thanking you, and wishing you good health and long life,

Yours in our Lord,

Ignatius Zakka I Iwas
Patriarch of Antioch And All the East
Supreme Head of the Universal Syrian Orthodox Church

ΙΔΡΥΜΑ ΜΕΙΖΟΝΟΣ ΕΛΛΗΝΙΣΜΟΥ

Σεβασμιώτατο
Μητροπολίτη Πισιδίας
Μεθόδιο Φούγια
Ρήγα Φεραίου 9
152 32 Χαλάνδρι

Αθήνα, 11 Μαΐου 1999

Σεβασμιώτατε,

Σας ευχαριστώ θερμά για την ευγενική και γενναιόδωρη προσφορά σας προς το Ίδρυμα Μείζονος Ελληνισμού. Με ιδιαίτερη συγκίνηση ξεφύλλισα τις θεολογικές μελέτες που μας αποστείλατε και διάβασα για την ιστορία της Ορθόδοξης Εκκλησίας.

Σας διαβεβαιώνω ότι τα βιβλία σας θα εμπλουτίσουν τη βιβλιοθήκη του Ιδρύματος και θα αποτελέσουν χρήσιμο εργαλείο για τους συνεργάτες μου, συντελώντας στην τεκμηρίωση των ερευνών που διεξάγουν.

Με τη βεβαιότητα ότι το Ίδρυμα βρήκε στο πρόσωπό σας έναν άνθρωπο, ο οποίος μπορεί να προσφέρει από την καρδιά του στο τεράστιο έργο που έχουμε αναλάβει για τη διάσωση και διάδοση της Ελληνικής Ιστορίας.

Σας εύχομαι καλή υγεία.

Με τιμή,

ΙΔΡΥΜΑ ΜΕΙΖΟΝΟΣ ΕΛΛΗΝΙΣΜΟΥ 1993

Λάζαρος Εφραίμογλου
Πρόεδρος

Ὁ Λάζαρος Ἐφραίμογλου πρ. Βουλευτής εἶναι ἱδρυτικό μέλος τοῦ Ὀργανισμοῦ «Παλίντροπος Ἁρμονία».

Γραφεία: Πουλοπούλου 38, Αθήνα 118 51 • Τηλέφωνο: (01) 3422292 • Τηλεομοιοτυπία: (01) 3422272
Πολιτιστικό Κέντρο: Πειραιώς 254, Ταύρος 177 78 • Τηλέφωνο: (01) 4835300 • Τηλεομοιοτυπία: (01) 4834634
Ηλεκτρονικό Ταχυδρομείο: info@ime.gr Διεύθυνση Διαδικτύου: http://www.ime.gr/

ÄRKEBISKOPEN AV KARELEN
OCH HELA FINLAND

ARCHBISHOP OF KARELIA
AND ALL FINLAND

ΑΡΧΙΕΠΙΣΚΟΠΟΣ ΚΑΡΕΛΙΑΣ
ΚΑΙ ΠΑΣΗΣ ΦΙΛΛΑΝΔΙΑΣ

АРХИЕПИСКОП КАРЕЛЬСКИЙ
И ВСЕЯ ФИНЛЯНДИИ

KARJALAN JA KOKO SUOMEN ARKKIPIISPA

Ἀριθμ. πρωτ. 741/01

Πρός τόν Σεβασμιώτατον Μητροπολίτην Πισιδίας κ. Μεθόδιον
Εἰς Ἀθήνας
ΕΛΛΑΣ

Σεβασμιώτατε καί ἀγαπητέ μοι ἐν Κυρίῳ Ἅγιε Ἀδελφέ!

Θερμότατα Σᾶς εὐχαριστῶ διά τό νέον σπουδαῖον καί ἐνδιαφέρον βιβλίον Σας περί τοῦ ρόλου τοῦ ἑλληνικοῦ πολιτισμοῦ ἐν τῷ κόσμῳ. Βαθέως ἐκτιμῶ τό γεγονός, ὅτι πάντοτε ἔχετε εἰς τήν μνήμην Σας καί τό ταπεινόν πρόσωπόν μου ἐδῶ εἰς τόν Βορρᾶν τῆς Εὐρώπης. Θαυμάζω τάς πνευματικάς δυνάμεις καί τήν θεολογικήν δημιουργικότητά Σας.

Διατελῶ μετά σεβασμοῦ καί πολλῆς ἐν Κυρίῳ ἀγάπης

† ὁ Φιλλανδίας Ἰωάννης
ὁ Φιλλανδίας Ἰωάννης

Τῇ 21ῃ Ἰουνίου, 2001.

SUOMEN ORTODOKSINEN KIRKKO
FINLANDS ORTODOXA KYRKA ΟΡΘΟΔΟΞΟΣ ΕΚΚΛΗΣΙΑ ΦΙΛΛΑΝΔΙΑΣ THE ORTHODOX CHURCH OF FINLAND
KARJALANKATU 1, FIN-70110 KUOPIO, FINLAND, TEL +358-17-287 2230, FAX +358-17-287 2231, E-MAIL: archbishop@ort.fi

ΙΕΡΑ ΑΡΧΙΕΠΙΣΚΟΠΗ ΑΥΣΤΡΑΛΙΑΣ

GREEK ORTHODOX ARCHDIOCESE OF AUSTRALIA

242 CLEVELAND ST., REDFERN, N.S.W. 2016 (P.O. Box 186, STRAWBERRY HILLS, N.S.W. 2012) AUSTRALIA
PHONE: (02) 9698-5066 • FAX: (02) 9698-5368

Σεβασμιώτατον
Μητροπολίτην Πισιδίας
κ. Μεθόδιον
Ρήγα Φεραίου 9
Κ. Χαλάνδρι
152 32 Ἀθήνας

Σεβασμιώτατε καὶ [illegible] Ἀδελφὲ Μεθόδιε,

Μόλις ἔλαβα τό νεώτερο βιβλίο Σου «*Ἡ παγκόσμια διάσταση τοῦ ἑλληνικοῦ πολιτισμοῦ*», καί χάρηκα εἰλικρινῆ ἀδελφική χαρά, ὄχι μόνο ἀπό τό θέμα, ἀλλά καί ἀπό τήν μορφή καί λαμπρή ἔκδοση.

Ἀμέσως διάβασα τόν Πρόλογο καί συγκινήθηκα βαθειά γιά τό γνωστό μου πάντα μεράκι Σου, νά περισωθοῦν ἀπό τήν ταλαίπωρη φυλή μας, ἔστω κάποια χαρακτηριστικά στοιχεῖα τοῦ μεγαλείου καί τῆς πανανθρώπινης προσφορᾶς της.

Ἐπίσης χάρηκα πού ἐπ' εὐκαιρίᾳ θίγεις, ἐνδεικτικά ἔστω, κάποιες ἀθλιότητες τοῦ παρόντος ἐκ μέρους τῶν ἐπαγγελματιῶν - ἐγώ τούς λέω νάνους - τῆς πολιτικῆς, πού καθιστοῦν ἀκόμη ἐπιτακτικώτερη τήν ὑπενθύμιση μέ «πινελιές» τῆς προαιωνίας δόξας τῶν Ἑλλήνων.

Ἕνας ἄλλος λόγος πού μ' ἔκαμε νά χαρῶ ἀπό τόν Πρόλογο εἶναι τό ὅτι εἶδα νά ἔχεις τόσο ὡμορφη σχέση μέ τόν Καθηγητή Π. Σιμωτᾶ, πού ἀποτελεῖ σημεῖο προσανατολισμοῦ, ὡς πρός τήν ἐντιμότητα καί τήν ἐπιστημονική του ἀξία, ἀνάμεσα στόν ἑτερόκλητο συρφετό τῶν λεγομένων ἀκαδημαϊκῶν Διδασκάλων, γι' αὐτό καί ἀπό τά χρόνια τῆς Θεσσαλονίκης μᾶς ἔχει συνδέσει ἀδιατάρακτη καί εἰλικρινής φιλία.

Κλείνοντας, Σοῦ γνωρίζω ὅτι καί ὁ Παναγιώτης εἶχε τήν καλωσύνη νά μοῦ στείλει τό δικό του βιβλίο, γιά τόν Κικέρωνα, ἀλλ' ἀτυχῶς δέν μπόρεσα, λόγῳ φόρτου ἐργασίας, νά διαβάσω καί αὐτοῦ τίποτε πέρα ἀπό τά προλεγόμενα, ἄκρως κατατοπιστικά ὅμως καί αὐτά, γιά τήν ἀξία τοῦ βιβλίου.

Σήμερα λοιπόν θά γράψω δύο λόγια καί στόν Παναγιώτη, γιά νά εἶμαι δίκαιος, ἀλλά καί γιά νά μήν ἀνησυχεῖ ὅτι δέν ἔλαβα τό βιβλίο του.

Ἄς εἶναι ἁγιασμένοι οἱ Γεννήτορές Σας, ἀγαπητέ Ἀδελφέ, γιατί ἀξιώθηκαν νά Σᾶς ἐμπνεύσουν καί τούς δύο, ὄχι μόνο ἐργατικότητα καί φιλοτιμία γιά τά κοινά, ἀλλά καί ἕνα ἄσβεστο οἶστρο γιά ὅ,τι Ἑλληνικό.

Εὔχομαι νά μήν ἀργήσουμε νά ξανασυναντηθοῦμε καί νά τά ποῦμε καί διά ζώσης.

Ἐν Σύδνεϋ τῇ 31η Μαΐου 2001

Μὲ θερμὸ ἀδελφικὸ ἀσπασμό,
ὁ Αὐστραλίας Στυλιανός

Ὁ Αὐστραλίας ΣΤΥΛΙΑΝΟΣ

Υ.Γ. Μέ τό ἴδιο ταχυδρομεῖο Σοῦ στέλνω εἰς ἀντίδωρον ἕνα σχετικά πρόσφατο δικό μου βιβλίο, «Παρόντα καί Ἐπιούσια».

VICTORIA – TASMANIA
221 Dorcas Street,
South Melbourne, Victoria, 3205
Tel: (03) 9696-2488 Fax:(03) 9696-3583

SOUTH AUSTRALIA – N. TERRITORY
533 Anzac H'way,
Glenelg, S.A. 5045
Tel: (08) 8295-3866 Fax: (08) 8295-4373

QUEENSLAND – NEW GUINEA
P.O. Box 620
South Brisbane QLD. 4101
Tel: (07) 3397-4786 Fax: (07) 3844-0967

WEST AUSTRALIA
3 Conto Ave.,
Dianella W.A. 6062
Tel: (08) 9375-1222 Fax: (08) 9375-1288

Ο ΠΡΟΕΔΡΟΣ ΤΗΣ ΔΗΜΟΚΡΑΤΙΑΣ

Αθήνα, 30 Μαΐου 2001

Σεβασμιώτατε,

Σας ευχαριστώ πολύ για την προσφορά και αφιέρωση του πολύ ωραίου βιβλίου σας « Παγκόσμια Διάσταση του Ελληνικού Πολιτισμού ».

Σας εύχομαι υγεία και δύναμη.

Με αγάπη

ΚΩΝΣΤΑΝΤΙΝΟΣ ΣΤΕΦΑΝΟΠΟΥΛΟΣ

Σεβασμιώτατο
κ. Μεθόδιο Φούγια
Ρήγα Φερραίου 9
152 32 Χαλάνδρι

ΒΟΥΛΗ ΤΩΝ ΕΛΛΗΝΩΝ

Ο ΠΡΟΕΔΡΟΣ

Αθήνα, 19 Ιουνίου 2001

Προς τον
Σεβ. Μητροπολίτη Πισιδίας
κ. Μεθόδιο Φούγια
Ρήγα Φεραίου 9
152 32 ΧΑΛΑΝΔΡΙ

Σας ευχαριστώ για την ευγενική αφιέρωση και προσφορά του ιδιαιτέρως σημαντικού πονήματός σας «Η ΠΑΓΚΟΣΜΙΑ ΔΙΑΣΤΑΣΗ ΤΟΥ ΕΛΛΗΝΙΚΟΥ ΠΟΛΙΤΙΣΜΟΥ».

Σας εύχομαι υγεία, μακροημέρευση και ευόδωση στο λατρευτικό, συγγραφικό και πνευματικό σας έργο.

ΑΠΟΣΤΟΛΟΣ ΧΡ. ΚΑΚΛΑΜΑΝΗΣ

ΛΕΩΦ. ΒΑΣ. ΣΟΦΙΑΣ 2 - 100 21 ΑΘΗΝΑ - ΤΗΛ.: (01) 37.08.011 - ΤΗΛΕΟΜΟΙΟΤΥΠΙΑ (FAX): (01) 32. 32.913
e-mail:speaker@parliament.gr

Στρατηγός ε.α. Δημ. Σκαρβέλης
Επίτιμος Αρχηγός ΓΕΕΘΑ
Σχολείου 30 - Αγία Παρασκευή
153 42 Αθήνα

Ἀθήνα, 14-6-01

Σεβασμιώτατε

Μέ τήν εὐκαιρία τής σημερινής ὀνομαστικής ἑορτής σας, τόσον ἐγώ, ὅσο καί ἡ γυναίκα μου, σάς εὐχόμεθα Χρόνια Πολλά, μέ ὑγεία καί πολλή δράση, διότι ἔχετε πολλά νά δόσετε ἀκόμα.

Προσέτι, σάς εὐχαριστώ ἰδιαίτερα γιά τό ""Ἕλληνες καί Λατίνοι"" πού μέ ἔβαλε σέ ἕνα ἐξαιρετικής σημασίας Κεφάλαιο τής Ὀρθοδοξίας καί τοῦ Ἑλληνισμοῦ, γιά τό ὁποῖο χάρη σέ σάς, ἀπέκτησα γνώση, ἔγκυρη καί τεκμηριωμένη, ἀφοῦ τό ἔργο ἔχει γραφεῖ μέ τή δική σας γραφίδα.

Τώρα ἔχω ἀρχίσει τή μελέτη τής ""Παγκόσμιας Διάστασης τοῦ Ἑλληνικοῦ Πολιτισμοῦ"", πού πρόσφατα εἴχατε τήν καλοσύνη νά μοῦ ταχυδρομήσετε.Σάς εὐχαριστῶ γιά τήν ἀφιέρωση.

Καί πάλι ἔχετε τίς εὐχές μας, ἀλλά καί τό σεβασμό καί τήν ἀγάπη μας.

Μετά τιμής

Στρατηγός ε.α. Δημ. Σκαρβέλης
Επίτιμος Αρχηγός ΓΕΕΘΑ

Στρατηγός ε.α. Σκαρβέλης
Ἐπίτιμος Ἀρχηγός ΓΕΕΘΑ
Ἀκαδημαϊκός

Ὁ Στρατηγός Δημ. Σκαρβέλης εἶναι ἱδρυτικό μέλος τοῦ Ὀργανισμοῦ «Παλίντροπος Ἁρμονία» καί μέλος τοῦ Διοικητικοῦ Συμβουλίου αὐτοῦ.

HELLENIC COLLEGE
HOLY CROSS GREEK ORTHODOX SCHOOL OF THEOLOGY

50 Goddard Avenue Brookline, MA 02445 Tel. (617) 731-3500

May 30, 2001

His Eminence
Metropolitan Methodios (Fouyas) of Pisidia
9 Riga Ferraiou Str.
152-32 Khalandri,
ATHENS
GREECE

Your Eminence:

Your Archpastoral blessing!

I wish to express my deep gratitude for Your generous donation to the Archbishop Iakovos Library of Your recent work:

Η ΠΑΓΚΟΣΜΙΑ ΔΙΑΣΤΑΣΗ ΤΟΥ ΕΛΛΗΝΙΚΟΥ ΠΟΛΙΤΙΣΜΟΥ

This book will be interesting and informative to both faculty and students using the Library. A bookplate will be placed on the inside cover indicating that You are the donor. Thank you for keeping the Library in Your thoughts and we look forward to learning of Your future publications.

Kissing Your right hand, I remain, Your humble servant in Christ,

Very Rev. Archimandrite Joachim Cotsonis, Ph.D.
Director of The Archbishop Iakovos Library

JC:ag

ΜΕΘΟΔΙΟΣ Γ. ΦΟΥΓΙΑΣ

«Η ΠΑΓΚΟΣΜΙΑ ΔΙΑΣΤΑΣΗ ΤΟΥ ΕΛΛΗΝΙΚΟΥ ΠΟΛΙΤΙΣΜΟΥ»

Εκδόσεις «Νέα Σύνορα-Λιβάνη»

Η παγκοσμιοποίηση του ελληνικού πολιτισμού σε όλες τις παραμέτρους του απασχολεί τον συγγραφέα του βι-

βλίου, Μητροπολίτη Πισιδίας, πρώην Αρχιεπίσκοπο Θυατείρων και Μεγάλης Βρετανίας.

Η ανάλυσή του βασίζεται στην άποψη την οποία και διατυπώνει στην αρχή της Εισαγωγής του: «η παγκοσμιοποίηση του ελληνικού πολιτισμού είναι πολύπλευρη πνευματική διάσταση ενός κόσμου, καλύπτουσα πολλές χρήσιμες και ευχάριστες προοπτικές της προόδου της ανθρωπότητας». Ο συγγραφέας αναπτύσσει το θέμα του, παραθέτοντας αυτούσιες τις σχετικές απόψεις ειδικών ερευνητών και στοχαστών.

Παράλληλα, στέκεται κριτικά σε κινήσεις αποκλεισμού της Ελλάδας και κατ' επέκταση του πολιτισμού της, όπως απ' αυτή για την ίδρυση του Μουσείου της Ευρώπης στις Βρυξέλλες.

Σελίδες: 461

Ἐφημερίδα **Ἔθνος**, 16 Ἰουνίου, 2001.

Date, 21. May. 2001

His Eminence
Archbishop Methodios G. Fougas
Metropolitan of Pisidia

I beg to acknowledge with thanks the receipt of the book "The World Wide Spredding of the Hellenic Civilization" Methodios G. Fouyas Metropolitan of Pisidia, Athenes, 2001, 461 p.

which you have been so good as to send to the Arm. Catholicosate of Cilicia

Archbishop Vartan Demirdjian
Librarian

Antelias, Lebanon

4047 Hensley Circle
El Dorado Hills,CA. 95762
June 3, 2001

His Eminence Metropolitan Methodios
9 Riga Feraiou
Halandri 152 32
Athens, Greece

Your Eminence,

Upon my return from abroad I found awaiting me the copy of your recent book E Pankosmia Diastase tou Ellenikou politismou,. and I write both to acknowledge its receipt and for your kindness in sending me a copy. So soon as I shall have finished with a month's accumulation of letters, bills and doctor's appointments I will have timne to begin the perusal of your substantial collection of essays on Hellenism.

It has been a very long time since I last saw you, ie in Athens during my brief tenure as Professor at the University of Athens. This past year the donor and backer of the Speros Basil Vryonis Center for the Study of Hellenism has decided to terminate his financial support of the Center and so after a lively and highly successful period of 15 years of scholarly and cultural activity it is all coming to an end. It is sad, but all good things come to an end, sooner or later, and we have to learn to accept the bitter with the sweet.

In closing I wish once more to thank you for yoru thoughtfulness in sending me a copy of your recent book.

All best wishes,

Speros Vryonis Jr.

Speros Vryonis, Jr.

Ὁ Σπῦρος Βρυώνης εἶναι φημησμένος Καθηγητής Πανεπιστημίων τῆς Ἀμερικῆς, συγγραφέας μεγάλος καί Διευθυντής Πολιτιστικῶν Κέντρων. Εἶναι ἱδρυτικό μέλος τοῦ Ὀργανισμοῦ «Παλίντροπος Ἁρμονία».

Yale University

Divinity School Library
409 Prospect Street
New Haven, Connecticut 06511

Campus address:
141 SDQ
Telephone: 203 432-5290

June 19, 2001

Dr. Methodios Fouyas
9, Riga Ferraiou Str.
GR-152 32 Khalandri
GREECE

Dear Dr. Fouyas:

I gratefully acknowledge receipt of The World Wide Spreading of the Helenic Civilization, which will be added to our library shelves.

We extend to you our sincerest thanks in remembering Yale Divinity School Library.

Cordially yours,

Paul Stuehrenberg
Divinity Librarian
ps:spb

Θεσσαλονίκη 21/6/2001

Σεβασμιώτατε,

Ἐν πρώτοις εὔχομαι κάθε ἀγαθό, ὑγεία καί ἔτη πολλά — πάρα πολλά — γιά τήν ὀνομαστική Σας ἑορτή. Δέν εὐχήθηκα ἐγκαίρως τά δέοντα γιατί ἤμουν στήν Μυτιλήνη γιά τήν ἔλευση τοῦ Πατριάρχου. Ὅλα πῆγαν καλά. Ἐγώ — ἔξω ἀπό Σᾶς — ἔχω κάτι οὐρολογικά προβλήματα καί πρέπει νά κάνω ἐπέμβαση τήν ἐρχομένη ἑβδομάδα. Εἶναι, φαίνεται, ἀναπόφευκτο. Γεράσαμε.

Ἔλαβα τό λαμπρό νέο βιβλίο τῆς Σεβασμιότητός Σας «Ἡ παγκόσμια διάσταση τοῦ Ἑλληνικοῦ Πολιτισμοῦ». Συγχαίρω ἀπό μέσης καρδίας. Θαυμάζω τόν θησαυρό τῶν γνώσεων καί τήν ἱκανότητα νά διαπραγματεύεσαι μεγάλα καί δύσκολα ἐπίκαιρα θέματα μέ τόση δεινότητα, σοφία καί σαφήνεια. Ἰδιαιτέρως ὅμως εὐχαριστῶ γιατί μέ ἀγαπᾶς καί μέ θυμᾶσαι. Τό λέγει ἡ ἀποστολή τοῦ βιβλίου καί ἡ θερμή ἀφιέρωση. Μνήμη ὡραίων ἡμερῶν, νεανικῶν προσπαθειῶν καί σπουδῆς παρά τούς πόδας σοφῶν διδασκάλων. Ὁ Θεός μᾶς εὐλόγησε. Δέν ντροπιάσαμε, μέ τήν χάρη του Θεοῦ, γιά τό παρελθόν. Ἄς μᾶς ἐλεεῖ γιά τό μέλλον.

Θερμές εὐχαριστίες, λοιπόν, Σεβασμιώτατε. Γιά τό βιβλίο, γιά τήν ἀφιέρωση, γιά τήν ἀγάπη, γιά τήν τιμητική ἀποστολή. Καί ἐγκάρδια συγχαρητήρια.

Πολλά τά ἔτη σου, σεβαστέ
καί πολύ ἀγαπητέ Γέροντα.

Φιλῶ τό χέρι Σου

Ι. Φουντούλης

ΑΝΔΡΕΑΣ Ν. ΠΑΠΑΒΑΣΙΛΕΙΟΥ
Διδάκτωρ Θεολογίας
τ. Ἐπιθεωρητὴς Μέσης Ἐκπαιδεύσεως Κύπρου
Ὁδὸς Ρωμανοῦ 8 - Λυκαβητὸς
1070 ΛΕΥΚΩΣΙΑ

ΤΗΛ. 00357 - 2 - 374659

Λευκωσία, 25 Ἰουνίου 2001

Σεβασμιώτατο
Μητροπολίτη Πισιδίας
κ. Μεθόδιο
Ὁδὸς Ρήγα Φεραίου 9
Χαλάνδρι
152 32 Ἀθήνας
ΕΛΛΑΔΑ

Σεβασμιώτατε,

Μὲ ἰδιαίτερη εὐχαρίστηση ἐπικοινωνῶ μαζί Σας, γιὰ νὰ Σᾶς εὐχαριστήσω θερμὰ γιὰ ὅσα μοῦ γράψατε ἐξ ἀφορμῆς τῆς λήψεως τοῦ τελευταίου βιβλίου μου **«IN MEMORIAM Κώστα Α. Παπαβασιλείου, 1963 - 1981»**. Ἡ ἠθικὴ συμπαράσταση εἶναι ἀνεκτίμητης ἀξίας ἰδιαίτερα ὅταν προέρχεται ἀπὸ σεβαστὰ καὶ προσφιλῆ πρόσωπα καὶ εἶναι εἰλικρινής. Σᾶς εἶμαι βαθύτατα εὐγνώμων.

Σᾶς εὐχαριστῶ γιὰ τὴν πρόφρονα ἀποστολὴ τοῦ ἀξιόλογου βιβλίου Σας **«Ἡ Παγκόσμια διάσταση τοῦ Ἑλληνικοῦ Πολιτισμοῦ»**, τὸ ὁποῖο θὰ μελετήσω κατὰ τὴν περίοδο τῶν διακοπῶν. Πρόκειται γιὰ ἕνα ἐπιστημονικὸ σύγγραμμα καὶ ὄχι ἁπλὰ ἕνα «πόνημα», ὅπως μετριόφρονα τὸ χαρακτηρίζετε, τὸ ὁποῖο ἐπιβεβαιώνει τὴν εὐρυμάθειά Σας καὶ τὴ μεγάλη θεολογική Σας κατάρτιση. Εἶναι ἑπομένως προφανὴς ἡ ὠφέλεια ἀπὸ τὴ μελέτη τοῦ βιβλίου τούτου. Σᾶς συγχαίρω καὶ Σᾶς εὐχαριστῶ, γιατὶ μὲ καθιστᾶτε ἔτσι κοινωνὸ τῶν σκέψεων, τῶν προβληματισμῶν, ἀλλὰ καὶ τῶν θέσεών Σας πάνω σ' ἕνα τόσο καίριο καὶ ἐπίκαιρο θέμα, ὅπως εἶναι ἡ παγκοσμιότητα τοῦ Ἑλληνικοῦ πολιτισμοῦ.

Σᾶς εὔχομαι κάθε ἐπιτυχία στὸ ἔργο Σας καὶ καλὸ καλοκαίρι.

Μετὰ βαθυτάτου σεβασμοῦ
Ἀνδρ. Ν. Παπαβασιλείου
Ἀνδρέας Ν. Παπαβασιλείου

ΠΑΝΑΓΙΩΤΗΣ ΣΙΜΩΤΑΣ
ΚΑΘΗΓΗΤΗΣ ΠΑΝΕΠΙΣΤΗΜΙΟΥ

Σκουφᾶ II
Πλατ. Κολωνακίου
IO6 73 'Αθῆναι
τηλ. 3645628

'Εν 'Αθήναις τῇ Ιη 'Ιουνίου ΟΙ

Σεβασμιώτατον
Μητροπολίτην Πισιδίας
Κύριον Μεθόδιον (Φούγιαν)
τ. 'Αρχιεπίσκοπον Θυατείρων
καί Μεγάλης Βρεταννίας
Χαλάνδριον 'Αττικῆς

Σεβασμιώτατε,

'Επί τῇ όνομαστικῇ Σας έορτῇ ύποβάλλομεν πανοικί τάς θερμοτέρας τῶν εὐχῶν μας.

Καθηκόντως δέ Σᾶς εὐχαριστῶ θερμῶς κάί συγχαίρω καί διά τό νέον περισπούδαστον,ύπό τόν τίτλον "'Η παγκόσμια διάσταση τοῦ έλληνικοῦ πολιτισμοῦ",σύγγραμμά Σας,τό όποῖον εἴχετε τήν εύγενῆ καλωσύνην νά μοῦ άποστείλετε προφρόνως.

Χαίρω λίαν διότι έκ τῆς μελέτης του μοῦ έδόθη ή εὐκαιρία νά βεβαιωθῶ καί πάλιν,ὅτι παρακολουθεῖτε μετά πολλῆς έπιμελείας καί άντιμετωπίζετε μετ' έπιστημοσύνης καί εὐθυκρισίας τά ὅσα άναγινώσκετε.

Σᾶς εὔχομαι νά ἔχετε άδιάπτωτον ύγείαν,ώς μέχρι τοῦδε, πρός συνέχισιν τοῦ άξιολόγου πνευματικοῦ ἔργου Σας.

'Επί τούτοις,Σεβασμιώτατε,διατελῶ πάντοτε

Μετά σεβασμοῦ,τιμῆς καί άγάπης

Π. Σιμωτᾶς

Παναγιώτης Σιμωτᾶς

104 HAMILTON TERRACE
LONDON NW8 9UP

20 - 4 - 1999

Σεβασμιώτατε

Πολλές θερμές ευχαριστίες για την αποστολή του ωραιοτάτου και τόσο ενδιαφέροντος βιβλίου Σας για τον Ελληνισμό και την στροφή του στον Δυτικό κόσμο. Βεβαίως το γνωρίζαμε και αυτοί το γνωρίζουν, άλλα το βιβλίο Σας στοιχειοθετεί αυτό το γεγονός με συγκεκριμένους τρόπους και μας θυμίζει την πραγματικότητα σε πολλά πράγματα πού ξεχνάμε. Άρχισα να το διαβάζω με πολύ ενδιαφέρον και θα συνεχίσω.

Η οικογένεια ευτυχώς είναι όλη πολύ καλά και είχαμε έλθει για τις γιορτές στην Ελλάδα όπου όλοι συναντηθήκαμε μαζί. Οι δουλειές στην Πολωνία πάνε επίσης αρκετά καλά και για ενημέρωσή Σας εσωκλείω ένα άρθρο πού είχε πρόσφατα δημοσιευθεί σε ένα ειδικευμένο περιοδικό για Τσιμέντα εδώ στην Αγγλία

Πολλούς πολύ θερμούς χαιρετισμούς και ευχαριστίες
με σεβασμό
Γιώργος Τσάτσος

TEL 0171-266 0767 - FAX: 0171-266 3606 - EMAIL: ATLASCEM@AOL.COM

Ὁ Μεθόδιος Φούγιας μέ τόν πρώην πρόεδρο τῆς Κυπριακῆς Δημοκρατίας Γεώργιο Βασιλείου

Μεθόδιος Φούγιας: δυναμικός και πολυγραφότατος ιεράρχης

Αναγνωρισμένος για το ποιμαντικό του έργο στην Αφρική και στη Βρετανία, ο μητροπολίτης Πισιδίας Μεθόδιος Φούγιας, πρ. αρχιεπίσκοπος Θυατείρων και Μεγάλης Βρετανίας, είναι επίσης ευρύτατα γνωστός για το συγγραφικό του έργο. Τα τελευταία 45 χρόνια έχει εκδώσει περισσότερα από 15 βιβλία και έχει δημοσιεύσει πολυάριθμα άρθρα, μελέτες και κριτικές βιβλίων. Ο μεγάλος αριθμός των συγγραμμάτων και περιοδικών εκδόσεων του μητροπολίτη Πισιδίας έχει αποσπάσει τον θαυμασμό και τις καλύτερες κριτικές Ελλήνων και ξένων ειδικών θεολόγων και ιστορικών της Εκκλησίας. Πολλοί, μάλιστα, κατατάσσουν τον Μεθόδιο Φούγια στους κορυφαίους εκκλησιαστικούς συγγραφείς της εποχής μας.

Τα βιβλία του εξαντλούνται και επανεκδίδονται δεύτερη και τρίτη φορά, και οι κριτικοί επισημαίνουν τη σπουδαιότητα των συγγραμμάτων του όχι μόνον από θεολογικής και εκκλησιαστικής άποψης, αλλά και από εθνικής. Η πίστη του μητροπολίτη στη συνέχεια του Έθνους και της Εκκλησίας αποτυπώνεται έντονα σε κάθε του έργο.

Ο μητροπολίτης Μεθόδιος Φούγιας γεννήθηκε το 1925 στα Καλύβια Φενεού Κορινθίας. Αποφοίτησε από τη Θεολογική Σχολή του Πανεπιστημίου Αθηνών και συνέχισε τις μεταπτυχιακές του σπουδές στο Πανεπιστήμιο Μάντσεστερ της Αγγλίας. Το 1962 γίνεται διδάκτωρ Φιλοσοφίας του ίδιου Πανεπιστημίου, το 1970 διδάκτωρ θεολογίας του Πανεπιστημίου του Εδιμβούργου και το 1984 διδάκτωρ της Ελληνικής Ορθοδόξου Θεολογικής Σχολής της Βοστώνης.

Χειροτονήθηκε διάκονος το 1947 και πρεσβύτερος το 1950. Την τριετία '47-'50 υπηρέτησε στον ελληνικό στρατό. Ένδεκα χρόνια μητροπολίτης Αξώμης (Αιθιοπίας), από το 1968 ώς το 1979, με σπουδαίο ποιμαντικό έργο, μέγας ευεργέτης του ελληνισμού της Αιθιοπίας, ίδρυσε και χρηματοδότησε πολλούς ιερούς ναούς ελληνικών κοινοτήτων και διάφορα εκπαιδευτικά και πολιτιστικά ιδρύματα.

Το 1979 εξελέγη αρχιεπίσκοπος Θυατείρων και Μεγάλης Βρετανίας. Στον αρχιεπισκοπικό θρόνο παρέμεινε για 9 χρόνια, μέχρι το 1988, και για το αξιόλογο έργο του τιμήθηκε επανειλημμένως από το Οικουμενικό Πατριαρχείο. Επίσης, διετέλεσε πρόεδρος της Διορθοδόξου Θεολογικής Επιτροπής για τον διάλογο με τους Αγγλικανούς, μέλος της Προσυνόδου για την προπαρασκευή της Πανορθοδόξου Συνόδου, γενικός γραμματέας της Διορθοδόξου Θεολογικής Επιτροπής για τον διάλογο με τις Αρχαίες Ανατολικές Εκκλησίες, καθώς και πρόεδρος και προστάτης πολλών εκκλησιαστικών και θεολογικών σωματείων.

Ιδιαίτερα αξιόλογο, ανάλογο του ποιμαντικού, είναι και το συγγραφικό έργο. Πολυγραφότατος ο μητροπολίτης Μεθόδιος Φούγιας, εκτός από βιβλία που αφορούν την εκκλησία και την αποστολή της, έχει επίσης συγγράψει έργα που ασχολούνται με όλα τα προβλήματα του σύγχρονου ελληνισμού.

Σε πολλά απ' αυτά εκφράζει τις προσωπικές του απόψεις, τις θέσεις του σε κοινωνικά, πολιτικά, εθνικά και άλλα συναφή ζητήματα. Ο μητροπολίτης Μεθόδιος Φούγιας υπήρξε, επίσης, ιδρυτής και διευθυντής των περιοδικών Abba Salama, Texts and Studies, Εκκλησία και Θεολογία, και επανεκδότης του ιστορικού περιοδικού Εκκλησιαστικός Φάρος, που τιμήθηκε με βραβείο από την Ακαδημία Αθηνών. **Ε. Ε.**

Ἐφημερίδα **Ἀκρόπολις**, 6 Ἰαν. 1998.

Ἀρχιεπισκόπου **ΜΕΘΟΔΙΟΥ ΦΟΥΓΙΑ**,

Η ΠΑΓΚΟΣΜΙΑ ΔΙΑΣΤΑΣΗ ΤΟΥ ΕΛΛΗΝΙΚΟΥ ΠΟΛΙΤΙΣΜΟΥ

(ΑΘΗΝΑ 2001, ἐκδ. ΛΙΒΑΝΗ)
Κριτική παρουσίασις ὑπό

ΜΕΓΑ Λ. ΦΑΡΑΝΤΟΥ
Καθηγητοῦ Πανεπιστημίου Ἀθηνῶν

- Τό βιβλίο αὐτό τοῦ Ἀρχιεπισκόπου ΜΕΘΟΔΙΟΥ θεωρῶ ἐκ τῶν ἀξιολογικωτέρων συγχρόνων ἔργων, πού ἀσχολοῦνται μέ τά θέματα τοῦ Ἑλληνισμοῦ, τόσο γιά τήν παράθεσι πλούτου ἀπόψεων κορυφαίων ἐρευνητῶν ἐπί μέρους θεμάτων, ὅσο καί γιά τίς προσωπικές θέσεις, κρίσεις καί ἀξιολογήσεις τοῦ σ., γι αὐτό καί προβαίνω στήν κριτικήν παρουσίασιν αὐτοῦ.

Ἐν πρώτοις ἐλάχιστα ἐκ τῶν περιεχομένων του: Στίς ἀρχικές σελίδες τοῦ ἔργου (21-104) προβάλλονται καί ἐξετάζονται γενικές ἀπόψεις περί τοῦ Ἑλληνικοῦ Πολιτισμοῦ, ὅπως: «Ἡ παγκοσμιοποίηση τοῦ ἑλληνικοῦ πολιτισμοῦ δέν συντελέστηκε ἀπό καιροσκοπικές τάσεις Ἑλλήνων σοφῶν. Βασικός στόχος τους ἦταν ἡ καλλιέργεια τῶν ἀρετῶν ἐκείνων, πού θεώρησαν χρήσιμες γιά ἔντιμη καί προοδευτική ζωή τοῦ ἀτόμου»(26). Σέ ἀντίθεσι: «ἡ παγκοσμιοποίηση τῶν διαφόρων χωρίς ἰδανικά συγχρόνων ἰδεολογιῶν καί συστημάτων εἶναι πρόχειρη, ἀλλ' ἐπιτυχής διαχείριση συμφερόντων χωρίς τό πνεῦμα» (24). «Ὁ ἑλληνικός πολιτισμός δέν ἔχει, κανένα κοινό μέ τήν βαρβαρότητα καί τίς καταπιέσεις καί δέν ἐπιβάλλεται μέ τή βία» (27), «ἀλλά υἱοθετήθηκε ἀβίαστα ἀπ' ὅλο σχεδόν τόν κόσμο. Ἀκόμη ἡ παγκοσμιοποίησή του δέν διαίρεσε τόν κόσμο σέ φτωχούς καί πλουσίους» (33). Ὁ Ἑλληνισμός ἀπέκτησεν οἰκουμενικές διαστάσεις διά τῆς ἐκστρατείας τοῦ μεγάλου Ἀλεξάνδρου (62 ἑξ.), ὅστις ἐπέβαλε στόν κόσμο «τήν ἑλληνική γλώσσα καί τήν ἑλληνική παιδεία» (63), μέ σκοπόν νά ἐκπολιτίσει καί ὄχι νά κατακτήσει καί νά ἐκμεταλλευθεῖ τούς κατακτηθέντες λαούς, ὅπως ἔπραξαν - ἀργότερα - «οἱ Εὐρωπαῖοι ἀποικιοκράτες» (76). Ὁ Ἑλληνισμός ἐκφράζει δύο περιεχόμενα: τό συγκεκριμένον Ἔθνος τῶν Ἑλλήνων καί - συγχρόνως - «ὅλους ἐκείνους πού εἶχαν ἑλληνική παιδεία, ἀνεξάρτητα ἄν ἦσαν ἀλλοεθνεῖς» (θέσις τοῦ Ἰσοκράτη: 63). «Ὁ Χριστιανισμός, μέ τήν φωνήν τοῦ Ἰησοῦ, τῶν Ἀποστόλων καί τῶν Πατέρων τῆς Ἐκκλησίας, ἄφησε τόν Χριστιανισμό νά κινεῖται ἄνετα καί δημιουργικά στή Γραμματεία τῆς Χριστιανικῆς Ἐκκλησίας» (77). «Μέχρι τίς ἀρχές τοῦ 13ου αἰώνα ὁ Ἑλληνισμός, γιά 15 περίπου αἰῶνες, ἔπαιζε πρωταρχικό ρόλο στή διανόηση τῶν λαῶν τῆς Ἀνατολῆς καί τῆς Δύσης ὡς ἑλληνική παράδοση, γλώσσα, φιλοσοφία, τέχνη καί ἐπιστήμη... Οἱ ὑπόλοιποι 12 αἰῶνες τῆς Βυζαντινῆς περιόδου κύλησαν μέ τό ῎Εθνος ἀποξενωμένο ἀπό τά στοιχεῖα τῆς παράδοσής του» (81). Ὁ Ἑλληνισμός διαθέτει τεραστίαν δύναμιν «ἀφομοίωσης ὅλων τῶν ξένων λαῶν, πού εἰσέβαλαν στήν ἑλληνική χώρα σέ ὅλες τίς ἐποχές» (85), μέ μοναδική ἐξαίρεσι τόν ἀπαίδευτον πολιτιστικῶς τουρκισμόν: «μόνο ἡ Ὀθωμανική Αὐτοκρατορία κράτησε ἀποστάσεις ἀπό τό πνεῦμα τοῦ Ἑλληνισμοῦ» (95).«Μόνοι οἱ Ἕλληνες ἀπό ὅλους τούς ὑπό τόν Σουλτάνο λαούς ἀντιστέκονταν σθεναρά στίς ὅποιες καταπιέσεις τοῦ κατακτητῆ μὲ τή δύναμη τοῦ Ἑλληνισμοῦ, δηλ. μέ τήν παράδοση τοῦ ῎Εθνους καί τῆς Ὀρθόδοξης Ἐκκλησίας, τήν ἑλληνική κληρονομιά», καί αὐτό συνετέλεσε «στό ν' ἀποφευχθεῖ ὁ ἐξισλαμισμός καί ὁ ἐκτουρκισμός τῶν ὑποδούλων λαῶν»(97).

- Στό πρῶτο μέρος τοῦ ἔργου ἐξετάζεται ἡ **γένεση τοῦ Ἑλληνικοῦ Πολιτισμοῦ** (105 ἑξ.). - Σέ ἀντίθεσι πρός τίς ποικίλες θεωρίες περί ἐξωελληνικῆς καταγωγῆς τοῦ Ἑλληνικοῦ Πολιτισμοῦ, εἴτε ἐκ τῆς Ἀσίας, εἴτε ἐκ τῆς Ἀφρικῆς (ἀφρο-ἀσιατικές θεωρίες), μέ σκοπό τήν ὑποτίμησι καί -ἐν πολλοῖς- τόν παραμερισμόν τοῦ Ἑλληνισμοῦ (βλ. καί: Εὐρωπαϊκό Μουσεῖο), ὑποστηρίζεται -βασικῶς- ἐδῶ ἡ θέσις τοῦ Πλάτωνος: «ὅ,τι πέρ ἄν Ἕλληνες βαρβάρων παραλάβωσι, κάλλιον τοῦτο εἰς τέλος ἀπεργάζονται» (**Ἐπινομίς** 987D). Οἱ Ἕλληνες παρέλαβαν μέν καί ἐκ τῶν Ἐκτός πολιτιστικά στοιχεῖα· ταῦτα -ὅμως- μορφωποίησαν -αὐτοτελῶς- στά πλαίσια τοῦ δικοῦ των πολιτισμοῦ· δηλ. δέν πρόκειται περί ἀντιγραφῆς ἤ μιμήσεως ἤ κλοπῆς (Κλήμης Ἀλεξανδρεύς), ἀλλά περί δημιουργικῆς ἀφομοιώσεως, ἐξυψώσεως καὶ ἐξευγενισμοῦ ξένων ἰδεῶν, ἠθῶν, ἐθίμων κλπ. - Στό κεφάλαιο **Ἡ Ἑλληνική Γλῶσσα** (117 ἑξ.) διατρέχει ὁ σ. τά ἱστορικά καί τά πνευματικά στάδια, πού διήνυσε ἡ Ἑλληνική Γλῶσσα, μέσα ἀπό πλῆθος ἀπόψεων ἐπιφανῶν ἐρευνητῶν, καί ἐπισημαίνει τήν ἐκφραστικήν τελειότητα αὐτῆς, ὡς τό ἀπαύγασμα «τῆς ἀπεριορίστου πνευματικῆς ὑπεροχῆς τῶν Ἑλλήνων ἔναντι τῶν ἄλλων λαῶν» (157), τήν οἰκουμενικότητα αὐτῆς, μέ συνέπεια νά διεισδύσει καί νά συγχωνευθεῖ μέ ὅλες - σχεδόν - τίς γλῶσσες τοῦ κόσμου καί ὅτι εἶναι «ἀκόμη καί σήμερα τό ἀναντικατάστατο μέσο ἐκφράσεως τῆς παγκοσμίας ἐπιστήμης» (135)· «ἡ ἑλληνική γλώσσα ἀναδεικνύεται ὡς ἡ μητέρα τῶν ἄλλων γλωσσῶν» (158). Συγχρόνως δέ ἐπισημαίνεται «ἡ παρακμή τῆς ἑλληνικῆς γλώσσας... μέσα στήν ἴδια της τήν κοιτίδα ὡς ἡ ἔκφρασις τῆς παρακμῆς τῆς ἑλληνικῆς κοινωνίας» (134).

- Τό δεύτερο μέρος τοῦ Βιβλίου ἀναφέρεται -γενικά- στόν Ἑλληνικό Πολιτισμό (161 ἑξ.) καί περιλαμβάνει σχετικά θέματα τῆς προσωπικῆς ἐπιλογῆς τοῦ σ. καί δή: **Τό πανανθρώπινον Ὀλυμπιακό Ἰδεῶδες** (171 ἑξ.) τῶν ἀρχαίων Ἑλλήνων, τό ὁποῖο ἀντιπαραθέτει πρός τίς σύγχρονες Ὀλυμπιάδες: «Μέ τήν κατάργησι τῶν (Ἑλληνικῶν) Ὀλυμπιακῶν Ἀγώνων ξεχάστηκαν τά βαθύτερα νοήματα τῆς ἰδέας αὐτῆς - ἅμιλλα, αὐτοσεβασμός, ἐντιμότητα, ἀγωνιστικότητα, ἀφιλοκέρδεια - γιά νά κυριαρχήσουν σήμερα ἡ δωροδοκία, ἡ ἐπιδειξιομανία, ἡ σκοπιμοθηρία καί πρό πάντων ἡ πολιτικολογία. Σήμερα οὐδείς λόγος γίνεται γιά τήν ἰδέα τοῦ Ὀλυμπισμοῦ» (172), «σήμερα τό Ὀλυμπιακό Ἰδεῶδες ἔχει ὄντως ἐμπορευματοποιηθεῖ» (173).

- Τό τρίτο μέρος ἐπιγράφεται **Πανελληνισμός** (225 ἑξ.), Πανελληνισμός, «δηλῶν τό σύνολο τῶν Ἑλλήνων» ἐθνικῶς, καί «ὑπερεθνικῶς... τό περιεχόμενο τῶν ἰδεῶν καί τῶν Ἑλληνικῶν ἀρετῶν, πού υἱοθετοῦνται ἀπό τόν ἀρχαῖο κόσμο, Ἀνατολῆς καί Δύσης» (227).

«Βασικό στοιχεῖο τοῦ Ἑλληνισμοῦ εἶναι ὁ ἀνθρωπισμός, ὁ ὁποῖος εἶναι ἡ πεμπτουσία τοῦ πολιτισμένου ἀνθρώπου» (228), «ὁ ἀποκοπῶν στόν ἐξανθρωπισμό τοῦ ἀνθρώπου» (228), «ὁ ἀποσκοπῶν στόν ἐξανθρωπισμό τοῦ ἀνθρώπου» (229), ἰδίως «στήν σύζευξη τοῦ κλασσικοῦ ἀνθρωπισμοῦ μέ τή Χριστιανική ἠθική, ὅπου βρέθηκε ἡ χρυσή τομή, πού ὁδήγησε στόν Χριστιανικό ἀνθρωπισμό» (229). Καί ταῦτα πάντα στήν παρακμή τῆς σημερινῆς ἑλληνικῆς κοινωνίας, «πού κυριαρχεῖται ἀπό πνεῦμα ἀδιαφορίας. Ἔτσι ἡ κοινωνία μας ὑπηρετεῖ τὰ συμφέροντα τῶν κρατούντων» (235). Ὁ Ἑλληνισμός ἐξῆρε κατά κόρον τήν ἀτομικήν καί τήν πολιτικήν ἐλευθερίαν, παρεθώρησεν -ὅμως- ἐν πολλοῖς τήν κοινωνικήν δικαιοσύνην, μέ συνέπειαν τήν κοινωνικήν ἀταξίαν καί τήν διάλυσιν τῶν κοινωνιῶν του. Σ' ἕνα εἰδικό κεφάλαιο (261εξ.) ἐξετάζει ὁ σ. τίς κοινωνικές ἰδέες τοῦ Ἕλληνος φιλοσόφου Γεωργίου Γεμιστοῦ-Πλήθωνος (261 ἑξ.), ὅστις προβάλλει ὡς πρωτίστην ἀρχήν κοινωνικῆς συμβιώσεως καί εἰρήνης ὄχι τήν ἐλεθερίαν, ἀλλά τήν δικαιοσύνην, καί ἐξεγείρει τόν Λαόν κατά τῆς διεφθαρμένης πολιτικο-ἐκκλησιαστικῆς ἡγεσίας τῆς ἐξουσίας καί τοῦ πλούτου, καί καλεῖ σέ πραγμάτωσι τῆς κοινοκτημοσύνης. Ὁ Πλήθων ἦταν κατά τῆς ἀτομικῆς ἰδιοκτησίας: «ὅλη ἡ γῆ, ὅπως δίνεται ἀπό τήν φύσι, πρέπει νά εἶναι κοινό κτῆμα τοῦ λαοῦ» (263). Ὁ Πλήθων ἀντελήφθη ὅτι ἡ ὅλη κακοδαιμονία προέρχεται ἀπό τήν ἀποξένωσιν τοῦ Λαοῦ ἀπό τά κοινωνικά του δικαιώματα, ὅστις ἔβλεπε -πλέον- μέ ἀδιαφορίαν τό ἱστορικό πεπρωμένο τοῦ Ἔθνους του, ἀφοῦ ἦταν κατ' οὐσίαν ὑποτελής σ' ἕνα πολιτικο-ἐκκλησιαστικό δεσποτισμό στό Βυζάντιο. **«Τό Βυζάντιο ἦταν γιά τόν ἑλληνισμό περίοδος δουλείας καί σκλαβιᾶς»** (340)· οἱ Πολίτες του ἦσαν ὑποτελεῖς στούς ἀρχηγούς τοῦ Κράτους καί τῆς Ἐκκλησίας (336 ἑξ.). Ὁ Πλήθων, λοιπόν, ἀνεζήτησε δυνάμεις ἀντιστάσεως κατά τῶν, ἐπερχομένων κατακτητῶν στόν Λαόν, μέ τό νά τοῦ ἀποδώσει τά δικαιώματά του. Ἡ ἰδέα τῆς Κοινοκτημοσύνης, πού πρέσβευε, ἀνῆκε στόν Χριστιανισμόν, καί ὄχι στόν ἀριστοκράτη Πλάτωνα· οἱ Δεσπότες -ὅμως- τῆς Ἐξουσίας καί τοῦ Πλούτου στό Βυζάντιο τήν ἐξέλαβαν ὡς «ἑλληνική» καί παγανική καί τόν κατεδίωξαν. Οἱ κρίσεις αὐτές περί Πλήθωνος ἀνήκουν σ' ἐμένα καί ὄχι στόν σ. Ἀρχιεπίσκοπον.

- Οἱ ἀρνητικές ἀξιολογήσεις τοῦ Βυζαντίου ἀπό ἡμετέρους καί ξένους συνετέλεσαν «στό νά ἀποκλεισθεῖ ἡ Ἑλλάδα ἐκ τοῦ ὑπό ἵδρυση Μουσείου τῆς Εὐρώπης, μέ τήν δικαιολογία... ὅτι ὁ βυζαντινός πολιτισμός εἶναι ἀντιευρωπαϊκός... καί ὡς ὀρθόδοξος ἀνήκει στήν Ἀνατολή καί ὄχι στήν Εὐρώπη» (344 ἑξ.). Περί τό θέμα τοῦτο τῆς σχέσεως Βυζαντίου καί -γενικώτερα- τῆς Ἀνατολῆς πρός τήν Δύσιν καί τόν εὐρωπαϊκόν πολιτισμόν ἀσχολεῖται ἕνα μεγάλο μέρος τοῦ βιβλίου τοῦ Ἀρχιεπισκόπου. Καί ὄχι τόσον ἐκ τῶν προσωπικῶν του ἀπόψεων, ὅσων ἐκ τῶν παρατιθμένων μαρτυριῶν ἡμετέρων καί ξένων διανοουμένων προξενεῖται ἡ ἐντύπωσις ὅτι Βυζάντιο καί Ἀνατολή εἶναι μία ἀρνητική πραγματικότης, «περίοδος δουλείας καί σκλαβιᾶς» καί «δεσποτισμοῦ» καί «βαρβαρότητος» «διά τῆς καταστροφῆς τῶν ἀρχαίων - ἑλληνικῶν μνημείων, ἀγαλμάτων καί ἔργων τέχνης τῆς ἑλληνικῆς θρησκείας», τοῦ παραλόγου κ.λπ. Ἡ εἰκόνα αὐτή εἶναι ἐξόχως μονομερής, προβάλλουσα ὡς θετικό μόνον τίς δυτικές ἐπιδόσεις καί κατακτήσεις. Ὁ σ. Ἀρχιεπίσκοπος δέν παραθεωρεῖ νά ἐπισημάνει τίς βαρβαρότητες τοῦ δυτικοῦ ἰμπεριαλισμοῦ καί νά συμφωνήσει μέ τήν ἄποψι ὅτι ἡ ἵδρυσι τοῦ Μουσείου τῆς Εὐρώπης συνιστά «προγραμματισμένο ἀνθελληνισμό» (361).

- Σ' ἕνα πέμπτο μέρος ἐξετάζεται ὁ **Ἑλληνικός Πολιτισμός στούς ἱστορικούς Λαούς** (377 ἑξ.), καί δή: Ὡς πρός τήν συμβολήν του στήν καθόλου ἐπιστήμην 379εξ.), μέ πόρισμα: «ὅλες σχεδόν οἱ ἐπιστῆμες τῆς Δυτικῆς Εὐρώπης ἔχουν ὡς βάση τίς σκέψεις καί τά συμπεράσματα τῶν Ἑλλήνων» (393), στίς βαθειές ἐπιδράσεις του στούς Ἑβραίους (395εξ.), στούς Ἄραβες (401εξ.), μέ τήν διαπίστωσι: Οἱ Δυτικοί «κατηγοροῦν τούς ἰσλαμιστές γιά τή χρήση βίας κατά τῶν ἐχθρῶν τους καί παραβλέπουν ὅτι οἱ Χριστιανοί διέπραξαν περισσότερη καί βαρβαρότερη στάση ἔναντι τῶν ἀντιπάλων τους κι ἀκόμη ἔναντι ἀθώων ἀνθρώπων» (406), καθώς καί γιά τήν σχέσι τοῦ Ἑλληνισμοῦ μέ τούς Ἀρμενίους (409 ἑξ.).

- Ταῦτα εἶναι -περίπου- τά περιεχόμενα τοῦ βιβλίου τοῦ Ἀρχιεπισκόπου Μεθοδίου περί τοῦ Ἑλληνικοῦ Πολιτισμοῦ, καί θά ἤθελα νά ἐπισημάνω τό γεγονός ὅτι ἡ παροῦσα περίληψις οὐδόλως ἀποδίδει τόν πλοῦτον τοῦ πνευματικοῦ ὑλικοῦ, πού προσφέρει τό ἔργο τοῦτο, δέ πολλά δέ μπορεῖ, καί νά τό ἀδικεῖ καί νά τό παρανοεῖ· γιαυτό παραπέμπω τόν ἀναγνώστην πρός ἀνάγνωσι τοῦ ἰδίου τοῦ ἔργου, ἐκ τοῦ ὁποίου θά ἐξαγάγει τά δικά του συμπεράσματα.

- Στό δεύτερο τοῦτο μέρος προβαίνω σέ μερικές ἀξιολογικές παρατηρήσεις καί κρίσεις σέ σχέσι μέ τά περιεχόμενα τοῦ ἀνωτέρω βιβλίου καί τήν προσωπικότητα τοῦ συγγραφέως τοῦ Ἀρχιεπισκόπου Μεθοδίου. Τό ἔργο τοῦτο παρουσιάζει μιά πανοραμική εἰκόνα τοῦ Ἑλληνικοῦ Πολιτισμοῦ καί δείχνει τήν διαχρονική πορεία του καί τόν οἰκουμενισμόν του, τό μεγαλεῖο καί τήν πτῶσιν του καί ἐκφράζει τήν ἀγωνία τοῦ σ. γιά «τήν συρρίκνωση τῆς ἐπιδράσεως τῶν ἑλληνικῶν ἰδεῶν»(17), ἀκόμη καί μέσα στήν κοιτίδα του, τήν Ἑλλάδα, μέ τήν ἐπικράτησι τῶν ἀναξίων καί τόν παραμερισμόν τῶν ἀξίων σέ ἐπιδόσεις ἐπιστήμης, πολιτισμοῦ, πολιτικῆς κλπ. (33ἑξ.). Συγχρόνως δέ δέν παραμένει στήν ἀπαισιοδοξία, ἀλλά διαβλέπει καί στόν σημερινό Ἑλληνισμό μιά οἰκουμενική πολιτιστική ἀποστολή, τήν ὁποίαν προσπαθεῖ νά ἐνσαρκώσει καί ὁ ἴδιος ὁ Ἀρχιεπίσκοπος μέ ποικίλες ἐνέργειες καί δραστηριότητες, σοβαρωτέρα τῶν ὁποίων εἶναι ἡ -μέ δική του πρωτοβουλία- ἵδρυσις τοῦ πολιτιστικοῦ Ὀργανισμοῦ μέ τήν ἐπωνυμία **«Παλίντροπος Ἁρμονία»**, στόν ὁποῖον συμμετέχουν «διακεκριμένα πρόσωπα, Ἕλληνες καί μή, ...μέ βασική ἐπιδίωξη τήν διατήρηση στήν ἐπικαιρότητα τῆς ἀξίας τῶν Ἑλληνικῶν ἀρχῶν τοῦ ἀνθρωπισμοῦ...» (234).

- Τό πνεῦμα τοῦ βιβλίου εἶναι συνενωτικό, ὄχι σωβινιστικό ἤ διασπαστικό· ἀποβλέπει στήν συνένωσι τῶν Ἀνθρώπων καί τῶν Λαῶν στήν βάσι τοῦ ἑλληνικοῦ ἀνθρωπισμοῦ. - Ἐξετάζει τόν Ἑλληνισμόν σέ μία πληρότητα: στίς ποικίλες συνάφειές του, στό χῶρο καί στό χρόνο, στήν Δύσι καί στήν Ἀνατολή, στά περιεχόμενα καί στίς ἀξίες του, ἀκόμη δέ καί σέ συνάφεια πρός τά σύγχρονα δρώμενα στήν Βαλκανικήν καί στούς Λαούς της καί ἀλλαχοῦ (311εξ.), καί ἐκφέρει μέ τόλμη προσωπικές ἀπόψεις, οἱ ὁποῖες - φυσικά- ὑπόκεινται σέ διάλογο καί ἀντίλογο. - Οἱ παρατηρήσεις καί οἱ κρίσεις του εἶναι ὀξύτατες καί ἀνασκευάζουν πλῆθος παρεξηγήσεων καί συκοφαντιῶν κατά τοῦ Ἑλληνισμοῦ. - Ἡ σκέψις του παρουσιάζει αὐτονομίαν: κρατεῖ ἀποστάσεις ἀπό Ἀνατολήν καί Δύσιν, ἀπό ἰδεολογίες καί θρησκεῖες, καί εἶναι ἑλληνοκεντρικός, δηλ. οἰκουμενικός. - Διακατέχεται ἀπό βαθύ πόνο γιά τήν ἀθέτησι τῶν ἑλληνικῶν ἀνθρωπιστικῶν ἀξιῶν, οἱ ὁποῖες σφυρηλατοῦν ὑγιῆ ἄτομα καί κοινωνίες, ἰδίως ἀπό τούς σημερινούς Ἕλληνες, καί ἐκφράζει μιά ἀγωνιστική κίνησι πρός ὑπέρβασι τῶν τελμάτων. «Οἱ λίθοι κράζουν καί τά μνημεῖα διδάσκουν τήν μεγάλη σημασία τῆς ἑλληνικῆς παράδοσης»(15). -Στιγματίζει τήν λαϊκο-κουλτούρα καί τόν φτηνό πολιτισμό τῆς ἐποχῆς μας, μέ τίς ἄπειρες σπατάλες, καθ' ἥν στιγμήν πλήθη ἀνθρώπων λιμοκτονοῦν (303εξ.). - Ἡ παρουσίασις τῶν ἀπόψεων τῶν μεγάλων τοῦ κόσμου περί τοῦ Ἑλληνισμοῦ ἐμπλουτίζει τά περιεχόμενα τοῦ ἔργου· δέν πρόκειται περί ἁπλῆς καταχωρίσεως ξένων κειμένων, ἀλλά περί ἐπιλεκτικῆς καί κριτικῆς ταξινομήσεως αὐτῶν, πού ἀπαλλάσσει τόν σ. ἀπὸ τόν νεο-ἑλληνικό ὑποκειμενισμό καί ναρκισσισμό. -Σέ κάποιο σημεῖο τοῦ ἔργου του τονίζει ὁ σ. τήν ἀξίαν τῶν εὐγενῶν καί «ὑπευθύνων» προσωπικοτήτων ὡς τῶν φορέων «τοῦ ἀληθινοῦ πολιτισμοῦ... καί ὡς τῶν δυναμένων νά προσεγγίσουν τό τέλειον» (107). Ὁ Ἀρχιεπίσκοπος Μεθόδιος εἶναι μία σπανία προσωπικότης Ἕλληνος Ἱεράρχου. Ἡ προσφορά του στό χῶρο τοῦ Πνεύματος εἶναι πολυτιμωτάτη: ἀσχολεῖται μέ τά μεγάλα καί οὐσιώδη προβλήματα καί θέματα τοῦ Ἑλληνισμοῦ καί τῆς Ἀνθρωπότητος μέ σοβαρότητα καί ὑπευθυνότητα, καί δέν τόν ἀπασχολοῦν τά δευτερεύοντα καί μηδαμινά. Στό χῶρο δέ τῆς Ἑλληνικῆς Ὀρθοδοξίας προσέφερεν ἀνεκτιμήτους ὑπηρεσίας, ἐργασθείς ὡς ἁπλός Ἱερεύς καί Ἱεράρχης ἐπί μισόν αἰώνα, περίπου στίς Ἐκκλησίες τῆς Ἑλλάδος, τοῦ Πατριαρχείου Ἀλεξανδρείας, τῆς Γερμανίας καί -τελευταία-, ὡς Ἀρχιεπίσκοπος, στήν Μεγάλη Βρεττανία. Ἐφ' ὅσον -ὅμως- διέσωσε τό -ἑλληνικόν- ἀδούλωτον στήν προσωπικότητα καί στόν τρόπον ζωῆς του καί ὑπέκειτο σέ μετριότητες καί ἐμπαθεῖς, ἡ «Μήτηρ Ἐκκλησία» τόν ἀπεστράτευσε προώρως πρός σωφρονισμόν! Πάντως· θαυμασμόν ποιεῖ τό ὑγιές φρόνημα καί ἡ ἀγωνιστικότης τοῦ Ἱεράρχου Μεθοδίου, καί μέσα στίς δεινές δοκιμασίες του, -δυνάμεις, τίς ὁποῖες ἀντλεῖ ἀπό μιά βαθειά συμβίωσι καί συμπόρευσι μέ τίς ἑλληνο-χριστιανικές ἀξίες.

Μ. Φαράντος

ΚΩΝΣΤΑΝΤΙΝΟΣ Κ. ΚΟΥΡΚΟΥΛΑΣ

Σεβ. Πισιδίας Μεθόδιον
τον ἀδάμαστον Ἱεράρχην
ὅν ἐγώ ἀγαπῶ ἐν ἀληθείᾳ,
(β' Ἰωάνν 1)
προσφορά τιμῆς καί ἀγάπης
ΚωνΚ

152 32 ΧΑΛΑΝΔΡΙ
ΥΔΡΑΣ 28

ΤΗΛ. 68 13 408

ΓΕΩΡΓΙΟΣ Ι. ΚΟΥΡΤΗΣ
ΑΝΤΙΠΡΟΕΔΡΟΣ ΕΛΕΓΚΤΙΚΟΥ ΣΥΝΕΔΡΙΟΥ
ΝΙΟΒΗΣ 11 — ΤΗΛ. ΟΙΚ. 010 - 8652958
112 52 ΑΘΗΝΑ

Σεβασμιώτατε

Ευχαριστώ θερμά για την τιμητική αποστολή του βιβλίου σας «Η παγκόσμια διάσταση του ελληνικού πολιτισμού» πολύτιμης μελέτης για τον ελληνισμό με την οποία συνεχίζεται η λαμπρά εκκλησιαστική και συγγραφική πορεία σας.

Με ιδιαίτερη τιμή
Γ. Κούρτης

+ Ο ΜΗΤΡΟΠΟΛΙΤΗΣ ΦΩΚΙΔΟΣ
ΑΘΗΝΑΓΟΡΑΣ

331 00 ΑΜΦΙΣΣΑ

Ἄμφισσα 14 Ἰανουαρίου 2002

Σεβασμιώτατον
Μητροπολίτην Πισιδίας,
πρώην Ἀρχιεπίσκοπον Θυατείρων καί
Μεγάλης Βρετανίας
Κύριον Μεθόδιον Γ. Φούγιαν.

Ρήγα Φεραίου 9
152 32 ΧΑΛΑΝΔΡΙ - ΑΘΗΝΑ

Σεβασμιώτατε Ἅγιε Ἀδελφέ,

Σᾶς εὐχαριστῶ θερμά γιά τήν ἀποστολή τοῦ ὄντως ἀξιόλογου, πολύ ἐνδιαφέροντος, ἱστορικά καί ἐπιστημονικά κατοχυρωμένου καί ἐπίκαιρου συγγράμματός σας: " ἡ παγκόσμια διάσταση τοῦ Ἑλληνικοῦ Πολιτισμοῦ ".

Μέ τό βιβλίο σας αὐτό, ἀλλά καί μέ τά ἄλλα ἤδη δημοσιευθέντα ἔργα σας συμβάλλατε τά μέγιστα Πανελλαδικά καί Παγκοσμίως στήν κατανόηση τῆς παλαιόθεν ὑπάρχουσας στενῆς σχέσης μεταξύ τοῦ Ἑλληνισμοῦ καί τοῦ Χριστιανισμοῦ.

Γιά τήν τόσο σημαντική καί σπουδαία αὐτή προσφορά σας, ἀδελφικῶς σᾶς συγχαίρω καί σᾶς εὐχαριστῶ,

Μετά τῆς ἐν Κυρίῳ ἀγάπης,

Ὁ Μητροπολίτης Φωκίδος Ἀθηναγόρας Ζακόπουλος, διπρεπής Ἱεράρχης, συγγραφέας φιλοσοφικῶν ἔργων, Διδάκτορας τῆς φιλοσοφίας τοῦ Πανεπιστημίου τῆς Γλασκώβης διετέλεσε μεταξύ ἄλλων καί Πρωτοσύγκελλός μου στήν Ἀρχιεπισκοπή Θυατείρων.

ΜΕΘΟΔΙΟΥ Γ. ΦΟΥΓΙΑ
ΜΗΤΡΟΠΟΛΙΤΟΥ ΠΙΣΙΔΙΑΣ

ΕΙΣΑΓΩΓΗ ΕΙΣ ΤΟΝ ΜΕΓΑΝ ΦΩΤΙΟΝ

Ἀνάτυπον ἐκ τοῦ τόμου Ι΄ (1989-1991)
τῆς Ἐπετηρίδος *Ἐκκλησία καὶ Θεολογία*

ΑΘΗΝΑΙ

Πίνακας περιεχομένων

Εἰκόνες

ΕΚΔΟΤΙΚΗ ΠΑΡΑΓΩΓΗ
ΕΠΤΑΛΟΦΟΣ ΑΒΕΕ
ΑΡΔΗΤΤΟΥ 12-16 - 116 36 - ΑΘΗΝΑ
ΤΗΛ.: 010 9217513 - 010 9214820
FAX: 010 9237033
www.eptalofos.com.gr
e-mail: info@eptalofos.com.gr